中国加拿大高等教育项目资助 *材料科学翻译丛书*

物 理 学

原 理 与 应 用

[美] Douglas C.Giancoli 著

谢二庆 译

兰 州 大 学 出 版 社

图书在版编目(CIP)数据

物理学原理与应用/(美)詹科利(Giancoli,D.C.)著;谢二庆译.—兰州:兰州大学出版社,2002

ISBN 7-311-02054-9

Ⅰ.物... Ⅱ.①詹... ②谢... Ⅲ.物理学 Ⅳ.04

中国版本图书馆CIP数据核实(2002)第068834号

物理学

原理与应用

著 [美]Douglas C. Giancoli

译者 谢二庆

兰州大学出版社出版发行

兰州市天水路308号 电话:8617156 邮编:730000

E-mail:press@onbook.com.cn

http://www.onbook.com.cn

兰州残联福利印刷厂印刷

开本:787×1092 1/16 印张:35.5

2002年9月第1版 2002年9月第1次印刷

字数:814千字 印数:1～1000册

ISBN7-311-02054-9/O·163 定价:53.50元

译 者 前 言

本书译自美国 Douglas C.Giancoli 教授 (University of California at Berkeley) 编著、由Prentice Hall公司出版的 "Physics: Principles with applications"（第五版）一书。原书共有33章，分第一和第二分册出版。本书翻译出版的是第一分册，共分15章，内容包括：一维、二维运动学；动力学；万有引力；功和能；线动量；角动量；静力学；流体；振动和波；声音；温度和热；热力学等。

原书系美国大学本科非物理专业的普通物理教材。作者在编写时通过有趣的物理应用，启发学生深入理解基本的物理概念，同时培养他们在日常生活和工作中运用物理的能力，帮助他们学会从物理学的角度去观察世界。每章都配有大量的趣味性很强的习题。中译本可作为我国大学理工科非物理专业学生的教材或参考书。

本书的翻译出版是作为兰州大学与加拿大马尼托巴（University of Manitoba）共同执行的中加高等教育合作项目——"面向21世纪高教战略"的内容之一。加拿大国际发展署（**CIDA**）资助了部分出版经费，在此深表谢意。

衷心感谢王晓强、马紫微、张志敏、林洪峰、刘一等许多同学以及兰州大学出版社的多位同志对本书的出版所做的大量工作。

由于译者水平有限，译文中的不妥和错误在所难免，敬请读者批评指正。

译者

2002年7月

目 录

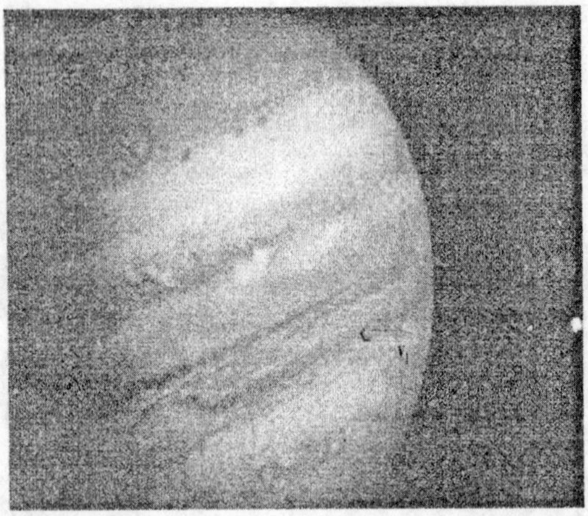

前 言

第五版

在这本以代数为基础的物理教材的第五版本出版之前，人们一直期望作者能够早日完成它。

我认为以前的版本并没有出现太多的错误。出版新版本的目的主要是为了提高和完善本教材，同时介绍一些新题材，并尽可能地去除那些过时了的使本书显得过于冗长的素材。为此，主要进行了以下几个方面的改进工作：

物理学：物理学本身并不会很快地发生变化，但每隔几年，总有一些新的发现需要包括进来，例如

- 行星围绕着恒星转动
- 哈勃太空望远镜收集的信息
- 粒子物理和天文学（例如宇宙的年龄）的最新进展

教学法：物理学迅速变化的一个方面是研究如何让学生更好地学习物理学。因此，新版本中包含了一些新的单元：

概念例题。每章平均有 2 到 3 个例子是以简明的问答方式给出的。这样做的目的在于，读者在阅读答案之前，对问题先进行思考、最终得出结论，可以起到启发他们的作用。以下是一些例子：

- 速度与加速度（第二章）
- 苹果和马车（参照系和抛体运动，第三章）
- 什么对汽车施加了作用力？（第四章）苹果和马车（参照系和抛体运动，第三章）
- 哪个物体能从斜面上更快地滚下？（第八章）
- 吸管上的手指（第十章）
- 抽水机（第十章）
- 煮意大利面条（第十四章）
- 电屏蔽/避雷针（第十六章）
- 光的哪部分会反射？（第二十三章）

估算举例。也是此次新版本的一个特点，在数据不足或不可能得到任何答案时，教会学生如何进行数量级估算。

解题方法。并没有被忽略。在新版本中增加了许多解题方法方面的例子，下面是一些典型的例子：

- 安全气囊（2-10 节）
- 蹦极跳（6-14 节）
- 计算机的硬盘驱动器（8-4 节）
- 扩音器（11-7 节）
- 光电复印机（16-5 节）
- 化石的年龄（30-10 节）

部分新的例题替换了旧版本中那些不够实用的例题。通过对这些例题更详尽的解释，数学步骤的更加完善使这些例题更贴近现实，并变得更有吸引力和趣味性。

在新版中增加了许多新的练习题，并对旧的练习题进行了改编。

例题的标题。所有三种类型（包括概念例题和估算例题）的例题现在都有了标题（为了增加趣味性和便于参考）。

强调重要公式。对物理学中的重要公式（定律）不仅将其专门列出，而且用大写字母加以旁注，并施加边框，以示强调。

新增内容：在第五版本中增加了一些新内容（以下给出部分例子）

- 滚动（第八章）
- 转动做的功（$W=\tau\theta$）（第八章）
- 简谐运动的 v 和 a（第十一章）
- 高速公路上的海市蜃楼（第二十四章）
- 哈勃太空望远镜（出现在多处章节中）
- 希格斯玻色子，对称（解释），超对称（第三十二章）

图表：在新版中有很多图表（新加了 200 多幅，增加了大约 20%）。这些图表与例题和习题同时给出。并且对旧的图表进行了改进，使其具有更真实的背景和图形，同时使用了部分实物照片。

照片：很多带有照片的章节现在都有了矢量分析和其他分析方法与之配套。给学生在物理学方面以更丰富的感受。这些可视的图象加深了学生们的记忆。

在本书中加入了许多新的有趣的图片，可以让人们认识到物理学的实际应用。这些图片包括：散射、球面镜的映像、照相机镜头的景深、哈勃太空望远镜以及 DNA 的 X 射线衍射图等。

应用：物理学在日常生活中，在生物学、医学、建筑、地质以及其他领域的相关应用已经成为本书的一大特色，以后也一直会保持这一特色。这些实际应用可以回答学生 “为什么要学习物理？” 这一问题。在本版中新增了部分应用实例（部分旧的实例已做删减）。例如：

- 升降机和磅秤（第四章）
- 屏蔽（第十六和二十章）
- 干电池（第十八章）
- 北极光（第二十章）
- 感应炉（第二十一章）
- CD 播放机、激光和光盘（第二十八章）
- 烟雾探测器（第二十九章）

还有一些前面已经提到过的例题，如安全气囊、蹦极跳者、复印机、高速公路上的海市蜃楼和计算机的硬盘驱动器。

物理内容的修订：为使本书表述得更加清楚，对每个章节或多或少都做了修改。这里给出一些重要的改动：

- 给出典型长度、时间、质量（第一章）和电压（第十七章）的新列表
- 第二章：对位移、速度和参照系重新做了表述
- 为理解速度和加速度（第二章）增加了新的插图
- 单位转换移到第一章
- 相对速度移到第三章末尾
- 简化了牛顿第二定律的引言部分（第四章）
- 简单机械：滑轮（第四章）、杠杆（第九章）、水压机（第十章）
- 新增章节："沿弯道行驶的汽车"（第五章）
- 更早地引入周期和频率的概念（第五章）
- 功能转换，特别对势能做了更详尽的描述（第六章）
- 稍微简化了角动量部分，主要是矢量方面（第八章）
- 使惯性运动更简明（图 8-20）
- 转动坐标系，惯性力以及将科里奥利力从第八章移到附录中
- 极大地简化了垂直弹力的起因（第十一章）
- 用波动简化了能量转移，对难理解部分给出附加章节（第十一和十二章）
- 光速测量从第二十三章光学部分移到第二十二章电磁波部分
- 重写了放大镜部分（第二十三章）
- 更详细地论述了相对论动量部分（第二十六章）
- 复杂原子的新能级图（第二十八章）
- 基本粒子物理和宇宙论的新成果（第三十二和三十三章）

页面安排：保持完整性。本版十分注意页面排版，特别是在换页时花费了很多精力以便使重要的推导和讨论保留在相对的页面上。这样读者可以免去翻页查对的麻烦。更重要的是读者在通览全书时，首先清楚在相对的页面上就是物理内容完整的一小节。有时当插图需要在下一页讨论时，会在这一页重复这个插图，这样读者就不必翻页查看。

删除：由于增加了一些新的内容，为避免本书过于冗长，一部分内容不得不删去。一些新例题替换了缺乏趣味性的旧例题。相当一部分论述被简化或删去。下面是一些所删内容：基本单位的演化；定义的给出（泛指）；“定律或定义”一节（只在第四章保留一小部分）；角动量的矢量本质（大大简化）；里纳尔兹数，沉淀，斯托克斯方程；管中的流动（阀门）；奥尔伯佯谬。

本书范围

本书是写给学生阅读的。它从两方面启发学生，使其能够深入了解基本的物理概念，同时通过有趣的应用，培养他们在自己的日常生活和工作中运用物理的能力。这本书尤其是写给那些需要学习一年基础物理课程的学生们的，这门课只用到了代数和三角知识，而没有用微积分。这些学生的主要兴趣在于生物、医学、建筑、技术或地球和环境科学。这本书包括了在这些领域以及日常生活中大量的应用举例。这些应用回答了“为什么一定要学习物理学？”这一学生中普遍存在的问题。答案当然是物理在这些领域中有着非常重要的作用，在本书中，他们将看到物理学是如何被应用的，物理现象在我们周围无处不在。的确，这本书的目的就是帮助学生学会从物理学的角度去观察世界。

学生们在应用之前应该有物理基础。这次新版，比起以前的各版来讲可读性更强、更有趣味性、更加清晰、更易理解。目的是在不过于简化的情况下，让学生知道他们的需求和将要遇到的困难。

方法总论

这本书对物理学知识给出了一个全面的介绍，保留了早期版本的基本方法。书中没有用普通的、干涩的、教条的方法，即从形式上抽象地讨论一个论题，然后直接引出与学生经历有关的具体事例。我们的方法是：首先承认物理学是对客观世界的描述，从现实观察到的和学生实际接触到的实例来开始每个，然后再得出一般规律。这不仅增加了趣味性、更易理解，而且与物理的实际应用更加密切相关。

我曾经尝试过尽可能地从历史和哲学的角度来说明物理的基本概念。

正如上面提到的，本书中包含了大量的应用举例，它们来自其他领域：诸如生物、医学、建筑、技术、地球科学、环境科学，以及日常生活。一些应用只是为了举例说明物理原理，另一些则是深层次的运用，我们全面地描述了它们（其中有医学成像系统的问题，拱形物和圆顶的建造、以及辐射的作用）。但应用并不是本书的主要内容，毕竟这是一本物理学教材。这些应用都是被精心选入的，所以它们不会妨碍物理学的学习，而是进一步阐述了它。在书中你不会发现那些无关紧要的描述。这些应用很恰当地与本书结合成一体。即使有些应用自成一节时，它也是与刚学过的物理原理相辅相成的。在本书中，为了更好地说明这些应用，加入了一个新的名为“物理应用”的旁注。

数学可能会成为学生们理解的障碍，为了避免学生们产生畏难情绪。我在书中没有在最初的章节中讲数学，而是将重要的数学工具，例如矢量的加法和三角运算等，直接放在书中该用的部分。另外附录中包括代数和几何及量纲分析这样的数学知识的复习。一些较前沿的论题也放在了附录中：球坐标、惯性力、向心力、高斯定理、伽里略-洛仑兹变换等。

我认为对细节加以重视是必要的，尤其当导出重要结果时，我致力于在一个推导中尽量包括所有步骤，试图使那些基本或非基本的公式更清晰，在重要公式后的括号中写明其局限性或使用范围。例如：

$$x = x_0 + v_0 t + \frac{1}{2}at^2 \qquad [\text{其中 } a \text{ 为常数}]$$

较难的术语也会妨碍理解：我试图以一种不太严密的形式写出，以避免专业术语，而且我经常用口语向学生们进行讲解。当新的或不常用的术语在第一次出现时，我会给了其详细的解释。

颜色常被用于物理教学。不同形式的矢量，以不同颜色标出（看符号注释页的图表）。为了说明新出现的例题，包括课本内容和习题，加入了许多新的图表。第五版的新特色和修订艺术——包括新超级现实主义美术，更多的例题插图和章末习题，以及许多新的照片。

习题解答

本版十分重视习题解答。学习如何解答习题是物理课程的一个基本部分，也是一个基于物理学上的更高层次的应用技巧。解答习题是重要的，因为这个过程有助于对物理学的理解。全书中有许多内容和解题步骤都用来说明如何解答习题。前面的章节中，当学生开始认真思考习题时，就会发现有很多这样的说明；还有很大一部分在书的后半部分，分布于力学、电学、热力学及光学等章节（在力学和电学中，习题解答是被特别强调的）。这些解题框为我们如何进行习题解答提供了一个概括说明,它们并不提供现成的解题方案。因此，它们常被放在一些已经解答出的例题之后，作为一种我们如何解题的概要说明。

书中的400多个例题已被完全解出。在此次新版中，有三种类型的例子：普通例题、估算例题及概念例题。普通例题在书中被完全解出，其中许多都附有图表。设计这些例题是为了帮助学生提高从简到难的解题能力。估算例题通过利用一种叫做“信封背面”的疑难解答技巧来鼓励学生去分析和理解，它们增强了学生进行分析思考问题的能力。概念性的例题比起数字计算题和公式应用，更能够加强学生对物理基本概念的理解。许多例子都是选自于日常生活，是物理学原理的实际应用。

课后练习题有3100多个。包括700多个问答题（只需基于对概念的理解上的口头回答），和2400多个习题（涉及数学计算）。

每一章后都给出了大量习题，它们按章节分开，按难易程度进行了分类：I级题相对简单，通常可轻松地得出答案，它们给学生自信心；II级题多为普通题目，需要多思考，并且经常是两个不同概念的结合；III级题是最难的，它们主要是针对能力较强的学生。习题前附的章节数表示这些题是基于此节所讲内容，也可能要用到以前所学过的知识。根据题的难易程度进行的分类只是一种指导。

我建议老师一般用I、II级题目，将III级题目给成绩最好的学生来作。虽然大多数I级题似乎很容易，但它们有助于建立自信心——这是学习中非常重要的部分，尤其在物理学中。

每章中也有一组“普通习题”，它们没有分类，也没按章节列出。

在书后给出了标号为奇数题的习题答案。整个书中全部用国际单位制（SI）。为了达到丰富信息的目的，其它如公制和英制单位也被定义了。

编排方式

新版的提纲保留了传统的论题编排顺序：力学（第1到12章），包括振动、波和声学；接下来是分子运动论与热力学（第13到15章）；电学和磁学（第16到22章）；光学（第23到25章）；以及近代物理（第26到33章）。几乎物理学教学中应讲的部分都包括了。

传统上以力学作为开始是合理的，我想是因为在历史上它是最先发展起来的，同时物理学的其他部分都以力学为基础。在力学部分，有多种不同的编排方法，这本书主要是考虑到机动性和灵活性。例如我更喜欢在动力学之后再讲静力学，部分原因是由于许多学生遇到只有力而没有运动的概念时觉得很费解。除此之外，静力学是动力学的一个特殊情况——我们学习静力学是为了防止建筑物变成动力学的情况（倒塌）——对动力学条件限制的感受在直观上是有帮助的。尽管静力学部分（第9章）可以放在动力学前面，矢量简介的后面。另一种是光学部分的选择，我把这一部分内容安排在电学、磁学和电磁波的后面。实际上，在学习了波（第11，12章）后就可以直接讲光学。狭义相对论（第26章）与近代物理部分的章节放在一起，它同样可以和力学部分放在一起。也就是说，它可以放在第七章以后讲。

不同章节在教学中占的课时比重是不一样的。就第1章或第21章来讲，需要一周半到两周的课时，而第12章或第22章可能只需半周的课时就可以了。

本书中的内容要超过一年的课时量，所以教师应灵活地选择所讲内容。标有星号（*）的章节是可以选修的（如果课堂上不讲，可将它们作为以后学习的教材。）这些部分包括一些比较前沿的物理学题材（这些内容在一般课程中不讲）和一些有趣的应用。这些内容与后面的章节无关（除非后面章节有可选部分）。但这并不意味着没有标星号的部分就一定要讲：在这些内容的选择中也要考虑到灵活性。以一种比较简单的课程来说，除了可选部分不讲之外，还可以不讲第10、12、19、22、28、29、32和33章中的主要部分，另外第7、8、9、15、21、24、25和31章中的一些内容可以选择讲解。

致谢

有60多位物理学教授对第五版书的每一方面提供了直接的反馈意见，涉及到排版方式、内容、图片，以及有关新增例题和习题的建议。现将审阅过本版书的教授名单列出如下，以表示对他们的感谢。

David B. Aaron (South Dakota State University)
Zaven Altounian (McGill University)
Atam P. Arya (West Virginia University)
David E. Bannon (Chemeketa Community College)
Jacob Becher (Old Dominion University)
Michael S. Berger (Indiana University. Bloomington)
Donald E. Bowen (Stephen F. Austin University)
Neal M. Cason (University of Notre Dame)
H. R. Chandrasekhar (University of Missouri)
Ram D. Chaudhari (SUNY—Oswego)
James P. Jacobs (University of Montana)
Larry D. Johnson (Northeast Louisiana University)
David Lamp (Texas Tech University)
Paul Lee (University of California, Northridge)
Daniel J. McLaughlin (University of Hartford)
Victor Montemeyer (Middle Tennessee State Univ.)
Dennis Nemeschansky (USC)
Robert Oakley (University of Southern Maine)
Robert Pelcovits (Brown University)
Brian L. Pickering (Laney College)

K. Kelvin Cheng (Texas Tech University)
Lowell O. Christensen (American River College)
Mark W. Plano Clark (Doane College)
Scott Cohen (Portland State University)
Lattie Collins (East Tennessee State University)
Sally Daniels (Oakland University)
Jack E. Densen (Mississippi State University)
Eric Dietz (California State University, Chico)
Paul Draper (University of Texas, Arlington)
Miles J. Dresser (Washington State University)
F. Eugene Dunnam (University of Florida)
Gregory E. Francis (Montana State University)
Philip Gash (California State University, Chico)
J. David Gavenda (University of Texas. Austin)
Grant W. Hart (Brigham Young University)
Melissa Hill (Marquette University)
Mark Hillery (Hunter College)
Hans Hochheimer (Colorado State University)
Alex Holloway (University of Nebraska, Omaha)
T. A. K. Pillai (University of Wisconsin, La Crosse)
Michael Ram (University of Buffalo)
David Reid (Eastern Michigan University)
Lawrence Rowan (UNC, Chapel Hill)
Roy S. Rubins (University of Texas, Arlington)
Thomas Sayetta (East Carolina University)
Neil Schiller (Ocean County College)
Juergen Schroeer (Illinois State University)
Marc Sher (College of William and Mary)
James P. Sheerin (Eastern Michigan University)
Donald Sparks (Los Angeles Pierce College)
Michael G. Strauss (University of Oklahoma)
Harold E. Taylor (Stockton State University)
Michael Thoennessen (Michigan State University)
Linn D. Van Woerkorn (Ohio State University)
S. L. Varghese (University of South Alabama)
Robert A. Walking (University of Southern Maine)
Lowell Wood (University of Houston)
David Wright (Tidewater Community College)

同时，我还要感谢那些审阅过本书早期版本的物理学家们，他们是：

Narahari Achar (Memphis State University)
William T. Achor (Western Maryland College)
Arthur Alt (College of Great Falls)
Zaven Altounian (McGill University)
John Anderson (University of Pittsburgh)
Subhash Antani (Edgewood College)
Sirus Aryainejad (Eastern Illinois University)
Charles R. Bacon (Ferris State University)
Arthur Ballato (Brookhaven National Laboratory)
Gene Barnes (California State U., Sacramento)
Isaac Bass
Paul A. Bender (Washington State University)
Joseph Boyle (Miami-Dade Community College)
Peter Brancazio (Brooklyn College, CUNY)
Michael E. Browne (University of Idaho)
Anthony Buffa (Cal Poly S.L.O.)
David Bushnell (Northern Illinois University)
Albert C. Claus (Loyola University of Chicago)
Lawrence Coleman (Univ. of California, Davis)
Waren Deshotels (Marquette University)
Frank Drake (Univ. of California. Santa Cruz)
Miles J. Dresser (Washington State University)
Ryan Droste (The College of Charleston)
Frank A. Ferrone (Drexel University)
Len Feuerhelm (Oklahoma Christian University)
Donald Foster (Wichita State University)
Philip Gash (California State University, Chico)
Simon George (California State Univ., Long Beach)
James Gerhart (University of Washington)
Bernard Gerstman (Florida International Univ.)

Michael Broyles (Collin County Community College)
Hershel J. Hausman (Ohio State University)
Laurent Hodges (Iowa State University)
Joseph M. Hoffman (Frostburg State University)
Peter Hoffmann-Pinther (U. of Houston-Downtown)
Fred W. Inman (Mankato State University)
M. Azad Islan (State Univ. of New York -- Potsdam)
James P. Jacobs (Seattle University)
Gordon Jones (Mississippi State University)
Rex Joyner (Indiana Institute of Technology)
Sina David Kaviani (El Camino College)
Joseph A. Keane (St. Thomas Aquinas College)
Kirby W. Kemper (Florida State University)
Sanford Kern (Colorado State University)
James E. Kettler (Ohio University-Eastern Campus)
James R. Kirk (Edinboro University)
Alok Kuman (State Univ. of New York --Oswego)
Sung Kyu Kim (Macalester College)
Amer Lahamer (Berea College)
Clement Y. Lam (North Harris College)
Peter Landry (McGill University. Montreal)
Michael Lieber (University of Arkansas)
Bryan H. Long (Columbia State College)
Michael C. LoPresto (Henry Ford Corn. College)
James Madsen (University of Wisconsin, River Falls)
Ponn Mahes (Winthrop University)
Robert H. March (University of Wisconsin-Madison)
David Markowitz (University of Connecticut)
E. R. Menzel (Texas Tech University)
Robert Messina
David Mills (College of the Redwoods)
George K. Miner (University of Dayton)
Ed Nelson (University of Iowa)
George Novak (Indiana Univ./Purdue Univ.)
Roy J. Peterson (University of Colorado-Boulder)
Frederick M. Phelps (Central Michigan University)
Charles Glashausser (Ringers University)
T. A. K. Pillai (University of Wisconsin-La Crosse)
John Polo (Edinboro University of Pennsylvania)
W. Steve Quon (Ventura College)
John Reading (Texas A&M)
William Riley (Ohio State University)
Larry Rowan (University of North Carolina)
R. S. Rubins (University of Texas, Arlington)
D. Lee Rutledge (Oklahoma State University)
Hajime Sakai (Univ. of Massachusetts at Amherst)
Ann Schmiedekamp (Penn State U., Ogontz Campus)
Mark Semon (Bates College)
Eric Sheldon (University of Massachusetts-Lowell)
K.Y. Shen (California State University, Long Beach)
Joseph Shinar (Iowa State University)
Thomas W. Sills (Wilbur Wright College)
Anthony A. Siluidi (Kent State University)
Michael A. Simon (Housatonic Community College)
Upindranath Singh (Embry-Riddle)
Michael I. Sobel (Brooklyn College)
Thor F. Stromberg (New Mexico State University)
James F. Sullivan (University of Cincinnati)
Kenneth Swinney (Bevill State Community College)
John E. Teggins (Auburn Univ. at Montgomery)
Colin Terry (Ventura College)
Jagdish K. Tuli (Brookhaven National Laboratory)
Kwok Yeung Tsang (Georgia Institute of Technology)
Jearl Walker (Cleveland State University)
Jai-Ching Wang (Alabama A&M University)
John C. Wells (Tennessee Technological)
Gareth Williams (San Jose State University)
Thomas A. Weber (Iowa State University)
Wendall S. Williams (Case Western Reserve Univ.)
Jerry Wilson (Metropolitan State College at Denver)
Peter Zimmerman (Louisiana State University)

非常感谢 Irv Miller 组织的小组成员计算出了所有的习题答案，他们相互检阅，最后形成了本书后面的答案和习题解答手册。

感谢 Paul Draper, Robert Pelcovits, Gregory E.Francis 和 James P.Jacobs 教授在许多概念例题、问题及习题方面给予作者的启示和建议。感谢 Howard Shugart, John Heilbron, Joe Cerny 和 Roger Falcone 教授提供的非常有意义的探讨，以及加州大学 Berkeley 分校物理系的殷勤和款待。

最后，我要特别感谢在 Prentice Hall 出版公司和我一起承担本项目的同事们，尤其是 Susan Fisher, Marilyn Coco, David Chelton, Tim Bozik, Gary June, Kathleen Schiaparelli, Richard Foster, Patrice Van Acker 以及 Dave Riccardi. 我还要特别感谢 Paul Corey 对本项目每一阶段工作的管理和指导，感谢他几乎没有说过："把这些事情干完"这样的话；感谢 Ray Mullaney，正是他在反复编辑过程中体现出来的高度奉献精神，才使得本书的叙述变得清晰而精确。理所当然，本书所有错误的最后责任都由我本人承担，欢迎批评指正。

Douglas C. Giancoli

附录

针对教师：

教师解题手册 由 Irvin A. Miller 编写印刷版（0-13-627985-6）；电子版 Windows（0-13-627993-7）；Macintosh （0-13-628009-9）。本手册包含了文章中每一个习题的解答细节，由 Drexel University 的 Irvin A. Miller 编写。

问答题答案 由 Ohio State University, Columbus 的 Michelle Rallis 和 Kurt Reibel 以及 Ohio State University, Marion 的 Gordon Aubrecht 编写，包含了每章末的所有问答题答案。

透明片 (0-13-628041-2)；包含 400 张 4 色透明片——大约是以前版本图片数量的 2 倍。

单元测试试卷 由 Bo Lou 编写（0-13-628017-X）；超过 2400 道选择题——30%新题！许多新概念习题已经加入了第五版本中。

Prentice Hall **出版公司自定义测验** Windows(0-13-628025); Macintosh (0-13-628033-1);
建立在工程软件协会（ESA）发展起来的能力测试技术上。Prentice Hall 珀莱提斯豪尔出版公司自定义测验允许教师根据自己的需要，创新和制作试卷。利用在线测试程序，可以在网上进行考试管理，并能自动判卷得分。一个全面的桌面参考引导也包含在在线辅助中。

针对学生：

学生学习指导：由 Joseph Boyle 编写 (0-13-627944—9)；作为本书的一个补充，由具有丰富经验的教育者编写，内容涉及总论、主题概述和练习、关键词语和术语、自学测试以及每一章的复习问答题。

MACT 学习指导：由 Joseph Boone 编写 (0-13-627951—1)；一本完整的修订版学习资源书，有本书相关章节关于 MCAT 物理主题的索引。还提供了附加的复习、复习问题和习题。

网上物理学：学生指导 由 Andrew Stull 和 Carl Adler 编写（0-13-890153-8）。这是帮助学生利用好本书网页的一个极好工具。这一有用的资源清楚地给出了进入 Prentice Hall 公司定期更新的物理资源库的步骤。当学生购买了有关这本书的套装软件时，就可以免费利用这些资源。

Prentice Hall 出版公司/ 纽约时报

时代的主题——物理 这一独一无二的报纸增刊从纽约时报 中收集了与物理相关的最近文章。

多媒体附件

物理学互动旅程：由 Cindy Schwarz，Vassar College 编写。适用于 Windows 和 Macintosh (麦金托什机—苹果机)的光盘，©1997 (0-13-254103-3)； 不管学生是否有兴趣探索令人着迷的物理概念，提高学习成绩，或是复习 MCAT, 物理学互动旅程 都将丰富讲解、实验和课本的传统学习经验。

互动物理学播放手册：由 Cindy Schwarz 编写。Windows 书/盘（0-13-667312-0）；Macintosh 书/盘（0-13-477670-4）；在你的课程中很容易使用互动物理学。这种高度互动学习手册/盘套装软件包含了 40 个不同难度的模拟课程设计。每一个课程设计含有物理复习、模拟细节、提示、结果解释、数学帮助以及自我测试。

物理学探索运行版本：由 LOGAL 编写。Windows (0-13-627969-4); Macintosh (0-13-627977-5); 专为本书的使用而制定。物理探索运行版本包含了本教材中的 100 多道习题和例题。学生可以做实验，相互记录实验结果于电子数据表中，并可利用十个独立的学习模型中的任一个作出图形来：

粒子力学——单体，二体，重力和哈密顿运动
波动力学——波，波纹槽，衍射
电磁理论——单体电动力学，交流/直流电路，静电学

光盘演示集 此光盘包括所有课本中的插图和“你能看见的物理”录象带中的内容，还有附加实验和演示录象，以及穿越物理相互作用旅程 中的卡通制作。

物理学：原理与应用网址 http://www.prenhall.com/giancoli；其特色在于，拥有和课本紧密结合的在线反馈/分级练习测试。

你能看见的物理录象带 （0-205-12393-7）。每 2 到 5 分钟演示一个经典物理实验。包含 11 个片段，例如："硬币和羽毛"（重力引起的加速）；"猴子和枪"（抛体运动）；"旋转髋部"（力偶）；和"容器崩溃"（大气压）。

排版说明（针对学生和教师）

1. 标有"*"号的部分是可以选讲的。只要不中断课程进程，它们可略去不讲。除标有"*"号的部分外，它们与后面的课程无关。可以将它们作为兴趣阅读材料。

2. 习惯用法：一些量的符号（如 *m* 代表质量）为斜体字，而单位（如 m 代表米）则不是斜体。粗体（黑体）（**F**）用来表示矢量。

3. 公式不是在任何时候都可用。书中一些重要公式的限制在公式后的中括号里注明。表示物理学基本定律的公式用阴影写出。

4. 重要的数据（看 1-4 节）所给出的数值不应该被认为是该值可能更大一些。比如一个数据是 6，后跟单位，就意味着该数值就是 6，不是 6.0，也不是 6.00。

5. 每章的后面都有一部分问题需要学生回答（至少应自问自答）。

6. 能够解题是学习物理的关键部分，它为理解物理概念和原理提供了强有力的方法。本书包括了许多有助于习题解答的部分：（a）书中给出的例题及其解法，专门标出作为学习的主要内容；（b）书中自始至终都有"疑难解答框"，它们给出了一个特定论题的解题思路，但没有针对每一个题给出其解法，因为基本思路是一样的；（c）特殊疑难解答部分；（d）旁注，许多旁注为解决问题提供了所需的线索；(e) 在每一章后面的习题本身（看第 5 点）；(f) 一些例题的解法属于估算，这意味着所得到的结果是粗糙的，或是近似的，尽管所给出的数据是稀少的（看 1-7 节）。

7. 概念例题看上去和一般的例题差不多，但其更重视概念性，而不是计算量。每个例题提出一个或两个问题，这些问题能促使你去思考,以锻炼你的反应能力。在阅读答案之前，给自己一点思考的时间，提高反应能力。

8. 旁注：简洁的旁注（蓝色印刷）几乎遍布每一页，这些旁注有四种类型：(a) 一般注解（绝大多数），作用相当于本书的提纲，能帮助你迅速定位重要概念和重要方程；(b) 对伟大的物理定律和物理原理的注解，用大写字母并加方框表示，依次作为强调 ；(c) 针对文中疑难问题的解答线索或技巧的注解，称之为"疑难解答"；(d) 关于文中物理应用问题或例题的注解，称之为"物理应用"。

9. 本书以全色印刷，不仅仅是为了让本书更具吸引力。尤其是在图片中运用的颜色，目的是为了让分析更加清晰，也使图片中所含的物理原理变得简易好学。下一页的表格就是关于颜色在图片中如何运用的概要说明，指明哪些颜色用于不同的矢量，哪些颜色用于场力线，哪些颜色用于其它的标志和目的。在本书中，这些颜色的运用从头至尾都是一致的。

你能指出这幅图片所包含的物理学知识吗?

答案：运动，速度，动量，功，能，结构和它们的受力（为什么它们能稳定支撑？），转动，转距，角动量，流体，牵引力，摩擦力，波动。

第一章 引 言

物理学是一门最基础的学科，它所处理的问题与物质的性质和结构有关。物理学通常包括运动、流体、热、声、光、电和磁以及现代相对论光学、原子结构、凝聚态物理、核物理、基本粒子和天文物理等领域。在本书中，我们将以运动学（通常也称为力学）为开篇，并将涵盖所有这些领域知识。在学习物理本身之前，让我们先来看看那些所有称为“科学”的活动（包括物理）是如何实际进行的。

图 1-1 在这幅著名的描绘文艺复兴时期雅典学院的作品中（拉菲尔绘于 1510 年），亚里斯多德（图中央靠右处）站在台阶顶层中央（和他站在一起的是柏拉图）。在这幅伟大的艺术杰作中，我们同样可以看到欧几里德（右下角画圆者）、普特雷米（最右侧拿圆球者）、毕达哥拉斯、索法克里斯和狄更斯。

1-1 科学与创造

一般认为所有科学（包括物理）的基本目的，就是通过观察我们周围的世界，发现其中的规律。许多人将科学看成是一种收集事实和创立理论的机械过程。事实并非如此。从许多方面来看，科学与人类的其他创造性思维一样，都是一项创造性活动。

让我们举一些例子来说明这个观点的正确性。科学的一个重要内容就是对事件的观察。但这种观察需要想象，因为科学家不可能将他们所观察到的所有事实都描述出来，他们必须对观察的事实做出判断。让我们以两个伟大的思想家亚里斯多德（公元前 384-322）和伽里略（公元 1564-1642）为例，看一看他们是如何解释物体的平面运动的。亚里斯多德注意到：当一个物体被沿着地面（或桌面）推动一下后，这个物体通常会减速并最终停止。因此，他认为物体的自然状态是静止的。在 17 世纪早期，伽里略反复研究了物体的水平运动，想象如果除去摩擦，受到初始推动的物体将沿水平表面一直运动下去，而不会停止。他的结论是：物体的自然状态是运动的，而不是静止的。通过引入一种新的方法，伽里略建立了现代的运动学理论（详见第二、三、四章），这一切都来自他想象的飞跃。伽里略实现的这种飞跃只是理论上的，实际上不可能完全除去摩擦。

观察与仔细的实验和测量只是科学过程中的一个方面，而另外一个方面则是引入和创建理论来归纳和解释这些观察到的现象。理论不会从观察直接产生。它们来自人类想象的灵感。例如，物质由原子组成的观点（原子理论）不是因为有人观察到了原子才提出的，而是来自创造性的思维。同样，相对论理论、光的电磁理论、牛顿的万有引力定律等都是人类想象的结果。

伟大的科学理论的创造性成就可与伟大的文学艺术作品相媲美。但科学又不同于其他的创造性活动，差异在何处呢？一个重要的不同点就是科学需要验证，看其理论预言是否背离实际。

虽然对理论的验证可看作是科学不同于其它创造性活动的明显标志，但不能认为某种理论是已经被实验“证实”过了的。首先，测量仪器都是不完美的，使得精确的测定也是不可能的。其次，不可能对理论进行每一种特定条件下的检验。所以，一种理论就不可能是完全被证实过的。实际上，理论本身通常并不是完美的—— 一种理论很少与实验结果完全相符，在每一种被检测的信号中都存在着实验误差。科学发展的历史告诉我们，长期占据统治地位的理论会在某时被一种新理论取代。一种理论取代另一种理论是科学哲学中的重要组成部分，我们在这里仅做简单讨论。

在某些情况下，一种新理论被科学家广泛接受，是由于在大量的实验中新理论比旧理论更与实验相符。但在许多情况下，一种新理论是否被接受，只是看它是否能比旧理论（如图1－2b 所示）解释更多的现象。例如，在预言天体（太阳、月亮、行星）的运动时，开普勒的宇宙日心说最初并不比托勒密的地心说（如图 1－2a 所示）准确。但开普勒的理论得出了托勒密没有得到的重要推论；如预言了金星的类月现象。对科学家来说，一个更简单（或不太复杂）、更丰富、并且概括和解释了各类现象的理论是更有用和更完美的。这一观点同与实验相符一样在理论的被接受过程中起了重要作用。

任何理论的一个重要方面是如何更好地预言大量的现象。从这一观点出发，一个新理论常常并不比旧理论先进。例如，在通常情况下，爱因斯坦的相对论给出的结果与伽里略和牛顿的旧理论所得到的结果相比只有很小的差异。相对论只是在接近光速的情况下才能得到更好的结果。就此说来，它只是对旧理论进行了修正。一种新理论，不仅能给出一些重要的预言，而且能改变我们的世界观。例如，爱因斯坦的相对论就彻底改变了我们的时空观念，并使我们将质量与能量看成一种实体（通过著名的方程，$E=mc^2$）。在相对论被接受后，我们的世界观经历了一个根本的改变。

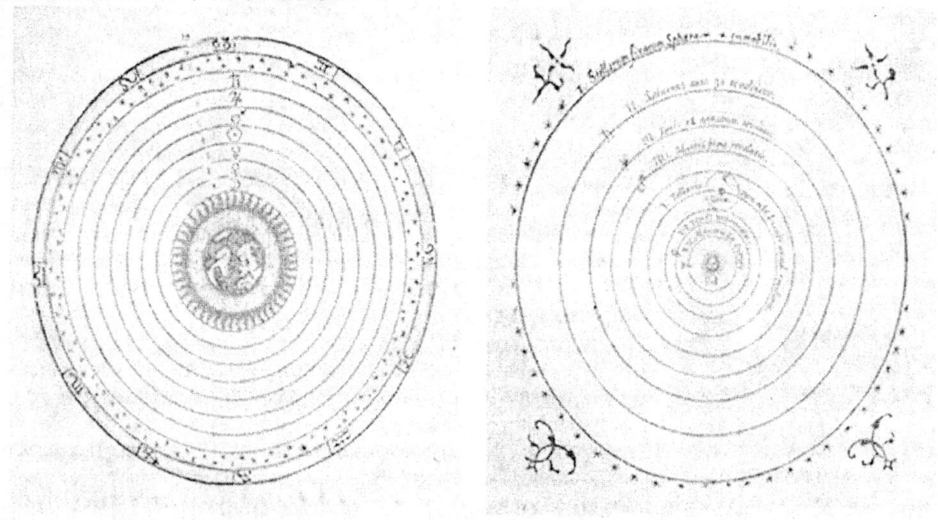

图 1-2 (a) 托勒密的宇宙地心说。注意，在中央是远古的四种元素：土、水、空气（包围着地球的云）、和火；外面使用有符号标记的圆，分别代表月球、水星、金星、太阳、火星、木星、土星——六个固定的星球和黄道带。（b）开普勒日心说的早期表示。

1-2 物理学与其它学科的关系

长期以来，科学或多或少是被统一在自然哲学范畴内的。只是在近一两个世纪，才出现了物理学和化学的分支，并逐渐出现了生命科学。我们现在看到的艺术与科学间明显的区别，实际上只存在了几个世纪。物理学和其他学科的发展是相互影响的。例如，有关力作用在各种结构上的分析，最早出现在文艺复兴时期的伟大的艺术家、研究者、工程师勒纳德·达·芬奇的笔记本中（如图 1-3 所示），这正是我们现代物理学的内容。即使从现在的观点来看，这些图对于结构和建筑学也是非常适用的。18 世纪，生理学家鲁吉·贾尔凡尼（1737-1798）关于电的早期工作导致了电池和电流的发现。他注意到，青蛙腿的抽搐会产生电火花。随后，他发现肌肉与两种不同的金属片接触时会产生抽搐（第十八章）。起初，这种现象被称为“动物电流”，但很快就弄清了在没有动物存在时，电流本身依然存在。后来，在 20 世纪 30 至 40 年代，一批受过物理训练的科学家开始用物理的思想和技术去解决生理学问题。马克斯·德尔布克（1906-1981）和艾尔文·薛定鄂（1887-1961）就是其中的杰出代表。他们希望，通过对生物组织的研究能够像研究其他事件一样发现新的物理学定律。虽然这种设想没有实现，但他们的努力导致了新的研究领域——分子生物学的诞生，这极大地丰富了我们对生物基因和结构的认识。

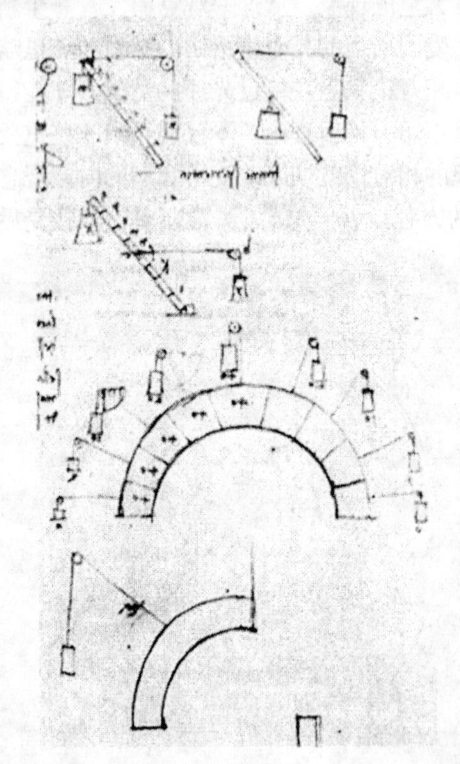

图 1-3 勒纳德·达·芬奇 (1452-1519)关于力作用在各种结构上的研究。

在医学或分子生理学领域，你不一定非得成为一个能够在你的工作中应用物理的研究科学家。例如，动物学家会发现，物理学能够帮助理解为什么在高原狗和其他动物能够存活而不会窒息。如果理疗学家清楚地球引力原理和力对人体的作用方向，则会对他的工作很有帮助。有关光电仪器的知识，对许多领域都是非常有用的。生命科学家和建筑师一样对于人类热量的失去和获得，以及由此引起舒适与不快感兴趣。例如，建筑师本人不一定非得计算供热系统管道的大小或设计的结构受的力是否能使其站立（如图 1-4 所示）。但建筑师必须知道这些分析背后的基本原理，以便达到理想的设计，以及与工程师或其他专家进行很好的交流。从美学家或心理学家的观点来看，建筑师必须考虑建筑物受的力中是否含有不稳定因素，即便是幻觉上的，也能引起那些必须工作和生活在这个建筑中的人的不适。实际上，在过去三千年中，建筑的许多令人羡慕的特征，不是它们的装饰效果，而是其实用价值。在第九章，我们会看到跨越空间并承重的拱门并非只是装饰结构，而在技术上也是相当重要的。

图 1-4 (a) 建于 2500 年前的希腊神殿到现在仍然耸立在意大利的拜斯塔姆。
(b) 建于 1978 年的哈特福德市民礼堂仅过了两年就倒塌了。

物理学与其他学科的联系是极其广泛的。在随后的章节里，我们将讨论许多这样的事例，以达到解释基本物理原理的目的。

1–3 模型、理论和定律

科学家常常利用模型来理解某些特定的现象。从科学的观点来看，**模型**是一种将此现象与我们熟悉的东西进行的类比或抽象。光的波动模型是个典型例子。我们无法看到像水波一样行进的光波，但想象光是一种波是有价值的，因为实验指出光的性质在许多方面与水波一样。

在我们不能实际看到发生了什么的时候，模型给出了一种抽象或直观的包含了某些内容的近似图像。模型可以使我们能更深刻地理解事物，与熟悉的系统作类比（如上所举水波的例子），可设计新的实验并指出可能发生的有关现象。

你可能会问，模型和理论的区别在哪里呢？有时这两个词可以互换。但一般来说，模型比较简单，它只是提供了一种与研究现象类似的结构，而理论更广泛、更详尽，并能提出大量可检验的通常十分精确的预言。有时，当一个模型被发展和修正以更加符合大量的实验现象时，便更接近理论。原子理论和光的波动理论都是这方面例子。

模型十分有用，并常常导致重要理论的产生。但要注意，不能将理论、模型和实际系统、实际现象本身混为一谈。

科学家用“定律”简洁而普遍地表述了自然的行为（例如能量守恒定律），有时也用关系式或方程定量地给出各物理量之间的关系（如牛顿第二定律，$F = ma$）。

要称为定律，则其表述必须在实验上与广泛观察到的现象相符。从某种意义上来说，定律是许多观察现象的统一。其次的表述是**原理**（如阿基米德原理）。当然，定律与原理间的界限是随意的，并且总是不一致的。

科学定律与政治法律不同，后者具有实效性，并成为我们的行为准则。科学定律是描述性的，它没有告诉自然应该如何运行，而只是描述了自然是如何运行的。与理论一样，定律不可能在无限可能的条件下进行检验。所以，我们不能确信任何定律都是绝对正确的。当定律被广泛验证并且其使用范围清楚时，我们可以使用它。当新情况出现时，特定的定律必须进行部分修正或放弃。

科学家通常会将定律和理论看作是正确的。但当新情况出现时，任何定律和理论的有效性都必须重新考虑。

1–4 测量和误差

为了理解我们周围的世界，科学家们需要寻找所观察和测量的物理量之间的关系。

例如，我们会问，力是如何影响物体的速度和加速度的？当温度升高或降低时，密闭容器（如轮胎）中的气压如何改变？科学家试图用方程定量地描述这些量之间的关系。虽然创造性思维很重要，但要确定这些关系，则必须进行仔细的实验测量。

精确的测量是物理的重要部分，但没有绝对精确的测量。每次测量都存在误差。除了出现测量错误，一个重要的限制是每种测量仪器都有自己的测量精度，你不可能精确读出超过其最小刻度的值。例如，用一把厘米尺测量木块的宽度（如图 1-5 所示），结果可达到尺子的最小刻度 0.1cm 的精度。因为在最小刻度间再进行区分是很困难的，并且尺子本身不可能制造和标度得更精细。

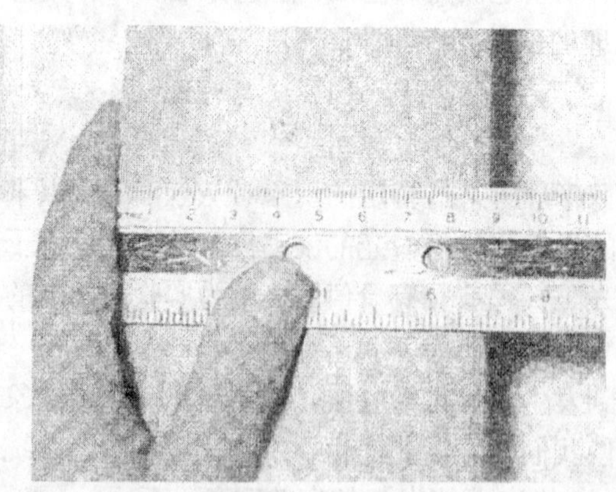

图 1-5 用厘米尺测量木板的宽度，误差 ±1 mm 。

在给出测量结果时，标明测量中的精度或**估计误差**也是很重要的。例如，木块的宽度可写成 5.2±0.1 cm。这里我们将测量中的估计误差写成±0.1 cm（加或减 0.1 cm），因此木块的实际宽度更可能在 5.1～5.3 cm 之间。**相对误差**就是误差与测量值的比再乘以 100。如果测量值是 5.2 cm，误差是 0.1 cm，那么相对误差就是：

$$\frac{0.1}{5.2}\times 100 = 2\%$$

在测量值中，误差通常没有标出。在这种情况下，误差通常取末尾数字的一到两个单位

（甚至三个）。如给出的长度是 5.2 cm，误差可取为 0.1 cm （或 0.2 cm）。在这种情况下，不能写成 5.20 cm，这一点非常重要，因为这样写表示误差在 0.01cm 的量级，并且长度可能在 5.19 cm 和 5.21 cm 之间，而实际上是在 5.1～5.3 cm 之间。

一个已知数值的可靠的位数叫做**有效数字**的位数。在 23.21 这个数中有四位有效数字，而在 0.062 cm 中只有两位有效数字（零在这里只是为了标出十进制的零位点）。有效数字的数位不总是明显的。如 80 这个数，它是一位还是两位有效数字呢？如果我们说两个城市间的距离约为 80 公里，那么只有一位有效数字（数字 8），因为零只起进位作用。如果这里 80 公里精确到 1 公里或 2 公里，那么 80 有两位有效数字。如果将 80 公里精确测量到±0.1 公里，那么应写成 80.0 公里。

进行测量或计算时，要避免在最后结果中保留多余的数位。例如，在计算边长为 11.3 cm 和 6.8 cm 的长方形面积时，相乘的结果是 76.84 cm^2。显然，这个答案没有精确到 0.01 cm^2, 因为结果在 $11.2 \times 6.7 = 75.04\ cm^2$ 和 $11.4\times 6.9 = 78.66\ cm^2$ 之间（用每次测量估计误差的最大值）。我们可提供的最佳答案是 77cm^2，它表示的误差范围是 1 cm^2～2 cm^2。在 76.84 cm^2 中，多余的两位数必须去掉，因为它们不是有效数字。通用法则：乘除计算时，最后结果的有效数位与所使用数值的最短有效数位一致。上述例子中，6.8 cm^2 是最短的有效数位，只有两位，这样结果 76.84 cm^2 需要取舍成 77 cm^2。

同样，在加减数值时，结果也不能比所用数值更精确。例如， 3.6 减去 0.57 为 3.0（而不是 3.03）。当你使用计算器时，必须牢记它处理的所有数位，可能不是有效的。用 2.0 除以 3.0，正确的答案是 0.67，而不是 0.66666666。在结果中，数位如果不是有效数字，不一定要标明。但要得到最精确的结果，最好在计算过程中多保留一位或两位有效数字，只在最后结果中去掉。另外，也要注意计算器有时给出太少的有效数字。例如, 要计算 2.5×3.2，计算器给出的结果是 8，但答案最好是两位有效数字，所以结果应为 8.0。

科学计数法常用幂或指数形式来表示一个数，例如，36900 写成 3.69×10^4,0.0021 写成 2.1×10^{-3}。（详见附录 A-2 和 A-3）。指数标记的一个好处是清楚地显示了有效数位。例如，我们不清楚 36900 的有效数位是三位、四位还是五位。使用指数标记可避免这一点：如果知道这个数精确到三位有效数字，则写为 3.69×10^4；如果是四位，则写为 3.690×10^4。

概念练习 1-1 **钻石是你的吗**？朋友要借你宝贵的钻石参加宴会。你有点担心，并用天平仔细地称出重量为 8.17 克。天平的精度标为±0.05 g。第二天，你重新称了还回的钻石为 8.09 克。试问这是你的钻石吗？

答：天平读数仅为测量结果，而没有给出实际质量值。每次测量会高出或低出 0.05 g。钻石的实际质量很可能在 8.12 g 和 8.22 g 之间。还回钻石的实际质量也可能在 8.04 g 至 8.14 g 之间。这两个值在交叠范围内，所以没有理由仅凭天平读数就怀疑还回的钻石不是你的（当然也要鉴别色泽）。

1–5 单位、标准和国际单位制

任何量的测量都与一定的标准或单位有关，这种单位必须与量的数值一起精确标定。例如，我们可以用英寸、英尺、英里单位制或厘米、米、千米的单位制来测量长度。标定一个物体的长度为 18.6 是没有意义的，18.6 米显然不同于 18.6 英寸或 18.6 英里，所以单位必须同时给出。

18 世纪 90 年代，法国科学院建立了第一个真正的长度国际标准：**米**（简写为 m）。为了合理，最初选用地球赤道到另一极距离的千万分之一作为米的标准，并按这个**长度**制作了铂金棒（这个距离约为手臂水平伸开时，中指尖到鼻尖的距离）。1889 年，为了更精确的定义米，用一段铂铱合金棒上刻痕间的距离作为标准米。1960 年，更精确、重复性更好的气态氪 86 发出的黄光波长的 1650763.73 倍作为标准米的新定义。1983 年，标准米用光速重新做了定义。（光速的最好测量值为 299792458 米/秒，误差为 1 米/秒）。新定义是这样写的："米是光在真空中用 1/299792458 秒行进的长度"。

英制长度单位（英寸、英尺、英里）现在用米作了定义；英寸（in）精确定义为 2.54 厘米（cm；1 cm = 0.01 m）。其它换算系数列在书首的表中。

表 1-1 给出了一些特征长度，从极小到极大。

表 1-1　一些特征长度或距离（数量级）

长度（或距离）	米（近似值）
质子或中子（半径）	10^{-15}m
原子	10^{-10}m
细菌（见图 1-6）	10^{-7}m
一张纸（厚度）	10^{-4}m
手指宽度	10^{-2}m
足球场长度	10^{2}m
珠穆朗玛峰高度（见图 1-6）	10^{4}m
地球半径	10^{7}m
地球到太阳距离	10^{11}m
最近的恒星距离	10^{16}m
最近的星系	10^{22}m
可探测的最远的星系距离	10^{26}m

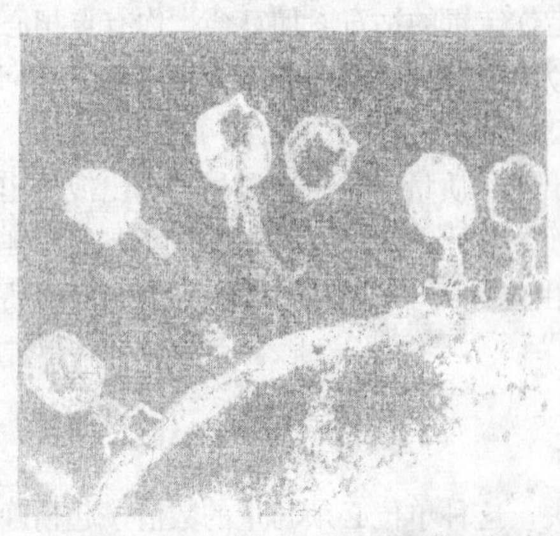

图 1-6 （a）一些细菌（长度约为 10^{-7}m）正在攻击细胞。
（b）珠穆朗玛峰高度的量级为 10^{4}m（8848m）。

时间的标准单位是**秒**（s）。多年以来，秒定义为一个太阳日的 1/86400。现在单位秒用铯原子在确定态之间跃迁时的辐射来精确定义。1 秒等于这种辐射的 9192631770 个周期。当然，1 分钟（min）有 60 秒，1 小时（h）有 60 分钟是精确的。这里的两个系数 60（与每英寸等于 2.54 厘米一样）是人为定义的，所以其有效数字是不确定的。表 1-2 给出一些测定的时间间隔。

表 1-2　一些时间间隔

时间间隔	秒（近似值）
极不稳定粒子的寿命	10^{-23}s
放射元素的寿命	10^{-22}s 到 10^{28}s
μ 介子的寿命	10^{6}s
人的心跳间隔时间	10^{0}s (=1s)
一天	10^{5}s
一年	3×10^{7}s
人类的寿命	2×10^{9}s
有记载历史的时间	10^{11}s
地球上出现人类的时间	10^{14}s
地球的年龄	10^{17}s
宇宙的年龄	10^{18}s

质量的标准单位是**千克**（kg）。 标准质量是一块特殊的精确标定为 1kg 的铂铱合金棒，现存放在法国巴黎附近的国际标准计量局。一些质量范围列在表 1-3 中（实用时 1kg 约为 2.2 磅）。

表 1-3　一些物体的质量

物体	千克（近似值）
电子	10^{-30}kg
中子，质子	10^{-27}kg
NDA 分子	10^{-17}kg
细菌	10^{-15}kg
蚊子	10^{-5}kg
李子	10^{-1}kg
人	10^{2}kg
轮船	10^{8}kg
地球	6×10^{24}kg
太阳星系	2×10^{30}kg
银河系	10^{41}kg

在处理原子、分子时常用**原子质量单位**（u），用千克表示：

$$1\,\text{u} = 1.6605\times10^{-27}\ \text{kg}$$

其它量的标准单位的定义将在以后章节遇到时做介绍。

在米单位制里，大小单位之间都为 10 的倍数，这使运算相当简便。1 千米（km）就是 1000 米, 1 厘米为 1/100 米，1 毫米为 1/1000 米或 1/10 厘米，等等。表 1-4 给出一些单位定义，如“厘”、“千”等。它们不仅用于长度，也可用于体积、质量，或其它米单位制里。如 1 厘升（cL）为 $\frac{1}{100}$ 升(L), 1 千克（kg）为 1000 克。

表 1-4 公制（国际单位制）前缀

前缀	缩写	值
艾（exa）	E	10^{18}
佩（peta）	P	10^{15}
太（tera）	T	10^{12}
吉（giga）	G	10^{9}
兆（mega）	M	10^{6}
千（kilo）	k	10^{3}
百 (hecto)	h	10^{2}
十 (deka)	da	10^{1}
分 (deci)	d	10^{-1}
厘（centi	c	10^{-2}
毫（milli）	m	10^{-3}
微（micro）	μ	10^{-6}
纳（nano）	n	10^{-9}
皮（pico）	p	10^{-12}
费（femto）	f	10^{-15}
阿（atto）	a	10^{-18}

在处理物理定理和公式时，固定使用一种单位制极其重要。一些单位制已使用多年，现今最重要的是**国际单位制**（SI）。在国际单位制里，长度的标准单位是米，时间的标准单位是秒，质量的标准单位是千克。这个单位制也叫米· 千克· 秒制（MKS）。

第二种米制体系是**厘米·克·秒制**（cgs）。**英式工程制**的长度单位是英尺，力的单位是磅，时间的单位是秒。

国际单位制是目前科学工作中常用的基本单位制。在本书中只使用国际单位制，在用到一些量时，对 cgs 和英式制只做介绍。

1-6 单位换算

我们所测量的任何量，如长度、速度、电流等，都是由数和单位组成的。我们常常需要将一种单位制的量用另一种单位制表示。例如，一张桌子测得宽为 21.5 英寸，要用厘米表示，必须进行单位变换，

$$1\ \text{in} = 2.54\ \text{cm}$$

或写成另一种形式

$$1 = 2.54\ \mathrm{cm/in}$$

用 1 乘任何数不会改变其值，桌子的宽度用 cm 表示为

$$21.5\ \mathrm{in} = (21.5\ \mathrm{in}) \times (2.54\ \frac{\mathrm{cm}}{\mathrm{in}}) = 54.6\ \mathrm{cm}$$

注意单位（这里是英寸）是如何消去的。单位转换表在本书前面附页中。下面是一些例子。

例 1-2　100m 长的线段。一线段长为 100 m，用码表示该长度为多少？

解：设线段长度为四位有效数字，100.0 m。1 码(yd)等于 3 英尺（36 英寸），可得

$$1\ \mathrm{yd} = 3\ \mathrm{ft} = 36\ \mathrm{in} = (36\ \mathrm{in})(2.540\frac{\mathrm{cm}}{\mathrm{in}}) = 91.44\ \mathrm{cm}$$

或写成

$$1\mathrm{yd} = 0.9144\mathrm{m}$$

因为 1m = 100 cm。重新写为

$$1\ \mathrm{m} = \frac{1\ \mathrm{yd}}{0.9144} = 1.094\ \mathrm{yd}$$

因此

$$100\ \mathrm{m} = (100\ \mathrm{m})(1.094\frac{\mathrm{yd}}{\mathrm{m}}) = 109.4\ \mathrm{yd}$$

因此， 100 米线长为 109.4 码，要比 100 码线长。

例 1-3　细胞膜面积。一圆形膜面积为 1.25 平方英寸，请用平方厘米表示。

解：因为 1in = 2.54 cm，故

$$1\ \mathrm{in}^2 = (2.54\ \mathrm{cm})^2 = 6.45\ \mathrm{cm}^2$$

因此

$$1.25\ \mathrm{in}^2 = (1.25\ \mathrm{in}^2)(2.54\frac{\mathrm{cm}}{\mathrm{in}})^2 = (1.25\ \mathrm{in}^2)(6.45\frac{\mathrm{cm}^2}{\mathrm{in}^2}) = 8.06\ \mathrm{cm}^2$$

例 1-4　速度。某地标明限速每小时 55 英里（mi/h 或 mph），问速度（*a*）每秒多少米(m/s)？ (b) 每小时多少公里(km/h)？

解：（a）一英里可写成

$$1\ \mathrm{mi} = (5280\ \mathrm{ft})(12\frac{\mathrm{in}}{\mathrm{ft}})(2.54\frac{\mathrm{cm}}{\mathrm{in}})(\frac{1\mathrm{m}}{100\mathrm{cm}}) = 1609\ \mathrm{m}$$

注意每个换算因子都等于 1。因为 1 小时等于（60min/h）×(60s/min) = 3600 s/h，所以

$$55\frac{\mathrm{min}}{\mathrm{h}} = (55\frac{\mathrm{min}}{\mathrm{h}})(1609\frac{\mathrm{m}}{\mathrm{min}})(\frac{1\mathrm{h}}{3600\mathrm{s}}) = 25\mathrm{m/s}$$

（b）现用 1mi = 1609 m = 1.609 km，那么

$$55\frac{\text{min}}{\text{h}}=(55\frac{\text{min}}{\text{h}})(1.609\frac{\text{km}}{\text{min}})=88\text{km/h}$$

进行单位换算时，检验换算因子的单位是否消去，可避免出错。例如，1 英里换算成 1609 米，如果正确使用换算因子（100cm/1m）代替(1m/100cm)，米的单位就会消去，结果中就没有米的单位。

1–7 量级：快速估算

我们有时只对一些量的近似值感兴趣。因为计算精确值会花很长时间或需要的数据不全。其它情况是，对用计算机精确计算的值进行简单估算，以检查输入时是否出错。

粗略估计就是将所有数字舍入为一位有效数字，并用 10 的幂表示。计算完成后，只保留一位有效数字，这样的估算叫量级估算，可准确到 10 或更高的量级。事实上，量级有时只表示 10 的幂。

下面给出一些例子，看看粗略估算的实用性和有效性。

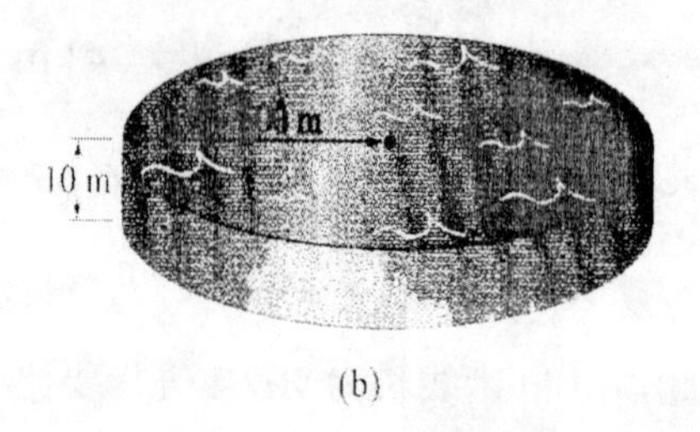

(b)

图 1-7 (例 1-5。)（a）这个湖里有多少水？（位于加利福尼亚的珊瑞·尼旺达的瑞利湖的照片。）（b）把湖看作的圆柱模型。[我们可以更进一步的估计湖的质量和重量。我们以后会知道水的密度为 1000kg/m^3，所以湖的质量大约为 $(10^3\text{kg/m}^3)(10^7\text{m}^3)\approx10^{10}\text{kg}$ 。它整整是 100 亿千克或 1 千万吨（公制）。（1 公制吨是 1000 千克，大约 2200 磅，比英制的吨稍大一些（2000 磅）。]

例 1–5 估算湖的体积。估算图 1-7 湖里有多少水？湖约呈圆型，直径 1 公里，假设平均深度为 10 米。

解：没有哪个湖是标准的圆形并具有绝对平坦的湖底。我们这里只作以估计。为估算体积，将湖看成简单的圆柱体。用湖底面积乘以湖的深度，如图 1-7b 所示，圆柱体的体积 V

等于它的高 h 乘以底面积；$V=h\pi r^2$，这里 r 是圆形湖底的半径为 1/2 km = 500 m，体积近似为

$$V=h\pi r^2\approx(10\ \text{m})\times(3)\times(5\times10^2\ \text{m})^2\approx8\times10^6\ \text{m}^3\approx10^7\ \text{m}^3$$

这里π舍入为 3；符号“≈”表示约等于。所以湖体积的量级为 10^7m^3，1 千万立方米。因为计算时一直用估算，$10^7\ \text{m}^3$ 的量级估算显然要比写成 $8\times10^6\ \text{m}^3$ 为好。

下面是另一个例子：

例 1-6 估算一张纸的厚度。估算这本书一张纸的厚度。

解：首先你可能想到特殊的测量仪器，测量一张纸的厚度需用螺旋测微器（图 1-8），因为普通的尺子明显不能用。但我们可用一些技巧，或从物理的观点来看，运用对称。我们可以假设这本书的所有页的厚度是相等的。这样，可用尺子一次量出几百页的厚度。如这本书约为 1000 页，若计入每一页的两面（前和后面），共有 500 张纸。不计封面，厚约 4 cm。所以，如果 500 张厚 4 cm，那么一张厚为

$$\frac{4\ \text{cm}}{500\text{张}}\approx8\times10^{-3}\text{cm}=8\times10^{-2}\text{mm}$$

或者再次舍入为十分之一毫米（0.1mm），也可写成 10^{-4} m。

现在我们从一简单例子看如何作图进行估计。在解物理问题时，作图是极为重要的，怎样强调也不过分。

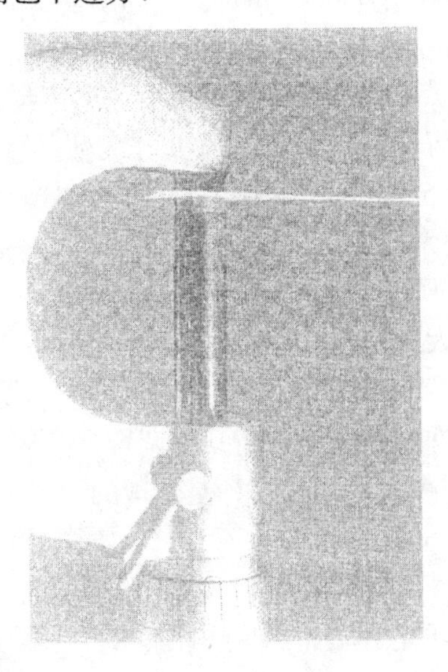

图 1-8　千分尺用来测量较小的厚度

例 1-7 用三角法估算高度。在朋友和公共汽车站牌杆的帮助下，估算建筑物的高度，如图 1-9a 所示。

解：让你的朋友靠着站牌杆，估计杆高为 3 米。你向后退直到看见杆顶与楼顶在一条线

上，如图 1-9a 所示。你身高 5 英尺 6 英寸，眼睛位置离地约 1.5 米 。你的朋友身材较高，他伸开双臂，一端触到你，另一端触到杆，这段距离约为 2 米。用一米长的大步量出从杆到楼底的距离为 16 步，也就是 16 米。现在作图并标上量得的数据，如图 1-9b 所示。从图上可直接量得三角形右边的一条边约为 $x = 13\ \mathrm{m}$ 。另外，也可用相似三角形得到高度 x：

$$\frac{1.5\ \mathrm{m}}{2\ \mathrm{m}} = \frac{x}{18\ \mathrm{m}}, \quad 所以，\ x \approx 13\frac{1}{2}\ \mathrm{m}$$

最后，加上眼睛离地的高度 1.5 m，得出结果：建筑物的高度为 15 m 。

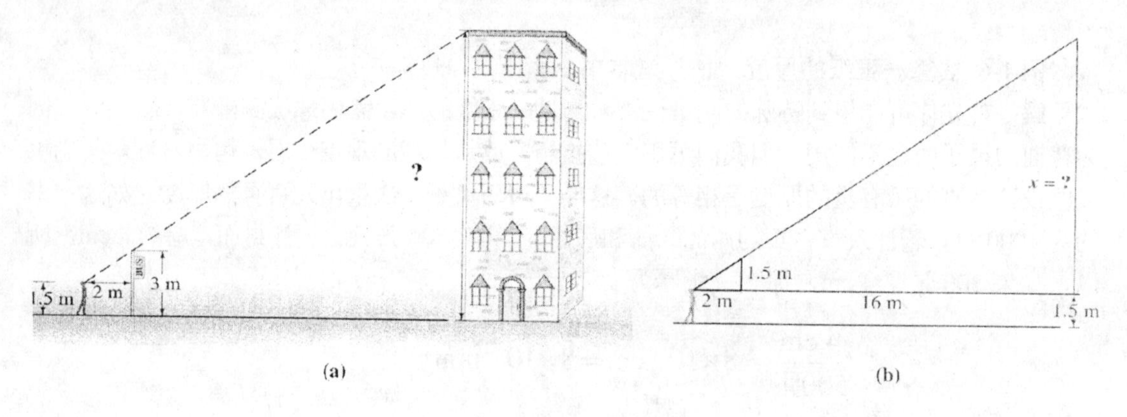

图 1-9 (例 1-7)图解是非常有用的！

另一个著名的例子是由物理学家恩里克· 费米给出的，估计一个城市，如芝加哥或旧金山，有多少钢琴调音师？现在让我们粗略估算，现有居民 700000 人的旧金山市有多少调音师。首先估计一下有多少功能完好的钢琴，每台钢琴多长时间需要进行修理，每个修理师能修理几台钢琴。要估算出旧金山有多少台钢琴，先肯定一点：不是每个家庭拥有一台钢琴。假设 5 或 6 个家庭有一家有钢琴，每家有 3 到 4 人，那么每 20 人有一台钢琴。作为数量级估计，20 人有一台钢琴显然比 100 人有一台，或每人有一台合理。这样，我们就能得出旧金山约有 3500 台钢琴。一个调音师需要一到两小时修理一台钢琴，那么一天大约修理 3 台。一台钢琴每六个月到一年需进行修理，假设是一年。一个调音师一天修理 3 台，一星期 5 天，一年 50 个星期可修理约 700 台。所以，很粗略的得出旧金山大约需 50 个钢琴修理师。当然，这只是一个简单估计，它告诉我们肯定要比 5 个修理师多，但也没有 500 个那么多。查一下旧金山的电话本（做完这些计算再查）约列出 50 位。每个列出的人不一定只做调音师，从另一面来说，也可能每位修理与调音干得一样好。不管怎样说，我们的估计是合理的。

1-8 物理中的数学

物理有时被认为是一门难懂的学科。但难懂的根源是数学而不是物理本身。在本书附录里给出一些简单的将在本书用到的数学概要，包括代数，几何，三角。从附录里复习一些旧知识或学习新的理论，你都会感到很方便。对一些概念，在课程后段你可能需要重新学习。一些数学方法，如矢量，三角函数，在首次遇到时，将在课文中讲解。

小结

[这本书在每章末的小结中给出本章主要概念的总结。小结不能给出更多的内容，要加深理解，只有详读本章内容。]

物理像其它科学一样是一项创造性活动。它不是简单的事实积累。重要的理论来源于实验观察所产生的思想灵感。理论被接受需要将其预言与实验结果比较。请注意，一般来说，理论不能被绝对地证明。

科学家常常给物理现象设计模型。**模型**是一种能够直观地解释现象的图象和类比。**理论**从模型发展而来，一般来讲比简单的模型更深奥更复杂。

科学**定理**常用方程的形式给出，是一种简明的表述，它对一些特殊现象以及更广范围的事件给出了定量描述。

测量在物理中极为重要，但无法绝对精确。**测量的误差**一定要标明，或用 ± 号直接标出，或只保留正确的**有效数字**。

物理量一般用特殊的标准或单位给出，所用单位必须标明。现在普遍使用的单位制是**国际单位制**，其长度、质量和时间的标准单位分别为**米**、**千克**和**秒**。

单位变换时，检查所有**变换因子**以正确消去单位。

进行粗略的**量级估算**在科学和日常生活中是一种极为有用的方法。

问答题

1. 用作长度、时间的基本标准都具有可比性强、持久、坚固和重复性好等优点。讨论为什么它们具有这些优点，其中任一项是否与其它不相容。

2. 用人的脚作为长度标准有什么优缺点？从问题 1 提到的各项进行讨论，考虑（a）某特殊人的脚；（b）任何人的脚。

3. 在山区高速公路上旅行时，可以看到海拔标志写着“914 m（3000 ft）”。批评米制的人认为这些数字显示了米制的复杂。你如何用转换器使这样的标志与米制更一致协调。

4. 提出一种测量地球到太阳距离的方法。

5. 这个路牌那里错了：波士顿 7 英里（11.263 千米）？

6. 列表对估算很有帮助。试估算以下城市小汽车的数量：（a）旧金山；（b）你的家乡城市。

7. 讨论如何估算你花在学校的小时数，再与一生的时间比较。

8. 讨论对称的概念如何用在估算一升容器里的弹子数。

9. 你测得一轮子的半径为 4.16 cm。如果乘 2 计算直径，结果写成 8 cm 还是 8.32 cm？验证你的结果。

习题

[每章后的习题按难度分成 Ⅰ，Ⅱ，Ⅲ级，Ⅰ级是最容易的。这些习题又安排成许多节，每节的习题须在学完此节后再做。当然，不仅需要本节知识，还需前面学过的知识。每章后还有一组没有分节和标明难度的综合习题。]

1-4 节

1.（Ⅰ）宇宙的年龄估计在 100 亿年左右。取一位有效数字，用（a）年，（b）秒。写成 10 的幂形式。

2.（Ⅰ）将下列数字写成十进制，注意零的数目：（a）8.69×10^4, (b) 7.1×10^3, (c) 6.6×10^{-1}, (d) 8.76×10^2, (e) 8.62×10^{-5}。

3.（Ⅰ）将下列数字写成 10 的幂形式: (a) 1156000, (b) 218, (c) 0.0068, (d) 27.635, (e) 0.21, (f) 22。

4.（Ⅰ）下列数字有几位有效数字：(a) 142, (b) 81.60, (c) 7.63, (d)0.03,(e) 0.0086, (f) 3236, (g) 8700？

5.（Ⅰ）测量值 2.26 ± 0.25 m 的相对误差是多少？

6.（Ⅰ）测量值 1.67 的近似相对误差是多少？

7.（Ⅰ）由于存在人的反应时间，用停表测量时间约有半秒的误差。下列计时测量的相对误差是多少？(a) 5 s , (b) 50 s , (c) 5 min。

8.（Ⅱ）用 0.072×10^{-1} 乘以 2.079×10^2 m，计入有效数字。

9.（Ⅱ）计算 7.2×10^3 s + 8.3×10^4 s + 0.09×10^6 s。

10.（Ⅱ）半径为 2.8×10^4 cm 的圆，其面积以及近似误差是多少？

11.（Ⅱ）半径 r = 3.86 ± 0.08 m 的球形池，其体积的相对误差是多少？

1-5 和 1-6 节

12. (Ⅰ) 将下列量用表 1-4 的单位进行适当的换算：(a) 10^6 伏特，（b）10^{-6} 米，(c) 5×10^3 天，（d）8×10^2 元，（e）8×10^{-9} 件。

13. (Ⅰ) 将下列量用标准单位写成十进制表示：（a）86.6 毫米, (b) 35 微伏，(c) 860 毫克，(d)600 皮秒，（e）12.5 飞米，（f）250 京伏。

14. (Ⅰ) 用米来表示你的身高。

15. (Ⅰ)太阳离地球的距离是 93 百万英里，用米表示为多少？试用(a) 10 的幂形式，(b) 米的前缀表示。

16. (Ⅱ)原子的典型直径为 1.0×10^{-10} m，问(a) 用英寸表示为多少？(b) 在 1.0 cm 线上可排列多少个原子？

17. (Ⅱ)用正确的有效数字计算；1.00 m + 142.5 cm + 1.24×10^5 μm。

18. (Ⅱ)确定下列关系的转换系数：(a) 千米/小时与英里/小时，(b)米/秒与英尺/秒，(c)千米/小时与米/秒。

19. (Ⅱ)1 英里赛比 1500 米赛的距离长多少（百分比）？

20. (Ⅱ)1 光年是光（速度=2.998×10^8 m/s）在 1.00 年的时间内传播的距离。(a)1 光年有多少米？(b) 1 个天文单位（AU）是太阳到地球的平均距离，即 1.50×10^8 千米。1 光年有多少 AU？(c) 光用 AU/h 表示速度是多少？

21. （Ⅲ）月球的直径为 3480 千米，它的表面积是多少，与地球的陆地面积相比如何？

1-7 节

（注意：粗略估算时，所用数字和最后结果只用约化数。）

22. (Ⅰ)估计量级（10 的幂形式）:(a)7800，(b)9.630×10^2，(c)0.00076，(d)150×10^8。

23. (Ⅱ)估计一个长跑运动员横穿美国从纽约到加里福尼亚需用多少时间？

24. (Ⅱ)估计一座房子的窗户面积与外墙面积的百分比。

25. (Ⅱ)估计人类一生的心跳次数。

26. (Ⅱ)估计你身体的体积（cm^3）。

27. (Ⅱ)估计从北京到巴黎汽车需用多少时间？（a）现今，（b）1906 年在这两个城市举行的拉力赛。

28. (Ⅱ)估计一个城市的牙医有多少？(a) 旧金山，(b) 你家乡的城市。

29. (Ⅱ)估计一个人用家用剪草机剪完足球场的草坪需用多少时间？

30. (Ⅲ)轮胎磨损进入大气是一种特殊污染。估计美国每年变成污染的橡胶有多少公斤？新轮胎的胎纹深 1cm，橡胶密度约为 1200 kg/m^3。

综合题

31. 埃（Å）是一个古老的长度单位，定义为 10^{-10} m。（a）1.0 埃有多少纳米？(b) 1.0 埃有多少飞米（核物理常用单位）？（c）1.0 米有多少埃？（d）1.0 光年有多少埃（参见 19 题）？

32. （a） 1.00 年有多少秒？(b) 1.00 年有多少纳秒？(c) 1.00 秒有多少年？

33. 估计下列地区有多少公共汽车司机？（a）华盛顿特区，（b）你所在城市。

34. 计算机芯片（图 1-10）是制造在厚度为 0.60 mm 的圆型硅片上的，如果每个硅片上有 100 个芯片，用一 30 cm 长的硅单晶棒可制作的芯片的最大数目是多少？

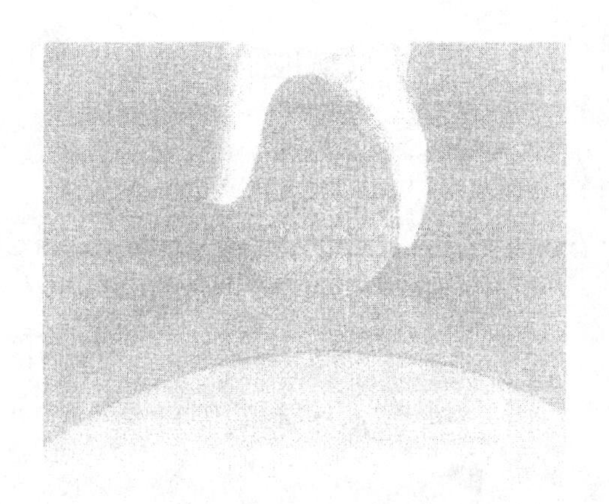

图 1-10 (习题 34。)用手拿着的晶片（上图）在下面被 放大。可以看见阵列排布的集成电路（集成电路块）。

35. 估计美国汽车司机一年消费的汽油加仑数。

36. 估计图 1-11 机器中橡胶球的数量。

图 1-11 (习题 36。)计机器中橡胶球的数目

37. 一个四口之家一年能消耗 1200 升（约 300 加仑）水。（1 升=1000 cm^3）。一个 40000 人口的城市一年能消耗掉多深的面积为 50 平方公里的湖水。只考虑人类使用，忽略蒸发和其它损耗。

38. 一吨有多大？这取决于一吨重的东西是什么。估计一吨重的岩石的直径是多少？先做个大胆猜想：会有 1 英尺宽，或 3 英尺宽，或一辆汽车大吗？[提示：岩石的质量约为同体积水的 3 倍，水每升（10^3 cm^3）1 公斤重或每立方英尺 62 磅重]。

39. 一场暴雨 2 小时内在 5 公里宽、8 公里长的城市里倾泻了 1.0 厘米的雨量。问共有多少吨水降在这个城市里？[1cm^3 的水质量为 1 克=10^{-3} 千克]

40. 用一只铅笔放在你的眼前使其顶端正好遮住月亮（图 1-12）。进行适当测量并估计月球的直径，月球到地球的距离为 3.8×10^5 千米。

图 1-12 (习题 40。)月球有多大？

41. 一物体的体积为 1000 m^3。用下列单位表示（a）cm^3，（b）ft^3，（c）in^3。

42. 估计绕地球步行一周需多长时间？

43. 诺亚方舟建造成长、宽、高各为 300、50、30 腕尺。腕尺是一种长度测量单位等于人前臂的长度，即肘部到中指尖的距离。用米表示诺亚方舟的大小。

图注：发现号航天飞机在地球上着陆,降落伞能使它的速度很快降下来。飞机速度和加速度的方向用箭头标注。注意它们（v 和 a）的方向刚好相反。指向不同的方向。

第二章　运动的描述：一维运动学

物体(如篮球、汽车、跑步者，甚至太阳和月亮)的运动是日常生活中随处可见的现象。虽然古人早就对运动有了相当的了解，但直到近代，在 17、18 世纪，有关运动的现代理论才建立起来。对这个理论作出贡献的科学家很多，但正如我们下面将看到的，最突出的是两位杰出的科学家：伽里略·伽里莱（1564-1642）和艾萨克·牛顿（1642-1727）。

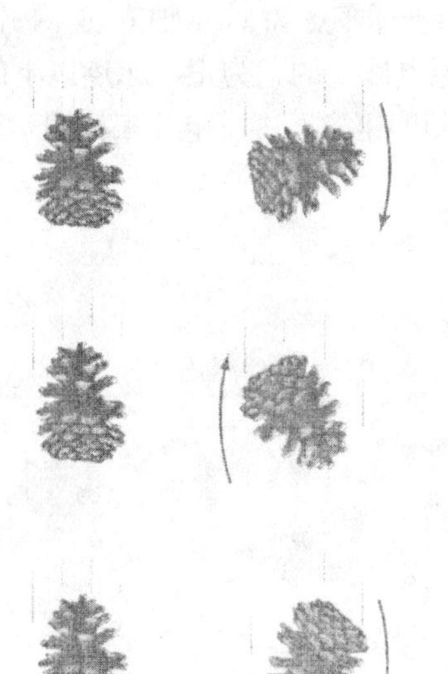

图 2-1　松塔在下落时的经过(a)平动,(b)平动加转动

对物体运动以及有关力、能概念的研究，形成了**力学**这门学科。力学又分为两部分：**运动学**，描述物体如何运动；**动力学**，研究力对物体的运动如何起作用。本章和下一章将处理有关运动学的问题。

我们首先讨论物体的无转动运动（图 2-1a）——**平移运动**。在本章我们将学习物体沿直线的移动，即一维运动。在第三章我们将学习如何描述物体的二维（或三维）平移运动。

2–1 参照系和位移

任何对位置、距离、速度的测量必须考虑**参照系**。例如，当你在一列以 80 km/h 的速度行进的火车上看到有人以 5 km/h 的速度向车首走去（图 2-2）时，这便是以火车作为参照物时人的速率。若以地面作参照系，人的速率为 80 km/h + 5 km/h = 85 km/h。在说明速率时，强调参照系总是很重要的。在日常生活中，我们总是将地球作为参照系，甚至不做考虑，但在一些容易搞混的场所，则要强调参照系。

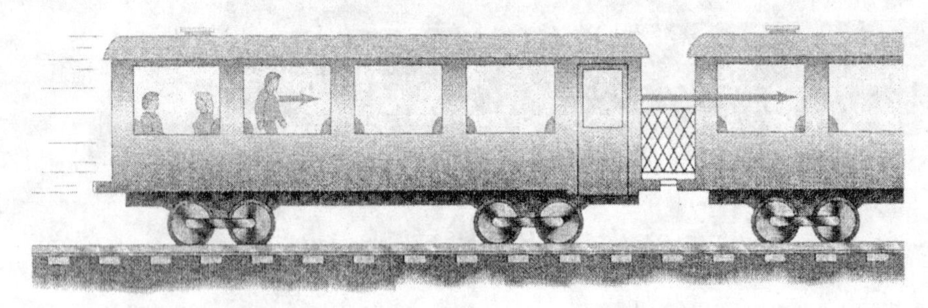

图 2-2 某人以 5 km/h 的速率向车首走去，火车以 80 km/h 的对地速率行进，所以人相对地的速率为 85 km/h。

距离的描述也必须考虑参照系。如果不指明从哪里算起，只告诉约塞麦特国家公园有 300 公里远是没有意义的。在描述物体的运动时，重要的是不仅要指出运动的速率，还要指出方向。我们通常用基本方位，北、东、南、西和“上”、“下”来指出方向。在物理中，一般画出**坐标系**（如图 2-3 所示）代表参照系。这样可方便地标出坐标零点和 x、y 轴方向。物体位置在 x 轴坐标原点右侧通常选为正，左侧的则为负。y 轴原点以上的记为正，原点以下的记为负。如果为了方便，可使用常规反转。平面上的任意点都可用给出 x、y 坐标来标明。对于三维情况，要用到垂直于 x、y 轴的 z 轴。

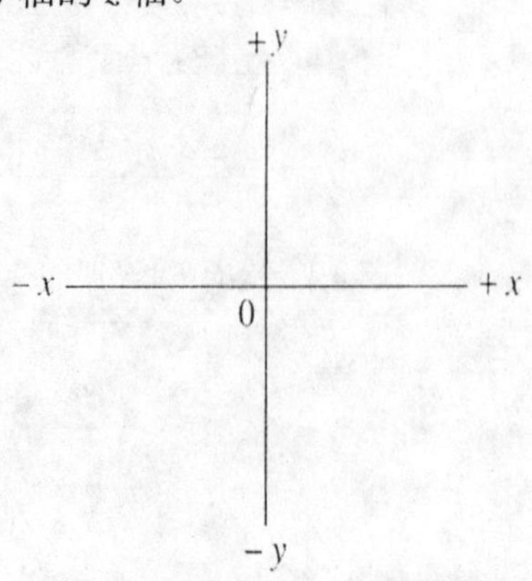

图 2-3 xy 坐标系的标准画法

对于一维运动，通常选 x 轴作为运动行进路线。这样物体在任意时刻的位置由 x 坐标给出。

我们需要对物体行进的距离与位移作以区分，**位移**定义为物体位置的改变。这样，位移就是物体离出发点有多远。让我们看一看总距离与位移的区别。如果某人向东走了 70 米，又转回（向西）走了 30 米（图 2-4）。行走的总距离为 100 米，而位移只有 40 米，因为他离出发点只有 40 米。

位移是一个既有量值，又有方向的量。这样的量称为**矢量**，用箭头表示。在图 2-4 中，粗箭头代表位移，其量值为 40 米，方向指向右。

在第三章，我们将更全面地学习矢量。这里只考虑一维的直线运动。在这种情况下，指向一维某一方向的矢量标为正号，而指向相反方向的矢量则标为负号。

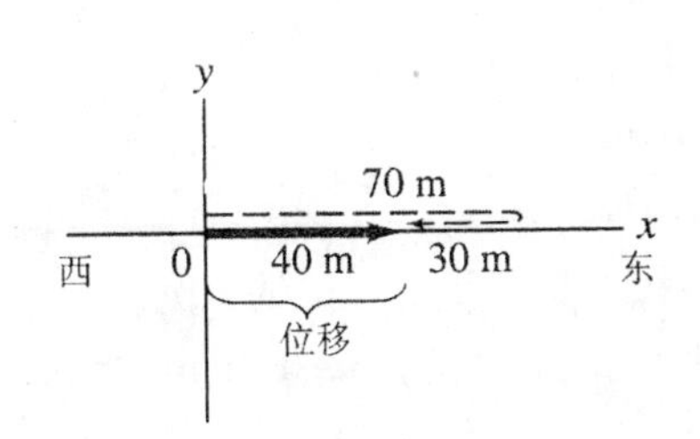

图 2-4　一个人向东行走了 70m，然后向西走了 30m，总的行走距离为 100m,但位移只有向东 40m。图中用箭头表示

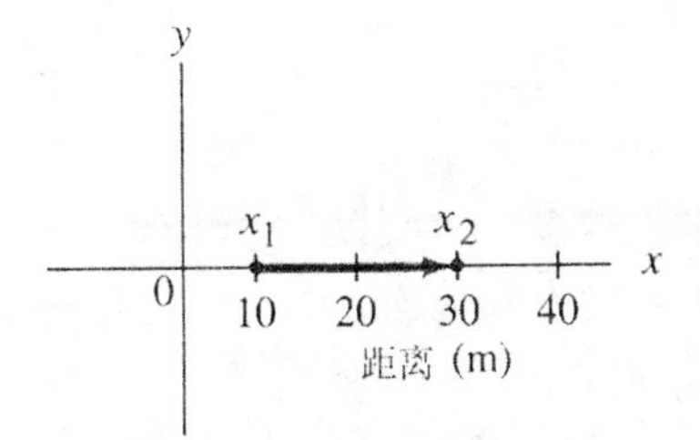

图 2-5　箭头表示位移 x_2-x_1,距离的单位是米。

现在让我们看一下矢量的具体应用。首先考虑物体在特定时间间隔内的运动。设初始时刻为 t_1，物体在 x 轴上 x_1 点（如图 2-5 所示）。在随后的时刻 t_2，物体在 x_2 点。那么这个物体的位移就是 x_1-x_2，在图 2-5 中用指向右的箭头表示。也可简写为

$$\Delta x = x_2 - x_1$$

这里符号 Δ（希腊字母代表它）表示“变量”。 Δx 表示“x 的改变量”，这就是位移。注意这里“变量”的含义就是量的终值减去初始值。为了加深理解，设 x_1 = 10.0 cm，x_2 = 30.0 cm。那么

$$\Delta x = x_2 - x_1 = 30.0\text{m} - 10.0\text{m} = 20.0\text{m}$$

见图 2-5 所示。

现在考虑另一种情况，物体向左运动，如图 2-6 所示。假设这里的物体为一个人，从 x_1= 30.0 m 出发向左走到 x_2 = 10.0 m。这时

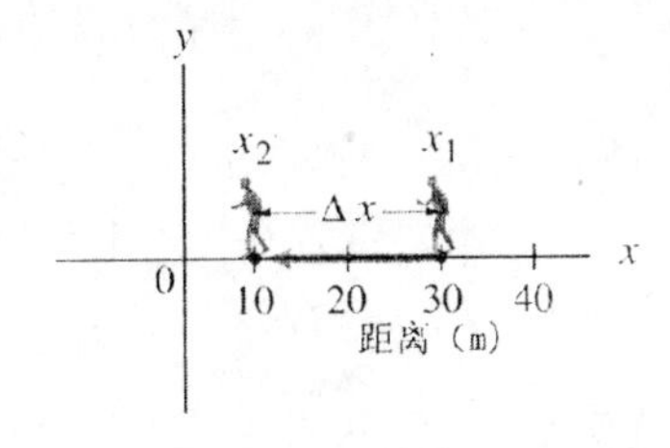

图 2-6　对于位移 Δx= x_2-x_1=10.0m-30.0m，位移矢量指向左。

$$\Delta x = x_2 - x_1 = 10.0\text{m} - 30.0\text{m} = -20.0\text{m}$$

在图中位移矢量的箭头指向左。这个例子表明，处理一维运动时，矢量方向向右为正值，方向向左则为负值。

2–2 平均速度

物体运动的一个主要特征是运动的快慢——即它的速率或速度。

“速率”表示一个物体在单位时间内行进了多远。如果一辆汽车 3 小时行进 240 千米，其平均速率为 80 km/h。物体的**平均速率**定义为**沿其路径行进的距离除以所用的时间**。

平均速率 = 行进距离/所用时间 **(2-1)**

速度和速率在日常语言中常常可以互换。但在物理中有明显的区别。速率只是带有单位的正值。而**速度**则既有物体行进快慢的**量值**又有行进的**方向**（速度是矢量）。速率与速度的第二个不同点是：平均速度用位移而不是行进的距离定义。

平均速度 = 位移/所用时间

平均速率和平均速度通常具有一样的量值，但有时它们是不一样的。例如，在图 2-4 中，一个人向东走了 70 m 然后向西走 30 m。行进的总距离为 70 m+30 m = 100 m，但位移是 40 m。设所用总时间为 70 秒。那么，平均速率为：

$$\frac{\text{距离}}{\text{时间}} = \frac{100\text{m}}{70\text{s}} = 1.4\text{m/s}$$

而平均速度的量值为：

$$\frac{\text{位移}}{\text{时间}} = \frac{40\text{m}}{70\text{s}} = 0.57\text{m/s}$$

虽然速率与速度的值有时是不同的，但就平均值而言，我们不必过分关注。

下面讨论物体一维运动的广义表达式。设物体 t_1 时刻在 x 轴上 x_1 点，随后的 t_2 时刻在 x_2 点。所用的时间为 t_2-t_1，在这段时间内的位移是 $\Delta x = x_2 - x_1$。那么平均速度按定义，位移除以所用时间，可写为

$$\bar{v} = \frac{x_2 - x_1}{t_2 - t_1} = \frac{\Delta x}{\Delta t} \qquad \textbf{(2-2)}$$

这里 v 表示速度，v 上的符号（¯）表示“平均”。

注意如果 x_2 小于 x_1，物体向左行进，那么 $\Delta x = x_2 - x_1$ 小于零。位移和速度的符号标明了方向，平均速度为正，物体的行进方向沿 x 轴向右，向左则为负。速度的方向总是与位移的方向一致。

例 2-1 跑步者的平均速度 跑步者的位置在给定坐标系里沿 x 轴随时间的变化绘在图 2-7 中。在 3.00 秒的时间间隔内，跑步者的位置从 x_1= 50.0 m 到 x_2= 30.5 m，跑步者的平均速度是多少？

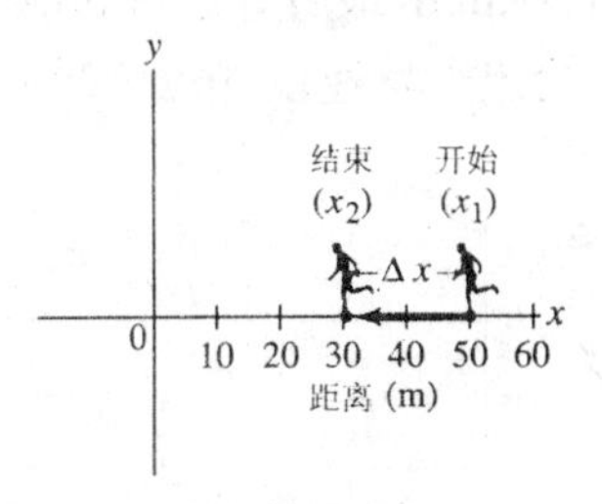

图 2-7　一人从 x_1=50.0m 走到 x_2=30.5m 处，其位移是–19.5m。+或-号表示直线运动的方向。

解：平均速度是位移除以所用时间。位移 $\Delta x = x_2 - x_1 = 30.5\text{ m} - 50.0\text{ m} = -19.5\text{ m}$。时间间隔 $\Delta t = 3.00\text{ s}$ 。那么，平均速度为：

$$\bar{v} = \frac{\Delta x}{\Delta t} = \frac{-19.5\text{m}}{3.00\text{s}} = -6.50\text{m/s}$$

位移和平均速度为负告诉我们（如果原本不知道）跑步者是沿 x 轴向左行进的，如图 2-7 里箭头所示。现在，我们可说这个跑步者的平均速度为 6.50 m/s，方向朝左。

例 2-2 骑车者行进的距离　一骑车者沿一直路以 18 km/h 的速率骑行 2.5 小时，问行进了多远距离？

解：要求行进距离可用公式 2-1，若 Δx 为距离，v 是平均速率，可写为：

$$\Delta x = v\Delta t = (18\text{ km/h})(2.5\text{h}) = 45\text{ km}$$

2–3　瞬时速度

如果你驾车沿笔直道路在 2.0 小时内行进了 150 千米，那么你的平均速度的值为 75 千米/小时。当然你不可能在每一时刻都精确地以 75 千米/小时的速度行进。处理这种情况，需要用瞬时速度的概念，就是在任意时刻的速度（速度仪指示的值）。更准确地说，任意时刻的**瞬时速度**定义为**平均速度除以无穷小时间间隔**，从公式 2-2 开始：

$$\bar{v} = \frac{\Delta x}{\Delta t},$$

我们定义瞬时速度为时间间隔 Δt 变为极小、趋于零时的平均速度。定义瞬时速度为 v，对一维运动有：

$$\bar{v} = \lim_{\Delta t \to 0} \frac{\Delta x}{\Delta t} \tag{2-3}$$

标记 $\lim\limits_{\Delta t \to 0}$ 表示 $\Delta x/\Delta t$ 在 Δt 趋于零的极限时的值。但不能简单地让 Δt=0，因为这样 Δx 也会为零，得到的是一个无定义的数。现在，我们将 $\Delta x/\Delta t$ 看作一个整体。当 Δt 趋于零时，Δx 也会趋于零，但 $\Delta x/\Delta t$ 的比值趋于一定值，这就是给定时刻的瞬时速度。

我们用符号 v 表示瞬时速度，平均速度用带上画线的 $\bar{v}$ 表示。在本书中，提到“速度”都指瞬时速度。谈到平均速度，将明确地写出“平均”这两个字。注意，瞬时速率总是等于瞬时速度的值。为什么？因为距离和位移在它们变得无限小的情况下趋于一致。

如果物体在一特定时间间隔内匀速行进，那么它在任意时刻的瞬时速度等于其平均速度（图 2-8a）。但许多情况下不是这样。例如，汽车从静止启动，加速到 50km/h，并保持一段时间，然后在交通拥挤的情况降到 20km/h，最后到达目的地停止。总共行进 15km，用去 30min。这段行程如图 2-8b 所示。图中也给出平均速度（点画线）为 $\overline{v} = \Delta x/\Delta t = 15\text{km}/0.50\text{h} = 30\ \text{km/h}$。

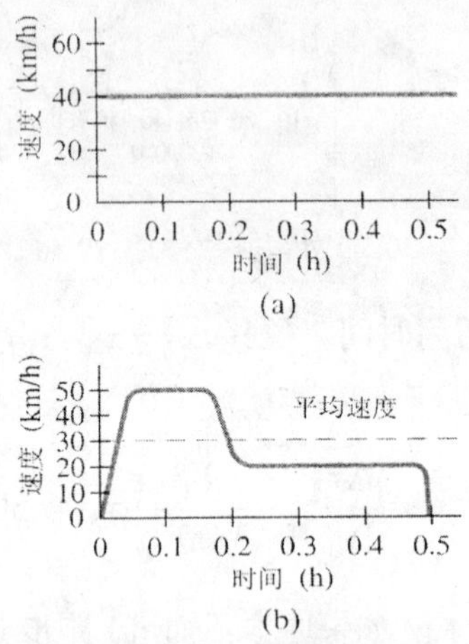

图 2-8　汽车速度与时间的关系(a)恒速，（b）变速

2-4　加速度

物体速度的改变就叫加速。汽车的速度值从零增加到 80 公里/小时就是加速。如果一辆车能在较短的时间内完成加速过程，我们说它具有一个大的加速度。这就是说，加速度表示了物体速度变化的快慢程度。**平均加速度**定义为速度的改变除以所经历的时间：

平均加速度 = 速度变化 / 经历时间

平均加速度用符号 $\overline{a}$ 表示。在时间间隔 $\Delta t=t_2-t_1$ 内，速度改变为 $\Delta v = v_2-v_1$，则：

$$\overline{a}=\frac{v_2-v_1}{t_2-t_1}=\frac{\Delta v}{\Delta t} \tag{2-4}$$

加速度也是矢量，但对一维运动，我们只需用加减号表示选定坐标系中的方向。

瞬时加速度 a 的定义与瞬时速度的定义类似，任意时刻：

$$a=\lim_{\Delta t\to 0}\frac{\Delta v}{\Delta t} \tag{2-5}$$

这里 Δv 表示在极短的时间间隔 Δt 内速度的微小变化。

例 2-3 平均加速度　一辆汽车在 5 秒时间内从静止直线加速到 75 km/h。如图 2-9 所示。其平均加速度的值是多少？

解：汽车从静止启动，所以 $v_1=0$。终速度是 $v_2=75\text{km/h}$。从公式 2-4，平均加速度为

$$\overline{a}=\frac{75\text{km/h}-0\text{km/h}}{5.0\text{s}}=15\frac{\text{km/h}}{\text{s}}$$

读作“每秒每小时十五公里”，表示速度每秒平均增加了 15km/h。即在第一秒，汽车速度从

零增加到15km/h这段时间内，认为加速度是恒定的。在第二秒，速度从15km/h增加到30km/h，依此类推，如图2-9所示。（当然，如果瞬时加速度不是恒定的，这些数值就会不同）。

注意加速度表示速度改变的快慢，而速度表示位置改变的快慢。在上例中，计算加速度时使用了两种时间单位：小时和秒。一般我们选用秒。将km/h改为m/s（见1-6节，例1-4）

$$75\text{km/h}=(75\frac{\text{km}}{\text{h}})(\frac{1000\text{m}}{1\text{km}})(\frac{1\text{h}}{3600\text{s}})=21\text{m/s}$$

这样得到

$$\bar{a}=\frac{21\text{m/s}-0\text{m/s}}{5.0\text{s}}=4.2\frac{\text{m/s}}{\text{s}}=4.2\text{m/s}^2$$

一般将加速度的单位写成m/s^2（米每秒平方）。这里代替了m/s/s，因为，可以写成：

$$\frac{\text{m/s}}{\text{s}}=\frac{\text{m}}{\text{s}\cdot\text{s}}=\frac{\text{m}}{\text{s}^2}$$

按上面的计算，例2-3（图2-9）中的速度平均每秒改变了4.2 m/s，5.0s总的改变为21m/s。

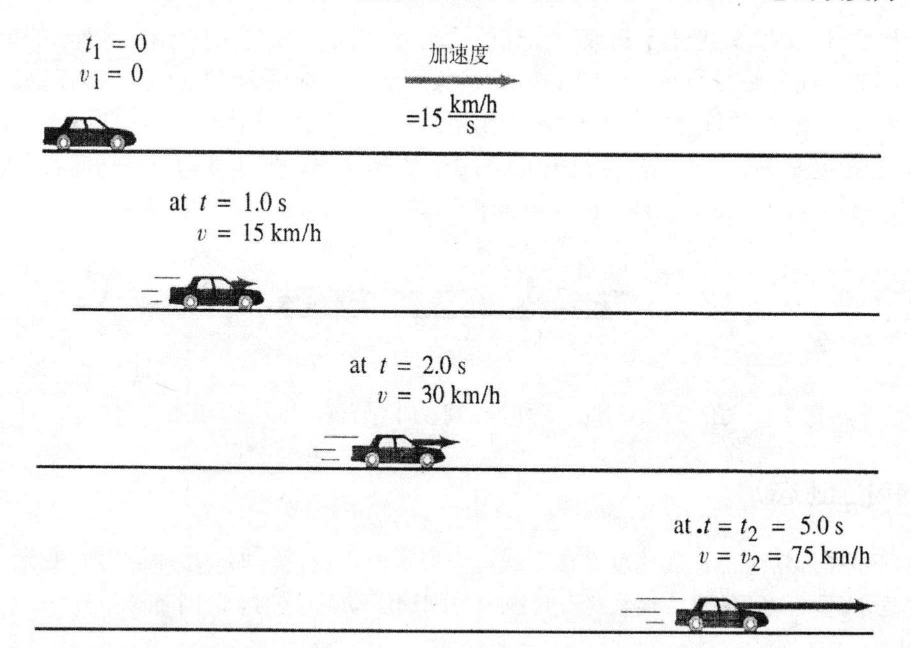

图2-9 例2-3。汽车在t_1=0时v_1=0。图中给出其他三个时间t=1.0s，t=2.0s以及t_2=5.0s的情况。我们假设加速度恒定为15km/h/s。粗箭头代表速度矢量；其长度表示速度的瞬时值。加速度表示在图顶部。

概念练习2-4 **速度和加速度**（a） 如果物体的速度为零，是否意味着其加速度也为零？（b）如果加速度为零，速度也为零吗？试举一些例子。

回答：零速度不代表加速度为零，同样零加速度也不意味着速度为零。（a）例如，当你的脚踩在静止汽车的气闸上时，汽车的速度从零开始启动，但加速度不为零，因为，汽车的速度在变化。（如果速度不变——即汽车的加速度为零,汽车将会怎样？）（b）当你沿着笔直的高速公路以100 km/h的速度匀速行进时，加速度为零。

例 2-5 汽车减速 汽车沿高速公路向右行进，我们将这个方向选为正的 x 轴（图 2-10）。驾车者开始刹车，如果初始速度为 v_1=15.0 m/s，经 5.0 s 后降为 v_2=5.0 m/s，汽车的平均加速度是多少？

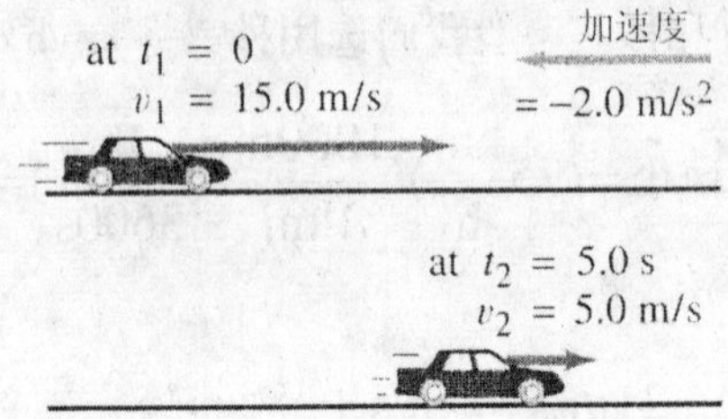

at $t_1 = 0$
$v_1 = 15.0$ m/s
加速度
= −2.0 m/s²
at $t_2 = 5.0$ s
$v_2 = 5.0$ m/s

图 2-10 例 2-5 给出汽车在时刻 t_1 和 t_2 的位置，汽车速度用箭头表示，加速度指向左。

解：平均加速度等于速度的改变量除以经过时间，从方程 2-4 看出，我们有初始时间 t_1=0，最终时间 t_2=5.0s(在这里我们选 t_1=0，不影响计算 $\bar{a}$，因为公式 2-4 中只出现 $\Delta t=t_2-t_1$)。那么：

$$\bar{a}=\frac{5.0\text{m/s}-15.0\text{m/s}}{5.0\text{s}}=-2.0\text{m/s}^2$$

出现负号是因为终速小于初速。在这种情况下，加速度的方向指向左（x 轴的负方向），尽管速度的方向总是指向右。如图 2-10 中箭头所示，加速度为 2.0 m/s，方向向左。

在物体减速时，要注意减速不意味着加速度必须是负值。物体沿正 x 轴减速时（如图 2-10 所示），加速度是负的。但当向左行进（x 减少）并减速时，加速度为正并指向右，如图 2-11 所示。速度减小时加速度总是指向速度的相反方向。

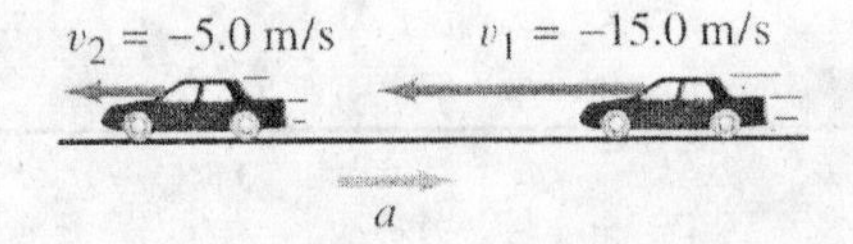

图 2-11 与例 2-5 中的汽车一样。但现在向左行进，加速度为正并指向右。

2-5 恒定加速运动

在许多特殊情况下，加速度是恒定或近似恒定的，也就是加速度不随时间变化。现在，我们考虑加速度恒定的直线运动（有时也叫**匀加速运动**）。这时，瞬时加速度和平均加速度是相等的。

为简单起见，下面讨论中取初始时间为零：t_1=0。这样 $t_2=t$ 就是经过时间。物体的初始位置（x_1）和速度（v_1）用 x_0 和 v_0 表示；t 时刻的位置和速度将用 x 和 v 表示（不用 x_2 和 v_2）。在经过时间 t 中，平均速度为（从公式 2-2）

$$v=\frac{x-x_0}{t-t_0}=\frac{x-x_0}{t}$$

因为 t_0=0，$t-t_0=t$。加速度在这段时间内是恒定的（从公式 2-4 看出）

$$a=\frac{v-v_0}{t}$$

一个常见问题是：给出加速度，确定物体经过一段时间后的速度。解决这个问题只要求出上面方程中的 v 即可：方程两边乘以 t 得到

$$at=v-v_0$$

两边再加 v_0 可得：

$$v=v_0+at \qquad [恒定加速度] \qquad (2\text{-}6)$$

例如，已知一摩托车的加速度为 4.0 m/s，要求出它 6.0s 后的速度是多少。假设从静止启动（v_0=0），6.0s 后速度为 $v=at=(4.0\text{m/s}^2)(6.0\text{s})=24\text{m/s}$。

下面，让我们看如何计算物体在经过恒定加速度后 t 时刻的位置。平均速度的定义为（公式 2-2）

$$\bar{v}=\frac{x-x_0}{t}$$

可重新写成（求 x）为

$$x=x_0+\bar{v}t$$

因为速度是按均匀速率增加的，平均速度将是初速与终速的中间值：

$$\bar{v}=\frac{v_0+v}{2} \qquad [恒定加速度] \qquad (2\text{-}7)$$

（注意：如果加速度不是恒定的，上式不一定正确）将上面两个公式复合并代入公式 2-6

$$x=x_0+\bar{v}t=x_0+(\frac{v_0+v}{2})t=x_0+(\frac{v_0+v_0+at}{2})t$$

或者

$$x=x_0+v_0t+\frac{1}{2}at^2 \qquad [恒定加速度] \qquad (2\text{-}8)$$

公式 2-6、2-7 和 2-8 是匀加速运动中四个公式里最有用的三个。现在，我们推出第四个公式，在不知道时间 t 的情况下，这个公式很有用。从公式 2-7 上一步开始：

$$x=x+\bar{v}t=x_0+(\frac{v_0+v}{2})t$$

从公式 2-6 求出 t，得到

$$t=\frac{v-v_0}{a}$$

将 t 代入上式

$$x=x_0+(\frac{v+v_0}{2})(\frac{v-v_0}{a})=x_0+\frac{v^2-v_0^2}{2a}$$

求出 v^2 可得

$$v^2 = v_0{}^2 + 2a(x - x_0) \qquad [恒定加速度] \qquad (2\text{-}9)$$

这是个非常有用的方程。

现在，当加速度恒定时，我们有四个关于位置、速度、加速度和时间的公式。列在下面以作参考。

$$v = v_0 + at \qquad [a=常数] \qquad (2\text{-}10a)$$

$$x = x_0 + v_0 t + \frac{1}{2}at^2 \qquad [a=常数] \qquad (2\text{-}10b)$$

$$v^2 = v_0^2 + 2a(x - x_0) \qquad [a=常数] \qquad (2\text{-}10c)$$

$$\bar{v} = \frac{v_0 + v}{2} \qquad [a=常数] \qquad (2\text{-}10d)$$

只有当 a 是常数时，上列公式才有效。在许多情况下，可让 $x_0=0$，这样可简化上列公式。注意 x 表示位置，不是距离，$x-x_0$ 代表位移。

例 2-6 跑道设计 设计一个小型飞机使用的机场。使用这个机场的飞机必须达到 27.8 m/s (100 km/h)的速度才能起飞，加速度为 2.00 m/s^2。（a）如果跑道 150 m 长，飞机能达到起飞速度吗？（b）如果不能，跑道所需的最小长度是多少？

解:（a）已知飞机的加速度（a = 2.00 m/s^2）和 150 米（x=150m）的行进距离。要求出飞机的速度，看是否达到 27.8 m/s，即：

已知量	未知量
$x_0=0$	v
$v_0=0$	
x=150 m	
a=2.00 m/s^2	

在上面四个方程中，已知 $v_0=0$ 、a=2.00 m/s^2 、x=150 m 和 $x_0=0$，从公式 2-10c 可求出速度 v,

$$\begin{aligned} v^2 &= v_0^2 + 2a(x - x_0) \\ &= 0 + 2(2.0\text{m/s}^2)(150\text{m}) = 600\text{m}^2/\text{s}^2 \end{aligned}$$

$$v = \sqrt{600\text{m}^2/\text{s}^2} = 24.5\text{m/s}$$

显然这个距离不够起飞长度。

（b）已知 v = 27.8 m/s , a = 2.00 m/s^2, 求（$x-x_0$）。可用公式 2-10c，重新写成

$$(x - x_0) = \frac{v^2 - v_0^2}{2a} = \frac{(27.8\text{m/s})^2 - 0}{2(2.0\text{m/s}^2)} = 193\text{m}$$

2-6 求解习题

很明显，在以上几个例题中对问题的解决，主要为两个目的服务。第一，求解问题本身的实用性。第二，解题可加深对概念的理解。如何求解一个问题，甚至如何开始，并不总是很容易。首先，反复细致地阅读习题很重要。花一些时间思考和理解问题中包括了哪些物理原理、思想、定理和定义。本书为了达到这一点，我们主要关注了速度、加速度的定义和“匀加速运动方程”。我们从这些定义推导出方程 2-10。值得注意的是，物理不是一堆要记忆的公式。（事实上，记住公式 2-10 最好的方法是，弄清如何从速度、加速度的定义去推导它们）。简单套用公式将使你一无所获，并得出错误的结果（当然更不能帮你理解物理）。使用下列步骤是一个好的方法。

解题步骤：

1．在试图解题之前，**仔细阅读**并反复阅读 整个问题。

2．用适当的坐标系**画出原理图**。[你可以将坐标原点选在合适的位置以便于计算。也可以选择哪个方向为正，哪个方向为负。通常我们选 x 轴右方向为正，但你可以选左方向为止。]

3．**写出**哪些量“给出”或“已知”，要求哪些量。

4．思考本题要用到哪些物理原理。

5．考虑要用到哪些公式和定义，在使用它们之前，注意**适用范围**，看是否适合你的问题（如公式 2-10 只适用于加速度恒定的情况）。如果找到的适用公式中除了求解量以外都是已知的，那么**解**代数方程，求出未知量。在许多情况下，需要对方程进行代数计算。在代入数值以前，一般先求出未知量的代数解。

6．对数值问题进行**计算**时，多保留一到两位数字，但在最后结果中要进行舍入，只保留正确的有效数字（1-4 节）。

7．认真思考得到的结果是否合理。凭你的直觉和经验判断它是否有**意义**？一个很好的检验方法是 1-7 节讨论过的用数量级的方法进行粗略**估算**。最好在数值计算进行估算，这样可使你的注意力放到寻找最佳的解题途径上。

8．解题时，保持单位一致是一个非常重要的方面。注意等号两边必须保持**单位**一致，这同保持数值相等一样。如果单位不平衡，就会出错。这一点可用来**检验**结果（只能是否错误，而不能告诉你结果是否正确）。牢记：保持单位一致。

例 2-7 汽车的加速度 如果汽车从静止开始以 2.00 m/s^2 的恒定加速度加速，在绿灯亮后，需多长时间才能穿过 30.0 m 长的街道？

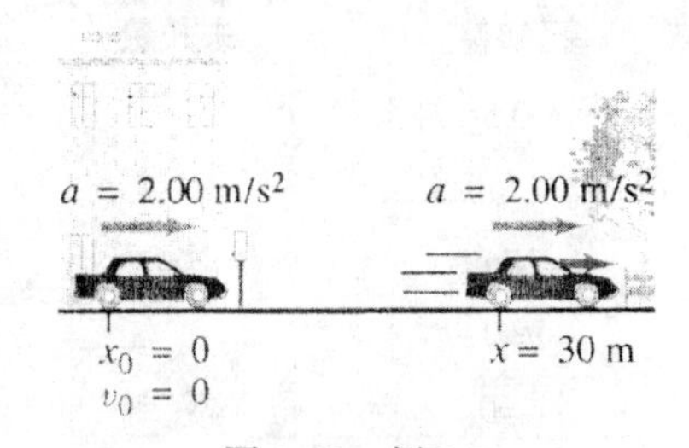

图 2-12 例 2-7

解：首先画出草图，如图 2-12。取 $x_0=0$，设汽车沿正 x 轴向右行进，注意“从静止加速”表示 $t=0$ 时，$v=0$ [$v_0=0$], $x=30.0\text{m}, a=2.0\text{m/s}^2$

已知量	未知量
$x_0=0$	t
$x=30.0\text{ m}$	
$a=2.00\text{ m/s}^2$	
$v_0=0$	

因为 a 是恒定的，可用公式 2-10，又由于只有 t 是未知量，方程 2-10b 最适合。取 $v_0=0$，$x_0=0$，可得：

$$x=\frac{1}{2}at^2$$

$$t^2=\frac{2x}{a}$$

$$t=\sqrt{\frac{2x}{a}}=\sqrt{\frac{2(30.0\text{m})}{2.00\text{m/s}^2}}=5.48\text{s}$$

结果的单位是正确的。我们可对答案进行检验，

汽车的终速度为 $v=at=(2.00\text{m/s}^2)(5.48\text{s})=10.96\text{m/s}$，

前进距离为：$x=x_0+\bar{v}t=0+\frac{1}{2}(10.96\text{m/s}+0)(5.48\text{s})=30.0\text{m}$

这就是求出的距离。

例 2-8 估算刹车距离。 估算汽车的最短刹车距离对交通安全和交通设计非常重要。这个问题可分两步来解决：（1）确定刹车到实施刹车的时间（“反应时间”），在这个时间内取 $a=0$；（2）车辆减速所用时间（$a\neq 0$）。这样刹车距离依赖于司机的反应时间，汽车的初始速度（终速为零）以及加速度。在路面干燥、轮胎和刹车良好的情况下，汽车的制动率可在 5m/s^2 到 8 m/s^2 之间。设汽车的加速度为 -6.0 m/s^2（负号表示速度取正 x 轴方向时其量值是减少的），初速度为 100 km/h (28 m/s≈62mph)， 计算总刹车距离。一般司机的反应时间约为 0.3 s 至 1.0 s，这里取为 0.50 s。

解：汽车向右沿正 x 轴方向行驶。在司机的反应时间内，汽车以 28 m/s 匀速行驶。问题的第一部分，取 $x_0=0$，见图 2-13：

第一部分：

已知量	未知量
$t=0.5\text{s}$	x
$v_0=28\text{m/s}$	
$v=28\text{m/s}$	
$a=0$	
$x_0=0$	

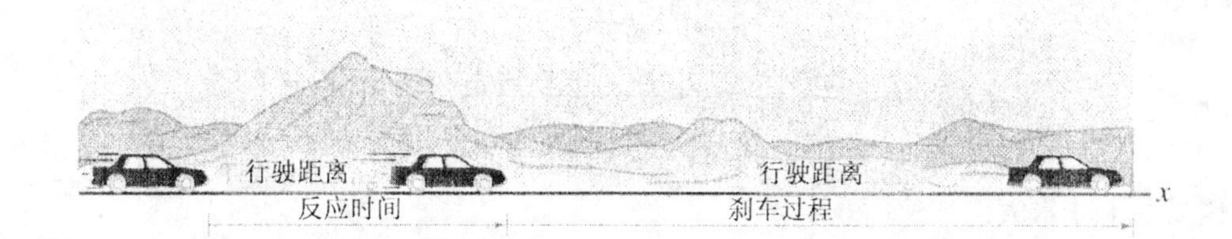

图 2-13　汽车刹车过程示意图

求 x 我们可用公式 2-10b（注意公式 2-10c 不能用，因为 x 与为零的加速度 a 相乘后得零）：

$$x=v_0t+0=(28\text{m/s})(0.5\text{s})=14\text{m}$$

直到刹车实施，在司机的反应时间内，汽车行驶了 14 米。现在解第二部分，汽车开始减速直到停止。取 x_0= 14 m，v_0=28m/s, v=0, a=-6.0m/s^2（第一步结果）：

第二部分：

已知量	未知量
x_0=14m	x
v_0=28m/s	
v=0	
a=-0.60m/s^2	

公式 2-10a 不包括 x；公式 2-10b 有 x，但 t 是未知量。公式 2-10c 满足需要；求 x（x_0=14 m 已知的情况下）：

$$v^2-{v_0}^2=2a(x-x_0)$$

$$x=x_0+\frac{v^2-v_0^2}{2a}=14\text{m}+\frac{0-(28\text{m/s})^2}{2(-6.0\text{m/s}^2)}=14\text{m}+65\text{m}=79\text{m}$$

汽车在司机的反应时间内行驶了 14 米，刹车期间行驶了 65 米，然后才停止。总的行驶距离为 79 米。在湿滑或结冰情况下，a 的值只有干燥路面的三分之一，刹车距离会更长。注意刹车距离随速度的平方增加，而不是线性增加。如果行驶速度为原来的两倍，要用四倍原来的距离才能停止。

例 2-9 估计棒球速度。 棒球投球手掷球速度可达 44 米/秒。试估计在投掷过程中，球的平均加速度。投球手在投掷时，球从身后到掷出的位移是 3.5 米。（图 2-14）

图 2-14　投球手在投掷时，球从身后到掷出的位移是 3.5 米。

解：已知 $x = 3.5\ \text{m}$，$v_0=0, v=44\text{m/s}$，求加速度 a。用公式 2-10c 可得：

$$a=\frac{v^2-v_0^2}{2x}=\frac{(44\text{m/s})^2-(0\text{m/s})^2}{2(3.5\text{m})}=280\text{m/s}^2$$

这是一个非常大的加速度！

例 2-10 估算安全气囊。设汽车以 100 千米/小时的速度行驶时发生对头碰撞，试设计一个可保护司机安全的气囊系统。估计气囊充气需多快才能有效保护司机。设汽车碰撞挤压的距离约为 1 米。安全带对司机有何帮助？

解：汽车在极短的时间和距离（1 米）内，速度要从 100 千米/小时降到零。已知 $100\ \text{km/h} =100\times10^3\ \text{m}/3600\ \text{s} = 28\ \text{m/s}$，可从方程 2-10c 得出加速度：

$$a=-\frac{v_0^2}{2x}=-\frac{(28\text{m/s})^2}{2.0\text{m}}=-390\text{m/s}^2$$

这个极大的加速度产生时间可由方程 2-10a 得出：

$$t=\frac{v-v_0}{a}=\frac{0-28\text{m/s}}{-390\text{m/s}^2}=0.07\text{s}$$

气囊的膨胀时间必须短于这个时间才能有效。

气囊是怎样起作用的？首先，它保护胸部以避免与方向盘相撞。另外，控制囊中的压力以缓冲头部极高的减速度。安全带的作用是保持司机朝着膨胀气囊的方向。

本章对运动的分析基本是代数形式的。有时用图解的方法也很有效，在任选章节 2-8 中对此作了讨论。

2–7 自由落体运动

匀加速运动的一个最典型的例子是地球表面附近的自由落体运动。起初，人们并不清楚物体的下落是一个加速过程。在伽里略以前的时代（图 2-15），人们普遍相信重的物体比轻的物体下落得快，并且下落的速度正比于物体的重量。

图 2-15 伽里略（1564-1642）

伽里略用全新的创造性方法对此问题进行了分析，这就是想象理想（简化）情况下出现的情形。他假设在没有空气或其它阻力的情况下，对于自由落体，所有下落物体具有一样的恒定加速度。并设想从静止落下的物体，其行进的距离与时间的平方成正比：即 $d \propto t^2$（图 2-16）。从方程 2-10b 就可看出这一点，这个数学关系就是伽里略首先推导出来的。实际上，伽里略对科学的一个伟大贡献就是建立了这一数学关系，并且确信它们的重要性。他的另一个伟大贡献是通过独特的实验建立了能被定量检验的理论（如 $d \propto t^2$）。

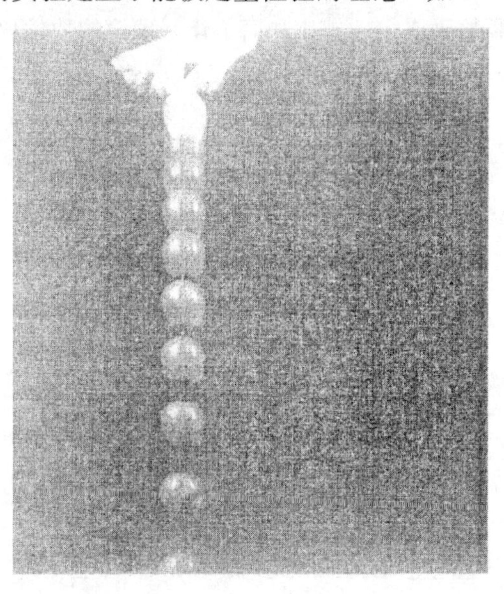

图 2-16　从静止落下的苹果在相等的时间内通过的距离逐渐增加

为了支持他的关于物体下落时速度增加的论点，伽里略作了杰出的论证：一个重石块从 2 米落下，要比从 0.2 米落下使木桩更深地打入地下。显然，前者石块的速度更快。

正如我们看到的，伽里略也提出：所有物体，不管轻重，至少在没有空气的情况下，下落时具有同样的加速度。如果一只手拿一张纸，另一只手水平地拿一重物（棒球），同时将它们放开，如图 2-17a 所示，重物将首先到达地面。如果重新做这个实验，这一次将纸捏成小团（见图 2-17b），你会发现两物几乎同时到达地面。

图 2-17　(a)球和纸张同时自由下落的情况，(b)球和纸团同时自由下落的情况

伽里略相信是空气阻滞了表面积大的很轻的物体的下落。但在通常情况下，空气阻力被忽略了。在除去空气的容器中，很轻的羽毛或平放的纸片下落时与其它物体具有同样的加速度（图 2-18）。在真空中进行这样的实验证明，在伽里略时代是不可能的，这使伽里略的成就显得更伟大。伽里略常被称为“现代科学之父”，不仅由于其科学内容（天文发现，惯性，自由落体），而且由于其科学风格（理想化和简单化，理论的数学化，理论的结果能被验证，对理论预言进行实验验证）。

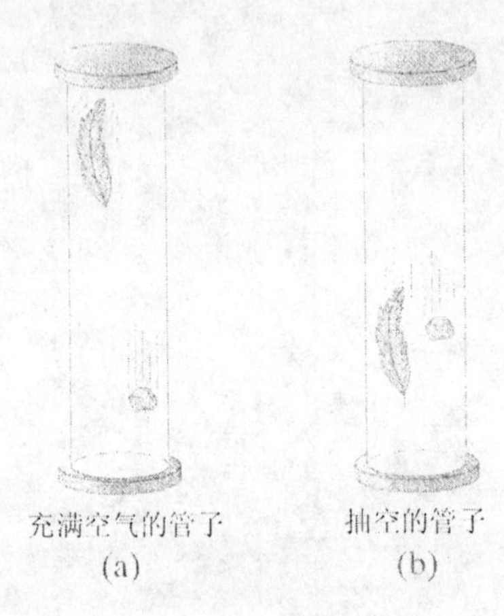

图 2-18 石子和羽毛同时自由下落的示意图：(a)在空气中，(b)在真空中

伽里略对我们理解自由落体运动的特殊贡献可总结如下：

在无空气阻力的情况下，所有物体在地球上给定地点下落时具有同样的恒定加速度。

我们将这种加速度称为地球上的引力加速度，用符号 g 表示。它的值约为

$$g=9.8\text{m/s}^2$$

在英制单位里 g 的值约为 32 ft/s²。实际上，g 值随经度和纬度有微小变化（见表 2-1），但改变很小，许多情况下可不考虑。空气阻力也很小，一般也可忽略。但如果速度变得很大，即使对相当重的物体，空气阻力也要考虑。

表 2-1 地球上不同地区的重力加速度

地区	海拔	g(m/s²)
纽约	0	9.803
旧金山	100	9.800
丹佛	1650	9.796
派可斯峰	4300	9.789
赤道	0	9.780
北极（理论值）	0	9.832

在处理自由落体问题时，可用公式 2-10，这里 a 用上面给出的 g 值。同样，因为运动是垂直的，可用 y 代替 x，y_0 代替 x_0。无特殊情况，一般取 $y_0=0$。取 y 轴向上或向下为正是任意的，但在解题过程中必须保持一致。

例 2-11 小球从塔上落下 设小球从 70.0 米高的塔上落下。它在 1.00 秒、2.00 秒和 3.00 秒时，下落距离各为多少？取 y 轴向下为正，忽略空气阻力。

解：已知 $a=g=+9.80\,\mathrm{m/s^2}$,因为取向下为正，这里 g 值为正。给出 t，要求出下落距离，可用公式 2-10b，这里 $v_0=0$，$y_0=0$。1.00 秒后小球的位置为：

$$y_1=\frac{1}{2}at^2=\frac{1}{2}(9.8\mathrm{m/s^2})(1.00\mathrm{s})^2=4.90\mathrm{m}$$

1 秒后小球的下落距离为 4.90 米。同样，2.00 秒后：

$$y_2=\frac{1}{2}at^2=\frac{1}{2}(9.8\mathrm{m/s^2})(2.00\mathrm{s})^2=19.6\mathrm{m}$$

3.00 秒后：

$$y_3=\frac{1}{2}at^2=\frac{1}{2}(9.8\mathrm{m/s^2})(3.00\mathrm{s})^2=44.1\mathrm{m}$$

见图 2-19

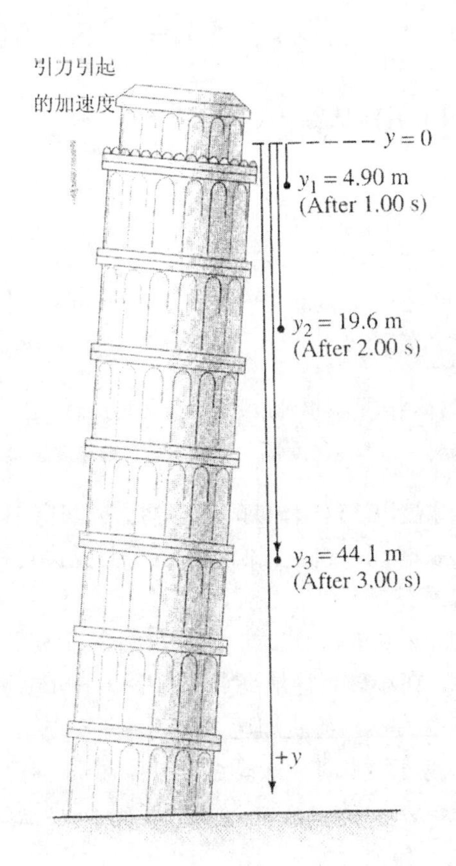

图 2-19 物体从塔顶自由落下时其位移与时间的示意图

例 2-12 从塔上掷下 设例 2-11 中的小球被以 3.00 米/秒的初速掷下，而非自由落下。试求：（a）经过 1.00 秒和 2.00 秒后，小球的位置各为多少？（b）经过 1.00 秒和 2.00 秒后，小球的速度各为多少？并与自由下落小球的速度进行比较。

解：（a）按例 2-11 的方法解此题，用公式 2-10b，但这里 v_0 不为零，v_0=3.0 米/秒。这样，t=1.00 秒时，小球的位置为：

$$y=v_0t+\frac{1}{2}at^2=(3.00\text{m/s})(1.00\text{s})+\frac{1}{2}(9.8\text{m/s}^2)(1.00\text{s})^2=7.90\text{m}$$

t=2.00 秒时：

$$y=v_0t+\frac{1}{2}at^2=(3.00\text{m/s})(2.00\text{s})+\frac{1}{2}(9.8\text{m/s}^2)(2.00\text{s})^2=25.6\text{m}$$

正如期望的，小球每一秒下落的距离比以 v_0=0 下落时要远。

（b）速度可由公式 2-10a 求出：

t=1.00 秒时：

$$v=v_0+at=3.00\text{m/s}+(9.8\text{m/s}^2)(1.00\text{s})=12.8\text{m/s}$$

t=2.00 秒时：

$$v=v_0+at=3.00\text{m/s}+(9.8\text{m/s}^2)(2.00\text{s})=22.6\text{m/s}$$

当小球自由落下时（v_0=0），上面方程里的第一项为零，所以

t=1.00 秒时：

$$v=0+at=(9.8\text{m/s}^2)(1.00\text{s})=9.8\text{m/s}$$

t=2.00 秒时：

$$v=0+at=(9.8\text{m/s}^2)(2.00\text{s})=19.6\text{m/s}$$

可以看出自由下落小球的速度随时间线性增加。（在例 2-11 中，下落距离随时间的平方线性增加）掷下小球的速度也是线性增加（每秒 Δv = 9.80 m/s），但在任意时刻，其速度总要比落下小球快 3.0 米/秒（其初始速度）。

⁺物体不论在空气中还是在液体中下落，其速度并不是无限增加的。当物体下落到足够长的距离时，速度达到一个最大值，称为**极限速度**。重力加速度是个矢量（其它加速度也是），其方向竖直指向地心）

例 2-13 向上掷小球 小球被以 15.0 米/秒的初速朝上掷向空中。计算（a）它能升多高？（b）它从空中返回原处需多长时间？这里我们考虑的不是抛掷过程，而只是小球离开抛掷者的手之后的运动（图 2-20）。

解：选 y 轴向上为正，向下为负。（注意：这里与例 2-11 和例 2-12 不同）这样引力加速度将有负号，a= −9.8 m/s^2。在小球到达最高点（图 2-20 中 B 点）之前，其速度是减少的，在到达最高点的瞬时，其速度为零，随后加速下落。

为确定最高点，可计算速度为零时（最高点 v=0），小球的位置。在 t = 0（图 2-20 中 A 点），有 y_0 = 0，v_0 = 15.0 m/s，a = -9.80 m/s^2 。在 t 时刻（最高点），v = 0，a = -9.80 m/s^2，要求 y，可用公式 2-10c（用 y 替换 x）：

$$v^2=v_0^2+2ay$$

$$y=\frac{v^2-v_0^2}{2a}=\frac{0-(15.0\text{m/s})^2}{2(-9.80\text{m/s}^2)}=11.5\text{m}$$

小球可达手以上 11.5 米的高度。

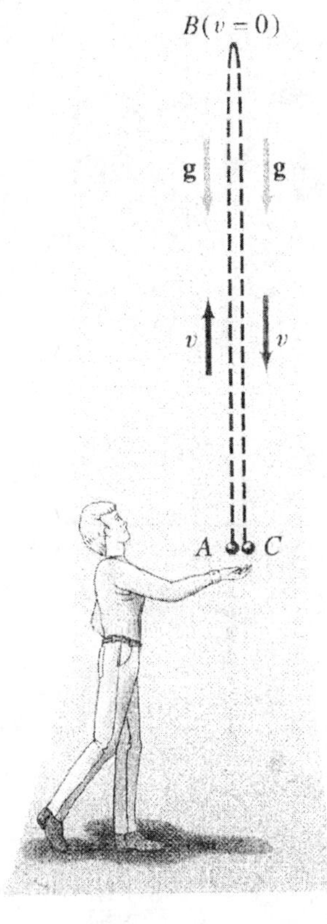

图 2-20　小球从 A 点竖直向上抛出，直最高 B 后，下落回到出发点 C 位置。此图适用于例 2-13，2-14 和 2-15。

(b) 现在需要计算小球在空中滞留多长时间。可以分两步计算，先求出到达最高点所需时间，再算下落返回的时间。但用公式 2-10b，直接算出从 A 到 B 到 C 的运动更简便。因为 y（或 x）表示位置或位移，而不是运行的总距离。这样，在 A 和 C 点，$y=0$。用公式 2-10b 和 $a=-9.80\ \mathrm{m/s^2}$，可得：

$$y=v_0t+\frac{1}{2}at^2$$

$$0=(15.0\mathrm{m})t+\frac{1}{2}(-9.8\mathrm{m/s^2})t^2$$

这是一个简单方程（只含一个因子 t）：

$$(15.0\mathrm{m/s}-4.9\mathrm{m/s^2}t)t=0$$

有两个解：

$$t=0,$$

和

$$t=\frac{15.0\mathrm{m/s}}{4.90\mathrm{m/s^2}}=3.06\mathrm{s}$$

第一个解（$t=0$）表示图 2-21 中初始点（A），刚开始抛球时，$y=0$。第二个解，$t=3.06$ 秒，

表示 C 点，小球返回时，$y=0$。因此小球在空中滞留 3.06 秒。

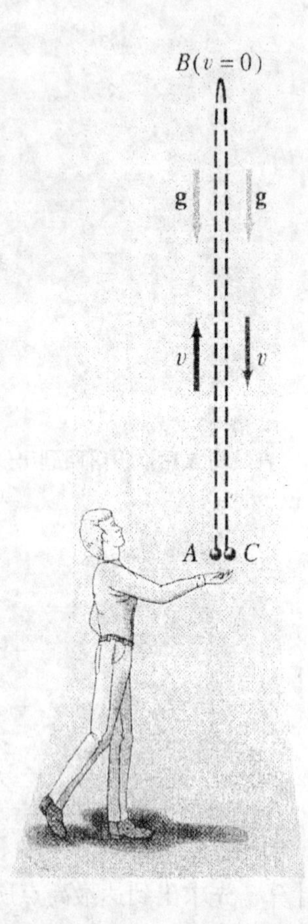

图 2-21 适用于例 2-13，2-14 和 2-15。

概念练习 例 2-14 两个常见的错误概念 解释下面两个常见概念中的错误：（1）加速度和速度总是一个方向；（2）抛向空中的物体在最高点时（图 2-11 中 B 点），加速度为零。

回答：两个概念都是错误的。（1）速度和加速度不必在一个方向上。在例 2-13 中，小球向上运动时，速度是正的（向上），而加速度是负的（向下）。（2）在最高点（图 2-11 中 B 点），小球的瞬时速度为零。它的加速度也为零吗？不是。引力没有停止作用，所以 $a=g=-9.80\ \text{m/s}^2$ 仍然存在。设想在 B 点 $a=0$，小球到达 B 点后将悬在那里。因为，如果加速度（= 速度变化率）为零，速度将保持为零，小球会停在那里而不落下。

例 2-15 上抛小球Ⅱ 让我们重新考虑例 2-13 中上抛小球的运动并增加三项计算。（a）小球到达最高点（图 2-21 中 B 点）所需时间。（b）小球回到抛掷者手中（C 点）时的速度。（c）小球在何时经过抛掷者手以上 8.00 米的点。

解：我们仍取 y 轴向上为正。

(a) 公式 2-10a 和 2-10b 都包含时间 t 以及其它已知量。这里用公式 2-10a， 已知 $a=-9.80\ \text{m/s}^2$ ，$v_0=15.0\ \text{m/s}$，和 $v=0$：

$$v=v_0+at$$

所以

$$t = -\frac{v_0}{a} = -\frac{15.0\text{m/s}}{-9.80\text{m/s}^2} = 1.53\text{s}$$

这正是小球上升然后回到初始位置所需时间 [在例 2-13（b）中算得 3.06 秒] 的一半。因此，上升到最高点与返回到出发点所用时间相等。

(b) 用方程 2-10a，已知 $v_0 = 15.0$ m/s 和 $t = 3.06$ s（用在例 2-13（b）中算得小球返回手中所需时间）：

$$v = v_0 + at = 15.0\text{m/s} + (-9.8\text{m/s}^2)(3.06\text{s}) = -15.0\text{m/s}$$

小球回到出发点时的速度值与初始值相等，但方向相反（这就是负号的含义）。因此，结合（a）的结果，我们就会发现运动对于最高点是对称的。

(c) 已知，$y = 8.00$ m , $y_0 = 0$, $v_0 = 15.0$ m/s 以及 $a = -9.80$ m/s^2，用公式 2-10b：

$$y = y_0 + v_0 t + \frac{1}{2}at^2$$

$$8.00\text{m} = 0 + (15.0\text{m/s})t + \frac{1}{2}(-9.8\text{m/s}^2)t^2$$

解二次方程 $at^2 + bt + c = 0$，这里 a、b、c 是常数，可用**二次方程**求解公式（见附录 A-4）：

$$t = \frac{-b \pm \sqrt{b^2 - 4ac}}{2a}$$

将方程写成标准形式：

$$(4.90\text{m/s}^2)t^2 - (15.0\text{m/s})t + (8.00\text{m}) = 0$$

将以上各项系数代入上述求根公式，得到

$$t = \frac{15.0\text{m/s} \pm \sqrt{(15.0\text{m/s})^2 - 4(4.90\text{m/s}^2)(8.00\text{m})}}{2(4.90\text{m/s}^2)}$$

所以，$t = 0.69$s 和 $t = 2.37$s。为什么有两个解？两个都有效吗？是的，因为小球经过 $y =$ 8.00 米点有两次，上升（$t = 0.69$s）和下降（$t = 2.37$s）。

一些特殊物体的加速度，如火箭和高速飞机，常以 $g = 9.80$ m/s^2 的倍数形式给出。例如，飞机从俯冲拉起时具有 3.00g，即 $(3.00)(9.80\text{m/s}^2) = 29.4\text{m/s}^2$。

2–8 直线运动的作图分析+

+本书的某些章节，比如这一节，指导老师可以考虑作为选讲内容。详细情况请见封页说明。

图 2-8 给出两种情况下汽车速度与时间的关系图：（a）匀速；（b）速度值改变。画出位置 x 对时间的函数也很有用。自变量时间 t 沿水平轴标出，因变量位置 x 沿垂直轴标出。

取 $t = 0$ 时，位置 $x_0 = 0$，我们作出 x 对 t 的关系图。首先，考虑汽车以 40 千米/小时匀速行进，这个速度等于 11 米/秒。从公式 2-10b（$x = vt$）可知，x 每秒增加 11 米。这样，位置随时间线性增加，所以 x 对 t 的关系图是一条直线，如图 2-22。直线上的每一点代表汽车在特定时刻的位置。例如，$t = 3.0$ 秒，$x = 33$ 米，$t = 4.0$ 秒，$x = 44$ 米，如图中虚线所示。图中的小三角形给出了直线的**斜率**，它定义为因变量的改变（Δx）除以对应自变量的改变（Δt）：

$$斜率 = \frac{\Delta x}{\Delta t}$$

由此可见，根据速度的定义（方程 2-2），x 对 t 的关系图的斜率就等于速度。从图中小三角形可得，$\Delta x/\Delta t = (11\text{m})/(1.0\text{s}) = 11\ \text{m/s}$，这就是求出的速度。

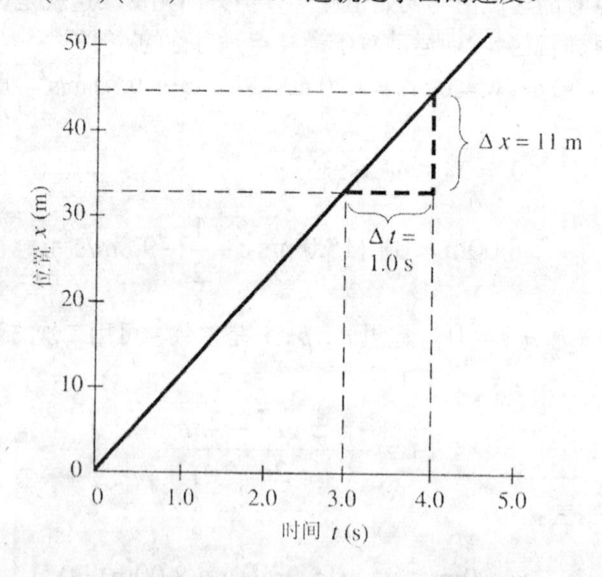

图 2-22 以恒定速度运动的物体，其位移和时间成正比

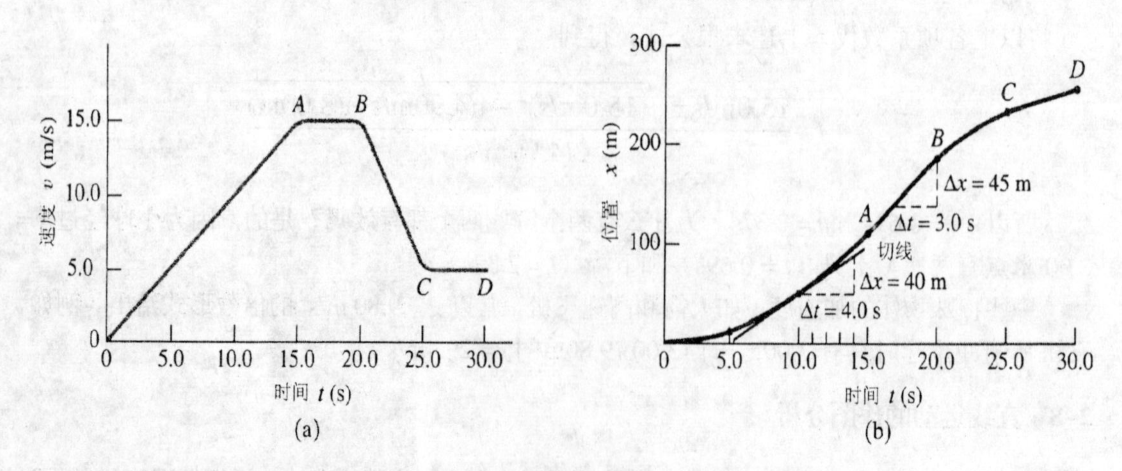

图 2-23 作变速运动的物体，其(a)速度(b)位移与时间的变化关系图

如果速度恒定，x 对 t 关系图的斜率到处一致，如图 2-22 所示。但如果速度改变，如图 2-23，x 对 t 关系图的斜率也会改变。例如，一汽车在 15 秒时间内，从静止匀加速到 15 米/秒，保持 15 米/秒的速度行进了 5.0 秒，然后在 5.0 秒内匀减速到 5.0 米/秒，并一直保持这个

速度。图 2-23a 给出了速度对时间的关系图。现在，利用公式 2-10b 作出 x 对 t 的关系图，在 $t=0$ 到 $t=15$ 秒和 $t=20$ 秒到 $t=25$ 秒的时间间隔内为匀加速过程，在 $t=15$ 秒到 $t=20$ 秒和 $t=25$ 秒以后的时间间隔内为匀速过程。x 对 t 的关系图如图 2-23b 所示。

图中从原点到 A 点，x 对 t 的关系图不是一条直线，而是曲线。曲线上任意点的**斜率**定义为此点切线的斜率。（切线是画出与曲线只有一个交点，但不能交叉穿过的直线）图中画出在 $t=10.0$ 秒时的切线（标有“切线”）。取 Δt 为 4.0 秒画出三角形；Δx 可从图中量出为 40 米。因此，$t=10.0$ 秒时曲线的斜率就等于此时刻的瞬时速度，$v=\Delta x/\Delta t=40\ \text{m}/4.0\text{s}=10\ \text{m/s}$。$A$ 到 B 区间（图 2-23），x 对 t 的关系图是一条直线其斜率可从图中三角形求出，在 $t=17$ 秒到 $t=20$ 秒，x 的增加量是 45 米，所以，$\Delta x/\Delta t=45\ \text{m}/3.0\text{s}=15\ \text{m/s}$。

如果给出图 2-23b 的 x 对 t 的关系图。我们可以测出许多点的斜率，然后作出斜率对时间的关系图。因为斜率等于速度，这样就可以画出 v 对 t 的关系图！换句话说，给出 x 对 t 的关系图，就可用作图的方法确定速度与时间的关系，而不用公式。这种技术当加速度不是恒定时十分有效，因为这时公式 2-10 不能用。

同样可以进行相反的过程。如果给出 v 对 t 的关系图，我们就可以确定位置 x 与时间的关系。对图 2-24a（与图 2-23a 一致）v 对 t 的关系图，我们可以按以下过程处理。首先，我们将时间轴分成许多小区间（图 2-24a 中，只有六个），如图中虚竖线所示。在每个区间中，水平虚线表示区间内的平均速度。例如，在第一区间，速度以固定速率从零增加到 5.0 米/秒，所以 $\bar{v}=2.5\text{m/s}$；在第四区间，速度是恒定的 15 米/秒，所以 $\bar{v}=15\text{m/s}$（因本身与曲线重合故无虚线显示）。在任意区间的位移（位置的改变）$\Delta x=vt$。因此，每个小区间的位移等于 v 与 t 的乘积，正好等于矩形的面积（底×高=$\Delta t\times v$），如图中此区间阴影所示。25 秒内的总位移，就是前五个矩形面积的和。

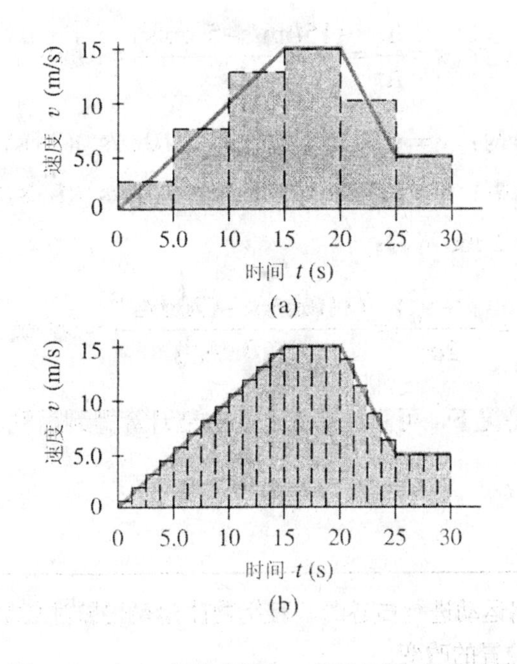

图 2-24 在 v-t 的关系图中，采用面积法计算位移

如果速度变化很快，从图中估计速度的平均值就会很困难。利用更多窄的子区间可以减小这个困难。即将Δt取得更小，如图 2-24b 所示。间隔取得愈多，结果近似愈好。理想情况下，可让Δt趋于零，这将导致积分计算技术的产生，我们这里不做讨论。结论是任何情况下，任意时间间隔里的总位移等于 v 对 t 的关系图中两时间间隔内包含的面积。

例 2-16 作图求位移　空间探测器在 $t=0$ 到 $t=10$ 秒时从 50 米/秒匀加速到 150 米/秒。它在 $t=2.0$ 秒至 $t=6.0$ 秒行进了多远距离？

解：　作出 v 对 t 的关系图，如图 2-25 所示。只需简单计算阴影区梯形的面积。

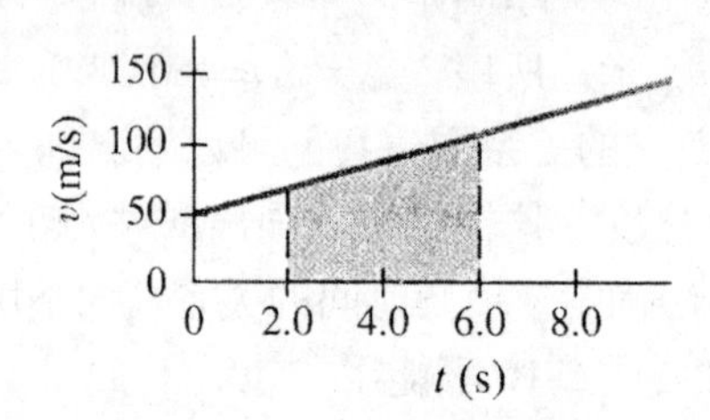

图 2-25　图中梯形的面积代表在 $t=2.0$ 秒至 $t=6.0$ 秒时间段内通过的位移。

这个面积等于平均高度（速度的单位）乘以宽度（4.0 秒）。在 $t=2.0$ s，$v=70$ m/s; $t=6.0$s, $v=110$ m/s。面积等于Δx，

$$\Delta x=(\frac{70\text{m/s}+110\text{m/s}}{2})(4.0\text{s})=360\text{m}$$

对匀加速运动，可用公式 2-10 得到同样的结果：

$$a=\frac{\Delta v}{\Delta t}=\frac{(150\text{m/s}-50\text{m/s})}{10\text{s}}=10\text{m/s}$$

t=2.0s 时：$v=v_0+at=50\text{m/s}+(10\text{m/s}^2)(2.0\text{s})=70\text{m/s}$

t=6.0s 时：$v=v_0+at=50\text{m/s}+(10\text{m/s}^2)(6.0\text{s})=110\text{m/s}$

由方程 2-10c 可得：

$$\Delta x=\frac{(v^2-v_0^2)}{2a}=\frac{(110\text{m/s})^2-(70\text{m/s})^2}{2(10\text{m/s}^2)}=360\text{m}$$

在加速度不恒定的情况下，可用作图纸上小方格计算得到面积。

小结

运动学是对物体如何运动进行描述的。任何物体运动的描述必须给出有关特定**参照系**。

物体的**位移**是物体位置的改变。

平均速率是行进距离除以经过时间。物体在特定的时间间隔Δt内的平均速度值等于位移Δx除以Δt：

$$\bar{v}=\frac{\Delta x}{\Delta t}$$

瞬时速度的值等于瞬时速率，为无穷小时间间隔内的平均速度。

加速度为单位时间内速度的变化。物体在时间间隔 Δt 内的**平均加速度**为

$$\bar{a}=\frac{\Delta v}{\Delta t}$$

这里 Δv 是时间间隔 Δt 内速度的改变量。**瞬时加速度**为无穷小时间间隔内的平均加速度。

如果物体沿直线做匀加速运动，速度 v 和位置 x 与加速度、经过时间和初始位置 x_0 与初始速度 v_0 有关，公式 2-10 给出它们之间的关系：

$$v=v_0+at,\quad x=x_0+v_0t+\frac{1}{2}at^2$$

$$v^2=v_0^2+2a(x-x_0),\quad \bar{v}=\frac{v+v_0}{2}$$

物体在地球表面垂直运动，或自由落体，或垂直向上、向下抛掷，都有恒定向下的**引力加速度**，不计空气阻力，其值为 $g = 9.80$ 米/秒 ^{2}。

问答题

1. 汽车的速度仪测量的是速率？还是速度？或两者都是？
2. 如果物体速率恒定，速度能不断变化吗？请举例。
3. 如果物体速度恒定，速率能不断变化吗？请举例。
4. 物体匀速运动时，其任意时间间隔的平均速度与任意时刻的瞬时速度不同吗？
5. 在短距离赛中，汽车用最大速率冲过终点，但输掉比赛是否可能？
6. 一物体比另一个具有较快的速率，前者需较大的加速度吗？请举例说明。
7. 摩托车从 80 千米/小时加速到 90 千米/小时，自行车在同样时间内从静止加速到 10 千米/小时，比较两者加速度大小。
8. 速度仪如何表示速率？加速度如何表示？
9. 物体具有向北的速度，同时具有向南的加速度，可能吗？试解释。
10. 物体的加速度为正时速度能是负的吗？倒过来怎样？
11. 举例说明何时速度和加速度都为负。
12. 速率增加时，物体具有负的加速度，可能吗？举例说明。
13. 两辆汽车并排从隧道出现。汽车 A 以 60 千米/小时的速度和 40 千米/小时/分钟的加速度行进。汽车 B 以 40 千米/小时的速度和 60 千米/小时/分钟的加速度行进。在出隧道后，哪辆车能超过另一辆？说明原因。
14. 加速度减小时，物体的速率能增加吗？如能，请举例；如不能，请解释。
15. 当自由落体的速度增加时，其引力加速度出现什么变化？增加，减小或不变？
16. 你能估计一下竖直向上扔球的最大高度吗？如何估计你所能得到的最大速率？
17. 如果忽略空气阻力，竖直向上掷出的球回到原点时具有与出发时相同的速率。考虑

空气阻力后，这个结果将会怎样变化？[提示：空气阻力引起的加速度总是与运动方向相反]。

*18. 描述图 2-26 中的运动，如速度、加速度等。[提示：先尝试用步行或手的移动模拟图中的运动]。

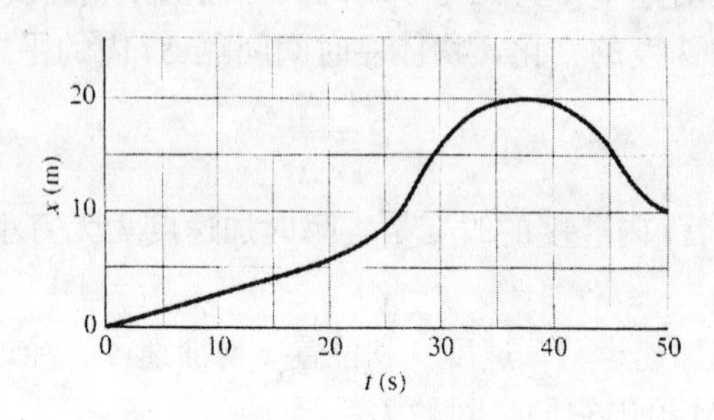

图 2-26 思考题 18，习题 51，52，57

*19. 描述图 2-27 中物体的运动。

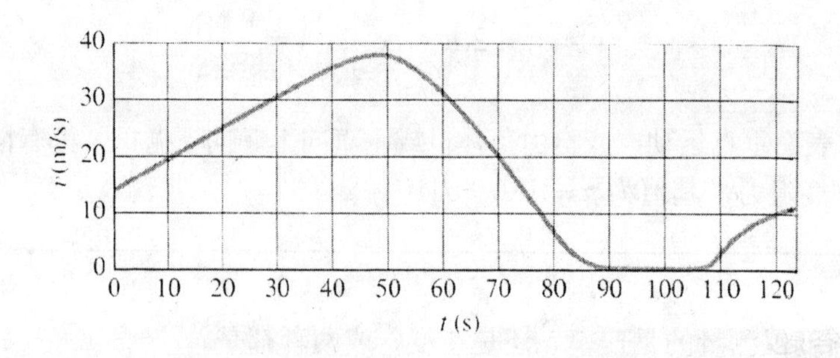

图 2-27 思考题 19，习题 53，56，58

习题

2-1 至 2-3 节

1.（Ⅰ）要在 3.25 小时行进 230 千米，平均速率是多少？

2.（Ⅰ）鸟以 25 千米/小时速度飞行 15 千米需多长时间？

3.（Ⅰ）当你驾车以 110 千米/小时速度沿直路行进时，朝路边看了 2.0 秒，在这疏忽期间，汽车行进多远？

4.（Ⅰ）每小时 65 英里（mph）是多少（a）千米/小时，（b）米秒，（c）英尺/秒？

5.（Ⅱ）你驾车以每小时 65 英里的速度从学校回家，在行进了 130 英里后，开始下雨，你将速度降为每小时 55 英里。回家共用 3 小时 20 分。（a）家离学校多远？（b）平均速度是多少？

6.（Ⅱ）根据经验，闪电与雷声间隔五秒表示雷电在一英里远，设闪电传播不用时间，估计雷声的传播速度为每秒多少米（m/s）？

7.（Ⅱ）一人用 12.5 分钟沿四分之一英里的跑道跑了八圈，计算（a）平均速率（m/s）（b）平均速度（m/s）。

8.（Ⅱ）一匹马用 14.0 秒直线跑到离驯马者 130 米处，然后用 4.8 秒快速返回一半距离。计算（a）马的平均速率（b）全程的平均速度，用离开驯马者的方向为正方向。

9.（Ⅱ）两辆火车头在平行轨道上相向而行。各自对地的速率为 95 千米/小时。如初始

距离为 8.5 千米，多长时间后两辆火车头会面。（图 2-28）

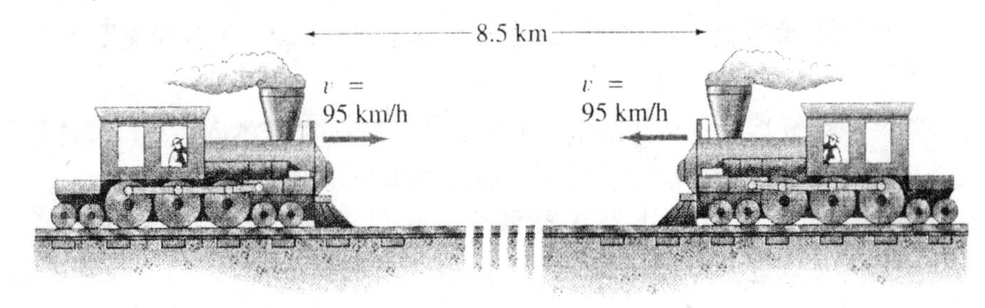

图 2-28　习题 9

10.（Ⅱ）一驾飞机以 800 千米/小时速率飞行了 2100 千米后，遇到台风使速率增加到 1000 千米/小时，并以此速率飞行了 1800 千米。整个旅行用了多少时间？此次旅行飞机的平均速率是多少？[提示：在用公式 2-10b 前，认真思考]

11.（Ⅱ）一次旅行出发时用 90 千米/小时的速度行程 200 千米，经一个小时的午餐后，返回 200 千米的速度为 50 千米/小时，计算整个旅行的平均速率和平均速度。

12.（Ⅲ）保龄球匀速行进击中 16.5 米球道末端的木瓶。掷球者在扔出球后 2.50 秒听到击瓶声。球的速度是多少？(声速为 340 米/秒。)

2-4 节

13.（Ⅰ）赛车在 6.2 秒内从静止加速到 95 千米/小时，其平均加速度是多少（m/s^2）？

14.（Ⅰ）在高速公路上，一辆特殊汽车具有 1.6 米/秒^{2}的加速能力。以这个加速度，它从 80 千米/小时加速到 110 千米/小时需多长时间？

15.（Ⅰ）田经选手经过 1.35 秒从静止加速到 10.0 米/秒，她的加速度是多少（a）米/秒^2?（b）千米/小时^2?

16.（Ⅱ）一辆赛车宣称能在 50 米距离远从 90 千米/小时减速到停止。其加速度为多少（米/秒^2）?达到几个 g（$g=$　$9.80\ m/s^2$）？

17.（Ⅲ）赛车位置对时间的关系列在下表中，$t=0$ 时，从静止出发并沿直线行进。估计（a）赛车的速度；（b）加速度与时间的关系。列表并画图。

t (s)	0	0.25	0.50	0.75	1.00	1.50	2.00	2.50
x(m)	0	0.11	0.46	1.06	1.94	4.62	8.55	13.79
t(s)	3.00	3.50	4.00	4.50	5.00	5.50	6.00	
x(m)	20.36	28.31	37.65	48.37	60.30	73.26	87.16	

2-5 和 2-6 节

18.（Ⅰ）如果初速为零，运动学基本公式 2-10a 到 2-10d 会变得非常简单。写出这种情况下的公式（同样取 $x_0=0$）。

19.（Ⅰ）汽车在 6.0 秒内从 12 米/秒加速到 25 米/秒。其加速度是多少？在这段时间内它行进了多远？设为匀加速过程。

20.（Ⅰ）一辆车在 85 米距离内从 20 米/秒减速到停止。其加速度为多少，取匀加速过程？

21.（Ⅰ）轻型飞机必须达到 30 米/秒的速率才能起飞。如果（匀）加速度为 3.0 米/秒^2，跑道需要多长？

22.（Ⅱ）世界级田经选手在从起跑架上冲出后能在最初 15.0 米内达到最高速度（约 11.5 米/秒）。其平均加速度是多少？需多长时间才能达到最高速度？

23.（Ⅱ）一辆车在 5.00 秒内从 25.0 米/秒减速到停止,在这段时间它行进了多远？

24.（Ⅱ）一辆车在高速公路上刹车时留下了 80 米长的刹车痕。设加速度为 7.00 米/秒^2，估计刹车前汽车的速度。

25.（Ⅱ）一辆车从 45 千米/小时缓慢减速，加速度为 0.50 米/秒^2。计算（a）汽车停止前滑行的距离。（b）停车所用时间，（c）它在第一秒和第五秒内行进的距离。

26.（Ⅱ）一辆车以 90 千米/小时行进时碰到树上。汽车前端挤压，司机前冲了 0.80 米后停止。司机在碰撞中的加速度是多少？答案写成“几个 g”， 这里 1.00g = 9.80 m/s^2。

27.（Ⅱ）确定汽车的停车距离，若车的初始速度为 90 千米/小时，人的反应时间为 1.0 秒：（a）当加速度为 a =-4.0 米/秒^2 ；（b）a =-8.0 米/秒^{2}时。

28.（Ⅲ）证明汽车的停车距离方程可写成 $d_s = v_0 t_R - v_0^2/(2a)$，这里 v_0是汽车的初始速度，t_R是司机的反应时间，a 是匀加速度（是负值）。

29.（Ⅲ）超速司机以 120 千米/小时速度经过警察岗站，警察马上以 10.0 千米/小时/秒（注意混合单位）的匀加速度开始追踪。需多长时间警察才能追上超速者？设超速者保持匀速。追上时，警察的速度是多少？

30.（Ⅲ）某人驾车以 50 千米/小时速度来到交叉路口，此时黄灯亮了。她知道黄灯持续 2.0 秒后变成了红灯，而她离路口 30 米远（图 2-29）。她应该停车，还是冲过去？交叉路口 15 米宽。她汽车的最大减速度为-6.0 米/秒^2，但可在 6.0 秒内从 50 千米/小时加速到 70 千米/小时。忽略汽车长度和人的反应时间。

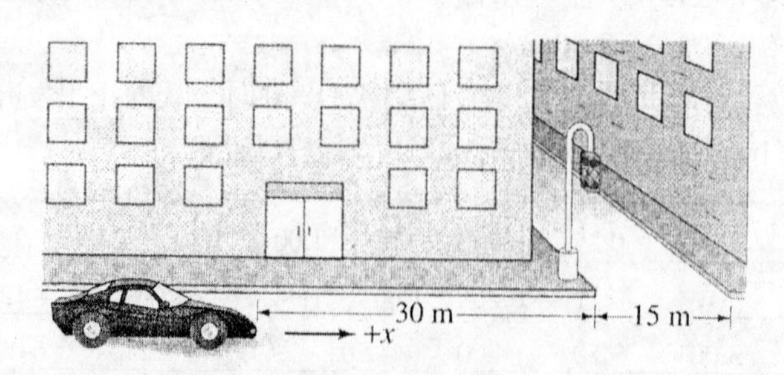

图 2-29 习题 30

31.（Ⅲ）长跑选手想在 30.0 分钟内跑完 10000 米。在经过 27.0 分钟后，还剩 1100 米。他必须以 0.20 米/秒^{2}加速多少秒，才能达到预定时间。

2-7 节 [忽略空气阻力]

32.（Ⅰ）计算例 2-9 中棒球的加速度达到“几个 g”。

33.（Ⅰ）若汽车从悬崖上平缓（v_0 = 0）落下，需多长时间才能达到 90 千米/小时？

34.（Ⅰ）一石块从悬崖上落下，看到 3.5 秒后落地。求悬崖多高？

35.（Ⅰ）计算（a）昆国王从帝国大厦顶端（380 米高）落下需多长时间？（b）落地时速度是多少？

36.（Ⅱ）投出的棒球被以 25 米/秒的速率竖直击向空中。（a）它能升多高？（b）在空中滞留多长时间？

37.（Ⅱ）袋鼠能竖直向上跳 2.7 米。落地前在空中滞留多长时间？

38.（Ⅱ）某人竖直向上掷球，3.3 秒后接到球。他掷球的速率是多少？球能升多高？

39.（Ⅱ）作图描述物体在引力作用下从 $t = 0$ 到 $t = 5.00$ 秒的下落过程，忽略空气阻力，取 $v_0 = 0$。（a）速度对时间，（b）距离对时间。

40.（Ⅱ）最好的篮板球手的竖直起跳高度可达 120 厘米。（a）他们离开地面的初始速率是多少？（b）空中滞留时间有多长？

41.（Ⅱ）直升机以 5.50 米/秒的速率竖直上升。在到达 105 米高度时，从窗户落下一包裹。包裹落到地面需多长时间？

42.（Ⅱ）物体从静止自由落下，请依次给出每秒下落距离之比（如 1，3，5 等）。（伽里略首次给出这个结果）见图 2-16 和图 2-19 所示。

43.（Ⅱ）如果空气阻力被忽略，证明（代数形式）以速率 v_0 竖直向上掷出的球在回到出发点时具有相同的速率 v_0。

44.（Ⅱ）以 20.0 米/秒速率竖直向上掷出一石块。（a）在到达 12.0 米高度时，速率是多少？（b）到达这个高度需多长时间？（c）为什么（b）有两个答案？

45.（Ⅱ）估计图 2-16 中苹果的爆光时间间隔（或每秒爆光数）。苹果直径取 10 厘米。

46.（Ⅲ）下落石块用 0.30 秒经过 2.2 米高的窗户（图 2-30）。石块从窗户顶端以上多高处落下？

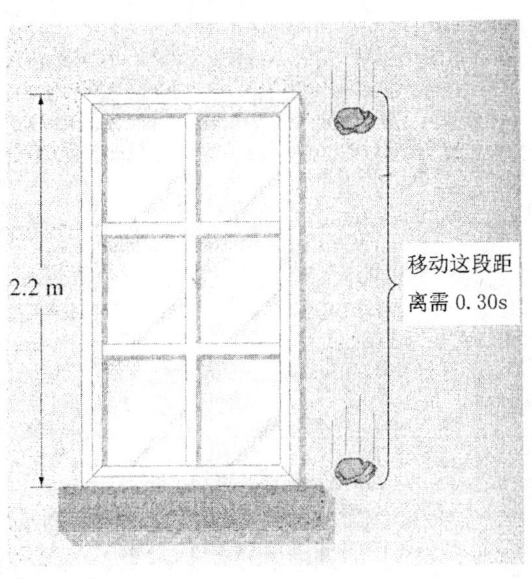

图 2-30　习题 46

47.（Ⅲ）一块岩石从海边悬崖落下，3.4 秒后听到岩石撞击海面的声音。若声速为 340 米/秒，悬崖有多高？

48.（Ⅲ）你想调大花园喷水管的喷头。竖直朝上的喷头离地面 1.5 米（图 2-31）。当你快速拔掉喷头 2.0 秒后，听到水落地的声音。水离开喷头时的速率是多少？

图 2-31 习题 48

49.（Ⅲ）在 75.0 米高的悬崖边，以 12.0 米/秒速率竖直向上掷出一石块（图 2-32）。（a）它要多长时间才能到达悬崖底部？（b）落地时的速率是多少？（c）运动的总距离是多少？

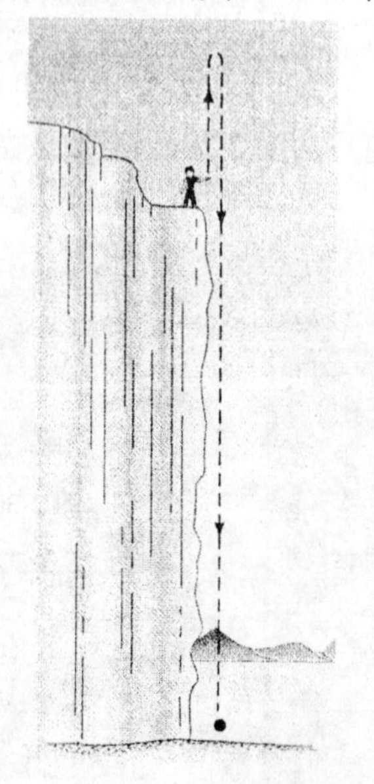

图 2-32 习题 49

50.（Ⅲ）在街旁 25 米高的窗户里，看见一棒球以 12.0 米/秒速率竖直向上运动。如果棒球是从街上掷出的，（a）其初速是多少？（b）能到达的高度是多少？（c）是什么时刻掷出的？（d）何时返回街面？

51.（Ⅰ）兔子沿直洞行走，其位置对时间的关系如图 2-26 所示。求下列时刻的瞬时速度：（a）$t = 10.0$ 秒 (b) $t = 30.0$ 秒 。求下列时间间隔内的平均速度：(c) $t = 0$ 秒至 $t = 5.0$ 秒；(d) $t = 25.0$ 秒至 $t = 30.0$ 秒；(e) $t = 40.0$ 秒至 $t = 50.0$ 秒。

52.（Ⅰ）图 2-26 中，（a）在哪个时段，物体是匀速的？（b）在哪个时刻物体的速度最大？（c）哪个时刻，如果有，速度为零？（d）在给出的时间内，物体沿一个方向运动还是两个方向运动？

53.（Ⅰ）图 2-27 给出火车速度与时间的关系。（a）何时速度最大？（b）哪个区间，如果有，速度恒定？（c）哪个区间，如果有，加速度恒定？（d）何时加速度的值最大？

54.（Ⅱ）高级汽车的加速形式近似图 2-33 所示的速度——时间关系图。（曲线上的小平台表示换档过程。）（a）估计汽车二档和四档的平均加速度。（b）估计汽车换四档时行进多远？

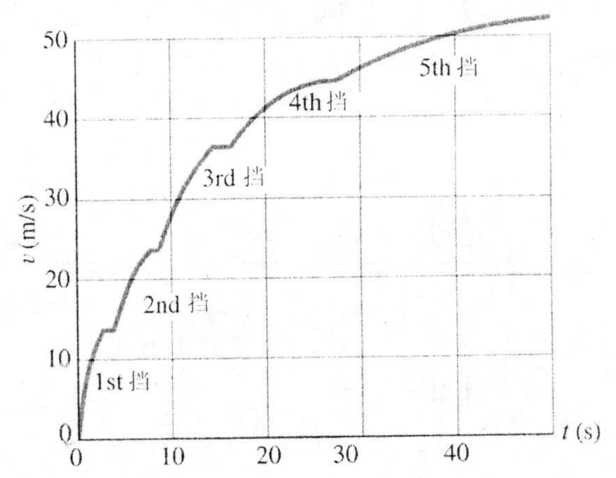

图 2-33　高级汽车的速度——时间关系图。曲线上的小平台表示换档过程。（习题 54，55）

55.（Ⅱ）估计上题中（图 2-33）汽车的平均加速度：（a）一档时，（b）三档时，（c）五档时。（d）前四档的平均加速度是多少？

56.（Ⅱ）估计图 2-27 中物体运行的距离，在（a）第一分钟，（b）第二分钟。

57.（Ⅱ）图 2-26 给出物体位移与时间的关系，试作出速度对时间关系图。

58.（Ⅱ）图 2-27 给出物体速度与时间的关系，试作出位移对时间关系图。

59.（Ⅱ）图 2-34 是物体沿 x 轴运动时，位置与时间关系图。当物体从 A 点运动到 B 点时：（a）物体运动朝正方向，还是负方向？（b）物体是加速还是减速？（c）物体的加速

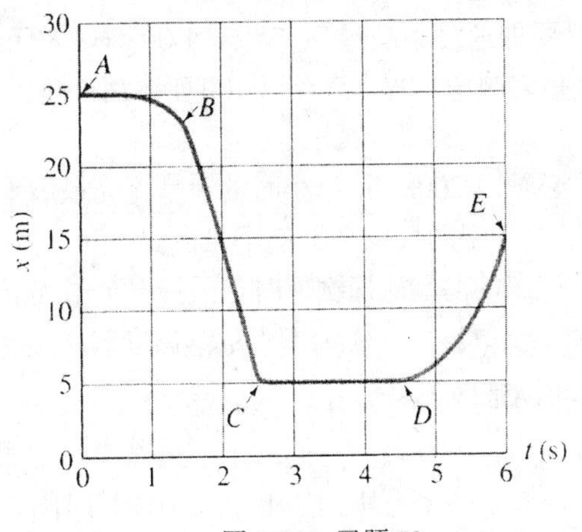

图 2-34　习题 59

度是正还是负？其次，在从 D 到 E 的区间里：（d）物体运动朝正方向，还是负方向？（e）物体是加速还是减速？（f）物体的加速度是正还是负？（g）最后，对 C 到 D 区间，回答同样的三个问题？

60. 一人从消防安全网以上 15.0 米高的四层楼窗户跳下，将安全网压下 1.0 米后停止。图 2-35。（a）安全网对生还者的平均加速度是多少？（b）你怎样做才能“更安全”（也就是说，降低加速度）：是收紧还是放松网绳？请解释。

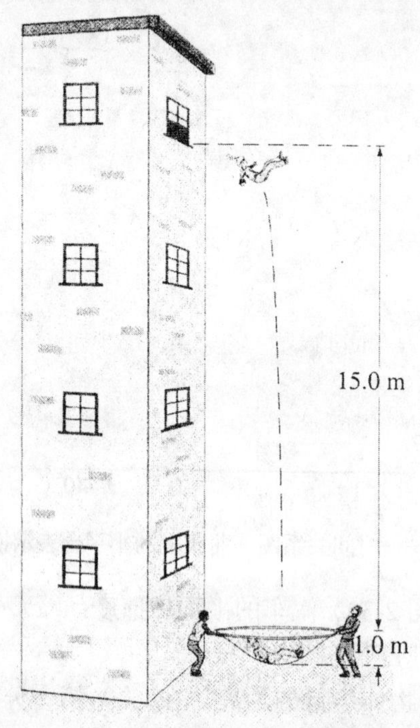

图 2-35 习题 60

综合题

61. 月球上的引力加速度约为地球的六分之一。用同样的初速度，将一物体在月球上竖直向上仍出，物体到达的高度是地球上的几倍？

62. 在汽车相碰时，只要加速度不超过 30 个 g（$1.00\ g = 9.80\ m/s^2$），有安全带保护的人生还的机会会很大。设这是匀减速过程，汽车以 100 千米/小时速率碰撞，计算汽车前端必须设计多长的挤压距离。

63. 赛车选手试车时，必须以 200.0 千米/小时的速率跑完最后十圈。如果前九圈的速率是 199.0 千米/小时，那么最后一圈的最低平均速率是多少？

64. 汽车制造商在测试汽车的前端碰撞性能时，用将汽车吊起然后在一定高度落下的方法（a）证明汽车碰地时的速率为 $\sqrt{2gH}$，H 为垂直下落高度。从多高落下碰撞速率可达（b）50 千米/小时？（c）100 千米/小时？

65. 第一个石块从楼顶落下。2.00 秒后，第二个石块以 30.0 米秒的初始速率垂直扔下，观察到两个石块同时落地。（a）第一个石块到达地面用了多长时间？（b）楼有多高？（c）两个石块落地时速率各为多少？

66. 一列 90 米长的火车从静止开始均匀加速。在火车前方 180 米处站着一位铁路工人，

当火车前端经过他时速度为 20 米/秒。当车尾经过工人时的速率为多少？（见图 2-36）

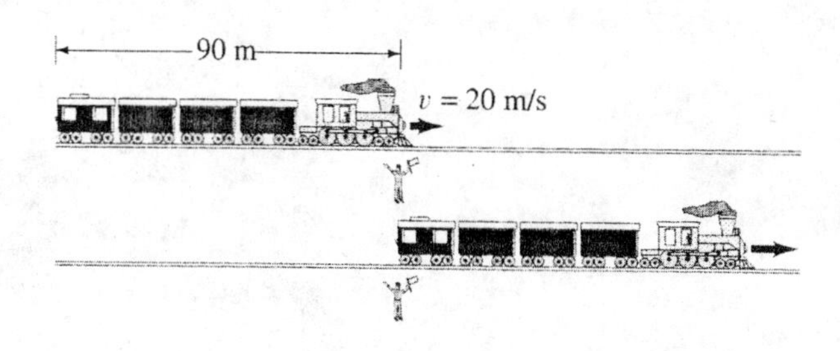

图 2-36 习题 66

67. 一超速车以 110 千米/小时速率经过一静止的警车。警车立即追赶，并在 700 米后赶上了超速车。（a）从警车开始追赶到追上为止，定量画出两辆汽车的位置对时间关系图。（b）警车追上超速车用了多长时间？（c）计算警车的加速度。（d）计算警车在追上超速车时的速率。

68. 在设计快速列车运输系统时，要平衡列车平均速率和站间距离的关系。站越多，列车的平均速率越慢。为解决这个问题，计算下面两种情况下，列车运行 36 千米所需时间：（a）列车必须在车站内 0.8km 区间内停下。（b）车站长度 3.0km。设在每个车站，列车以 1.1 米/秒^{2}的加速度加速到 90 千米/秒，保持这个速度直到下个车站。刹车时加速度为-2.0 米/秒^2。设在每个车站停 20 秒。

69. 鹈鹕潜水捉鱼时，能在空中收起翅膀直线自由坠入水中。假如鹈鹕从 16.0 米高空开始下落，并且一旦开始就不能改变路径。如果鱼需 0.20 秒完成逃跑动作，那么它发现鹈鹕并逃跑的最小高度是多少？设鱼在水的表面。

70. 高尔夫球选手在推杆时，要掌握力的大小，使推出的球在不能直接进洞的情况下，停在球洞附近 1.0 米左右。从坡上（即朝下推杆，见图 2-37）完成这个动作比从坡下更困难。下面研究这个原因：设在特定草坪上，球下坡时匀加速度为 2.0 米/秒^2，上坡时为 3.0 米/秒^2。如果我们在球洞以上 7.0 米处，计算施与球的初速范围，使球停在长于球洞 1.0 米至短于 1.0 米的范围内。同样计算从坡下 7.0 米处推杆的速率范围。从结果中你可以得出为什么朝下推杆更困难。

71. 在高速公路上，一辆小汽车在一卡车后以 25 米/秒行驶。汽车司机想找机会超车，他的车可以 1.0 米/秒^{2}加速，他必须超越卡车的 20 米长度加上卡车后 10 米空间和卡车前 10 米的空间。在对面路线上，他看见一辆车也以 25 米/秒速率驶来，估计在 400 米以外。他应该超车吗？请详细说明。

72. 一石块从一高楼顶落下。1.5 秒后，第二个石块落下。当第二个石块的速率达到 12.0 米/秒时，两个石块相距多少？

73. 邦德站在离路面 10 米高的桥上，追赶的人快要赶上他了。他看见一辆装有软物的平板卡车正以 30 米/秒速率驶来，凭经验判断，这段路边的电线杆间距为 20 米。卡车厢离地面 1.5 米高，邦德快速计算了卡车离桥几个电线杆时，从桥上跳下正好落在车厢里，从而逃离险境。请问是几个电线杆？

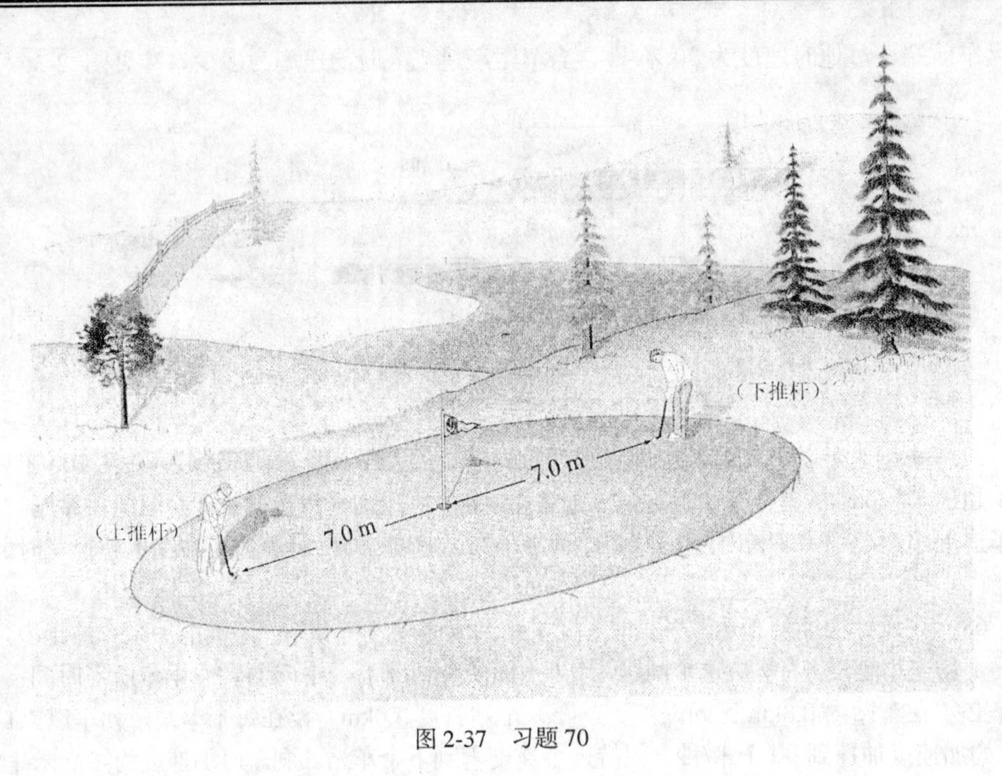

图 2-37 习题 70

图注：这幅多次曝光的乒乓球飞行的照片给出了一个二维运动的例子。乒乓球运动的轨迹是一条抛物线，被称为“抛体运动”。伽里略把抛体运动（在引力作用下）分解为水平和竖直两个分量（图中箭头给出了引力加速度 g 方向向下）。

第三章　二维运动学；矢量

在第二章我们讨论了直线运动。现在我们考虑物体的二维（或三维）的运动。在此之前，我们先对矢量及其如何相加进行讨论。

3–1　矢量和标量

我们在第二章提到速度时，不仅给出物体运动的快慢，而且给出方向。像速度这样具有方向和量值的量，叫做**矢量**。其它如位移、力和动量等也是矢量。但许多像质量、时间和温度等与方向无关的量，确定它们时，只须给出量值和单位，这样的量叫做**标量**。

在物理学中，对一些特定的物理场所画出它们的原理图总是很有效的，特别是在处理矢量问题时。矢量在这些图中用箭头表示。箭头的方向给出矢量的方向，箭头的长度按比例给出矢量的量值。例如，在图 3-1 中，画出的箭头表示了汽车在转弯时不同地点的速度。速度在每一点的值可用图中箭头的长度按给出的比例尺求出（1 厘米= 90 千米/小时）。

我们在写矢量符号时，总是用粗体表示。如速度写成 **v**。（手写时，可在矢量符号上加一箭头表示，速度写成 $\vec{v}$ ）如果只关心矢量的值，可简单写成斜体 v 。

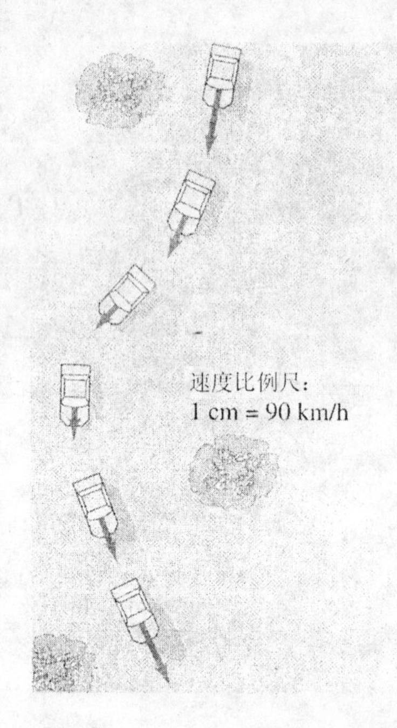

图 3-1　箭头表示了汽车在转弯时不同地点的速度矢量

3–2　矢量相加——作图法

因为矢量是同时具有方向与量值的量，必须用特殊的方法进行相加。在本章中，我们主要处理位移矢量（用符号 **D** 表示）和速度矢量（**v**）。其结果将在以后遇到其它矢量时用到。

我们可以用简单的算术进行标量相加。如果矢量是同方向，同样可用简单的算术进行相加。例如，某人向东第一天走了 8 千米，第二天 6 千米，他将在离出发点向东 8 千米+6 千米=14 千米处。那么我们说其净位移或合成位移是向东 14 千米（图 3-2a）。换句话说，如果他第一天向东走 8 千米，第二天向西走 6 千米（相反方向），那么最终他在离出发点向东 2 千米处（图 3-2b），所以合成位移是向东 2 千米。在这种情况下，合成位移由相减而得：8 千米–6 千米=2 千米。

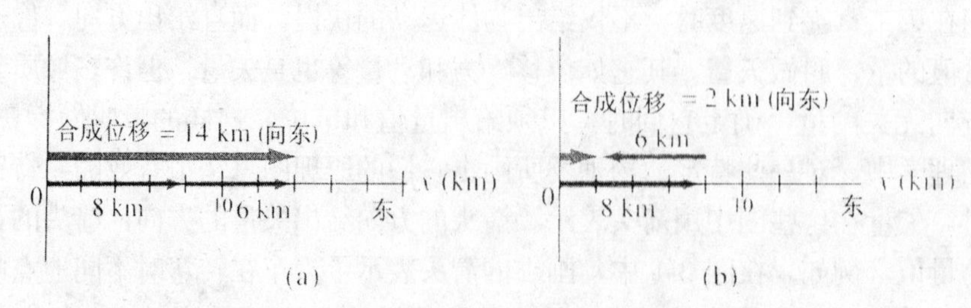

图 3-2　一维方向上位移矢量的合成示意图

但是，如果两个矢量不是沿同一条线，就不能用简单的算术。例如，某人向东走 10.0 千米再向北走 5.0 千米。这些矢量可用正 y 轴指向北和正 x 轴指向东的图表示，如图 3-3。在这个图中，我们画出箭头并标为 $\mathbf{D}_1$，表示向东 10.0 千米的位移矢量。接着画出第二个箭头 $\mathbf{D}_2$，表示向北 5.0 千米位移。两个矢量都画出刻度，如图 3-3 所示。

在讨论了行走之后，此人现在离出发点向东 10.0 千米和向北 5.0 千米。在图 3-3 中，合

成位移用箭头 $\mathbf{D}_R$ 表示。用尺子和量角仪，可从图中量出此人在离原点 11.2 千米东偏北 27° 角处。这里 D_R 的值（长度）也可用勾股定理求出，因为 D_1、D_2 和 D_R 形成斜边为 D_R 的直角三角形。$D_R=\sqrt{D_1^2+D_2^2}=\sqrt{(10.0\text{km})^2+(5.0\text{km})^2}=\sqrt{125\text{km}^2}=11.25\text{km}$

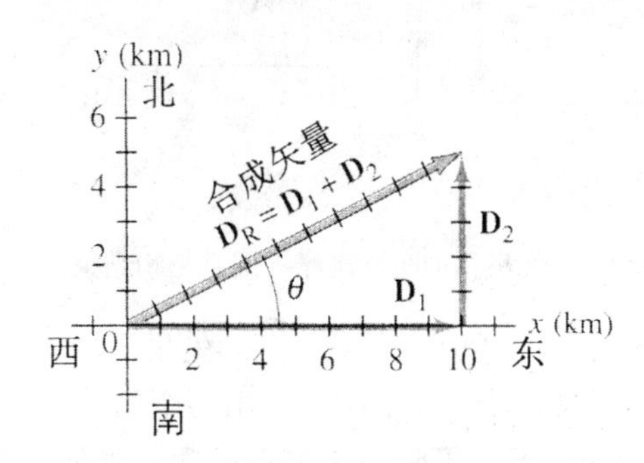

图 3-3　不同方向上两位移矢量的合成

当然，只有矢量互相垂直时，才能用勾股定理。合成位移矢量 D_R 为矢量 D_1 与 D_2 和。

$$\mathbf{D}_R=\mathbf{D}_1+\mathbf{D}_2$$

这是一个矢量方程。两个不在同一条直线上的矢量相加时，一个重要特征是合成矢量的量值不等于两个分矢量值的和，而是小于它们的和：

$$D_R<D_1+D_2$$

在我们的例子中（图 3-3），$D_R = 11.2$ 千米，而 $D_1 + D_2$ 等于 15 千米。一般我们不对 $D_1 + D_2$ 感兴趣；而是两矢量的合成矢量和和其量值为 $\mathbf{D}_R$。也要注意不能让 $\mathbf{D}_R$ 等于 11.2 千米，因为我们有一个矢量方程，11.2 千米只是合成矢量的量值部分。可以这样写：$\mathbf{D}_R=\mathbf{D}_1+\mathbf{D}_2=$（11.2 千米，东偏北 27°）。

图 3-3 给出了两矢量相加时，图解法的通用规则，这里不管它们形成的角度而只求和。规则如下：

1. 画出一个矢量 $\mathbf{V}_1$，并进行标度。
2. 画出第二个矢量 $\mathbf{V}_2$，进行标度，将其尾部放在第一个矢量的头部并确认方向的正确性。
3. 从第一个矢量的尾部向第二个矢量的头部作出的箭头表示两矢量的和或合成矢量。

注意为了方便作图，矢量可平行移动。合成矢量的长度可用尺子按标度进行测量。角度用量角仪测量。这种方法叫做**矢量相加的尾—头法**。

矢量相加时次序并不重要。例如，向北 5.0 千米的位移加上向东 10.0 千米位移，合成后为 11.2 千米且东偏北 27°（见图 3-4），与相反次序相加时结果一样（图 3-3）。因此，

$$\mathbf{V}_1+\mathbf{V}_2=\mathbf{V}_2+\mathbf{V}_1$$

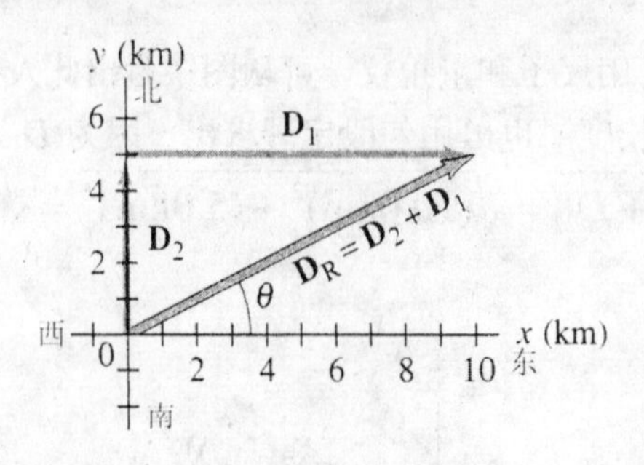

图 3-4 矢量相加时，次序不同不影响结果。（对照图 3-3）

矢量相加的尾—头法可以扩展成三个或更多的矢量。从第一个矢量的尾部到最后一个相加矢量的头部作出的箭头就是合成矢量。图 5 给出一个例子；三个矢量代表位移（东北、南、西）或三个力。请自已验正一下，不管三个矢量的次序如何，相加的结果一致。

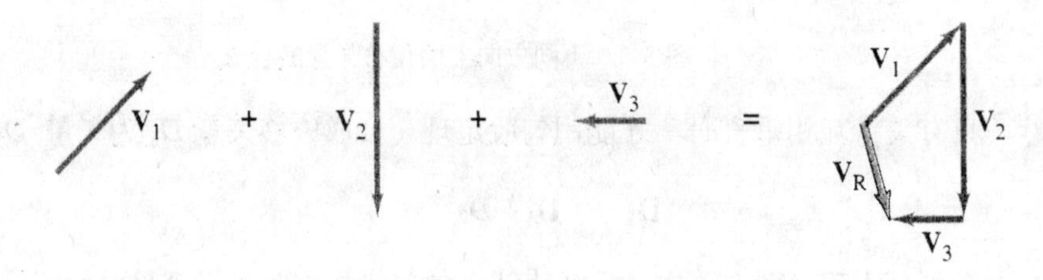

图 3-5 三个矢量相加的示意图：$\mathbf{V}_R = \mathbf{V}_1 + \mathbf{V}_2 + \mathbf{V}_3$

矢量相加的第二种方法是平行四边形法则。它与尾—头法是完全一致的。在这种方法里，两个矢量从同一原点画起，组成一个两矢量为邻边的平行四边形，如图 3-6b 所示。合成矢量就是从原点画的对角线。图 3-6a 给出尾—头法，很明显，两种方法的结果是一样的。

一个常见错误是在两矢量的头之间画出对角线，作为合成矢量，如图 3-6c。这是错误的：它不代表两矢量的和。（事实上，它表示两矢量的差，$\mathbf{V}_2 - \mathbf{V}_1$，我们将在下一节讨论）

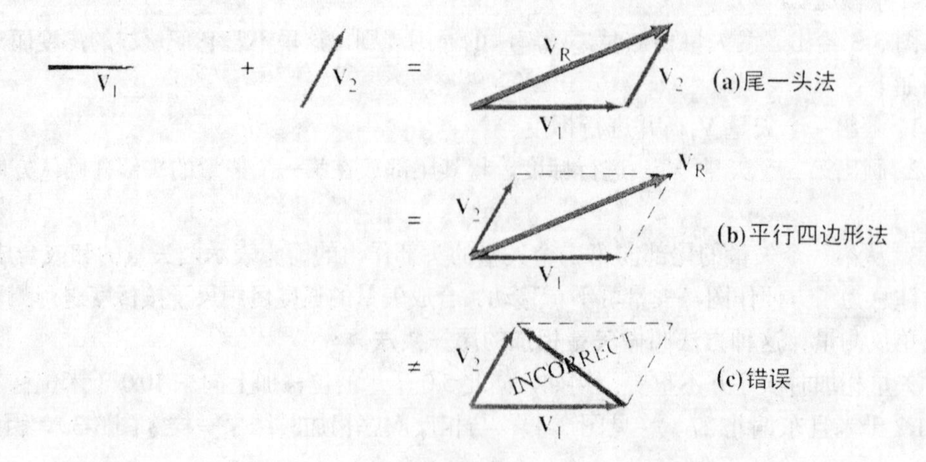

图 3-6 矢量相加的两种方法（a）尾-头法（b）平行四边形法则 （c）错误

3–3　矢量相减，矢量与标量相乘

给出矢量 **V**，定义与其方向相反、量值相同的矢量为这个矢量的负矢量（-**V**），如图 3-7 所示。注意，没有矢量的量值是负的，每个矢量的量值为正，负号表示它的方向。

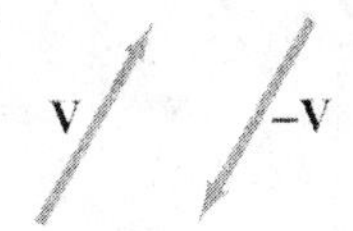

图 3-7　负矢量的定义图

现在，我们可以定义一个矢量减去另一个矢量：两个矢量的差。$\mathbf{V}_2-\mathbf{V}_1$ 定义为

$$\mathbf{V}_2-\mathbf{V}_1=\mathbf{V}_2+(-\mathbf{V}_1)$$

也就是，两个矢量的差等于一个矢量与另一个矢量的负矢量的和。因此，矢量相加的尾—头法可用在这里，如图 3-8 所示。

图 3-8　两矢量相减示意图

矢量 **V** 可与标量 *c* 相乘。我们定义积 *c***V** 为，与 **V** 方向一致量值为 *c*V 的矢量。因此，矢量与正标量相乘只改变矢量的量值，不改变方向。如果 *c* 是负标量，积 *c***V** 的值仍为 *c***V**（没有负号），但方向与 **V** 相反。见图 3-9。

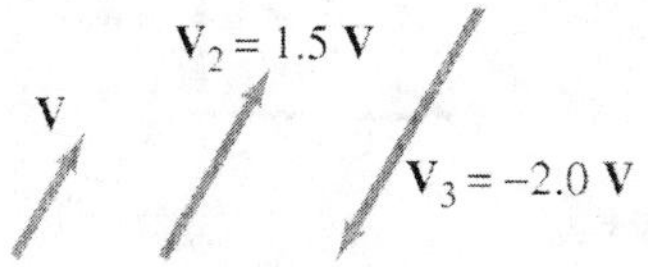

图 3-9　矢量 **V** 可与标量 *c* 相乘(反方向表示 *c* 为负数)

3–4　矢量的分量合成

用尺子和量角仪作图合成矢量常常不准确并无法用于三维矢量。现在，我们讨论一种更有效和更精确的矢量合成方法。

首先考虑处在特定平面内的矢量 **V**。它可以用其它两个矢量的和来表示，这两个矢量称为原矢量的分量。分量通常选为沿两个互相垂直的方向。建立分量的过程叫做**矢量分解**。矢量 **V** 是指向东北方向$\theta=30°$的位移矢量，这里选正 *x* 轴指向东，正 *y* 轴指向北。从矢量的头（*A*）分别向 *x*、*y* 轴作垂线（*AB* 和 *AC*），这个矢量就被画出的虚线分解为 *x* 分量和 *y* 分量。这样线 *OB* 和 *OC* 分别代表 **V** 的 *x*、*y* 分量，如图 3-10b 所示。矢量分量写为 $\mathbf{V}_x$ 和 $\mathbf{V}_y$。像矢量一样，矢量分量通常也用箭头表示，但要用虚线。分量标量 V_x 和 V_y 是带单位的数字，其正负取决于它们是指向正或负的 x、y 轴。从图 3-10 可以看出，根据矢量合成的平行四边形法则 $\mathbf{V}_x + \mathbf{V}_y = \mathbf{V}$。

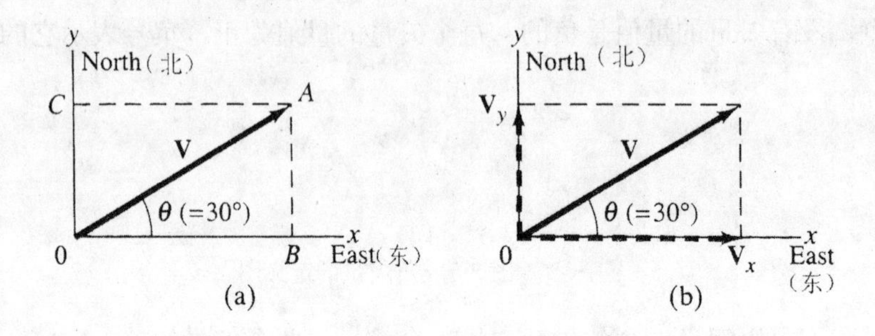

图 3-10 矢量的正交分解示意图

空间是由三维组成的，有时需要将矢量分解为三个互相垂直方向的分量。在正交坐标中，分量表示为 $\mathbf{V}_x$ 、 $\mathbf{V}_y$ 和 $\mathbf{V}_z$。只要将上述方法扩展，就可进行矢量的三维分解。我们主要考虑平面内的只需要分解成两个分量的矢量问题。

为了用分量法合成矢量，要用到三角函数正弦、余弦和正切，这里给以回顾。

给出任意角θ，如图 3-11a，垂直一边画出一个直角三角形，如图 3-11b 所示。对着直角的三角形最长的一边叫做斜边，我们标为 h。对着角θ的边标为 o，其邻边标为 a。设 h、o 和 a 分别代表三个边的长度。现在我们定义直角三角形的三个三角函数正弦、余弦和正切（简写为 sin、cos、tan）：

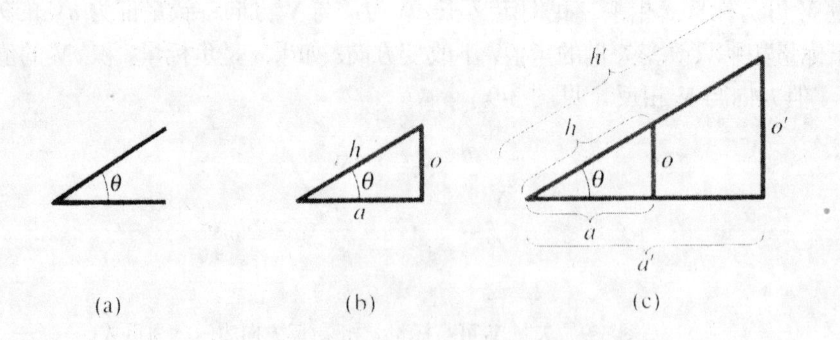

图 3-11 直角三角形的各边长之比值与三角形的大小无关

$$\sin\theta = \frac{\text{对边}}{\text{斜边}} = \frac{o}{h}$$

$$\cos\theta = \frac{\text{邻边}}{\text{斜边}} = \frac{a}{h} \tag{3-1}$$

$$\tan\theta = \frac{\text{对边}}{\text{邻边}} = \frac{o}{a}$$

现在，有趣的是，如果我们将三角形保持同样的角放大，一边对另一边或一边对斜边的比保持不变。如图 3-11c 所示，我们有：$a/h=a'/h'$, $o/h=o'/h'$, $o/a=o'/a'$。因此，正弦、余弦和正切的值与三角形的大小无关，只与角度有关。不同角度的正弦、余弦和正切的值可从计算器或表中查出（见封底内面）。

一个有用的三角恒等式为

$$\sin^2\theta+\cos^2\theta=1 \tag{3-2}$$

这个公式可从勾股定理推出（在图 3-11 中：$o^2+a^2=h^2$），即

$$\sin^2\theta+\cos^2\theta=\frac{o^2}{h^2}+\frac{a^2}{h^2}=\frac{o^2+a^2}{h^2}=\frac{h^2}{h^2}=1$$

（详见附录 A 中三角函数和恒等式）

用三角函数求矢量的分量列在图 3-12 中，这里矢量和它的两个分量可认为形成了一个直角三角形。

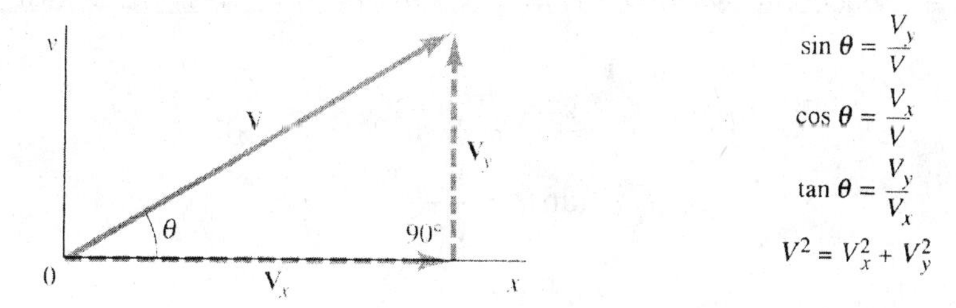

图 3-12　三角函数与矢量分量的关系

我们看图中给出的正弦、余弦和正切。如果对 sinθ=V_y/V 两边乘以 V，可得

$$V_y=V\sin\theta \tag{3-3a}$$

同样，从余弦的定义，可得

$$V_x=V\cos\theta \tag{3-3b}$$

注意θ选为（很方便）矢量与正 x 轴的夹角。

应用方程 3-3，我们可以计算任意矢量的 V_x 和 V_y，正如图 3-10 或图 3-12 给出的那样。假设 V 表示指向东北方向 30°的 500 米位移，如图 3-13 所示。因此，V=500 米。从三角函数表知，sin30°=0.500，cos30°=0.866。

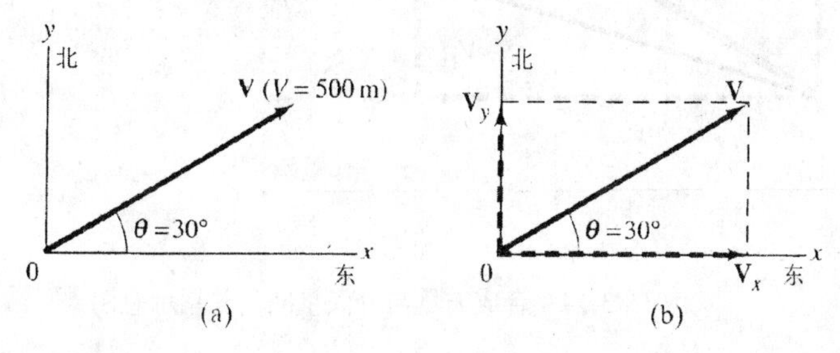

图 3-13　（a）矢量 **V** 是长度为 500m，偏东北方向 30°. (b)**V** 的分量 V_x 和 V_y 计算如下

$$V_x = V\cos\theta = 433\text{m}$$
$$V_y = V\sin\theta = 250\text{m}$$
$$V = \sqrt{V_x^2 + V_y^2} = 500\text{m}$$

任意矢量的 V_x 和 V_y 的计算

$$V_x = V\cos\theta = (500\text{m})(0.866) = 433\text{m} \quad (向东)$$
$$V_y = V\sin\theta = (500\text{m})(0.500) = 250\text{m} \quad (向北)$$

注意，在给定坐标系中，有两种方法表示一个矢量：

1. 给出分量 V_x 和 V_y。
2. 给出量值 V 及其与 x 轴正向的夹角 θ。

用方程 3-3，我们可以从矢量的一种描述转变成另一种。用勾股定理⁺和正切的定义，我们有：

$$V = \sqrt{V_x^2 + V_y^2} \quad \textbf{(3-4a)}$$

$$\tan\theta = \frac{V_x}{V_y} \quad \textbf{(3-4b)}$$

如图 3-12 所示。

⁺对于三维空间，勾股定理变为 $V = \sqrt{V_x^2 + V_y^2 + V_z^2}$ 。其中 V_z 是 z 轴分量。

现在我们讨论如何用分量合成矢量。首先将每个矢量分解成分量形式。从图 3-14 可以看出，任意两个矢量 $\mathbf{V}_1$ 和 $\mathbf{V}_2$ 相加给出一个合成矢量，$\mathbf{V}=\mathbf{V}_1+\mathbf{V}_2$，并且

$$\begin{aligned} V_x &= V_{1x} + V_{2x} \\ V_y &= V_{1y} + V_{2y} \end{aligned} \quad \textbf{(3-5)}$$

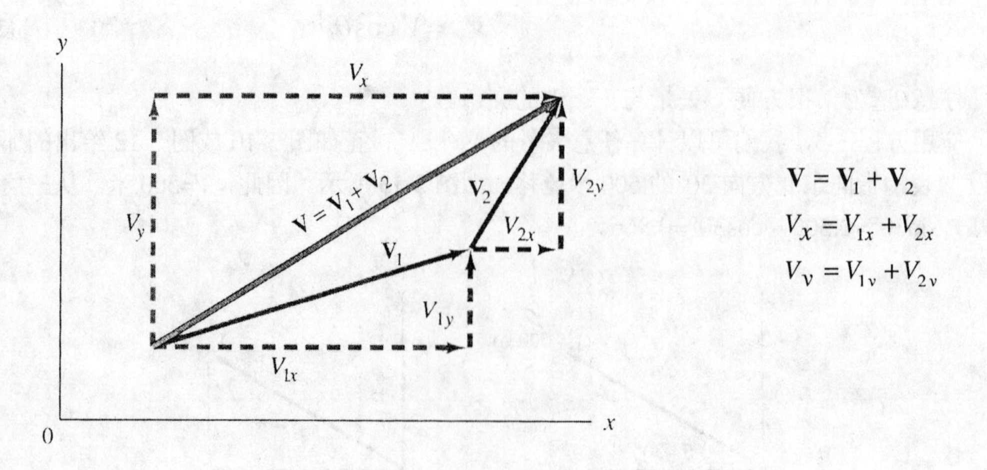

图 3-14 合成矢量与分矢量间的关系示意图

这表示 x 分量的和等于合成矢量的 x 分量，y 分量与此一样。仔细检查图 3-14，可知这个结论的正确性。但要注意将所有 x 分量加在一起得到合成矢量的 x 分量；将所有 y 分量加在一起得到合成矢量的 y 分量。不能将 x 分量与 y 分量相加。

若想得到合成矢量的量值和角度，可用方程 3-4 算出。

当然，坐标轴的选定总是任意的。你可以选一个合适的坐标轴来简化计算。例如，选一矢量方向为一坐标轴方向。那么，这个矢量只有一个非零分量。

例 3-1 邮车的位移 邮政班车离开邮局向北朝下一个城市行进 22.0km。然后，转向东南 60.0°朝另一个城市行进 47.0 km（图 3-15a）。班车离开邮局的位移是多少？

解：要求从原点出发的合成位移。选正 x 轴朝东，正 y 轴朝北，将每个位移矢量分解成分量（图 3-15b）。因为 $\mathbf{D}_1$ 的值为 22.0 km，方向朝北，它只有 y 分量：

$$D_{1x}=0,\quad D_{1y}=22.0\text{km}$$

而 $\mathbf{D}_2$ 有 x、y 分量：

$$D_{2x}=+(47.0\text{km})(\cos 60^{\circ})=+(47.0\text{km})(0.500)=+23.5\text{km}$$

$$D_{2y}=-(47.0\text{km})(\sin 60^{\circ})=-(47.0\text{km})(0.866)=-40.7\text{km}$$

注意，D_{2y} 是负的，因为这个分量指向负 y 轴。合成矢量 $\mathbf{D}$ 的分量为：

$$D_x=D_{1x}+D_{2x}=0\text{km}+23.5\text{km}=+23.5\text{km}$$
$$D_y=D_{1y}+D_{2y}\,22.0\text{km}+(-40.7\text{km})=-18.7\text{km}$$

这样合成矢量可表示为：

$$D_x=23.5\text{km},\quad D_y=-18.7\text{km}$$

用方程 3-4，也可将合成矢量用量值和角度来表示：

$$D=\sqrt{D_x^2+D_y^2}=\sqrt{(23.5\text{km})^2+(-18.7\text{km})^2}=30.0\text{km}$$

$$\tan\theta=\frac{D_y}{D_x}=\frac{-18.7\text{km}}{23.5\text{km}}=-0.796$$

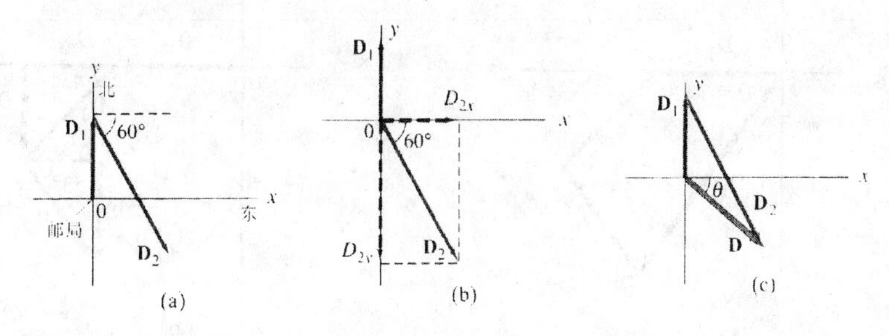

图 3-15 例 3-1

查出反三角函数$\theta=\tan^{-1}$（-0.796）$=-38.5°$。负号表示$\theta=38.5°$是在 x 轴下方，图 3-15c。

反三角函数的符号依赖于角分布在哪个“象限”：例如，正切在一、三象限（从 0°到 90°，和 180°到 270°）为正，二、四象限为负；见附录 A-8。保证角度正确、检验矢量结果的最好方法是画出矢量图。矢量图在分析问题和检查结果时给出明显、实在的东西。

解题步骤：矢量合成

这里给出如何用分量合成两个或更多的矢量：

1. 画出示意图，用作图法合成矢量。

2. 选 x、y 轴。如果可能，尽量选简化计算的坐标系。（例如，选一坐标轴沿一矢量方向，这个矢量只有一个分量。）

3. 将每个位移矢量分解成 x、y 分量，沿适当的轴（x 或 y），用箭头（虚线）画出每个分量。

4. 用正弦、余弦函数算出每个分量（没给出时）。如果θ_1是矢量 $\mathbf{V}_1$ 与 x 轴的夹角，那么：

$$V_{1x}=V_1\cos\theta_1, V_{1y}=V_1\sin\theta_1$$

请注意符号：沿负 x 或负 y 轴的分量都带有负号。

5. 将各矢量的 x 分量加在一起得到合成矢量的 x 分量。y 分量用同样的方法计算：

$$V_x=V_{1x}+V_{2x}+\text{其它}x\text{分量}$$

$$V_y=V_{1y}+V_{2y}+\text{其它}y\text{分量}$$

这就是结果：合成矢量的分量。

6. 如果想知道合成矢量的量值和方向，用方程 3-4：

$$V=\sqrt{V_x^2+V_y^2},\quad \tan\theta=\frac{V_y}{V_x}$$

已经画出的矢量图可帮你得到角θ的正确位置（象限）。

例 3-2 三次短的飞行 飞机在两次中途停留后共有三段短途飞行，如图 3-16a 所示。第一段向东 620 km；第二段东南方向(45°)440km；第三段西南(53°)方向 550km。飞机的总位移是多少？

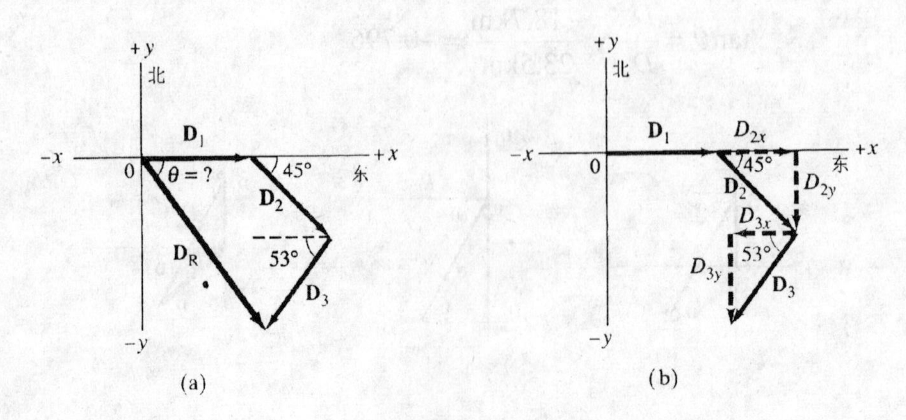

图 3-16 例 3-2

解：按上述解题框的步骤进行：

(1) 和（2）已经给出，如图 3-16a 所示，

(2) 这里选 x 轴为东（$\mathbf{D}_1$ 只有 x 分量）。

(3) 画出好的矢量图很有必要。图 3-16b 给出分量。注意，这里没有像图 3-15b 那样，从原点开始画出所有矢量，而是用尾——头法，这样做同样正确，并且看起来清楚。

(4) 现在我们计算分量：

$$\mathbf{D}_1: \quad D_{1x} = +D_1 \cos 0^\circ = D_1 = 620\text{km}$$

$$D_{1y} = +D_1 \sin 0^\circ = 0\text{km}$$

$$\mathbf{D}_2: \quad D_{2x} = +D_2 \cos 45^\circ = +(440\text{km})(0.707) = +311\text{km}$$

$$D_{2y} = -D_2 \sin 45^\circ = -(440\text{km})(0.707) = -311\text{km}$$

$$\mathbf{D}_3: \quad D_{3x} = -D_3 \cos 53^\circ = -(550\text{km})(0.602) = -331\text{km}$$

$$D_{3y} = -D_3 \sin 53^\circ = -(550\text{km})(0.799) = -439\text{km}$$

注意，图 3-16b 中指向负 x 和负 y 方向的分量，这里都给出负号。我们看到为什么画出好图非常重要。各分量汇总列在下面的表中。

矢量	x 分量(km)	y 分量(km)
$\mathbf{D}_1$	620	0
$\mathbf{D}_2$	311	-311
$\mathbf{D}_3$	-311	-439
$\mathbf{D}_R$	600	-750

（5）这一步很容易：

$$D_x = D_{1x} + D_{2x} + D_{2x} = 620\text{km} + 311\text{km} - 331\text{km} = 600\text{km}$$

$$D_y = D_{1y} + D_{2y} + D_{3y} = 0\text{km} - 311\text{km} - 439\text{km} = -750\text{km}$$

x、y 分量为 600km 和-750km，分别指向东和南。这是一种给出答案的方式。

（6）答案也可用以下方式给出

$$D_R = \sqrt{D_x^2 + D_y^2} = \sqrt{(600\text{km})^2 + (-750\text{km})^2} = 960\text{km}$$

$$\tan\theta = \frac{D_y}{D_x} = \frac{-750\text{km}}{600\text{km}} = -1.25$$

因此，$\theta = -51^\circ$。

这里只取两位有效数字。因此，总位移的值为 960 km，方向为 x 轴以下 51°（东南方向），与最初的示意图相同，见图 3-16a。

3–5 抛体运动

在第二章，我们学习了物体的一维运动，包括：位移、速度和加速度以及引力加速度作用下的竖直落体运动。现在，我们研究地球表面附近更普遍的运动——物体在空气中的二维运动：如高尔夫球、扔出或击出的棒球、足球、射出的弹头以及运动员跳高和跳远。这些都是典型的**抛体运动**（见图 3-17），并且可用二维运动进行描述。虽然空气阻力总是重要的，但许多情况下其影响可以忽略，在下面的分析中我们将不考虑它。这里我们不关心物体被扔出或射出的过程，而只考虑它射出后，以及只在引力作用下在空气中的自由运动。因此，物体的引力加速度方向竖直朝下，量值 $g = 9.80\ \mathrm{m/s^2}$，并且假设它是恒定的。

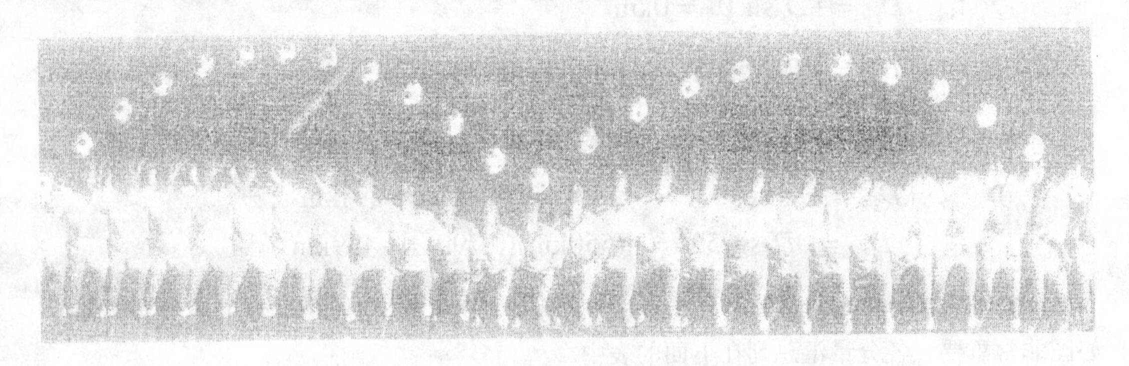

图 3-17 足球在空中的运动为的抛体运动（闪光照片）

伽里略第一个精确地描述了抛体运动。他指出通过分别分析运动的水平和竖直分量，就可理解它。这是一个创新的方法，在此之前没有人这样做过。（不考虑空气阻力也是一种理想化的方法）为了方便，我们取运动在 $t = 0$ 时，从 xy 坐标系的原点开始（因此 $x_0 = y_0=0$）。

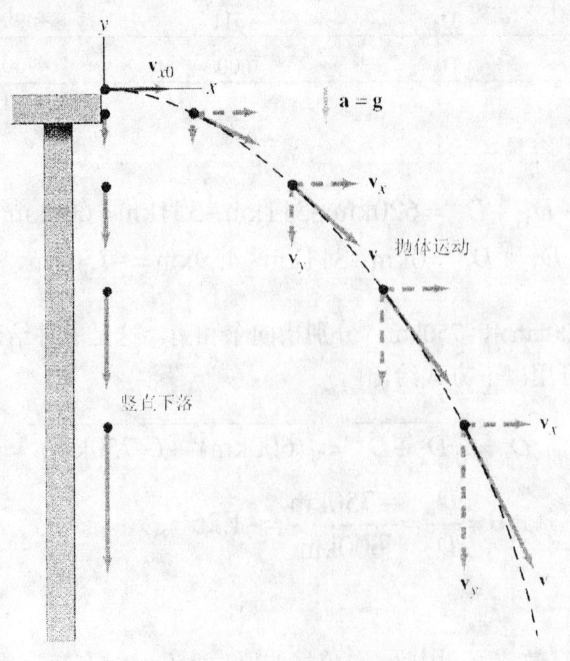

图 3-18 抛体运动可分解为水平和竖直两个分量。图中也给出了物体竖直下落的情景

我们来看一个小球从桌边滚下，沿水平（x）方向的初速度为 v_{x0}。见图 3-18（为了比较，也给出了物体竖直落下的情形）。在沿小球运动方向的每一瞬时点，速度矢量 **v** 总是与路径相切。按照伽里略的方法，我们可用运动学方程（从方程 2-10a～2-10d）分别处理速度的水平和竖直分量，v_x 和 v_y。

首先，我们研究运动的竖直（y）分量。一旦小球离开桌面（$t = 0$），就具有竖直向下的加速度 g——引力加速度。因此，v_y 的初速为零，但向下持续增加（直到小球落地）。取 y 轴向上为正。有 $a_y = -g$，根据方程 2-10a，因为垂直方向初速（v_{y0}）为零，可得 $v_y = -gt$。若设 $y_0 = 0$，垂直位移 $y = -\frac{1}{2}gt^2$ 。

另外，在水平方向没有加速度。所以，速度的水平分量 v_x 保持恒定，等于它的初速度 v_{x0}，并在路径上的每一点具有相同的量值。对两个矢量分量 v_x 和 v_y 求和，可得路径上每一点的速度 **v**，如图 3-18 所示。

伽里略本人预言了上述分析的一个结果，即：*水平发射与竖直下落的物体将同时到达地面。* 这是由于两种情况的竖直运动是相同的，图 3-18 的左侧给出了物体下落的过程。图 3-19 是一个对上述结论进行实验验证的多次曝光照片。

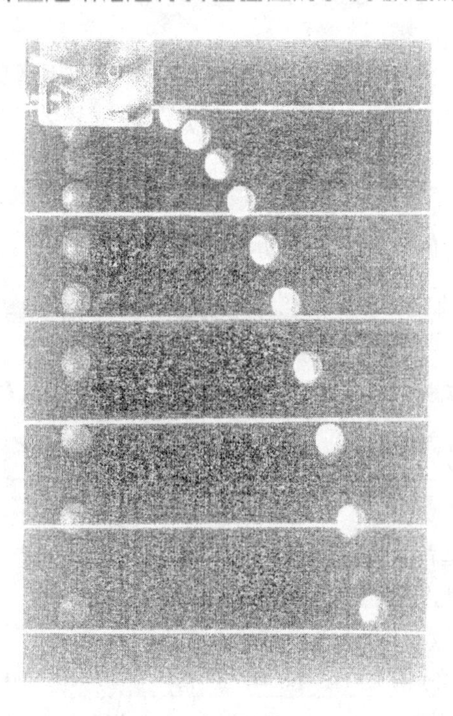

图 3-19　同时进行的两球分别做竖直下落和平抛运动，多次曝光照片表明两球在竖直方向上的运动是相同的

如果物体沿一定角度向上射出，如图 3-20 所示，除了有一个垂直的初始速度分量 v_{y0} 外，可进行同样的分析。因为引力加速度向下，在物体到达最高点以前，v_y 是持续减小的，如图 3-20，在最高点时 $v_y = 0$。然后，v_y 开始向下增加（变为负的）。与上述例子相同，v_x 保持不变。

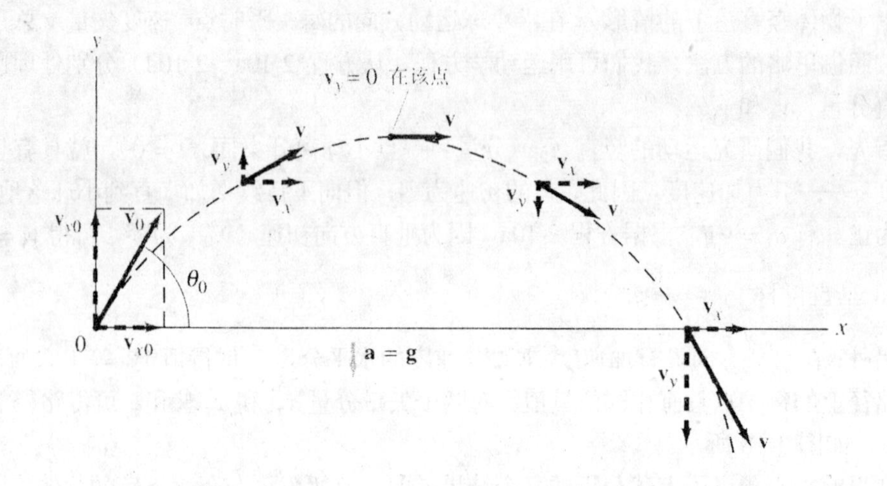

图 3-20 以一定角度上抛的物体，箭头表示不同位置的速度矢量，虚箭头表示分量

3–6 抛体运动的习题求解

现在我们来定量解一些抛体运动的习题。对运动的竖直和水平分量分别用运动学公式（2-10a 至 1-10 c）。表 3-1 给出这些公式，分别应用于普通二维运动的 x、y 分量。注意，x、y 代表位移，v_x 、v_y 代表速度分量，a_x、a_y 是加速度分量。下标 $_0$ 表示"$t = 0$ 时刻"。

表 3-1 二维匀加速通用运动学方程

x 分量（水平）		**y 分量（垂直）**
$v_x = v_{x0} + a_x t$	（方程 2-10a）	$v_y = v_{y0} + a_y t$
$x = x_0 + v_{x0}t + \frac{1}{2}a_x t^2$	（方程 2-10b）	$y = y_0 + v_{y0}t + \frac{1}{2}a_y t^2$
$v_x^2 = v_{x0}^2 + 2a_x(x - x_0)$	（方程 2-10c）	$v_y^2 = v_{y0}^2 + 2a_y(y - y_0)$

因为对抛体运动取 $a_x = 0$，我们可以简化这些方程。见表 3-2，设 y 向上为正，$a_y = -g = -9.80$ m/s^2。注意，如果θ选为与$+x$ 轴的夹角，如图 3-20，那么 $v_{x0} = v_0\cos\theta$，$v_{y0} = v_0\sin\theta$。

表 3-2 抛体运动的运动学方程（设 y 向上为正，$a_x=0$, $a_y = -g = -9.80$ m/s^2）

水平方向(a_x=0,v_x=常数)		垂直方向($a_y=-g$=常数)
$v_x = v_{x0}$	（方程 2-10a）	$v_y = v_{y0} - gt$
$x = x_0 + v_{x0}t$	（方程 2-10b）	$y = y_0 + v_{y0}t - \frac{1}{2}gt^2$
	（方程 2-10c）	$v_y^2 = v_{y0}^2 - 2gy$

+如果设 y 向下为正，则 $a_y = g$。

解题步骤：抛体运动

在 2-6 节我们讨论过的解题步骤也用在这里。但在解抛体运动的习题时需要一点创造性，不能简单按照条文去做。当然，必须避免只把数字塞进方程就算完事。

像通常一样，认真阅读和认真画图。

1. 选择原点和 xy 坐标系。

2. 分别分析水平（x）和垂直（y）运动。如果给出初速度，可能需要将它分解为 x、y 分量。

3. 列出已知量和未知量，选 $a_x=0$ 和 $a_y=-g$ 或$+g$，依赖于选 y 轴向上还是向下为正，这里 $g=9.80\ \mathrm{m/s^2}$。记住在整个运动中 v_x 不变，在任何向下返回运动的最高点 $v_y=0$。到达地面时的速度通常不为零。

4. 在使用公式前思考一分钟。以免计划不周，多走弯路。选用合适的公式（表 3-2），如果需要对公式进行复合。可能需要对矢量分量合成以得到量值和方向。

例 3-3 从悬崖驶下 电影特技演员驾驶摩托车从 50.0 m 高悬崖边水平驶出。摄影机放在离悬崖底 90.0m 处，摩托车必须以多快速度冲出，才能在摄影地点着陆。

解：取 y 轴向上为止，在悬崖顶 $y_0=0$，所以，在底部 $y=-50.0$ m。我们先求出摩托车着陆前需用多长时间。对垂直（y）方向，$y_0=0$，$v_{x0}=0$（表 3-2），用公式 2-10b：

$$y=-\frac{1}{2}gt^2$$

取 $y=-50.0$ m，求 t：

$$t=\sqrt{\frac{2y}{-g}}=\sqrt{\frac{2(-50.0\mathrm{m})}{-9.8\mathrm{m/s^2}}}=3.19\mathrm{s}$$

计算初始速度 v_{x0}，仍用公式 2-10b，但这次在水平方向，$a_x=0$，$x_0=0$：

$$x=v_{x0}t$$

$$v_{x0}=\frac{x}{t}=\frac{90.0\mathrm{m}}{3.19\mathrm{s}}=28.2\mathrm{m/s}$$

相当于 101 km/h。

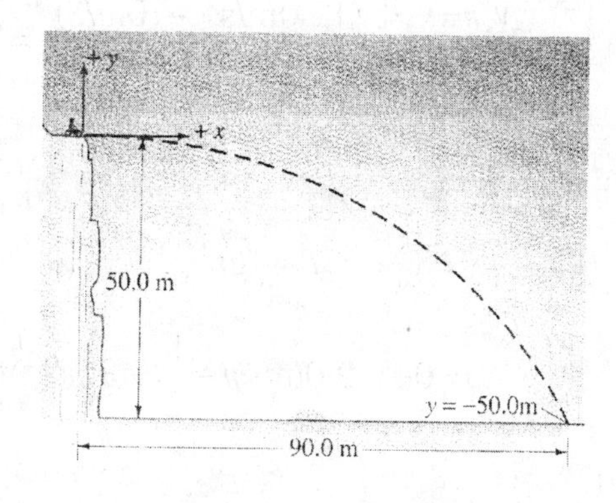

图 3-21 例 3-3

例 3-4　踢出的足球　一足球被以角度θ_0=37.0°和 20.0 m/s 的速度踢出，如图 3-22。计算（a）最大高度，（b）足球落地前飞行时间，（c）落地时飞行多远，（d）在最高点的速度矢量，（e）在最高点的加速度矢量。设足球是从地面离开脚的。

解：由于问题很多，看起来比较困难。但我们可以一次处理一个。取 y 轴向上为正。初始速度的分量为（图 3-22）：

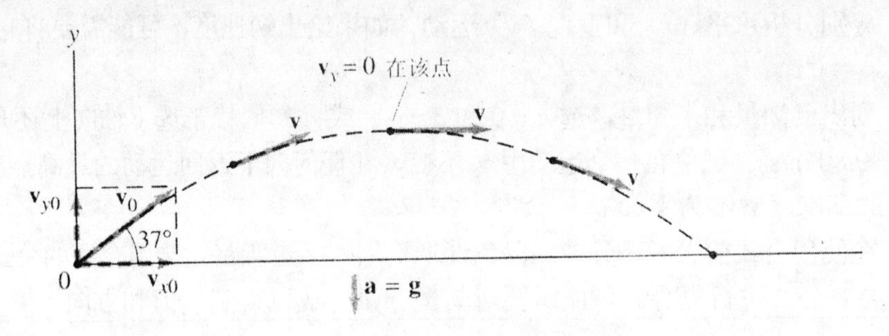

图 3-22　例 3-4

$$v_{x0}=v_0\cos 37.0^\circ=(20.0\text{m/s})(0.799)=16.0\text{m/s}$$
$$v_{y0}=v_0\sin 37.0^\circ=(20.0\text{m/s})(0.602)=12.0\text{m/s}$$

(a)在最高点，速度是水平的（图 3-22），所以 $v_y=0$；这种情况（见表 3-2 中方程 2-10a）出现在时刻

$$t=\frac{v_{y0}}{g}=\frac{12.0\text{m/s}}{9.80\text{m/s}^2}=1.22\text{s}$$

从公式 2-10b，用 y_0=0，可得

$$y=v_{y0}t-\frac{1}{2}gt^2=(12.0\text{m/s})(1.22\text{s})-\frac{1}{2}(9.80\text{m/s}^2)(1.22\text{s})^2=7.35\text{m}$$

同样，我们可用公式 2-10c，求解 y，得到

$$y=\frac{v_{y0}^2-v_y^2}{2g}=\frac{(12.0\text{m/s})^2-(0\text{m/s})^2}{2(9.8\text{m/s}^2)}=7.35\text{m}$$

(b)求足球返回地面所用时间，可用公式 2-10b，已知 y_0=0，同样取 $y=0$（地平面）：

$$y=y_0+v_{y0}t-\frac{1}{2}gt^2$$
$$0=0+(12.0\text{m/s})t-\frac{1}{2}(9.8\text{m/s}^2)t^2$$

这时方程可分解为：

$$[\frac{1}{2}(9.8\text{m/s}^2)t-12.0\text{m/s}]t=0$$

有两个解，$t=0$（对应初始点 y_0），和 $t=\dfrac{2(12.0\text{m/s})}{9.8\text{m/s}^2}=2.45\text{s}$

这就是要求的结果。

(c)用方程 2-10b 和 $x_0=0$，$a_x=0$，$v_{x0}=16.0$ m/s:

$$x=v_{x0}t=(16.0\text{m/s})(2.45\text{s})=39.2\text{m}$$

(d)在最高点，没有速度的垂直分量，只有水平分量（在整个飞行中保持不变），所以

$$v=v_{x0}=v_0\cos37.0^\circ=16.0\text{m/s}$$

(e)加速度矢量在最高点和整个飞行中都一样，等于 9.80 m/s^2 向下。

概念练习 3-5 **苹果落在哪里？** 小孩坐在一匀速向右行进的小车里，如图 3-23 所示，竖直向上扔出一个苹果（以她自己的角度，如图 3-23 所示）。小车继续以匀速前进。如果忽略空气阻力，苹果将落在（a）小车后面，（b）小车里，或（c）小车前面？

回答：小孩以她自己的角度竖直向上扔出一个苹果，初速为 $\mathbf{v}_{0y}$（图 3-23a）。但从地上观察者来看，苹果有等于小车速率的初始速度的水平分量 $\mathbf{v}_{0x}$。因此，从地上观察者来看，苹果将沿抛物线运行，如图 3-23b。苹果没有水平加速度，所以 $\mathbf{v}_{0x}$ 将保持不变。当苹果沿弧线落下时，小车也正好到达，因为它们有一样的水平速度。所以苹果落下时将正好落在小车里小孩伸出的手里。答案是（b）。

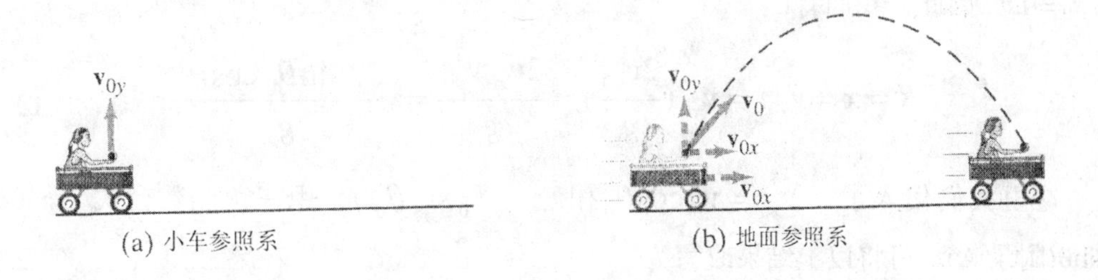

图 3-23 概念练习 3-5

概念练习 3-6 **错误的策略** 坡上的小孩用水枪水平瞄准吊在树枝上的另一个小孩，距离为 d，如图 3-24 所示。在水枪发射的同时，树上的小孩开始往下跳，准备避开射击。显然，这是一个错误的行动。（他还没有学过物理）

回答：水流和树上的小孩同时下落，在时刻 t，他们下落了同样的距离 $y=1/2gt^2$。在水流行进水平距离 d 的时间里，同时也与落下的小孩下落到同样的位置 y。如果小孩留在树上，他就会避免受到羞辱。

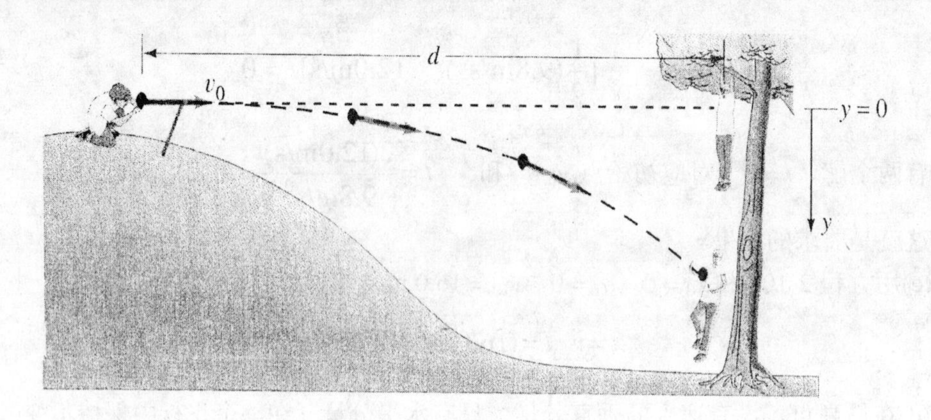

图 3-24　概念练习 3-6

例 3-7 水平射程　（a）一抛体以初速 v_0、角度θ_0射出，试推出抛体水平射程表达式。水平射程定义为抛体返回初始高度时（通常为地面）即：y（最终）$= y_0$，行进的水平距离（见图 3-25）。（b）假设拿破仑的加农炮的出膛速度 v_0 为 60.0 m/s。要击中 320m远的目标，需用多大的瞄准角度？（忽略空气阻力）

解：(a)在 $t = 0$ 时刻，取 $x_0 = 0, y_0 = 0$。抛体行进水平距离 R后，回到同样的高度 $y = 0$，即终点。要求出R的普遍表达式，对垂直运动，可用方程 2-10b，并设 $y = 0$ 和 $y_0 = 0$，可得：

$$v_{y0}t - \frac{1}{2}gt^2 = 0$$

求解 t，可得两个解：$t = 0$ 和 $t = 2v_{y0}/g$。第一个解对应抛体的初始时刻，第二个解对应抛体返回 $y = 0$ 时。那么，射程 R 等于 t 时刻 x 的值，对水平运动，代入公式 2-10b（$x = v_{x0}t$，且 $x_0 = 0$）。因此，我们有：

$$R = x = v_{x0}t = v_{x0}(\frac{2v_{y0}}{g}) = \frac{2v_{x0}v_{y0}}{g} = \frac{2v_0^2 \sin\theta_0 \cos\theta_0}{g} \qquad [y = y_0]$$

这里我们代入了 $v_{x0} = v_0 \cos\theta_0$和$v_{y0} = v_0 \sin\theta_0$。用三角函数公式 2sinθcosθ = 2sinθ(附录 A)，可将以上结果改写为

$$R = \frac{v_0^2 \sin 2\theta_0}{g} \qquad [y = y_0]$$

可以看出，给定初速 v_0后，抛体的最大射程是当正弦值为最大 1.0 时，这时 $2\theta_0 = 90°$；因此$\theta_0 = 45°$时对应的最大射程，且 $R_{最大} = \frac{v_0^2}{g}$

[当空气阻力变得很重要时，射程要比上面给出的小，并且最大射程角小于 45°]。注意，最大射程随 v_0 的平方增加，所以，加农炮的出膛速度增加一倍，其最大射程要乘以 4。

（b）从上面推出的方程，拿破仑的加农炮的瞄准角为（假设没有空气阻力）

$$\sin 2\theta_0 = \frac{R_g}{v_0^2} = \frac{(320\text{m})(9.8\text{m/s}^2)}{(60.0\text{m/s})^2} = 0.871$$

求解的角度θ_0在0°～90°之间，意味着方程中的$2\theta_0$可达到180°。因此，$2\theta_0 = 60.6°$是一个解，$2\theta_0 = 180° - 60.6° = 119.4°$也是一个解（见附录A-8）。一般情况下，类似问题有两个解，本题的结果是

$$\theta_0 = 30.3^\circ \text{或} 59.7^\circ$$

两个角度给出同样的射程。

只有当$\sin 2\theta_0 = 1$时，才有一个解（也即：两个解相同）。

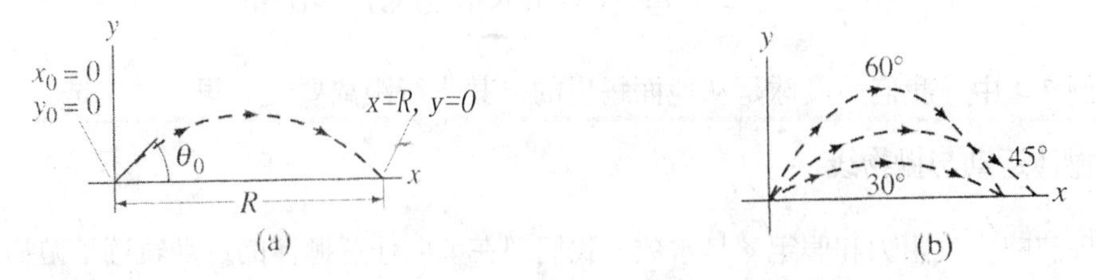

图3-25 （例3-7）R为抛体水平射程，是否在抛射角度满足互余的条件下可以获得相同的水平射程？

例3-8 凌空球 设例3-4中的足球是一个踢出的凌空球，踢球者的脚离地1.00 m。那么，足球在落地前飞行多远？取$x_0=0$，$y_0=0$。

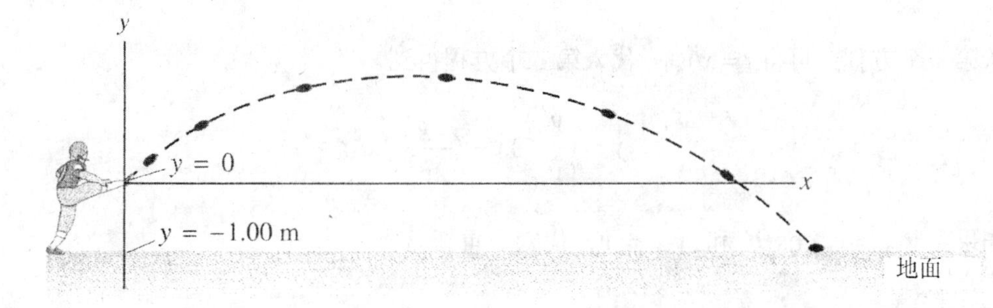

图3-26 （例3-8）足球运动员击球点距离地面1.00m

解：我们不能用例3-7中的射程公式，因为它只适用于y（最终）= y_0，这里的情况不同。现在，$y_0 = 0$，足球落地处$y = -1.00$ m（见图3-26）。已知$v_{x0} = 16.0$ m/s，可由公式2-10b，$x = v_{x0}t$，求出x。但先要求出球落地时刻t。已知$y = -1.00$ m，$v_{y0} = 12.0$ m/s（见例3-4），用公式

$$y = y_0 + v_{y0}t - \frac{1}{2}gt^2$$

得到

$$-1.00\text{m} = 0 + (12.0\text{m/s})t - (4.90\text{m/s}^2)t^2$$

将上面的方程整理成二次方程的标准形式（附录 A-4）：

$$(4.90\text{m/s}^2)t^2-(12.0\text{m/s})t-(1.00\text{m})=0$$

代入求根公式

$$t=\frac{12.0\text{m/s}\pm\sqrt{(12.0\text{m/s})^2-4(4.9\text{m/s}^2)(-1.00\text{m})}}{2(4.90\text{m/s}^2)}=2.53\text{s或}-0.081\text{s}$$

第二个解是踢球前时刻，与这里情况不符。所以，$t = 2.53$ s 是球落地前的飞行时间，飞行距离为（从例 3-4，取 $v_{x0} = 16.0$ m/s）：

$$x=v_{x0}t=(16.0\text{m/s})(2.53\text{s})=40.5\text{m}$$

在例 3-4 中，我们假设球是从地面踢出的，其飞行距离要比这里少 1.3 m。

*3–7 抛体运动与抛物线

如果忽略空气阻力和假定 g 是常数，我们现在证明任意抛体的运动轨迹是抛物线。就是从水平和竖直运动公式（公式 2-10b）中消去 t，得出 y 的 x 函数表示式，取 $x_0 = y_0 = 0$：

$$x=v_{x0}t$$

$$y=v_{y0}t-\frac{1}{2}gt^2$$

从第一个方程，可得 $t = x/v_{x0}$，代入第二个方程得到

$$y=\left(\frac{v_{y0}}{v_{x0}}\right)x-\left(\frac{g}{2v_{x0}^2}\right)x^2$$

如果用 $v_{x0}=v_0\cos\theta$ 和 $v_{y0}=v_0$ 代入，重新写成

$$y=(\tan\theta_0)x-\left(\frac{g}{2v_0^2\cos^2\theta_0}\right)x^2$$

另一种情况，y 的 x 函数表示式可写成

$$y=ax-bx^2$$

这里 a 和 b 对任意的抛体运动是常数。这就是有名的抛物线方程。见图 3-17 和图 3-27。在伽里略时代，有关抛体运动与抛物线方程的研究是物理学的前沿。今天，我们在初级物理学的第三章就讨论它！

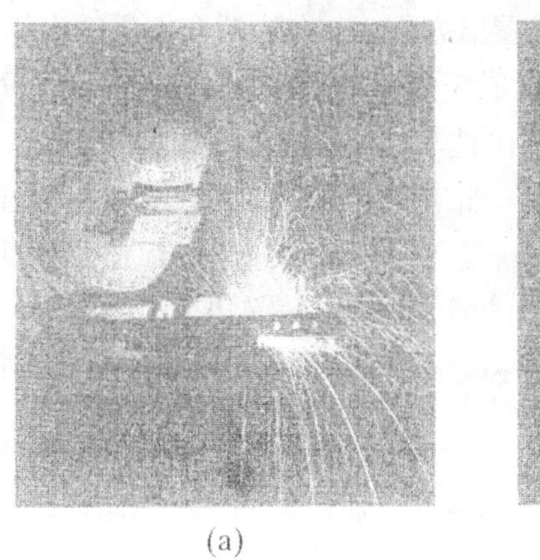

(a)

(b)

图 3-27　电焊产生的金属热碎片和烟花都呈现出抛体运动的特征

*3–8　相对速度

现在我们考虑在不同参照系中观察结果的相互关系。例如，两辆火车互相靠近，每辆对地的速率为 80 km/h。地面观察者测得每辆车的速率为 80 km/h。一辆车上的观察者（不同参照系）将测出另一辆靠近它的速率为 160 km/h。同样，当一辆汽车以 90 km/h 速率超越同方向以 75 km/h 行驶的第二辆车时，第一辆对第二辆的速率为 90 km/h –75 km/h = 15 km/h。

当速度沿同一直线时，简单的加减就可得到相对速度。但如果它们不沿同一直线，则必须用矢量加法。同第二节提到的一样，这里再次强调，当说明速度时，指明参照系很重要。

确定相对速度时，容易错误地对速度进行加减。因此，画出原理图，对图进行认真、清楚的标示非常重要。每个速度用两个下标示出：第一关于物体，第二关于速度所在的参照系。例如，设一艘船要横渡到河对面，如图 3-28。取 $\mathbf{v}_{BW}$ 为船相对于水的速度。（如果水是静止的，这也是相对于岸的速度）同样，$\mathbf{v}_{BS}$ 是船相对于岸的速度，$\mathbf{v}_{WS}$ 是水相对于岸的速度（水流速度）。由于 $\mathbf{v}_{BW}$ 是船的牵引速度（相对于水），那么 $\mathbf{v}_{BS}$ 等于 $\mathbf{v}_{BW}$ 加上水流的作用。因此，船相对于岸的速度为（见矢量图 3-28）

$$\mathbf{v}_{BS} = \mathbf{v}_{BW} + \mathbf{v}_{WS} \tag{3-6}$$

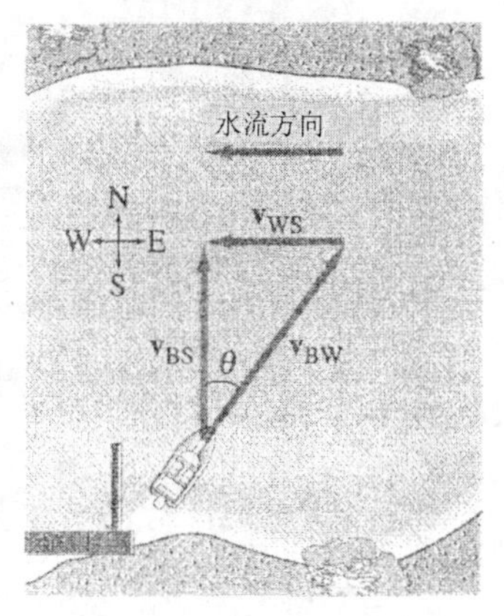

图 3-28　船前进时的速度矢量图

通过上面常用的下标写法，我们可以看出方程 3-6 右边两个矢量的内标（两个 W）是一样的，而其外标（B 和 S）等于方程左边合成矢量 $\mathbf{v}_{BS}$ 的两个下标。用这种简便方法（第一个下标对物，第二个下标对参照系），可以正确地写出不同参照系的速度方程。方程 3-6 是广泛成立的，可用于三维或更多的矢量。例如，如果船上的船员以速度 $\mathbf{v}_{FB}$ 相对于船行走，那么他相对于岸的速度为 $\mathbf{v}_{FS} = \mathbf{v}_{FB} + \mathbf{v}_{BW} + \mathbf{v}_{WS}$。当方程右边矢量的内标相等并且最外边的下标等于方程左边矢量的下标时，这个方程是正确的。但上式只对加号（右边）成立。

记住下面一点很有用：对任意两个物体或参照系 A 和 B，A 相对于 B 的速度与 B 相对于 A 的速度量值相等，方向相反：

$$\mathbf{v}_{BA} = -\mathbf{v}_{AB} \tag{3-7}$$

例如，如果火车沿一定方向对地以 100 km/h 运行，对火车上的观察者来说，地上的物体（如树木）沿相反方向以 100 km/h 运行。

概念练习 3-9 **过河** 船上的人想渡过一条流向西的湍急河流。他从南岸出发想直接到达北岸正对点。他应该：

1. 船头向北。
2. 船头向西。
3. 船头向西北方向。
4. 船头向东北方向。

回答：水流将船冲向西，所以船必须向东北方向才能抵消这个运动（见图 3-28）。实际角度取决于水流的冲力和船相对于水的速率。如果水流缓慢，而船的马力很大，那么船可以直接向北，但不是正北方向运行。

例 3-10 **朝向上游** 船在静止水中的速率为 $v_{BW} = 1.85$ m/s。如果船想横渡流速为 $v_{WS} = 1.2$ m/s 的河流，那么船朝向上游的角度是多少？（见图 3-29）

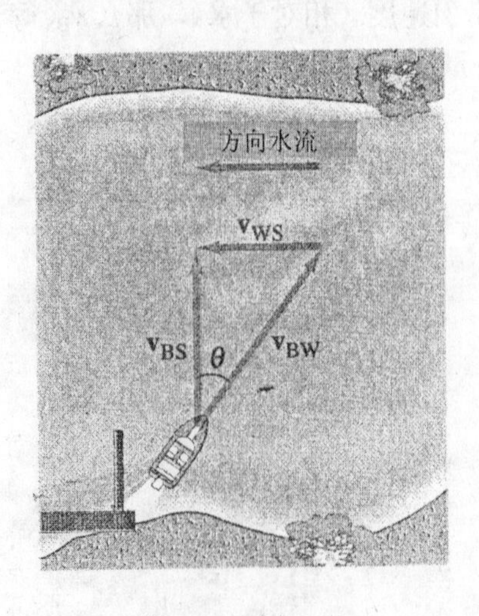

图 3-29 例 3-10

解：图 3-29 画出船对相对于岸的速度 $\mathbf{v}_{BS}$ 直接指向对岸，这就是船预定的运行方向。（注

意 $\mathbf{v}_{FS}$ = $\mathbf{v}_{BW} + \mathbf{v}_{WS}$）要做到这一点，船需要驶向上游以抵消流向下游的水流。因此，船以角度θ驶向上游。从图可得：

$$\sin\theta = \frac{v_{WS}}{v_{BW}} = \frac{1.20\text{m/s}}{1.85\text{m/s}} = 0.6486$$

查出$\theta = 40.4°$，因此，船必须以 40.4°角驶向上游。

例 3-11 朝向对岸 同样的船（v_{BW} = 1.85 m/s）现在直接朝向对岸，想横渡流速仍为 v_{WS} = 1.2 m/s 的河流。（a）船相对于岸的速度（量值和方向）是多少？（b）如果河流有 110m 宽，船到达对岸将用多长时间，在下游多远地方？

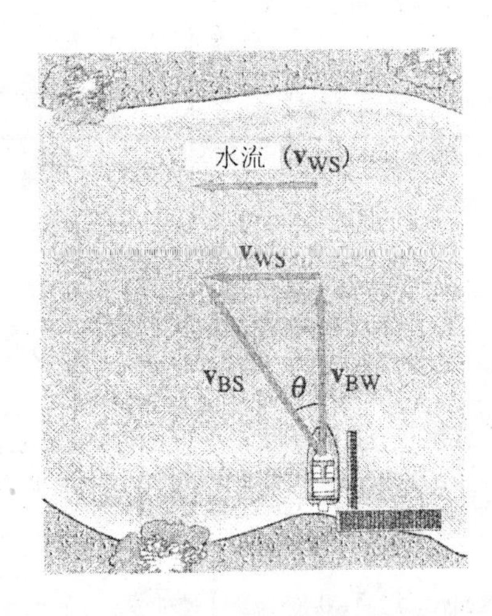

图 3-30 例 3-11

解：（a）如图 3-30 所示，船被水流冲向下游。船相对于岸的速度 $\mathbf{v}_{BS}$ 等于它对水的速度 $\mathbf{v}_{BW}$ 加上水对岸的速度 $\mathbf{v}_{BS}$：

$$\mathbf{v}_{BS} = \mathbf{v}_{BW} + \mathbf{v}_{WS}$$

与上述结果相同。由于 $\mathbf{v}_{BW}$ 垂直于 $\mathbf{v}_{WS}$，可用勾股定理求出 $\mathbf{v}_{BS}$：

$$v_{BS} = \sqrt{v_{BW}^2 + v_{WS}^2} = \sqrt{(1.85\text{m/s})^2 + (1.20\text{m/s})^2} = 2.21\text{m/s}$$

可用以下方法得到角度（注意角度在图中如何规定）：

$$\tan\theta = \frac{v_{WS}}{v_{BW}} = \frac{1.20\text{m/s}}{1.85\text{m/s}} = 0.6486$$

从反三角函数查出$\theta = \tan^{-1}(0.6486) = 33.0°$。注意这个角度不等于例 3-10 中算出的角度

（b）给出河宽 $D = 120$m，用速度的定义求 $t = D/v_{BW}$，这里用横渡方向的速度分量，所以

$$t = \frac{110\text{m}}{1.85\text{m/s}} = 60\text{s}$$

船在这个时间里流向下游的距离为

$$d = v_{WS}t = (1.20\text{m/s})(60\text{s}) = 72\text{m}$$

例 3-12 飞机在侧风中飞行 一架飞机以 200 km/h 的速率向北飞行。一阵速度为 100 km/h 的东北（即来自东北方向）风忽然吹来，此时飞机对地的速度是多少？

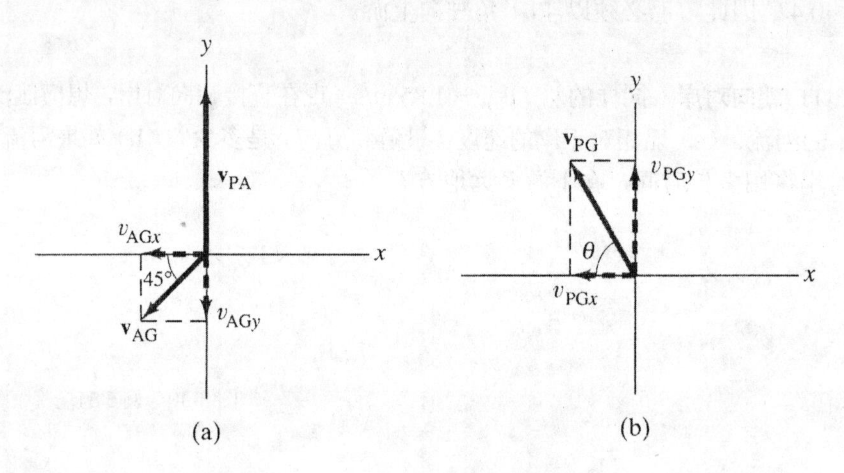

图 3-31 例 3-12

解：两个速度矢量及其分量在图 3-31a 中给出。为了方便，它们都画在原点上。$\mathbf{v}_{PA}$ 表示飞机对空气的速度；风的速度为 $\mathbf{v}_{AG}$，即空气对地的速度。飞机对地的速度为合成速度 $\mathbf{v}_{PG}$，由下式给出：

$$\mathbf{v}_{PG} = \mathbf{v}_{PA} + \mathbf{v}_{AG}$$

这里用了前面给出的方程 3-6——下标规则。因为 $\mathbf{v}_{PA}$ 沿 y 轴，它只有一个分量：

$$v_{PAx} = 0\text{km/h}$$
$$v_{PAy} = v_{PA} = 200\text{km/h}$$

$\mathbf{v}_{AG}$ 的分量为（这里非常规地选为负 x 轴以下 45°角）：

$$v_{AGx} = -v_{AG}\cos 45^\circ = -(100\text{km/h})(0.707) = -70.7\text{km/h}$$

$$v_{AGy} = -v_{AG}\sin 45^\circ = -(100\text{km/h})(0.707) = -70.7\text{km/h}$$

v_{AGx} 和 v_{AGy} 都为负，是由于它们的方向分别沿负 x 轴和负 y 轴。合成速度的分量为

$$v_{PGx} = 0\text{km/h} - 70.7\text{km/h} = -70.7\text{km/h}$$
$$v_{PGy} = 200\text{km/h} - 70.7\text{km/h} = +129\text{km/h}$$

用勾股定理求出合成速度的量值：

$$v_{PG} = \sqrt{v_{PGx}^2 + v_{PGy}^2} = 147\text{km/h}$$

求出 $\mathbf{v}_{PG}$ 与 x 轴的夹角 θ（图 3-31b）

$$\tan\theta = \frac{v_{PGy}}{v_{PGx}} = \frac{129\text{km/h}}{-70.7\text{km/h}} = -1.825$$

（负号是由于 θ 角与负 x 轴的夹角，这一点从图上可以知道）因此

$$\theta = \tan^{-1}(-1.825) = -61.3^\circ$$

小结

具有量值和方向的量叫做**矢量**。只有量值的量叫做**标量**。

矢量相加可用作图的方法，将代表矢量的箭头依次头尾相连。和或**合成矢量**就是从第一个的尾到最后一个的头画出的箭头。两个矢量也可用平行四边形方法相加。

选择适当的坐标，用三角函数进行分量相加，可以更精确地求出合成矢量。与 x 轴成 θ 角量值为 V 的矢量的分量为

$$V_x = V\cos\theta$$
$$V_y = V\sin\theta$$

已知分量，可用下式求出矢量的量值和方向

$$V = \sqrt{V_x^2 + V_y^2}$$
$$\tan\theta = \frac{V_y}{V_x}$$

如果忽略空气阻力，地球表面空气中的**抛物运动**可用两个分立的运动进行分析。运动的水平分量是匀速运动；竖直分量是加速度为 g 的匀加速运动，如同物体在引力作用下的竖直下落过程。

如果已知物体与一个参照系的相对速度和此参照系与第二个参照系的相对速度，物体相对于第二个参照系的速度可用矢量相加的方法求出。

问答题

1. 汽车的里程表测量的是标量还是矢量？速度仪测量的是什么？

2. 两矢量相加的和为零。你能说出这两个矢量的量值和方向有什么特点吗？

3. 二维运动物体的位移矢量比同样的时间间隔里物体运行的路径长，还是短？请讨论。

4. 棒球练习时，击球手打出一个很高的飞球，并直线跑去把球接住。击球手和棒球，哪一个位移大？

5. 如果 $\mathbf{V} = \mathbf{V_1} + \mathbf{V}_2$，$V$ 是否必须大于 V_1 或 V_2？请讨论。

6. 两个矢量的量值分别为 V_1= 3.5 km 和 V_2= 4.0 km。合成矢量的最大和最小值是多少？

7. 两个量值不相等的矢量相加能得出零矢量吗？三个不相等的矢量呢？在什么情况下？

8. 矢量的量值能（a）等于；（b）或小于其本身的分量吗？

9. 量值为零的矢量，其分量能不为零吗？

10. 一辆车向东以 50 km/h 行驶，另一辆向北以 50 km/h 行驶。它们的速度相等吗？请解释。

11. 抛体在其路径的哪一点速率最小？

12. 运动员跳远时，重要的物理因素有哪些？跳高时怎样？

13. 小孩想确定弹弓给予石块的速率。只用米尺、石块和弹弓，怎样才能做到这一点？

14. 如果你坐在一辆正在超过旁边同方向行驶的火车上，你会发现慢的火车正在向后行驶，为什么？

15. 两个划艇运动员在静水里划艇速率一样，现在同时横渡一河流。一个直接向对岸划去，被河流冲向下游。另一个以一角度向上游划去，这样能正好到达对岸。哪一位先到达对岸？

习题

3-2——3-4 节

1.（Ⅰ）一辆汽车向西行驶 125 km，然后向西南行驶 65 km。汽车从出发点的位移（量值和方向）是多少？请画图。

2.（Ⅰ）邮车向北行驶 14 个街区，向东 16 个，向南 26 个。从原点起位移是多少？假设街区长度相等。

3.（Ⅰ）图 3-32 的三个矢量可以六种不同次序相加（$\mathbf{V}_1+\mathbf{V}_2+\mathbf{V}_3$，$\mathbf{V}_1+\mathbf{V}_3+\mathbf{V}_2$，等）。做图证明不管哪种次序结果相同。

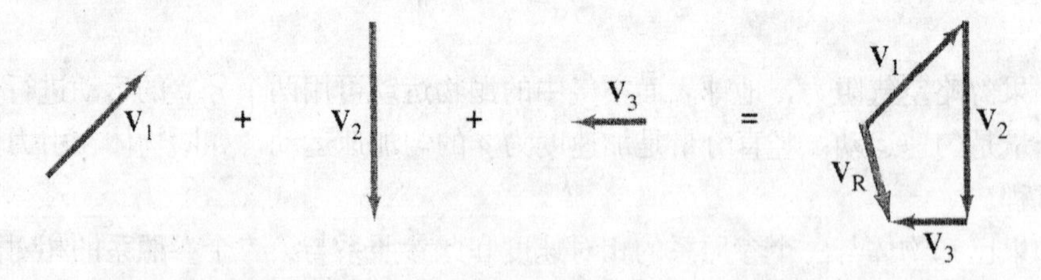

图 3-32　习题 3

4.（Ⅰ）已知 V_x=18.80 单位，V_y=-16.40 单位，试确定 **V** 的量值和方向。

5.（Ⅱ）作图求出下面三个位移矢量的和：（1）24 m，东偏北 30°；（2）28 m，北偏东 37°；（3）20 m，南偏西 50°。

6.（Ⅱ）矢量 **V** 的量值为 24.3 单位，方向为负 x 轴以上 54.8°。（a）画出这个矢量。（b）求 V_x 和 V_y。（c）用 V_x 和 V_y 重新求出 **V** 的量值和方向。注意：（c）是一个检验矢量计算结果的好方法。

7.（Ⅱ）图 3-33 给出两个矢量 **A** 和 **B**，量值分别为 A = 8.31 单位，B = 5.55 单位。试求 **C**:（a）**C = A + B**，（b）**C = A – B**，（c）**C = B – A**。给出每个合成矢量的量值和方向。

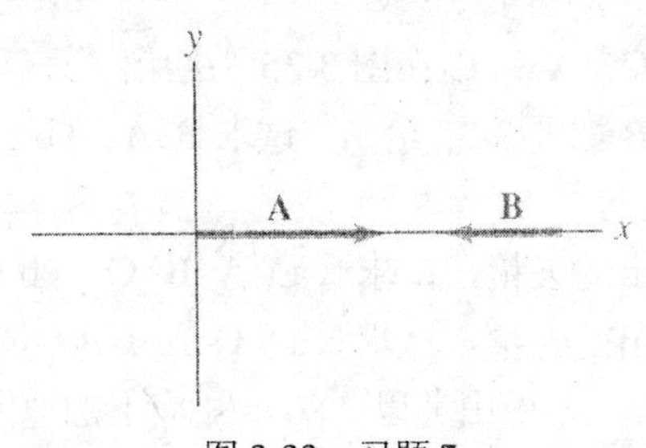

图 3-33　习题 7

8.（Ⅱ）矢量 $\mathbf{V}_1$ 长为 8.08 单位，方向沿负 x 轴。矢量 $\mathbf{V}_2$ 长为 4.51 单位，方向与正 x 轴成+45.0°角。（a）每个矢量的 x 和 y 分量是多少？（b）求两个矢量的和（量值和角度）。

9.（Ⅱ）一架飞机以 785 km/h 沿北偏西 38.5°飞行（图 3-34）。（a）试求速度矢量在正北和正西方向的分量。（b）飞机飞行 3.00h 后，在正北和正西各行进多远？

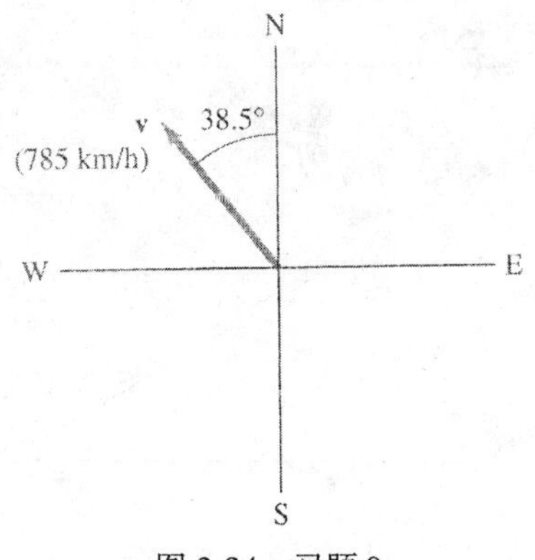

图 3-34　习题 9

10.（Ⅱ）矢量的分量形式常写成（V_x，V_y，V_z）。已知矢量 $\mathbf{V}_1$ 和 $\mathbf{V}_2$ 的分量为（3.0,2.7,0.0）和(2.9,-4.1, -1.4)，求合矢量的分量和长度。

11.（Ⅱ）图 3-35 给出三个矢量，它们的量值为任意单位。试求三矢量的和。合成矢量用以下形式表示：（a）分量，（b）量值和与 x 轴的夹角。

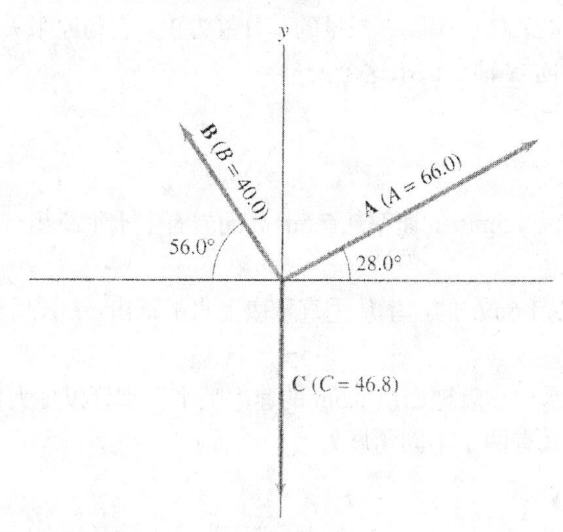

图 3-35　习题 11，12，13，14，15

12.（Ⅱ）试求矢量 **A**-**C**，**A** 和 **C** 在图 3-35 中给出。

13.（Ⅱ）（a）矢量 **A**、**B** 如图 3-35 给出，试求 **B**-**A**。（b）不用（a）的结果，试求 **A**-**B**。最后比较两者结果看是否反向。

14.（Ⅱ）用图 3-35 给出的矢量，试求（a）**A**-**B**+**C**，（b）**A**+**B**-**C**，（c）**B**-2**A**。

15.（Ⅱ）用图 3-35 给出的矢量，试求（a）**C**-**A**-**B**，（b）2**A**-3**B**+2**C**。

16.（Ⅱ）（a）滑雪者沿一 30.0°山坡以 3.80 m/s^2 向下加速（图 3-36）。其加速度的竖直分量为多少？（b）如果山的高度为 335m，滑雪者从静止开始匀加速过程，到达山底需多长时间？

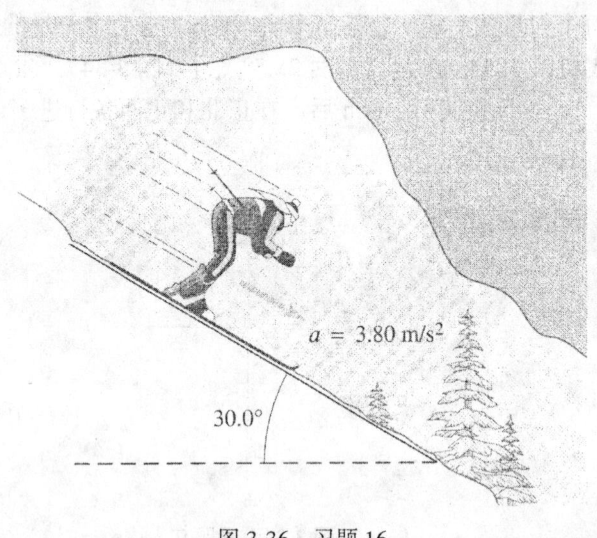

图 3-36　习题 16

17.（Ⅱ）山的顶峰在营地以上 2085m 处，从地图上测量，顶峰离营地水平距离为 4580m，方向为北偏西 32.4°。从营地到顶峰位移矢量的 x、y、z 分量长度各为多少？取 x 轴向东，取 y 轴向北，取 z 轴向上。

18.（Ⅲ）已知一矢量在 xy 平面内，其量值为 90.0 单位，y 分量为-55.0 单位。（a）其 x 分量的两个可能值是多少？（b）设一矢量的 x 分量为正，它与原来矢量相加的合矢量的长度为 80.0 单位，方向指向-x 轴，试求这个矢量。

3-5—3-6 节

（忽略空气阻力）

19.（Ⅰ）一老虎以 4.5m/s 的速率从 7.5m 高的岩石上水平跳出。从岩石底到其落地点距离多远？

20.（Ⅰ）跳水者以 1.6m/s 的速率从垂直悬崖上水平跳出，3.0s 后到达水面。悬崖有多高，从悬崖底到入水点距离多远？

21.（Ⅱ）一消防水管靠近地面以 6.5m 的速率喷水。水管以多大角度时能将水喷出 2.0m 远（图 3-37）？为什么有两个不同角度？

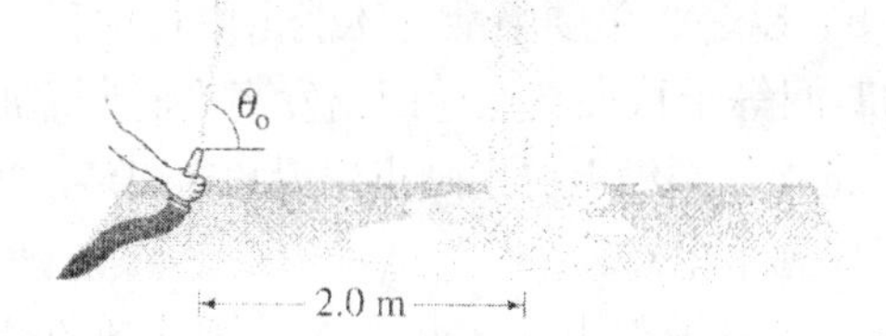

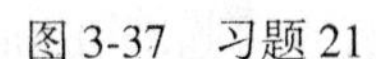
图 3-37　习题 21

22.（Ⅱ）罗密欧向朱丽叶的窗户轻轻扔去一块水晶石，他想让水晶石到达窗户时只有水平速度。他站在窗户下 8.0m，距离屋底部 9.0m 的花园边上（图 3-38）。当水晶石到达窗户时速率为多少？

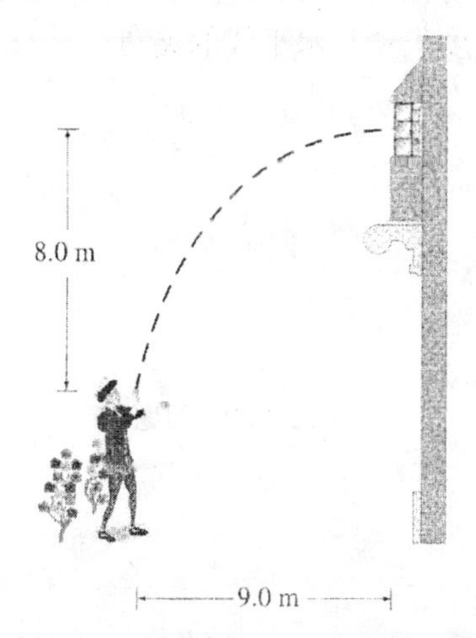

图 3-38　习题 22

23.（Ⅱ）设在例 3-4 中，踢球者距离球门 36.0m 远，球门横梁离地 3.00m 高。如果足球飞向球门两杆之间，它能超过横梁得分吗？（橄榄球超过横梁得分）请给出说明，如果不能，从多远处踢才能得分？

24.（Ⅱ）从 56m 高的楼顶水平掷出一球，落在离楼底 45m 远的地方。球的初速是多少？

25.（Ⅱ）证明抛体离开地面的速率等于运动结束时回到地面的速率，假设两点在同一高度上。

26.（Ⅱ）一足球被从地面上以 20.0m/s 的速率与水平成 37.0° 角踢出，多长时间后它回到地面？

27.（Ⅱ）一球被从楼顶上以 22.2m/s 的速率水平掷出，并在离楼底 36.0m 远处落地。楼有多高？

28.（Ⅱ）掷铅球者以 14m/s 的初速与水平成 40° 掷出铅球。如果铅球在离开手时离地 2.2m，它行进的水平距离有多远？

29.（Ⅱ）如果起跳速率和角度一样，人在月球上跳远比在地球上远出多少？月球的引力加速度等于地球的六分之一。

30.（Ⅱ）运动员以 30°角起跳，跳了 7.80m 远。（a）起跳速率是多少？（b）如果将这个速率增加 5%，距离增加多少？

31.（Ⅱ）飞机以 160km/h 飞行，飞行员要给飞机下 160m 处被洪水围困的灾民投掷救济品。当飞机正好飞到灾民头顶时，救济品下落了几秒？

32.（Ⅱ）射击者直接瞄准 120m 远处的靶子（在同一水平线上）。（a）如果子弹离开枪膛的速率为 250 m/s，它偏离目标多少？（b）以多大角度瞄准，才能击中目标？

33.（Ⅱ）证明抛体到达最高点所需的时间等于从最高点返回出发高度时所需时间。

34.（Ⅱ）炮弹以 40.0m/s 的速率射出。试在作图纸上分别画出出射角 θ =15°，30°，45°，60°，75°和 90°时的抛体轨迹。每个曲线至少画十个点。

35.（Ⅱ）炮弹沿 34.5° 出射角以 75.2m/s 的初速射出。试求（a）炮弹达到的最大高度，（b）在空中飞行的时间，（c）总的水平距离（即射程），（d）炮弹射出后 1.50 秒时的速度。

36.（Ⅱ）炮弹从 125m 高的悬崖边沿 37.0°角以 105m/s 的初速射出，如图 3-39 所示。（a）试求炮弹击中地上 P 点所用时间。（b）试求炮弹的射程 X。当炮弹击中 P 点时，试求（c）其速度的垂直和水平分量，（d）速度的值，（e）速度矢量与水平线的夹角。

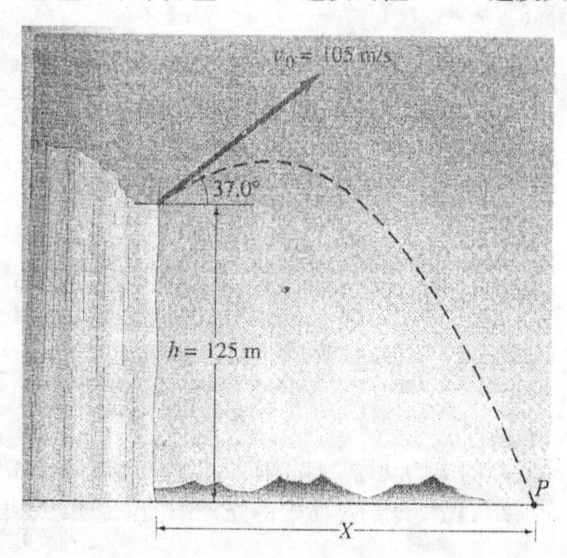

图 3-39 习题 36

37.（Ⅲ）回到概念练习例题 3-6，假设开水枪的小孩处于较低的位置，他必须向上瞄准才能击中树上的小孩。证明，树上的小孩在水枪射击的瞬间往下跳是错误的。

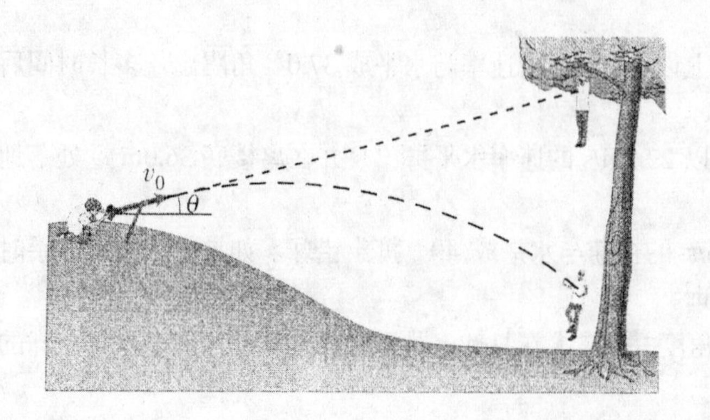

图 3-40 习题 37

38.（Ⅲ）救援飞机想给 235m 以下的登山者投掷救济品。如果飞机以 250km/h（69.4m/s）的速率水平飞行。试求(a)离爬山者多远（水平距离）时必须将物品投出（图 3-41a）？（b）设飞机在离登山者 425m 时投出物品。物品必须具有多大的竖直速度（向上或向下），才能准确到达登山者的位置（图 3-41b）。（c）在后一种情况时，物品以多大速率着地。

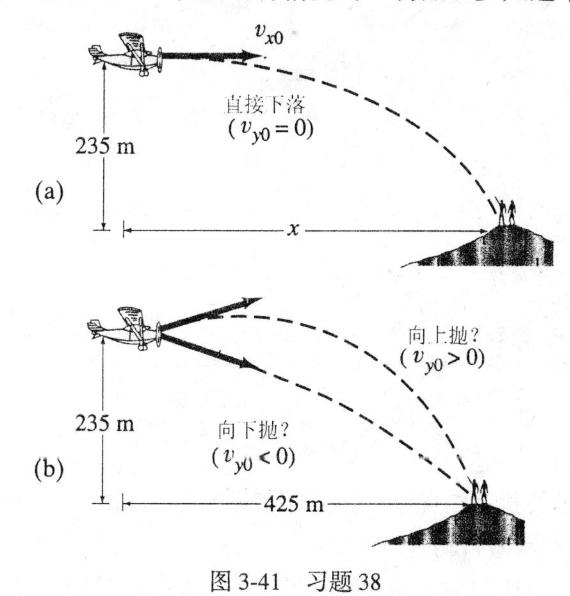

图 3-41　习题 38

39.（Ⅲ）小球从悬崖边以初速 v_0 扔出（在 t=0）。在任何时刻，其运动方向与水平线成θ角（图 3-42）。当小球以抛体轨迹运动时，推出θ与时间 t 的关系。

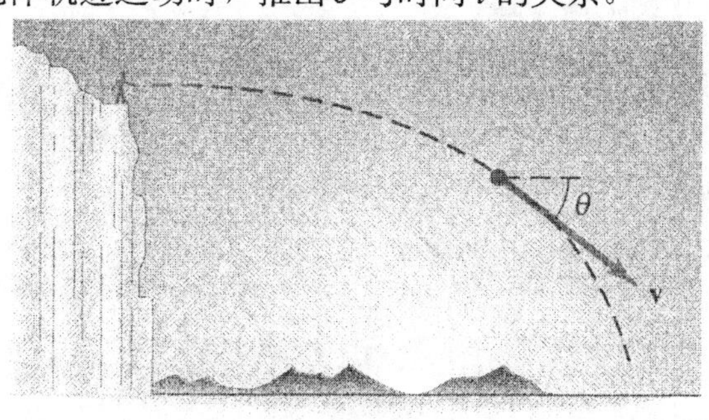

图 3-42　习题 39

***3-8 节**

*40.（Ⅰ）渡船以 8.5m/s 向前行进，一人正在甲板上以 2.0m/s 向船头走去。他相对于水的速度是多少？后来，他又向船尾走去。现在他相对于水的速度是多少？

*41.（Ⅱ）哈克·芬以 1.0 m/s 的速率横跨他的木筏（即他行走的方向与木筏行进方向垂直）。木筏以相对于河岸 2.7 m/s 的速率沿密西西比河顺流而下（图 3-43）。哈克相对于河岸的速度（速率和方向）是多少？

*42.（Ⅱ）在风雪中，你驾车以 25m/s（约 55mph）沿高速公路向南行驶。刚才停车时，你注意到雪是垂直落下的，现在它掠过行进的车窗时与水平成 30° 角。估计雪花相对于车和大地的速率。

*43.（Ⅱ）一只船在静水中能以 2.3 m/s 的速度行进。（a）如果船头指向对岸横渡流速为 1.2m/s 的河流时，船相对于岸的速度（量值和方向）是多少？（b）3.00 秒后，船相对于出发点的位置如何？（见图 3-30）

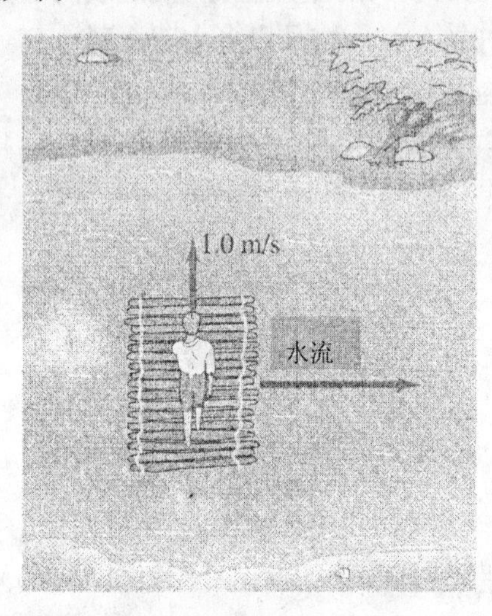

图 3-43 习题 41

*44.（Ⅱ）两架飞机迎头飞来。各自速率为 835km/h，刚发现时相距 10.0km。飞行员必须在多长时间里采取躲避行动。

*45.（Ⅱ）一架飞机向南以 500km/h 的速率飞行。如果风以 100km/h 的速率（平均）从西南方向吹来，试计算：（a）飞机对地的速度（量值和方向），（b）如果飞行员不修正航向，10 分钟后飞机偏离航线多少？（提示：先画示意图）

*46.（Ⅱ）在上题中（习题 45），飞机应修正多大航向，才能飞向正南方？

*47.（Ⅱ）在例 3-10 中，试求船相对于岸的速率。

*48.（Ⅱ）一只船在静止湖水中以 1.50m/s 行进，一乘客以 0.50m/s 的速率登上舷梯，图 3-44。梯子与行进方向成 45°角。乘客相对于水的速度是多少？

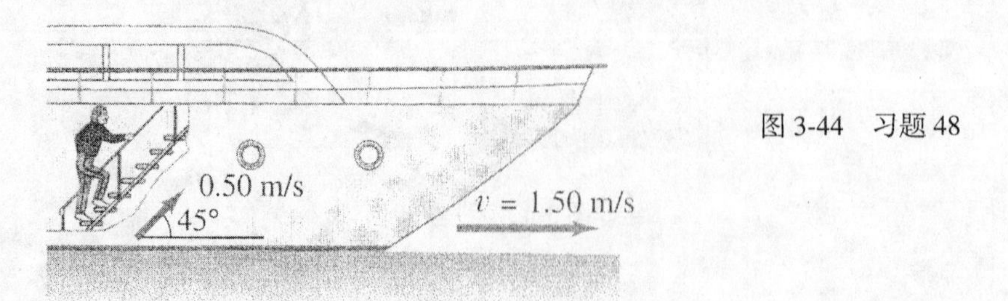

图 3-44 习题 48

*49.（Ⅱ）摩托艇在静水中的速率为 3.6m/s,它必须指向上游 27.5°角（与垂直河岸线成的角）才能垂直到达对岸。（a）河流的速率是多少？（b）艇相对于河岸的速率是多少？（见图 3-28）

*50.（Ⅱ）一只船在静水中的速率为 2.20m/s。现在渡过 260m 宽的河流，并且到达对岸时从出发点向上游行进 110m（图 3-45）。在渡河时，船头指向上游 45°角。试求河流的速率。

*51.（Ⅱ）一游泳选手在静水中游速 1.00m/s。（a）如果她身体直接朝向对岸横渡 150m 宽流速为 0.80m/s 的河流，到达对岸时向下游行进（从出发点对岸算起）多远？（b）用了多

只飞行了 125km，并且不是正南而是东南方向。试求风的速度是多少？

65. 一辆汽车以 95km/h 的速率追上一列同方向并排行驶的 1.00km 长的火车。如果火车的速率为 75km/h，汽车要超过它需多长时间，在此时间内汽车行进的距离是多少？如果汽车和火车相对行驶，结果如何？

66. 一跳远选手能跳 8.0m 远。设在离开地面时，他的水平速率为 9.1m/s，他在空中滞留多长时间，达到的高度是多少？设他落地和起跳时垂直站立。

67. 阿波罗宇航员带着“九号杆”来到月球上，将高尔夫球击出 180m 远。而在地球上，他只能击出 30m，假设球的旋转、击出角等等，与地球上一样，估计月球表面的引力加速度。（忽略两种情况下的空气阻力，月球实际上没有阻力）

68. 当巴比 · 罗斯击出一个本垒打，球越过 95m 远处的 12m 高的围栏，估计棒球离开球棒时的最小速率。设球从离地 1.0m 高处击出，其对地初始角为 40°。

69. 阿卡泼卡的悬崖跳水者从高于水面 35m 的岩石上水平跳出，他们要躲开水面上突出的岩石，必须跳出 5m 的距离——从悬崖底到入水点，见图 3-49。要做到这一点，跳出的最小速率是多少？在空中多长时间？

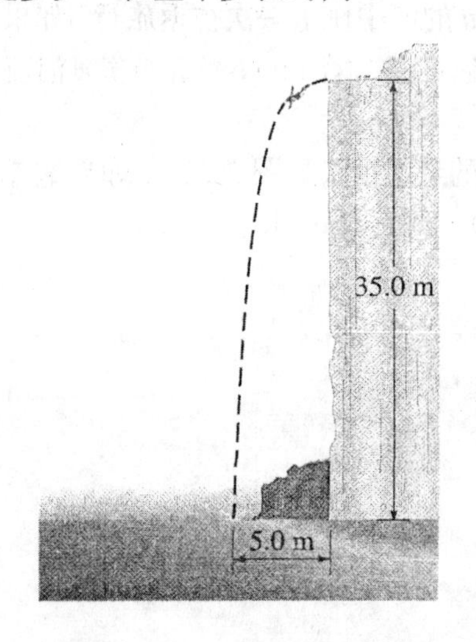

图 3-49 习题 69

70. 网球运动员发球时，将球水平击出。如果球从 2.5m 高发出，要越过 15.0m 远处 0.90m 高的网子，所需的最小速率是多少？如果球刚好越过网，它将在何处着地（好球表示着地点离网 7.0m 以内）？球在空中多长时间？见图 3-50。

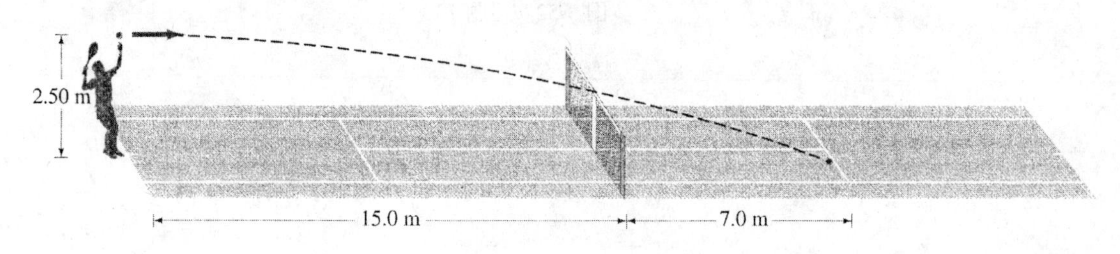

图 3-50 习题 70

71. 艾京 · 提姆驾驶直升飞机以 185km/h 的速度低空水平飞行，他想用小型炸弹击中 88.0 m 下匪首的汽车，这辆车正以 145km/h 在平坦的高速公路上行驶。当投掷炸弹时，汽车的视角（与水平夹角）应为多大（图 3-51）？

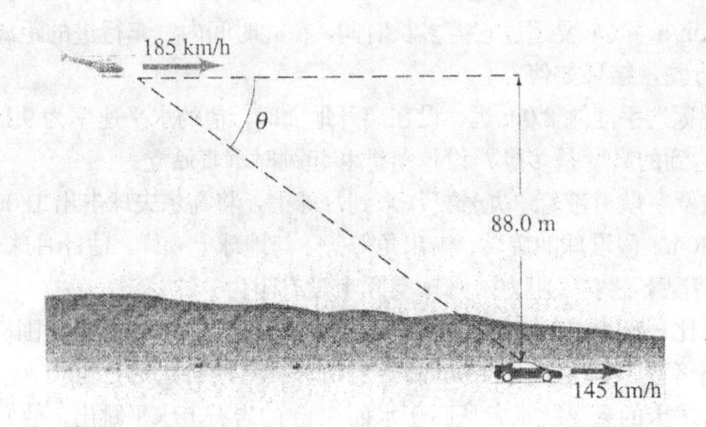

图 3-51 习题 71

72. 一只船在静水中的速率为 v。它在流速为 u 的河中作了一次往返旅行。如果往返总距离为 D，试推出下列情况下所需的时间：（a）逆流而上再返回，（b）直接横渡河流再返回。必须假设 $u<v$；为什么？

73. 炮弹从地上发射击中 195m 远处 155m 高的悬崖顶（见图 3-52）。如果炮弹在发射后 7.6s 击中目标，试求炮弹的初速度（量值和方向）。忽略空气阻力。

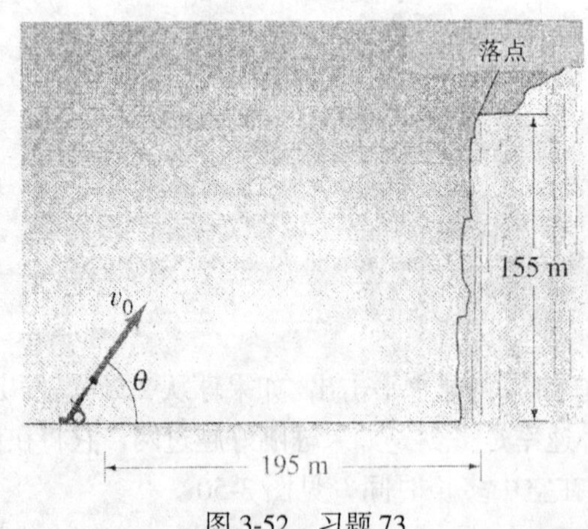

图 3-52 习题 73

图注：你知道是什么力使运动员在跑步中加速的吗？

第四章　运动和力：动力学

我们已经学习了如何用速度和加速度来描述运动。现在要问物体*为什么*这样运动：是什么原因使物体从静止开始运动？是什么原因导致了物体的加速或减速？物体作圆周运动时与哪些因素有关？答案是在每一种情况中都有力的存在。在这一章里，我们将学习力与运动之间的关系。在探讨动力学这一课题之前，我们首先定性地讨论力的概念。

4–1　力

凭经验，我们直觉地认为**力**就是对物体任何形式的推或拉。当你推手推车或一辆抛锚的车时 （图 4-1），就对它施加了力。当马达拉起升降机，或锤子敲击钉子，或风吹动树叶时，同样有力的存在。我们说物体下落是由于引力的作用。力并不总是导致运动。例如，你用力去推很沉的桌子，它可能会不动。

图 4-1　人推车时，就对它施加了力。

图 4－2　用弹簧秤测量力

弹簧秤是一种测量力的值（或强度）的工具（如图 4-2 所示）。这种弹簧秤通常用来测量物体的重量；重量意味着作用于物体上的力（4-6 节）。标定的弹簧秤也可用来测量其它的力，如图 4-2 所示的拉力。

力有方向和大小，所以是一种矢量，并遵循第三章讨论过的矢量加法定则。与表示速度的方法一样，在画图时可用箭头表示力。箭头的方向就是推力或拉力的方向，其长度与力的大小成正比。

4–2　牛顿第一运动定律

力和运动之间确切的联系是什么？亚里士多德（384-322 B.C .）相信力的存在使物体保持沿水平方向的运动。他指出，要使一本书在桌子上运动，你必须持续地对它施加力。按照亚里士多德的观点，物体的自然状态是静止，力使它保持运动。他还进一步地阐述道：施加给物体的力越大，物体的速率越快。

约 2000 年后，伽里略对亚里士多德的观点产生了疑问，并得出完全不同的结论。伽里略认为水平匀速运动与静止一样也是物体的自然状态！

图 4－3　冰球在气垫桌上的运动：从桌面小孔吹出的空气在桌面表层形成一薄气层，只要给冰球一个最初的推力作用，它就做直线运动，直至遇到一障碍物或另一个冰球为止。

要理解伽里略的思想，先考虑这样一个沿水平面的运动。在粗糙的桌面上匀速推动一物体需要一定大小的力。在很光滑的桌面上以同样的速率推动同样重量的物体需要较小的力。如果在物体和桌面间涂上油层或其它润滑剂，则几乎不需要力就能移动物体。接下来，我们想象物体与桌面间没有一点摩擦——或存在一种完美的润滑剂，即一旦物体开始沿桌面匀速运动，就没有任何力施加于它。在坚硬平面上滚动的钢球就接近这种情况。冰球在气垫桌上的运动也属于这种情况，这时一个空气薄层将摩擦几乎降为零。

伽里略天才地想象了这样一个理想化的世界—— 一种没有摩擦存在的情况，并以此得出比真实世界的更有效的观点。正是这种理想化观点使他得出了著名论断：如果对运动的物体不施加力，它将保持匀速直线运动。只有有力施加在物体上时，它才会停下来。因此，伽里略解释了摩擦也是一种力，等同于普通的推力和拉力。

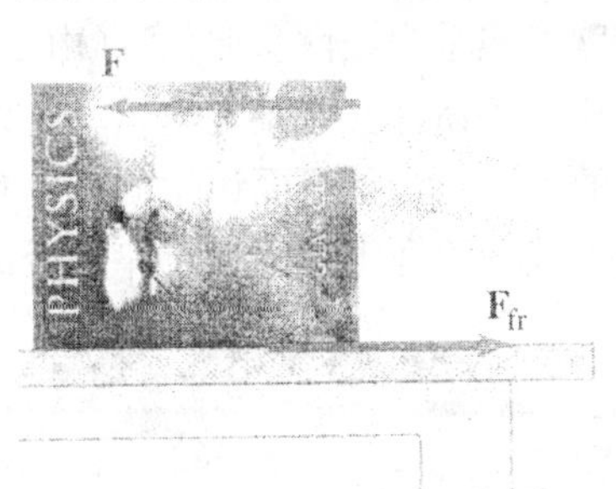

图 4-4 **F** 代表推力，$\mathbf{F}_{fr}$ 代表摩擦力。

要沿桌面匀速推动一个物体，只需要手的推力去抵消摩擦力（图 4-4）。当物体匀速运动时，手的推力量值上等于摩擦力，但这两个力方向相反，所以加于物体的合力（两个力的矢量和）为零。这与伽里略的观点一致，即合外力为零的物体将做匀速运动。

图 4-5 艾萨克·牛顿

（1642－1727）

亚里士多德与伽里略观点的不同之处不只是简单的谁对谁错的问题。亚里士多德的观点并不是真的错了，日常经验表明，如果不持续推动，运动的物体就会逐渐停止。真正的区别在于亚里士多德关于物体“自然状态”的观点本质上是一个最终描述——不能再进一步发展。另一方面，伽里略的分析能够被延伸、扩展，从而解释大量的现象，并且用定量理论提出可进行验证的预言。通过迈出创造性的一步，即想象实验上无法达到的无摩擦的情况，并将摩擦解释为一种力，伽里略得出了他的结论：如果没有力作用于物体去改变它的运动，它将保持匀速运动。

在这个基础上，艾萨克·牛顿（图 4-5）建立了他伟大的运动理论。牛顿对运动的分析概括在他著名的“运动三定律”中。在他重要的论著《原理》（1687 年发表）中，牛顿欣然承认他借鉴了伽里略的观点。事实上，**牛顿第一运动定律**非常接近伽里略的结论。表述如下：

任何不受非零合力作用的物体将保持静止或匀速直线运动状态。

物体保持静止或匀速直线运动状态的趋势叫做**惯性**。因此，牛顿第一定律常被称为**惯性定律**。

牛顿第一运动定律并不是在每一个参照系中都成立。例如，如果你的参照系固定在一辆加速的汽车里，车子仪表盘上的杯子就会向你移动（只要汽车速度保持稳定，它就静止不动）过来。杯子向你加速移动，但你或其它物体并没有在这个方向对它施加任何力。在这个加速参照系里，牛顿第一定律不成立。牛顿第一定律成立的参照系叫**惯性参照系**（惯性定律有效）。在许多情况下，我们通常取地球参照系为惯性参照系。（由于地球的转动，这也不是很精确，但在通常情况下足够了）任何相对于惯性参照系匀速运动的参照系（如汽车、飞机等）也是惯性参照系。惯性定律不成立的参照系，如上面讨论的加速参照系，叫非惯性参照系。如何判断一个参照系是否是惯性系？只需验证牛顿第一定律是否成立即可。因此，牛顿第一定律就是定义惯性参照系的依据。

4-3　质量

在下一节里，我们将学习牛顿第二定律，需要用到质量的概念。牛顿用质量这个词作为物质的量的同义词。这种物体质量的直觉概念不是很精确，因为“物质的量”的概念不好定义。更精确一些，我们可以说**质量**是物体惯性的测量。物体的质量越大，要改变其运动状态越困难。更难于使其从静止开始运动，或从运动到停止，或从直线轨迹改变为其它轨迹。一辆卡车比一个棒球惯性更大，要使其加速或减速更困难。因此，它具有更多的质量。

要量化质量的概念，我们必须定义一个标准。在 SI 单位制里，质量的单位是千克（kg），我们已在第一章 1-5 节作过讨论。

质量与重量这两个词常常被相互混淆，但区分它们非常重要。质量是物体本身的性质（是对其惯性的度量，或其“物质的量”）。但重量是一种力，是作用于物体的引力。假设我们将物体带到月球上来看两者的不同，由于引力减弱，物体的重量只有地球上的六分之一，但其质量是一样的，它仍然具有同样数量的物质，在无摩擦情况下具有同样大的惯性，要让它开始运动或运动时让它停止所需力的大小是一样的。（有关重量的概念，详见 4-6 节）

4-4　牛顿第二运动定律

牛顿第一运动定律指出，如果施加于物体的合力为零，它将保持静止或保持匀速直线运动状态。但如果施加于物体的合力不为零，将会出现什么情况呢？牛顿认识到速度将会改变

图 4－6　由于队员们对雪橇施加了力，所以雪橇在加速。

（图 4-6）。施加于物体的合力可能会使其速率增加。如果合力的方向与运动方向相反，将使速率减小。如果合力作用于运动物体的侧向，速度的方向将会改变（大小可能也会改变）。因为速率或速度的改变就是有加速度存在（第二章，2-4 节），我们可以说*合力引起加速度*。

加速度与力之间的关系是什么？这个问题可以由日常经验回答。考虑用力推动一辆摩擦很小的手推车（有摩擦力时，可用合力——等于施加的力减去摩擦力）。如果在一特定时间内，用轻柔、均匀的力推动小车，它就会从静止开始加速并达到一定速率，设为 3km/h，如果用两倍的力推动小车，你将发现小车达到 3km/h，只用了一半的时间，这样加速度就是原来的两倍。即力是原来的两倍，加速度也将是原来的两倍，如果力是三倍，加速度就是三倍，等等。因此，物体的加速度正比于施加的合力。但加速度同样也依赖于物体的质量。如果用同样的力推动空车和装满货物的车，你会发现后者加速得更慢。质量越大，那么合力引起的加速度越小。如牛顿提出的数学关系为：物体的加速度反比于其质量。这个普遍成立的关系可总结如下：

物体的加速度直接正比于其所受的合力，反比于它的质量。加速度的方向就是施加于物体的合力的方向。

这就是牛顿第二运动定律。它可写成如下的方程

$$\mathbf{a}=\frac{\Sigma\mathbf{F}}{m}$$

这里 **a** 表示加速度，m 是质量，$\Sigma\mathbf{F}$ 是合力。符号 Σ（希腊字母“sigma”）表示“求和”；**F** 表示力，所以 $\Sigma\mathbf{F}$ 表示所有施加于物体的力的矢量和，就是我们定义的合力。

将以上方程写成我们熟悉的牛顿第二定律的形式：

$$\Sigma F = m\mathbf{a} \tag{4-1}$$

牛顿第二定律是有关运动和力的描述。它是物理学最基本的关系式之一。从牛顿第二定律出发，我们可以更精确地定义力就是引起物体加速的因素。

所有力都是矢量，具有大小和方向。方程 4-1 是一个适用于任意惯性坐标系的矢量方程。在正交坐标系中，它可以写成分量形式

$$\Sigma\mathbf{F}_x = ma_x,\quad \Sigma F_y = ma_y,\quad \Sigma F_z = ma_z$$

如果运动是线性的（一维），我们可以略去下标简单写成 $\Sigma F = \mathrm{m}a$。

在 SI 单位制中，质量用千克表示，力的单位叫牛顿（N）。一牛顿的力就是对质量为 1 千克的物质给于 $1\mathrm{m/s^2}$ 的加速度。因此，$1\mathrm{N} = 1\ \mathrm{kg \cdot m/s^2}$。

在 cgs 单位制中，质量的单位如前所述用克表示。力的单位是达因，它定义为对质量为 1 克的物质给于 $1\mathrm{cm/s^2}$ 的加速度所需的合力。因此，1 达因 $= 1\ \mathrm{g{\cdot}cm/s^2}$，容易证明 1 达因 $= 10^{-5}$ 牛顿。

在英制中，力的单位是磅（简写为 lb），1 lb≈4.45 N。质量的单位是斯拉格（slug），定义为用 1 磅的力可使其获得 $1\mathrm{ft/s^2}$ 的加速度的质量。因此 $1\mathrm{lb} = 1\ \mathrm{slug\ ft/s^2}$。表 4-1 列出了不同制式中的单位。

表 4-1 不同单位制之间的换算关系

制式	质量	力（包括重力）
国际单位制（SI）	千克（kg）	牛顿（N）（= kg m/s^2）
厘米克秒制（cgs）	克（g）	达因（=g·cm/s^2）
英制（British）	斯拉格(slug)	磅（lb）

在计算和解题时，只用一套单位是非常重要的，一般选 SI 单位制。如果力用牛顿、质量用克给出，在尝试求解 SI 制中的加速度之前，必须将质量的单位变成千克。例如，如果已知力为 2.0N，并沿 x 轴，质量是 500 克，将后者换成 0.50 千克，那么运用牛顿第二定律，就会得出加速度（m/s^2）为：

$$a_x = \frac{\Sigma F_x}{m} = \frac{2.0\text{N}}{0.50\text{kg}} = \frac{2.0}{0.50}\frac{\text{kg}\cdot\text{m}}{\text{kg}\cdot\text{s}^2} = 4.0\text{m/s}^2$$

例 4-1 估计加速赛车的力。估计以 1/2 g 加速 1000kg 汽车所需的力。

解：汽车的加速度 $a = 1/2\ g = 1/2$（9.8 m/s^2）≈ 5 m/s^2。我们用牛顿第二定律求出达到这个加速度所需的力：

$$\Sigma F = ma = (1000\text{kg})(5\text{m/s}^2) = 5000\text{N}$$

（如果你习惯英制，用 5000N 除以 4.45N/lb 得到所需的力约为 1000lb。）

例 4-2 刹车的力。 使 1500kg 的车在 55 m 距离内从 100 km/h 的速率降为零，所需合力是多少？

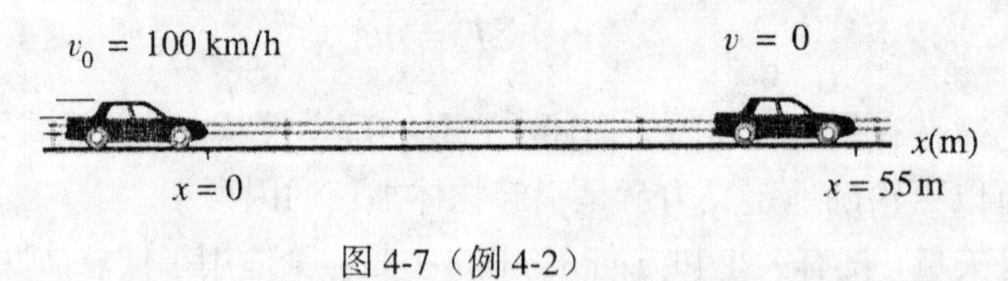

图 4-7（例 4-2）

解：我们用牛顿第二定律，$\Sigma F = ma$，但首先要确定加速度 a，我们假定它是匀速的。取运动沿+x 轴（图 4-7）。已知初速度 v_0 = 100 km/h = 28 m/s，终速度 v = 0，运行距离 $x - x_0$ = 55 m 。从方程 2-10c，可得

$$v^2 = v_0^2 + 2a(x - x_0)$$

所以

$$a = \frac{v^2 - v_0^2}{2(x - x_0)} = \frac{0-(28\text{m/s})^2}{2(55\text{m})} = -7.1\text{m/s}^2$$

所需的合力为

$$\Sigma F = ma = (1500\text{kg})(-7.1\text{m/s}^2) = -1.1\times10^4\text{N}$$

负号告诉我们，力施加的方向必须与初速度方向相反。

4–5 牛顿第三运动定律

牛顿第二运动定律定量描述了力如何改变运动状态。但我们要问，力从哪里来？观察得出施加于任何物体的力总是来自另一个物体。马拉货车，人推手推车，榔头敲钉子，磁铁吸引订书针。在所有这些例子中，力施加在一个物体上，并且力是由另一个物体施加的。如施加在钉子上的力来自榔头。

图 4-8 榔头击打钉子的多次曝光照片。根据牛顿第三定律，榔头对钉子施加一个作用力，钉子反过来给榔头一个作用力。后一个力使榔头减速直到停止。

但牛顿认识到事情不是这样单方面的。确实，榔头给钉子施加了力（图 4-8）。但钉子也明显地给榔头以反作用力，因为榔头的速率在接触后很快降为零。只有存在很大的力，才能导致榔头的速率快速改变。因此，牛顿指出，两个物体必须处在相同的地位。榔头给钉子作用力，钉子给榔头反作用力。这就是牛顿第三运动定律的本质：

当一物体给第二个物体作用力时，第二个物体给第一个物体相等的反作用力。

这个定律有时解释为“每个作用存在一个相等的反作用”。这是非常有用的，但要避免混淆，要牢记作用力和反作用力是作用在不同物体上的。

作为牛顿第三定律有效的证据，当你推手推车或推桌子沿时，图 4-9。

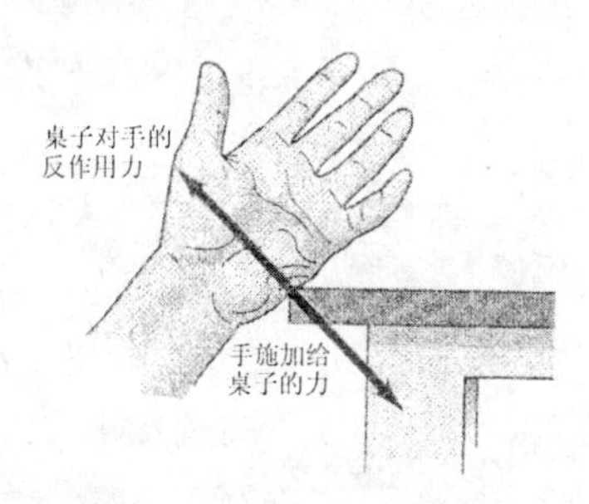

图 4-9 如果你的手推桌子边，桌子反过来推你的手。

你的手会变形，清楚的证明了力作用于它。你能看见桌沿挤压你的手，甚至能感觉到桌子施与手的力挤痛了你的手。你越使劲推桌子，桌子反过来使劲推你的手。（注意你只能感觉到施加给你的力，而不是你施加给别的东西的力。）

图 4-10　当滑冰者推栏杆时，栏杆反过来推她，从而使她滑开。

作为牛顿第三定律的另一个证据，考虑图 4-10 中的滑冰者。因为冰刀与冰面的摩擦力很小，只要给她施加力，她将自由的移动。她推了一下栏杆，就开始向后滑去。显然，肯定有力施加于她，她才能移动。她施加给栏杆的力不能使她移动，因为这个力作用在栏杆上。使她移动的力只能来自栏杆。按牛顿第三定律，栏杆给她的推力等于但反向于她施加于栏杆的推力。

当船上的人向外扔包裹时（开始是静止的），船开始向相反方向移动。人对包裹施加了力。包裹反过来对人施加了大小相等、方向相反的力，这个力推动人（和船一起）向后稍微移动。火箭推进器也可用牛顿第三定律解释（图 4-11）。一个普遍的错误概念是火箭加速来自引擎喷出的气体冲向地面或大气。这不对，而是火箭给气体一个很强的力并排出它们；气体给予火箭一个大小相等、方向相反的力。正是后面这个力推动火箭前进。因此，在广阔的空间中，宇宙飞船向某方向加速，只需向相反方向喷火就可自由运行。

图 4-11　火箭推进器

考虑我们如何行走。人在开始行走时先要用脚推动地面。地面给人一个大小相等、方向相反的力（图 4-12），就是这个作用于人的力使人向前。（如果你怀疑这一点，试试在光滑的冰面上行走）用同样的方式，鸟向前飞时，给空气施加力，空气反过来推动鸟的翅膀，从而推动鸟向前飞行。

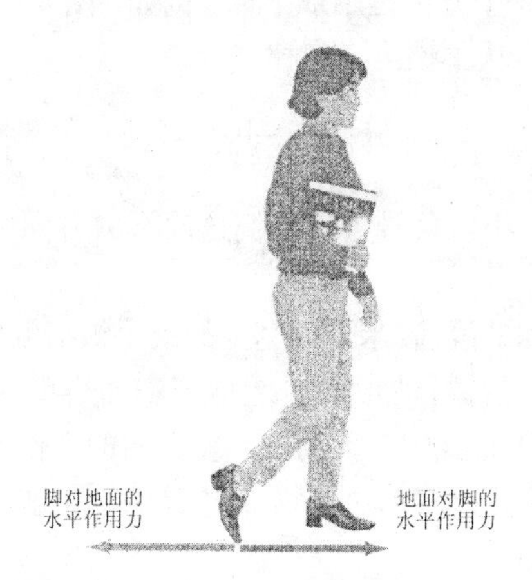

图 4-12　我们可以向前行走，因为当一只脚向后蹬地时，地面对脚有向前的作用力。

概念练习 4-3　什么给汽车施加了力？　　什么使汽车前进？

答：常见的回答是引擎使汽车前进。引擎使车轮转动。但它能在光滑冰面和泥浆中前进吗？车轮只会旋转。汽车前进是由于地面给予轮胎的摩擦力，这个力是轮胎给予地面的力的反作用力。

我们现在逐渐将力与运动的物体联系起来，如人类、动物、引擎或像榔头一样运动的物体。要观察到像一面墙或桌子一类静止的无生命的物体施加力的作用，通常很困难。每种材料不管多硬在一定程度上都有弹性。没人否认橡皮带可以给纸团施加力，从而使其飞过房间。其它材料可能不像橡胶一样容易伸展，但当力施加于它们之上时，它们确实形变。正如伸缩的橡皮带产生力一样，伸展（或压缩）的墙壁、桌子或汽车护板也会产生力。

从上面讨论的例子清楚看到，分清力施加给什么物体和什么物体是力的施加者相当重要。关键是只有力施加于物体时，力才会影响物体的运动。一物体施加的力不影响这个物体；它只影响其它受力的物体。因此，为避免混淆，常用施力物体与受力物体区分它们，用时要注意。

图 4-13　牛顿第三定律。力的下标提示我们力作用在哪个物体上，并且是哪个物体施加的。

分清施力与受力物体的一个方法是用双下标。例如，图 4-13 中，地面对人的力写成 F_{PG}。人对地面施加的力写成 F_{GP}。从牛顿第三定律

$$\mathbf{F}_{GP} = -\mathbf{F}_{PG} \tag{4-2}$$

$\mathbf{F}_{GP}$ 和 $\mathbf{F}_{PG}$ 具有同样的大小，负号告诉我们这两个力方向相反。

概念练习 4-4 **第三定律的澄清** 米开朗基罗的助手被指派用雪橇运送一块大理石板（图 4-14）。他对老板说，“当我对雪橇施加力时，雪橇则施加给我一个大小相等、方向相反的力。这样，我怎么能移动它呢？不管我用多大劲拉，反方向的反作用力总是与我向前的力相等，所以，合力肯定是零。我将不可能移动这重物”。这是一知半解糊弄人的例子吗？请给出你的解释。

答：是的。虽然作用力与反作用力大小是相等的，但助手忘记了它们施加在不同的物体上。向前（作用）的力是由助手施加在雪橇上（图 4-14），而向后（反作用）的力是由雪橇施加在助手上。要确定助手是否移动，我们只须考虑施加在助手上的力，并用 $\sum\mathbf{F} = m\mathbf{a}$ 进行验证，这里 $\sum\mathbf{F}$ 是施加给助手的合力，$\mathbf{a}$ 是助手的加速度，m 是助手的质量。影响助手向前运动的力有两个，看来他忘记了其中的一个。施加给助手的两个力是 $\mathbf{F}_{AG}$ 和 $\mathbf{F}_{AS}$；（1）地面施加给助手的水平力 $\mathbf{F}_{AG}$（他向后蹬地的力有多大，地向前推他的力就有多大——牛顿第三定律），（2）雪橇施加给助手的向后拉的力 $\mathbf{F}_{AS}$。当地面给他向前的力大于雪橇向后拉的力，助手就会向前加速（牛顿第二定律）。另一方面，当助手加在雪橇上的力大于雪橇所受的向后的摩擦力时（即图 4-14 中，$\mathbf{F}_{SA}$ 的值大于 $\mathbf{F}_{SG}$），雪橇向前加速。

用双下标解释牛顿第三定律很麻烦，我们一般不这样使用。当然，如果给出的力搅乱了你的思维，你可以用这种方法分清谁是受力物体，谁是施力物体。

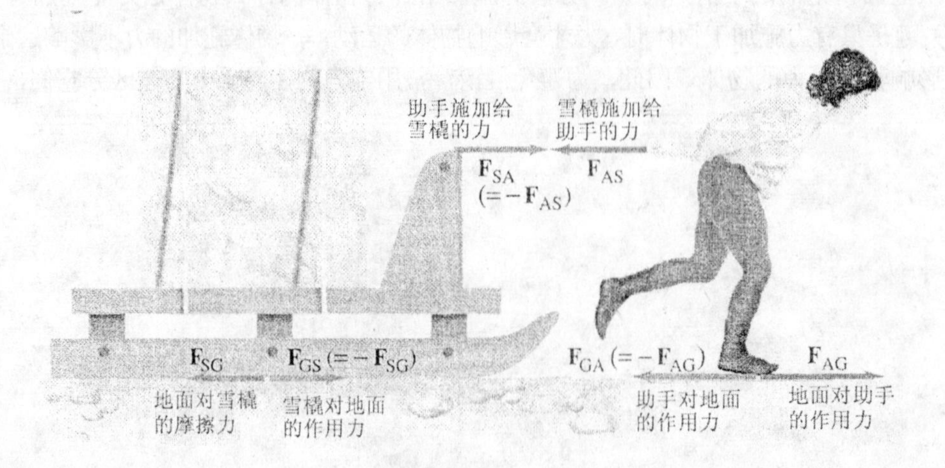

图 4-14（概念练习 4-4） 70 岁的米开朗基罗为他的下一件雕塑挑选了一块很好的大理石板。这里给出的是他的助手正在从采石场用雪橇往回拉运这块大理石板。图中画出雪橇、地面和助手三者之间的相互作用力。作用力和反作用力大小相等、方向相反，用下标清楚标记（如 $\mathbf{F}_{GA}$ 和 $\mathbf{F}_{AG}$）。

4–6 重量——引力；法向力

伽里略指出，如果忽略空气阻力，地球表面的落体将具有同样的下落加速度 $\mathbf{g}$。引起这个加速度的力叫引力。现在，我们用牛顿第二定律来求引力；加速度 $\mathbf{a}$ 就是向下的引力加速度 $\mathbf{g}$。因此，物体所受的引力 $\mathbf{F}_G$，其大小通常称为物体的**重量**，可写为

$$\mathbf{F}_G = m\mathbf{g} \tag{4-3}$$

这个力的方向指向地心。

在 SI 单位制中，g=9.80m/s^2 =9.80N/kg。所以，质量为 1.00 千克的物体在地球上的重量为 1.00kg×9.80m/s^2=9.80N。我们主要关心的是地球上物体的重量，但要注意在月球、其它星球上或太空里，一定质量的物体将有不同的重量。例如，月球上的 g 约为地球上的六分之一，因此 1.0kg 质量的物体在月球上其重量只有 1.7N。虽然我们没有使用英制，但要注意实际应用时，地球上质量为 1kg 的物体重约 2.2 磅。（月球上，1kg 物体只有 0.4 磅重量）

当物体下落时，引力起作用。当物体在地球上静止时，作用在其上的引力并没有消失，只要用弹簧秤量一下就会清楚。方程 4-3 给出的力，同样在持续作用。那么，为什么物体不发生运动呢？从牛顿第二定律，物体保持静止时作用在它上面的合力为零。所以肯定有另一个力作用在物体上从而抵消了引力的作用。对桌子上的物体来说，桌子对它有一个向上的力，见 4-15a。物体下的桌子被轻微压缩，桌子的弹性力向上推物体。由桌子施加的力常称为**接触力**，它在两物体接触时出现。（你用手推车子的力也是接触力）当接触力作用在接触面的垂直方向时，常被称为法向力（“法向”表示垂直的）；因此图中用 $\mathbf{F}_N$ 标出。

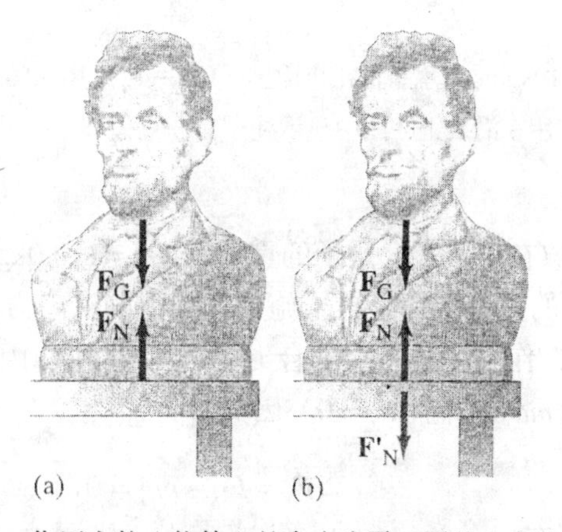

图 4-15 （a）根据牛顿第二定律，作用在静止物体上的合力为零。因此，在这种情况下，作用在物体上的向下的引力（$\mathbf{F}_G$）一定被桌面施加的向上的力（法向力 $\mathbf{F}_N$）所平衡。（b）$\mathbf{F}_N'$是塑像对桌面的作用力，根据牛顿第三定律，它是 $\mathbf{F}_N$ 的反作用力。

图 4-15a 中的两个力都作用在静止的塑像上，所以这两个力的矢量和必须为零（牛顿第二定律）。因此 $\mathbf{F}_G$ 和 $\mathbf{F}_N$ 必须大小相等、方向相反。但它们不是牛顿第三定律谈到的大小相等、方向相反的力。牛顿第三定律的作用力与反作用力作用在不同的物体上，而图 4-15a 中的两个力作用在同一个物体上。对图 4-15a 中的每一个力，我们要问“它的反作用力是什么？”桌子施加给塑像的是向上的力 $\mathbf{F}_N$。这个力的反作用力是塑像施加给桌子的压力，在图 4-25b

中用 $\mathbf{F'}_N$ 表示。按照牛顿第三定律，$\mathbf{F'}_N$ 就是 $\mathbf{F}_N$ 的反作用力。（反过来也可以说：桌子施加给塑像的力 $\mathbf{F}_N$ 是塑像施与桌子的力的反作用力。）现在，加在塑像上的另一个力——引力 $\mathbf{F}_G$ 又怎样？你能猜出这个力的反作用力是什么吗？[在第五章，我们会看到反作用力是塑像施加给地球的引力，可考虑为作用在地心。]

例 4-5 重量、法向力和盒子 朋友送给你一件特殊礼物，一个质量为 10.0kg 的装有神秘惊喜的盒子。这是对你在物理期终考试中取得好成绩的奖赏。盒子放在光滑（无摩擦）的水平桌面上（图 4-16a)。(a）试求盒子的重量和作用在其上的法向力。(b）现在你的朋友以 40.0N 力压在盒子上，如图 4-16b 所示，重新求作用在其上的法向力。(c）如果你的朋友以 40.0N 力向上拉盒子，如图 4-16c 所示，现在作用在盒子上的法向力又是多少？

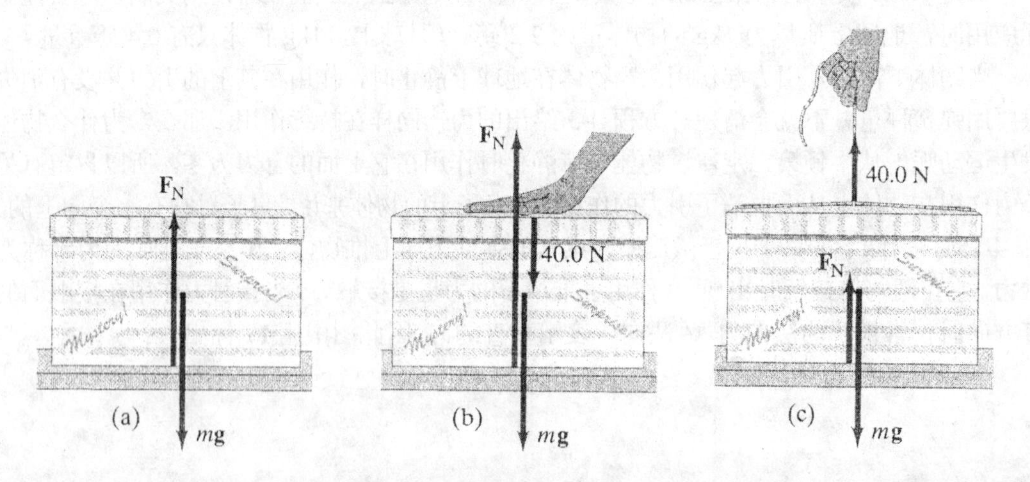

图 4-16（例 4-5）(a)一个 10kg 的礼盒静止在桌面上。(b)一个人用 40.0N 的力从盒子。(c)一个人用 40.0N 的力向上拉。假设所有力作用在沿线上；图中显示绳子有一点位移，以便和原理图区别。这里只给出了作用在盒子上的力。

解:（a）盒子静止放在桌子上。盒子的重量为 $mg = (10.0\text{kg})(9.8\text{m/s}^2) = 98.0\text{N}$，这个力方向朝下。作用在盒子上的另一个力是桌子施加的向上的法向力，如图 4-16a 所示。我们选择向上为 y 轴正方向，那么作用在盒子上的合力 $\Sigma F_y = F_N - mg$.因为盒子是静止的，作用其上的合力必须为零（$\Sigma F_y = ma_y$，并且 $a_y = 0$）因此

$$\Sigma F_y = F_N - mg = 0,$$

所以在这种情况下有

$$F_N = mg$$

桌子作用在盒子上的法向力为 98.0 N，方向向上，与盒子重量的值相等。

（b）你的朋友以 40.0N 的力压在盒子上。所以现在有三个力作用在盒子上，如图 4-16b 所示。盒子的重量仍为 $mg = 98.0\text{N}$。因为盒子是静止的，合力 $\Sigma F_y = F_N - mg - 40.0\text{N}$ 必须为零。因为，$a = 0$，所以由牛顿第二定律给出

$$\Sigma F_y = F_N - mg - 40.0\text{N} = 0$$

所以现在法向力为

$$F_N = mg + 40.0\text{N} = 98.0\text{N} + 40.0\text{N} = 138.0\text{N}$$

这个力比（a）中的要大。桌子对盒子的支持力（法向力）变大了。

（c）盒子受的重力还是 98.0N，方向朝下。你朋友的拉力和法向力都向上作用（正方向），如图 4-16c 所示，因为你朋友向上的拉力小于盒子的重量，盒子不会移动。合力还是为零

$$\Sigma F_y = F_N - mg + 40.0\text{N} = 0$$

所以

$$F_N = mg - 40.0\text{N} = 98.0\text{N} - 40.0\text{N} = 58.0\text{N}$$

因为你朋友向上的拉力，桌子对盒子的支持力比盒子的重量小。

注意法向力的来源是弹性力（图 4-16 中的桌子在盒子的重量挤压下，轻微凹陷）。

例 4-6 加速的盒子。 当有人用等于或大于盒子的重量的力向上拉例 4-5（c）中的盒子，即 F_P= 100.0N 而不是图 4-16c 所示的 40.0N 时，会出现什么情况？

解： 合力现在为

$$\Sigma F_y = F_N - mg + F_P = F_N - 98.0\text{N} + 100.0\text{N}$$

如果我们让它等于零，将得到 F_N = -2.0N。这是没有意义的，因为负号意味着 F_N 方向向下，桌子不会向下拉盒子（除非桌子上有胶合剂）。在这种情况下，F_N 最小只能为零。究竟出现了什么情况呢?现在清楚了：因为合力不为零，盒子将向上加速；即

$$\Sigma F_y = F_P - mg = 100.0\text{N} - 98.0\text{N} = 2.0\text{N}$$

如图 4-17，合力的方向朝上。所以盒子向上运动的加速度大小为

$$a_y = \frac{\Sigma F_y}{m} = \frac{2.0\text{N}}{10.0\text{kg}} = 0.20\text{m/s}^2$$

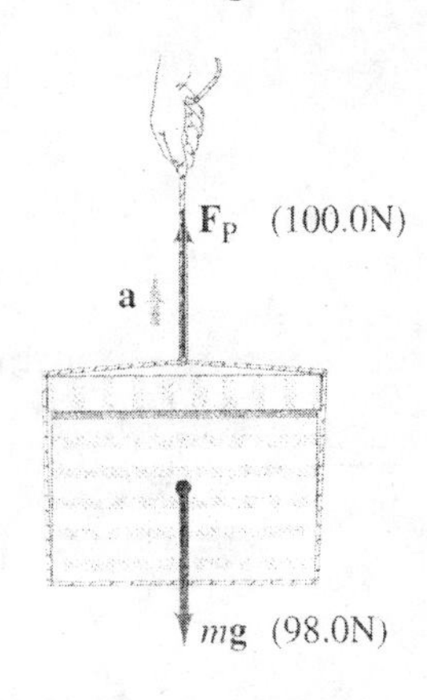

图 4-17（例 4-6）由于 $F_P \rangle mg$，盒子向上加速。

4–7 利用牛顿定律解题：力矢量和隔离图

牛顿第二定律告诉我们，物体的加速度正比于作用在物体上的合力。如前所述，**合力是**

所有作用在物体上的力的矢量和。事实上，大量实验证明力是遵循我们在第三章给出的规则进行矢量相加的。例如，图 4-18 中，两个大小相等（各为 100N）、互为垂直的力施加在物体上。凭直觉，我们知道物体会向 45° 方向移动，因此合力作用方向为 45° 。这正是矢量相加规则给出的结果。勾股定理告诉我们合力的大小为

$$F_R=\sqrt{(100\text{N})^2+(100\text{N})^2}=141\text{N}$$

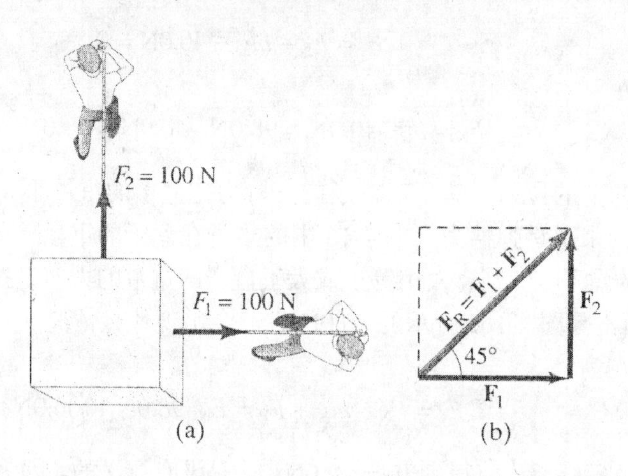

图 4-18 （a）作用在物体上的力有两个，$\mathbf{F}_1$ 和 $\mathbf{F}_2$。（b）$\mathbf{F}_1$ 和 $\mathbf{F}_2$ 的合力为 $\mathbf{F}_R$。

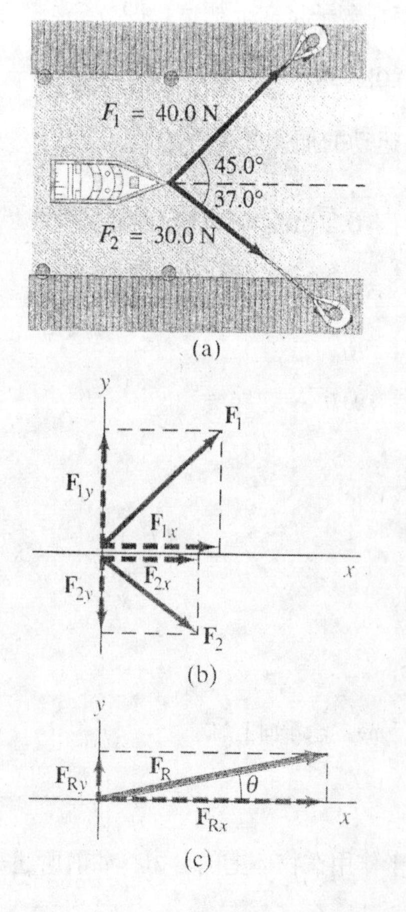

图 4-19（例 4-7）两个力矢量作用于船上

例 4-7 力的矢量相加 试计算图 4-19a 中作用于船上的两个力的合力。

解：这两个力在图 4-19b 中被分解。我们将力的分量相加。$\mathbf{F}_1$ 的分量为

$$F_{1x} = F_1 \cos 45.0^\circ = (40.0\text{N})(0.707) = 28.3\text{N}$$
$$F_{1y} = F_1 \sin 45.0^\circ = (40.0\text{N})(0.707) = 28.3\text{N}$$

$\mathbf{F}_2$ 的分量为

$$F_{2x} = +F_2 \cos 37.0^\circ = +(30.0\text{N})(0.799) = +24.0\text{N}$$
$$F_{2y} = -F_2 \sin 37.0^\circ = -(30.0\text{N})(0.602) = -18.1\text{N}$$

$\mathbf{F}_{2y}$ 是负值，因为它指向负 y 轴方向。合力的分量为（见图 4-19c）

$$F_{\text{R}x} = F_{1x} + F_{2x} = 28.3\text{N} + 24.0\text{N} = 52.3\text{N}$$
$$F_{\text{R}y} = F_{1y} + F_{2y} = 28.3\text{N} - 18.1\text{N} = 10.2\text{N}$$

用勾股定律求出合力的量值：

$$F_{\text{R}} = \sqrt{F_{\text{R}x}^2 + F_{\text{R}y}^2} = \sqrt{(52.3\text{N})^2 + (10.2\text{N})^2} = 53.3\text{N}$$

现在剩下的问题是求出合力 $\mathbf{F}_{\text{R}}$ 与 x 轴的夹角 θ。我们用

$$\tan\theta = \frac{F_{\text{R}y}}{F_{\text{R}x}} = \frac{10.2\text{N}}{52.3\text{N}} = 0.195$$

所以 $\tan^{-1}(0.195) = 11.0^\circ$

在解有关牛顿定律和力的习题时，画出所有作用在每个有关物体上的力非常重要。这样的图叫**隔离图**或**作用力图**：我们用箭头表示作用在给定物体上的力，注意要包括作用在这个物体上的每一个力。

[只考虑平移运动时，我们在作图时可以认为所有的力都作用在物体的中心，也就是将物体作为质点来对待。但在处理转动和静力学问题时，我们将看到每个力作用在何处也很重要。]

概念练习 4-8 **冰球** 冰球在视为无摩擦的水平冰面上匀速滑动。图 4-20 中哪一个图是正确的隔离体图？如果冰球减速，答案又是怎样的？

答：你选（a）吗？如果是，你能回答是谁施加的水平力 **F** 吗？如果你说这是维持运动所需要的力（就像古希腊人说的），问一下自己：这个力是谁施加的？记住任何力都需要由另一个物体来施加，这里的情况则没有这个施力物体。因此，（a）是错误的。另外，图 4-20a 中的力按照牛顿第二定律将给出一个加速度。只要没有摩擦，（b）就是正确的。冰球沿冰面匀速滑动时，施加在它上面的和外力为零。但如果有人坚持要我们从无摩擦的理想世界走出来，回到即使再光滑的冰面也存在微小摩擦力的现实世界中来，那么（c）就是正确答案。在运动的相反方向存在小的摩擦力（应标为 $\mathbf{F}_{\text{fr}}$，而不是简单的 **F**），冰球的速度在减小，尽管很缓慢。

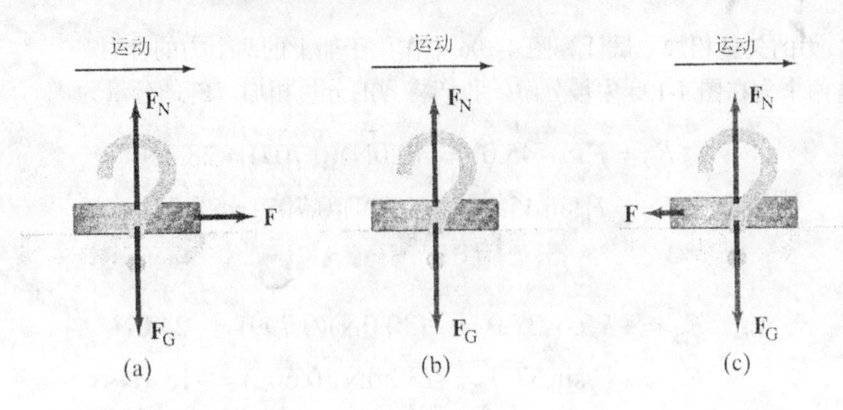

图 4-20（概念练习 4-8）哪一个图是冰球在无摩擦冰面上滑动的正确隔离图？

下面是有关牛顿定律问题的解题步骤总结：

解题步骤：牛顿定律；隔离图

1. 画出草图。

2. 只考虑一个物体（一次），画出它的**隔离体图**，标出它所受所有的作用力，包括要求解的未知力。不要标出此物体作用在其它物体上的力。用箭头表示力矢量的方向和大小。标明每个力的来源（引力、人力、摩擦力等）。如果有几个物体，则*分别*作出它们的隔离体图，标出作用在其上的力。对每一个力，你必须清楚这个力作用哪个物体上，这个力是由哪个物体施加的。只有作用在给定物体上的力才能包括在这个物体的合力 $\Sigma\mathbf{F} = m\mathbf{a}$ 中。

3. 牛顿第二定律涉及到了矢量，通常要将矢量分解成分量。选择适当的 x 和 y 轴以简化计算。

4. 对每一个物体，牛顿第二定律可分别用于 x 和 y 分量。即 x 分量的合力与 x 分量的加速度有关：$\Sigma F_x = ma_x$。y 方向与此类似。

5. 解方程求出未知量。

不能将上述解题步骤看作一种规定。它只是让你的思维开始活动并着手解决问题的步骤总结。

在下面的例题中，我们假设所有平面都非常光滑，从而摩擦力可以忽略。（应用摩擦力的例题在下一节讨论）在下面的一些例题中，我们将再次讨论例 4-5（图 4-16）中桌子上的礼品盒的问题，并且一步一步地增加例题的复杂程度，使你逐步掌握解决问题的方法。

例 4-9　拉动神秘的盒子　假如你的朋友想看一下你收到的盒子里（例 4-5，图 4-16）到底装了什么；你说“可以，你把盒子拉过去吧”。她就用带子（或弹簧）沿光滑桌面拉动盒子，如图 4-21a 所示。所施加拉力的大小为 F_P= 40.0N，方向为 30.0°。试求（a）盒子的加速度，（b）桌子施加给盒子的向上的力 F_N 的量值。设摩擦力可以忽略。

解：图 4-21b 给出了盒子的隔离体图，图中标出了所有作用在盒子上的力，并且只是作用在盒子上的力。它们是：引力 mg；桌子给盒子的支持力 $\mathbf{F}_N$；人的拉力 $\mathbf{F}_P$。取 y 和 x 轴分别为垂直和水平方向，40.0N 的拉力具有分量

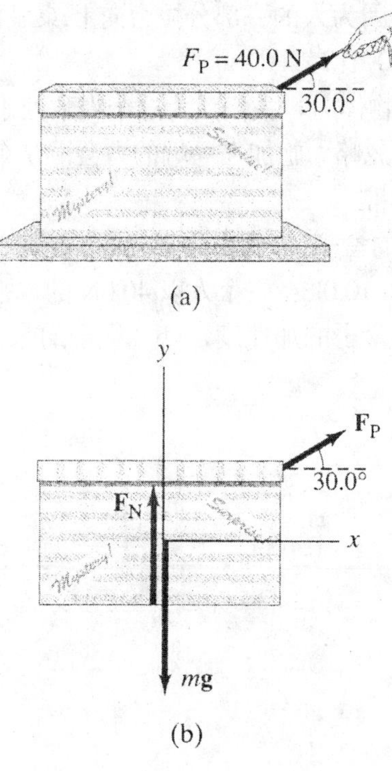

图 4-21　例 4-9(b)是隔离体图

$$F_{Px} = (40.0\text{N})(\cos 30.0^{\circ}) = (40.0\text{N})(0.866) = 34.6\text{N}$$
$$F_{Py} = (40.0\text{N})(\sin 30.0^{\circ}) = (40.0\text{N})(0.500) = 20.0\text{N}$$

(a)在水平（x）方向，$\mathbf{F}_N$和 $m\mathbf{g}$ 的分量为零。因此，水平分量的合力为 $\mathbf{F}_{Px}$。从牛顿第二定律 $\Sigma F_x = ma_x$，我们有 $F_{Px} = ma_x$，所以

$$a_x = \frac{F_{Px}}{m} = \frac{34.6\text{N}}{10.0\text{kg}} = 3.46\text{m/s}^2$$

因此盒子的加速度为 3.46m/s²，方向向右。

(b)在垂直（y）方向，因为向上为正，再用牛顿第二定律我们又得出

$$\Sigma F_y = ma_y$$
$$F_N - mg + F_{Py} = ma_y$$

现在 mg=(10.0kg)(9.80m/s²)=98.0N 且 F_{py}=20.0N　。其次，因为盒子在垂直方向没有运动，我们知道 $a_y = 0$。因此

$$F_N - 98.0\text{N} + 20.0\text{N} = 0$$

可求出法向力

$$F_N = 78.0\text{N}$$

注意法向力 F_N 小于 mg。因为人的一部分拉力向上,桌子没有将盒子的全部重量反推回去。请将这里的结果与例 4-5（c）比较。

当用柔软的绳索拉一个物体时，我们认为这个绳索处于张紧状态，施加在物体的力就是张力 $\mathbf{F}_T$。如果绳索的质量可忽略，施加在一端的力会沿整个绳索的每一段传递到另一端。注意柔软绳索只能拉，而不能推。

例 4-10 两个绳索连接的盒子 两个用很轻的绳索连接起来的盒子静止放置在桌面上。盒子的质量分别为 12.0 kg 和 10.0kg，一个人以 40.0N 的水平拉力 F_P 拉动 10.0kg 的盒子,如图 4-22a 所示。试求（a）每个盒子的加速度，（b）绳子的张力。

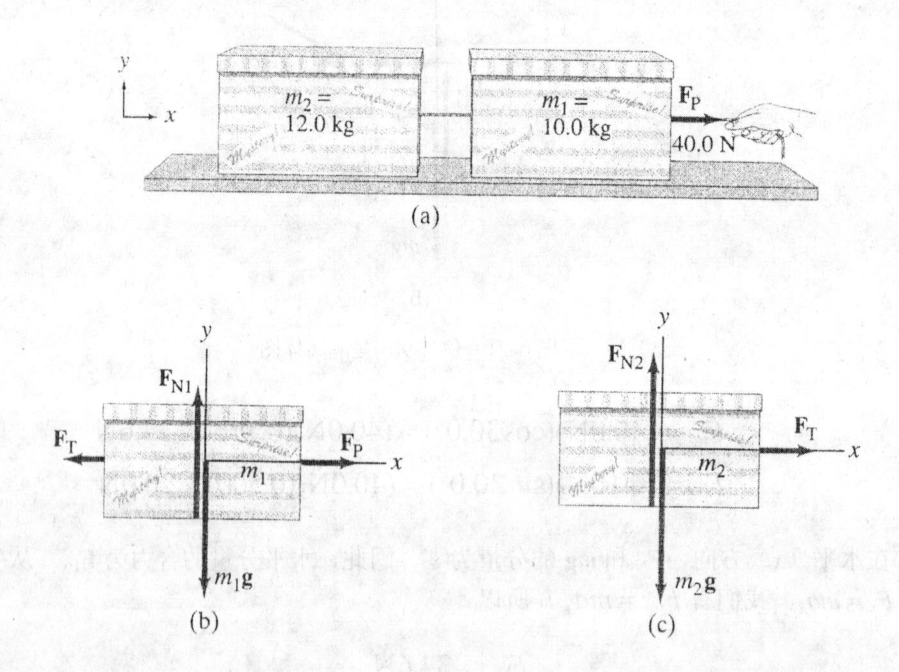

图 4-22 例 4-10（a）两个盒子用绳子连接。一人对一盒子施加一水平力 $F_P = 40.0N$。（b）盒子 1 的隔离体图。（c）盒子 2 的隔离体图。

解:（a）图 4-22b 和图 4-22c 画出了每个盒子的隔离图。对每一个盒子运用牛顿第二定律。绳子很轻，相对于盒子质量可以忽略。力 F_P 作用在盒子 1 上。盒子 1 给连接的绳子施加力 F_T，绳子也给盒子 1 一个大小等于 F_T，方向相反的力（牛顿第三定律）。施加在盒子 1 上的这些力如图 4-22b 所示。因为绳子看作是无质量的，两端的张力是相等的。因此绳子对盒子 2 施加的力为 F_T；图 4-22c 标出加在盒子 2 上的力。只有水平运动，我们取向右为 x 轴的正方向，并用下标 1 和 2 分别表示两个盒子。对盒子 1 用 $\Sigma F_x = ma_x$，我们有：

$$\Sigma F_x = F_P - F_T = m_1 a_1$$

对盒子 2，水平力只有 F_T，所以

$$\Sigma F_x = F_T = m_2 a_2$$

盒子是连在一起的，如果绳子保持拉紧并没有伸缩，那么两个盒子将具有同样的加速度 a。因此，$a_1 = a_2 = a$，已知 m_1=12.0 kg 和 m_2=10.0kg。将上面的两个方程相加得到

$$(m_1 + m_2)a = F_P - F_T + F_T = F_P$$

或

$$a = \frac{F_P}{m_1 + m_2} = \frac{40.0\text{N}}{22.0\text{kg}} = 1.82\text{m/s}^2$$

这就是我们所要求的结果。注意，如果我们考虑水平力 F_P 作用在一个质量为 m_1+m_2 的系统上，将得到同样的结果。（张力 F_T 可看成系统内部的力，对整个系统而言它们相加时对合力的贡献为零。）

（b）从上面盒子 2 的方程（$F_T = m_2 a_2$）可知，绳子上的张力为

$$F_T = m_2 a = (12.0\text{kg})(1.82\text{m/s}^2) = 21.8\text{N}$$

例 4-11 升降机和平衡物（阿特伍德机器） 如图 4-23a 所示的滑轮上通过缆绳悬挂着两个物体，这种装置有时被称为阿特伍德机器。考虑可在实际中应用的升降机（m_1）和它的平衡物（m_2）。为了减少电机对升降机提升和下降时做的功，m_1 和 m_2 的质量是相近的。在本题中，将电机排除在系统之外，忽略缆绳的质量并认为滑轮是无摩擦和无质量的。这样可认为滑轮两侧的绳子上的张力 $\mathbf{F}_T$ 是相等的。设平衡物的质量 m_2=1000kg。设升降机不载物时的质量为 850kg，当载有四位乘客时，质量为 m_1=1150kg。对后一种情况（m_1=1150kg），试求（a）升降机的加速度，（b）缆绳的张力。

解：（a）图 4-23b 和 c 给出了两个物体的隔离图。显然，质量大的 m_1 将向下加速，m_2 将向上加速。它们加速度的值是相等的（假设缆绳不伸缩）。对平衡物 $m_2 g$ = (1000kg)(9.80m/s^2)= 9800N，所以 F_T 肯定大于 9800N（由于 m_2 向上加速）。对升降物 m_1g = (1150kg)(9.80m/s^2)= 11300N，它的量值肯定大于 F_T，这样 m_1 才能向下加速。因此，算出的 F_T 在 9800N 和 11300N 之间。对每个物体用 $\Sigma F = ma$，可求得 F_T 和加速度 a，对两个物体取向上为 y 轴的正方向。在所选的坐标系中，a_2=a，a_1=-a。因此

$$F_T - m_1 g = m_1 a_1 = -m_1 a$$
$$F_T - m_2 g = m_2 a_2 = +m_2 a$$

用第二个方程减去第一个方程得到

$$(m_1 - m_2)g = (m_1 + m_2)a$$

解出 a 为：

$$a = \frac{m_1 - m_2}{m_1 + m_2} g = \frac{1150\text{kg} - 1000\text{kg}}{1150\text{kg} + 1000\text{kg}} g = 0.070g = 0.68\text{m/s}^2$$

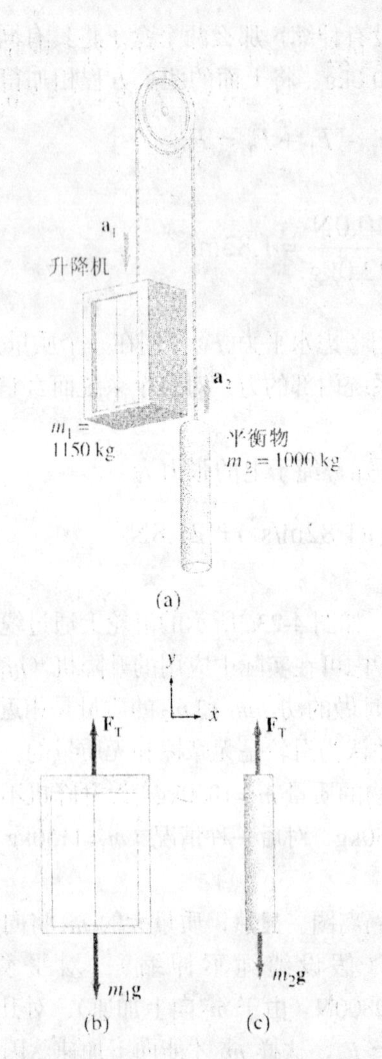

图 4-23 例 4-11（a）升降机和平衡物系统中的阿特伍德机器。（b）和（c）给出了两个物体的隔离图。

升降物（m_1）以 $a = 0.070\text{g} = 0.68\ \text{m/s}^2$ 向下加速（同样也是平衡物 m_2 向上的加速度）。

（b）绳子上的张力 F_T 可从两个 $\Sigma F = ma$ 中的一个求得，取 $a = 0.070\text{g}$:

$$F_T = m_1 g - m_1 a = m_1(g - a) = 1500\text{kg}(9.80\text{m/s}^2 - 0.68\text{m/s}^2) = 10500\text{N}$$

$$F_T = m_2 g + m_2 a = m_2(g + a) = 1000\text{kg}(9.80\text{m/s}^2 + 0.68\text{m/s}^2) = 10500\text{N}$$

这就是张力。

我们可对这个例子中加速度的方程进行检验，如果质量相等（m_1=m_2），上面 a 的方程就会如我们所料地那样给出 $a = 0$。同样，如果一个质量为零（取 m_1=0），那么方程给出另一个（$m_2 \neq 0$）质量的加速度 $a = g$，再次与预料的符合。

概念练习 4-12 **滑轮的优势** 工人准备将一架钢琴升到两层楼上（图 4-24）。他用绳子穿过两个滑轮，如图所示。他要用多大的力才能拉动重量为 2000N 的钢琴？

答：让我们来看作用在靠近钢琴的滑轮上的力。钢琴的重力向下。两倍的绳子张力通过

滑轮两侧向上。因此，由牛顿第二定律给出

$$2F_T - mg = ma$$

匀速移动钢琴时所需的绳子的张力，即绳子上的拉力为 $F_T = mg/2$。工人用的力等于钢琴重量的一半。我们说滑轮给出两倍的机械效率，因为如果没有滑轮，工人要用两倍的力。

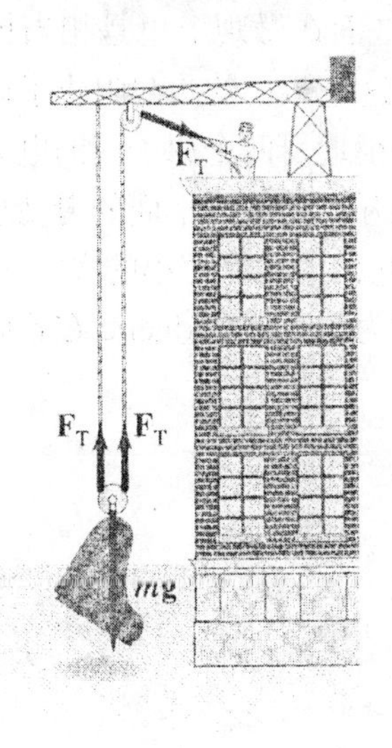

图 4-24　概念练习 4-12

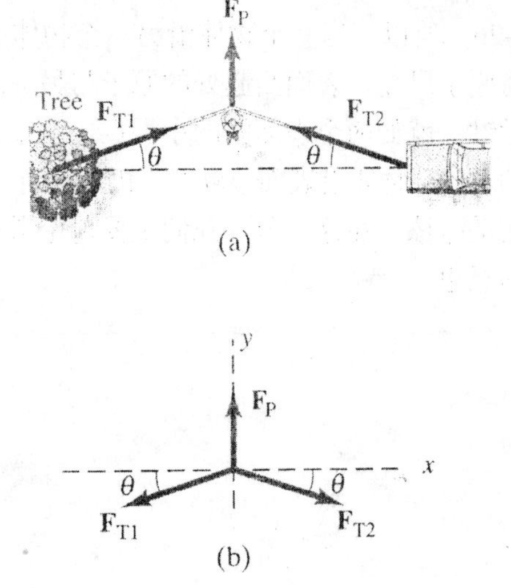

图 4-25　例 4-13 把车从泥沼中拉出来。

例 4-13　从泥沼中拉出汽车　一个物理成绩很好的聪明学生发现她的车陷入泥沼中，她立即将一根结实的绳子一端系在汽车的后保险杠上，另一端栓在一棵树上，如图 4-25 所示。她用最大的力，估计 $F_P \approx 300\text{N}$，去推绳子的中间。汽车刚开始移动时与绳子成的角 θ 估计为 5°。绳子拉汽车的力有多大？忽略绳子的质量。

解：首先要清楚绳子上的张力总是沿着绳子。任何垂直于绳子的分量将导致绳子弯曲或绷紧（这里 $\mathbf{F}_P$ 就是这种作用）——换句话说，绳子只能产生沿绳子长度方向的张力。设 $\mathbf{F}_{T1}$ 和 $\mathbf{F}_{T2}$ 为绳子加在树和汽车上的力，如图 4-25a 所示。我们选她所推绳子的一小段作为“隔离体”。图 4-25b 的隔离图中给出 $\mathbf{F}_P$ 和绳子上的张力（注意我们已经用了牛顿第三定律）。在汽车开始移动时，加速度仍为零，所以 $\mathbf{a}=0$。对小段绳子上 $\Sigma\mathbf{F} = m\mathbf{a} = 0$ 的 x 分量，我们有

$$\Sigma F_x = F_{T2x} - F_{T1x} = 0 \quad 或 \quad F_{T1}\cos\theta - F_{T2}\cos\theta = 0$$

因此，$F_{T1} = F_{T2}$，也可写为 $F_T = F_{T1} = F_{T2}$。在 y 方向，作用力是 F_P，$\mathbf{F}_{T1}$ 和 $\mathbf{F}_{T2}$ 的分量指向负 y 轴方向（各为 $F_T\sin\theta$）。所以，对 $\Sigma\mathbf{F} = m\mathbf{a}$ 的 y 分量，我们有

$$\Sigma F_y = F_p - 2F_T\sin\theta = 0$$

解出 F_T，并代入 $F_P \approx 300\text{N}$，得到：

$$F_T = \frac{F_P}{2\sin\theta} = \frac{300\text{N}}{2\sin 5^\circ} \approx 1700\text{N}$$

她能够用这种方法将她的力几乎放大六倍！注意，问题中的对称性使得

$$F_{T1}=F_{T2}$$

4–8　摩擦的应用，斜面

截止到目前，我们一直忽略了摩擦，但在许多实际情况中，我们必须考虑它。摩擦存在于两个固体表面之间，因为即便是看起来特别光滑的平面在微观上也是相当粗糙的，如图4-26。所以，当一个物体沿另一个物体的表面滑动时，这些微小的凸起阻止了运动。另外，在原子尺度，表面凸起处的原子与另一表面的原子靠的很近，两个原子间的电力能够形成化学键，就如两个表面间的小焊点。由于这些形成键的断开，物体沿平面的滑动总是突然开始的。甚至物体沿表面滚动时，仍然具有一些摩擦（尽管它比滑动摩擦小的多），这样的摩擦叫滚动摩擦。在这一节，我们主要讨论滑动摩擦，通常称为动摩擦（kinetic 在希腊语中是运动的意思）。

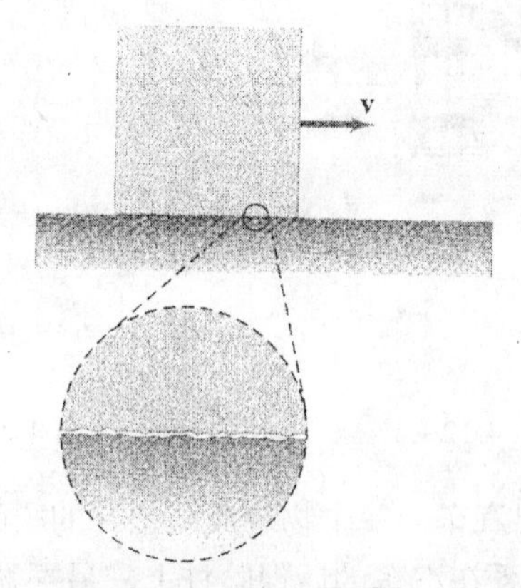

图 4-26　两物体的接触面在微观上是相当粗糙的

当一物体沿粗糙表面运动时，动摩擦力作用在与物体速度相反的方向。动力摩擦力的大小取决于两个表面的性质。对给定的表面，实验证明摩擦力近似正比于两表面间的法向力（即一物体施加给另一个的力，垂直于它们的接触面，见图 4-27）。

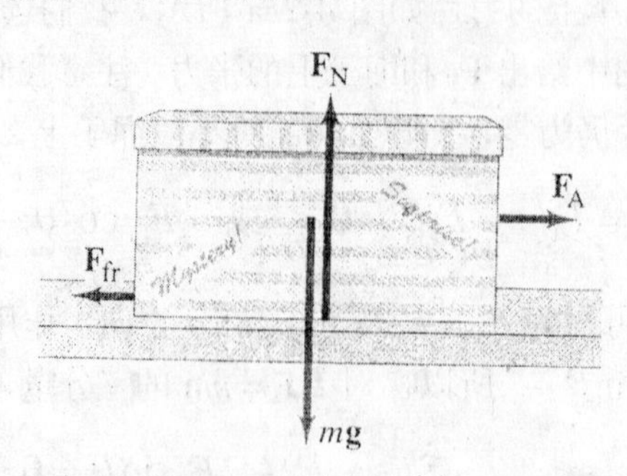

图 4-27　物体在力 $\mathbf{F}_A$ 作用下运动，摩擦力 F_{fr} 与 F_A 相反的方向阻碍运动。$\mathbf{F}_{fr}$ 的大小和法向力 $\mathbf{F}_N$ 的大小成正比。

两个坚硬表面的摩擦力几乎与它们接触总面积无关；即假设表面的光滑度一样，本书平放或侧立在一表面上时，摩擦力几乎一样。引入比例常数 μ_k，可写出比例方程：

$$F_{fr} = \mu_K F_N$$

这个关系不是基本定律；它只是一个平行于两表面的摩擦力 $\mathbf{F}_{fr}$ 与另一个垂直于表面的法向力 $\mathbf{F}_N$ 之间量值上的实验关系。由于两个力互相垂直，它不是一个矢量方程。μ_k 叫动力摩擦系数，它的值依赖于两表面的性质。不同表面的测量值列在表 4-2 中。但这只是近似值，因为 μ 依赖于表面的干湿度、打磨程度，以及是否有研磨剂残留等其它相关因素。μ_k 几乎不依赖于滑动的速度。

表格 4-2　不同材料的摩擦系数

表面	静摩擦系数，μ_s	动摩擦系数，μ_k
木头和木头之间	0.4	0.2
冰块和冰块之间	0.1	0.03
金属和金属（加润滑油）	0.15	0.07
不锈钢之间（不加润滑油）	0.7	0.6
橡胶和干混凝土之间	1.0	0.8
橡胶和湿混凝土之间	0.7	0.5
橡胶和其他固体表面	1-4	1
聚四氟乙烯之间（大气中）	0.04	0.04
聚四氟乙烯和钢之间	0.04	0.04
润滑球轴承之间	<0.01	<0.01
滑膜连结（人类四肢）	0.01	0.01

我们到现在一直讨论的是动摩擦力，即一物体在另一物体上滑动时的摩擦力。也有静摩擦力，当这个平行于两表面的力逐渐增大，而物体没有滑动时就存在静摩擦力。假设一个像桌子一样的物体放在地板上，如果没有水平力加在桌子上，也就没有摩擦力。但现在假设你推桌子，但它没有移动。这样你施加了一个水平力，但桌子没有移动，因此肯定有另一个力施加在桌子上，使其无法移动（加在物体上的合力为零，物体不会运动）。这就是地板施加在桌子上的力，即静摩擦力。如果你用更大的力还没有推动桌子，静摩擦力也就增加了。如果你的推力足够大，桌子终于开始移动，就只有动摩擦力了。这时，你推力超过了最大静摩擦力，它由 $F_{max} = \mu_s F_N$ 给出，这里 μ_s 是静摩擦系数（表 4-2）。因为静摩擦力可从零变到这个最大值，我们写成

$$F_{fr} \leq \mu_s F_N$$

你也许已经注意到了，要保持像桌子一样的重物移动，通常比从最初地点移动它容易的多。这与 μ_s 总是大于 μ_k 的情况（见图 4-2）相一致。（从不会小，为什么？）

例 4-14　静摩擦和动摩擦　我们将 10.0kg 的神秘盒子放在地板上。静摩擦系数为 $\mu_s =$ 0.40,动摩擦系数为 $\mu_k = 0.30$。如果施加的水平力的大小分别为为下列值时，（a）0，（b）10N，（c）20N，（d）38N，（d）40N，试求作用在盒子上的摩擦力。

解：图 4-27 给出盒子的隔离图。请仔细进行分析。在垂直方向没有运动，所以从 $\Sigma F_y =$

$ma_y = 0$ 可得 $F_N - mg = 0$。因此，法向力为一固定不变值

$$F_N = mg = (10.0\text{kg})(9.8\text{m/s}^2) = 98\text{N}$$

(a) 在第一种情况中，没有施加力，盒子不能移动，$F_{fr} = 0$。

(b) 静摩擦力与任何施加的力相反，直到最大值

$$\mu_s F_N = (0.40)(98\text{N}) = 39\text{N}$$

施加的力为 $F_A = 10\text{N}$。$\Sigma F_x = F_A - F_{fr} = 0$，因此，盒子不会移动，$F_{fr} = 10\text{N}$。

(c) 施加的力为 20N 也不足以移动盒子。因此，$F_{fr} = 20\text{N}$ 抵消了施加的力。

(d) 施加的力为 38N 仍不足以移动盒子。因此摩擦力增加到 38N 以保持盒子静止。

(e) 40N 的力超过了盒子的最大静摩擦力 $\mu_s F_N = (0.40)(98N) = 39N$ 它将使盒子开始移动。我们现在用动摩擦力代替静摩擦力，它的量值为：$F_{fr} = \mu_K F_N = (0.30)(98\text{N}) = 29\text{N}$

现在加在盒子上合力（水平）的大小为 $F = 40\text{N} - 29\text{N} = 11\text{N}$，所以当施加的力为 40N 时，盒子的加速度为

$$a_x = \Sigma F / m = 11\text{N} / 10\text{kg} = 1.1\text{m/s}^2$$

图 4-28 给出了本例题的原理图。

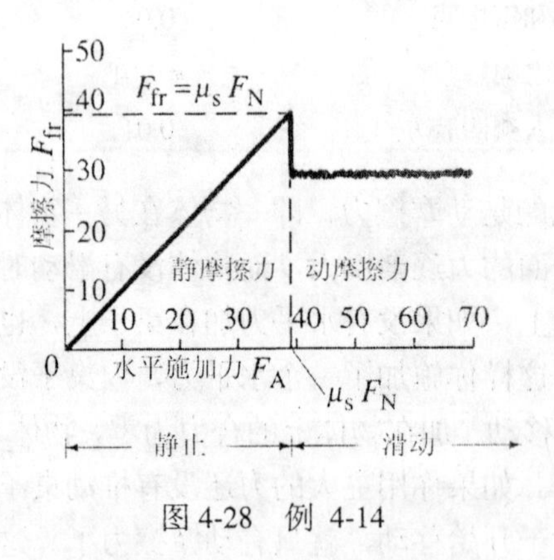

图 4-28 例 4-14

现在我们看一些不同情况下有关动摩擦力的例题。注意法向力和摩擦力都是一个面施加给另一个面的；一个垂直于接触面（法向力），另一个平行于接触面（摩擦力）。

概念练习 4-15 **推还是拉雪橇？**你的小妹妹想坐雪橇。如果在平地上，推比较省力还是拉比较省力？见图 4-29a 和 b。设两种情况用同样的角度 θ 。

解：图 4-29c 和 d 是两种情况的隔离图。如果用推的方法，$\theta > 0$，你用的力有垂直向下的分量。因此，地面施加的向上的法向力将大于 mg（这里 m 是妹妹加上雪橇的质量）。如果用拉的方法，你的力有向上的分量，所以法向力 F_N 小于 mg。因为摩擦力正比于法向力，它在拉时比较小。所以用拉的方法省力。

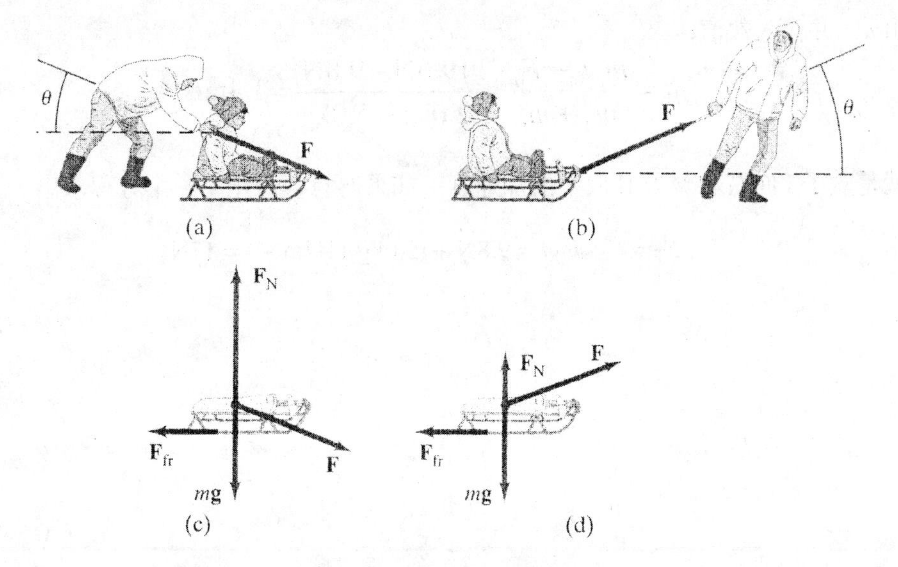

图 4-29 概念练习 4-15

例 4-16 两个盒子和一个滑轮。在图 4-30a 中，两个盒了通过绳了和一滑轮连接起来。盒子 I 和桌子间的动摩擦系数为 0.20。我们不考虑绳子和滑轮的质量以及滑轮的摩擦，即施加在绳子两端的力是相等的。设绳子不会伸缩，盒子 II 向下运动，盒子 I 向右运动，两个盒子具有同样的加速度值，试求该体系的加速度 a。

解：两个盒子的隔离图在图 4-30b 和 c 中给出。盒子 I 在垂直方向没有移动，所以法向力与重力正好抵消，

$$F_N = m_I g = (5.0\text{kg})(9.8\text{m/s}^2) = 49\text{N}$$

在水平方向，有两个力作用在盒子 I 上（图 4-30b）：绳子的张力 F_T（未知量）和摩擦力

$$F_{fr} = \mu_K F_N = (0.20)(49\text{N}) = 9.8\text{N}$$

水平加速度就是我们要求的量；在 x 方向用牛顿第二定律，$\Sigma F_{Ix} = m_I a_{Ix}$，可得（取向右为正，$a_{Ix} = a$）：

$$\Sigma F_{Ix} = F_T - F_{fr} = m_I a \qquad [盒子 I]$$

现在考虑盒子 II。引力向下 $F_G = m_{II} g = 19.6\text{N}$；绳子向上的拉力为 F_T。所以对盒子 II 写出牛顿第二定律（取向下为正）：

$$\Sigma F_{IIy} = m_{II} g - F_T = m_{II} a \qquad [盒子 II]$$

[注意如果 $a \neq 0$，那么 F_T 不等于 $m_{II} g$。] 现在有两个未知量 a 和 F_T，也有两个方程。从盒子 I 的方程中解出 F_T：

$$F_T = F_{fr} + m_I a$$

代入盒子 II 的方程中：

$$m_{II} g - F_{fr} - m_I a = m_{II} a$$

求出 a，并代入数值：

$$a=\frac{m_{\text{II}}g-F_{\text{fr}}}{m_{\text{II}}+m_{\text{I}}}=\frac{19.6\text{N}-9.8\text{N}}{2.0\text{kg}+5.0\text{kg}}=1.4\text{m/s}^2$$

这就是盒子 I 向右和盒子 II 向下的加速度。如果愿意，可用第一个方程求出 F_T：

$$F_T=F_{\text{fr}}-m_{\text{I}}a=9.8\text{N}+(5.0\text{kg})(1.4\text{m/s}^2)=17\text{N}$$

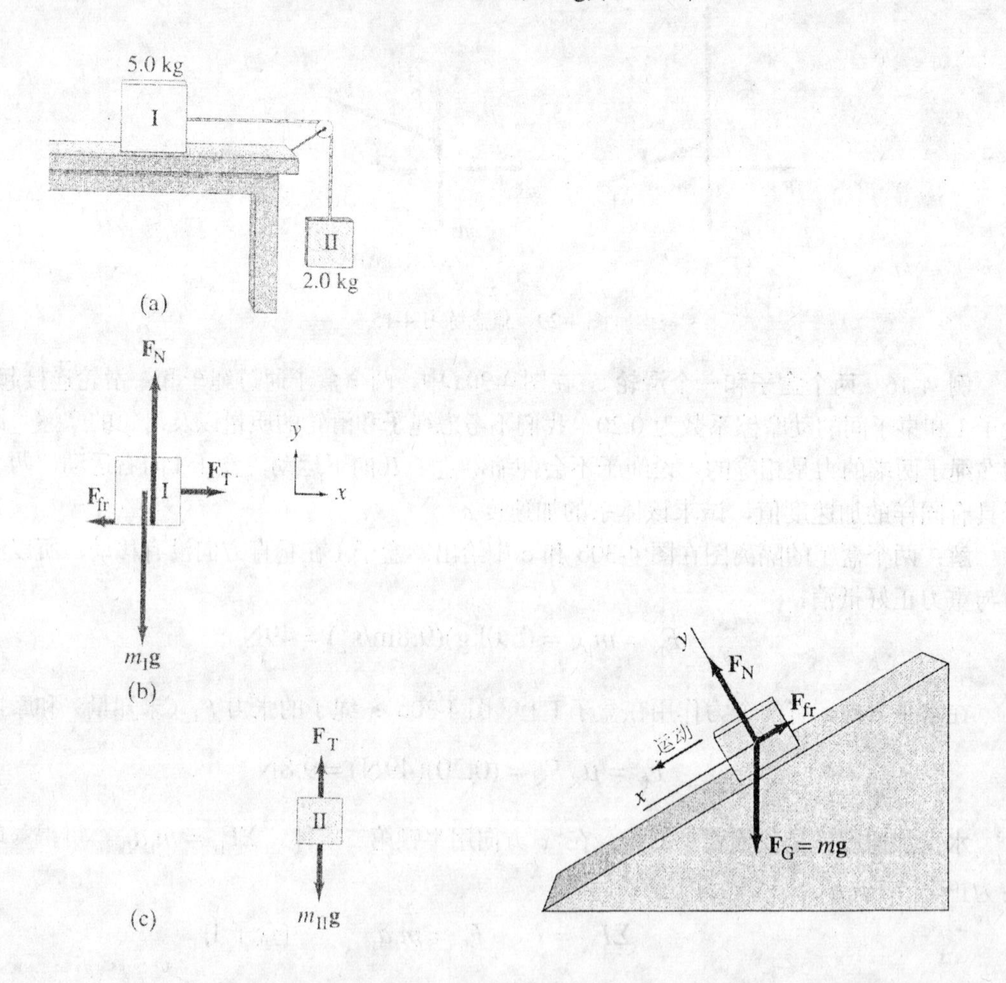

图 4-30 例 4-16

图 4-31 物体在斜面上的运动

现在我们讨论物体在山坡一类斜面上的运动。如果我们选择 xy 坐标系的 x 轴沿斜面方向（向上或向下），y 轴垂直于平面，如图 4-31 所示，通常可简化解题过程。这时 **a** 只有一个分量，如果存在摩擦力，这两个力就只有一个分量：$\mathbf{F}_{\text{fr}}$ 沿平面与物体速度方向相反，$\mathbf{F}_N$ 不是竖直的，但它垂直于平面。

例 4-17 滑雪者 图 4-32a 中的滑雪者从 30°的斜坡开始下滑。设动摩擦系数为 0.10，（a）先画出隔离图，然后计算；（b）她的加速度；（c）4.0s 后的速率。

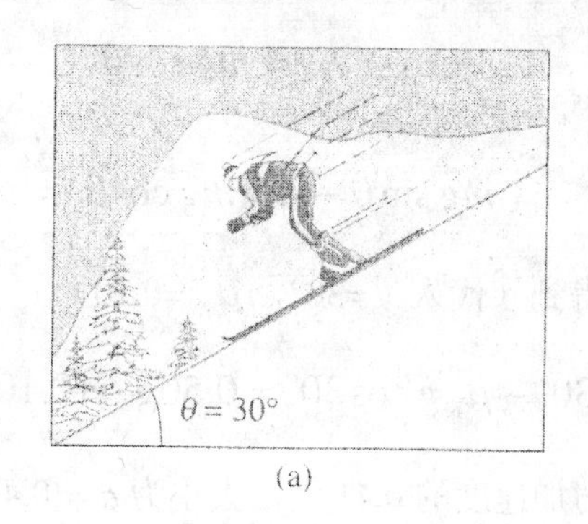

(a)

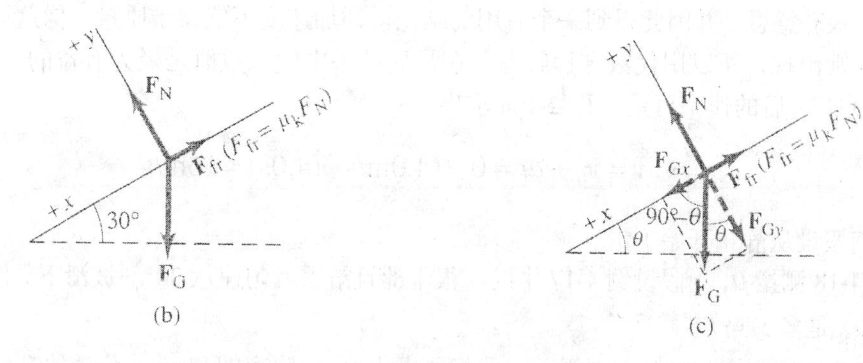

(b) (c)

图 4-32（例 4-17）滑雪者从斜坡下滑

解：（a）图 4-32b 中的隔离图给出了施加在滑雪者身上所有的力：向下的重力（$\mathbf{F}_G=m\mathbf{g}$），雪施加给滑雪者的两个力——垂直于雪面的支持力和平行于雪面的摩擦力。为了方便，图 4-32b 中认为这三个力作用于一个点。同样，我们选择 x 轴平行于雪面并且沿山坡向下为正，y 轴垂直雪面。用这样的坐标系，我们只需将重力这一个矢量分解成分量。图 4-32c 中，重力分量用虚线表示。由下式给出

$$F_{Gx} = mg\sin\theta$$
$$F_{Gy} = mg\cos\theta$$

这里保留 θ 的普遍形式，先不代入 30°。

（b）要计算滑雪者下坡的加速度 a_x，对 x 方向用牛顿第二定律：

$$\Sigma F_x = ma_x$$
$$mg\sin\theta - \mu_K F_N = ma_x$$

这里的两个力是重力的分量（$+x$ 方向）和摩擦力（$-x$ 方向）。要求 a_x 的值，但后一个方程中的 F_N 是未知数。让我们看是否能从牛顿第二定律的 y 分量求出 F_N：

$$\Sigma F_y = ma_y$$
$$F_N - mg\cos\theta = ma_y = 0$$

因为在 y 方向（垂直于斜坡）没有任何运动，这里取 $a_y=0$。因此可求出 F_N：

$$F_N = mg\cos\theta$$

代入上面的方程:

$$mg\sin\theta - \mu_K(mg\cos\theta) = ma_x$$

消去方程每一项中的 m。得到（代入 θ=30°，μ_K=0.10）

$$a_x = g\sin 30^\circ - \mu_K g\cos 30^\circ = 0.50g - (0.10)(0.866)g = 0.41g$$

滑雪者的加速度为重力加速度的 0.41 倍，大小为 a =(0.41)(9.8m/s²)=4.0 m/s²。这里质量可被消去很有意思，并因此得到一个有用的结论，即加速度不依赖于质量。像这样的消去在解题时经常出现，所以用代数方程解题并在最后结果中代入数值是极为有益的。

（c）4.0s 后的速率可用方程 2-10a 求出:

$$v = v_0 + at = 0 + (4.0\text{m/s}^2)(4.0\text{s}) = 16\text{m/s}$$

这里我们假设从静止开始下滑。

例 4-18 测量 μ_K。假设例 4-17 中的雪很干涩且滑雪者匀速从 30°斜坡滑下。你能说出摩擦系数 μ_K 是多少吗?

解：现在滑雪者匀速从斜坡滑下，我们要求出 μ_K。隔离图和 x、y 分量的 $\Sigma F = ma$ 方程与上述的一样，只是这里 a_x=0。因此

$$\Sigma F_y = F_N - mg\cos\theta = ma_y = 0$$
$$\Sigma F_x = mg\sin\theta - \mu_K F_N = ma_x = 0$$

从第一个方程，我们有 $F_N = mg\cos\theta$；代入第二个方程:

$$mg\sin\theta - \mu_K(mg\cos\theta) = 0$$

现在求出 μ_K:

$$\mu_K = \frac{mg\sin\theta}{mg\cos\theta} = \frac{\sin\theta}{\cos\theta} = \tan\theta$$

代入 θ =30°

$$\mu_K = \tan\theta = \tan 30^\circ = 0.58$$

注意我们可以用方程

$$\mu_K = \tan\theta$$

在许多情况下求出 μ_K。我们要做的只是观察在哪个角度时，滑雪者匀速下滑。这是为什么要在最后结果中代入数值的另一个原因：我们可以得到在其它情况下适用的普遍结论。

4-9 解题的一般步骤

物理课程的一个重要部分是有效地解答习题。解题的重要性不仅在于习题本身的价值，而且在于它促使你对概念和解题方法进行思考，通过对概念的运用加深对它的理解。在最初

的这些章节中，我们已经学习了一些解题方法。鉴于学习解答习题的重要性，我们将花些时间对普遍的解题步骤作一总结，尽管大部分已在前面讨论过。这里讨论的步骤，虽然强调的是牛顿定律，但可普遍应用在这本书的其它问题中。

解题步骤：通用

1. 仔细**阅读**和再次阅读给出的习题。一个常见错误是漏掉一两个词，致使习题的含义完全改变。

2. **画出**准确的环境草图和原理图（这或许是解题时最容易被忽视、但最关键的部分）。用箭头表示速度、力等矢量，并用适当的符号标出矢量。在处理有关力和牛顿定律的问题时，要确认作用在给定物体上的所有力，包括未知的力，弄清哪个力作用在哪个物体上（否则你会在分析特定物体上的*合力* 时出错）。对每个有关物体画出独立的*隔离图*，并标明所有作用在给定物体上的力（只作用在这个物体上）。不要标出这个物体施加给别的物体的力。

3. 选择方便的 xy **坐标系**（使计算简便）。将矢量沿坐标轴分解成分量。当使用牛顿第二定律时，对 x 和 y 分量分别用 $\Sigma \mathbf{F} = m\mathbf{a}$。记住 x 方向与 a_x 有关的力，y 方向也一样。

4. 弄清未知量是什么——即你要求解的是什么，怎样做才能求出未知量。对本章的习题，我们用牛顿定律。更普遍的，它可能有助于发现未知量与已知量之间存在一种或更多**关系式**（或**方程**）。但要注意给定条件下关系式的适用性。弄清每个公式或关系式的有效性极为重要——即什么时候能用，什么时候不能用。在本书中，给出了一些基本方程，但就是这些基本方程也有适用范围（一般在方程右边括号中给予简要说明）。

5. 尝试近似地求解习题，看它是否是可解的（检验是否给出足够的信息）和合理的。用你的直觉并进行**粗略计算**——见 1-7 节“数量级估算”。对最终结果可能的范围进行粗略计算或合理猜测非常有用。并且粗略计算可检验最终结果，从而发现计算中的错误（如小数点或幂次方标错）。

6. **求解**包括方程代数运算和数值计算的习题时，只在最终的方程中代入数值，可使你对问题本身和有关问题有更深的理解。

7. 注意保持**单位**一致，可用它进行验证（任何方程两边必须平衡）。

8. 再次考虑答案是否**合理**。用附录 B 中的量纲分析方法，可对许多问题进行验证。

小结

牛顿运动三定律 是描述运动的基本的经典定律。

牛顿第一定律 （惯性定律）指出如果作用在物体上的合力为零，静止的物体将保持静止，运动的物体将保持匀速直线运动。

牛顿第二定律 指出物体的加速度直接正比与施加其上的合力，反比与它的质量：

$$\Sigma \mathbf{F} = m\mathbf{a}$$

牛顿第二定律是经典物理中最重要和最基本的定律。

牛顿第三定律 指出只要一个物体给第二个物体施加力，第二个物体总是给第一个物体施加大小相等、方向相反的力：

$$\mathbf{F}_{12} = -\mathbf{F}_{21}$$

物体保持运动不变的趋势叫作**惯性**。**质量**是物体惯性的度量。

重力表示作用于物体上的引力，等于物体的质量乘以引力加速度 **g**：

$$\mathbf{F}_G = m\mathbf{g}$$

力是矢量，可看作推或拉；或者从牛顿第二定律，力定义为能引起加速度的作用。**合力**是作用在物体上所有力的矢量和。

当两个物体互相滑动时，一个物体作用于另一个的摩擦力近似写成 $F_{fr}=\mu_K F_N$，这里 F_N 是**法向力**（物体互相作用于垂直于接触面的力），μ_K 是**动摩擦系数**。如果物体相对静止，那么 F_{fr} 正好大到维持它们静止并满足不等式 $F_{fr} < \mu_s F_N$，这里 μ_s 是**静摩擦系数**。

对于求解力作用于一个或多个物体的问题时，必须对每个物体画出**隔离图**，标出所有只作用在那个物体上的力。牛顿第二定律可用于每个物体的矢量分量。

问答题

1. 当猛地向前推动小车时，坐在小车上的小孩为什么会向后倒？
2. 一个苹果的重量大概是多少牛顿？
3. 如果物体的加速度为零，是不是没有任何力作用在它上面呢？
4. 为什么自行车刚启动时蹬脚踏板的力要比匀速行进时大？
5. 只有一个力作用在物体上。物体能有零加速度吗？它有零速度吗？
6. 高尔夫球落在公路上，然后反弹起来。（a）是否存在一个力使它反弹起来？（b）如果有，谁施加了这个力？
7. 从牛顿第一、第二定律的观点出发，分析行走时腿迈步的运动。
8. 如果使劲踢墙或大桌子，为什么会弄伤你的脚？
9. 跑步时如果你想很快停下来，你必须很快减速。（a）使你停止的力从哪来？（b）估计（用你自己的经验）一个人从最快速度奔跑到停止能达到的最大加速度。

图 4-33 问题 10

10. 一石块用细线吊在天花板上，同样的细线从石块底部悬下（图 4-33）。如果用力拉悬着的细线，细线的哪里会断，石块以下还是以上？如果用缓慢、稳定的力拉，结果会怎样？解释你的回答？

11. 作用在 2kg 石块上的引力两倍于 1kg 石块上的。为什么重的石块不会下落得更快（即重的石块与轻的石块具有相同的下落速度）？

12. 比较在月球上举起 10kg 物体与地球上举起同样的物体所需的力。比较在月球和地球上以给定速率水平扔出 2kg 物体所需的力。

13. 交通事故发生时，受害者的车被从后面猛地撞击。试解释这种情况下，为什么受害者的头部看起来会向后摔？真是这样吗？

14. 一人用 40N 向上的力举起一袋货物。试述反作用力（牛顿第三定律）的（a）量值，（b）方向，（c）作用在哪个物体上？（d）由哪个物体施加？

15. 当你静止站在地面上时，地面给你的力有多大？为什么这个力不会使你升到空中？

16. 根据牛顿第三定律，拔河比赛中每个队都以相等的力拉对方。那么，如何确定哪个队获胜？

图 4-34 （问题 16）描述拔河比赛中，双方队伍的用力以及作用在绳子上的力

17. 在光滑的路面开车时，为什么最好用慢刹车？

18. 为什么刹车时卡车的停车距离比同样速率行驶的火车的停车距离要短？

19. 摩擦系数能超过 1.0 吗？

20. 滑块被击出后滑向一高坡。当滑块到达它的最高点后，返回向下滑。为什么它的加速度值下坡时小于上坡时？

21. 一个大木箱放在平板卡车上。当卡车加速时，木箱仍在卡车的位置上，立即随卡车一起加速。什么力使木箱加速？

22. 你可以将一个大箱子举起靠在粗糙的墙壁上，并且只用水平力推它，就能保持它不滑下。用水平力怎么能保持物体不在垂直方向运动呢？

习题

4-4 至 4-6 节

1.（Ⅰ）需要多大的力才能将坐在雪橇上的小孩（总质量=60.0kg）以 1.15m/s^2 加速？

2.（Ⅰ）255N 的合力给自行车和骑车者以 2.20 m/s^2 的加速度。自行车和骑车者的质量是多少？

3.（Ⅰ）需要多大的力才能将 9.0g 的物体以 10000 个“g”加速（如离心力）？

4.（Ⅰ）如果用绳子将 1050kg 汽车以 1.20m/s^2 加速，绳子上的张力多大？忽略摩擦力。

5.（Ⅰ）66kg 的宇航员在下列情况下重量是多少？（a）在地球上，（b）在月球上

（g=1.7m/s^2）,(c)在火星上（g=3.7m/s^2），（d）在太空匀速运动。

6.（Ⅱ）一个 20.0kg 的盒子静止放在桌子上。（a）盒子的重力和作用其上的法向力（支持力）各是多少？（b）一个 10.0kg 的盒子放在 20.0kg 盒子的上面，如图 4-35 所示。试确定桌子给予 20.0kg 盒子的法向力（支持力）和 20.0kg 盒子给予 10.0kg 盒子的法向力（支持力）。

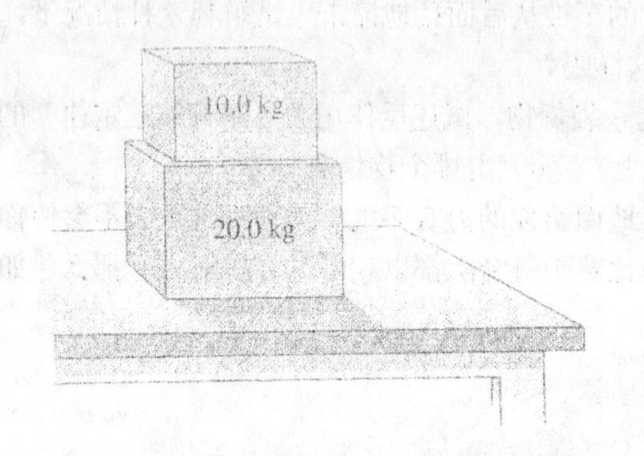

图 4-35　习题 6

7.（Ⅱ）要将一辆质量为 1100kg 以 90km/h 行驶的汽车在 8.0s 内停止，平均需要多大的力？

8.（Ⅱ）将 7.00g 的子弹在 0.700m 长的枪膛内从静止加速到 175m/s，所需的平均力为多大？

9.（Ⅱ）钓鱼人以 4.5 m/s^2 的加速度将鱼猛拉出水面。很不幸，由于线被拉断，他的鱼跑了。他用的鱼线的标定值是 22N。你能说出鱼的质量有多大吗？

10.（Ⅱ）一个 0.140kg 的棒球以 45.0m/s 的速率撞到接球手的手套上，棒球陷进了 11.0cm 后才停止。棒球给予手套的平均力是多大？

11.（Ⅱ）如果 7.0kg 的铅球在加速 2.8m 后以 13m/s 的速率掷出，掷铅球者给予铅球的平均力是多大？

12.（Ⅱ）如果用绳子将 1200kg 汽车垂直向上以 0.80m/s^2 加速，绳子上的张力多大？忽略摩擦力。

13.（Ⅱ）用张力为 63N 的绳子一端吊一个 10kg 的桶。桶的加速度是多少？向上，还是向下？

14.（Ⅱ）一个升降机（质量为 4850kg）设计的最大加速度为 0.0600g。电机施加给缆绳的最大和最小力是多少？

15.（Ⅱ）一个 75kg 的贼想从监狱三楼窗户逃走。不幸的是，用床单接成的绳子只能支撑 58kg 的质量。贼如何用这条绳子逃走？给出定量说明。

16.（Ⅱ）一人在升降机里量体重。升降机运动时，量出体重仅为平常的 0.75 倍。试计算升降机的加速度，指出加速度的方向。

17.（Ⅱ）悬挂 2100kg 升降机的缆绳的最大强度为 21750N。缆绳能承受的最大向上加速度是多少？

18.（Ⅱ）（a）当向上的空气阻力等于两位跳伞者（包括伞共 120.0kg）重量的四分之一时，他们的加速度是多少？（b）伞打开后，跳伞者对地以匀速下降。现在作用在伞和跳伞者上的空气阻力多大？见图 4-36。

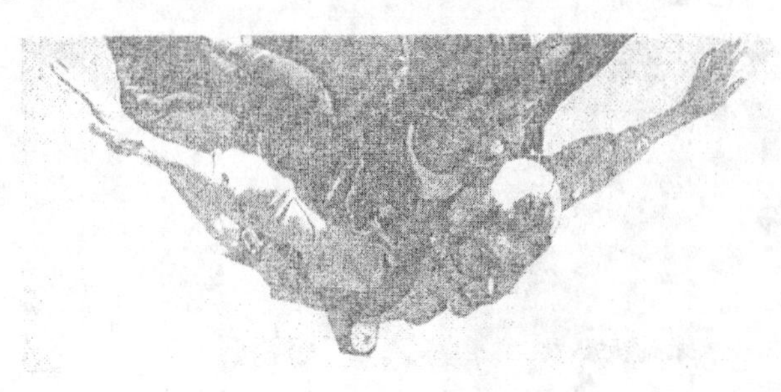

图 4-36　习题 18

19.（Ⅱ）土星五号火箭的质量为 2.75×10^6kg，施加给所喷气体的力为 33×10^6N。试求（a）火箭的初始加速度，（b）8.0s 后的速度，（c）多长时间后，到达 9500m 高度。忽略喷出气体的质量，假设 g 保持恒定。

20.（Ⅲ）立定跳高可使人跳起 0.80m。要做到这一点，66kg 的人需对地施加多大的力？假设人在起跳时下蹲 0.20m，即离开地面前力的作用距离。

21.（Ⅲ）一人从 4.5m 高的屋顶跳下。在触地时，他弯曲双膝使身体躯干的减速距离达到 0.70m。如果他的躯干部分（除腿以外）的质量为 45kg，试求（a）脚刚触地时，他的速度，（b）减速时，腿部施加给躯干的平均力。

22.（Ⅲ）最好的田径选手可在 10.0s 内跑完 100m。65kg 的田径选手在最初 50m 均匀加速到最高速率，然后以这个速率跑完剩下的 50m。问（a）在加速时，地面施加给脚的力的平均水平分量是多少？（b）他在最后 50m 的速率是多少（即最高速率）？

4-7 节

23.（Ⅰ）（Ⅲ）一个重 70N 的盒子静止放在桌子上。一根绳子通过滑轮将盒子与一重物相连（图 4-37），试求当重物分别为以下重量时，桌子施加给盒子的力，（a）30N，（b）60N，（c）90N。

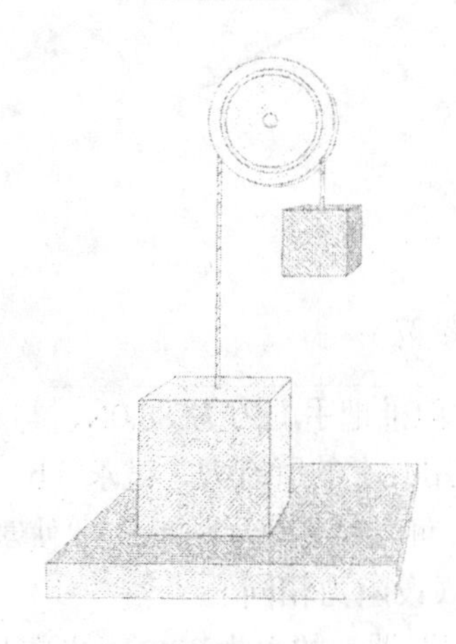

图 4-37　习题 23

24.（Ⅰ）一个 650N 的力作用在西北方向上。第二个 650N 的力必须作用在什么方向，才能使两个力的合力指向西？

图 4-38 习题 25

25.（Ⅰ）画出篮球选手的隔离图（a）正要跳离地面时，（b）在空中时。（图 4-38）

26.（Ⅰ）画出棒球的隔离图（a）在球棒击球的瞬间，（b）离开棒，在空中飞行时。

27.（Ⅱ）图 4-39a 和 b 中（从上往下看）的两个力 $\mathbf{F}_1$ 和 $\mathbf{F}_2$ 作用在无摩擦的桌面上放置的 27.0kg 的物体上。如果 F_1=10.2N 和 F_2=16.0N，试求（a）、（b）两种情况下，施加在物体上的合力和它的加速度。

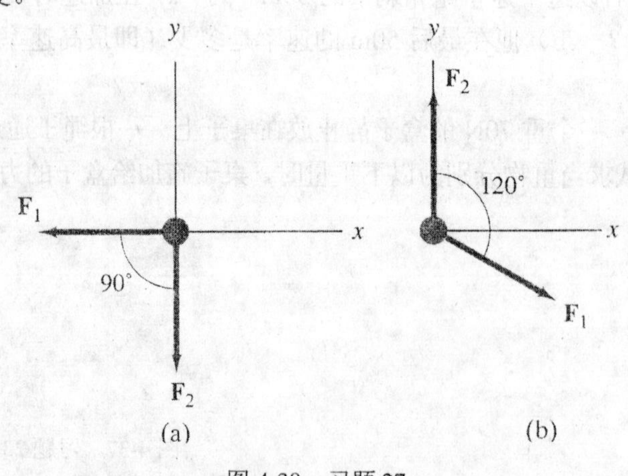

图 4-39 习题 27

28.（Ⅱ）一人推着 14.5kg 的割草机匀速前进，他推把手的力为 88.0N，与水平成 45.0°角。（图 4-40）（a）画出割草机的隔离图，并标出作用其上的所有力，试求（b）作用在割草机上的水平阻力；（c）地面给予割草机垂直向上的法向力（支持力）；（d）要使割草机在 2.5s 内从静止加速到 1.5m/s，人必须对它施加多大的力（设阻力相同）。

29.（Ⅱ）在起跑的瞬间，65kg 的运动员施加在起跑器上的力为 800N，方向与地面成 22°角（见本章开始图）。（a）运动员的水平加速度多大？（b）如果力的作用时间为 0.38s，运动员离开起跑器的速率是多少？

图 4-40　习题 28

30.（Ⅱ）一个 3.0kg 颜料桶用无质量绳子挂在另一个 3.0kg 颜料桶下，如图 4-41 所示。（a）如果颜料桶是静止的，每段绳子上的张力多大？（b）如果以 $1.60m/s^2$ 的加速度使两桶向上运动，每段绳子上的张力为多大？

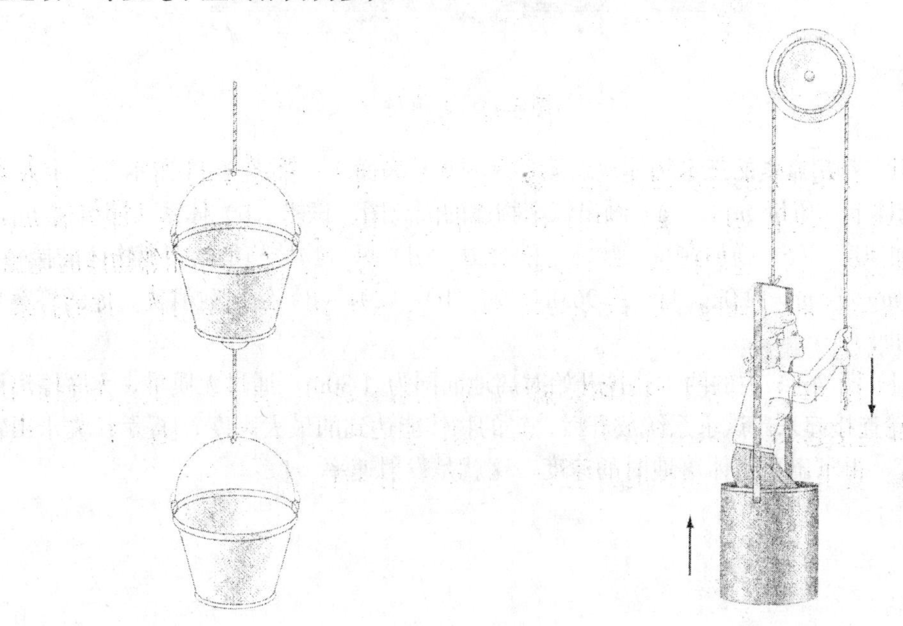

图 4-41　习题 30　　　　图 4-42　习题 32

31.（Ⅱ）一架 6500kg 的直升飞机吊着一辆 1200kg 的汽车以 $0.60m/s^2$ 向上加速。（a）空气给螺旋桨的升力有多大？（b）连接汽车与直升机的缆绳上的张力有多大？

32.（Ⅱ）擦窗户者用滑轮和桶将自己吊起，如图 4-42 所示。（a）要使自己缓慢匀速向上，她必须用多大的力向下拉？（b）如果她将这个力增大百分之十，她的加速度为多大？人与桶总重 65kg。

33.（Ⅱ）火车头拉了两辆质量相同的车厢。在任何非零加速度的情况下，试证明火车头与第一节车厢连接处的张力两倍于第一节与第二节连接处的张力。

34.（Ⅱ）一对装饰物用细绳挂在后视镜上。当车从静止加速到 20m/s（在 5.0 秒内），绳子与垂直方向成多大θ角？图 4-43。

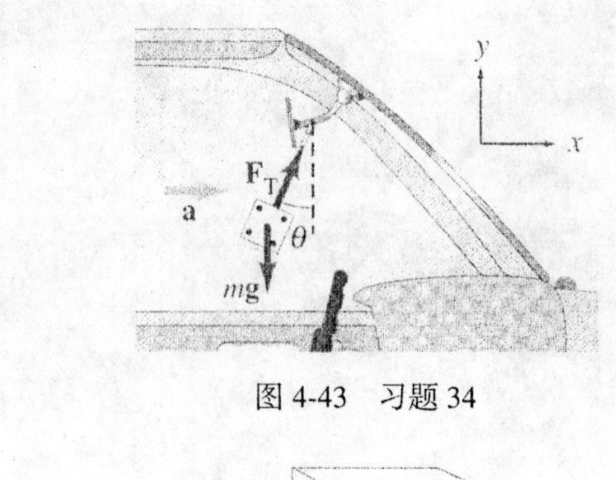

图 4-43 习题 34

图 4-44 习题 35

35.（Ⅲ）互相靠紧的三个物体放在无摩擦的水平表面上，如图 4-44 所示。一个力 **F** 加在第一个物体上（质量 m_1）。（a）画出每个物体的隔离图。试求（b）体系（即包括 m_1，m_2 和 m_3）的加速度，（c）施加在每一物体上的合力，（d）每一物体施加给相邻物体的接触力。（e）如果 $m_1=m_2=m_3=12.0\text{kg}$，且 $F=96.0\text{N}$，对（b），（c），（d）给出数值解。你的答案是由直觉给出的吗？

36.（Ⅲ）图 4-45 中的两个物体开始时离地面同为 1.80m，通过无质量、无摩擦离地面 4.8m 的滑轮连接起来。试求系统放开后，轻的物体能达到的最大高度？[提示：先求出轻物体的加速度，再求出重物体落地时的速度。这就是发射速率。]

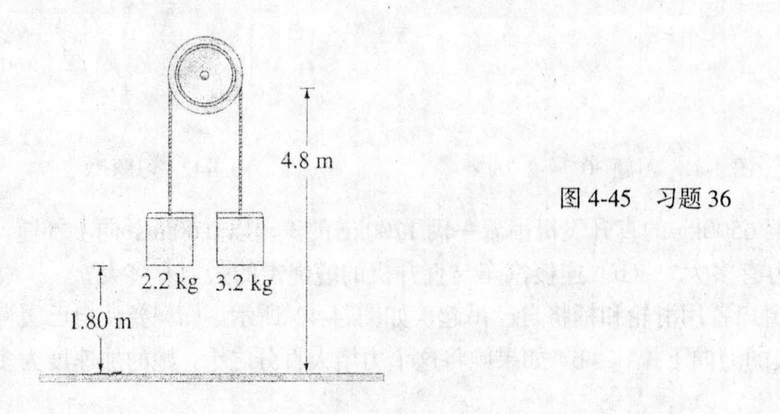

图 4-45 习题 36

37.（Ⅲ）设例 4-10（图 4-22）中绳子的质量为 1.0kg。试求每个盒子的加速度和每个绳子末端的张力，用图 4-46 所示的隔离图。设绳子不下垂。

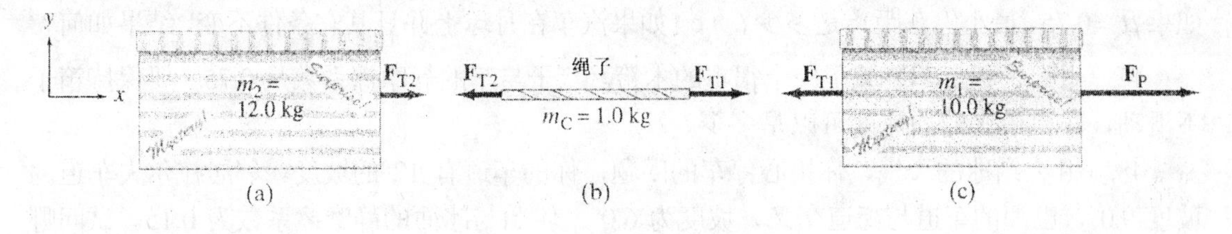

图 4-46　习题 37

4-8 节

38.（Ⅰ）如果 35kg 木箱与地板的动摩擦系数为 0.30，需要多大的水平力才能以固定速率沿地板移动木箱？如果μ_k为零，所需的水平力多大？

39.（Ⅰ）沿水泥地板开始移动 5.0kg 的箱子需要 40.0N 的力。（a）箱子与地板之间的静摩擦系数为多少？（b）如果持续用 40.0N 的力，盒子的加速度为 0.70m/s^2。动摩擦系数为多少？

40.（Ⅰ）（a）一个盒子静放在 30°的粗糙斜面上。画出隔离图，标出所有作用在盒子上的力。（b）如果盒子从斜面滑下，图将怎样改变？如果盒子被猛推后滑上斜面，图又怎样改变？

41.（Ⅰ）一个 2.0kg 的装银器的抽屉无法抽出，所以主人逐渐加大拉力。当拉力达到 8.0N 时，抽屉猛地开了，将所有物品撒在地板上。试求抽屉与柜子间的静摩擦系数。

42.（Ⅱ）拉力赛车的轮胎与沥青路面间的静摩擦系数或许是日常生活中所见到的最大的之一。设赛车在 6.0s 内以固定加速度前进了四分之一英里，并且车轮没有滑动，估计赛车的静摩擦系数。

43.（Ⅱ）在图 4-30（例 4-16）的系统中，滑块 1 的质量为多大才不会出现运动？设μ_s=0.30。

44.（Ⅱ）一盒子被推了一下后沿地板滑行。如果动摩擦系数为 0.20，推后的初速为 4.0m/s，试问盒子能走多远？

45.（Ⅱ）两个质量为 75kg 和 110kg 的木箱紧靠着放在水平面上（图 4-47）。一个 730N 的力加在 75kg 的木箱上。如果动摩擦系数为 0.15。试计算（a）系统的加速度，（b）木箱相互间施加的力。

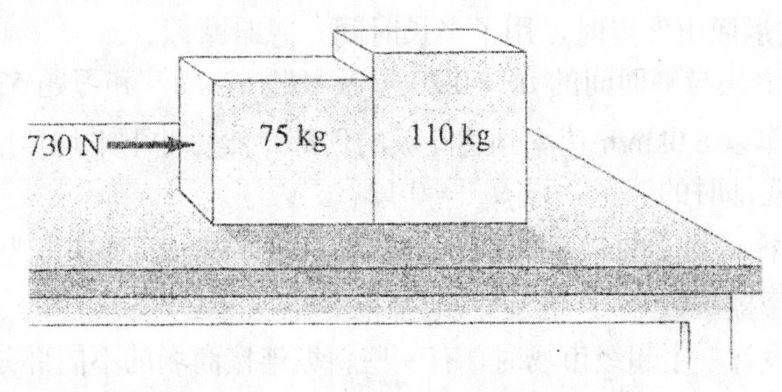

图 4-47　习题 45

46.（Ⅱ）（a）证明以速率 v 行进的机动车的最小停车距离为 $v^2/2\mu_s g$，这里μ_s是轮胎和路面间的静摩擦系数，g 是引力加速度。（b）对以 95km/h 速度行进的质量为 1200kg 的汽车，

如果 μ_s=0.75，最小停车距离是多少？（c）如果汽车在月球上并且其它条件不变，结果如何？

47.（Ⅱ）平板卡车装载了一个很重的木箱。箱子与车的静摩擦系数是 0.75。要保持箱子不滑动，司机最大的加速度可以是多少？

48.（Ⅱ）结冰的天气，你担心停车的问题，你的车道有 12°的坡度。邻居拉尔夫车道的坡度 9.0°，巴涅的车道与街道交叉，坡度为 6.0°。轮胎与冰面的静摩擦系数为 0.15。试问哪些车道停车安全？

49.（Ⅱ）小孩从坡度 28°的滑梯上滑下，到达底部时的速率正好等于从无摩擦滑梯上滑下速率的一半。试求小孩与滑梯间的摩擦系数。

50.（Ⅱ）当汽车在 3.5s 或更短时间内从 40km/h 减速到停止，仪表盘上的咖啡杯子会向前滑行。如果加速时间再长一点，就不会出现这种情况。杯子与仪表盘间的静摩擦系数是多少？

51.（Ⅱ）一块湿肥皂（质量=150g）从 2.0m 长 7.3°的坡道上无摩擦滑下。试问，到达底部要用多长时间？如果肥皂的质量为 250g，结果如何？

52.（Ⅱ）图 4-48 中的滑块放在坡度θ = 22.0°的斜面上。（a）试求滑块滑下时的加速度。（b）如果滑块从 9.10m 的高度滑下，到达底部时它的速率为多少？忽略摩擦。

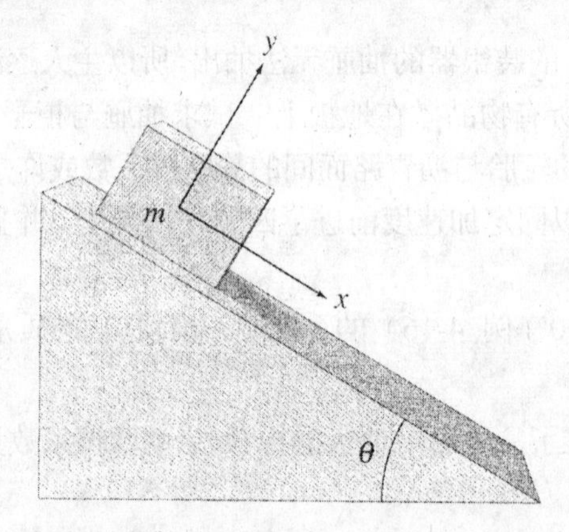

图 4-48 习题 52，53，54

53.（Ⅱ）图 4-48 中的滑块被给以 3.0m/s 的初速，冲上 22.0°的斜面。（a）它能冲上斜面多远？（b）当它返回出发点时，用了多长时间？忽略摩擦。

54.（Ⅱ）设滑块与平面间的 μ_k = 0.20,重做习题 52（a）和习题 53（b）。

55.（Ⅱ）滑车以 6.0km/h 速率到达陡坡的顶部。然后冲下平均角度 45°、长 45.0m 的山坡。试求它到达底部时的速率。设 μ_k = 0.12。

56.（Ⅱ）一个 18.0kg 的盒子从 37.0°的斜坡滑下，向下的加速度为 0.270m/s^2。试求阻止运动的摩擦力和摩擦系数。

57.（Ⅱ）在设计一个超级市场时，有一些斜坡连接商场的不同部分。顾客不得不推着货车上这些斜坡，图 4-49，理想的设计要使这一点显得并不困难。一个工程师调查发现如果推力不大于 50N，就没有人抱怨。设货车重 30kg（装满货物），θ = 5°的斜坡是否太陡了？假设摩擦（轮子对地，轮子与轴等等）系数可记为 μ_k =0.10。

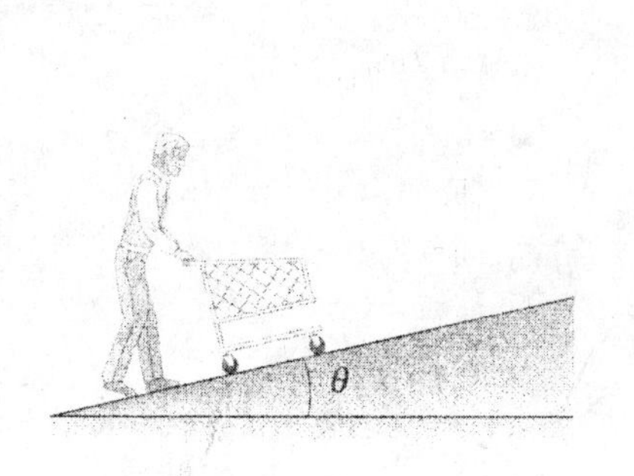

图 4-49　习题 57

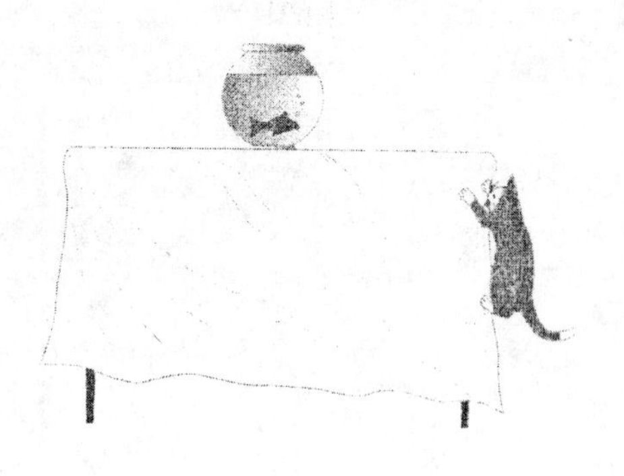
图 4-50　习题 58

58.（Ⅱ）一只猫（5.0kg）吊在桌布上，将鱼缸（11kg）往桌边拉（图 4-50）。鱼缸下桌布（不计质量）与桌子的动摩擦系数为 0.44。（a）猫和鱼缸的加速度多大？（b）如果鱼缸离桌边 0.90m，猫需多长时间才能将鱼缸拉下？

59.（Ⅲ）一个质量为 m 的快状物体放在球体表面，图 4-51。如果静摩擦系数 $\mu_s = 0.60$，质量块开始下滑的角度 φ 是多少？[提示：比较图 4-48；θ 与 φ 之间的关系如何？]

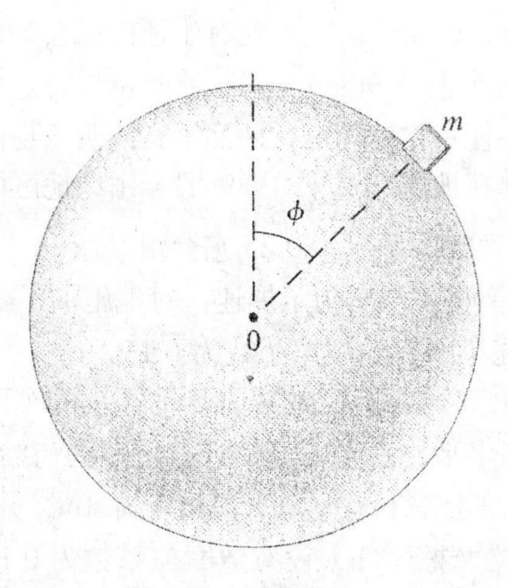

图 4-51　习题 59

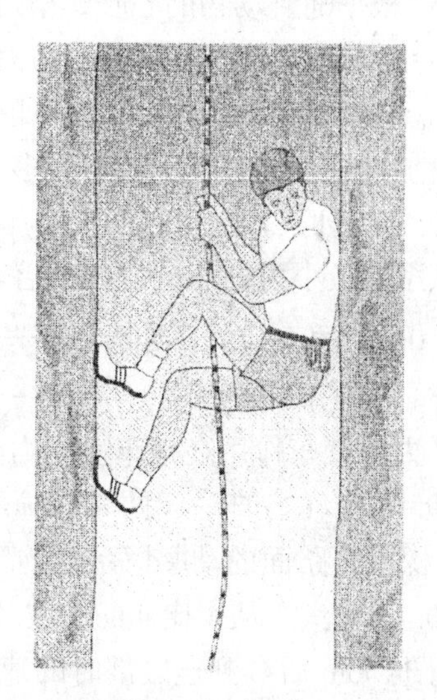
图 4-52　习题 60

60.（Ⅲ）图 4-52 中，70kg 的攀登者靠鞋和背与两壁间的摩擦力支撑着。鞋和背与墙壁间的静摩擦系数分别为 0.80 和 0.60。他施加的最小法向力是多少？设墙是垂直的，并且鞋和背与墙壁间的摩擦力都为最大值。

61.（Ⅲ）一放在无摩擦斜面上的滑块（质量 m_1）与另一质量为 m_2 的物体通过滑轮用无质量细绳连接，如图 4-53 所示。（a）试求系统加速度的表达式，用 m_1、m_2、θ 和 g 表示。（b）m_1 和 m_2 在什么条件下，系统的加速度向一个方向（如 m_1 沿斜面向下）或向相反方向？

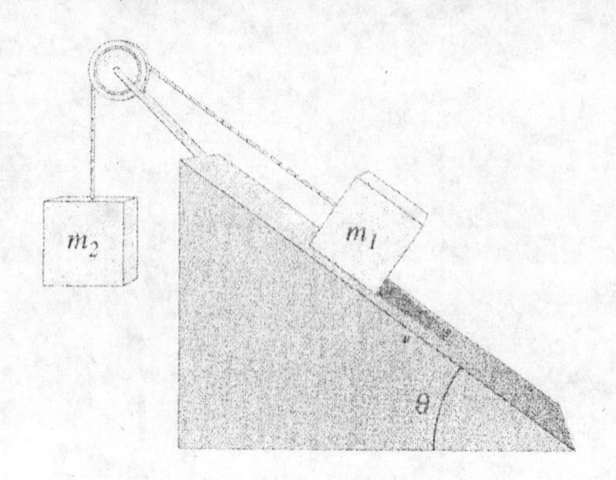

图 4-53 习题 61，62，63

62.（Ⅲ）假设图 4-53 中 m_1 与斜面间的动摩擦系数 $\mu_k=0.15$，$m_1=m_2=2.7$kg。当 m_2 向下运动时，试求 m_1 和 m_2 的加速度的量值和方向，取θ=25°。

63.（Ⅲ）习题 62 中维持系统具有加速度的 μ_k 的最小值是多少？

64.（Ⅲ）由于空气阻力，质量为 65kg（包括自行车的质量）的骑自行车者可沿 6.0°的坡路以 6.0km/h 的恒定速率滑下。试问，以同样的速率上坡时要用多大的力（空气阻力相同）？

综合题

65. 根据哺乳动物的心脏模型，在 0.01s 的时间内，其每跳一次，大约有 20g 的血从 0.25m/s 加速到 0.35m/s。试问心肌施加的力的量值为多少？

66. 在撞车事故中，如果汽车的减速度不超过 30 个“g”，人就有生还的机会。试求人以这个值加速时，施加其上的力为多大？如果以这个值从 90km/h 减速到停止，需多长距离？

67.（a）如果地震引起的水平加速度为 a，并且一物体固定在地面上，证明该物体对地的静摩擦系数最小为 $\mu_s=a/g$。（b）著名的拉马皮耶特地震超过了 1989 旧金山湾地区的加速度高达 4.0m/s^2 的大地震。如果椅子与漆布地板的静摩擦系数为 0.25,它会滑动吗？

68. 一辆 1000kg 的汽车拉了一辆 450kg 的拖车。汽车为了加速，对地施加了 3.5×10^3N 的水平力。汽车作用在拖车上的力是多少？设拖车的有效摩擦系数为 0.15。

69. 警官在检查一起两车相撞事故时，测出其中一辆在碰撞前几乎停止的车的滑痕为 80m。橡胶与路面的动摩擦系数约为 0.80。设在水平路面上，请估计这辆车的初始速率。

70. 一辆汽车从 1 比 4 的山坡（1 比 4 表示沿道路每行进 4m，高度下降 1m）开始滑下。试求行进 50m 后，到达底部时的速率。（a）忽略摩擦。（b）设有效摩擦系数为 0.10。

71. 钓鱼人用的是“标定值 10 磅”的鱼线。这表示鱼线可经受 45N（1 磅=4.45N）的力而不断开。试问（a）如果用恒定速率垂直向上拉，他能钓起多重的鱼？（b）如果以 2.0m/s^2 加速向上拉，他最大能钓起多重的鱼？

72. 一高层建筑里的电梯允许向下的最大速率为 3.5m/s^2。如果电梯包括乘客总质量为 1300kg，要在 3.0m 距离内使电梯停止，施加在缆绳上的张力是多少？

73. 两个盒子的质量分别为：m_1=1.0kg,m_2=2.0kg；动摩擦系数分别为：0.10 和 0.20,放在倾角为θ = 30°的斜面上。（a）每个盒子的加速度是多少？（b）如果一弹性绳连接两个盒子（图 4-54），m_2 在绳子下端，每个盒子的加速度是多少？（c）如果 m_1 在绳子下端，每个盒子的加速度又是多少？

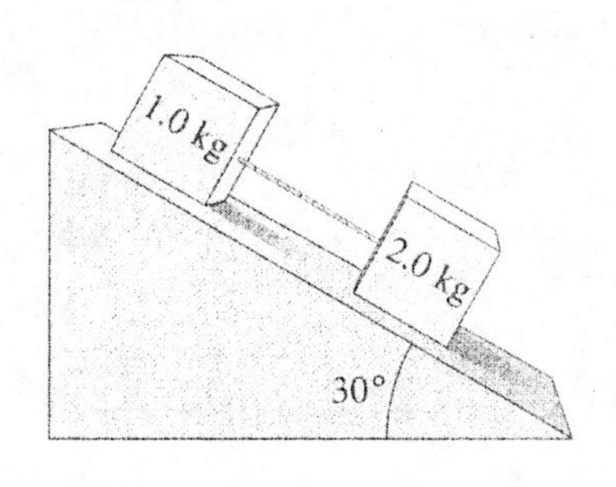

图 4-54　习题 73

74. 一个 75.0kg 的人站在电梯里秤体重。下列情况下的读数是多少？（a）电梯静止，（b）以 3.0m/s 匀速上升，（c）以 3.0m/s 匀速下降，（d）以 3.0m/s^2 加速上升，（e）以 3.0m/s^2 加速下降。

75. 一质量为 m 的小滑块，以初速 v_0 沿倾角为θ的斜面滑上。它沿斜面行进了距离 d 后停止。（a）试求滑块与斜面间的动摩擦系数的表达式。（b）你能说出静摩擦系数的值吗？

76. 一辆摩托车以 17m/s 速率行驶时引擎停止，靠惯性进入一段摩擦系数为 0.80 的沙路。如果沙路长 15m，摩托车不用动力能穿过这段路程吗？如果能，在沙路终端的速率为多少？

77. 城市规划者重新进行一片丘陵地区的设计。一个需考虑的重要因素是，坡路设计必须让小功率车在不减速的情况下爬上坡顶。一种质量为 1100kg 的特殊小汽车，在平路上可在 14.0s 内从静止加速到 21m/s（75km/h）。试用这些数据，计算坡路的最大陡度。

78. 骑自行车者可从 5.0°坡路上以 6.0km/h 匀速滑下。如果摩擦力（空气阻力）正比于速率 v，即 F_{fr}=cv，试求（a）常数 c 的值，（b）要以 20km/h 速率滑下坡路，需施加多大的平均力？骑车者和车的质量共 80kg。

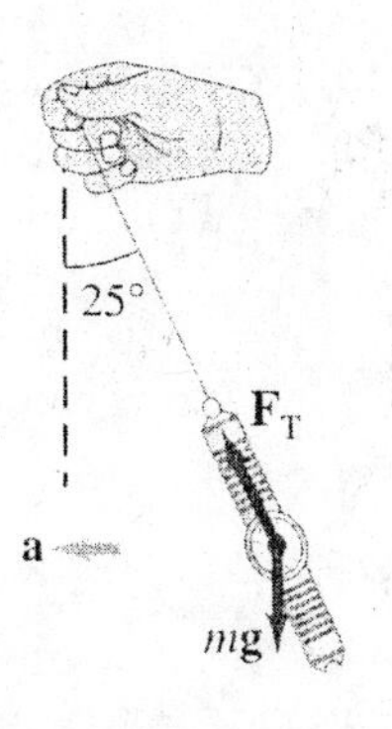

图 4-55　习题 79

79. 珍妮喜欢物理实验。在坐飞机从达拉斯机场起飞时，她用细绳悬起自己的手表（图 4-55）。她注意到飞机滑行 18 秒后准备起飞时，细绳与垂直方向成 25°角。请估计飞机起飞时的速率。

80.（a）在图 4-56 的滑轮组中，要拉起钢琴（质量 M），需用的最小力 F 是多少？（b）试求每段绳子上的张力：F_{T1}，F_{T2}，F_{T3} 和 F_{T4}。

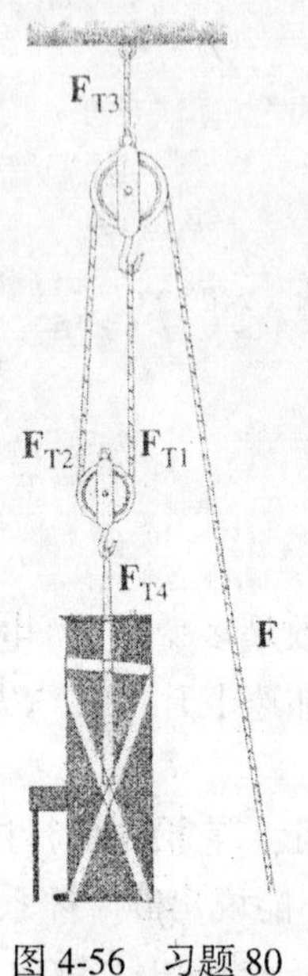

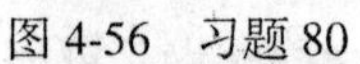
图 4-56 习题 80

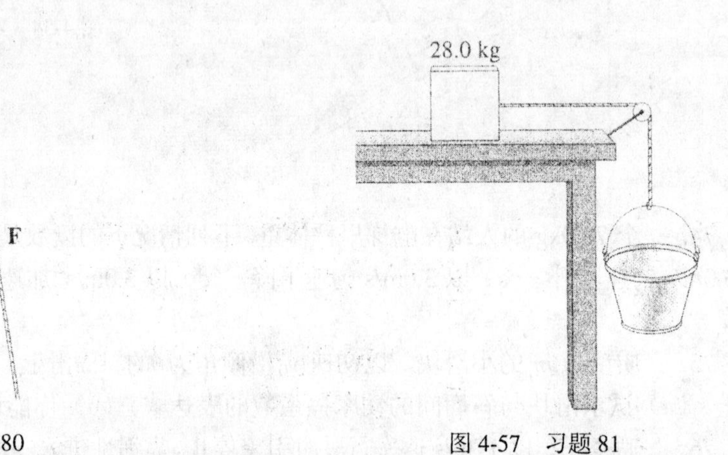

图 4-57 习题 81

81. 一个 28.0kg 的滑块与一个 1.00kg 的空桶用细绳经一无摩擦滑轮相连（图 4-57）。滑块与桌子间的静摩擦系数为 0.450，动摩擦系数为 0.320。将沙子逐渐加入桶内，直到系统开始运动。试求：（a）加入桶内沙子的质量。（b）系统的加速度。

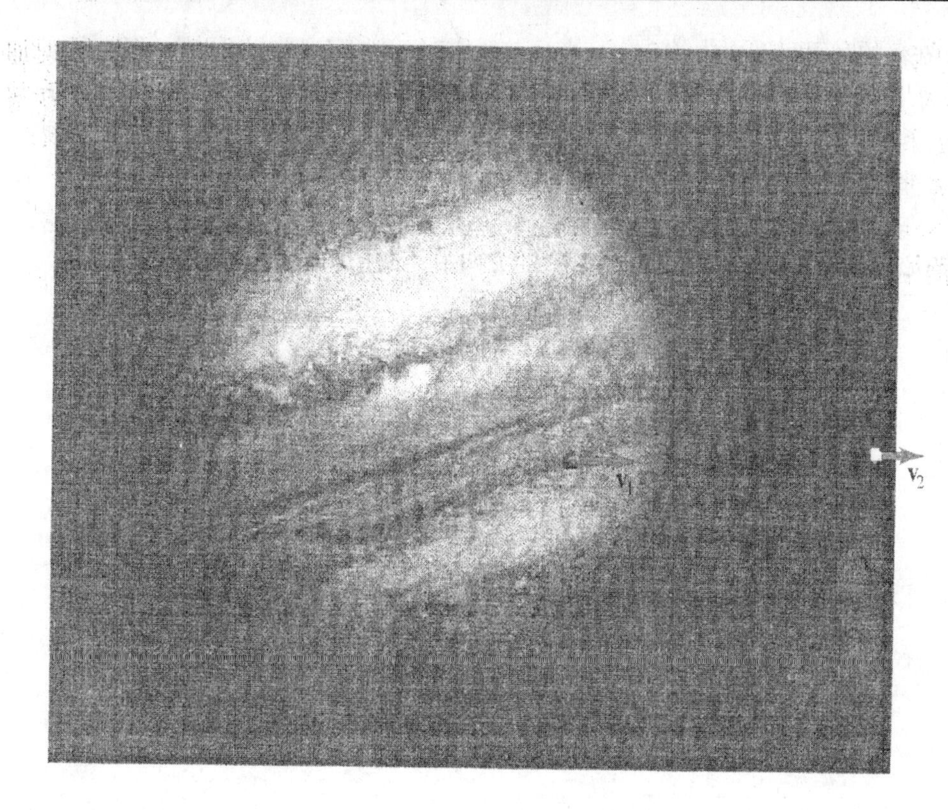

图注：木星的两个卫星，木卫一（在星体前部）和在右侧远端的木卫二。卫星靠引力维持其绕木星的运动。伽里略首次观察到木星的四个卫星，这项重大发现有力地支持了哥白尼的学说体系。

第五章　圆周运动；引力

如果施加在物体上的合力为零或沿物体的运动方向，物体将做直线运动。如果施加的合力在任意时刻都与运动方向成一角度，物体的运动轨迹将是一条曲线。后者的例子是抛体运动，在第三章我们已对此作过讨论。另一类重要的情况是物体作圆周运动，如系在细绳一端的小球沿人的头顶旋转，或月亮围绕地球做的近似圆周运动。

在这一章，我们将学习物体的圆周运动和如何用牛顿定律解决有关问题。我们也将讨论牛顿如何运用圆周运动的概念分析月球和行星的运动，从而得出另一个重要的定律。这就是万有引力定律，是牛顿分析物理世界得出的最伟大成就之一。

5–1　匀速圆周运动

物体以恒定速率 v 沿圆周运动的状态叫做匀速圆周运动。在这种情况下，速度的量值保持不变，但方向随物体沿圆周运动而持续变化（图 5-1）。因为加速度定义为速度的变化率，速度方向的改变与量值的改变一样都给出加速度。因此，尽管速率保持不变（$v_1=v_2=v_3$），物体沿圆周运动仍是一个持续加速过程。我们现在定量研究这种加速过程。

加速度定义为

$$\mathbf{a}=\frac{\mathbf{v}_2-\mathbf{v}_1}{\Delta t}=\frac{\Delta\mathbf{v}}{\Delta t}$$

这里$\Delta\mathbf{v}$是速度在短的时间间隔Δt内的变化。当Δt趋于零时，就得到瞬时加速度。但为了表示清楚，图 5-2 给出了一段非零时间间隔。在间隔Δt内，图 5-2a 中的粒子从A点移动到了B点，沿圆弧行进了Δl距离，对应角度$\Delta\theta$。速度矢量的变化为$\mathbf{v}_1$-$\mathbf{v}_2$=$\Delta\mathbf{v}$，如图 5-2b 所示。如果我们取Δt非常小（趋于零），那么Δl和$\Delta\theta$也很小，$\mathbf{v}_2$几乎与$\mathbf{v}_1$平行并且$\Delta\mathbf{v}$垂直于它们。因此，$\Delta\mathbf{v}$指向圆中心。按照上面的定义，$\mathbf{a}$的方向与$\Delta\mathbf{v}$的一致，也指向圆中心。因此，这个加速度叫做**向心加速度**或**径向加速度**（因为它的方向沿径向指向圆中心），记为$\mathbf{a}_R$。

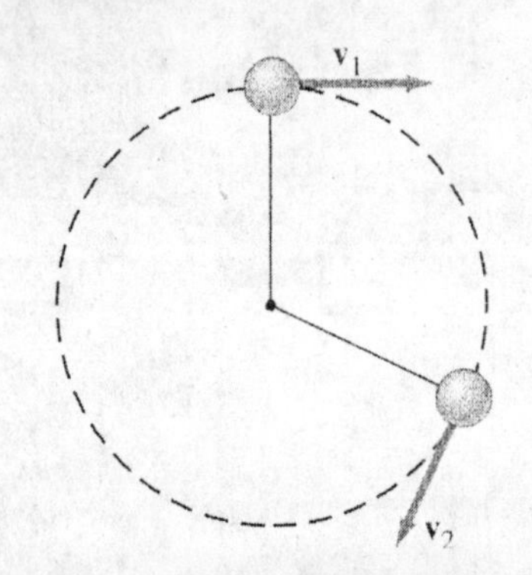

图 5-1 小球做圆周运动，图中给出速度是如何改变的。在每一点，瞬时速度沿圆周的切线方向。

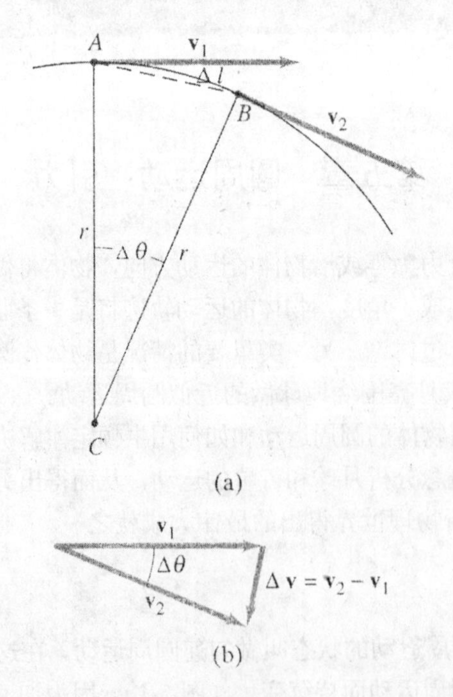

图 5-2 对做圆周运动的粒子，求速度的改变量$\Delta\mathbf{v}$。长度Δl是从A到B圆弧的距离。

现在我们来确定向心加速度$\mathbf{a}_R$的值。由于CA垂直于$\mathbf{v}_1$，CB垂直于$\mathbf{v}_2$，定义CA与CB的夹角为$\Delta\theta$，也就是$\mathbf{v}_1$与$\mathbf{v}_2$间的夹角为$\Delta\theta$。所以，矢量图 5-2b 中的$\mathbf{v}_1$、$\mathbf{v}_2$和$\Delta\mathbf{v}$围成一个三角形，它与图 5-2a 中的三角形ABC相似。取$\Delta\theta$很小（让Δt非常小），可写出

$$\frac{\Delta v}{v} \approx \frac{\Delta l}{r}$$

这里我们取 $v = v_1 = v_2$ 是由于速度的量值设定不变。当Δt 趋于零时，弧长Δl 正好等于弦 AB 的长度。为了求出瞬时加速度，当Δt 趋于零时，将上面表达式取为等式并求出Δv：

$$\Delta v = \frac{v}{r}\Delta l$$

用Δv 除以Δt，得出向心加速度 a_R：

$$a_R = \frac{\Delta v}{\Delta t} = \frac{v}{r}\frac{\Delta l}{\Delta t}$$

由于$\Delta l/\Delta t$ 是物体的线速度 v，所以，

$$a_R = \frac{v^2}{r} \tag{5-1}$$

总结如下：物体以匀速 v 沿半径 r 的圆运动时，其加速度的方向指向圆心、大小为 $a_R = v^2/r$。这个加速度依赖于 v 和 r 并不奇怪，因为速率 v 越大，速度的方向变化越快；半径越大，速度的方向变化越慢。

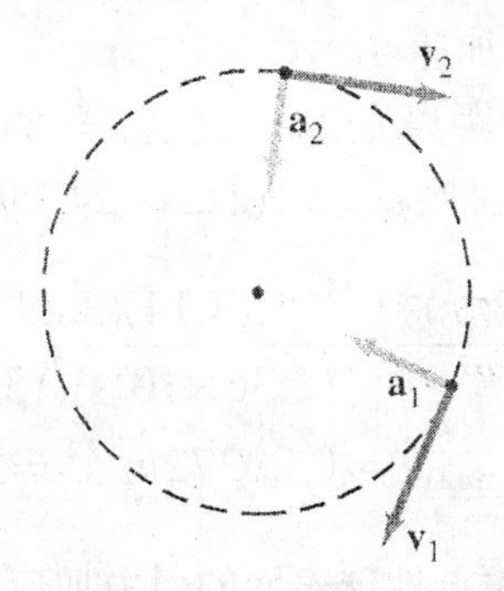

图 5-3 对于匀速圆周运动，**a** 总是垂直于 **v**

加速度矢量指向圆心。但速度矢量总是指向运动方向，即圆的切线方向。对匀速圆周运动来说，速度和加速度矢量在轨迹的每一点上互相垂直（见图 5-3)。这是证明加速度和速度总是同方向的错误观点的又一个例子。对于垂直下落的物体，**a** 和 **v** 确实是平行的。但在圆周运动中，**a** 和 **v** 不是平行的，同样在抛体运动中（3-5 节）加速度与速度也是不平行的，这时加速度 **a=g** 总是向下，但速度矢量有不同的方向（3-18 节和 3-20 节）。

描述圆周运动常用**频率** f，表示每秒运动了多少圈。物体做圆周运动的**周期** T 表示运转一周所需的时间。周期与频率的关系为

$$T = \frac{1}{f} \tag{5-2}$$

例如，如果物体的旋转频率为 3 周/秒，那么每周需 1/3 秒。对以速率 v 做匀速圆周运动的物体，我们可写出

$$v=\frac{2\pi r}{T}$$

因为物体在一个周期内运行了一周（$=2\pi r$）。

例 5-1 **旋转球的加速度**。一个 150g 的小球系在细绳的一端沿半径为 0.600m 的水平圆做匀速圆周运动，如图 5-1。小球每秒转 2.00 周。它的向心加速度是多少？

解：向心加速度 $a_R=v^2/r$。首先，我们确定小球的速率 v。如果小球每秒转两周，那么完成一周的时间为 0.500s，这就是周期 T。在这个时间内运行的距离就是圆的周长 $2\pi r$，这里 r 是圆的半径。因此，小球的速率为

$$v=\frac{2\pi r}{T}=\frac{2(3.14)(0.600\text{m})}{(0.500\text{s})}=7.54\text{m/s}$$

所以向心加速度为

$$a_R=\frac{v^2}{r}=\frac{(7.54\text{m/s})^2}{(0.600\text{m})}=94.8\text{m/s}^2$$

例 5-2 **月球的向心加速度**。月球绕地球的运动的近似圆轨道的半径为 384000km、周期是 27.3 天 。试求月球绕地球运动的加速度。

解：月球围绕地球运行一周的距离为 $2\pi r$，这里 $r=3.84\times10^8\text{m}$，是圆轨道半径。月球在轨道上的速率为 $v=2\pi r/T$。周期 T 用秒表示 $T=(27.3\text{d})(24.0\text{h/d})(3600\text{s/h})=2.36\times10^6\text{s}$。因此，

$$a_R=\frac{v^2}{r}=\frac{(2\pi r)^2}{T^2r}=\frac{[2(3.14)(3.84\times10^8\text{m})]^2}{(2.36\times10^6\text{s})^2(3.84\times10^8\text{m})}$$
$$=0.00272\text{m/s}^2=2.72\times10^{-3}\text{m/s}^2$$

将结果写成 g 的形式（$g=9.80\text{m/s}^2$，地球表面的引力加速度）

$$a=2.72\times10^{-3}\text{m/s}^2\left(\frac{g}{9.80\text{m/s}^2}\right)$$
$$=2.78\times10^{-4}g$$

5–2　匀速圆周运动动力学

根据牛顿第二定律（$\Sigma\mathbf{F}=m\mathbf{a}$），作加速运动的物体所受的合力必定不为零。物体在圆轨道上运动，如小球系在细绳的一端，必须有力施加其上，才能维持其运动。即需要合力给出向心加速度。所需力的量值可用径向分量的牛顿第二定律求出，$\Sigma F_R=ma_R$，这里 a_R 是向心加速度，$a_R=v^2/r$，ΣF_R 是作用在径向的合力：

$$\Sigma F_R=ma_R=m\frac{v^2}{r}\qquad[\text{匀速圆周运动}]\qquad\textbf{(5-3)}$$

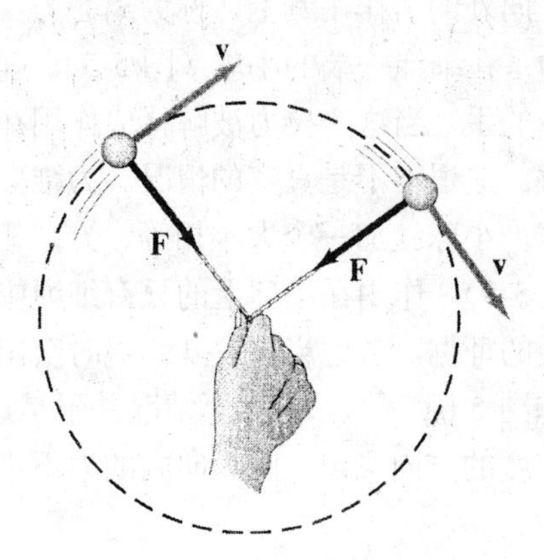

图 5-4 维持物体做圆周运动需要力。如果速率恒定，这个力总是指向圆心

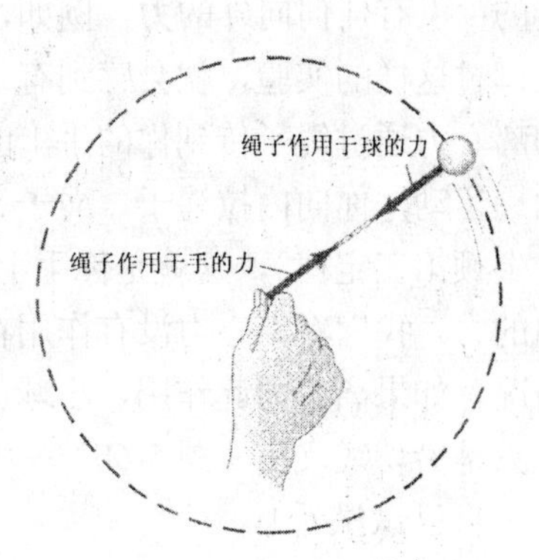

图 5-5 旋转绳子一端的小球

因为 a_R 在任何时刻都指向圆心，所以合力也必须指向圆心。显然必须存在不为零的合力，因为如果物体所受合力为零，按照牛顿第一定律，它就会做直线运动而不是圆周运动。要使物体脱离惯性直线轨迹，就必须施加侧向的力。对匀速圆周运动来说，这个侧向力必须指向圆心（见图 5-4）。因此合力的方向持续改变，以使其总是指向圆心。这个力有时也称为向心力（方向指向中心）。但要注意向心力并不是一种新的力，它只是描述了合力的方向：即合力指向圆心。力必须由其它物体施加。例如，当转动系在细绳一端的小球时，人在拉着细绳，而细绳对小球施加了力。

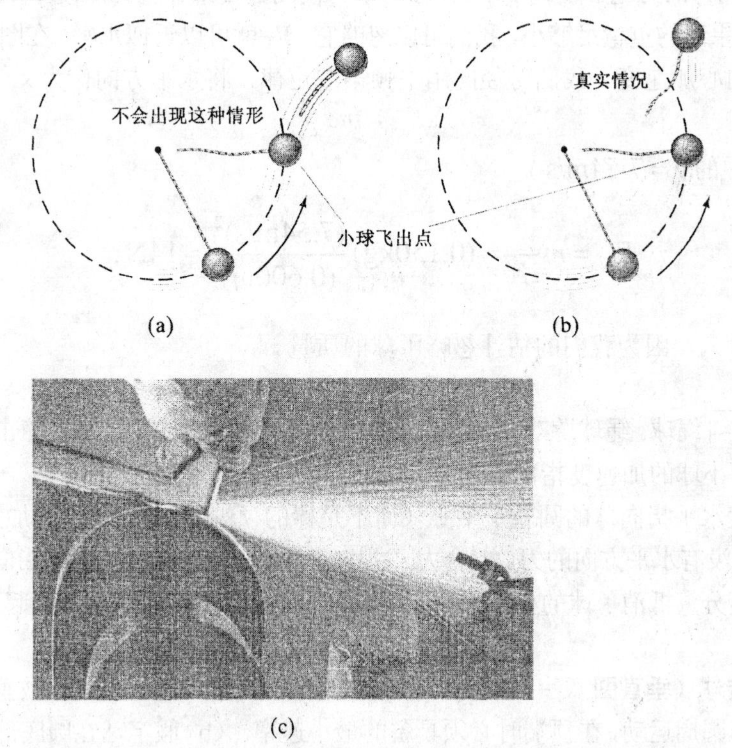

图 5-6 如果离心力存在，小球会如（a）所示飞出。实际上它如（b）所示沿切向飞出。例如，在图（c）中，旋转砂轮的火星从边缘沿切向直线飞出。

一个常见的误解是：物体作圆周运动时，有一个向外的力作用其上，称为离心力。这是不对的：没有任何向外的力。例如，考虑一个人转动系在细绳一端的小球（图 5-5）。如果你自己作过这样的实验，就会感到有一个向外的力拉你的手。当这个拉力被解释成作用在小球上的离心力通过绳子传到你的手上时，就出现了误解。这根本不是真实的情况。为维持小球作圆周运动，你向内拉绳子，绳子又将力施加给小球。小球施加一个大小相等、方向相反的力（牛顿第三定律），这就是你手上感觉的力（见图 5-5）。作用在小球上的只有细绳施加的向内的力。我们看离心力没有作用在小球上的更方便的证据，考虑当你放开细绳时会出现什么情况。如果离心力起作用，小球就会向外飞出，如图 5-6a 所示。但实际情况并不是这样，小球只是沿切线飞出（图 5-6b）——沿放开时瞬时速度的方向飞出，因为向内的力不再作用其上。自己试试看！

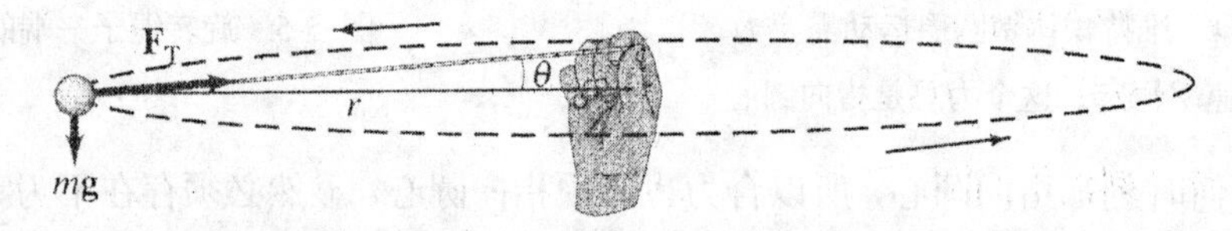

图 5-7 例 5-3

例 5-3 估计作用在旋转球上的力（水平）。 估计一个人必须对绳子施加多大的力，才能使 0.150 kg 的球沿半径 0.600 m 的水平圆旋转，如例 5-1 所示。球每秒转 2.00 周。

解：首先，我们画出球的隔离图，图 5-7，有两个力作用在球上：重力 $m\mathbf{g}$；绳子施加的张力 $\mathbf{F}_T$（人用同样的力施加在绳子上）。球的重力使问题复杂并且无法使球在绳子水平的情况下旋转。但如果球的重量足够小，我们可以忽略它。$\mathbf{F}_T$ 就可以近似水平（在图 5-7 中，$\theta \approx 0$）并且使球具有向心加速度。我们对径向用牛顿第二定律，将水平方向作为 x：

$$\Sigma F_x = ma_x$$

或(用到例 5-1 中的 $v = 7.54\text{m/s}$)，

$$F_{Tx} = m\frac{v^2}{r} = (0.150\text{kg})\frac{(7.54\text{m/s})^2}{(0.600\text{m})} \approx 14\text{N},$$

这里我们作了舍入，因为我们的估计忽略了球的质量。

概念练习 5-4 绳球。 绳球游戏就是将小球用细绳系在棒的一端。小球被撞击后沿棒旋转，如图 5-8 所示。小球的加速度指向哪个方向，什么产生了加速度？

答：加速度水平指向球的圆轨道中心（而不是棒的顶端）。首先，引起加速度的力不清楚，因为看起来没有水平方向的力。但合力（这里是 $m\mathbf{g}$ 和 $\mathbf{F}_T$ 的合力）必须指向加速度方向。绳子张力的垂直分量抵消了球的重量 $m\mathbf{g}$。绳子张力的水平分量 $\mathbf{F}_{Tx}$ 就是引起向心加速度的力。

例 5-5 旋转球（垂直圆）。 一个系在 1.10m 长细绳一端的 0.150kg 的球被垂直旋转。（a）试求要保持球作圆周运动，在顶端时必须具备的最小速率。（b）假定球在圆底部的速率是（a）结果的两倍，试求此时绳子的张力。

解：两种情况的隔离图如图 5-9 所示。（a）在顶部时（A 点），有两个力作用在球上：重

量 mg；绳子施加在 A 点的张力 $\mathbf{F}_{TA}$。两个力作用方向都向下，它们的矢量和给出球的向心加速度 a_R。对垂直方向用牛顿第二定律，取向下为正（指向圆心）：

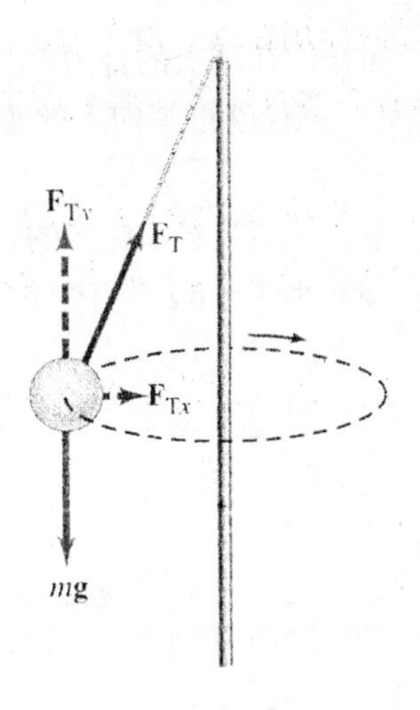

图 5-8 例 5-4 原理图

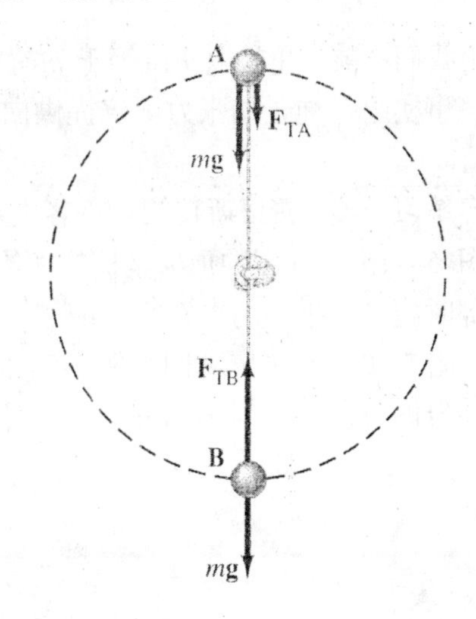

图 5-9 例 5-5 小球在两个位置时的示意图

$$\Sigma F_R = ma_R$$

$$F_{TA} + mg = m\frac{v_A^2}{r}$$

从这个方程我们可以看到如果 v_A（球在顶点的速率）增大，A 点的张力 F_{TA} 就变大。但我们要求保持球作圆周运动时的最小速率。只要有张力存在，绳子就会拉紧；但如果张力消失（v_A 太小），绳子就会弯曲，球就会脱离圆轨道。因此，当 $\mathbf{F}_{TA}=0$ 时，就是要求的最小速率，

$$mg = m\frac{v_A^2}{r}$$

求得

$$v_A = \sqrt{gr} = \sqrt{(9.80\text{m/s}^2)(1.10\text{m})} = 3.28\text{m/s}$$

这就是保持球沿圆轨道运动时，在顶端时必须具备的最小速率。

（b）在圆的底部（见图 5-9）绳子的张力向上，而重力 F_{TB} 向下。选向上为正（指向圆心），牛顿第二定律给出

$$\Sigma F_R = ma_R$$

$$F_{TB} - mg = m\frac{v_B^2}{r}$$

已知 v_B 为（a）中求出的两倍，即 6.56m/s。[注意这里速率的改变是由于引力作用在轨道的每一点，但方程 5-3 仍然有效，$\Sigma\mathbf{F}_R = mv^2/r$.]我们从最后一个方程求出 F_{TB}：

$$F_{TB} = m\frac{v_B^2}{r} + mg$$

$$= (0.150\text{kg})\frac{(6.56\text{m/s})^2}{(1.10\text{m})} + (0.150\text{kg})(9.80\text{m/s}^2) = 7.34\text{N}$$

注意这里我们不能简单地取 F_{TB} 等于 mv_B^2/r；后者等于沿径向作用在球上的合力，当然也包括重力。事实上，绳子的张力不仅提供向心力，而且必须大于 ma_R 以抵消向下的重力。

概念练习 5-6 **费里斯转轮**。乘客坐在以恒定速率 v 沿垂直轨道半径 r 旋转的费里斯转轮中（图 5—10）。在圆的顶部坐椅施加给乘客的法向力是（a）小于（b）大于（c）还是等于在底部时施加给乘客的力？

答：图 5-10 给出的隔离图与例 5-5 的相似，用 $\mathbf{F}_N$ 代替 $\mathbf{F}_T$。因为加速度指向圆心，牛顿第二定律告诉我们在顶部 $F_N<mg$，在底部 $F_N>mg$，所以正确答案是（a）。

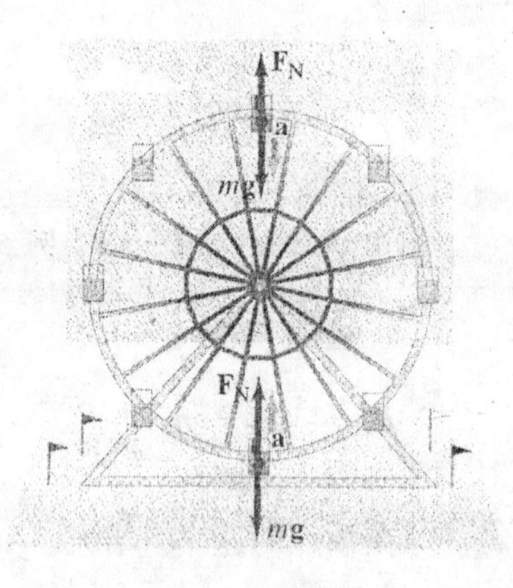

图 5-10 例 5-6 原理图

5–3 汽车转弯问题

汽车转弯就是存在向心加速度的一个例子。在这种情况下，你会感觉到被抛向外面。并没有神秘的离心力在拉你。只是你具有沿直线行进的惯性，而汽车已开始转弯。为了让你沿曲线

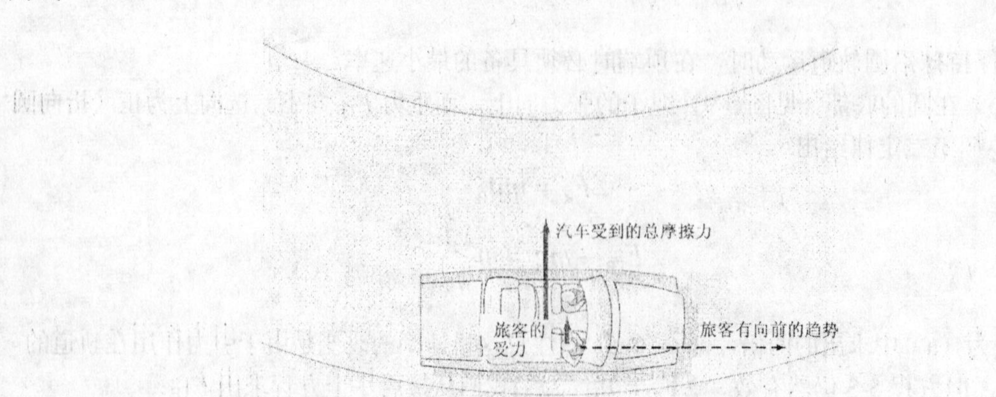

图 5-11 路面对汽车施加向内的力使其沿圆周运动（作用于轮胎上的摩擦力），汽车也对旅客施加一个向内的力。

行进，座位（摩擦力）或汽车的门（直接作用）给你一个力（图 5-11）。汽车本身要沿曲线行进，必须有向里的力作用于它。在平坦的路面上，这个力由轮胎与路面间的摩擦力提供。（只要轮胎不打滑，它是静摩擦力。）如果摩擦力不够大，如在冰面上不能提供足够的力，汽车就会脱离圆轨道并沿近似直线行进。见图 5-12。

图 5-12　赛车在弯道处。从轮胎印我们可以看出，大多数赛车获得了足够的摩擦力使其得到所需的向心加速度，从而安全转弯。但也有一些赛车没有得到足够的摩擦力，它们的轨迹近似一条直线。

例 5-7 转弯时的滑行。一辆 1000kg 的汽车以 50km/h（14m/s）的速率驶向平坦路面上的半径为 50m 的弯道。它是转过弯道，还是滑出去？设：（a）路面干燥，静摩擦系数为 μ_s=0.60; (b) 路面结冰，μ_s=0.25。

解：图 5-13 给出汽车的隔离图。因为路面平坦且无垂直方向加速度，作用在汽车上的法向力 F_N 等于其重量：

$$F_N = mg = (1000\text{kg})(9.8\text{m/s}^2) = 9800\text{N}$$

在水平方向，只有摩擦力，将它与产生向心加速度所需的力作比较，看是否足够大。保持汽车转弯所需的水平方向的合力为

$$\Sigma F_R = ma_R = m\frac{v^2}{r} = (1000\text{kg})\frac{(14\text{m/s})^2}{(50\text{m})} = 3900\text{N}$$

我们希望最大的总摩擦力（作用在四个轮胎上的摩擦力的和）至少达到这个值。对情况（a），μ_s=0.60，最大摩擦力可达（见 4-8 节，$F_{fr} \le \mu_s F_N$）

$$(F_{fr})_{max} = \mu_s F_N = (0.60)(9800\text{N}) = 5900\text{N}$$

因为只需 3900N 的力，也就是路面施加的静摩擦力达到这个值，汽车就能完成转弯。但在情况（b）最大静摩擦力为

$$(F_{fr})_{max} = \mu_s F_N = (0.25)(9800\text{N}) = 2500\text{N}$$

因为路面不能施加足够的静摩擦力（需 3900N）使汽车沿半径 50m 的弯行驶，汽车将滑行。

在刹车过猛，车轮被锁住（停止转动）时，情况更严重。当轮子转动时，轮子的底部在每个时刻与路面都是相对静止的，所以存在着静摩擦力。但车轮锁住时，轮子滑行，出现动摩擦，摩擦力变小。当路面潮湿或结冰时，用较小的力刹车就会锁住车轮，因为保持车轮转动而不打滑的摩擦力减小。防锁刹车装置（ABS）就是用传感器和快速计算机对刹车压力进行限制，使汽车不致打滑。

倾斜的弯道可减小打滑的机会，因为路面的法向力（与路面垂直）有一指向圆心的分量（图 5-14），减少了对摩擦力的依赖。对于给定的倾斜角θ，将有一个无需任何摩擦力的速率。这就是指向圆心的法向力的水平分量 $F_N\sin\theta$ (见图 5-14)，正好等于机动车向心加速度所需的力，即

$$F_N\sin\theta = m\frac{v^2}{r}$$

适合特定路面倾角θ的速率，叫做“设计速率”。

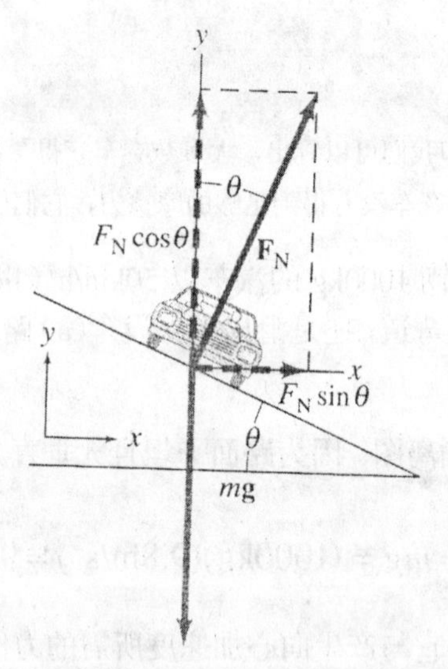

图 5-14 汽车在倾斜的弯道上受到的法向力，分解为水平和垂直分量。注意小心加速度是水平的（而不是平行于路面）。

例 5-8 倾角。 （a）一辆汽车以速率 v 沿半径 r 的弯道行驶，试求无需摩擦力的路面倾角的表达式。（b）对半径为 50m，设计速率为 50km/h 的高速公路来说，这个倾角是多少？

解： 取 x 和 y 轴分别为水平和垂直方向，所以水平的 a_R 沿 x 轴。F_N 的分量如图 5-14 所示。（a）对水平方向，$\Sigma F_R = ma_R$ 给出

$$F_N\sin\theta = m\frac{v^2}{r}$$

在垂直方向，又向上的力 $F_N\cos\theta$ 和汽车向下的重力（mg）。因为垂直方向没有运动，加速度的 y 分量为零，所以 $\Sigma F_y = ma_y$ 给出

$$F_N\cos\theta - mg = 0$$

因此

$$F_{\mathrm{N}}=\frac{mg}{\cos\theta}$$

[注意在这种情况下 $F_{\mathrm{N}}\geq mg$因为$\cos\theta\leq 1$]我们将这个关系代入水平运动方程

$$F_N\sin\theta=m\frac{v^2}{r}$$

得到

$$\frac{mg}{\cos\theta}\sin\theta=m\frac{v^2}{r}$$

或

$$mg\tan\theta=m\frac{v^2}{r}$$

所以

$$\tan\theta=\frac{v^2}{rg}$$

这就是倾角θ的表达式。

（b）对 r= 50m 和 v=50km/h（或 14m/s）

$$\tan\theta=\frac{(14\mathrm{m/s})^2}{(50\mathrm{m})(9.8\mathrm{m/s^2})}=0.40$$

因此

$$\theta=22^{\circ}$$

*5–4 变速圆周运动

当施加的合力指向圆心时，物体就会作匀速圆周运动。如果合力的方向不是指向圆心，而是有一个角度，如图 5-15a 所示，力有两个分量。指向圆心的分量 F_{R} 给出向心加速度 a_{R}，并保持物体作圆周运动。圆的切向力分量 $F_{\tan}$ 使物体的速率增加（或减小），因此给出了切向加速度分量 $a_{\tan}$。当物体的速率改变时，就是力的切向分量在起作用。

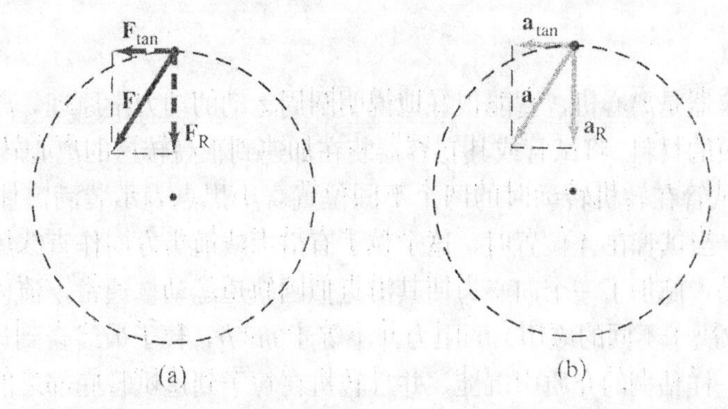

图 5-15 如果作用在做圆周运动的物体上的力具有切向分量，那么它的速率就会改变，（a）给出力 F 及其分量；（b）给出加速度矢量及其分量。

当你开始转动绳子一端的小球时，必须给它一个切向加速度。用手拉绳子并从圆心移动就可作到这一点。在田径运动中，链球选手用同样的方法切向加速链球，使其在扔出前达到很高的速率。

切向加速度分量 $a_{\tan}$ 等于物体速度量值的变化率：

$$a_{\tan} = \frac{\Delta v}{\Delta t}$$

径向（向心）加速度来源于速度方向的变化，由下式给出，

$$a_{\mathrm{R}} = \frac{v^2}{r}$$

如果速率增加，切向加速度总是沿圆的切线，与运动方向一致（平行于 $\mathbf{v}$），如图 5-15b。如果速率减小，$\mathbf{a}_{\tan}$ 与 $\mathbf{v}$ 反向。另外，$\mathbf{a}_{\tan}$ 与 $\mathbf{a}_{\mathrm{R}}$ 总是互相垂直；当物体沿圆轨道运行时，它们的方向总是在持续变化。加速度总矢量 $\mathbf{a}$ 是两个矢量的和：

$$\mathbf{a} = \mathbf{a}_{\tan} + \mathbf{a}_{\mathrm{R}}$$

因为 $\mathbf{a}_{\tan}$ 与 $\mathbf{a}_{\mathrm{R}}$ 总是互相垂直，在任意时刻 $\mathbf{a}$ 的量值为

$$a = \sqrt{a_{\tan}^2 + a_{\mathrm{R}}^2}$$

例 5-9 **加速度的两个分量**。一辆赛车从静止开始在 11s 内沿半径 500m 的圆轨道均匀加速到 35m/s。设切向加速度恒定，试求（a）切向加速度，（b）速率 30m/s 时的向心加速度。

解：（a）$a_{\tan}$ 是恒定的，其量值为

$$a_{\tan} = \frac{\Delta v}{\Delta t} = \frac{(35\mathrm{m/s} - 0\mathrm{m/s})}{11\mathrm{s}} = 3.2\mathrm{m/s^2}$$

（b）
$$a_{\mathrm{R}} = \frac{v^2}{r} = \frac{(30\mathrm{m/s})^2}{500\mathrm{m}} = 1.8\mathrm{m/s^2}$$

*5–5 离心力

一种有用的仪器是离心机，它能很好地说明圆周运动的动力学原理。离心机用来快速沉淀或分离不同性质的材料。将试管或其它容器装在加速到很高转速的离心转机上：如图 5-16，这里给出了一个试管在转机转动时的两个不同位置。小黑点表示装满流体的试管中的小粒子，或分子微粒。当试管在 A 位置时，这个粒子有沿虚线箭头方向作直线运动的趋势。但流体阻止粒子的运动，施加了一个向心力使其沿近似圆轨道运动。通常，流体（可能是溶液、气体、或凝胶，取决于不同的应用）的阻力并不等于 mv^2/r，粒子最终会到达试管的底部。如果粒子在像凝胶一样粘稠的介质中沉淀，并且转机在粒子到达试管底部之前停止，粒子就会按不同大小或影响其迁移的其它特性分开。在粒子到达试管底部后，试管底部给粒子施加力使其沿圆轨道运行。实际上，试管底部必须给整个流体施加力，使其沿圆轨道运行。如果试

管强度不足以承受这个力，它就会破裂。

放入离心机的是那些不能在引力作用下沉淀或快速分离的材料。离心机的目的就是提供一个比一般引力大得多的"有效引力"，在高速转动时使粒子能够很快运动到底部。

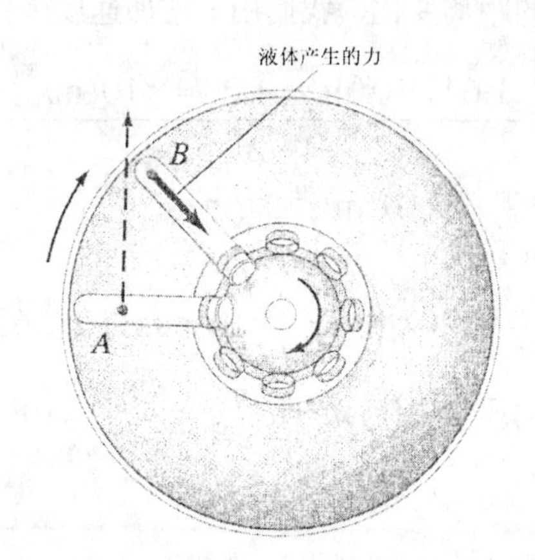

图 5-16 在离心机中旋转的试管（俯视图）。在位置 *A* 的沉淀物将沿虚线移向试管底部，但流体施加一个力阻止这个运动，如 *B* 点所示。

例 5-10 高速离心机。一台高速离心机的转速为 50000rpm（每分钟转数）。一个 4.00cm 长试管的顶部离转轴 6.00cm（图 5-16）。试管的底部离转轴 10.00cm。（a）试求试管顶部和底部的向心加速度，用 g's 表示。（b）如果试管装的材料总质量为 12.0g，其底部承受的力是多少？

解：我们可用 $a_R=v^2/r$ 计算向心加速度。（a）在试管的顶部，粒子转一周的距离为

$$2\pi r = 2(3.14)(0.0600\text{m}) = 0.377\text{m}/\text{转}$$

每分钟可转 5.00×10^4 圈，或除以 60s/min，得到 833 圈/s；所以转一圈的时间，即周期 T 为

$$T = 1/(833\text{圈}/\text{s}) = 1.20\times10^{-3}\text{s}/\text{圈}$$

粒子的速率

$$v = \frac{2\pi r}{T} = (\frac{0.377\text{m}/\text{圈}}{1.20\times10^{-3}\text{s}/\text{圈}}) = 3.14\times10^2\text{m/s}$$

向心加速度为

$$a_R = \frac{v^2}{r} = \frac{(3.14\times10^2\text{m/s})^2}{0.0600\text{m}} = 1.64\times10^6\text{m/s}^2$$

除以 g=9.80m/s^2,得到 1.67×10^5g's.

在试管底部（r=0.1000m），速率为

$$v = \frac{2\pi r}{T} = \frac{2\pi(0.1000\text{m})}{1.20\times10^{-3}\text{s}/\text{圈}} = 5.23\times10^2\text{m/s}$$

因此

$$a_R = v^2/r = (5.23\times10^2\,\text{m/s})^2/(0.1000\text{m}) = 2.74\times10^6\,\text{m/s}^2$$
$$= 2.79\times10^5\,g's$$

（b）因为加速度随对轴的距离变化，我们用平均加速度来估计力的大小

$$\bar{a} = \frac{(1.64\times10^6\,\text{m/s}^2 + 2.74\times10^6\,\text{m/s}^2)}{2}$$
$$= 2.19\times10^6\,\text{m/s}^2$$

因此

$$F = m\bar{a} = (0.0120\text{kg})(2.19\times10^6\,\text{m/s}^2) = 2.63\times10^4\,\text{N}$$

这个值等于 2680kg 重的质量[因为 $m = F/g = (2.63\times10^4\,\text{N})/9.80\text{m/s}^2 = 2.68\times10^3\,\text{kg}$]，或大约 3 吨！

5-6 牛顿万有引力定律

除了建立了运动三定律外，艾萨克·牛顿爵士还研究了行星和月球的运动。特别是，他弄清了作用在月球上以保持其绕地球作近似圆轨道运动的力的本质。

牛顿也思考了引力问题。他得出的结论是，由于下落的物体是加速的，它们必须受到力的作用，即引力的作用。我们知道只要物体受到力的作用，就必须有施力物体。但引力是由什么物体施加的呢？地球表面上的每个物体感受到引力的作用，不管物体在那里，引力总是指向地球中心，图 5-17。牛顿的结论是，很可能是地球本身对它表面的物体施加了引力。

按照早期的说法，牛顿坐在花园里看见一个苹果从树上落下。他马上受到启发：如果引力作用在树顶上，甚至山顶上，那么它同样作用于月球上！不管这个故事是否属实，它确实形象地描述了牛顿进行推理和受到启发的过程。根据这个设想，即维持月球在其轨道上的力是地球引力，牛顿发展了他的伟大的引力理论。[但在当时有争论。许多思想家接受了力的“作用距离”的观点。典型的力通过接触作用——你的手推小车和拉货车，球棒击打球，等等。但引力作用没有接触，牛顿说：尽管没有接触，甚至两个物体相距很远，仍然有力作用。地球对下落的苹果和月球都施加了力。]

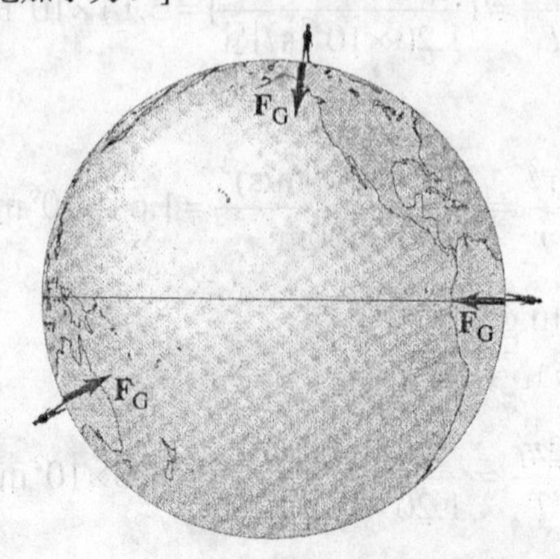

图 5-17 在地球上的任意地方，无论是在阿拉斯加、秘鲁还是澳大利亚，引力都指向地心。

通过与作用在地球表面物体上的引力的比较，牛顿确定了地球作用在月球上的引力的量值。在地球表面，引力以 9.80m/s^2 加速物体。但月球的向心加速度是多少？因为月球以近似作匀速圆周运动，加速度可由 $a_R = v^2/r$ 算出。我们已在例 5-2 中求得 $a_R = 0.00272\text{m/s}^2$。用地球表面引力加速度 g 表示，等于

$$a_R \approx \frac{1}{3600}g$$

也就是，月球相对地球的加速度约为地球表面物体加速度的 1/3600。月球离地球 384000km，这个距离大约是地球半径 6380km 的 60 倍。即月球到地球中心的距离是地球表面物体到地球中心距离的 60 倍。60×60 = 3600，这恰恰是上面的结果中出现的！牛顿由此得出结论，地球施加在任何物体上的引力与其离地心距离 r 的平方成反比：

$$\text{引力} \propto \frac{1}{r^2}$$

月球在 60 个地球半径远处受到的引力只是它在地球表面的 $\frac{1}{60^2} = \frac{1}{3600}$。任何放在离地球 384000 km 远的物体由于受到地球的引力将具有与月球一样的加速度 0.00272m/s^2。

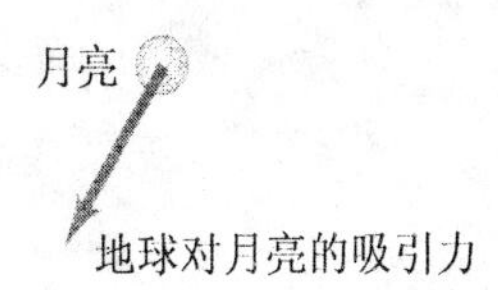

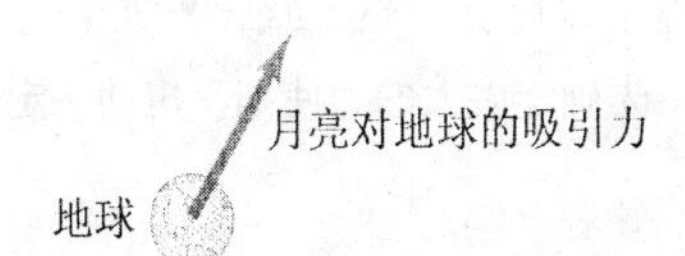

图 5-18　一个物体施加在另一个物体的引力指向第一个物体，并且与第二个物体作用在第一个物体上的力大小相等、方向相反。

牛顿认识到，作用在物体上的引力不仅依赖于距离，而且与物体的质量有关。实际上，正如我们看到的一样，它直接正比于物体的质量。按照牛顿第三定律，当地球对其它物体施加引力时(如月球)其它物体同样也对地球施加一个大小相等的反作用力（图 5-18)。因为这种对称性，牛顿推论出引力的量值一定正比于两者的质量。因此

$$F \propto \frac{m_E m_B}{r^2}$$

这里 m_E 是地球的质量，m_B 是其它物体的质量，r 是从地心到其它物体中心的距离。

牛顿对引力作了进一步的分析。在研究行星轨道时，他发现行星围绕太阳运动所需的力与它到太阳距离的平方成反比。这使他相信，是作用在太阳与每个行星间的引力维持了他们在轨道上的运行。并且如果引力能作用在这些物体之间，为什么不会作用在所有物体之间？因此，他提出了著名的**万有引力定律**，我们可作如下陈述：

宇宙中的每个粒子与其它粒子间的引力的大小与它们的质量的乘积成正比，与它们之间距离的平方成反比，并且这个力的方向在两个粒子间的连线上。

引力的大小可写为

$$F = G\frac{m_1 m_2}{r^2} \tag{5-4}$$

这里 m_1 和 m_2 是两个粒子的质量，r 是它们间的距离，G 是普适常数，它可由实验测定并对所有物体具有同样的数值。

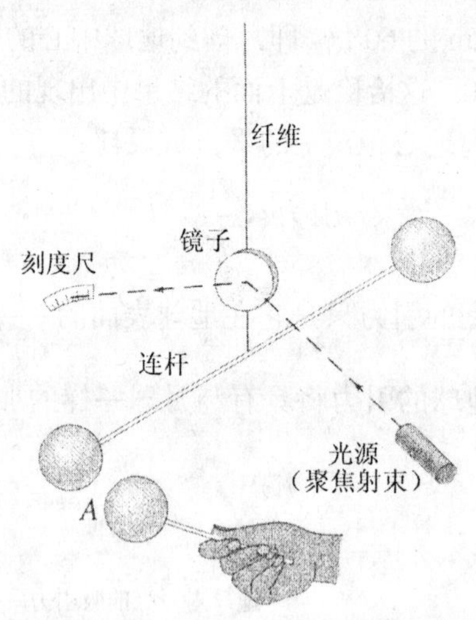

图 5-19 卡文迪许实验装置示意图。两个实心球连接在棒的两端，通过中心的细丝将其水平悬垂。当标为 A 的第三个球靠近其中一个球时，引力使这个球移动，这会使细丝轻轻扭动。这个微小的移动被细丝上的镜片所反射的光线放大，并从刻度盘上读出。先确定多大的力使细丝扭动一定的量，然后就可以测量两个物体间引力的大小。

G 的值一定非常小，因为我们不能感觉到任何两个普通大小物体间的吸引力，如两个棒球间的引力。在牛顿的定律发表 100 多年后，亨利·卡文迪许在 1798 年首次测量了两个普通大小物体间的引力。为了探测和测量这不可信的微小的力，他用了如图 5-19 所示的装置。卡文迪许坚信牛顿的两个物体互相吸引的假说，并且认为方程 5-4 准确地描述了这个力的大小。另外，由于他能够准确地测量 F、m_1、m_2 和 r，也就能确定常数 G 的值。今天普遍接受的值为

$$G = 6.67\times10^{-11}\,\mathrm{N\cdot m^2/kg^2}$$

[严格地讲，方程 5-4 给出了一个粒子作用在距离 r 处的第二个粒子上的引力值。对一个扩展的物体（即不是一个点），我们必须考虑如何测量距离 r。你也许认为 r 就是物体中心间的距离。通常这是正确的，甚至是不准确时的一种很好的近似，但如果要进行精确的计算，就必须将每个扩展的物体看作小粒子的集合。总的力是所有粒子上的力的和。对所有这些粒子求和常用牛顿自己发明的积分的方法。牛顿证明了对于两个均匀球体，方程 5-4 给出的力正是当它们中心的距离时为 R 时的大小。同样，当扩展体与它们间的距离相比很小时（如地球-太阳系统），将它们看作质点引起的误差是很小的。]

例 5-11 估算　你与另一个人之间的引力。一个 50kg 和一个 75kg 的人坐在长凳上，他们的中心相距 50cm 。估计他们之间引力的大小。

解：用方程 5-4

$$F=\frac{(6.67\times10^{-11}\mathrm{N}\cdot\mathrm{m}^2/\mathrm{kg}^2)(50\mathrm{kg})(75\mathrm{kg})}{(0.50\mathrm{m})^2}=1.0\times10^{-6}\mathrm{N}$$

除非用非常灵敏的仪器，一般是感觉不到的。

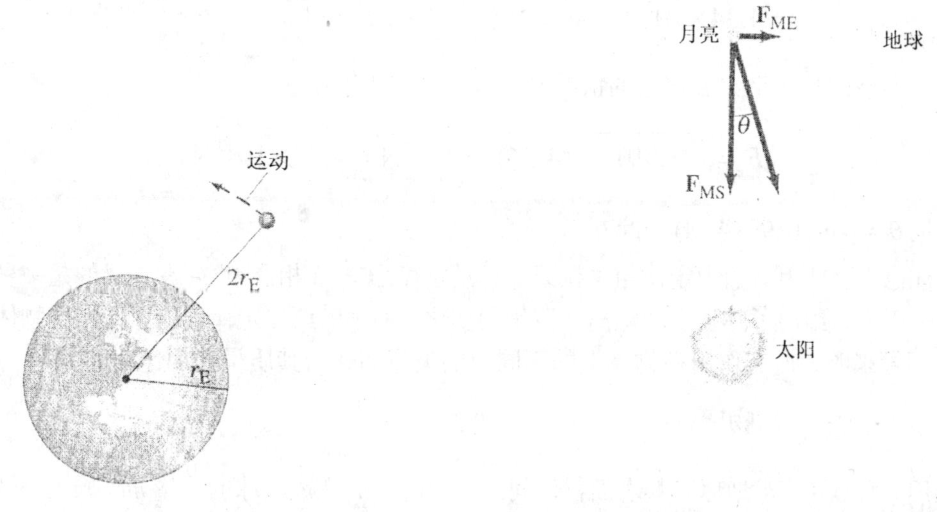

图 5-20　例 5-12

图 5-21　例 5-13 中太阳（S）、地球（E）和月亮的示意图（没按比例）

例 5-12　在 $2R_E$ 轨道上的卫星。　一个 2000kg 的卫星在两倍于地球半径的轨道上运行时（即从地球表面以上 r_E=6389km 处，图 5-20），它受到的地球的引力是多少？ 地球的质量为 $M_E=5.98\times10^{24}$kg。

解：我们可以将所有的值代入方程 5-4，但有一个简单的近似。已知卫星到地心的距离是地球半径的两倍。因此，由于引力随距离平方减小（$\frac{1}{2^2}=\frac{1}{4}$），所以作用于其上的引力只有地球表面重量的四分之一：

$$F_G=\frac{1}{4}mg=\frac{1}{4}(2000\mathrm{kg})(9.80\mathrm{m/s^2})=4900\mathrm{N}$$

例 5-13　作用在月球上的力。试求地球（$m_E=5.98\times10^{24}\mathrm{kg}$）和太阳（$m_S=1.99\times10^{30}\mathrm{kg}$）作用在月球（$m_M=7.35\times10^{22}\mathrm{kg}$）上的引力的合力，设它们互成直角 （图 5-12）。

解：我们必须将两个力进行矢量相加。首先分别求出它们的值。地球到月球距离为 $3.84\times10^5\mathrm{km}=3.84\times10^8\mathrm{m}$，所以 F_{ME}（地球作用在月球上的力）为

$$F_{\mathrm{ME}}=\frac{(6.67\times10^{-11}\mathrm{N\cdot m^2/kg^2})(7.35\times10^{22}\mathrm{kg})(5.98\times10^{24}\mathrm{kg})}{(3.84\times10^{8}\mathrm{m})^2}$$

$$=1.99\times10^{20}\mathrm{N}$$

太阳到月球距离为$1.50\times10^{8}\mathrm{km}$，所以$F_{\mathrm{MS}}$（太阳作用在月球上的力）为

$$F_{\mathrm{MS}}=\frac{(6.67\times10^{-11}\mathrm{N\cdot m^2/kg^2})(7.35\times10^{22}\mathrm{kg})(1.99\times10^{30}\mathrm{kg})}{(1.50\times10^{11}\mathrm{m})^2}$$

$$=4.34\times10^{20}\mathrm{N}$$

因为我们考虑的是两个力成直角的情况(图 5-21)，所以合力为

$$F=\sqrt{(1.99)^2+(4.34)^2}\times10^{20}\mathrm{N}=4.77\times10^{20}\mathrm{N}$$

作用方向$\theta=\tan^{-1}(1.99/4.34)=24.6^{\circ}$

请注意不要将万有引力定律与牛顿第二运动定律$\Sigma\mathbf{F}=m\mathbf{a}$相混淆。前者描述的是一种特殊的力——引力，给出了其强度随距离和质量的变化。而牛顿第二定律给出了作用在物体上的合力（不管来源，所有作用在物体上的不同力的矢量和）与其质量和加速度的关系。

5–7 近地引力；地球物理应用

当用方程 5-4 来求地球和其表面物体间的引力时，m_1变成地球的质量m_{E}，m_2变成物体的质量m，r变成物体到地心的距离，即地球的半径r_{E}。地球引力给出的这个力的大小就是物体的重量，我们通常写为mg，因此

$$mg=G\frac{mm_{\mathrm{E}}}{r_{\mathrm{E}}^2}$$

所以

$$g=G\frac{m_{\mathrm{E}}}{r_{\mathrm{E}}^2}\tag{5-5}$$

即地球表面的引力加速度g由m_{E}和r_{E}确定。（注意不要将G和g混淆；它们是根本不同的量，但由方程 5-5 联系起来。）

在G测出之前，我们不知道地球的质量。但只要测出G，可用方程 5-5 计算出地球的质量，第一个这样做的人是卡文迪许。因为$g=9.80\ \mathrm{m/s^2}$，地球的半径$r_{\mathrm{E}}=6.38\times10^{6}\mathrm{m}$,因此，由方程 5-5 可得地球的质量为

$$m_{\mathrm{E}}=\frac{gr_{\mathrm{E}}^2}{G}=\frac{(9.80\mathrm{m/s^2})(6.38\times10^{6}\mathrm{m})^2}{6.67\times10^{-11}\mathrm{N\cdot m^2/kg^2}}=5.98\times10^{24}\mathrm{kg}$$

在处理有关地球表面物体的重量问题时，我们可以简单地继续使用mg。如果要计算离地球有一段距离的物体的引力，或由其它重物体(如月球或一个行星)产生的引力时，我们可用实际距离（和质量）代替方程 5-4 中的r_{E}（和m_{E}）求出g的有效值，或直接用方程 5-4。

例 5-14 估算珠穆朗玛峰上的引力。 估算珠穆朗玛峰峰顶 g 的有效值，峰顶高出地球表面 8848m（29028ft）。即求从这个高度自由下落的物体引力加速度是多少？

解： 让我们计算给出该点的引力加速度。用方程 5-5，代入

$$r = 6380\text{km} + 8.8\text{km} = 6389\text{km} = 6.389\times10^6\,\text{m}$$

$$g' = G\frac{m_E}{r^2}\frac{(6.67\times10^{-11}\,\text{N}\cdot\text{m}^2/\text{kg}^2)(5.98\times10^{24}\,\text{kg})}{(6.389\times10^6\,\text{m})^2} = 9.77\text{m/s}^2$$

这个值减少了千分之三（0.3%）。注意我们忽略了峰顶下积累的质量，并用了 $1\text{N/kg}=1\text{m/s}^2$。

注意方程 5-5 不能给出不同地点 g 的精确值，因为地球不是一个完美的球体。地球不仅有高山、峡谷和赤道上的隆起，而且它的质量也不是均匀分布的（见表 2-1）。地球的旋转对 g 的值也有影响。

由于存在不规则地形和不同密度的岩石，地球表面的 g 值也随地域而变。g 的这种变化，叫做“引力异常”，是非常小的——约在 g 值的 10^6 或 10^7 分之一的量级。但它们能够被准确测量出来(现今的“重力仪”可测出 g 值的 10^9 分之一的变化)。地球物理学家利用这种测量得出的数据来研究地壳结构、进行矿藏和石油勘探。例如，沉积矿的密度比周围材料的密度稍大一些。由于在给定体积内具有较大的质量，这种沉积矿顶部的 g 值比它旁边的要稍大。“盐丘” 具有较低的平均密度，在它的底下常常能发现石油，通过探测特定区域 g 值的轻微减小可以确定石油的存在。

5-8 卫星与“失重”

围绕地球运动的人造卫星现在已很常见（图 5-22）。用火箭将卫星加速到足够大的切线速率后进入轨道，如图 5-23 所示。如果速率太大，航天器将不受地球引力的限制，从而逃离约束永不返回。如果速率太慢，它将返回地球。卫星通常放入圆轨道（或近似圆轨道），因为此时它们需要的逃逸速率最小。常常有人问：“卫星如何能停留在上面？”答案是：它具有很高的速率。如果卫星停止运动，当然它会直接落到地球上。但在极高的速率下，如果地球引力不能将卫星拉回轨道，它会很快飞向太空（图 5-24）。实际上，卫星是在“下落”（向地球加速），但它具有很高的切线速率才使其不会落到地球上。

图 5-22 围绕地球旋转的卫星

对作圆运动(至少是近似的)的卫星来说，加速度是 v^2/r。给出这个加速度的力是引力，由于卫星离地球有相当的距离，我们必须用方程 5-4 求它受到的作用力。

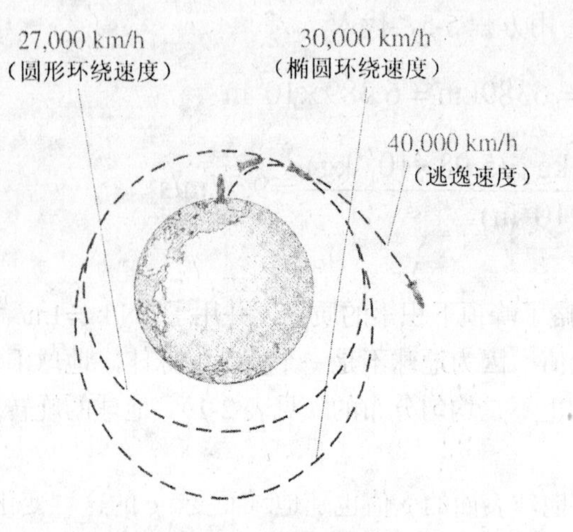

图 5-23 以不同的速度发射人造卫星

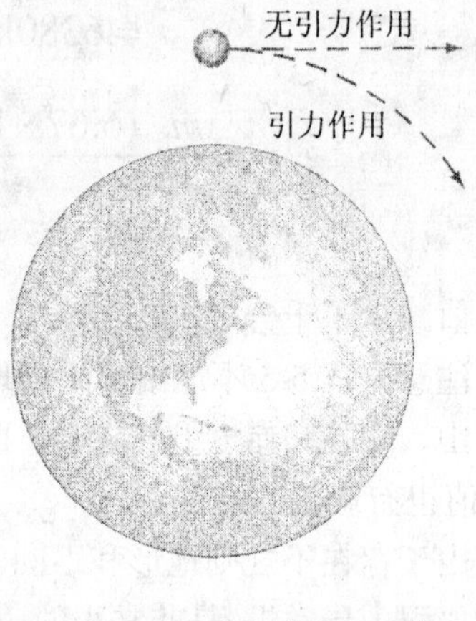

无引力作用

引力作用

图 5-24 运动的卫星脱离直线轨迹落向地球

当我们用牛顿第二定律，$\Sigma F_R = ma_R$，可得

$$G\frac{mm_E}{r^2} = m\frac{v^2}{r} \tag{5-6}$$

此处 m 是卫星的质量。这个方程将卫星到地心的距离 r 与其速率 v 联系起来。注意，作用在卫星上的力只有一个——引力，r 是地球半径 r_E 加上卫星离地的高度 h：$r = r_E + h$。

例 5-15 **同步卫星**。 同步卫星停留在地球赤道上空某一点。这样的卫星用来转播有线电视信号、天气预报和用作通讯中继站。试求（a）它的轨道离地球表面的高度，（b）它的速率。

解：（a）作用在卫星上的只有引力，所以我们可用方程 5-6，假定卫星沿圆轨道运行：

$$G\frac{m_{Sat}m_E}{r^2} = m_{Sat}\frac{v^2}{r}$$

这个方程看起来有两个未知数，r 和 v。但由于同步卫星与地球自转周期相同，24 小时转一周。因此卫星的速率一定是

$$v = \frac{2\pi r}{T}$$

这里 T=1 天=(24h)(3600s/h)=86400s。将这个结果代入上面第一个方程得到（两边消去 m_{Sat}）：

$$G\frac{m_E}{r^2} = \frac{(2\pi r)^2}{rT^2}$$

求出 r:

$$r^3=\frac{Gm_E T^2}{4\pi^2}$$
$$=\frac{(6.67\times10^{-11}\,\mathrm{N\cdot m^2/kg^2})(5.98\times10^{24}\,\mathrm{kg})(86400\mathrm{s})^2}{4\pi^2}$$
$$=7.54\times10^{22}\,\mathrm{m}^3$$

取立方根，$r=4.23\times10^7\,\mathrm{m}$，或离地心 42300km。减去地球半径 6380km 得到卫星轨道在地面以上 36000km（约 $6r_E$）。

（b）从方程 5-6 求出 v：

$$v=\sqrt{\frac{Gm_E}{r}}$$
$$=\sqrt{\frac{(6.67\times10^{-11}\,\mathrm{N\cdot m^2/kg^2})(5.98\times10^{24}\,\mathrm{kg})}{(4.23\times10^7\,\mathrm{m})}}$$
$$=3070\mathrm{m/s}$$

如果用 $v=2\pi r/T$，可得同样的结果。

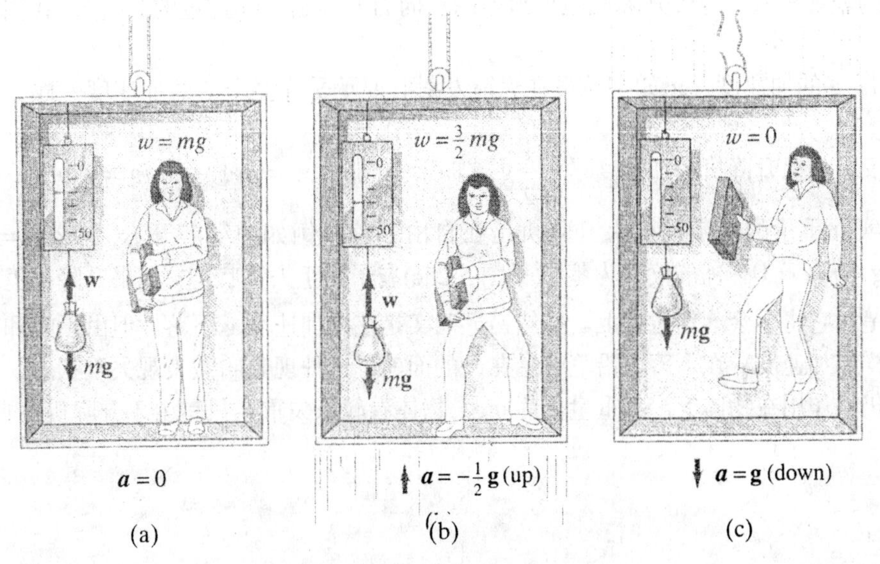

图 5-25 （a）在静止升降机中的物体施加在弹簧秤上的力等于其重量。（b）以 $\frac{1}{2}$g 加速向上的升降机中，物体的表观重量是其重量的 $1\frac{1}{2}$ 倍。（c）在自由下落的升降机中，物体经历失重状态。

在绕地球旋转的卫星上，人和其它物体都处在失重状态。在讨论卫星上的情况之前，让我们先来看看升降机中的情况。从图 5-25 中，我们可以看到静止的升降机中，有一袋东西挂在弹簧秤上。弹簧秤的读数就是袋子给它施加的向下的力。这个施加在弹簧秤上的力的大小等于弹簧秤施加给袋子的向上的力，但方向相反。我们将这个力称为 **w**。（同样，如果你站

在升降机中的秤上，秤施加给你的法向力就是它的读数。）因为质量 m 没有加速，对袋子用 $\sum F=ma$ 得到

$$w-mg=0$$

这里 mg 是袋子的重量。因此，$w=mg$，因为秤的读数表示袋子施加给它的力，它记录的就是我们预期的袋子的重量。现在，如果升降机有加速度 a，对袋子用 $\sum F=ma$，可得

$$w-mg=ma$$

求出 w，我们有

$$w=mg+ma$$

我们已选向上为正。因此，如果加速度 a 向上，a 就是正的；秤测出的 w 就会大于 mg。我们称 w 为袋子的表观重量，这里它大于其实际重量（mg）。如果升降机向下加速，a 就是负的，表观重量 w 将小于 mg。

例如，如果升降机向上的加速度为 $\frac{1}{2}g$，可得 $w=mg+m(\frac{1}{2}g)=\frac{3}{2}mg$ 。即秤的读数是实际重量的 $1\frac{1}{2}$ 倍（图 5-25b），也就是袋子的表观重量是其实际重量的 $1\frac{1}{2}$ 倍。对人也是一样：她的表观重量（等于升降机施加给她的法向力）是她实际重量的 $1\frac{1}{2}$ 倍。我们可以说她承受了 $1\frac{1}{2}g$ 的加速度，正如宇航员在火箭发射时要承受许多个 g 的加速度一样。

相反，如果升降机的加速度是 $-\frac{1}{2}g$（向下），那么 $w=mg-\frac{1}{2}mg=\frac{1}{2}mg$ 。即秤的读数只有实际重量的一半。如果升降机是在自由下落（例如缆绳断开），那么 $a=-g$ 并且 $w=mg-mg=0$。秤的读数为零！(见图 5-25c)袋子处于失重状态。如果升降机里的人松开一只铅笔，它将不会落到地板上。虽然铅笔确实是在以加速度 g 下落。但由于人和升降机的地板同样以加速度 g 在下落，铅笔将悬在人的面前。这种现象叫做表观失重状态，因为引力实际上仍然作用在物体上，其重量仍为 mg。物体看起来失重，只是由于升降机在自由下落。

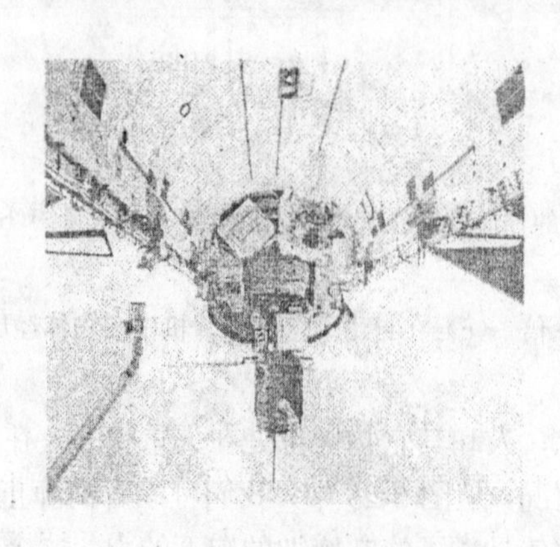

图 5-26 宇航员看起来不知道那端朝上。地球在右侧。（将照片掉过来看一下）

地球近轨道卫星上的人经历的“失重状态”（图 5-26)与在自由下落的升降机里的情形相似。这也许看起来有点奇怪，首先要将卫星想象成自由落体。但卫星确实在落向地球，如图 5-24 所示。引力使它“落”向其本来的直线轨道以外。卫星的加速度一定是引力引起的，因为作用在它上面的只有引力。(我们用这一点得到方程 5-6)因此，虽然引力作用在卫星里的物体上，但物体处在表观失重状态，它们与卫星都像自由落体一样在加速运动。

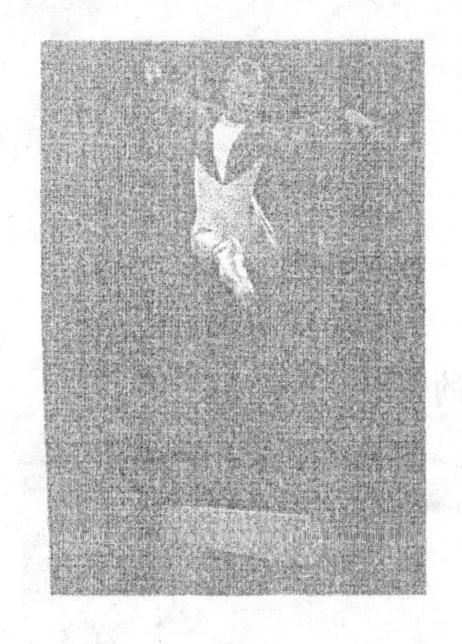

图 5-27　在地球上的失重过程

图 5-27 给出了一些地球上的人处在短暂的“自由落体”或表观失重状态的例子。

当宇宙飞船远离地球、月球和其它吸引物体的外层空间时，它处于一种完全不同的状态。由于距离很远，地球和其它重物体的引力相当小，这时宇宙飞船上的人将经历真正的失重状态。

人类的失重效应（真实和表观的没有差别）是很有趣的。例如，在通常情况下，人平举胳膊会很累。但在失重情况下，则毫不费力。胳膊因为感受不到重量，将“浮”在那里。这个效应在体育中有很多应用（图 5-27）。在跳高或跳水时，在蹦床上，甚至在跑步中的跨步时，人处在表观失重或自由落体状态，尽管只有很短的时间。在这段时间里，四肢可以更轻易地移动，因为它只需克服惯性作用。虽然因缺少与地面的接触而失去了控制，但会变得更灵活。然而，长时间处在失重状态，对健康是有害的。红血球的数量会减少，，血液将集中在胸部，骨头会因缺钙而变脆，肌肉将会失去弹性。这些效应还有待认真研究。

*5–9　开普勒定律和牛顿合成

在牛顿提出他的运动三定律和万有引力定律之前的半个多世纪后，德国的著名天文学家约翰内斯・开普勒(1571-1630)就已经写出了一系列的天文学著作，从中我们可以找到行星围绕太阳运动的详细描述。开普勒的工作部分是他总结了泰考・布拉赫(1546-1601)多年研究收集的行星在天空运动位置的数据。在开普勒的著作中有三项发现，我们今天称之为**开普勒行星运动定律**。总结如下，图 5-28 为示意图。

开普勒第一定律：每个行星绕太阳运动的轨迹是一个椭圆(图 5-28a)，太阳在其中的一个焦点上。

开普勒第二定律：每个行星运动时，从太阳到行星的连线在相等时间内扫过的面积相等。(图 5-28b)。

开普勒第三定律：任意两个行星围绕太阳运动的周期(绕太阳一周的时间)的平方之比，等于它们与太阳的平均距离的立方之比。即，如果 T_1 和 T_2 代表任意两个行星的运动周期，r_1 和 r_2 表示它们离太阳的平均距离，那么

$$\left(\frac{T_1}{T_2}\right)^2=\left(\frac{r_1}{r_2}\right)^3$$

也可写成如下形式

$$\frac{r_1^3}{T_1^2}=\frac{r_2^3}{T_2^2}$$

这意味着对每个行星来说 r^3/T^2 是相同的。（表 5-1 给出目前的数据；见表最后一行）

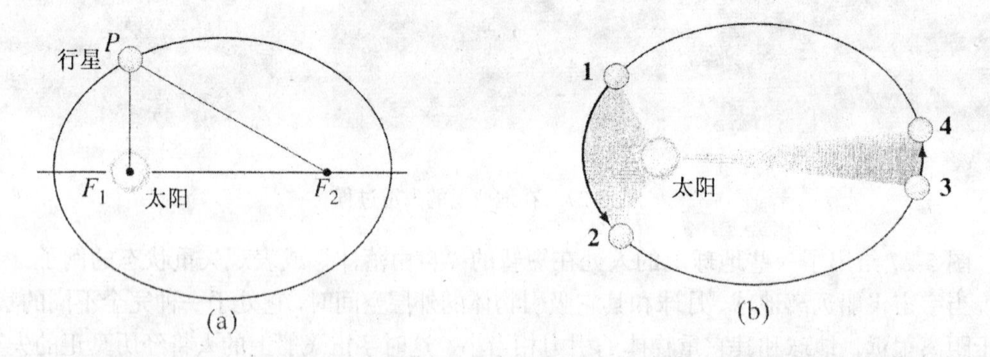

图 5-28 （a）开普勒第一定律。闭合椭圆上的任意点 P 到两个焦点（F_1 和 F_2）的距离和保持不变。即，对于曲线上的所有点，$F_1P + F_2P$ 的和是一样的。圆是一个特例，即两个焦点汇聚在圆心。（b）开普勒第二定律。两个阴影区域的面积相等。行星从点 1 到点 2 所用的时间与从点 3 到点 4 的一样。行星在最靠近太阳的区域运行速度最快。

牛顿曾经证明，开普勒定律可以从万有引力和运动定律的数学形式上推导出来。同时他也证明了，在引力定律的合理可能性之中，只有距离的反平方律完全符合开普勒的三个定律。因此，他把开普勒定律作为万有引力定律（方程 5-4）的证据。

作特殊的圆轨道情况处理，很容易推出开普勒第三定律。（许多行星的轨道相当接近圆，它是椭圆的特殊情况）首先，我们写出牛顿第二定律 $\Sigma F = ma$ 。对 ΣF 我们将万有引力定律方程 5-4 代入，对向心加速度 a 以 v^2/r 代入：

$$\Sigma F = ma$$

$$G\frac{m_1 M_S}{r_1^2}=m_1\frac{v_1^2}{r_1}$$

表 5-1　开普勒第三定律所用的行星数据

行星	到太阳的平均距离，r（10^6km）	周期 T 地球年	r^3/T^2（$10^{24}km^3/yr^2$）
水星	57.9	0.241	3.34
金星	108.2	0.615	3.35
地球	149.6	1.0	3.35
火星	227.9	1.88	3.35
木星	778.3	11.86	3.35
土星	1427	29.5	3.34
天王星	2870	84.0	3.35
海王星	4497	165	3.34
冥王星	5900	248	3.33

这里 m_1 是某一行星的质量。r_1 是它离太阳的平均距离，v_1 是它的平均轨道速率。方程 5-4 中的 M_2 用太阳的质量 M_S 代入，由于太阳的引力作用，才使每个行星保持在各自的轨道上。现在行星的周期 T_1 是绕轨道一周的时间，距离是圆的周长 $2\pi r_1$。因此

$$v_1 = \frac{2\pi r_1}{T_1}$$

我们将 v_1 的表达式代入上面的方程：

$$G\frac{m_1 M_S}{r_1^2} = m_1\frac{4\pi^2 r_1}{T_1^2}$$

整理后得到

$$\frac{T_1^2}{r_1^3} = \frac{4\pi^2}{GM_S} \tag{5-7a}$$

对行星 1(如火星)我们能得到这个结果。对第二个行星(如土星)进行同样的推导：

$$\frac{T_2^2}{r_2^3} = \frac{4\pi^2}{GM_S}$$

这里 T_2 和 r_2 分别是第二个行星的周期和轨道半径。由于上面两个方程的右边相等，我们有 $T_1^2/r_1^3 = T_2^2/r_2^3$，即

$$\left(\frac{T_1}{T_2}\right)^2 = \left(\frac{r_1}{r_2}\right)^3 \tag{5-7b}$$

这就是开普勒第三定律。

方程 5-7a 和 b 的推导(开普勒第三定律)，通常可用于其它体系。例如，我们可根据方程 5-7a 用月球对地球的周期和距离，求出地球的质量，或者根据木星的一个卫星的周期和距离，

求出木星的质量（这就是如何确定质量的方法；见习题）我们也可用方程 5-7a 和 b 对其它围绕引力中心的物体进行比较，例如月球与气象卫星围绕地球的运动。但要注意，不要用方程 5-7 对月球和火星的轨道进行比较，因为它们依赖于不同的引力中心。

在下面的例子中，我们假设轨道是圆的，尽管通常并非如此。

例 5-16 火星的位置？最初由开普勒记录的火星的周期（它的年）约为 684 天（地球日），即（687 天/365 天）= 1.88 年。用地球作参照，求出火星到太阳的距离。

解：地球的周期为 T_E=1 年，离太阳的距离为 $r_{ES}=1.50\times10^{11}$m。从开普勒第三定律（公式 5-7b）：

$$\frac{r_{MS}}{r_{ES}}=\left(\frac{T_M}{T_E}\right)^{2/3}=\left(\frac{1.88\text{yr}}{1\text{yr}}\right)^{2/3}=1.52$$

所以火星到太阳的距离是地球的 1.52 倍，或 2.28×10^{11}m。

例 5-17 确定太阳的质量。已知地球离太阳的距离为 $r_{ES}=1.5\times10^{11}$m，试求太阳的质量。

解：我们可用方程 5-7a，并求出 M_S：

$$\begin{aligned}M_S&=\frac{4\pi^2 r_{ES}}{GT_E^2}\\&=\frac{4\pi^2(1.5\times10^{11}\text{m})^3}{(6.67\times10^{-11}\text{N}\cdot\text{m}^2/\text{kg}^2)(3.16\times10^7\text{s})^2}\\&=2.0\times10^{30}\text{kg}\end{aligned}$$

这里我们用了已知量

$$T_E=1\text{yr}=(365\frac{1}{4}\text{d})(24\text{h}/\text{d})(3600\text{s/h})=3.16\times10^7\text{s}$$

例 5-18 估算 简单估算同步卫星的高度。地球同步卫星是停留在地球赤道上空某一点的卫星（如例 5-15 中提到的）。试估计同步气象卫星离地球表面的高度。（这是可以“午餐时间”在餐巾纸上计算的，用不着计算器，请与我们以前在例 5-15 中的结果作比较。）

解：要用开普勒第三定律，必须将卫星与其它绕地球运动的物体作比较。最简单的选择是月球，因为我们知道它的周期和距离。月球的周期约为 $T_M\approx27$天，它到地球的距离为 $r_{ME}\approx380000\text{km}$。气象卫星的周期必须为 T_{SAT}=1 天，这样它才能停留在地球上空同一地点。因此，

$$r_{Sat}=r_{ME}\left(\frac{T_{Sat}}{T_M}\right)^{2/3}=r_{ME}\left(\frac{1\text{天}}{27\text{天}}\right)^{2/3}=r_{ME}\left(\frac{1}{3}\right)^2=\frac{r_{ME}}{9}$$

（月球的近似周期恰好是整数的立方，太妙了！）同步卫星到地球的距离是月球到地球距离

的 1/9，即离地球中心 42000km，或在地球表面以上 36000km。大约为 6 个地球半径高。

对行星轨道的准确测量表明，它们并不精确地遵从开普勒定律。例如，已观察到它们与完整椭圆轨道有轻微偏离。牛顿认为这是由万有引力引起的（“宇宙中的每个物体与其它物体互相吸引…”），因为每个行星都对其它行星都有引力作用。由于太阳的质量远大于其它行星，任何其它行星作用在某一行星上的力与太阳的相比都很小。（对椭圆轨道的偏差是由于忽略了其它行星施加的力。）但正是由于这个微小的力，使每个行星的轨道都偏离完整的椭圆，特别是当第二颗行星离它相当近时。这种对完整椭圆的偏差，或被称为**扰动**，确实被观察到了。实际上，正是牛顿对土星轨道扰动的确认，启发他创立了万有引力定律，所有物体都互相吸引。后来，对其它扰动的观测导致海王星和冥王星的发现。例如，天王星轨道的偏离，不能解释为其它已知星体引起的扰动。在 19 世纪，仔细的计算表明，这些扰动可解释为来自太阳系外层的另一颗行星。从天王星轨道的偏离，预言了这个行星的位置，望远镜聚焦在天空的这个区域，很快就发现了它；一个叫做海王星的新行星。同样，在 1930 年，通过海王星轨道更微小的扰动，发现了冥王星。

最近，在 1996 年，从每个星体的规则“摆动”，推断出行星在围绕更远的星体旋转，因为它受到了这个星体的吸引。

牛顿万有引力和运动三定律的提出是一项思维的革命。根据这些定律，牛顿能够描述地球上和天空中物体的运动。认为天体和地球上物体的运动遵循同样的定律（以前普遍不这样认为，虽然伽里略和笛斯卡提斯对此有所疑问）。从这一点出发（同样由于牛顿将早期研究者的结果归纳到自己的体系中），我们有时将这种发展称为牛顿的“合成”。

牛顿的工作是极为宏大（其内容与范围）的，它建立了宇宙的理论，影响到哲学和其它领域。牛顿建立的定律属于**因果定律**一类。**因果定律**认为一件事情的发生能够导致另一件的出现。例如，我们多次看到，当一石块撞击窗户玻璃时，玻璃立即破裂了。我们的推断是，石块导致玻璃破裂。牛顿定律强烈体现了这种“因果”关系。任何物体的运动——或者说加速度，是由作用其上的合力产生的。结果是，许多科学家和哲学家将宇宙描绘成一部大机器，其部件都按预定的方式运行——即按照自然的规律。然而，在 20 世纪，宇宙确定论的观点被科学家进行了修正，我们将在 27 和 28 章看到这一点。

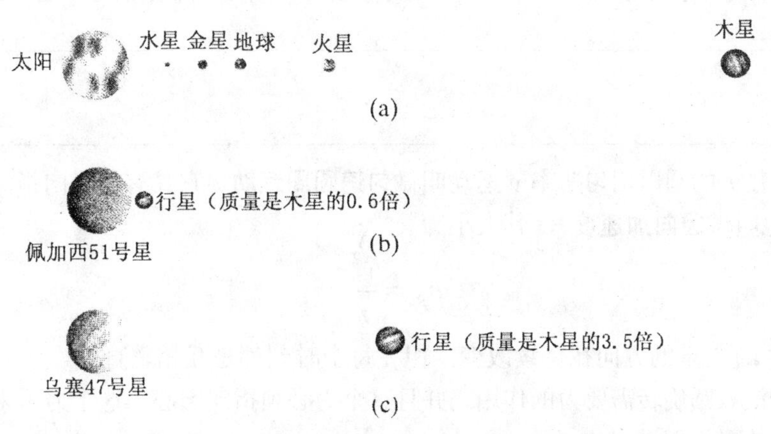

图 5-29 太阳系（a）与最近发现的星系轨道的比较，（b）佩加西 51 星，（c）乌塞 47 星。

5–10 自然界中的力

我们已经讨论了牛顿万有引力定律。方程 5-4 描述了一种特殊的力——引力，及其如何依赖于物体之间的距离和它们的质量。另一方面，牛顿第二定律 $F=ma$，给出了物体在任意力的作用下将如何加速。但除了引力，自然界还有哪些类型的力呢？

在 20 世纪，物理学家开始认识到自然界存在四种最基本力：（1）引力；（2）电磁力；（3）强核力；（4）弱核力。在本章，我们详细讨论了引力。电磁力的本质将在第 16 至 22 章详细讨论。强弱核力将在第 30 至 32 章从原子核水平进行讨论，虽然它们以辐射和核能方式证明了自己的存在，但在日常生活中很难观察到。

物理学家正在试图从理论上统一这四种力——即将一些或所有这些力看作同一基本力的不同表现形式。到目前，电磁力和弱核力已从理论上统一成一种电弱理论，在这个理论中，电磁力和弱核力可看作一种电弱力的两种不同表现形式。对力的更进一步的统一，是目前研究的热点，如大统一理论（GUT）。

但日常生活中的力如何列入这个范畴呢？除了引力，常见的力如推力、拉力和其它接触力像压力和摩擦力等，现在都归于原子程度的电磁作用力。例如，手指施加给铅笔的力来源于手指与铅笔原子的外层电子间电排斥力。

解题步骤：匀速圆周运动和引力

1. 画出隔离图，标出所有作用在所研究物体上的力。如果所研究物体多于一个，分别画出隔离图。注意区分每个力的来源（绳子的张力，地球引力，摩擦力，压力，等等），不要凭空添加不存在的力。

2. 确定哪些力，或它们的分量，给出了向心（径向）加速度——即哪些的力或分量作用在径向，指向或离开圆轨道中心。这些力（或分量）的合力给出了向心加速度，$a_R=v^2/r$。

3. 选择坐标系，确定正负方向，对径向用牛顿第二定律：

$$\Sigma F_R = ma_R = m\frac{v^2}{r}$$

4. 用牛顿万有引力定律解有关引力问题（如果物体接近地球表面，可以直接用 mg）；注意 r 要用正确的值。对于大的物体，如地球或月球，r 是从球体中心算起，而不是从球体表面算起。

小结

物体沿半径 r 的圆以均匀速率 v 运动叫做**匀速圆周运动**。它具有沿径向指向圆心的**向心加速度** a_R（也叫做**径向加速度**），其大小为

$$a_R = \frac{v^2}{r}$$

速度和加速度 $\mathbf{a}_R$ 矢量的方向在持续改变，但在每个时刻都是互相垂直的。

维持粒子沿着圆旋转需要力的作用，并且这个力必须指向圆心。这个力可来自引力、绳子的张力、压力的分量或其它的力。

牛顿万有引力定律指出宇宙中的粒子互相吸引，这个力正比于它们的质量的乘积，反比于它们之间距离的平方：

$$F = G\frac{m_1 m_2}{r^2}$$

这个力的方向沿着两个粒子的连线。正是这种引力使月球围绕地球旋转，行星围绕太阳旋转。

卫星围绕地球旋转也是由于引力的作用，但能够“留在天空”是由于它们具有很高的切向速率。

问答题

1. 据说水从甩干机中的衣服上脱去是由于离心力的作用。对吗？

2. 当汽车以 60km/h 的速率沿一急弯道和一缓弯道行驶时，它的加速度一样吗？请说明。

3. 汽车匀速沿山路行驶。在下面哪些地方它对路面施加最大或最小的力？（a）坡道顶部，（b）两坡间底部，（c）靠近坡底的平坦路面。

4. 请指出作用在骑旋转木马的孩子身上的所有的力。哪个力给出孩子的向心加速度？

5. 当垂直旋转一桶水，在圆顶部桶底朝上时，水也不会流出。请解释其原因。

6. 苹果也对地球施加引力吗？如果是，这个力有多大？考虑苹果（a）在树上，（b）下落时。

7. 如果地球质量是现在的两倍，月球的轨道有什么不同？

8. 怎样测量矿床附近 g 值的变化，才能估计出矿的储量？

9. 当你在运行的升降机中测量体重时，什么时候你的表观重量最大？升降机：（a）加速向下，（b）加速向上，（c）自由下落，（d）匀速向上。哪种情况你的重量最小？什么时候与在地面上一样？

10. 地球不是绝对的球体，而是在赤道附近向外隆起。为什么？

11. 以圆轨道围绕地球运行的卫星上的天线从星体脱离。请描述它随后的运动。如果它将落地，它会落在哪里？如果不，怎样才能使它返回地面？

12. 宇航员在外层空间长期处于失重状态是不利的。模拟引力的一种方法是将航天器作成旋转的圆柱壳，宇航员可在内表面行走（图 5-30）。请解释它如何模拟引力。考虑（a）物体如何下落，（b）脚部感受到的力，（c）你能想到的引力的其它任何方面。

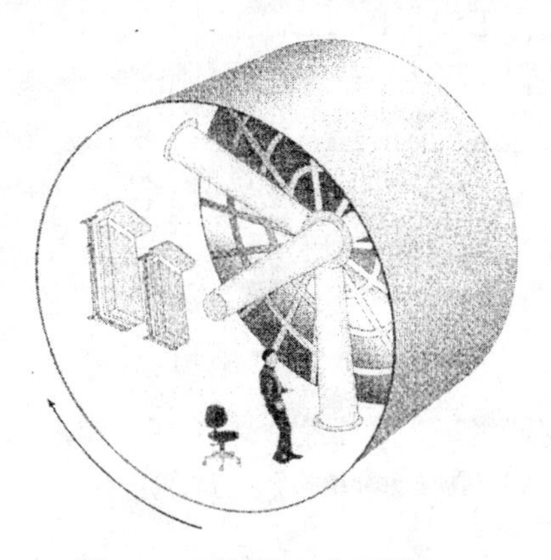

图 5-30　问题 12 和习题 41

13. 哪个吸引得更强：是地球对月球，还是月球对地球？哪个加速度更大？

14. 你的汽车有几个“加速挡”？一般汽车用来加速的至少有三挡。它们是什么？它们是如何运作的？

15. 小孩乘雪橇飞速越过一个小坡顶部，如图 5-31 所示。他的雪橇没有离开地面（他没有到达空中），但他感觉到胸部与雪橇之间的法向力在他越过坡顶时减小了。试用牛顿第二定律解释这种现象。

图 5-31 问题 15

16. 人们有时会问，“什么使卫星保持在围绕地球的空间轨道上？”。你如何回答？

17. 请解释跑步者在两步之间如何处在“自由落体”或“表观失重”状态。

18. 地球在绕太阳的轨道上冬天比夏天要运行得快。它在冬天还是夏天更靠近太阳？这个效应影响季节吗？请解释。[提示：这不是解释季节的主要因素，地球轴相对于其轨道平面的倾斜才是季节的来源。]

习题

5-1 节至 5-3 节

1.（Ⅰ）喷气式飞机以 1800km/h（500m/s）速率俯冲拉起时，其运行轨道是一个半径 6.00km 的圆弧。飞机的加速度是多少个 g？

2.（Ⅰ）坐在以 1.35m/s 速率行进的旋转木马上的小孩离旋转中心 1.20m。试求（a）小孩的向心加速度，（b）施加在小孩（质量=25.0kg）身上的水平合力。

3.（Ⅰ）试求地球绕太阳旋转的向心加速度和施加在地球上的合力。是谁给地球施加这个力？设地球的轨道是半径为 1.50×10^{11}m 的圆。

4.（Ⅰ）当 2.0kg 的铁饼沿半径 1.00m 的圆（胳膊的长度）匀速水平旋转时，其上施加了 280N 的水平力。试求铁饼的速率。

5.（Ⅱ）一冰球（质量 M）在无摩擦的气垫桌上转动，一细绳通过圆心的小孔将其与一悬挂的物体（质量 m）连接，如图 5-32 所示。试证明冰球的速率由下式给出

$$v=\sqrt{\frac{mgR}{M}}$$

6.（Ⅱ）一个 0.40kg 的球水平连在细绳一端，在无摩擦水平面上，沿半径 1.3m 的圆转动。如果绳子上的张力超过 60N 时，它将断开。球的最大速率是多少？如果有摩擦，对答案有什么影响？

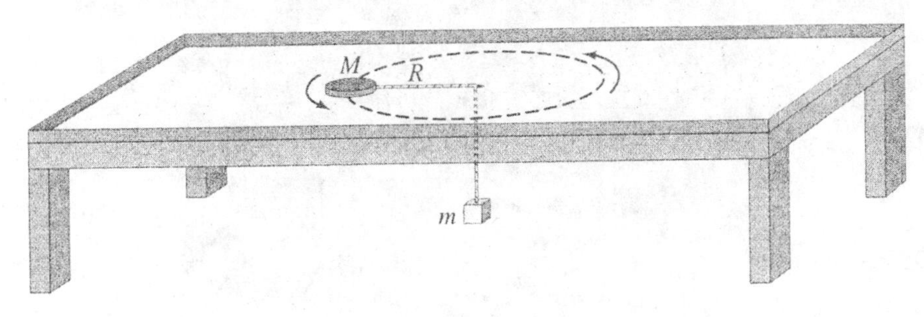

图 5-32 习题 5

7.（Ⅱ）一辆 1050kg 的汽车在平坦的路面上可转过半径 70m 的弯道，如果轮胎与路面的摩擦系数为 0.80，它的最大速率是多少？结果是否依赖于汽车的质量？

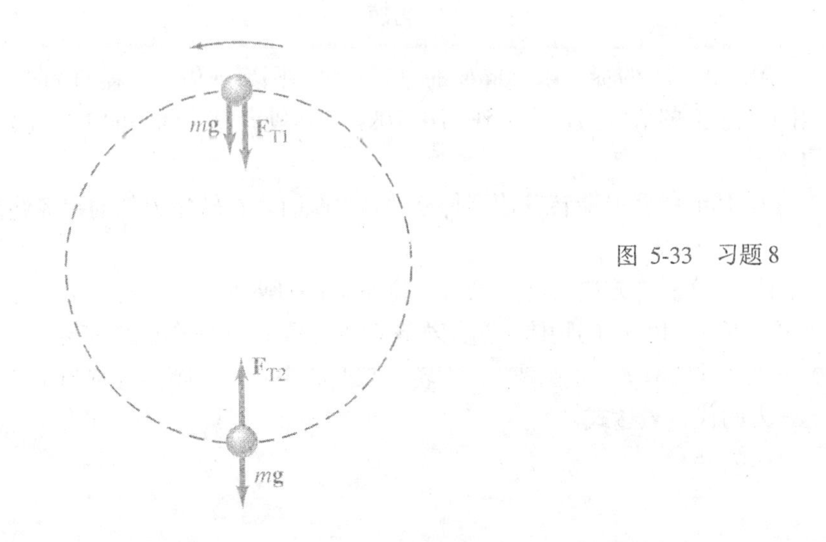

图 5-33 习题 8

8.（Ⅱ）一球连在绳子的一端沿半径为 85.0cm 的竖直圆周匀速转动，如图 5-33 所示。如果其速率为 4.15m/s，质量为 0.300kg，当球在（a）圆顶部时，（b）圆底部时，试求绳子上的张力。

9.（Ⅱ）汽车在平坦的路面上以 95km/h 的速率，转过半径 85m 的弯道，轮胎与路面间的摩擦系数是多少？

10.（Ⅱ）将一种训练宇航员和喷气式战斗机飞行员的器械设计成让训练者沿半径 10.0m 的圆水平转动。如果训练者感受到的力是她体重的 7.75 倍，她转速是多少？答案分别用 m/s 和转/秒表示。

11.（Ⅱ）一硬币放在转速可调的转盘上，离转轴 11.0m。当转盘的速率逐渐增加时，硬币固定在转盘上，直到转速达到 36rpm（每分钟转数）时，硬币从转盘上滑出。硬币与转盘间的静摩擦系数是多少？

12.（Ⅱ）要使过山车在圆轨道顶部时（图 5-34）不会掉下，它必须具有的最小速率是多少？设轨道的半径为 8.6m。

图 5-34 习题 12

13.（Ⅱ）一辆 1000kg 的赛车以 20m/s 的速率驶过一圆型山包（半径=100m）的顶部。试求（a）作用在汽车上的法向力，（b）作用在 70kg 的驾驶者身上的法向力，（c）法向力为零时，汽车的速率。

14.（Ⅱ）直径 15m 的费里斯转轮达到每分钟多少圈时，在转轮顶部的乘客处在“失重”状态？

15.（Ⅱ）用量纲分析的方法（见附录 B）验证向心加速度公式，$a_R=v^2/r$。

16.（Ⅱ）两质量 m_1 和 m_2 的物体通过细绳连在中心点上，如图 5-23 所示，并围绕中心点在无摩擦水平面上以频率 f（每秒圈数）旋转，它们离中心点的距离分别为 r_1 和 r_2。试推出每段绳子上张力的代数表达式。

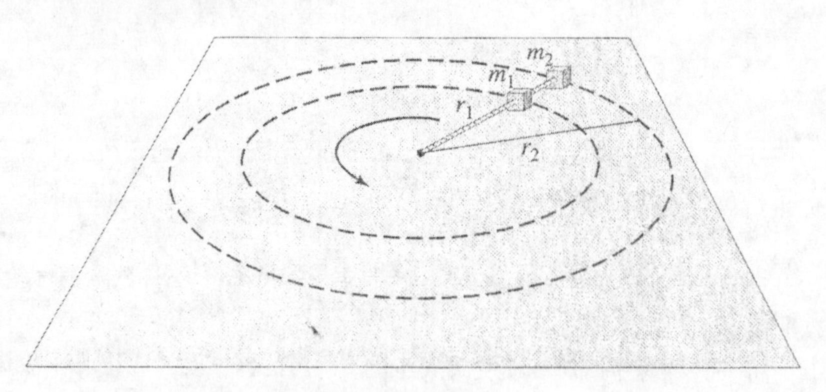

图 5-35 习题 16

17.（Ⅱ）一辆 1200kg 的汽车沿半径 70m、倾角 12° 的弯道行驶。如果汽车的速率为 90km/h，是否需要摩擦力？如果需要，量值和方向如何？

18.（Ⅱ）在狂欢节期间，有一种“骑转轮”活动，人们只要付费就可沿圆柱型垂直墙壁转几圈。（见图 5-36）如果圆柱半径为 5 .0m，转动频率为每秒 0.50 圈。要使人不会掉下来，最小静摩擦系数是多少？人们在描述“骑转轮”的经历时，说他们感到“被压在墙上”。这种说法对吗？是否真的有向外的力把他们压在墙上？如果是，它的来源是什么？如果不是，怎样正确解释他们的感受？[提示：首先画出人的隔离图。]

图 5-36 习题 18

19.（III）在不忽略球重量的情况下，重做例 5-3。特别是，求出 $\mathbf{F}_T$ 的量值以及与水平面的夹角。[提示：取 $\mathbf{F}_T$ 的水平分量等于 ma_R，同样，由于没有垂直方向的运动，你如何考虑 $\mathbf{F}_T$ 的垂直分量？]

20.（III）如果半径 80m 弯道的倾角正好能行驶速率为 70km/h 的汽车，要使 90km/h 行驶的汽车不致滑出弯道的静摩擦系数是多少？

21.（III）飞行员驾驶飞机以 310m/s 速率俯冲下来，想表演一个躲避动作。如果他能承受 9.0 个 g 的加速度而不晕过去，在多高处他必须拉起飞机以免掉进海里。

5-4 节

22.（I）在例 5-9 中，当汽车的速率为 30m/s 时，试求作用在（由地面）车上的合力的切向和径向分量。车的质量为 1000kg。

23.（II）在印地安那波里斯-500 型赛车中，一辆赛车沿半径 200m 的倾斜半圆弧车道中从静止加速到 320km/h。试求车在弧中间时的切向和径向加速度，设切向为匀加速过程。如果弯道是平坦的，要保持这样的加速度而不会滑出车道，轮胎与路面间的静摩擦系数必须达到多大？

24.（III）一粒子沿半径 2.70m 的水平圆旋转。在某一时刻，它的加速度量值为 1.05m/s^2，方向与它的运动方向成 32.0° 夹角。试求它的速率（a）在这个时刻，（b）2.00s 以后，设切线方向为匀加速。

5-6 和 5-7 节

25.（I）试求作用在地面以上 12800km（2 个地球半径）高空的航天器上的引力。设它的质量为 1400kg。

26.（I）试求月球上的引力加速度。月球的半径为 1.74×10^6m，质量为 7.35×10^{22}kg。

27.（I）假设一行星的半径是地球的 2.5 倍，但质量相等。它表面的引力加速度是多大？

28.（I）假设一行星的质量是地球的 2.5 倍，但半径相等。它表面的引力加速度 g 为多少？

29.（I）在一特定行星的表面，引力加速度 g 为 12.0m/s^2。一个质量为 2.10kg 的黄铜球被带到这个星球上。试问（a）黄铜球在地球和行星上的质量，（b）黄铜球在地球和行星上的重量。

30.（II）你对朋友解释为什么在航天飞机上的宇航员有失重的感觉，他们认为那是由于天空轨道上的引力非常弱。为了证明并非如此，请计算地球表面以上 300km 处的引力。

31.（II）湮灭任何外来物体的一类超重星体叫中子星，它几乎将太阳质量五倍的物质压缩在半径 10km 的球体中！请估计这类怪物表面的引力。

32.（Ⅱ）离地球中心多远处的引力加速度是其表面的 1/10？

33.（Ⅱ）典型的白矮星，在早期几乎和太阳一样大，但现在进入演变的最后时期，其体积和月球相似但具有太阳的质量。试问其表面的引力如何？

34.（Ⅱ）请计算在地球表面以上（a）3200m，（b）3200km 处的引力加速度 g 的有效值。

35.（Ⅱ）四个 7.5kg 的球体放在边长 0.60m 正方形的四角。试求其它三个球体作用在一个球体上的引力的量值和方向。

图 5-37 习题 36（没有按比例）

36.（Ⅱ）每过几百年，太阳系的大多数行星都会集中在太阳同一侧的连线上。试求金星、木星和土星作用在地球上的合力，设四个行星在一条直线上，如图 5-37。它们的质量分别为 $M_{金}=0.815M_{地}$，$M_{木}=318M_{地}$，$M_{土}=95.1M_{地}$；离太阳的平均半径依次为 108、150、778 和 1430 百万公里。

37.（Ⅱ）已知火星表面的引力加速度是地球上的 0.38 倍，火星的半径是 3400kg，试求火星的质量。

38.（Ⅲ）用已知的地球周期和其到太阳的距离，试求太阳的质量。[注意：将你的结果与例 5-17 用开普勒定律得到的结果进行比较。]

5-8 节

39.（Ⅰ）试求地球以上 3600km 处，以固定圆轨道运行的卫星的速度。

40.（Ⅱ）一个 17.0kg 的猴子用细绳挂在升降机的顶板上。细绳能够承受的张力为 220N，并在升降机加速时断开。试求升降机的最小加速度（量值和方向）。

41.（Ⅱ）如果让图 5-30 的（习题 12）圆柱飞船中的人处在引力加速度为 $\frac{1}{2}g$ 的状态，飞船的转速是多少？设飞船的直径为 32m，答案请用转一周所用的时间表示。

42.（Ⅱ）试求在“近地轨道”上的卫星绕地球一周的时间。“近地轨道”的定义就是它离地面的高度与地球半径相比很小，所以你可以将引力加速度看成和地面的一样。你的结果是否与卫星的质量有关？

43.（Ⅱ）在阿波罗登月行动中，指挥舱一直在月球 100km 高的轨道上运行。它绕月球转一周需多长时间？

44.（Ⅱ）一个质量 58kg 的妇女在升降机中的弹簧秤上的读数是多少？若升降机（a）以 6.0m/s 匀速向上，（b）以 6.0m/s 匀速向下，（c）以 0.33g 加速向上，（d）以 0.33g 加速向下，（e）自由下落。

45.（Ⅱ）土星的环是由围绕着它的冰块组成的。环的内径为 73000km，外径为 170000 km。试求冰块在内径和外径轨道上的周期，并与土星 10 小时 39 分的平均自转周期做比较。土星的质量为 5.69×10^{26}kg。

46.（Ⅱ）一个直径 24.0m 的费里斯转轮，转一周的时间为 12.5s（见图 5-10）。试求人在

（a）顶部、（b）底部时的表观重量，并与她静止时的重量做比较。

47.（Ⅱ）试求 70kg 的宇航员在离月球中心 4200km 的宇宙飞船上的表观重量，飞船（a）匀速运行，（b）以 $2.9\mathrm{m/s^2}$ 向月球加速。指出每种情况下的“方向”。

48.（Ⅱ）给出从观察行星的一个卫星的轨道确定此行星质量的通用方法。

49.（Ⅱ）设一个双星系统由两个质量相等的星体组成。观察到它们相距 360 百万公里，并围绕它们的中心点以 5.0 个地球年转动。它们的质量各是多少？

50.（Ⅲ）（a）证明，如果行星近地轨道卫星的周期为 T，则其密度（质量/体积）为 $\rho = 3\pi / GT^2$。（b）估算地球的密度，已知近地轨道卫星的周期约为 90 分钟。

5-9 节

*51.（Ⅰ）用开普勒定律和月球的周期（27.4 天）确定地球近地轨道卫星的周期。

*52.（Ⅰ）伊卡洛斯星像其它行星一样围绕太阳运行的轨道只有几百米行程。它的周期约 410 天。它离太阳的平均距离是多少？

*53.（Ⅰ）海王星离太阳的平均距离为 4.5×10^9km。已知地球离太阳的平均距离为 1.50×10^8km，试求海王星年的长度。

*54.（Ⅱ）从已知月球的周期和到地球的距离，确定地球的质量。

*55.（Ⅱ）哈雷彗星绕太阳一周约 76 年。它的近日点离太阳表面非常近（图 5-38）。它的远日点有多远？它还在太阳系吗？当它在远日点时，离哪个行星的轨道最近？[提示：开普勒定律中的“平均距离”为近日点与远日点距离和的 1/2。]

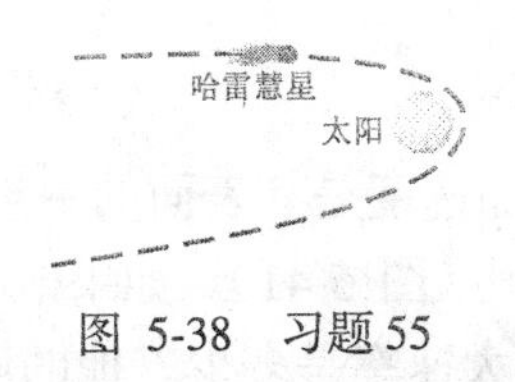

图 5-38 习题 55

*56.（Ⅱ）太阳绕着银河系中心转动（图 5-39），它离中心的距离约 30000 光年（1 光年 $=9.5\times10^{15}$m）。如果它转一周需 200 百万年，试估计银河系的质量。设银河系质量集中分布在中心的均匀球体中。如果所有星体具有太阳的质量（2×10^{30}kg），在银河系中有多少这样的星体？

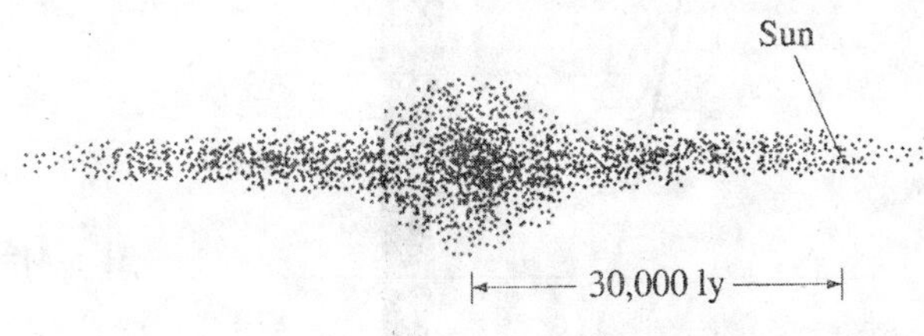

图 5-39 我们所在的银河系的轮廓，习题 63

*57.（Ⅱ）表 5-2 中给出木星四个最大卫星（由伽里略在 1609 年发现）的平均距离、周期和质量。（a）用木卫一号的数据，试求木星的质量。（b）用其它三个卫星的数据求出木星的质量。结果一致吗？

*58.（Ⅱ）用表 5-2 中给出的木卫一号的距离和周期，试求从木星到每个卫星的平均距离。并与表中的数据做比较。

*59.（Ⅱ）火星和木星之间的小行星带由许多裂片（一些天文学家认为它们来自于已经毁灭的曾经围绕太阳的行星）组成。（a）如果小行星带的质心离太阳的距离是地球到太阳距离的3倍，这个假想行星绕太阳一周需多长时间？（b）我们能用这些数据推出这个行星的质量吗？

*60.（Ⅲ）（a）用开普勒第二定律，证明行星近日点和远日点的速率之比等于近日点与远日点距离之反比：$v_N/v_F=d_F/d_N$。（b）已知地球离太阳距离从1.47×10^{11}m变到1.52×10^{11}m，试求地球在绕太阳轨道上的最大和最小速度。

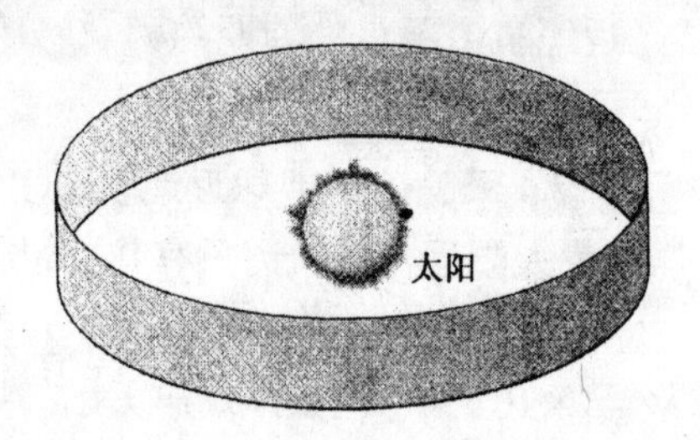

图 5-40 习题61

*61.（Ⅲ）一本科幻小说中描写了一个人造“行星”，它是一个完全包围太阳的带状物体，行星上的居民住在其内表面（图5-40）（那里永远是中午）。设想这一切就在我们太阳系里，带子的距离与地球到太阳的一样（为了得到合适的温度），带子旋转得足够快以产生与地球一样的引力加速度g。它旋转的周期——即这个行星的年，是多少？用地球日表示

综合题

62. 离地球表面多高处的引力加速度是其表面的一半？

63. 泰山想吊在树藤上荡过山涧（图5-41）。如果他的胳膊对树藤能施加1400N的力，在荡过最低点时，他所能具有的最大速率是多少？他的质量为80kg，树藤长4.8m。

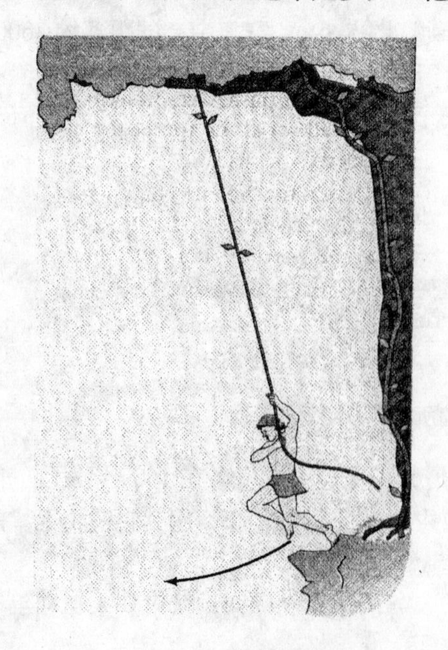

图 5-41 习题63

64. 能沿竖直圆快速旋转一桶水，而水不会流出吗？如果能，最小速率是多少？

65. 两个质量相等的溜冰者互相拉着手围绕他们的中心每三秒转一圈。如果他们的臂长都为 0.80m，质量都为 60.0kg，他们相互的拉力为多大？

66. 由于地球每天转一周，在赤道上的有效引力加速度比地球不转情况下的要稍小一些。试估计这个效应的量值。与 g 的比值是多少？

67. 宇宙飞船从地球飞向月球，在离地球多远时，由于地球和月球的引力相当且方向相反，将使宇宙飞船处在合力为零的状态？

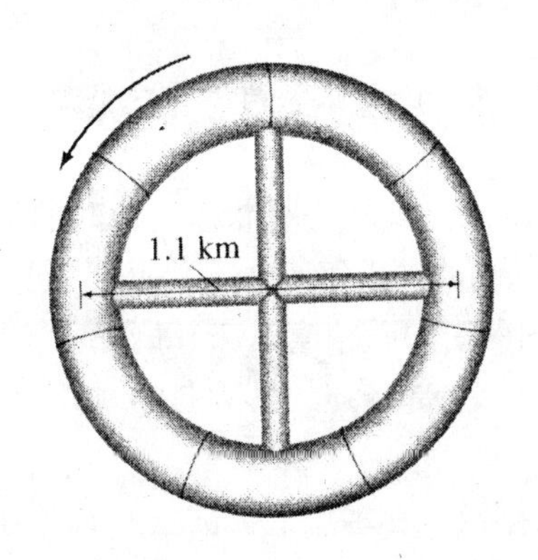

图 5-42　习题 68

68. 一种空间站设计成绕其中心转动的圆管（象自行车轮胎）（图 5-42）。圆管的直径约为 1.1km。（a）管内的哪个壁，人能够行走？（b）如果要与地面感受到的引力（1.0g）相当，园管的转速（每天的圈数）多大？

69. 你知道你的质量为 60kg，但当你在升降机里称体重时，读出你的体重为 80kg。升降机的加速度多大，沿哪个方向？

70. 一飞行员驾驶他的喷气式飞机竖直飞行了一圈（图 5-43）。（a）如果飞机在圆的最低点的速率为 1500km/h，试求不使此处向心加速度超过 6.0 个 g 的最小半径。（b）试求在圆的最低点，和（c）在圆的最高点（设同样的速率），80kg 飞行员的有效重量（座椅推他的力）。

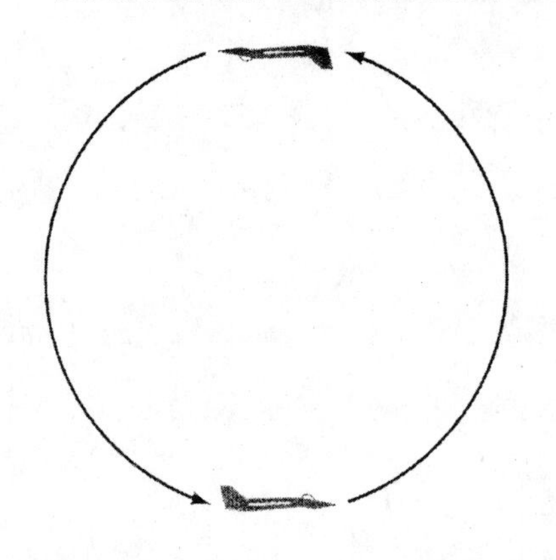

图 5-43　习题 70

71. 试用行星的半径 r、表面引力加速度 g_P 和引力常数 G，推出其质量表达式。

72. 由于附近有一座大山，铅垂与表面垂直方向形成一夹角 θ（图 5-44）。（a）试用山的质量 M_M、到山中心的距离 D_M、地球的半径和质量，求出 θ 的近似表达式。（b）设珠穆朗玛峰在其底部以上 4000m 的形状如一金字塔（或锥体），试粗略估计其质量，（c）如果铅垂离珠峰中心 5km，试估计其夹角θ。

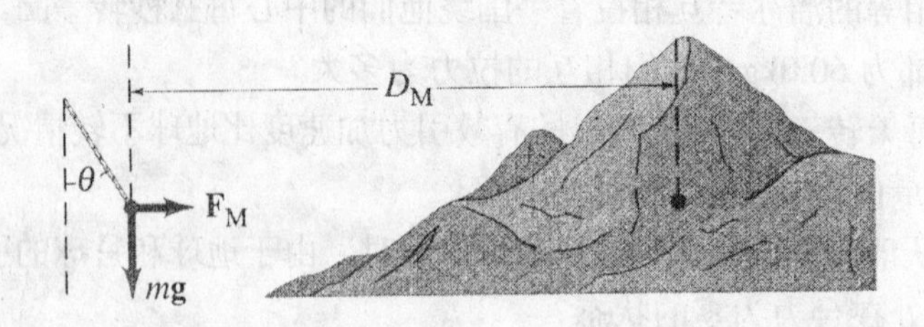

图 5-44 习题 72

73. 一半径 60m 的倾斜弯道的设计速率为 100km/h。如果静摩擦系数是 0.30（湿路面），汽车安全转弯的速率范围是多大？

74. 如果地球转动得足够快，以至赤道上的物体处在失重状态，此时的一天有多长？

75. 两个质量相等的星体保持相距 8.0×10^{10}m，并以每 12.6 年一周的转速绕它们的中心点转动。(a)为什么两个星体不会由于它们之间的引力而相撞？(b)每个星体的质量是多少？

76. 一列火车匀速驶过半径 275m 的弯道时，顶部悬挂的吊灯向外倾斜了 17. 5°。火车的速率是多少？

77. 木星的质量约为地球的 32 倍。因此，据说人在木星上会被巨大的引力压跨，因为人不能在超过几个 g 的情况下生存。试求人在木星赤道上受到几个 g 的引力。用下列木星的天文数据：质量=1.9×10^{27}kg，转动半径 = 7.1×10^{4}km，周期 9 小时 55 分。考虑向心加速度。

78. 最近，天文学家用哈勃天文望远镜推断出在遥远的 M87 星系，存在就象黑洞（没有光线能够射出）一样的致密的超巨星核。他们测出距星核 60 光年（5.7×10^{17}m）处的气云绕核以 780m/s 的速率转动。试推出星核的质量，并与太阳质量做比较。

图注：过山车在最高点时具有最大的势能（PE）。当它滑下时，它失去了势能获得了动能（KE）。总能量是守恒的。因此，如果没有摩擦，失去的势能等于获得的动能。当摩擦存在时，失去的势能等于动能加上摩擦力做功所产生的热能。

第六章　功和能

截止到目前，我们一直在学习用牛顿的运动三定律来分析物体的运动。在这些分析中，力是决定物体运动的主要量。在本章和下一章，我们将学习另一种方法，即用能量和动量来分析物体的运动。这些量的主要特征是它们是守恒的。也就是说，在大多数情况下，它们保持恒定。守恒量的存在不仅加深了我们对自然界的了解，而且提供了解决实际问题的另一途径。在本章，我们仍只考虑平移运动，而不考虑转动。

能量和动量守恒定律在处理多体系统、特别是无法详细分析有关力的问题时极为有用。

本章主要讨论能和功，它们是两个相互紧密联系的、非常重要的概念。它们都是标量，因此与方向无关。由于这两个量是标量，所以它们比力和加速度这样的矢量容易处理。能的重要性来自两个方面。首先，它是一个守恒量。其次，能的概念不仅用来研究运动，而且也用在物理和其它科学的所有领域。但在讨论能量之前，我们先来探究功的概念。

6–1　恒力作功

功这个词在日常生活中有许多含义。但在物理中，功被赋予了特殊的定义，用来描述当作用在物体上的力使物体移动一段距离时所产生的量。具体来讲，恒力（量值和方向恒定）对物体作的功，定义为位移量与平行于位移的力的分量的积。用公式表示，可写成

$$W=F_{\parallel}d$$

这里 $F_{\parallel}$ 是恒力 **F** 平行于位移 **d** 的分量。我们也可以写成

$$W = Fd\cos\theta \tag{6-1}$$

这里 F 是恒力的大小，d 是物体的位移量，θ 是力与位移方向的夹角。因为 $F\cos\theta$ 是 **F** 平行于位移 **d** 的分量（图 6-1），所以方程 6-1 中出现了 $\cos\theta$ 因子。功是标量——它只有大小，没有方向。

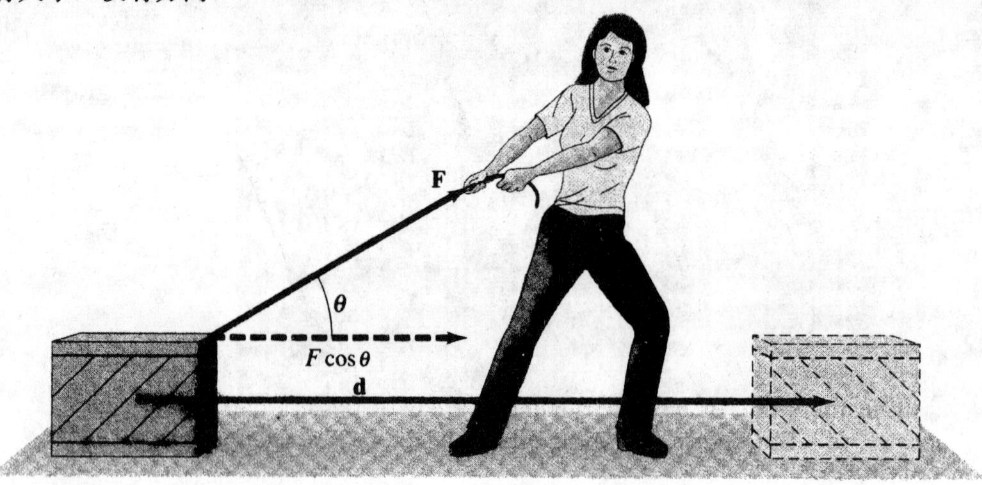

图 6-1 一个人沿地面拉动一个木箱。力 **F** 做的功为 $W = Fd\cos\theta$，这里 **d** 是位移。

让我们先来考虑力与运动方向一致的情况，此时，$\theta = 0$，所以 $\cos\theta = 1$，因此 $W=Fd$。例如，如果你对载货的小车施加 30N 的水平力，并推着它行进了 50m 的距离，那么你对小车作的功为 $30\text{N}\times 50\text{m} = 1500\text{N}\cdot\text{m}$。

如上例所示，在国际单位制中，功用牛顿米来度量。并对它起了一个特殊的名字——焦耳（J）：$1\text{J} = 1\text{N}\cdot\text{m}$。在 cgs 单位制中，功的单位叫尔格，定义为 1 尔格 =1 达因厘米。在英制中，功用英尺磅来度量。容易证明 1J=10^7 尔格=0.7376 英尺磅。

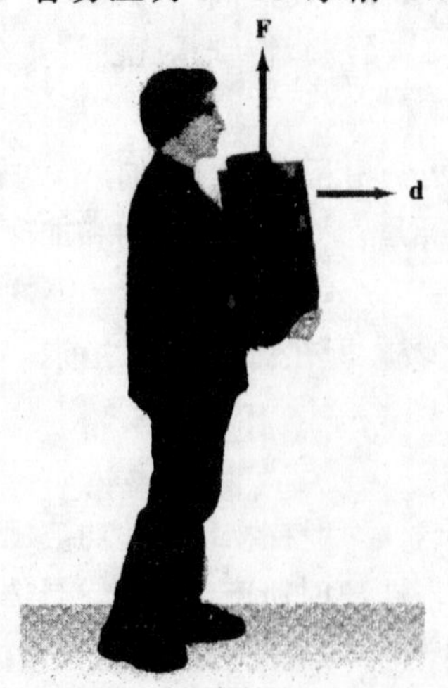

图 6-2 对重物做的功为零，因为力 **F** 垂直于位移 **d**。

力可以施加在物体上，但不作功。例如，如果你手上拿着一个很重的袋子静止不动，你对重物没有作功。作用力是有，但位移是零，所以功 $W=0$。 如果你拿着重物匀速走过水平地面，如图 6-2 所示，你也没有对它作功。匀速移动袋子，不需要水平力的存在。可是，你确实向上施加了一个等于袋子重量的力 **F**。但这个向上的力与袋子的水平运动垂直，所以它对运动不会产生什么影响。因此，向上的力没有作功。这个结论来自我们对功的定义——公式 6-1：因为$\theta=90°$，$\cos 90°=0$，所以 $W=0$。因此，垂直于运动方向的力不作功。（在你开始或停止行走时，存在水平加速度，你确实短暂地施加了水平力，那么你作了功。）

处理作功的问题，与力的问题一样，需要强调你所指的功是由特定物体作的，还是作在特定物体上的。同时还需要强调的是，功是由一个特定力作的（哪一个），还是由作用在物体上的合力作的。

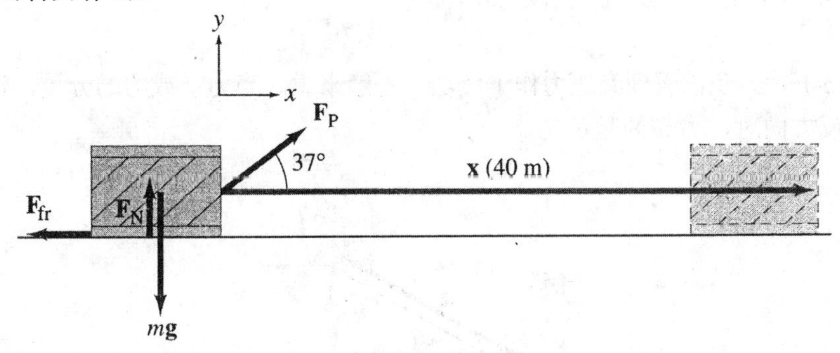

图 6-3 例 6-1 中 50kg 的木箱被沿地面拖动

例 6-1 对木箱作功。 一个 50kg 的木箱被人用恒力，$F_P=100N$，作用角为 37°，沿水平地板拉了 40m 远，如图 6-3 所示。粗糙地板施加的摩擦力 $F_{fr}=50N$。试求作用在木箱上的每个力作的功，以及对木箱作的总功。

解：我们选择这样的坐标系，x 代表 40m 的位移矢量（即沿 x 轴）。如图 6-3 所示，有四个力作用在木箱上：人的拉力 $\mathbf{F}_P$；摩擦力 $\mathbf{F}_{fr}$；作用在木箱上的重力 $m\mathbf{g}$；地板施加的支撑力 $\mathbf{F}_N$。重力和支撑力作的功是零，因为它们垂直于位移 **x**（在公式 6-1 中，$\theta=90°$）：

$$W_G = mgx\cos 90° = 0$$

$$W_N = F_N x\cos 90° = 0$$

拉力 $\mathbf{F}_P$ 作的功为

$$W_P = F_P x\cos\theta = (100N)(40m)\cos 37° = 3200\,J$$

摩擦力作的功为

$$W_{fr} = F_{fr}x\cos 180° = (50N)(40m)(-1) = -2000J$$

由于位移 **x** 与 $\mathbf{F}_{fr}$ 指向相反的方向，它们间的夹角为180°。因为摩擦力与运动方向相反，它对木箱作了负功。

最后，总功可用两种方法计算。（1）对物体作的总功是每个力所作功的代数和，因为功是标量：

$$W_{总}=W_G+W_N+W_P+W_{fr}$$
$$=0+0+3200\ J-2000\ J=1200\ J$$

（2）也可先求出作用在物体上的合力，再求出沿位移的分量，从而得到总功。

$$(F_{合})_x=F_P\cos\theta-F_{fr}$$
$$W_{总}=(F_{合})_x x=(F_P\cos\theta-F_{fr})x$$
$$=(100\text{N}\cos 37^\circ-50\text{N})(40\text{m})=1200\ J$$

在垂直方向（y）没有位移，也就没有作功。

在例 6-1 中，我们看到摩擦力作了负功。一般来说，当力（或力的分量，$F_{\parallel}$）作用在运动相反方向时，力作的是负功。

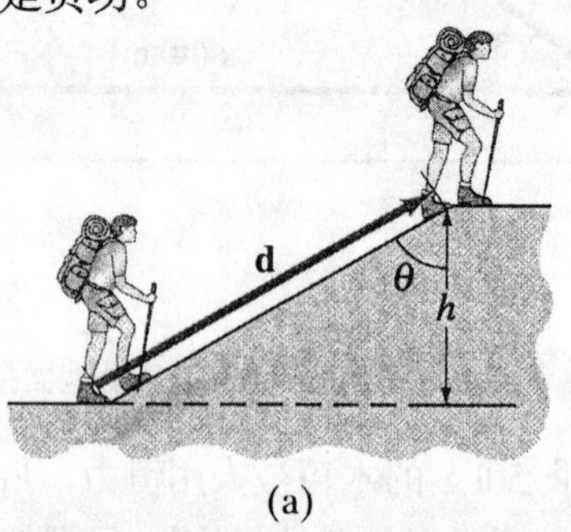

(a)

(b)

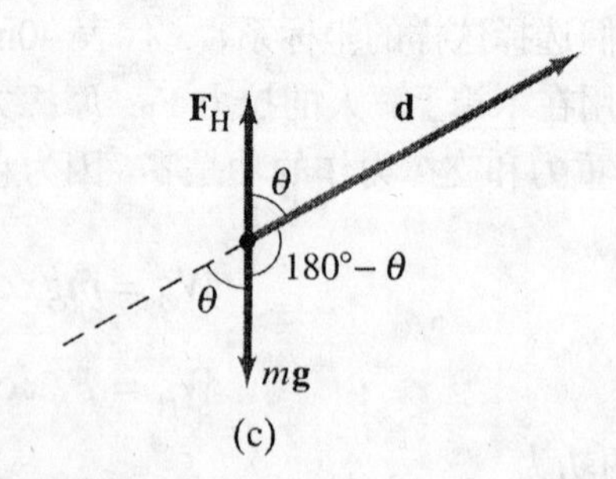

(c)

图 6-4 例 6-2

例 6-2 对背包作的功。（a）试求旅行者背着 15.0kg 的包爬上 h = 10.0m 高的山坡时，对背包作的功如图 6-4a 所示。（b）引力对背包作的功。（c）合力对背包作的功。为了简化问题，设旅行者的运动是平缓和匀速的（即忽略加速度）。

解：（a）作用在背包上的力如图 6-4b 所示：向下作用的引力 $m\mathbf{g}$；旅行者支撑背包向上的力 $\mathbf{F}_H$。因为我们假设忽略加速度，即忽略了水平力。在垂直（y）方向，我们取向上为正。对背包用牛顿第二定律

$$\Sigma F_y = ma_y$$

$$F_{\mathrm{H}} - mg = 0$$

因此，

$$F_{\mathrm{H}} = mg = (15.0\mathrm{kg})(9.8\mathrm{m/s^2}) = 147\ \mathrm{N}$$

为了求出旅行者对背包作的功，将公式 6-1 写成

$$W_{\mathrm{H}} = F_{\mathrm{H}}(d\cos\theta)$$

从图 6-4a 可得 $d\cos\theta = h$。所以旅行者对背包作的功可写成：

$$W_{\mathrm{H}} = F_{\mathrm{H}}(d\cos\theta) = F_{\mathrm{H}}h = mgh$$
$$= (147\mathrm{N})(10.0\mathrm{m}) = 1470\ \mathrm{J}$$

注意，作的功只依赖于高度的变化，而与山坡的角度无关。将背包垂直抬起同样的高度 h，就对背包作了同样的功。

（b）引力作的功（从公式 6-1 和 6-2）：

$$W_{\mathrm{G}} = (F_{\mathrm{G}})(d)\cos(180^\circ - \theta)$$

因为 $\cos(180^\circ - \theta) = -\cos\theta$，所以

$$W_G = (F_G)(d)(-\cos\theta) = mg(-d\cos\theta)$$
$$= -mgh$$
$$= -(15.0\mathrm{kg})(9.80\mathrm{m/s^2})(10.0\mathrm{m}) = -1470\ \mathrm{J}$$

注意，引力作的功不依赖于山坡倾角的变化，而只与山坡竖直高度有关。这是因为引力只在竖直方向作功。我们将在后边用到这些重要的结果。

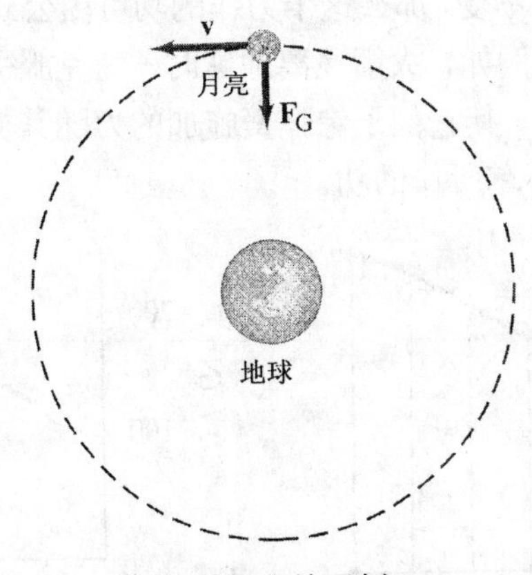

图 6-5　概念练习例 6-3

（c）对背包作的总功为零 $W_{合} = 0$，因为作用在背包上的合力为零（设没有显著的加速）。我们也可用下面方法求出总功

$$W_{合} = W_G + W_H = -1470\ \text{J} + 1470\ \text{J} = 0$$

得到的是同样的结果。

在这个例子中，虽然作用在背包上的总功为零，但旅行者对背包确实作了 1470 J 的功。

概念练习例 6-3 **地球对月球作功了吗？**月球在地球引力作用下，以圆轨道围绕地球转动。引力对月球作了（a）正功，（b）负功，或（c）没有作功？

答：作用在月球上的引力（图 6-5）指向地球（作为向心力），沿月球轨道半径向内。月球在任意时刻的位移沿着圆的切线与其速度同向，并垂直于半径和引力。因此，力和月球瞬时位移间的角度等于90°，引力作的功等于零（$\cos 90° = 0$）。

解题步骤： 功

1. 选 xy 坐标系。如果物体在运动，选运动方向为一坐标方向比较方便。[因此，对斜面上的物体，可选一坐标轴平行于斜面。]
2. 画出隔离图，标明所有作用在物体上的力。
3. 用牛顿定律求出未知力。
4. 用 $W = Fd\cos\theta$ 求出特定力对物体作的功。注意，当力与位移反向时，作的功是负的。
5. 要求出对物体作的总功，可用（a）先求出每个力作的功，再代数相加；（b）求出作用在物体上的合力 $F_{合}$，再用它求出总功：

$$W_{合} = F_{合} d\cos\theta$$

*6–2 变力作功

如果作用在物体上的力不变，那么这个力作的功可由公式 6-1 求出。但在许多情况下，力的大小和方向是变化的。例如，火箭飞离地球时，为克服引力（随到地球的中心距离平方的反比而变化）所作的功。其它例子像弹簧施加的力随其伸长而增大，或沿不平坦的山坡，用变力拉一个箱子或小车所作的功。

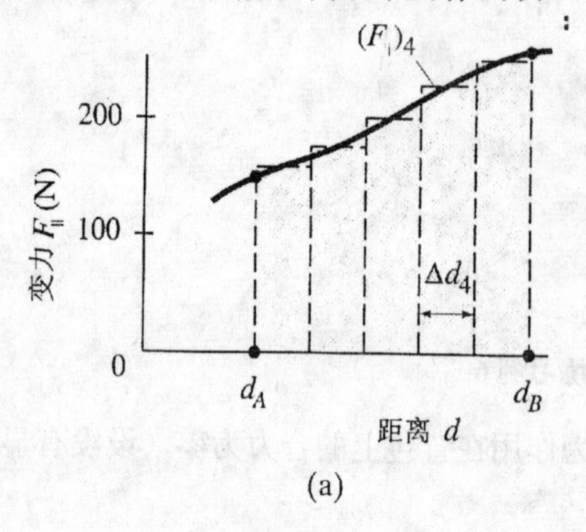

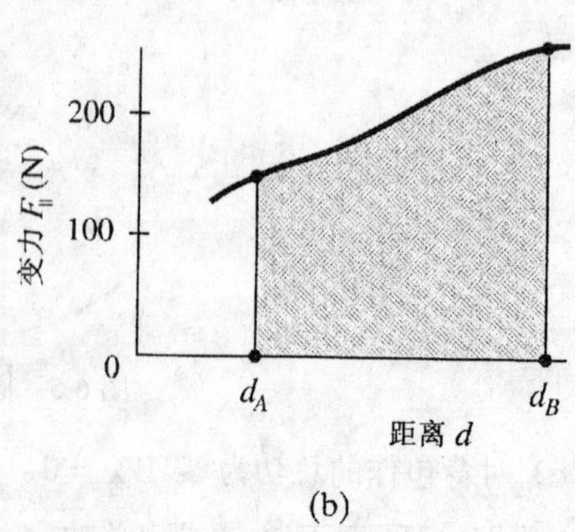

图 6-6 力 F 做的功可用以下方法求出：（a）矩形面积的和；（b）平行力 $F_\parallel$ 与 d 曲线下的面积。

变力作的功可用作图法求出。具体步骤和已知速度与时间的函数时求位移（2-8 节）的步骤一样。为了求出变力作的功，我们画出 $F_{\parallel}$（$=F\cos\theta$，在任意点 F 平行于运动方向的分量）与距离 d 的函数，如图 6-6a。我们将距离分成小的区间 Δd。在每个区间，我们用水平虚线标出 $F_{\parallel}$ 的平均值。那么在每个区间作的功就是 $\Delta W = F_{\parallel}\Delta d$，这是宽为 Δd，高为 $F_{\parallel}$ 的矩型的面积。移动物体的总距离为 $d=d_B-d_A$ 时作的功等于这些矩形（图 6-6a 中有五个矩形）面积的和。通常，每个区间力（$F_{\parallel}$）的平均值必须估算，这样就可得到所作功的合理近似值。如果我们将距离分成更多的小区间，Δd 就会更小，我们对功的估算也就更精确。当 Δd 趋于零极限时，所有窄矩形的总面积接近曲线下的面积，图 6-6b。即，在两点之间移动物体的变力作的功等于两点间 对 d 曲线下的面积。

6–3 动能和功能原理

能是科学中最重要的概念之一。但我们无法只用几个词来给能做出简单而普遍的定义。尽管如此，能的每种特殊类型可被相当简单的定义。在本章中，我们定义平移动能和势能。在以后的章节中，我们将研究其它类型，如与热有关的能（14 和 15 章）。所有类型的能的最重要的特点是它们的和——总能，在任何过程发生以后都保持不变：即，“能”的量可被定义成它是一个守恒量。关于这一点以后还要详加讨论。

对本章来说，我们可用传统的方式定义能为“作功的能力”。这个简单的定义不是很精确，对所有类型的能并不是都适用。然而，对于我们本章讨论的机械能，它给出了功和能之间本质的联系。现在，我们来定义和讨论能的一种基本类型——动能。

一个运动的物体可对与它相撞的另一物体作功。一个飞行的炮弹对被它撞碎的砖墙作了功；运动的锤子对被它击打的钉子作了功。在另一种情况中，运动的物体对第二个物体施加了力，并推动它行进了一段距离。运动的物体具有作功的能力，因此可说它具有能。物体运动所具有的能叫作**动能**，它来自希腊词 kinetikos，是“运动”的意思。

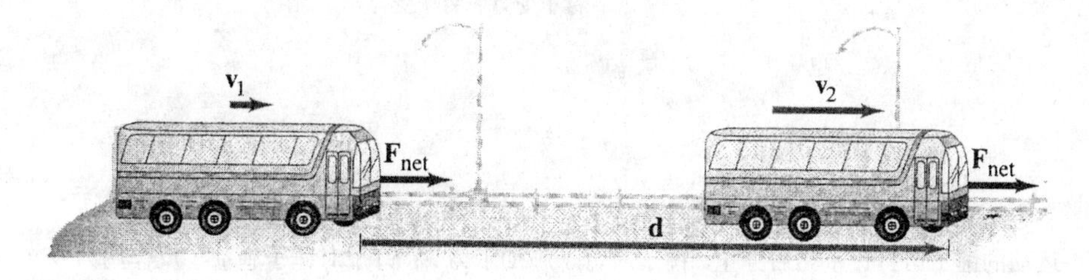

图 6-7 汽车受到的合力为 $F_{合}$，从 v_1 加速到 v_2，合力作的总功为 $W=F_{合}d$。

为了得到动能定量的定义，让我们考虑质量为 m 的物体以初速 v_1 沿直线运动。要将它匀加速到 v_2 速率，在距离 d 内，对它施加了一平行于运动方向的恒定合力 $F_{合}$，图 6-7。因此，对物体作的总功为 $W_{总}=F_{总}d$。用牛顿第二定律，$F_{总}=ma$，和公式 2-10c，我们将它写成 $v_2^2=v_1^2+2ad$，v_1 是初速，v_2 是终速。解公式 2-10c，

$$a=\frac{v_2^2-v_1^2}{2d}$$

代入 $F_{总}=ma$，求出作的功为：

$$W_{总} = F_{合} d = mad = m(\frac{v_2^2 - v_1^2}{2d})d$$

或

$$W_{总} = \frac{1}{2}mv_2^2 - \frac{1}{2}mv_1^2 \qquad \textbf{(6-2)}$$

我们定义量 $\frac{1}{2}mv^2$ 为物体的**平移动能**（KE）：

$$\mathrm{KE} = \frac{1}{2}mv^2 \qquad \textbf{(6-3)}$$

（将它称为“平移”动能是为了与转动能区分，在第八章，我们将讨论它）这里推出的一维运动的公式 6-2，对三维平移运动甚至变力情况普遍适用。可将公式 6-2 另写为：

$$W_{总} = \mathrm{KE}_2 - \mathrm{KE}_1$$

或

$$W_{总} = \Delta KE \qquad \textbf{(6-4)}$$

公式 6-4（或公式 6-2）是一个重要结果。可用文字表述如下：

对物体作的总功等于其动能的改变。

这被称为**功能原理**。但要注意，我们推导时用了牛顿第二定律 $F_{总}=ma$，这里 $F_{总}$是合力——所有作用在物体上力的和。因此，功能原理只适用于 W 是对物体作的总功——即，所有作用在物体的力作的功。

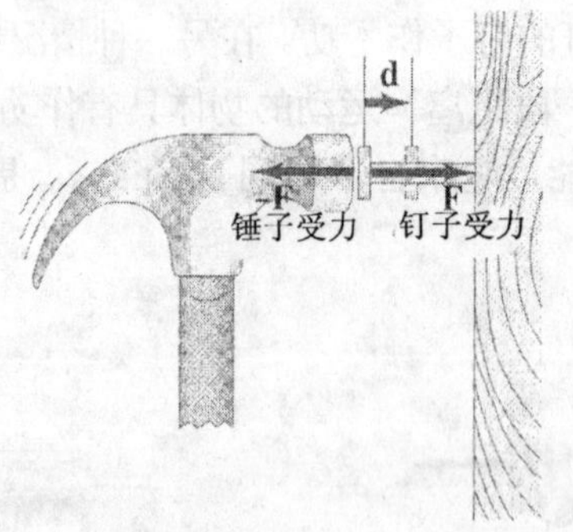

图 6-8 运动的锤子击打钉子然后停止。锤子对钉子施加了力 F；钉子对锤子施加了反作用力 $-F$（牛顿第三定律）。对钉子做的功是正的（$W_n=Fd>0$ 是负的（$W_h= -Fd$）。

功能原理告诉我们，如果对物体作了正功 W，它的动能将增加量 W。此原理对相反情况也成立：如果对物体作了负功 W，它的动能将减少量 W。即，在与物体运动相反的方向上施加的力降低了它的速率和动能。例如运动的锤子（图 6-8）击打钉子。作用在锤子上的合力（图中-**F**，为了简便，这里设 **F** 是恒定的）向左，而位移 **d** 向右。所以作用在锤子上的总功 $W_h = (F)(d)(\cos 180^\circ) = -Fd$ 是负的，并且锤子的动能减少了（通常减为零）。在这个例子中也要注意，锤子对钉子作了正功：如果钉子对锤子施加反向力-F 使它减速，则锤子对钉子在距离 d 内施加了正向力$+F$（牛顿第三定律）。因此，作用在钉子上的总功为 $W_n = (+F)(+d) = Fd = -W_h$，并且 W_n 是正的。因此，锤子动能的减少也等于它对钉子所作的功——这符合能是作功的能力的定义。

注意物体的平移动能（$=\frac{1}{2}mv^2$）虽然直接正比于其质量，但与其速率平方成正比。因此，如果质量增加一倍，动能增加一倍。但如果速率增加一倍，物体就有了四倍的动能，因此具有作四倍功的能力。

总结如下，功和动能之间的联系（公式 6-4）是相互的。如果对物体作的总功 W 是正的，它的动能就会增加。如果对物体作的总功 W 是负的，它的动能就会减少。如果对物体作的总功 W 为零，它的动能保持恒定（也意味着它的速率恒定）。

因为功和动能之间直接联系（公式 6-4），能的单位与功也一样：国际制用焦耳，cgs $F_{合}$ 用尔格，英制用英尺磅。与功一样，动能是标量。一组物体的动能是每个物体动能的（代数）和。

例 6-4 动能和对棒球作的功。 一个 145g 的棒球以 25m/s 的速率掷出。(a) 其动能是多少？(b) 如果它从静止开始，对它作多少功才能达到这个速率？

解：(a) 动能为

$$\mathrm{KE}=\frac{1}{2}mv^2=\frac{1}{2}(0.145\mathrm{kg})(25\mathrm{m/s})^2=45\ \mathrm{J}$$

(b) 因为初始动能为零。所作的总功就等于最终的能量 45 J。

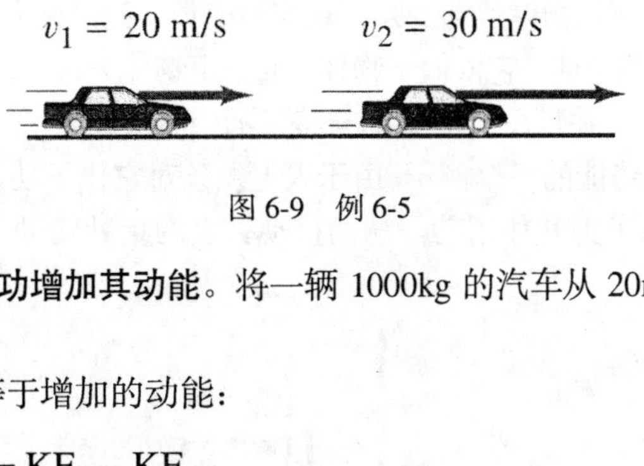

$v_1 = 20$ m/s　　$v_2 = 30$ m/s

图 6-9　例 6-5

例 6-5　对汽车作功增加其动能。将一辆 1000kg 的汽车从 20m/s 加速到 30m/s 需多少功（图 6-9）？

解：需要作的功等于增加的动能：

$$\begin{aligned}W&=\mathrm{KE}_2-\mathrm{KE}_1\\&=\frac{1}{2}mv_2^2-\frac{1}{2}mv_1^2\\&=\frac{1}{2}(1000\mathrm{kg})(30\mathrm{m/s})^2-\frac{1}{2}(1000\mathrm{kg})(20\mathrm{m/s})^2\\&=2.5\times10^5\ \mathrm{J}\end{aligned}$$

概念练习 例 6-6 剎车作的功。一辆以 60km/h 行进的汽车在 20m 距离内刹车停止（图 6-10a）。如果汽车速率增加一倍，达到 120km/h，它的刹车距离是多少（图 6-10b）？最大刹车力近似地不依赖于速率。

解：因为刹车力 F 近似恒定，停车要作的功 Fd 正比于行进的距离。我们用功能原理，注意这里 $\mathbf{F}$ 和 $\mathbf{d}$ 是相反方向，汽车的终速为零：

$$W_{总} = Fd\cos180^\circ = -Fd$$

$$= \Delta KE = 0 - \frac{1}{2}mv^2$$

因此，由于力和质量是恒定的，我们可以看到停车距离 d 随速率的平方增加：

$$d \propto v^2$$

如果汽车初速翻倍，停车距离就是$(2)^2 = 4$ 倍，或 80m 远。

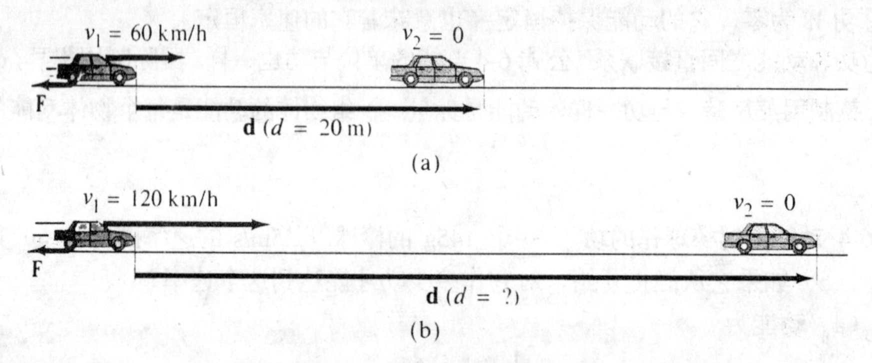

图 6-10 概念练习 例 6-6

6-4 势能

我们刚刚讨论了如何从物体运动的角度说它具有能，我们称它为动能。但物体也可能具有**势能**，一种和力有关的能，它依赖于物体（或一组物体）的位置或构造以及周围环境。可定义不同类型的势能，并且每个类型都与特定的力有关。

钟表上紧的发条是势能的一个例子。由于人上发条对它作了功，钟的发条得到了势能。当发条松开时，它施加了力并作了功，从而推动钟表的指针转动。

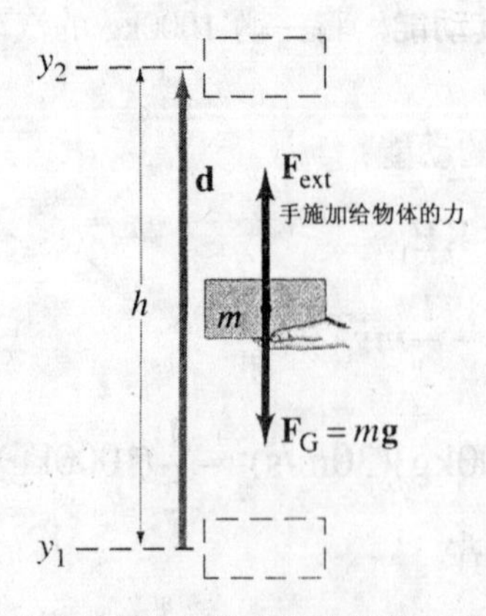

图 6-11 一个人施加向上的力将木块从 y_1 举起到 y_2 处。

或许势能最普通的例子是**引力势能**。一块举到空中的很重的砖具有势能，这是由于它与地球的相对位置改变了。砖有作功的能力，如果放开它，在引力作用下，它就落到地面上，它可将树桩打进地里去而作功。让我们确定地球表面附近物体的引力势能。为了垂直举起质量 m 的物体，人的手必须对它施加至少等于其重量 mg 的向上的力。在图 6-11 中，要将物体无加速地举起高度 h，即从 y_1 举 y_2（选向上为正），人必须作的功等于向上施加的力 $F_{ext}=mg$ 与垂直高度 h 的乘积。即，

$$W_{\text{ext}} = F_{\text{ext}} d\cos 0^{\circ} = mgh = mg(y_2 - y_1) \tag{6-5a}$$

在物体从 y_1 到 y_2 时，引力也作用其上，作的功等于

$$W_{\text{G}} = F_{\text{G}} d\cos\theta = mgh\cos 180^{\circ}$$

这里 $\theta = 180^{\circ}$，因为 $\mathbf{F}_{\text{G}}$ 和 $\mathbf{d}$ 指向相反方向。所以

$$\begin{aligned} W_{\text{G}} &= -mgh \\ &= -mg(y_2 - y_1) \end{aligned} \tag{6-5b}$$

现在，如果我们让物体在引力作用下从静止开始自由下落，在下落 h 高度后，它具有的速度由 $v^2 = 2gh$（公式 2-10c）给出。因此，它具有动能 $\frac{1}{2}mv^2 = \frac{1}{2}m(2gh) = mgh$，如果击打树桩，它可作的功等于 mgh（功能原理）。因此，将质量 m 的物体举起 h 的高度，需要作功 mgh（公式 6-5a）。在高度 h，物体具有作功 mgh 的能力。

因此，我们定义物体的**引力势能**为其重量 mg 与它相对于参照面（如地面）的高度 h 的乘积：

$$\text{PE}_{\text{grav}} = mgy \tag{6-6}$$

物体离地面越高，它所具有的引力势能越多。我们将公式 6-5a 与 6-6 合并：

$$\begin{aligned} W_{\text{ext}} &= mg(y_2 - y_1) \\ W_{\text{ext}} &= \text{PE}_2 - \text{PE}_1 = \Delta\text{PE} \end{aligned} \tag{6-7a}$$

因此，将质量为 m 的物体从点 1 移到点 2（无加速），外力作的功等于两点之间势能的变化。

我们也可以将 ΔPE 写成引力本身作的功，从公式 6-5b 出发，得到

$$\begin{aligned} W_{\text{G}} &= -mg(y_2 - y_1) \\ W_{\text{G}} &= -\Delta\text{PE} \end{aligned} \tag{6-7b}$$

因此，当质量为 m 的物体从点 1 移动到点 2 时，引力作的功等于点 1 和 2 之间势能差的负值。

注意引力势能依赖于参照面以上物体的垂直高度（公式 6-6），在有些情况下，你可能想知道应该从哪一点测量高度 y。例如，举到桌面以上的一本书的引力势能，取决于我们是从桌面测量 y，还是从地板，或从其它参照点。然而，在任何情况下，最重要的是势能的改变 ΔPE，因为正是它与作的功有关（公式 6-7）并且能够被测量。我们可以选择任意方便的参照点测量 y，但必须在开始就选定它并在整个计算中保持不变。任意两点间势能的改变不依赖于这种选择。

我们前面讨论过（见例 6-2 和图 6-4）的一个重要结论是，由于引力只在竖直方向上作功，它作的功只依赖于竖直高度 h，而不依赖于经过的路径，即不论它是竖直运动还是沿斜面运动，只要竖直高度的改变相同，引力作的功就一样。因此，从公式 6-7，我们看到引力势能的改变只与竖直高度的改变有关，而与路径无关。

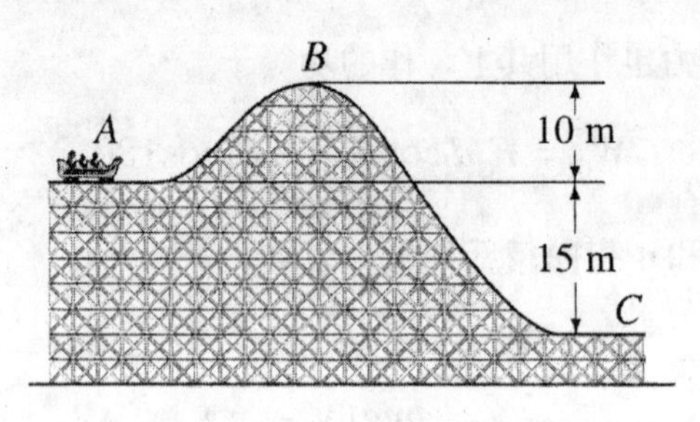

图 6-12 例 6-7

例 6-7 过山车势能的改变。 一辆 1000kg 的过山车从 A 点运行到 B 点再到 C 点，图 6-12。(a) 相对 A 点来说，B 和 C 点的引力势能是多少？即取 A 点为势能零点（y=0）。(b) 当从 B 到 C 时，势能的改变是多少？（C）将参照点（$y=0$）取在 C，重作（a）和（b）。

解：(a) 我们取向上为正，从 A 点测量高度意味着初始点势能为零。在 B 点，y_B=10m,

$$\mathrm{PE}_B = mgy_B = (1000\mathrm{kg})(9.8\mathrm{m/s^2})(10\mathrm{m}) = 9.8\times10^4\ \mathrm{J}$$

在 C 点，y_C= -15m, 因为 C 低于 A。因此，

$$\mathrm{PE}_C = mgy_C = (1000\mathrm{kg})(9.8\mathrm{m/s^2})(-15\mathrm{m}) = -1.5\times10^5\ \mathrm{J}$$

（b）从 B 到 C，势能的改变量（$\mathrm{PE}_{终}-\mathrm{PE}_{初}$）为

$$\mathrm{PE}_C - \mathrm{PE}_B = (-1.5\times10^5\ \mathrm{J}) - (9.8\times10^4\ \mathrm{J})$$
$$= -2.5\times10^5\ \mathrm{J}$$

引力势能减少了 2.5×10^5 J。

（c）在这种情况下，A 点 y_A= +15m，所以初始势能（A 点）等于

$$\mathrm{PE}_A = (1000\mathrm{kg})(9.8\mathrm{m/s^2})(15\mathrm{m}) = 1.5\times10^5\ \mathrm{J}$$

在 B 点，y_B=25m，所以势能为

$$\mathrm{PE}_B = 2.5\times10^5\ \mathrm{J}$$

在 C 点，y_C=0，所以势能为零。从 B 到 C 势能的改变为

$$\mathrm{PE}_C - \mathrm{PE}_B = 0 - 2.5\times10^5\ \mathrm{J} = -2.5\times10^5\ \mathrm{J}$$

与（b）结果相同。

除引力势能以外，还有其它类型的势能。每种形式的势能都与特定的力有关，可给出与引力势能类似的定义。一般来说，势能的改变与特定的力有关，如果物体从一点移动到第二点（对引力，如公式 6-7b），它等于那个力作的功的负值。换种说法，我们可以定义势能的改变等于外力无加速在两点之间移动物体所作的功，如公式 6-7a。

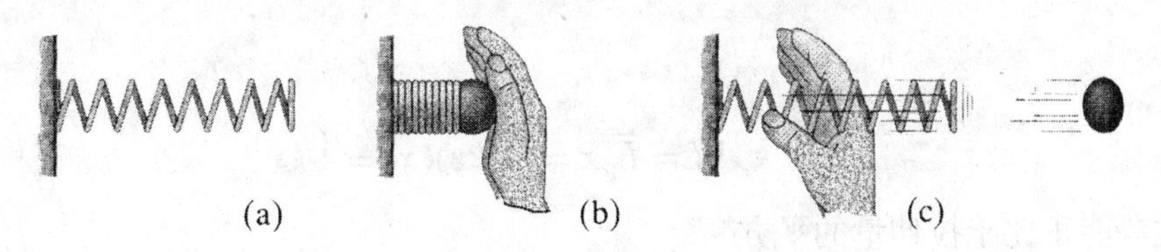

图 6-13　（a）一个弹簧当它压缩时，（b）可以储存能量（弹性能）（c）当释放时可以做功。

我们现在考虑另一种与弹性材料有关的势能。它具有大量的实际事例。举一个简单的例子，考虑图 6-13 中的弹簧。当压缩（或拉伸）时，弹簧具有势能，释放时，它可对球作功。人压缩或拉伸弹簧所需的力 F_P 正比于压缩量或拉伸量 x。即

$$F_P = kx$$

这里 k 是常数，叫弹性系数，是对特定弹簧刚性的测量。弹簧本身施加的力朝相反方向（图 6-14），

$$F_S = -kx \tag{6-8}$$

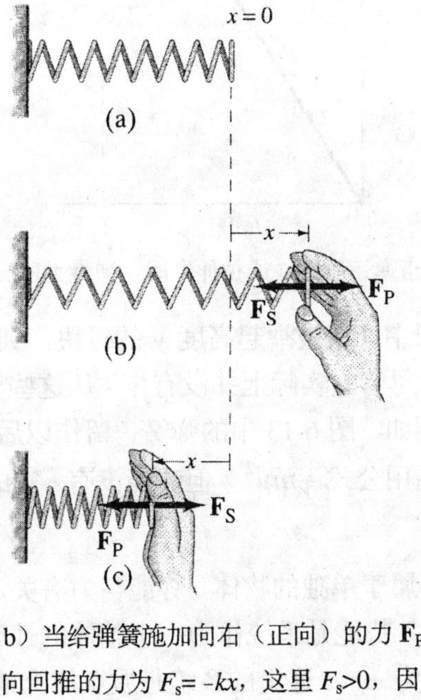

图 6-14 （a）弹簧在正常位置。（b）当给弹簧施加向右（正向）的力 $\mathbf{F}_P$ 时，弹簧向回拉的力 $F_s = -kx$。（c）当压缩弹簧时（$x<0$），弹簧向回推的力为 $F_s = -kx$，这里 $F_s>0$，因为 $x<0$。

这个力叫作"回复力"，因为弹簧施加与位移方向相反的力（因此有负号），使其返回原来的长度。公式 6-8 叫作**弹性方程**，也叫作**胡克定律**（见第九章），当 x 不是太大时是准确的。

为了计算拉伸弹簧的势能，让我们先计算拉伸它需要作的功（图 6-14b）。我们希望用

公式 6-1 求出所作的功，$W=Fx$，这里 x 是从原来长度被拉长的量。但这是不对的，因为力 F_P（$=kx$）不是恒定的，而是随拉伸长度的增加逐渐变强，如图 6-15 所示。所以，我们要用平均力 $\overline{F}$ 。因为 F_P 线性变化——从未拉伸的零位置到拉伸到 x 时的 kx，所以平均力为 $\overline{F}=\frac{1}{2}[0+kx]=\frac{1}{2}kx$，这里 x 是最终长度（在图 6-15 中，为了清楚写为 x_f）。因此作的功

为

$$W=\overline{F}_P x=(\frac{1}{2}kx)(x)=\frac{1}{2}kx^2$$

因此弹性势能正比于拉伸量的平方⁺：

$$\text{弹性势能：}\quad PE=\frac{1}{2}kx^2 \qquad \textbf{(6-9)}$$

如果弹簧从原来长度被压缩了 x 距离，力仍为 $F_P=kx$，弹性势能同样由这个公式给出。因此，x 可以是拉伸量或压缩量。

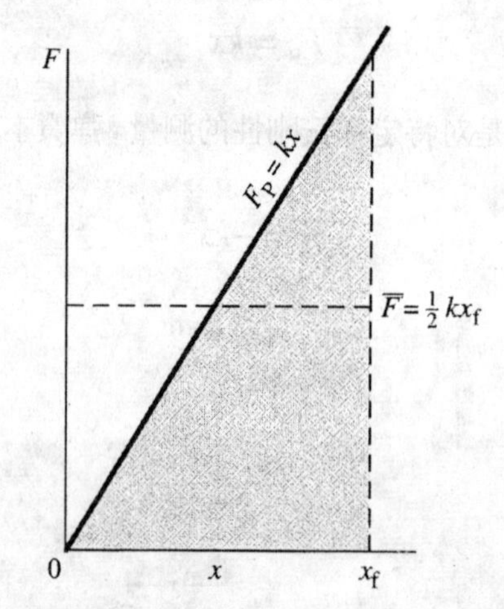

图 6-15 当弹簧压缩（或拉伸）时，弹性力随 x 线性增加。

在以上每个势能的例子中（从被举起高度 y 的砖块，到被拉伸或压缩的弹簧），物体都具有或潜在作功的能力，尽管它实际上并没有作。从这些例子中，我们也可以看到能可以以势能的形式被储存（例如，图 6-13 中的弹簧，留作以后使用）。值得注意的是，虽然物体的平移动能有唯一的通用公式 $\frac{1}{2}mv^2$，但势能没有。它的数学表达式依赖于涉及到的力。

势能属于一个系统，不属于单独的物体。势能与力有关，而作用在一个物体上的力总是由其它物体施加的。因此，势能是系统作为一个整体的性质。将一个质点升到地球表面以上 y 高度，势能的改变量为 mgy。这里的系统是质点加上地球，两者的性质都涉及到了：质点（m）和地球（g）。

⁺我们同样可用 6-2 节中的方法求得公式 6-9，回复力所作的功，即 ΔPE，等于图 6-15 中曲线下的面积，这个三角形的高为 kx，底边长为 x，因而面积为 $\frac{1}{2}(kx)(x)=\frac{1}{2}kx^2$。

6–5 保守力和非保守力

物体从一点移动到另一点克服引力作的功不依赖于经过的路径。例如，将质量为 m 的物体垂直举起一定的高度，和沿相同高度的斜面抬起它，引力所作的功是一样，如图 6-4（例 6-2）。像引力一样，作功不依赖于路径而只与初始和终止位置有关的力，叫作**保守力**。弹簧（或其它弹性材料）的弹性力，$F=-kx$，也是保守力。另一方面，摩擦力是**非保守力**，因为当一个木箱沿地板从一点移动到另一点时，它作的功依赖于木箱是沿直路径，还是曲线或锯齿形路径。如图 6-16 所示，如果推动木箱从点 1 到点 2，沿着较大半圆弧路径，而不是直线路径，克服摩擦力作的功较多，因为距离变大了，并且与引力不同，摩擦力总是与运动方向相反。（对摩擦力来说，在路径的所有点上，公式 6-1 中的 $\cos\theta$ 一项总是 $\cos 180^{\circ}=-1$）其它非保守力包括人施加的力和绳子上的张力（见表 6-1）。

表 6-1 保守力和非保守力

保守力	非保守力
引力	摩擦力
弹性力	空气阻力
电力	绳索的张力
	发动机或火箭的推进力
	人的推力和拉力

因为势能与物体的位置或结构有关，对一给定的状态，势能是唯一的，这样它才有意义。非保守力不能满足这一点，因为两点间作的功不仅依赖于这两个点，也与经过的路径有关（图 6-16）。因此，势能只是对保守力作出的定义。所以，尽管势能总是与力有关，但不是所有的力都具有势能——例如摩擦力没有势能。

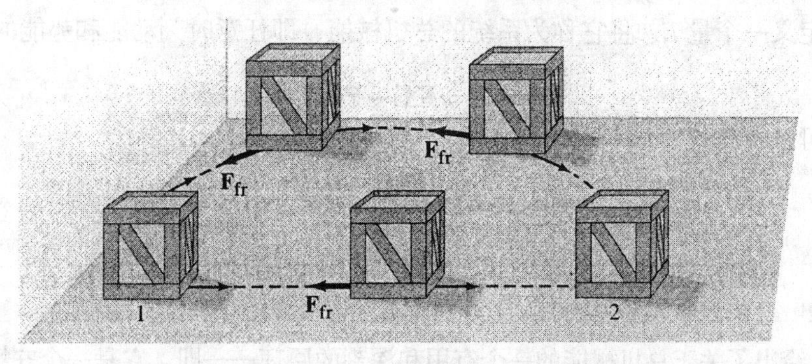

图 6-16 木箱通过两条途径从 1 位被拉到 2 位，一条是直线，一条是曲线。摩擦力总是指向运动相反的方向。因此，对于固定值的摩擦力 $W_{\text{fr}}=-F_{\text{fr}}d$ ，如果 d 较大（曲线路径），那么 W 就大。

现在，我们可以将**功能原理**（6-3 节作过讨论）推广到包括势能在内。假设几个力作用在平移运动的物体上。并假设这些力中一些力是保守力，我们可以写出它们的势能函数。我们将总功 $W_{总}$ 写成保守力作的功 $W_{保}$ 和非保守力作的 $W_{非保}$ 之和：

$$W_{总}=W_{保}+W_{非保}$$

然后，从功能原理（公式 6-4），我们有

$$W_{总} = \Delta \mathrm{KE}$$

$$W_{保} + W_{非保} = \Delta \mathrm{KE}$$

这里$\Delta \mathrm{KE} = \mathrm{KE}_2 - \mathrm{KE}_1$，因此

$$W_{非保} = \Delta \mathrm{KE} - W_{保}$$

保守力作的功可写成势能的形式，如我们从公式 6-7b 中看到的对引力势能有：

$$W_{保} = -\Delta \mathrm{PE}$$

将这个结果代入上面最后一个方程：

$$W_{非保} = \Delta \mathrm{KE} + \Delta \mathrm{PE} \qquad \textbf{(6-10)}$$

因此，非保守力对物体作的功等于动能和势能总的改变。

要强调的是所有作用在物体上的力必须包括在公式 6-10 中，或以势能形式在公式右边（如果是保守力），或以功的形式$W_{非保}$在左边（但不能同时在两边！）。

6–6 机械能和机械能守恒原理

如果只有保守力作用在系统上，我们得到一个相当简单和优美的能量关系。当非保守力不存在时，公式 6-10 中的$W_{非保}$=0，得到通用的功能原理。我们有

$$\Delta \mathrm{KE} + \Delta \mathrm{PE} = 0 \qquad [只用于保守力] \qquad \textbf{(6-11a)}$$

或者

$$(\mathrm{KE}_2 - \mathrm{KE}_1) + (\mathrm{PE}_2 - \mathrm{PE}_1) = 0 \quad [只用于保守力] \qquad \textbf{(6-11b)}$$

我们现在定义一个量 E，将它称为系统的**总机械能**，即任意时刻动能和势能的和。

$$E = \mathrm{KE} + \mathrm{PE}$$

现在我们可以将公式 6-11b 写成

$$\mathrm{KE}_2 + \mathrm{PE}_2 = \mathrm{KE}_1 + \mathrm{PE}_1 \qquad [只用于保守力] \qquad \textbf{(6-12a)}$$

或者

$$E_2 = E_1 = 恒量 \qquad [只用于保守力] \qquad \textbf{(6-12b)}$$

公式 6-12 给出了关于总机械能的一个有用和深刻的原理——即，它是一个**守恒量**。只要没有非保守力作用，总机械能将一直保持恒定：在初始点 1 的（KE+PE）等于以后任意点 2 的（KE+PE）。换句话说，公式 6-11a 告诉我们$\Delta \mathrm{PE} = -\Delta \mathrm{KE}$；即，如果动能 KE 增加，那么势能 PE 作为补偿必须等量减少。因此，总的 KE+PE 保持恒定。这叫作保守力系统的**机械能守恒原理**：

如果只有保守力作用，系统的总机械能在任何过程中既不增加也不减少。系统的总机械能保持恒定——它是守恒的。

我们现在知道为什么用“保守力”这个词——因为在这种力的作用下，机械能是守恒的。

在下一节，我们将看到在不同情况下机械能守恒原理的广泛用途，它比动力学方程或牛顿定律运用起来常常要容易。在此之后，我们将讨论其它的能量形式，包括与非保守力有关的可被包含在广义能量守恒定律之中的能量。

6–7 利用机械能守恒原理解题

机械能守恒的一个简单例子是，让石块在引力作用下（忽略空气阻力）从高度 h 落下，如图 6-17 所示。在石块开始下落的瞬时，它是静止的，只有势能。当它下落时，其势能减少了（因为 y 减少），但作为补偿，它的动能增加了，所以两者之和保持恒定。在路径上的任意点，总的机械能由下式给出

$$E = \mathrm{KE} + \mathrm{PE} = \frac{1}{2}mv^2 + mgy$$

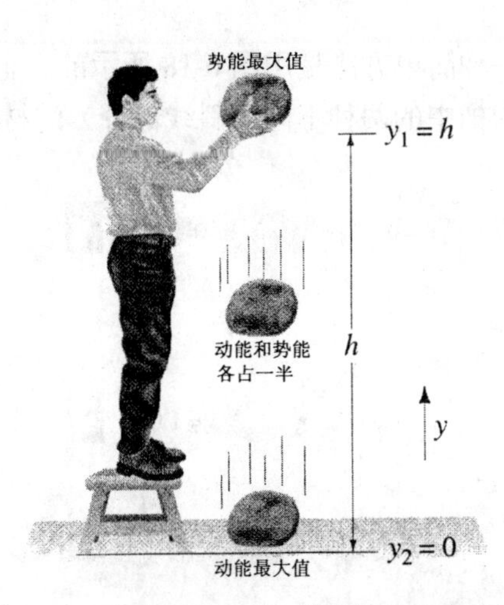

图 6-17 当石块下落时，其势能转换成动能

这里 y 是石块在给定时刻离地面的高度，v 是它在这一点的速率。如果我们用下标 1 表示石块在其路径（例如，初始点）上的某一点，2 表示在其它点，那么可以写出

点 1 的总机械能 = 点 2 的总机械能，

或写成（见公式 6-12a）

$$\frac{1}{2}mv_1^2 + mgy_1 = \frac{1}{2}mv_2^2 + mgy_2 \qquad [\text{只有引力势能}] \qquad \textbf{(6-13)}$$

在石块正好碰到地面之前，它所有的初始势能将全部转化成动能。我们可从公式 6-13 看到这一点：初始点（点 1），我们取 $y_1=h$，$v_1=0$（石块从静止开始）。正好碰到地面之前（点 2），我们有 $y_2=0$，所以从公式 6-13 我们有

$$0 + mgh = \frac{1}{2}mv_2^2 + 0$$

或 $\mathrm{KE}_2 = \frac{1}{2}mv_2^2 = mgh = \mathrm{PE}_1$；初始势能转化成了动能。

例 6-8 下落的石块。 如果图 6-17 中石块的初始高度为 $y_1=h=3.0\text{m}$，试求当它落到离地面 1.0m 时的速率。

解：因为 $v_1=0$（放开的瞬间），$y_2=1.0\text{m}$，$g=9.8\ \text{m/s}^2$，由公式 6-13 给出

$$\frac{1}{2}mv_1^2+mgy_1=\frac{1}{2}mv_2^2+mgy_2$$

$$0+(m)(9.8\text{m/s}^2)(3.0\text{m})=\frac{1}{2}mv_2^2+(\text{m})(9.8\text{m/s}^2)(1.0\text{m})$$

两边消去 m，求出 v_2^2（我们看到，它不依赖于 m）

$$v_2^2=2[(9.8\text{m/s}^2)(3.0\text{m})-(9.8\text{m/s}^2)(1.0\text{m})]=39.2\text{m}^2/\text{s}^2$$

即，

$$v_2=\sqrt{39.2}\text{m/s}=6.3\ \text{m/s}$$

形象表示能量守恒的一种简单方法是用图 6-18 所示的“能量桶”。在石块下落的每一点，动能和势能的量表示为桶中的两种不同（斜线部分）的材料。桶中材料的总量（=总机械能）保持恒定。

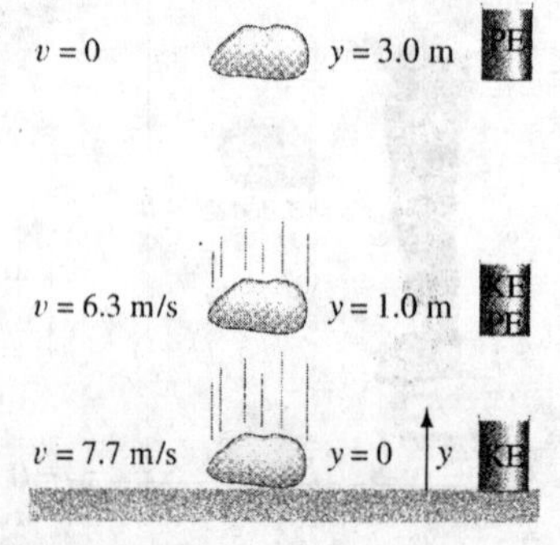

图 6-18 能量桶（例 6-8），动能和势能分别表示为桶中不同的材料。对于三个位置，总能量（KE+PE）是一样的。在 $y=0$ 时，速率为 $\sqrt{2(9.8\text{m/s}^2)(3.0\text{m})}=7.7\ \text{m/s}$。

图 6-19 过山车无摩擦运行时证明了机械能守恒

公式 6-13 适用于引力作用下无摩擦运动的任何物体。例如，图 6-19 所示的过山车，从坡道顶部静止开始无摩擦下滑，经坡底到达另一坡顶。开始时，车只有势能。当它滑下时，失去了势能，获得了动能，但两者之和保持恒定。在坡底时它具有最大动能，当它爬到另一边坡顶时，动能又变回势能。当车重新静止时，它所有能量将是势能。我们已知势能正比于竖直高度，能量守恒告诉我们（在无摩擦情况下），车停止时达到的高度等于它的初始高度。如果两个坡道的高度一样，车停止时将正好到达第二个坡道的顶部。如果第二个坡比第一个低，车的动能不能全部转化成势能，它将越过坡顶从另一边滑下。如果第

二个坡道较高，车所能到达的高度只能等于它在第一个坡道的初始高度。不管坡道多陡，这一点都是对的（不计摩擦力），因为势能只依赖于垂直高度。

例 6-9 用能量守恒求过山车的速率。 设图 6-19 中坡道的高度为 40m，过山车在顶部时是静止的，试求（a）过山车在坡底时的速率，（b）在多高时它具有这个速率的一半。取在坡底 y=0。

解：（a）我们用公式 6-13，

$$\frac{1}{2}mv_1^2 + mgy_1 = \frac{1}{2}mv_2^2 + mgy_2$$

$$0 + (m)(9.8\text{m/s}^2)(40\text{m}) = \frac{1}{2}mv_2^2 + 0$$

消去 m 并求出 $v_2 = \sqrt{2(9.8\text{m/s}^2)(40\text{m})} = 28\ \text{m/s}$。

（b）我们用同一个公式，但现在 $v_2 = 14\text{m/s}$（是 28m/s 的一半）， y 是未知的：

$$\frac{1}{2}mv_1^2 + mgy_1 = \frac{1}{2}mv_2^2 + mgy_2$$

$$0 + (m)(9.8\text{m/s}^2)(40\text{m}) = \frac{1}{2}(m)(14\text{m/s})^2 + (m)(9.8\text{m/s}^2)(y_2)$$

消去 m 求出 y=30m。即，不论它是从左边下降还是在右边上升，车离最低点垂直高度 30m 时的速率均为 14m/s。

这个例子用的公式和例 6-8 一样，但它们有重要的差别。例 6-8 可用力和加速度的方法求解。但这里运动不是垂直的，用 $F = ma$ 非常困难，然而用能量守恒很容易得到了答案。

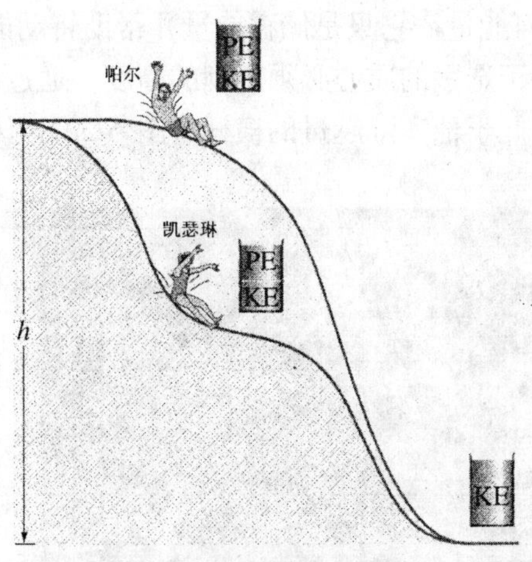

图 6-20 概念练习 例 6-10

概念练习 例 6-10 **两个水滑道上的速率。** 一水池上的水滑道形状不同但出发点的高度 h 相等（图 6-20）。帕尔和凯瑟琳在两个水道上从静止开始同时滑下。（a）到达底部时，谁的速率快？（b）谁先到达底部？忽略摩擦力。

答：（a）两人的初始势能都为 mgh，滑到底部时势能全部变成动能，所以在底部的速率 v 可从 $\frac{1}{2}mv = mgh$ 得到。消去这个方程中的质量，速率是相等的，与两人的质量无关。

因为从同样的垂直高度滑下，所以他们将以同样的速率结束。

（b）注意到凯瑟琳在整个行程中的高度总是比帕尔低。这意味着她将势能转化成动能要快。结果是，她在整个行程中滑行得都比帕尔快，帕尔只是在最后才达到与她同样的速率。因为她在整个行程中滑行得快，并且两者距离几乎相等，所以凯瑟琳先到达底部。

图 6-21 撑杆跳过程中的能量转换

在体育运动中，有许多有趣的能量守恒的例子，图 6-21 所示的撑杆跳就是其中之一。我们常常不得不作一些近似，但对这个例子的前后次序和大致轮廓可作如下叙述。奔跑着的撑杆跳选手将动能转化成弯曲撑杆的弹性势能，当选手离开地面时又转化成引力势能。当选手达到顶部，撑杆完全变直时，能量全部变成引力势能（如果我们忽略选手过杆时很低的速率）。撑杆没有提供任何能量，它只是储存能量并帮助将动能转化成引力势能的工具。越过横杆所需的能量取决于选手的质心必须达到的高度。通过尽量弯曲他们的身体，撑杆跳选手可将质心保持得稍低于他实际越过的横杆（图 6-22），因此他能越过其它情况下无法越过的稍高的横杆。

图 6-22 通过尽量弯曲他们的身体，撑杆跳选手可将质心保持得稍低于他实际越过的横杆。

例 6-11 估计撑杆跳。请估算一个 70kg 的撑杆跳选手正好越过 5.0m 横杆所需的动量和速率。设选手的质心开始时离地面 0.90m，与横杆水平时达到其最大高度。

解：我们取选手正好撑杆时（撑杆开始弯曲储存势能时）的总能量等于越过横杆时的总能量（我们忽略了这一点很小的动能）。取选手质心的初始位置 $y_1=0$。选手的身体必须

达到的高度为 $y_2 = 5.0\text{m}-0.9\text{m} = 4.1\text{m}$，因此，用公式 6-13 可得，

$$\frac{1}{2}mv_1^2 + 0 = 0 + mgy_2$$

并且

$$\begin{aligned} \text{KE}_1 &= \frac{1}{2}mv_1^2 = mgy_2 \\ &= (70\text{kg})(9.8\text{m/s}^2)(4.1\text{m}) = 2.8\times10^3\ \text{J} \end{aligned}$$

速率为(利用 $\text{KE}_1 = \frac{1}{2}mv_1^2$ 求解 v_1)

$$v_1 = \sqrt{\frac{2\text{KE}_1}{m}} = \sqrt{\frac{2(2800\,\text{J})}{70\text{kg}}} = 8.9\text{m/s}$$

这是近似值，因为我们忽略了选手越过横杆时的速率，以及撑杆撑地时转变的机械能和选手对撑杆作的功。

作为另一个机械能守恒的例子，让我们考虑与质量为 m 的物体相连的弹簧，其弹性常数为 k，并且本身质量可被忽略。在某一时刻物体具有速率 v，系统的势能为 $\frac{1}{2}kx$，这里 x 是弹簧离其平衡位置的位移。如果没有摩擦力和其它任何力作用，能量守恒原理告诉我们

$$\frac{1}{2}mv_1^2 + \frac{1}{2}kx_1^2 = \frac{1}{2}mv_2^2 + \frac{1}{2}kx_2^2 \quad \text{[只适用于弹性势能]} \qquad \textbf{(6-14)}$$

这里下标 1 和 2 表示两个不同点的速度和位移。

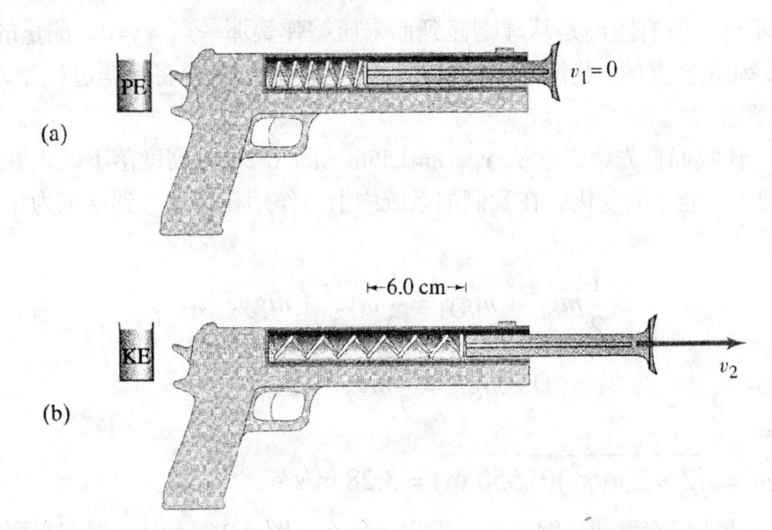

图 6-23 例 6-12（a）飞镖将弹簧压缩了 6.0cm，然后释放，（b）飞镖以很高的速度（v_2）离开弹簧。

例 6-12 玩具飞镖枪。一质量 0.100kg 的飞镖压进图 6-23 所示的玩具枪的弹簧中。弹簧（弹性常数 k=250N/m）被压进 6.0cm，然后释放。如果飞镖在弹簧到达其平衡位置（x=0）时飞离，它的速率是多少？

解：在水平方向上作用在飞镖上（忽略摩擦）的只有弹簧施加的力。在竖直方向，引力被枪膛施加的法向力抵消。（在飞镖离开枪膛后，它将在引力作用下作抛物运动）我们对弹簧最大压缩点 1 用公式 6-14，$v_1=0$（飞镖还没释放）且 $x_1=-0.060\text{m}$。点 2 选为飞镖离开弹簧的瞬间（图 6-23b），所以 $x_2=0$，我们要求 v_2。因此，公式 6-14 可写成

$$0+\frac{1}{2}kx_1^2=\frac{1}{2}mv_2^2+0$$

那么

$$v_2^2=kx_1/m=(250\ \text{N/m})(0.060\ \text{m})^2/(0.0100\ \text{kg})=9.0\ \text{m}^2/\text{s}^2$$

所以 $v_2=\sqrt{v_2^2}=3.0\ \text{m/s}$。

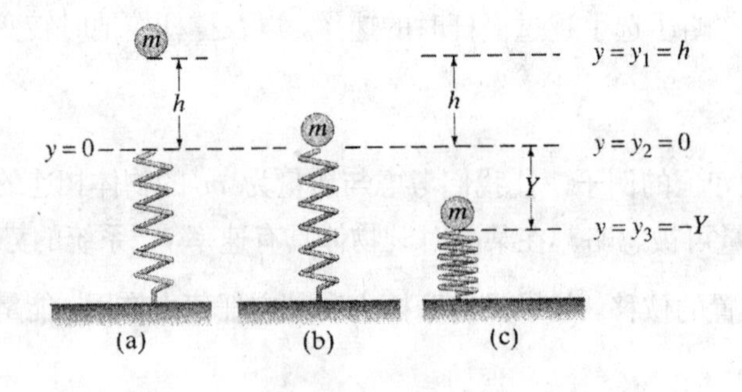

图 6-24 例 6-13

例 6-13 两种势能。 一质量 $m=2.60\text{kg}$ 的球，从静止开始下落竖直高度 $h=55.0\text{cm}$ 后碰到一弹簧上，并将弹簧压缩了 $Y=15.0\text{cm}$（见图 6-24）。试求弹簧的弹性系数。设弹簧的质量可以忽略不计。所有距离是从球刚碰到而未压缩弹簧那一点（$y=0$）测量的。

解：因为运动是竖直的，我们用 y 代替 x（y 向上为正）。我们将解题过程分为两部分。（也有另一种解法。）

第一部分：让我们首先考虑球从 $y_1=h=0.55\text{m}$（图 6-24a）高度落下，正好碰到弹簧 $y_2=0$ 时（图 6-24b）能量的变化。在我们的系统中引力作用在球上（到这里为止，弹簧什么也没做），所以

$$\frac{1}{2}mv_1^{\ 2}+mgy_1=\frac{1}{2}mv_2^{\ 2}+mgy_2$$

$$0+mgh=\frac{1}{2}mv_2^{\ 2}+0$$

并且 $v_2=\sqrt{2gh}=\sqrt{2(9.8\ \text{m/s}^2)(0.550\ \text{m})}=3.28\ \text{m/s}$；

第二部分：让我们看看球压缩弹簧时发生了什么，图 6-24b 到 c。现在有两个保守力作用在球上——引力和弹性力。所以我们的方程变成

E（球碰弹簧）= E（弹簧压缩）

$$\frac{1}{2}mv_2^2+mgy_2+\frac{1}{2}ky_2^2=\frac{1}{2}mv_3^2+mgy_3+\frac{1}{2}ky_3^2$$

我们取点 2 为球正好碰到弹簧的瞬间，所以 $y_2=0$，$v_2=3.28\text{m/s}$。点 3 为球停止弹簧被充分压缩时，所以 $v_3=0$，$y_3=-Y=-0.150\text{m}$（已知）。将这些带入上面的能量公式

$$\frac{1}{2}mv_2^2+0+0=0-mgY+\frac{1}{2}kY^2$$

我们已知 m，v_2，Y 和，所以可求出 k：

$$\begin{aligned}k&=\frac{2}{Y^2}\left[\frac{1}{2}mv_2^2+mgY\right]\\&=\frac{m}{Y^2}\left[v_2^2+2gY\right]\\&=\frac{(2.60\text{ kg})}{(0.150\text{ m})^2}\left[(3.28\text{ m/s})^2+2(9.8\text{ m/s}^2)(0.150\text{ m})\right]=1580\text{ N/m}\end{aligned}$$

另一种解法：我们也可以不用将解题过程分为两部分，而进行直接求解，关键是选择哪两点用在能量方程的左边和右边。让我们对点 1 和点 3（图 6-24）写出能量方程。点 1 是球刚开始下落的初始点（图 6-24a），所以 $v_1=0$，$y_1=h=0.550\text{m}$；点 3 为弹簧被充分压缩（图 6-24c），所以 $v_3=0$，$y_3=-Y=-0.150\text{m}$。在这个过程中作用在球上的力有引力和弹性力（在一段时间内）。所以能量守恒告诉我们

$$\frac{1}{2}mv_1^2+mgy_1+\frac{1}{2}k(0)^2=\frac{1}{2}mv_3^2+mgy_3+\frac{1}{2}ky_3^2$$

$$0+mgh+0=0-mgY+\frac{1}{2}kY^2$$

这里我们对弹簧在点 1 取 $y=0$，因为在这一点它没有作用、没有被压缩或拉伸。求出 k：

$$k=\frac{2mg(h+Y)}{Y^2}=\frac{2(2.60\text{ kg})(9.8\text{ m/s}^2)(0.550\text{ m}+0.150\text{ m})}{(0.150\text{ m})^2}=1580\text{ N/m}$$

与第一种方法的结果一样。

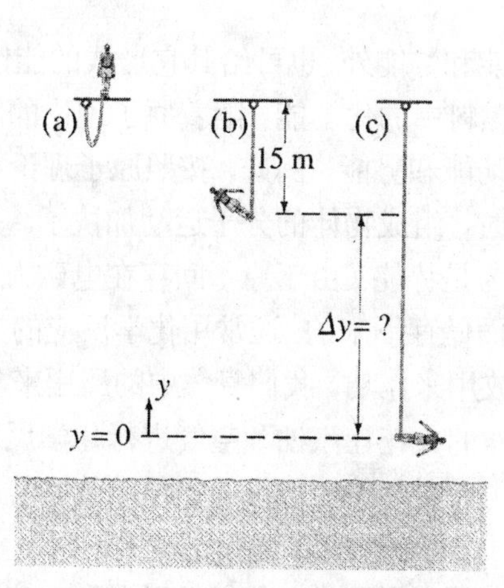

图 6-25　例 6-14。（a）准备起跳，（b）绳索未拉伸时，（c）绳索最大拉伸时。

例 6-14 蹦极跳。大卫将蹦极绳（高强度绳索）系在脚踝上从桥上跳下（图 6-25）。在蹦极绳开始作用之前，他下落了 15 米。大卫的质量为 75kg，我们假设绳索服从胡克定律，$F = -kx$，并且 $k = 50\text{N/m}$。如果我们忽略空气阻力，请估计大卫在停止之前从桥面下落了多高。忽略绳索的质量（但实际情况不是这样）。

解：我们首先认识到这个问题用第二章的运动学公式很难解。那些公式涉及到的是匀加速过程。但这里绳索加给大卫的力随着他的下落而增强。我们可用能量守恒求解这个问题。大卫开始时具有引力势能。引力势能随后变成动能和弹性势能。设没有摩擦力作用，初始总能一定等于最后的总能。如果定义坐标系为在最低点 $y=0$，设绳索在这一点的拉伸长度为 y，因此总的下落高度为（见图 6-25）

$$h = 15\text{m} + \Delta y$$

能量守恒给出：

$$\text{KE}_1 + \text{PE}_1 = \text{KE}_2 + \text{PE}_2$$

$$0 + mg(15\text{m} + \Delta y) = 0 + \frac{1}{2}k(\Delta y)^2$$

为了求出 y，我们写成标准的二次方程形式（$ax^2 + bx + c = 0$）：

$$(\Delta y)^2 - \frac{2mg}{k}\Delta y - \frac{2mg}{k}(15\text{m}) = 0$$

用二次方程公式，$\Delta y = (-b \pm \sqrt{b^2 - 4ac})/2a$，当 $a = 1$，$b = (-2mg/k) = -29\ \text{m}$，$c = -2mg(15\text{m})/k = -440\text{m}^2$，我们得到：

$$\Delta y = 40\ \text{m} \text{ 和 } \Delta y = -11\ \text{m}$$

负的解没有物理意义，所以大卫下落的距离为：

$$h = 15\text{m} + 40\text{m} = 55\text{m}$$

6–8 其它形式的能；能量转换和能量守恒定律

除了普通物体所具有的动能和势能外，也可给其它形式的能作出定义。它们包括电能、核能、热能以及储存在食物和燃料中的化学能。随着原子理论的出现，这些其它形式的能量已被看作原子和分子水平的动能和势能。例如，按照原子理论，热能被解释为快速运动分子的动能——当物体被加热时，组成物体的分子运动加快了。另一方面，储存在食物和汽油一类的燃料中的能可被认为是势能（由于原子间存在电磁力（与化学键有关）），它是以分子中原子相对位置的形式而储存下来的。通常用化学反应的方法释放化学键中的能来作功。这类似压缩弹簧然后释放用来作功。我们身体中的酶用来释放储存在食物分子中的能量。汽车中的火花塞放出强烈的火花让汽油和空气进行化学反应，释放出储存的能对活塞作功，从而推动汽车前进。电、磁和核能也可看作是动能和势（或储存）能。我们将在以后章节中详细讨论这些其它形式的能。

能量可以从一种形式转化成另一种形式，我们已经遇到一些这样的例子。举在空中的石块具有势能：当它下落时，由于离地面高度的减小，它失去了势能。同时由于速度的增加，它获得了动能。势能转化成动能。

能量的转化常常涉及到能从一个物体转移到另一个物体。图 6-13b 中储存在弹簧里的势能转变成球的动能，如图 6-13c。奔跑的撑杆跳选手的动能先转换化弯曲撑杆的弹性势能，接着又变成上升选手的势能，图 6-21。大坝顶部的水具有势能，当水落下时，势能变成了动能。正如我们将在以后章节看到的，在大坝的底部，水的动能可被转移到旋转叶片上再转化成电能。储存在弯弓里的势能可被转化成箭的动能（图 6-26）。

图 6-26　弯弓里的势能转化成箭的动能

在每一个这些例子中，能量的转化都伴随着作功。图 6-13 中的弹簧对球作了功。水对旋转叶片作了功。弓对箭作了功。这些观察使我们对功和能之间的关系有了更深的了解：当能从一个物体转移到另一个物体时伴随着作功。人扔一个球或推一辆车给出了另一个例子。作功是人（来自食物的化学能）将能量转移到球或车上。

物理学的一个伟大结论是：当能量转移或转换时，发现在这个过程中没有能量产生或失去。

这就是**能量守恒定律**。一个物理学中重要的原理；它可叙述如下：

在任何过程中总能量既不增加也不减少。能量可从一种形式转化为另一种形式，从一个物体转移到另一个物体，但总量保持恒定。

我们已经讨论了保守力作用下机械系统的能量守恒问题，并看到它是如何从牛顿定律推导出来，因此它们是等同的。但能量守恒定律具有更大的广泛性，根据实验观察，它涵盖了所有形式的能包括如摩擦力一类力的非保守力能。甚至在牛顿定律无法解释的原子亚微观世界里，在目前所进行的各种实验中，发现能量守恒定律都是成立的。

能量守恒定律的应用是如此广泛，它在物理学的其它领域（正如我们将在这本书中看到的），以及其它科学领域都扮演了十分重要的角色。在下一节，我们讨论应用它的另一个例子。

6–9 耗散力能量守恒：解题

我们在第七节应用能量守恒定律时，忽略了摩擦力这种非保守力。但在许多情况下，它不能被忽略。在实际情况中，例如图 6-19 中的过山车，由于存在摩擦力，实际上不可能在第二个坡道上达到与第一个同样的高度。在这里，同样在其它实际过程中，机械能（动能和势能的和）没有保持恒定，而是在减少。因为摩擦力作用而减少了总机械能，它被叫做**耗散力**。在进入十九世纪之前，耗散力的存在一直阻碍着能量广泛守恒定律的提出。直到那时，总是伴随摩擦产生的热才被解释成能量的一种形式。十九世纪科学家的大量研究（在 14 和 15 章讨论）证明：如果将热看作一种能量（称为**热能**），那么总能量在任何过程中守恒。例如，如果图 6-19 中的过山车受摩擦力影响，那么车的初始总能量将等于任意时刻的动能加上势能再加上运动过程中产生的热能。恒定摩擦力 F_{fr} 产生的热能等于这个力作的功。我们现在用功能原理的普遍形式，公式 6-10：

$$W_{\text{非保}} = \Delta\text{KE} + \Delta\text{PE}$$

我们可以写出 $W_{\text{非保}} = -F_{\text{fr}}d$，这里 d 是力作用的距离。（F 和 d 方向相反，因此出现负号。）

因此，用 $\text{KE} = \frac{1}{2}mv^2$ 和 $\text{PE} = mgy$，我们有

$$-F_{\text{fr}}d = \frac{1}{2}mv_2^2 - \frac{1}{2}mv_1^2 + mgy_2 - mgy_1$$

或者

$$\frac{1}{2}mv_1^2 + mgy_1 = \frac{1}{2}mv_2^2 + mgy_2 + F_{\text{fr}}d \quad \text{[引力和摩擦力作用时]} \qquad \textbf{(6-15)}$$

这里 d 是物体从点 1 到点 2 沿路径行进的距离。公式 6-15 可看成公式 6-13 加上摩擦力的修正。它可被简单地解释为：车的初始机械能（点 1）等于（减少）最终机械能加上摩擦力产生的热能。

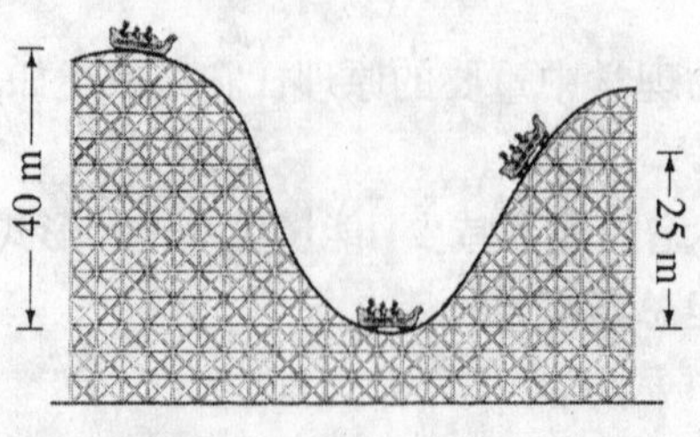

图 6-27 例 6-15 由于存在摩擦力，过山车在第二个坡道上不能到达初始高度。

例 6-15 过山车上的摩擦力。 例 6-9 中的过山车在第二个坡道上停止前只达到 25m 的垂直高度（图 6-27）。它行进的总距离为 400m。请估计作用在质量为 1000kg 车上的平均摩擦力。

解： 我们用能量守恒，这里用公式 6-15 的形式，取点 1 为车出发的瞬间，点 2 为停

止的瞬间。那么 v_1=0，y_1=40m，v_2=0，y_2=25m，d=400m，因此

$$0+(1000\text{kg})(9.8\text{m/s}^2)(40\text{m})=0+(1000\text{kg})(9.8\text{m/s}^2)(25\text{m})+F_{\text{fr}}(400\text{m})$$

我们解出 $F_{\text{fr}}=370\text{N}$。

动能转换成热能的另一个例子出现在当一个物体（像例 6-17 中的石块）撞击地面时。机械能在这种撞击中是不守恒的，但总能量是守恒的。作为碰撞的结果，动能转换成热能（或许还有一些声能），石块和地面将稍变热。一个十分类似这种动能转换成热能的例子可在锤子击打钉子时看到，经过多次猛击，用手指轻轻碰一下钉子，你就会发现它是多么热。

当其它形式的能，如机械能或电能，被包括进来以后，能的总量发现总是守恒的。因此，能量守恒定律被确认是普适的。

解题步骤：能量守恒

1. 画图。
2. 确定那个系统能量将是守恒的；物体或物体和作用力。
3. 自问要求什么量，确定初始（点 1）最终（点 2）位置。
4. 如果考虑的物体在问题中改变了高度，选择引力势能的 y=0 水平面。这可以视方便而定；一般取问题中的最低点。
5. 如果涉及弹簧，选平衡位置 x（或 y）=0。
6. 如果没有摩擦力或其它非保守力作用，用机械能守恒公式：

$$\text{KE}_1+\text{PE}_1=\text{KE}_2+\text{PE}_2$$

7. 求出未知量。
8. 有摩擦力或其它非保守力存在，须加上附加项（W_{NC}）：

$$W_{\text{NC}}=\Delta\text{KE}+\Delta\text{PE}$$

确认 W_{NC} 的符号，或应将它放在公式的哪一边，用你的直觉：在这个过程中，总机械能是增加还是减少了？

解答习题不是一个按照一系列规则去做的过程。上面的解题框架不是定死的，但它是解题步骤的总结，它能帮助我们在解有关能量的问题时有个好的开端。

6–10　功率

平均功率定义为作功的速率（=作的功除以所用的时间），或能量转换的速率。即：

$$\overline{P}=\text{平均功率}=\frac{\text{功}}{\text{时间}}=\frac{\text{能量转换}}{\text{时间}}\tag{6-16}$$

一匹马的功率表示单位时间它能作多少功。一个引擎的功率表示单位时间内多少化学能或电能可转换成机械能。在国际单位制中，功率用焦耳每秒测量，这个单位定义了一个特殊的名字，**瓦特**（W）：1W = 1J/s。我们非常熟悉用瓦特度量电灯和电热器在单位时间内将多少电能转换成光和热能，但它也可以用来度量其它类型能量的转换。在英制中，功率的

单位是英尺－磅每秒（ft lb/s）。为了实用，常用一种较大的单位，马力⁺。一马力（hp）定义为 550 ft · lb/s，等于 746W。

分清能量和功率之间的区别非常重要。下面的例子可帮你做到这一点。一个人能作的功是有限的，不仅在于需要的总能量，而且还要看这些能量转换得有多快：即功率多大。例如，一个人可以步行很长的距离或爬许多段台阶，因为要消耗许多能量，最后他不得不停止。另一方面，他飞快地上台阶，也许只能上一两段就没力气了。在这种情况下，他受到功率的限制，即他的身体将化学能转换成机械能的速率。

⁺马力这个单位是首先由瓦特（1738—1819）选定的。他当时需要一种方法来指明他刚刚发明的蒸汽机的功率。通过实验他发现，一匹好马可以以平均功率 360ft · lb/s 持续不断的工作一天。为了不至于使人们在他出售蒸汽机时指责他夸张，他在定义这个功率单位时给他乘了 $1\frac{1}{2}$。

例 6-16 上台阶的功率。 一 70kg 的慢跑者用 4.0s 跑上很长一段台阶。台阶的垂直高度是 4.5m。（a）请估算慢跑者输出了多少瓦特或马力的功率。（b）这需要多少能量？

解：（a）克服引力作的功等于 $W=mgy$。因此平均输出功率为

$$\overline{P}=\frac{W}{t}=\frac{mgy}{t}=\frac{(70\text{ kg})(9.8\text{ m/s}^2)(4.5\text{ m})}{4.0\text{s}}=770\text{ W}$$

因为 746W 是一马力（hp），慢跑者作功的速率正好超过一马力。要注意的是，人类不能以这个速率作很长时间的功。

（b）需要的能量为 $E=\overline{P}t$（公式 6-16），因为 $\overline{P}=770\text{W}=770\text{J/s}$，那么 $E=(770\text{ J/s})(4.0\text{s})=3100\text{ J}$。[注意，人转换的能量必须超过这个值。人或引擎转换的总能量总是包括一些热能（回忆跑上楼梯时，你身上变得很热）。]

概念练习 例 6-17 **大功率激光器的能量**。在劳伦斯·利物茅国家实验室的诺瓦激光器具有十个光束，每一个的输出功率大于美国所有电厂的总功率。这些功率从哪来？

答：电力公司并不真正出卖功率。它们卖的是能量。当你每月末得到帐单时，你是按千瓦时缴费的。一千瓦是单位时间内消耗的能量（功率），所以乘以时间就是能量。电站统计的是输出功率，或它们传递能量的快慢。诺瓦激光器用一个下午时间储存能量。然后在极短的时间内从激光束中放出，这个时间大约在 1ns（10^{-9}）的量级。传递到靶上的能量并没有多大，在 10^5J 的量级或只相当于你从一个油炸圈得到能量。但它是在极短的时间内释放的，所以功率非常高，在 10^{14}W 量级。

机动车作功是为了克服摩擦力（和空气阻力），为了爬坡和加速。车作功的速率是有限的，这就是为什么机动车引擎都以马力标定。汽车通常在爬坡或加速时需要的功率最大。在下一个例子中，我们将计算对一个普通大小的车，在这些情况下需要多少功率。即使车在平路上匀速行驶时，它也需要一些功率去作功来克服内摩擦力和空气阻力引起的减速。这些力取决于车的状况和速率，但一般在 400N 到 1000N 的范围。

为了简便，功率常被写成施加给物体的合力 F 和它的速率 v。因为 $\overline{P}=W/t$，$W=Fd$，

这里 d 是行进的距离。因此

$$\overline{P}=\frac{W}{t}=\frac{Fd}{t}=F\,\overline{v} \tag{6-17}$$

这里 $\overline{v}=d/t$ 是物体的平均速率。

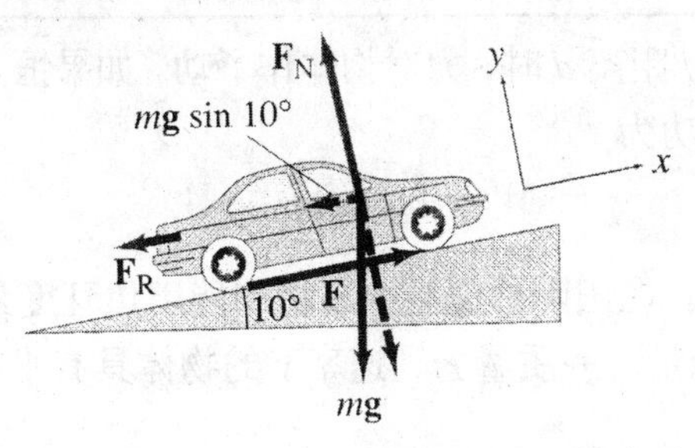

图 6-28　例 6-18：计算汽车（a）爬坡（b）超车需要的功率

例 6-18 一辆车需要的功率。 试计算一辆 1400kg 的汽车在下列情况下所需的功率：（a）以 80km/h 的固定速率爬一个10°的山坡；（b）在平路上要超过另一辆车，在 6.0s 内，从 90 km/h 加速到 110 km/h。设汽车受到的阻力始终是 F_R=700N。见图 6-28。（注意不要弄混 F_R，它来自导致运动减速的空气阻力和摩擦力，而加速牛需要的力 **F**，它来自路面作用在轮胎上的静摩擦力——转动轮胎推路面的反作用力。）

解：（a）以固定速率爬坡，汽车需要施加的力等于减速力的合力 700N。平行于山坡的引力分量，$mg\sin10°$ =(1400kg)(9.80m/s^2)(0.174) = 2400N。因为 $\overline{v}$ = 80 km/h = 22m/s，并平行于 **F**，因此（公式 6-17）：

$$\begin{aligned}\overline{P}&=F\,\overline{v}\\&=(2400\text{N}+700\text{N})(22\text{m/s})\\&=6.8\times10^4\text{W}\\&=91\text{hp}\end{aligned}$$

（b）汽车从 25.0m/s 加速到 30.6m/s（90 km/h 到 110 km/h）。因此汽车必须施加一个力，用来克服 700N 的减速力和提供加速需要的，$\overline{a}_x=(30.6\text{m/s}-25.0\text{m/s})/6.0\text{s}=0.93\text{m/s}^2$。我们选运动方向为 x，用牛顿第二定律：

$$ma_x=\sum F_x=F-F_R$$

需要的力 F 为，

$$\begin{aligned}F&=ma_x+F_R\\&=(1400\text{kg})(0.93\text{m/s}^2)+700\text{N}\\&=1300\text{N}+700\text{N}=2000\text{N}\end{aligned}$$

因为 $\overline{P}=F\overline{v}$，需要的功率随速率增加而增加，马达提供的最大输出功率为

$$\begin{aligned}\overline{P}&=(2000\text{N})(30.6\text{m/s})\\&=6.12\times10^4\text{W}\\&=82\text{ hp}\end{aligned}$$

虽然考虑到只有 60%到 80%的引擎输出功率传递到车轮上，但从这些计算清楚地看到，一个 100 到 150 马力的引擎足够实际使用。

小结

当物体在力的作用下移动距离 d 时，力对物体作了**功**。如果恒力 F 的方向于运动方向成 角 θ，那么这个力作的功为

$$W = Fd\cos\theta$$

能被定义为作功的能力。在国际单位制中，功和能用焦耳度量（1J = 1N ·m）。

动能（KE）是运动的能量。一质量 m、速率 v 的物体具有平移动能

$$\mathrm{KE} = \frac{1}{2}mv^2$$

势能（PE）是与力有关的能量，依赖于物体的位置或结构。引力势能为

$$\mathrm{PE}_{\text{引力}} = mgy$$

这里 y 是质量 m 的物体超出任意参考点的高度。对一个拉伸或压缩的弹簧来说，弹性势能等于$\frac{1}{2}kx^2$。这里 x 是离开平衡位置的距离。当物体改变位置时，势能的改变等于外力将物体从一位置移到另一位置作的功。

功能原理指出对物体作的总功（由合力）等于物体动能的改变：

$$W_{\text{合}} = \Delta\mathrm{KE} = \frac{1}{2}mv_2^2 - \frac{1}{2}mv_1^2$$

能量守恒定律指出能量可从一种形式转换成另一种形式，但总能量保持恒定。它在存在摩擦力时也成立，因为产生的热可看作一种形式的能。在无摩擦和其它非保守力的情况下，总机械能守恒：

$$\mathrm{KE} + \mathrm{PE} = \text{恒定}$$

有非保守力作用时，则变成

$$W_{\mathrm{NC}} = \Delta\mathrm{KE} + \Delta\mathrm{PE}$$

这里 W_{NC} 是非保守力作的功。

功率定义为作功的速率，或能量转换的速率。功率在国际单位制中用**瓦特**（1W = 1J/s）表示。

问答题

1. 日常词汇中，“功”这个词在什么情况下的意义与物理中的定义一致？什么情况下不一致？

2. 向心力能对物体作功吗？请解释。

3. 作用在物体上的法向力能作功吗？请解释。

4. 一逆流游水的妇女相对于岸没有移动。她作了功吗？如果她停止游泳而只是漂浮，水对她作功了吗？

5. 动摩擦力作的功总是负的吗？[提示：考虑当你从家中最好的瓷器下拉出桌布时出现的情况。]

6. 为什么使劲推一堵墙，一点功没作，却很累人？

7. 你有两个弹簧，除了弹簧 1 比弹簧 2 硬（$k_1 > k_2$）外，其它一样。在下列情况下，对哪个弹簧作的功多？（a）如果用同样的力拉它们，（b）如果它们被拉伸同样的距离。

8. 动能可以是负的吗？请解释。

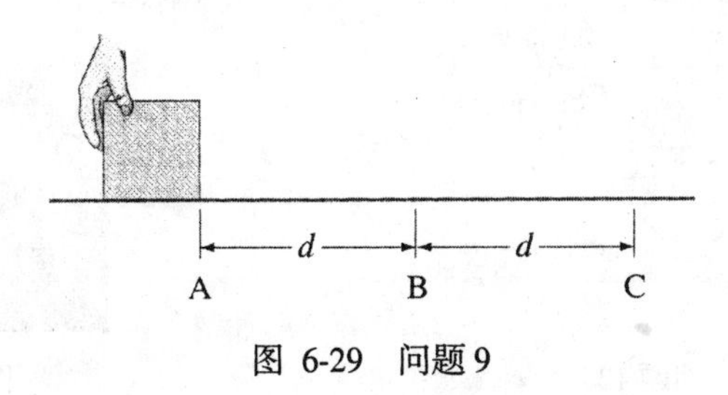

图 6-29　问题 9

9. 手对木块施加一水平恒力，使其沿无摩擦平面自由滑动，如图 6-29 所示。木块从点 A 静止开始，移动一段距离 d 后，以速率 v_B 到达 B 点。当木块移动另一个距离 d 到达 C 时，它的速率是大于，小于还是等于 $2v_B$？请解释你的答案。

10. 估算当你尽量往高跳时，你引力势能的改变。

图 6-30　问题 11

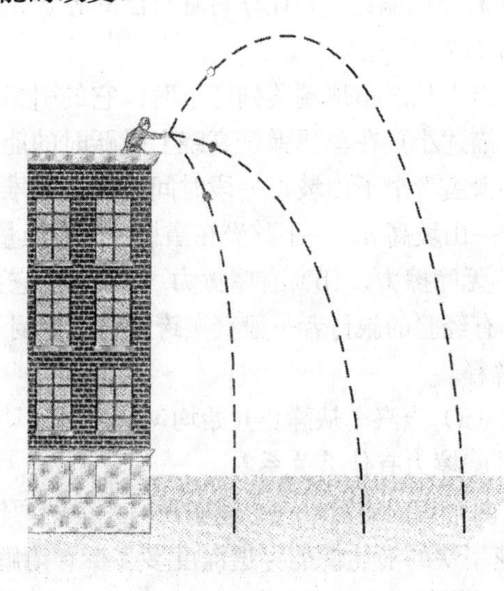

图 6-31　问题 12

11. 请指出图 6-30 中著名的埃舍绘画中物理上的“错误”。

12. 图 6-31 中，从建筑物顶上以同样的速率，但以不同发射角抛出水球。落地时，哪一个速率最大？

13. 摆锤在离最低点的高度为 h 时，被以两种不同方式抛出（图 6-32）。两种方式获得的初始速率都为 3.0 m/s。在第一种方式中，摆锤的初速沿轨迹线向上，而在第二中方式中则是向下的。哪种方式使摆锤偏离平衡位置的角度最大？

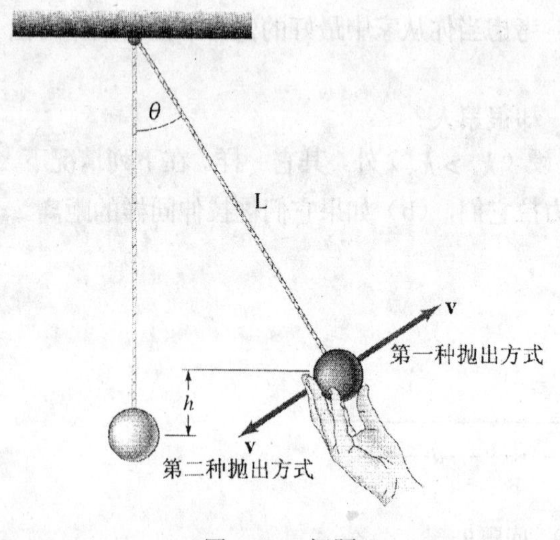

图 6-32 问题 13

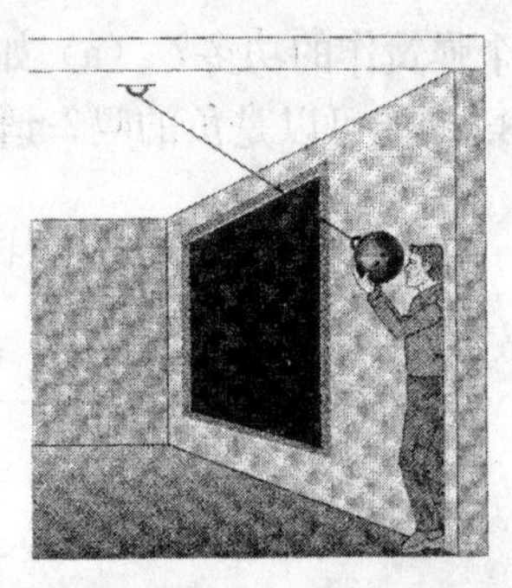
图 6-33 问题 15

14. 一质量 m 的弹簧静止竖放在桌子上。如果你用手压下弹簧，然后放开它。弹簧能离开桌面吗？请用能量守恒定律解释。

15. 在一个著名的教学示范中，一个保龄球用钢丝绳挂在天花板上（图 6-33）。教师将球拉向教室的墙边，并让球对着自己的鼻子。为了不碰伤老师，应该放开球，而不要推它。为什么？

16. 当水从瀑布顶端落到底下时，它的引力势能有什么变化？

17. 描述小孩在单腿弹簧高跷上跳跃时的能量转换。

18. 滑雪者滑下山坡，一段时间后撞上雪堆而停止。描述这个过程中能量的转换。

19. 一山坡高 h。一小孩坐在雪橇上（总质量 m）从山顶开始静止滑下。如果（a）山坡结冰，无摩擦力，（b）有摩擦力（深雪），它到达底部的速度是否依赖于坡度？

20. 有经验的旅行者一般直接跨过路途上倒下的园木，而不是先踩上去，再跳到另一边。请解释。

21. （a）当汽车从静止开始均匀加速时，动能从哪里来？（b）动能的增加与路面施于轮胎的摩擦力有什么关系？

22. 两个相同的箭，一个速率是另一个的两倍，射向一捆干草。设干草对箭的摩擦力恒定，速率快的箭比慢的穿透深度多多少？请解释。

23. 用能量的方法分析简单垂摆的运动，（a）忽略摩擦力，（b）考虑摩擦力。请解释为什么老爷钟需要上发条。

24. 一个“超级球”掉到地上，它能跳到比原来高的高度吗？

25. 设你将手提箱从地板拿到桌子上。你对手提箱作的功依赖于下列因素吗？（a）你是直接提上的，还是沿复杂的路线，（b）用了多少时间，（c）桌子的高度，（d）手提箱的重量。

26. 用需要的功率而不是功重做上面的问题。

27. 为什么沿 Z 字型路径登山比直接往上爬容易。

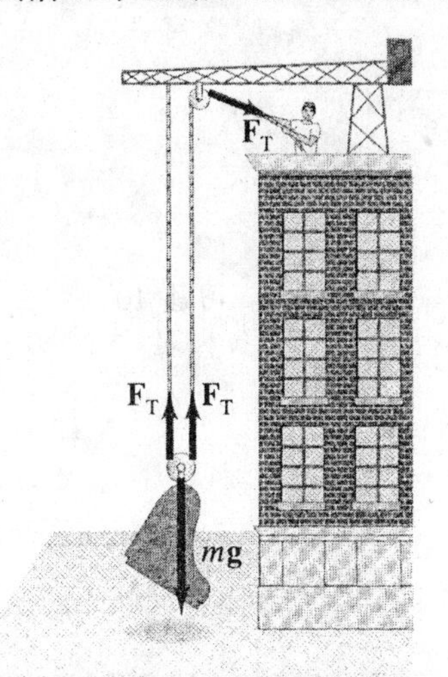

图 6-34 问题 28

28. 重做第四章例 4-12，你可以用滑轮和绳子减轻升起重物所需的力（见图 6-34）。但重物每升高一米，你必须拉起多少绳子？用能量的概念考虑这个问题。

习题

6-1 节

1.（Ⅰ）一 75.0 kg 的消防队员爬上 10.0 m 高的梯子。需要多少功？

2.（Ⅰ）一重 900N 的木箱静止放在地板上。(a) 沿摩擦力为 180 N 的地板将它匀速移动 6.0 m，(b) 垂直举起 6.0 m。各需多少功？

3.（Ⅰ）沿粗糙地板无加速水平推动 150kg 的木箱移动 12.3 m，如果有效摩擦系数为 0.70，推者用了多少功？

4.（Ⅰ）一汽车匀速行驶了 2.8 km，作功 7.0×10^4 J。作用在汽车上的平均阻力（所有因素）多大？

5.（Ⅰ）如果某人垂直扔出一 0.32 5kg 的石块，他作的功为 115 J，石块将上升多高？忽略空气阻力。

6.（Ⅰ）一质量为 2.0 kg 的榔头从 0.40 m 高度自由落到一钉子上。它能对钉子作的最大功是多少？为什么人们不让榔头自己落下，而是要加上力？

7.（Ⅱ）将一 1000 kg 的汽车推上 300 m 长的倾角为 17.5°的斜坡，最少需多少功？(a) 忽略摩擦力。(b) 设有效摩擦系数为 0.25。

8.（Ⅱ）一质量为 18kg 的小车被 F=12N 的力推着沿过道匀速移动。施加的力与水平成 20 角。如果过道 15m 长，试求作用在小车上的每个力作的功。

9.（Ⅱ）质量为 1.8kg、厚 4.6cm 的八本书平放在桌子上，将它们一个压一个垒起来，需作多少功？

10.（Ⅱ）一架 280 kg 的钢琴被人用平行于斜面的力推着，无加速地沿 30°斜面下滑了 4.3 m（图 6-35）。有效动摩擦系数为 0.40。试求：(a) 人施加的力，(b) 人对钢琴作的功，(c) 摩擦力作的功，(d) 引力作的功，(e) 作在钢琴上的总功。

11.（Ⅱ）（a）试求将质量为 M 的直升机以 0.10g 的加速度升起所需的力。（b）求直升机上升高度 h 时，这个力作的功。

图 6-35 习题 10

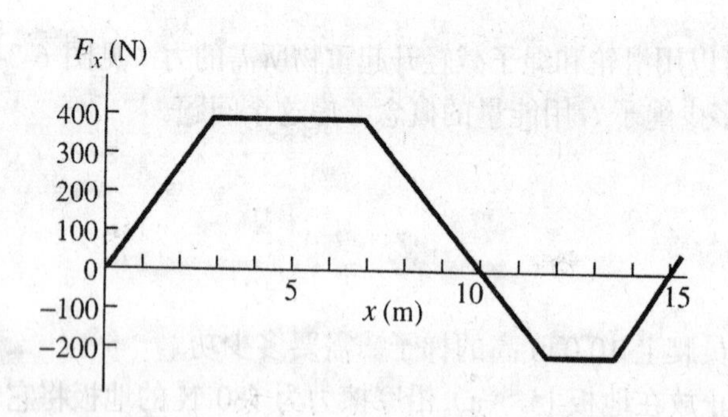

图 6-36 习题 13

***6-2 节**

*12.（Ⅱ）在图 6-6a 中，设距离轴是线性的，且 d_A=10.0m，d_B=35.0m。请估算从 d_A 移动 2.80kg 的物体到 d_B，这个力作的功。

*13.（Ⅱ）作用在物体上力的 x 分量的变化如图 6-36 所示。试求这个力移动物体下列距离时作的功，（a）从 $x = 0.0$ 到 $x = 10.0$m，（b）从 $x = 0.0$ 到 $x = 15.0$m。

*14.（Ⅱ）一弹簧 $k = 88$N/m。将它从 $x = 3.8$cm 拉伸到 $x = 5.8$cm，试用作图法求出作的功，这里 x 是偏离弹簧平衡位置的位移。

*15.（Ⅲ）施加在一质点上力，其 x 分量在 x=0 从零线性增加到 x=3.0m 的 24.0N。从 $x = 3.0$ 到 $x = 8.0$m，它保持恒定的 24.0N，然后线性减小，在 x=11.0m 时为零。试用作图法求出 F_x 对 x 图中的面积，从而得到将质点从 $x = 0.0$ 移动到 $x = 11.0$m 时作的功。

*16.（Ⅲ）一个 1300kg 的空间飞行器，从离地面垂直高度 2500km 的空中落下。试用公式 5-4 估算飞行器回到地面时引力作的功。（先作出 F 对 r 的图，这里 r 是离地球中心的距离；再求作的功。）

6-3 节

17.（Ⅰ）在室温下，质量为 5.31×10^{-26}kg 的氧分子的典型动能为 6.21×10^{-21} J。它运动得有多快？

18.（Ⅰ）（a）如果一支箭的动能翻倍，它的速度如何变化？（b）如果速度翻倍，它的动能如何变化？

19.（Ⅰ）停止一个以 1.90×10^{6} m/s 的速率运动的电子（m=9.11×10^{-31} kg）需作多少功？

20.（Ⅰ）停止一个以 110km/h 行驶的 1000kg 的汽车需作多少功？

21.（Ⅱ）一机动车沿高速公路以 90km/h 行驶。如果它变成以 100km/h 行驶，机动车动能增加了百分之几？

22.（Ⅱ）一 80g 的箭从一弓中射出，这个弓在 80cm 的距离中施加给箭的平均弹性力为 95N。箭离开弓时速率为多少？

23.（Ⅱ）一棒球（m = 140g）以 35m/s 飞行，它被接住时，将球员的手套向后推行了 25cm。球对手套施加的平均力是多少？

24.（Ⅱ）如果汽车的速率增加 50%，设其它条件不变，汽车的刹车距离增加多少？忽略驾驶员的反应时间。

25.（Ⅱ）在平坦路面上发生了一起事故，调查员量出汽车的滑痕长 88m。这是一个雨天，摩擦系数约为 0.42。用这些数据求出驾驶员刹车（并锁死）时汽车的速率。（为什么与汽车质量无关？）

26.（Ⅱ）一质量为 0.25g 的软式棒球被以 95 km/h 的速率扔出。在它到达击球点时，速率减少了 10%。如果投球手离击球点 15 m 远，忽略引力，估算球在飞行中的平均空气阻力。

27.（Ⅲ）一辆车的质量是另一辆的两倍，但动能只有一半。当两辆车的速率都增加 5.0 m/s 后，它们的动能一样，两辆车的初始速率各是多少？

28.（Ⅲ）用一根缆绳将 220kg 的重物以 a = 0.150 g 的加速度竖直提起 21.0 m。试求（a）缆绳上的张力，（b）对重物作的总功，（c）缆绳对重物作的功，（d）引力对重物作的功，（e）重物从静止开始，其终速是多少？

6-4 和 6-5 节

29.（Ⅰ）一弹簧的弹性常数 k 等于 440N/m。需多大的拉力，才能使它储存 25J 的势能？

30.（Ⅰ）一 6.0kg 的猴子从一个树枝跳到比这个高 1.2m 的另一个树枝上。它的势能改变多少？

31.（Ⅰ）质量为 64kg 的撑杆跳选手在跳跃中其质心升高了 4.0m，它的引力势能改变多少？

32.（Ⅱ）一人身高 1.60m，将放在地上 2.10kg 的书举到 2.20m 高。书在下列的情况中势能为多少？（a）地面，（b）人的头顶，（c）相对于（a）和（b），人作的功是多少？

33.（Ⅱ）一个 55kg 的登山者从海拔 1600m 处开始登上了 3100m 的顶峰。（a）登山者势能改变多少？（b）它最少需作多少功？（c）实际作的功比这个多吗？请解释为什么。

34.（Ⅱ）（a）一弹簧弹性系数为 k，开始它被压缩到离平衡位置的距离为 x_0，如果将它压缩到 x 距离，它势能的改变是多少？（b）然后将弹簧拉伸到离平衡位置 x_0 距离。与最初它被压缩到 x_0 距离相比，弹簧势能改变多少？

6-6 和 6-7 节

35.（Ⅰ）为了寻找泰山，珍妮以最快速率（5.6 m/s）奔跑并抓住丛林中大树上垂下的藤蔓。她能荡多高？藤蔓（或绳子）的长度影响你的答案吗？

36.（Ⅰ）一个滑雪初学者，从静止开始，沿垂直高度 125 m、坡度 35.0° 的无摩擦雪道滑下。当她到达底部时速率为多少？

37.（Ⅰ）一雪橇被猛推后冲上 25.0° 的无摩擦斜坡。它到达的最大高度比它出发时高出 1.35m。它的初速是多少？

38.（Ⅱ）在跳高中，运动员的动能转化成势能。要使他的质心升高 2.10m 并以 0.70m/s 的速率越过横杆，他离开地面时的最小速率必须是多少？

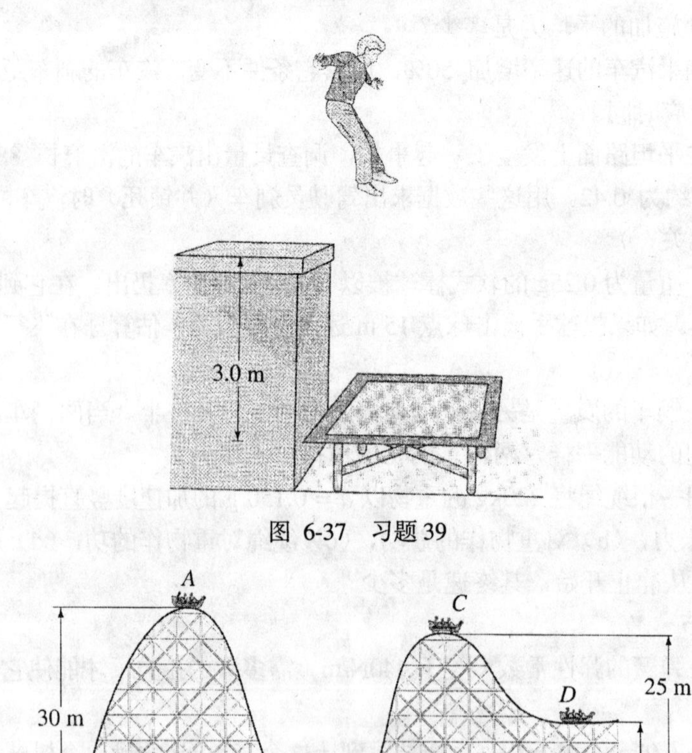

图 6-37 习题 39

图 6-38 习题 53

39.（Ⅱ）一 75kg 的蹦床表演者从平台上以 5.0m/s 的速率竖直跳起。(a) 当他到达 3.0m 以下的蹦床上时（图 6-37），速率有多快？（b）如果蹦床像弹性系数为 5.2×10^4 N/s 的弹簧一样，他将蹦床压下多深？

40.（Ⅱ）如图 6-38 所示，一过山车被牵引到 *A* 点，然后将它以及喊叫的乘客从静止放开。假设没有摩擦力，试求在 *B*、*C*、*D* 点的速率。

41.（Ⅱ）在 265m 高的悬崖顶上，一炮弹被以 185m/s 的速率沿 45.0°的仰角射出。当它到达下面的地面时速率是多少？

42.（Ⅱ）一蹦级爱好者从桥上跳下。她系的蹦级绳长 12m，她总共下落了 31m。（a）试求蹦级绳的弹性系数。（b）求爱好者经历的最大加速度。

43.（Ⅱ）一竖直放在桌子上的弹簧（不计它的质量），其弹性系数为 900N/m，被压下 0.150m。（a）一 0.300kg 的球放在它上面，释放后，它给球的速率是多少？（b）与初始位置相比（压缩点），球能上升多高？

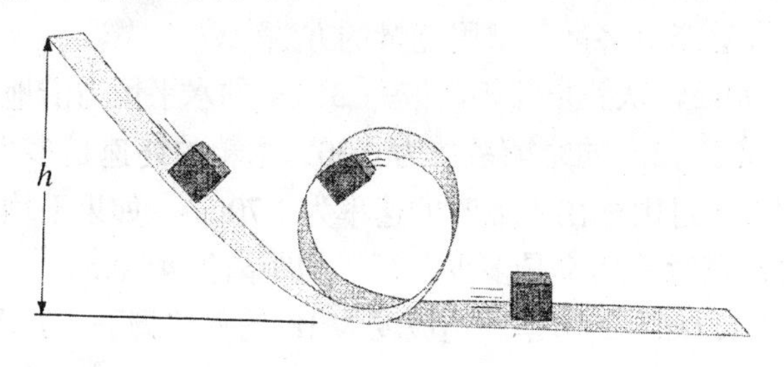

图 6-39 习题 44 和 79

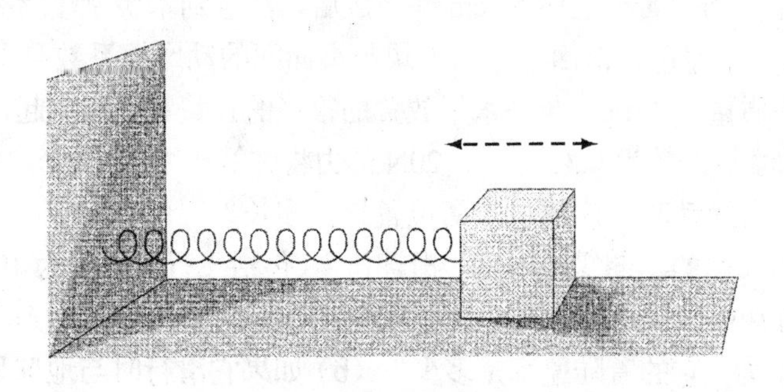

图 6-40 习题 45，55，56 和 78。

44.（Ⅱ）一质量 m 的滑块，沿圈状滑道无摩擦滑下，如图 6-39 所示。如果物体保持在滑道上，甚至在圆圈（半径 r）的顶部也是如此，它的最小释放高度是多少？

45.（Ⅱ）一质量为 m 的物体连在弹簧（常数为 k）的一端，如图 6-40。给物体一个初始位移 x_0，以后它开始前后振动。试用位置 x 和速率 v，写出总机械能表达式（忽略摩擦和弹簧的质量）。

46.（Ⅲ）一工程师设计了一个弹簧，放在升降机通道的底部。如果升降机在离弹簧顶 h 高度时，缆绳忽然断开，要使乘客在减速时经受不超过 5.0g 的加速度，试求弹簧的弹性系数 k 的表达式。取 M 为升降机和乘客的总质量。

47.（Ⅲ）要使 1200kg 的汽车从 100km/h 的速率停下来，而车内的人经受的最大加速度为 5.0g，需设计多大弹性系数 k 的弹簧？

48.（Ⅲ）自行车选手准备骑上竖直高度 120m、倾角 7.50° 的山坡。设自行车和人的质量共为 75.0kg。（a）试求要克服引力需作多少功？（b）如果脚踏板每转一圈，使车在其路径上前进 5.10m，试求施加在脚踏板切线方向的平均力。忽略摩擦力作功和其它损耗。脚踏板转动的直径为 36.0cm。

6-8 和 6-9 节

49.（Ⅰ）两辆火车车箱，各自质量为 6500kg，以 95km/h 相向驶来，碰撞后停止。在这个过程中产生的热能是多少？

50.（Ⅱ）一个 17kg 的小孩，乘雪橇从 3.5m 高的坡上滑下，到达底部时速率为 2.5m/s。在这个过程中，摩擦产生了多少热能？

51.（Ⅱ）一雪撬从静止开始沿 100m 长、倾角为 20°的坡道滑下。（a）如果摩擦系数为 0.090，雪撬到达底部时的速率是多少？（b）如果坡道下面的雪道是平坦的，并且摩擦系数一样，雪撬沿水平雪道能滑多远？试用能量的方法。

52.（Ⅱ）一木箱重 90kg，从静止开始，被一 350N 的水平恒力沿地板拖动。地板开始的 15m 是无摩擦的，接着 15m 的摩擦系数为 0.30。木箱的终速是多少？

53.（Ⅱ）设图 6-38 中的过山车在 *A* 点时的速率为 1.70m/s。如果平均摩擦力等于它重量的五分之一，它到达 *B* 点时的速率是多少？行进的距离为 45.0m。

54.（Ⅱ）一滑雪者以 12.0m/s 的速率到达坡度为 18°的斜坡脚下，在沿斜坡冲上 12.2m 后停下来。斜坡的平均摩擦系数是多少？

55.（Ⅲ）一质量为 0.520kg 的木块与一水平放置的很轻的弹簧（$k = 180$N/m）紧连在一起，如图 6-40 所示。当弹簧被压缩 5.0cm 并释放后，注意到木块-弹簧系统伸长到超过平衡位置 2.3cm，然后才停止并返回。试问木块与桌面间的动摩擦系数是多少？

56.（Ⅲ）一木块质量为 180g，与一水平放置的很轻的弹簧紧连在一起，如图 6-40 所示。木块与桌面间的摩擦系数为 0.30。一个 20N 的力将弹簧压缩了 18cm。如果在这个位置释放弹簧，它第一次摆动时，能超过平衡位置拉伸多长？

57.（Ⅲ）在宇宙飞船的早期实验中用“滑翔机”（包括飞行员质量为 1000kg）代替，在 3500m 的高空将滑翔机以 500km/h 的速率水平发射出去，它最终着陆时速率为 200km/h。（a）如果没有空气阻力，它的着陆速率是多少？（b）如果它滑行时与地球呈 10 固定角，施加给它的平均空气阻力是多少？

6-10 节

58.（Ⅰ）用一个 1750W 的电机，将一 285kg 的钢琴提升到 16.0m 高的六楼窗户上，要用多长时间？

59.（Ⅰ）汽车需用 18 马力（hp）保持它以 90km/h 匀速行驶，试问施加在车上的平均阻力（摩擦力和空气阻力）是多少？

60.（Ⅰ）（a）证明英制马力（550ft • lb/s）等于 746W。（b）100W 灯泡的马力是多少？

61.（Ⅱ）电能的单位常用“千瓦-时”表示。（a）证明一千瓦时（kWh）等于3.6×10^{6}J。（b）如果美国典型的四口之家平均用电功率为 500W，每月用电多少 kWh？（c）它等于多少焦耳？（d）如果每度（kWh）电价 0.12 美元，每月电费多少美元？每月的电费取决于他们所用的电能吗？

62.（Ⅱ）一车的质量为 1000kg，在平路上空挡行驶时，驾车者注意到车在 6.0s 内从 90km/h 降到 70km/h。请估算，要保持车以 80km/h 匀速行驶，需用多大功率（W 或 hp）？

63.（Ⅱ）一 3.0 马力的电机在 1.0 小时能作多少功？

64.（Ⅱ）掷铅球者将 7.3kg 的铅球从静止加速到 14m/s。如果这个过程用了 2.0s，平均功率是多少？

65.（Ⅱ）一泵每分钟将 8.00kg 的水提升 3.50m。此泵电机的输出功率（W）是多少？

66.（Ⅱ）橄榄球队员在测验时，要在 61s 内跑上体育场 140m 长、坡度 30° 的台阶。如果队员的典型质量为 105kg，试估算跑上台阶的平均输出功率。忽略摩擦和空气阻力。

67.（Ⅱ）自行车运动员要保持 0.25 马力的输出功率骑上 6.0° 的山坡，试问他必须骑多快才行？忽略摩擦力作的功，设运动员加上车的质量为 70kg。

68.（Ⅱ）一汽车质量为 1000kg，最大输出功率为 120 马力。如果摩擦力为 600N，它能以 70km/h 的速率爬上多陡的山坡？

69.（Ⅱ）加州沙奎山谷滑雪场据说每小时能运送 47000 名滑雪者。如果平均提升高度为 200m（垂直），请估算需要的最大总功率。

70.（Ⅲ）自行车运动员以 5.0m/s 的速率冲下 7.0°的山坡。设总质量（自行车加人）为 75kg，试问要以同样的速率，爬上同一山坡，运动员需多大的输出功率？

综合题

71. 一伞兵从飞机跳出，在无法打开降落伞的情况下落下 370m。他降落在雪堆里，将其撞了一个 1.1m 深的坑，但他只受了一点轻伤。设伞兵的质量为 80kg，终速度为 30m/s。试估算：（a）雪使他停止而作的功：（b）雪使他停止而施加的平均力：（c）当他下落时，空气阻力对他作的功。

72. 现今的汽车设计者制造了一种“5mi（迈）/h（8km/h）保险杠”，即在 8km/h 以下的速率碰撞时，汽车受到弹性挤压且恢复完好。保险杠材料在受到 1.5cm 的挤压后出现永久形变，在低于这个值时保持弹性状态。设汽车的质量为 1400kg，测试在固体墙体上进行，试问保险杠材料的弹性系数是多少？

73. 在一藏书室中，第一层书架离地面 10.0cm，其它 4 层一层比一层高 30.0cm。如果书的平均质量为 1.5kg、高度为 20cm ，每层书架可放 25 本书，设所有书开始都是平放在地面上的，试问要装满这个书架需作多少功？

74. 从杰西 欧文在 1936 年奥运会那著名一跳的录象中，可以观察到他的质心从起跳到弧线最高点升高了 1.1m。如果在最高点他的速率为 6.5m/s，那么他起跳时的速率是多少？

75. 一个 0.20kg 的松果从 18m 高的树上落下。（a）如果忽略空气阻力，它着地时速率为多少？（b）如果它着地时的实际速率为 10.0m/s，作用在它上面的平均空气阻力是多少？

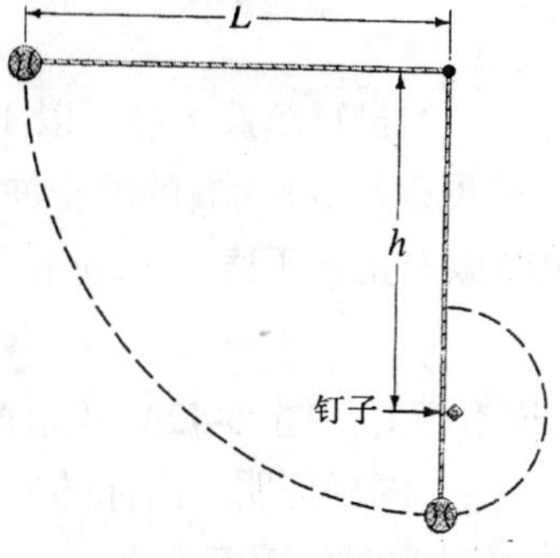

图 6-41　习题 76

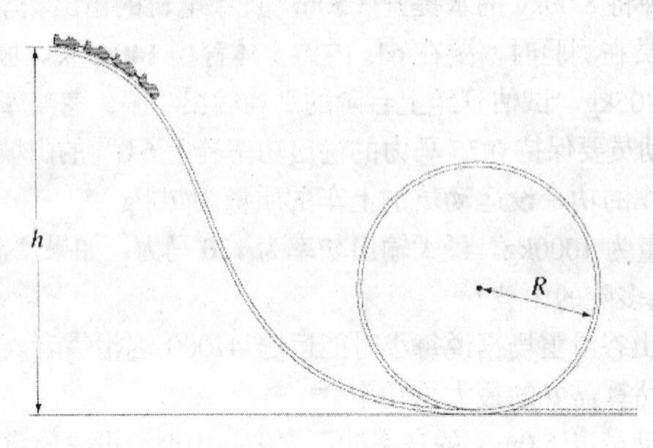

图 6-42 习题 83

76. 一球连在长度 L、一端固定的水平细绳上，如图 6-41 所示。（a）如果放开球，它在最低点时的速率为多少？（b）一钉子钉在细绳固定点正下方 h 距离处。如果 $h = 0.80L$，当球围绕钉子转到圆轨道最高点时，它的速率是多少？

77. 一个 65kg 的登山者，从海拔 2200m 处出发，用了 5.0h 登上了 3900m 的顶峰。试求（a）克服引力作的功，（b）平均输出功率，用瓦特和马力表示，（c）设人身体的效率为 15%，需多大的能量输出率？

78. 一质量 m 的物体连在弹簧（常数 k）的一端，如图 6-40 所示。给物体一初始位移 x_0（离平衡位置），初始速率 v_0。忽略摩擦和弹簧的质量，用能量的方法试求（a）它的最大速率，（b）它离平衡位置的最大拉伸长度（用已知量表示）。

79. 一质量 m 的滑块，沿圈状滑道无摩擦滑下，如图 6-39 所示。如果物体保持在滑道上，甚至在圆轨道（半径 r）的顶部也是如此。（a）试求最小释放高度 h（与习题 44 一样）。其次，如果实际释放高度为 $2h$，试求（b）在圆轨道底部，滑道施加的法向力，（c）在圆轨道顶部，滑道施加的法向力，（d）在滑出圆轨道后的水平区段，滑道施加的法向力。

80. 一升降机质量 900kg，在离地 30m 处缆绳断开，在升降机筒的底部有一巨大弹簧（$k = 4.0\times10^5\,\text{N/m}$）。试求（a）在升降机碰上弹簧之前，引力对其作的功，（b）在升降机碰上弹簧时，它的速率是多少？（c）弹簧被压缩的长度（注意这时引力和弹簧同时作功）。

81. 大坝上的水流以 550kg/s 的流量竖直落下 80m 后冲到涡轮叶片上。试求：（a）水流正好冲到涡轮叶片上时的速率（忽略空气阻力），（b）转换到叶片上机械能的速率，设有效率为 60%。

82. 一质量为 75kg（包括自行车）的自行车选手可以以 10km/h 的恒定速率滑下倾角 4.0° 的山坡。如果使劲蹬脚踏板，他可以以 30km/h 的速率冲下山坡。用同样的功率，他能以多大的速率爬上这个山坡？设摩擦力正比于速率 v 的平方；即 $F_{\text{fr}} = bv^2$，这里 b 是常数。

83. 证明当过山车沿竖直圆轨道滑行时（图 6-42），你的表观重量在圆顶部和底部相差 6 个 g's 即重量相差六倍。忽略摩擦。同样证明，当你的速率超过必须的最小值时，这个答案不依赖于圆轨道的大小或你经过它时的速率有多快。

84. 如果你站在弹簧秤上，秤的读数为 700N，秤里的弹簧被压缩 0.50mm。现在如果你从 1.0m 高度跳到秤上，秤的峰值读数是多少？

85. 一个 75kg 的学生，以 5.0m/s 的速率跑来，抓住绳子，荡向湖面（图 6-43）。他在速率为零时放开绳子。（a）当他放开绳子时，倾角多大？（b）在他刚要放开绳子之前，绳子上的张力使多少？（c）绳子上的最大张力是多少？

86. 一个 70kg 的选手用 9.0s 爬上竖直高度 5.0m 的绳子。要完成这个过程，需要的最小输出功率是多少？

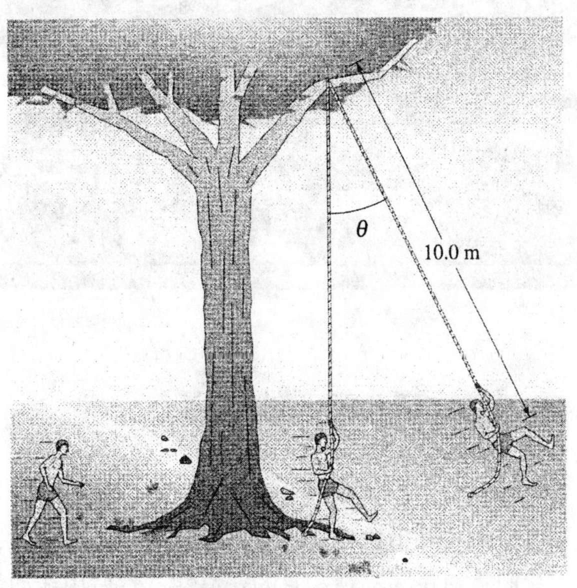

图 6-43　习题 85

图注：碰碰车跑得越快，它的质量就越大，那么它具有的动量也就越大。当两辆车相碰时，碰撞过程可能是近弹性的，即动量和动能是守恒的。

第七章 线动量

我们在上一章讨论的能量守恒定律是物理学的几大守恒定律之一。其它已发现的守恒量还包括线动量、角动量和电荷量。守恒定律对所有科学都是极为重要的，我们将在最后讨论这些守恒量。在本章中，我们将讨论线动量和它的守恒性。然后用线动量守恒定律和能量守恒定律来分析碰撞过程。在处理两体或多体相互作用问题时（如碰撞过程），动量守恒定律是非常重要的。

截止到目前，我们所关心的主要是单体的运动，在忽略任何转动和内部运动的情况下，我们常将研究对象视为"质点"。在这一章中，我们将处理两体或多体系统（以及可看作粒子集合体的广义体系）。在本章的学习中，质心的概念非常重要，我们将在本章后面的部分对其进行讨论。

7–1 动量及动量与力的关系

物体的**线动量**（或简称"动量"）定义为其质量与速度的乘积。动量一般用符号 $\mathbf{p}$ 表示。如果用 m 表示物体的质量，$\mathbf{v}$ 表示其速度，那么它的动量 $\mathbf{p}$ 为

$$\mathbf{p} = m\mathbf{v} \tag{7-1}$$

因为速度是矢量，动量也是矢量。动量的方向就是速度的方向，它的量值为 $p = mv$。因为速度 $\mathbf{v}$ 与参照系有关，所以在研究动量时必须指定参照系。动量的单位为质量·速度，在 SI 单位制中是 kg·m/s。这种单位没有特殊的名称。

日常生活中使用的动量一词，就是按照以上定义给出的。按照公式 7-1，同样质量的汽车，运动快的比慢的具有更大的动量，质量大的卡车比同样速度的小汽车具有更大的动量。物体具有的动量越大，要使它停止就越困难，如果用碰撞的方式使它停下来，将具有更明显

的效果。体重大、高速奔跑的橄榄球球员很难被挡住，而体重轻或移动慢的球员则比较容易被挡倒。如果发生碰撞，质量大、速度快的卡车比慢速的摩托车造成的损坏更大。

改变一个物体动量，不管是增加、减少（如使运动的物体停止）动量，还是改变它的方向都需要有力的作用。牛顿最初是用动量来表述他的**第二定律**（尽管他将 mv 的乘积叫作“运动的量”）的。牛顿第二运动定律的陈述，翻译成现代语言，如下所述：

物体动量的改变率等于作用在其上的合力

我们可以用以下公式将其表述为，

$$\Sigma \mathbf{F}=\frac{\Delta \mathbf{P}}{\Delta t} \tag{7-2}$$

这里 $\Sigma\mathbf{F}$ 是作用在物体上的合力（所有作用力的矢量和），$\Delta\mathbf{P}$ 是在时间间隔* Δt 内动量的改变。在质量恒定的情况下，我们可从公式 7-2 推出牛顿第二定律熟悉的形式 $\Sigma\mathbf{F}=m\mathbf{a}$。如果 $\mathbf{v}_0$ 是物体的初速度，$\mathbf{v}$ 是经过时间 Δt 后的速度，则有

$$\begin{aligned}\Sigma \mathbf{F}&=\frac{\Delta \mathbf{P}}{\Delta t}=\frac{m\mathbf{v}-m\mathbf{v}_0}{\Delta t}=\frac{m(\mathbf{v}-\mathbf{v}_0)}{\Delta t}\\&=m\frac{\Delta \mathbf{v}}{\Delta t} \qquad \text{[质量不变]}\\&=m\mathbf{a}\end{aligned}$$

这里用了定义 $\mathbf{a}=\Delta\mathbf{v}/\Delta t$。牛顿的表述（公式 7-2）包括了质量改变的情况，所以它实际上比我们熟悉的形式更具有普遍性。在有些特殊情况下，如火箭发射时，由于燃料的燃烧质量不断减少，这一点就显得尤为重要。

*一般我们认为 Δt 是一个很小的时间间隔，如果 Δt 并不是很小，则当 $\Sigma\mathbf{F}$ 在这段时间内为常量或 $\Sigma\mathbf{F}$ 为这段时间内的平均合力时，方程 7-2 依然是成立的。

下面是动量改变的简单例子。

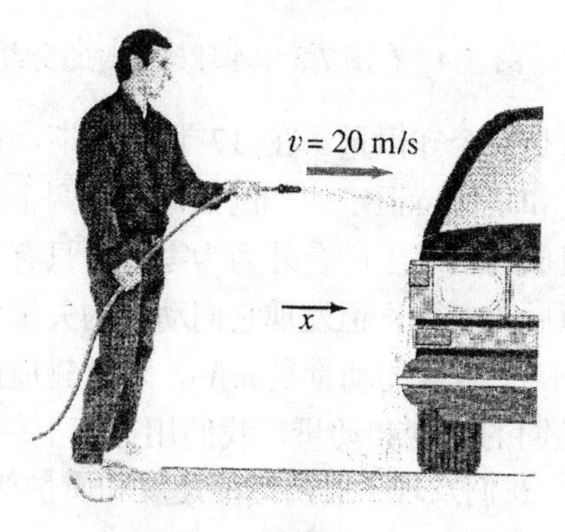

图 7-1 例 7-1

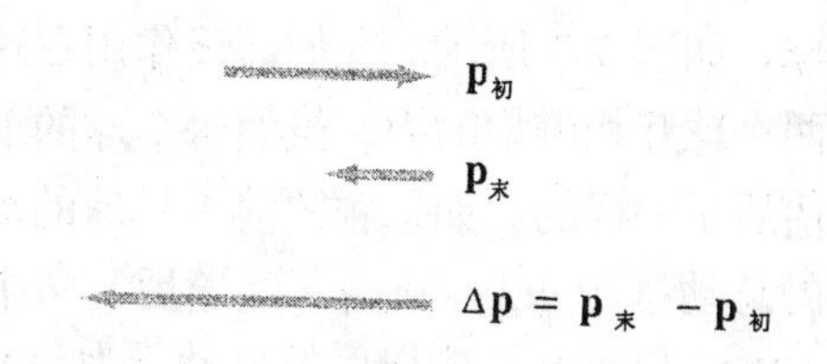

图 7-2 概念练习例 7-2。水流回溅前后的动量和 $\Delta\mathbf{p}$

例 7-1 洗车：动量改变和力。水从喷管以 20m/s 的速率喷出，流量为 1.5kg/s，在喷到车的一侧后停止，如图 7-1 所示。（忽略任何溅起的水）试求水对汽车的作用力多大？

解：我们取向右为 x 轴正方向。在每一秒内，水以动量 $p_x = mv_x = (1.5\text{kg})(20\text{m/s})$ $30\text{kg}\cdot\text{m/s}$ 碰到车壁以后停止。汽车必须施加力来改变这些水的动量，力的大小（假设恒定）为

$$F = \frac{\Delta p}{\Delta t} = \frac{p_{末} - p_{初}}{\Delta t} = \frac{0 - 30\text{kg}\cdot\text{m/s}}{1.0\text{s}} = -30\text{N}$$

负号表示作用在水上的力与原水流速度方向相反。汽车施加了一个向左 30N 的力使水流停止，所以，根据牛顿第三定律，水对汽车施加了 30N 的作用力。

概念练习 例 7-2 溅回的水流。如果在例 7-1 中有溅回的水流，对汽车的作用力是增大还是减小？

答：如果水流向水管方向溅回，动量的改变在量值上将增大，所以作用在汽车上力的量值就会增大。注意，现在指向负 x 方向，如图 7-2 所示（替代例 7-1 中的零）。所以，作用力 F（见例 7-1 中列出的公式）将比-30N 负的更多（如-35N 到-40N，取决于水流返回的速率）。简单地说，就是汽车不仅施加了使水流停止的力，而且施加了多余的力使水流具有反向动量。

7–2 动量守恒

图 7-3 在两个小球的碰撞时动量守恒　　图 7-4 在图 7-3 中小球碰撞时的受力情况

动量的概念相当重要，因为在特定情况下，动量是一个守恒量。在 17 世纪中期，稍早于牛顿时代时，人们就发现两个碰撞物体的动量矢量和是保持恒定的。例如，考虑两个正碰的台球，如图 7-3 所示。我们假设作用在这两个球组成的系统上的合外力为零即，只有在碰撞时两个球互相施加的力。虽然每个球的动量在碰撞后改变了，但发现它们动量的矢量和在碰撞前后是一样的。如果碰撞前 1 号球的动量是 m_1v_1，2 号球的动量是 m_2v_2，那么碰撞前两个球的总动量为 $m_1v_1+m_2v_2$。碰撞后，每个球具有不同的速度和动量，我们用速度上一撇表示：m_1v_1' 和 m_2v_2'。碰撞后的总动量为 $m_1v_1' + m_2v_2'$。我们发现不管两球的速度和质量如何，也不管是否正碰，只要没有合外力作用，系统的总动量碰撞前后是一样的：

碰撞前动量 = 碰撞后动量

$$m_1\mathbf{v}_1 + m_2\mathbf{v}_2 = m_1\mathbf{v}_1' + m_2\mathbf{v}_2' \tag{7-3}$$

即，两球系统总的动量矢量是守恒的，它保持恒定。

虽然动量守恒定律是从实验中发现的，但它与牛顿运动定律紧密相连，可以证明它们是等价的。我们将对图 7-3 中给出的一维情况做出简单的推导。我们假设在碰撞时间 Δt 中一个球作用在另一个球上的力 F 是恒定的。我们用公式 7-2 给出的牛顿第二定律，两边乘以 Δt，重新写为：

$$\Delta\mathbf{p} = \mathbf{F}\Delta t \tag{7-4}$$

用这个结果对球 2 进行处理，注意到在碰撞中球 1 作用在球 2 上的力 $\mathbf{F}_{21}$ 向右（即 x 正方向——见图 7-4 所示）：

$$\Delta\mathbf{p}_2 = m_2\mathbf{v}_2' - m_2\mathbf{v}_2 = \mathbf{F}_{21}\Delta t$$

根据牛顿第三定律，球 2 作用在球 1 上的力 $\mathbf{F}_{12}$ 为 $\mathbf{F}_{12} = -\mathbf{F}_{21}$，方向朝左，所以

$$\Delta\mathbf{p}_1 = m_1\mathbf{v}_1' - m_1\mathbf{v}_1 = \mathbf{F}_{12}\Delta t = -\mathbf{F}_{21}\Delta t$$

我们可以将上面两个方程组合（它们的右边只差一个负号）：

$$m_1\mathbf{v}_1' - m_1\mathbf{v}_1 = -(m_2\mathbf{v}_2' - m_2\mathbf{v}_2)$$

或

$$m_1\mathbf{v}_1 + m_2\mathbf{v}_2 = m_1\mathbf{v}_1' + m_2\mathbf{v}_2'$$

这就是公式 7-3，即动量守恒公式。

上述推导可以推广到任意数目的物体的相互作用。可用简单的方法证明这一点，让公式 7-2 中的 $\mathbf{p}$ 代表系统的总动量——即，系统中所有物体动量的矢量和。（对上面的两体系统，$\mathbf{p} = m_1\mathbf{v}_1 + m_2\mathbf{v}_2$。）如果作用在系统上的合外力 $\Sigma\mathbf{F}$ 为零[如在上面的两体系统中，$\mathbf{F} + (-\mathbf{F}) = 0$]，那么从公式 7-2，$\Delta\mathbf{p} = \mathbf{F}\Delta t = 0$，所以总动量不改变。因此**动量守恒**的普遍表述为

孤立系统的总动量保持恒定。

我们简单定义一个**系统**为一系列相互作用的物体。在**孤立系统**中只存在系统中物体间的相互作用力。根据牛顿第三定律，所有这些力的和为零。如果存在外力（系统外物体施加的力），并且它们加起来不为零（矢量相加），那么总动量就不会守恒。但是，如果重新定义系统，将施加这些力的物体也包括进系统，那么动量依然是守恒的。例如，如果将下落的石块看作一个系统，它的动量就不守恒，因为存在外力，即地球施加的引力作用在石块上，使它的动量改变。然而，如果我们将地球包括在系统中，石块加上地球的总动量是守恒的。（这当然意味着地球向上去碰石块。因为地球的质量太大了，它向上的速度极微小。）

例 7-3 火车厢的碰撞：动量守恒。 一辆 10000kg 的火车厢以 24.0m/s 的速率撞到静止的相同车厢上。如果碰后两辆车连在了一起，它们的共同速率是多少？见图 7-5 所示。

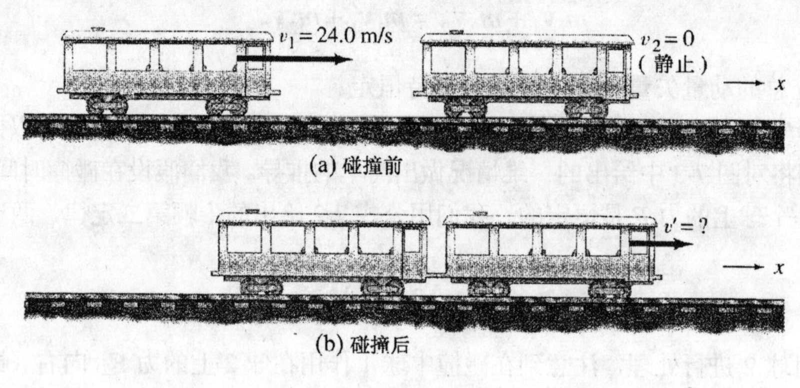

图 7-5 例 7-3

解：初始总动量为

$$m_1v_1 + m_2v_2 = (10000\text{kg})(24.0\text{m/s}) + (10000\text{kg})(0\text{m/s})$$
$$= 2.40\times10^5\text{kg}\cdot\text{m/s}$$

方向朝右，即正 x 方向。碰撞后，总动量不变，由两辆车共有。因为两辆车连在一起，所以它们的速率相同，记为 v'。那么：

$$(m_1 + m_2)v' = 2.40\times10^5\text{kg}\cdot\text{m/s}$$
$$v' = \frac{2.40\times10^5\text{k}\cdot\text{gm/s}}{2.00\times10^4\text{kg}}$$
$$= 12.0\text{m/s}$$

方向朝右。碰撞后它们的共同速率是车辆 1 初始速率的一半。

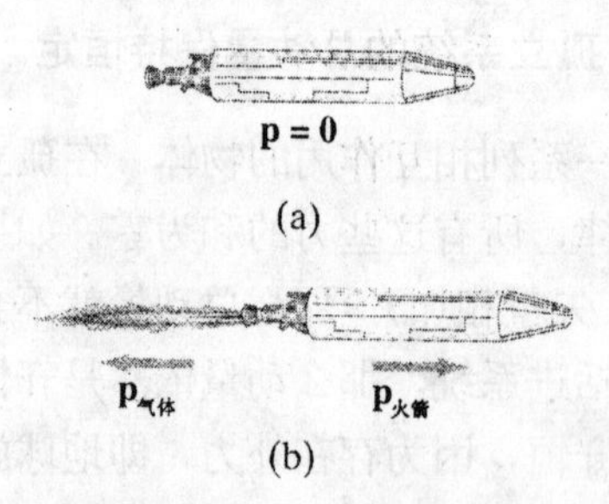

图 7-6 （a）载有燃料的火箭相对某参照系处在静止状态。（b）在同一参照系中，火箭点火并高速喷出气体。总动量保持为零：$\mathbf{p}_{气体}+\mathbf{p}_{火箭}=0$.

当我们处理像碰撞和特定类型的爆炸这样的简单系统时，动量守恒定律特别有效。例如，火箭推动过程——我们在第四章用它来理解作用与反作用的基本概念，同样可用来解释动量守恒。在火箭点火之前，火箭和燃料的总动量为零。当燃料燃烧时，总动量并没有改变：向后喷出气体的动量被火箭本身向前的动量抵消（见图 7-6）。因此，火箭可以在太空中加速。

正如我们已在第四章讨论过的，并不需要喷出气体去推地球或空气（有时出现的错误思想）。类似的例子有枪的反冲和从船上扔包裹。

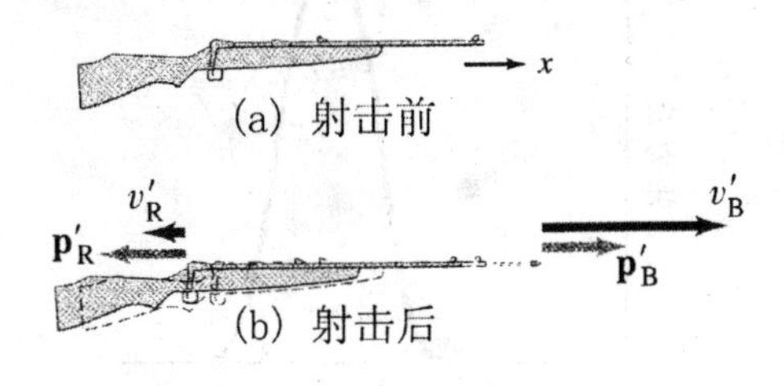

图 7-7 例 7-4

例 7-4 步枪的反冲。 一杆 5.0kg 的步枪，以 120m/s 的速率发射出 0.050kg 的弹头，图 7-7，试计算枪的反冲速度。

解：系统的总动量守恒。我们用下标 B 表示弹头，R 表示步枪；终速度用加上一撇表示。那么，x 方向的动量守恒给出

$$m_B v_B + m_R v_R = m_B v'_B + m_R v'_R$$

$$0 + 0 = (0.050\text{kg})(120\text{m/s}) + (5.0\text{kg})(v'_R)$$

$$v'_R = -\frac{(0.050\text{kg})(120\text{m/s})}{(5.0\text{kg})} = -1.2\text{m/s}$$

因为步枪的质量很大，它的反冲速度远小于弹头的速度。负号表示步枪的反冲速度（和动量）沿负 x 方向，与弹头方向相反。注意守恒的是动量的矢量和。

7–3 碰撞和冲量

正如我们在上一节看到的，动量守恒在处理碰撞问题时非常有效。在我们日常生活中，碰撞是十分常见的现象：网球拍或棒球棒击打球，两个台球相撞，一节火车厢撞上另一节，锤子击打钉子等等。在亚原子水平，科学家们通过仔细研究核之间或基本粒子间的碰撞来了解核的结构和组成，以及有关力的本质。

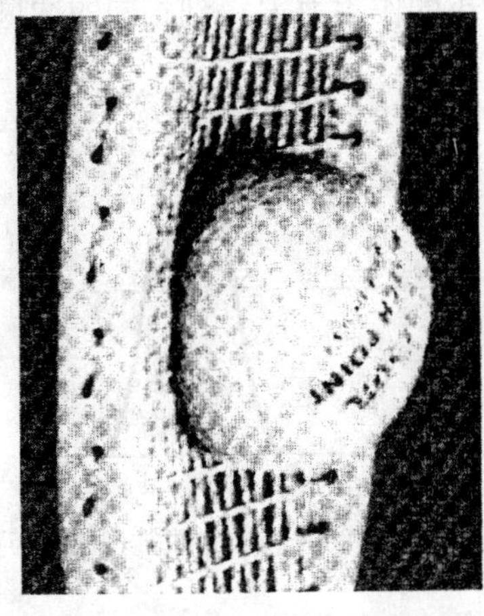

图 7-8 网球拍击打网球。注意球和拍由于相互间的很大的作用力导致发生形变。

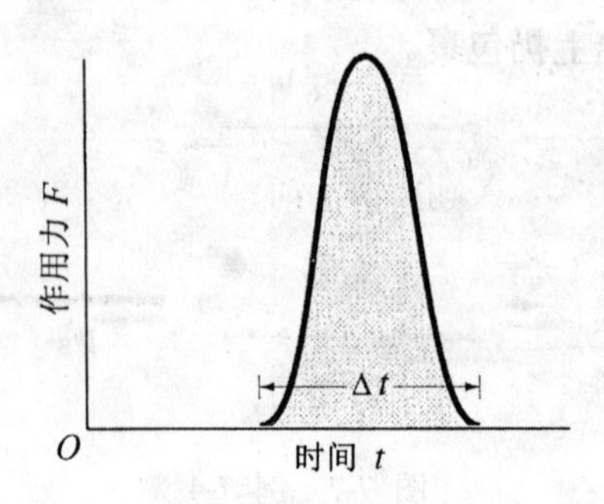

图 7-9 在典型的碰撞过程中，作用力和时间的函数。

在两个普通物体相碰时，由于存在很大的相互作用力，两者都会发生形变（图 7-8）。当碰撞发生时，在接触的瞬间，力从零突变到很大的值，接着很快又回到零。图 7-9 给出碰撞时一个物体作用于另一个物体的力与时间的函数关系。时间间隔 Δt 通常很清晰和很短暂。

从牛顿第二定律（公式 7-2）作用于物体上的合力等于其动量的改变率：

$$\mathbf{F} = \frac{\Delta \mathbf{p}}{\Delta t}$$

（我们用 **F** 表示合力代替 $\Sigma\mathbf{F}$，假定它完全来自碰撞时产生的短暂而巨大的力。）当然，这个公式适用于碰撞中的每个物体。如果我们对公式两边乘以时间间隔 Δt，则得到

$$\text{冲量} = \mathbf{F}\Delta t = \Delta \mathbf{p} \tag{7-5}$$

公式左边的量，力 **F** 与作用时间 Δt 的乘积，叫作冲量。可以看到动量总的改变等于冲量。冲量的概念主要用于处理作用时间很短的力的情况，如球棒击打球。这种力通常不是恒定的，它如图 7-10 所示随时间变化。对这种变化的力通常可用作用时间为 Δt 的平均力 $\overline{F}$ 作为近似，如图 7-10 中的虚线所示。$\overline{F}$ 的选择应使图 7-10 中虚线下的面积($\overline{F}\times\Delta t$) 等于 F 对 t 的实际曲线下的面积（这个面积表示冲量大小）。注意从公式 7-5 可知，只要乘积 $F\times\Delta t$ 保持不变，如果作用时间 Δt 变长，也可用较小的作用力 F 得到相同的冲量和相同的动量的改变。

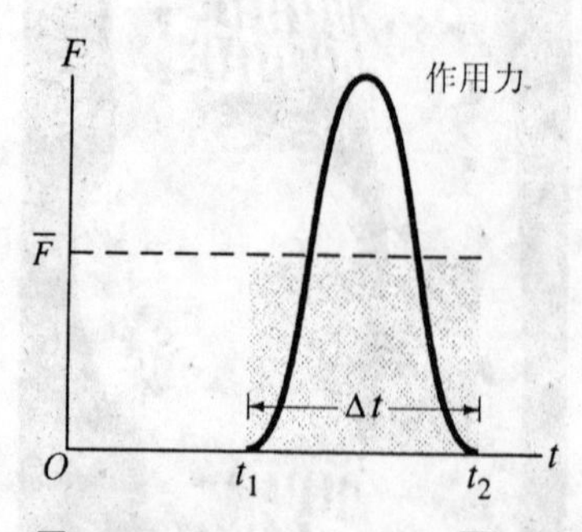

图 7-10 平均作用力 $\overline{F}$ 在时间间隔 Δt 的冲量 ($\overline{F}\Delta t$) 与实际作用力的一样。

图 7-11 冲量作用的过程（例 7-5）。

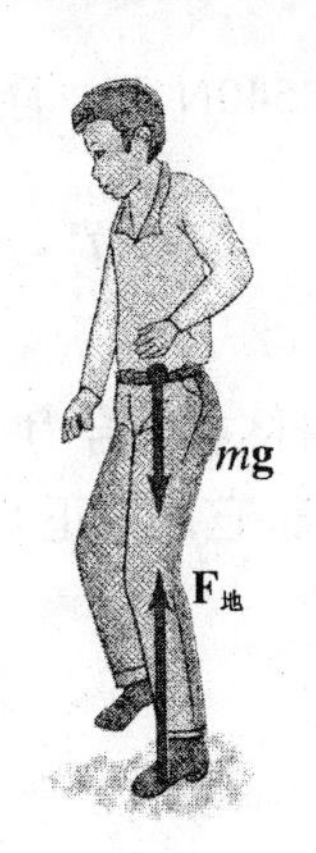

图 7-12 当人落地时，受到的平均合力为 $\overline{F} = F_{grd} - mg$ 这里 F_{grd} 是地面对人施加的向上的作用力。

例 7-5 落地时弯曲膝部。（a）一人质量为 70kg，从 3.0m 高处跳到坚硬的地面上，试计算着地时他所受到的冲量。然后估计地面作用在人脚上的平均力，如果落地时（a）腿直立，（c）弯曲膝部。设第一种情况下他触地时身体移动 1.0cm，第二种情况下，他曲腿时身体移动约 50cm。

解：（a）虽然我们不知道力 F，不能直接求出冲量 $F\Delta t$，但可以利用物体动量的改变等于冲量这一事实。我们需要求出人刚落地时的速度。用能量守恒（公式 6-11a）：

$$\Delta\text{KE} = -\Delta\text{PE}$$

$$\frac{1}{2}mv^2 - 0 = -mg(y - y_0)$$

这里我们假设他从静止（$v_0 = 0$）跳下，$y_0 = 3.0\text{m}$，$y = 0$。因此，下落 3.0m 后，人的落地速度为

$$v = \sqrt{2g(y_0 - y)} = \sqrt{2(9.8\text{m/s}^2)(3.0\text{m})} = 7.7\text{m/s}$$

当人落到地上后，动量很快变成零，如图 7-11 所示。作用给人的冲量为

$$\overline{F}\Delta t = \Delta P = P - P_0 = 0 - (70\text{kg})(7.7\text{m/s}) = 540\text{N}\cdot\text{s}$$

负号告诉我们力是与初始动量方向相反——即，力向上作用。

（b）身体在从 7.7m/s 减速到零时，移动距离 d = 1.0cm=1.0×10^{-2}m。在这期间，平均速度为

$$v = \frac{(7.7\text{m/s} + 0\text{m/s})}{2} = 3.8\text{m/s}$$

所以碰撞持续时间为

$$\Delta t = \frac{d}{\overline{v}} = \frac{(1.0\times10^{-2}\,\text{m})}{(3.8\text{m/s})} = 2.6\times10^{-3}\text{s}$$

因为冲量的值为$\overline{F}\Delta t = 540\text{N}\cdot\text{s}$，且$\Delta t$=2.6×10⁻³s。在这期间平均合力$\overline{F}$的值为

$$\overline{F} = \frac{540\text{N}\cdot\text{s}}{2.6\times10^{-3}\text{s}} = 2.1\times10^5\text{N}$$

力$\overline{F}$是向上作用在人身体上的合力（我们从牛顿第二定律得出）。$\overline{F}$等于地面施加在腿部的向上平均力F_{grd}（我们将它记为正）与向下引力-mg 的矢量和（见图 7-12）：

$$\overline{F} = F_{grd} - mg$$

因为mg=(70kg)(9.8m/s^2)=690N，那么

$$F_{grd} = \overline{F} + mg = 2.1\times10^5\text{N} + 0.690\times10^3\text{N} \approx 2.1\times10^5\text{N}$$

（c）这部分与（b）完全一样，除了$d = 0.50\text{m}$，所以$\Delta t = (0.50\text{m})(3.8\text{m/s}) = 0.13\text{s}$，

$$\overline{F} = \frac{540\text{N}\cdot\text{s}}{0.13\text{s}} = 4.2\times10^3$$

地面向上施加在人腿部的力，与（b）相同：

$$F_{grd} = \overline{F} + mg = 4.2\times10^3\text{N} + 0.69\times10^3\text{N} = 4.9\times10^3\text{N}$$

显然，当弯曲膝部时，作用在脚和腿部的力要小得多。实际上，腿骨的极限强度（见第九章，表 9-2）不能承受（b）中算出的力，所以如果不像（c）那样弯曲膝部，而是直立着地，腿就会折断。

7–4 碰撞中的能量和动量守恒

在许多碰撞中，我们通常不知道碰撞力随时间的变化，所以用牛顿第二定律进行分析非常困难或者是不可能的。但在已知初始运动的情况下，我们仍可用动量和能量守恒定律，获知许多碰撞后的运动情况。在 7-2 节，我们看到在两个物体的碰撞（如台球）中总动量是守恒的。如果两个物体非常坚硬，且在碰撞中没有热产生，那么动能也是守恒的。也就是说两个物体的动能之和在碰撞前后保持不变。当然，在两个物体接触的瞬间，部分（或全部）能量是暂时以弹性势能的形式储存起来的。但如果我们比较碰撞前后的总能量，会发现它们是一致的。这样的碰撞，即总动能守恒的碰撞叫**弹性碰撞**。如果我们用下标 1 和 2 代表两个物体，可写出总动能守恒方程为

$$\frac{1}{2}m_1v_1^2 + \frac{1}{2}m_2v_2^2 = \frac{1}{2}m_1v_1'^2 + \frac{1}{2}m_2v_2'^2 \qquad \text{[弹性碰撞]} \quad \textbf{(7-6)}$$

这里，带一撇（'）的表示碰撞后的量，不带的表示碰前的量，与动量守恒方程 7-3 一样。虽然在原子水平，原子和分子的碰撞常常是弹性的，但在通常物体的“微观”世界里，弹性碰撞只是一种理想情况，是无法达到的，因为在碰撞中总是有微量的热能（也许是声能和其它形式的能）产生。然而，像台球一样的两个硬球的碰撞是非常接近完全弹性的，并且我们

常常将它们视作如此。当然，即使当动能不守恒，总能量仍然是守恒的。

动能不守恒的碰撞叫作**非弹性碰撞**。损失的动能转化成其它形式的能量，通常是热能，而总能量是（总是）守恒的。在这种情况下，我们可写出

$$\mathrm{KE}_1+\mathrm{KE}_2=\mathrm{KE}_1'+\mathrm{KE}_2' \ \text{+热能和其它形式的能。}$$

见图 7-13 所示。

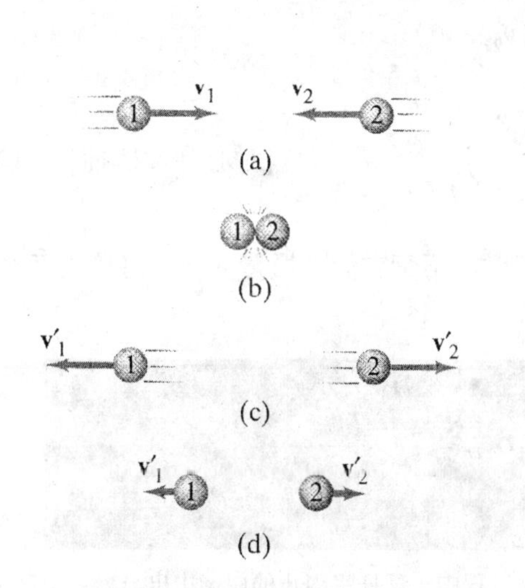

图 7-13 两个质量相等的物体（a）以相等的速率互相靠近，（b）发生碰撞，（c）如果碰撞是弹性的，它们以相等的速率向相反方向弹开，（d）如果碰撞是非弹性的，弹开较弱或根本不弹开。

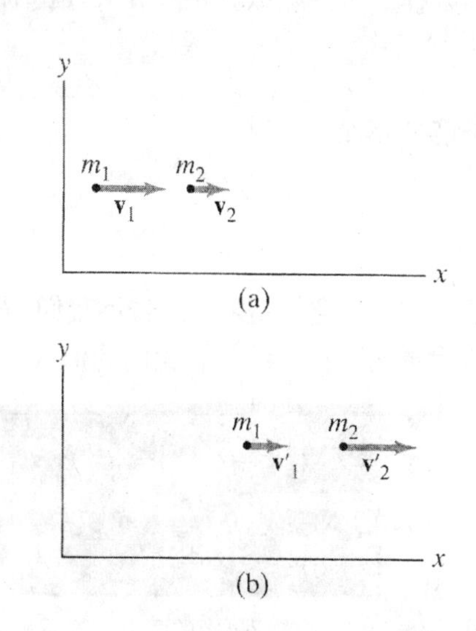

图 7-14 两个质量为 m_1 和 m_2 的粒子，（a）碰前（b）碰后。

7–5 一维弹性碰撞——用能量和动量守恒解题

我们现在用动量和动能守恒定律分析两个小物体（质点）间的弹性碰撞，在正碰情况下，所有运动都沿着同一直线。设两个质点沿 x 轴初速为 v_1 和 v_2，如图 7-14a。碰撞后，它们的速度为 v_1 和 v_2，图 7-14b。对于 $v>0$，质点向右运动（x 增加），对于 $v<0$，质点向左运动（x 值减小方向）。

从动量守恒，我们有

$$m_1v_1+m_2v_2=m_1v_1'+m_2v_2'$$

因为假设碰撞是弹性的，动能也守恒：

$$\frac{1}{2}m_1v_1^2+\frac{1}{2}m_2v_2^2=\frac{1}{2}m_1v_1'^2+\frac{1}{2}m_2v_2'^2$$

我们有两个方程，可以求出两个未知量。如果我们已知质量和初速，那么可以解这两个方程求出碰后的速度 v_1' 和 v_2'。在随后的例子中，我们将这样做，这里先推出一个有用的结果。将动量方程另写为

$$m_1(v_1-v_1')=m_2(v_2'-v_2) \qquad \textbf{(i)}$$

将动能方程另写为

$$m_1(v_1^2 - v_1'^2) = m_2(v_2'^2 - v_2^2)$$

或者写成[用$(a-b)(a+b)=a^2-b^2$]

$$m_1(v_1 - v_1')(v_1 + v_1') = m_2(v_2' - v_2)(v_2' + v_2) \quad \textbf{(ii)}$$

用方程（i）除以方程（ii），（设$v_1 \neq v_1'$ 及$v_2 \neq v_1'$）得到

$$(v_1 + v_1') = (v_2' + v_2)$$

将这个方程重写成

$$v_1 - v_2 = v_2' - v_1'$$
$$= -(v_1' - v_2') \quad [\text{对心弹性碰撞}] \quad \textbf{(7-7)}$$

这是一个有趣的结果：它告诉我们，任何弹性正碰，不管它们的质量如何，碰撞后两个质点的相对速度与碰前具有相同的值（但方向相反）。

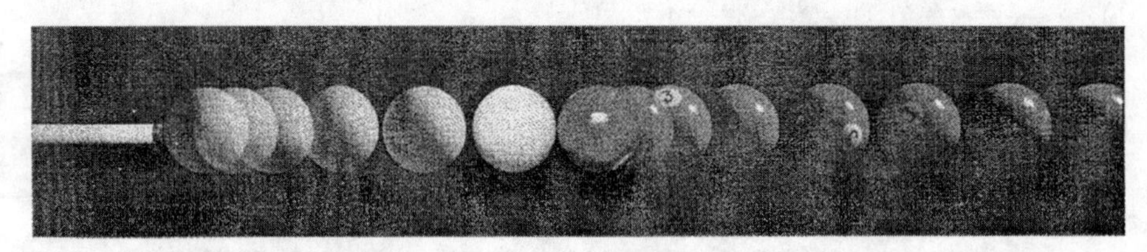

图 7-15 在这幅连续摄影的两个相等质量的台球对心碰过程中，球杆将静止的白球击出与静止彩球相撞，碰撞后白球停止，而彩球前进的速率与相撞前白球的速率一样。参看例 7-6。

例 7-6 撞球或台球。 质量为m的台球，以速率v运动，与另一个质量相等、静止（v_0=0）放置的台球正碰。碰后两个球的速率是多少？设这是弹性碰撞。

解：因为$v_1= v$，$v_2= 0$，$m_1 = m_2 =m$，动量守恒给出

$$mv = mv_1' + mv_2'$$

或

$$v = v_1' + v_2'$$

因为m被消去。我们有两个未知量（v_1'和v_2'），所以我们需要第二个方程，可用动能守恒，或用我们推出的方程 7-7（更简单），

$$v_1 - v_2 = v_2' - v_1'$$

或者

$$v = v_2' - v_1'$$

用我们得到的动量方程（$v = v_1' + v_2'$）减去这个方程得

$$0 = 2v_1'$$

所以 $v_1' = 0$，这是我们要求的一个未知量，现在求出另一个：

$$v_2' = v + v' = v + 0 = v$$

整理如下，碰前我们有

$$v_1 = v，\ v_2 = 0$$

碰后

$$v_1' = 0，\ v_2' = v$$

即，球 1 碰后停止运动，球 2 获得了球 1 的初速。这个结果经常可在台球或撞球游戏中观察到，它只在两个球质量相等时成立（不给球加转）。见图 7-15。

例 7-7 核碰撞。中子的质量为 1.01u（统一原子质量单位），它以$3.6\times10^4\,\text{m/s}$的速率运行时与一静止氦（He）核（$m_{\text{He}}$=4.00u）发生弹性正碰。试问碰后中子和氦核的速度各是多少？（在第一章提到，$1\text{u} = 1.66\times10^{-27}\,\text{kg}$，但我们用不着这个数据。）

解：取运动的初始方向为+*x* 方向。我们有$v_2 = v_{\text{He}} = 0$和$v_1 = v_{\text{p}} = 3.60\times10^4\,\text{m/s}$。要求出碰后$v_{\text{p}}'$和$v_{\text{He}}'$的速度。从动量守恒我们有

$$m_{\text{p}}v_{\text{p}} + 0 = m_{\text{p}}v_{\text{p}}' + m_{\text{He}}v_{He}'$$

因为碰撞是弹性的，所以动能守恒，我们可用公式 7-7，有如下形式

$$v_p - 0 = v_{\text{He}}' - v_p'$$

因此

$$v_p' = v_{\text{He}}' - v_p$$

将这个结果代入动量方程得到

$$m_{\text{p}}v_{\text{p}} + 0 = m_{\text{p}}v_{\text{He}}' - m_{\text{p}}v_{\text{p}} + m_{\text{He}}v_{\text{He}}'$$

解出v_{He}'，我们得到

$$v_{\text{He}}' = \frac{2m_{\text{p}}v_{\text{p}}}{m_{\text{p}} + m_{\text{He}}} = \frac{2(1.01\,\text{u})(3.6\times10^4\,\text{m/s})}{5.01\,\text{u}} = 1.45\times10^4\,\text{m/s}$$

可得另一个未知量v_{p}'为

$$\begin{aligned} v_{\text{p}}' &= v_{\text{He}}' - v_{\text{p}} \\ &= 1.45\times10^4\,\text{m/s} - 3.60\times10^4\,\text{m/s} = -2.15\times10^4\,\text{m/s} \end{aligned}$$

负号告诉我们，中子在碰后反向，其速率比初速小（见图 7-16）。这个结果与普通实验相符：较轻的中子将从大的氦核上“反弹回来”，但不会像从钢性壁上（非常大或无限的质量）反弹后那样，末速度和初速度大小相等。

7–6 非弹性碰撞

动能不守恒的碰撞叫非弹性碰撞。在这种碰撞中，一些初始动能转化成其它形式的能，如热能和势能，所以最终总动能少于初始总动能。当势能（如化学能或核能）释放时，也可以发生相反的过程，这时最终总动能可以大于初始总动能。爆炸就是这样的例子。典型的微观碰撞至少在一定程度上，常常在很大程度上是非弹性碰撞。如果两个物体碰撞后连在一起，

这种碰撞称为**完全非弹性**的。两个碰后粘在一起的泥丸或碰接在一起的火车厢都是完全非弹性碰撞的例子。在非弹性碰撞中，动能有时全部转化成其它形式的能量，但有时只有一部分转化。如在例 7-3 中，我们看到当运行的火车厢与静止的车厢相碰后，连在一起的车厢只具有原来动能的一部分。在完全非弹性碰撞中，动能转化成其它形式能的最大量应满足动量守恒定律。虽然在非弹性碰撞中动能不守恒，但总能量守恒，总动量矢量也守恒。

例 7-8 重做火车厢习题。 从完全非弹性碰撞出发，重做例 7-3 中两辆火车厢的例题，试求有多少初始动能转化成热能或其它形式的能量。

解：初始总动能为

$$\frac{1}{2}m_1v_1^2 = \frac{1}{2}(10.000\text{kg})(24.0\text{m/s})^2 = 2.88\times10^6\,\text{J}$$

碰后总动能为

$$\frac{1}{2}(20.000\text{kg})(12.0\text{m/s})^2 = 1.44\times10^6\,\text{J}$$

因此，转化成其它形式的能量为

$$2.88\times10^6\,\text{J} - 1.44\times10^6\,\text{J} = 1.44\times10^6$$

正好等于初始动能的一半。

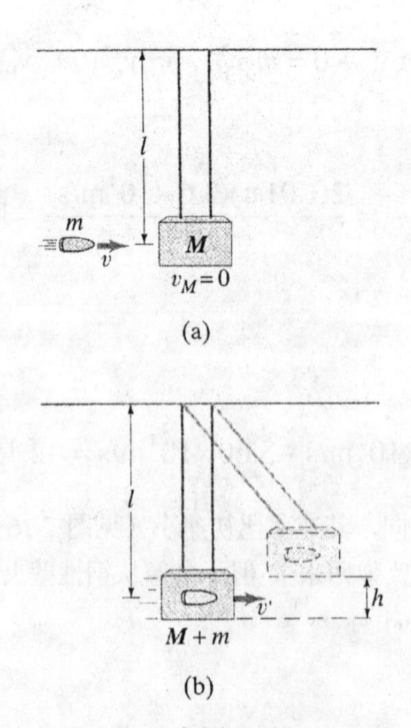

图 7-17 冲击摆（例 7-9）

例 7-9 冲击摆。 冲击摆可用来测量子弹一类抛射体的速率。质量为 m 的弹丸，射入像摆一样悬挂的质量为 M 的大块体中（木头或其它材料）。（通常 M 大于 m）碰撞后，摆和弹丸一起上升的最大高度为 h，图 7-17。试求弹丸初速 v 和高度 h 间关系式。

解：我们将这个过程分为两部分来进行分析：（1）碰撞本身，（2）摆从垂直悬挂位置摆到高度 h。在部分（1）中，（图 7-17a）我们假设碰撞时间非常短，所以在块体从其悬挂位置有显著移动之前，弹丸已停留在块体中。因此，合外力为零，动量是守恒的。

$$mv=(m+M)v' \tag{i}$$

这里 v' 是块体与镶嵌的弹丸在刚碰撞后、显著移动前的速率。一旦摆开始运动（部分 2，图 7-17b），就有合外力作用（欲将其拉回垂直位置的重力）。所以，对部分（2），我们不能用动量守恒，但我们可用机械能守恒，因为当摆达到其最大高度 h 时，碰撞后的动能全部转化成了引力势能。因此有（对摆的垂直位置取 $y=0$）：

$$\mathrm{KE}_1+\mathrm{PE}_1=\mathrm{KE}_2+\mathrm{PE}_2$$

或

$$\frac{1}{2}(m+M)v'+0=0+(m+M)gh \tag{ii}$$

因此，$v'=\sqrt{2gh}$。复合方程（i）和（ii）可得

$$v=\frac{m+M}{m}v'=\frac{m-M}{m}\sqrt{2gh}$$

这就是最终结果。要得到这个结果，我们不得不寻找哪个守恒定律可以使用：在部分（1）中，我们只能用动量守恒，因为碰撞是非弹性的，机械能守恒不适用⁺；在部分（2）中，机械能守恒，但动量不守恒。在部分（1）中，如果弹丸在块体中减速时，摆出现明显的运动，那么碰撞时肯定有外力存在，所以动量守恒不适用，这一点必须考虑在内。

⁺总能量当然是守恒的。

⁺例如，你可以想象拜访两块磁铁使它们之间相互排斥，当其中一个向另一个运动时，在没有接触时，第二个已经开始运动了。

*7–7 二维和三维碰撞

动量和能量守恒也可用于二维或三维碰撞，这时动量的矢量本质显得特别重要。非正碰的普通类型是一个运动粒子（叫作“射体”）碰在第二个静止粒子上（叫作“靶体”）。在台球一类的游戏，以及在原子和核物理实验中（从放射衰变或高能加速的射体碰在静止的靶核上）经常见到这种情况。

图 7-18 表示粒子 1（射体 m_1）沿 x 轴射向静止的粒子 2（靶 m_2）。如果它们是台球，m_1 碰 m_2 后分别沿角度 θ_1' 和 θ_2' 射出，这个角度是相对于 m_1 的初始方向测量的（x 轴）。如果它们之间存在电、磁或核力，那么在接触之前，粒子就会发生偏转⁺。

让我们用动量守恒定律研究类似图 7-18 中的碰撞。选初始和终动量确定的平面为 xy 平面。因为动量是矢量，且它是守恒的，它的 x 和 y 方向的分量也保持恒定。在方向，

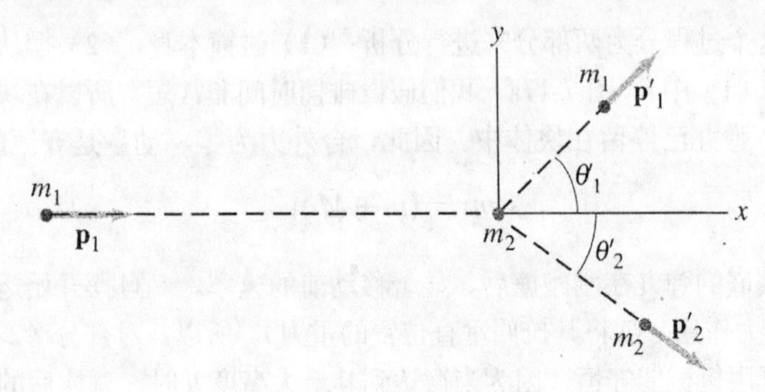

图 7-18 粒子 1 射向靶粒子 2，并发生碰撞。然后以动量 p_1' 和 p_2'，角度 θ_1' 和 θ_1' 射出。

$$p_{1x} + p_{2x} = p'_{1x} + p'_{2x}$$

或

$$m_1 v_1 = m_1 v_1' \cos\theta_1' + m_2 v_2' \cos\theta_2' \quad \textbf{(7-8a)}$$

因为在 y 方向开始时没有运动，y 方向的总动量分量为零：

$$p_{1y} + p_{2y} = p'_{1y} + p'_{2y}$$

$$0 = m_1 v_1' \sin\theta_1' + m_2 v_2' \sin\theta_2' \quad \textbf{(7-8b)}$$

例 7-10 二维的台球碰撞。一台球沿 x 方向以速率 v_1=3.0m/s 运动，碰在另一个质量相等、静止的球上（图 7-18）。观察到两个球都以 45° 射出，球 1 在 x 轴以上，球 2 在 x 轴以下。如图 7-18 所示，$\theta_1' = 45°$ 和 $\theta_1' = -45°$。试求两个球的速率。

解：从对称性，我们可以猜到两个球具有同样的速率。但现在我们先不要这样猜测。即使我们不知道碰撞是弹性还是非弹性的，但总是可以用动量守恒。所以我们可以用方程 7-8a 和 b，想求出 v_1' 和 v_2'。已知 m_1=m_2（=m），所以

$$m_1 v_1 = m_1 v_1' \cos(45°) + m_2 v_2' \cos(-45°)$$

并且

$$0 = m_1 v_1' \sin(45°) + m_2 v_2' \sin(-45°)$$

方程两边消去 m。由第二个方程得到[回忆 $\sin(-\theta) = -\sin\theta$]：

$$v_2' = -v_1' \frac{\sin(45°)}{\sin(-45°)} = -v_1' \left(\frac{\sin(45°)}{-\sin(45°)} \right) = v_1'$$

所以，像我们开始猜测的一样，它们确实具有同样的速率。X 分量方程给出[回忆 $\cos(-\theta) = \cos\theta$]：

$$v_1 = v_1' \cos(45°) + v_2' \cos(45°) = 2v_1' \cos(45°)$$

所以

$$v_1' = v_2' = \frac{v_1}{2\cos(45°)} = \frac{3.0\text{ m/s}}{2(0.707)} = 2.1\text{ m/s}$$

当我们有两个独立的方程，我们最多可求出两个未知量。

如果我们知道碰撞是弹性的，就可以用动能守恒，并得到第三个方程：

$$\mathrm{KE}_1 + \mathrm{PE}_2 = \mathrm{KE}_1' + \mathrm{PE}_2'$$

或，对于图 7-18 中的碰撞，

$$\frac{1}{2}mv_1^2 = \frac{1}{2}mv_1'^2 + \frac{1}{2}mv_2'^2 \qquad \text{[弹性碰撞]} \qquad \textbf{(7-8c)}$$

如果碰撞是弹性的，我们有三个独立的方程，可以解三个未知量。例如，如果给出 m_1、m_2、v_1（和 v_2，如果它不为零），我们不能预测最终的变量，v_1'，v_2'，θ_1'和θ_2'，因为有四个未知量。然而，如果我们测出其中一个变量，如θ_1'，那么其它三个变量（v_1'，v_1'，和 θ_2'）就能唯一确定，可用方程 7-8a，b，c 求出。

解题步骤：动量守恒和碰撞

1. 要确认有没有合外力作用在选定的系统上。即，如果要使动量守恒成立，则物体间的相互作用力是唯一的力。[注意：如果这一点只对习题的部分成立，那么只能对这部分用动量守恒定律。]

2. 画出初始情况下的示意图，即相互作用（碰撞、爆炸）发生之前的情况，用箭头和符号标出每个物体的动量。同样画出相互作用刚结束时终态的示意图。

3. 选定坐标系和正负方向。（在正碰的情况下，只需一个 x 轴）为了方便，通常选定一个物体的初始速度方向为 x 轴+方向。

4. 写出动量守恒方程：

总初动量 = 总终动量

对每个分量（x，y，z）有一个方程；正碰只有一个方程。[不要忘记守恒的是总动量，而不是某个单独的动量。]

5. 如果碰撞是弹性的，也可以写出动能守恒方程：

总初动能 = 总终动能。

[另外，如果碰撞是一维的（正碰），你可以用方程 7-7：$v_1 - v_2 = v_2' - v_1'$。]

6. 解未知量的代数方程。

7–8 质心（CM）

截止到目前，我们主要考虑的是单个粒子的运动。在处理扩展体（即具有体积的物体）时，我们假设它可以近似为一个质点或它经历的只是平动。然而，真正的“扩展”体可进行转动和其它形式的运动。例如，图 7-19a 中的跳水者经历的只有平动（身体的所有部分沿着同一轨迹），而图 7-19b 中的跳水者经历了平动和转动。我们将讨论不只是纯平动的普通运动。对物体运动的观察发现，尽管物体在转动或几个物体在相对运动，但存在一个点，它的运动轨迹与一质点在同样合力作用下的相同。这个点叫作**质心**（简写为 CM）。扩展体（或多体）的普通运动可考虑成质心的平动加上转动、振动或其它围绕质心的运动。

作为一个例子，考虑图 7-19 中跳水者质心的运动；当跳水者转动时，质心仍沿着抛物线轨迹，如图 7-19b 所示。这与只有引力作用的抛射质点的轨迹相同（即，抛物运动）。转动的跳水者身体上的其它点则沿着更复杂的轨迹。

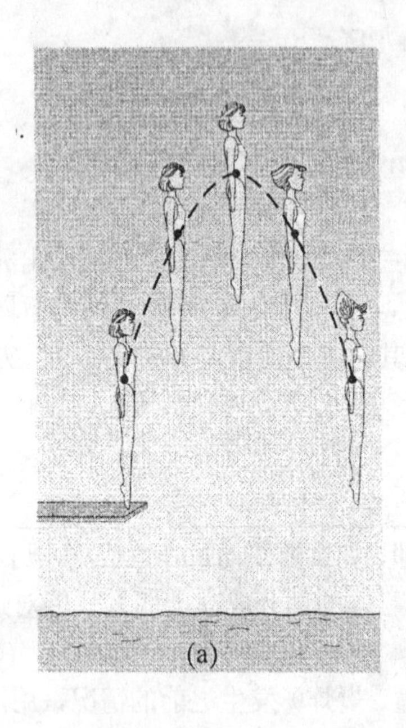

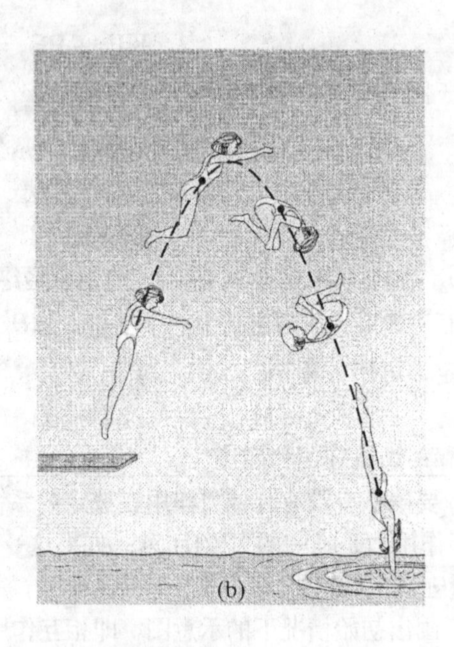

图 7-19 跳水者运动为（a）平动，（b）平动加转动。

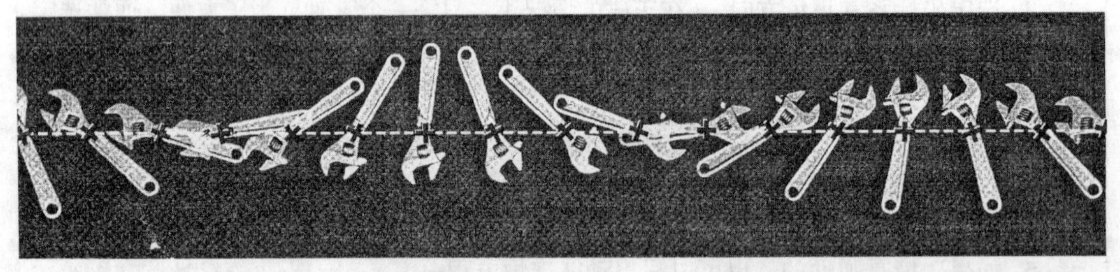

图 7-20 扳手沿着水平面的平动加转动，它的质心（用+号标出），是沿着直线运动的。

图 7-20 给出了一个扳手沿着水平面的平动和转动，注意它的质心（用+号标出），是沿着直线运动的，如虚线所示。

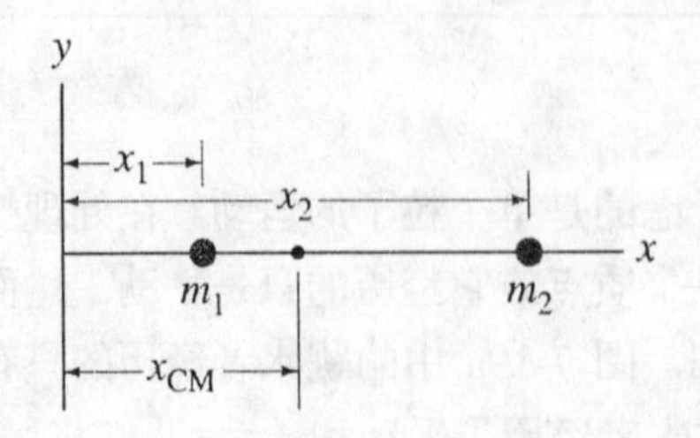

图 7-21 两粒子系统的质心在两质点的连线上。

质心用下面的方法定义。我们将任意扩展体看作由许多小质点组成。首先考虑两质点 m_1 和 m_2 组成的系统。我们取坐标系使两个质点在 x 轴上 x_1 和 x_2 处，图 7-21。这个系统的质心定义为在 x_{CM} 处，由下式给出

$$x_{\mathrm{CM}}=\frac{m_1x_1+m_2x_2}{m_1+m_2}=\frac{m_1x_1+m_2x_2}{M} \qquad (7\text{-}9\mathrm{a})$$

这里 $M=m_1+m_2$ 是系统的总质量。质心在 m_1 和 m_2 的连线上。如果两个质点质量相等（$m_1+m_2=m$），x_{CM} 在两质点中间，因为这时有

$$x_{CM}=\frac{m(x_1+x_2)}{2m}=\frac{(x_1+x_2)}{2} \qquad [\text{相等质量}]$$

如果一个质量大于另一个，如 $m_1>m_2$，那么质心靠近质量大的。如果在连线上多于两个质点，在方程 7-9a 中就要加上多出的项，如下面的例子所示。

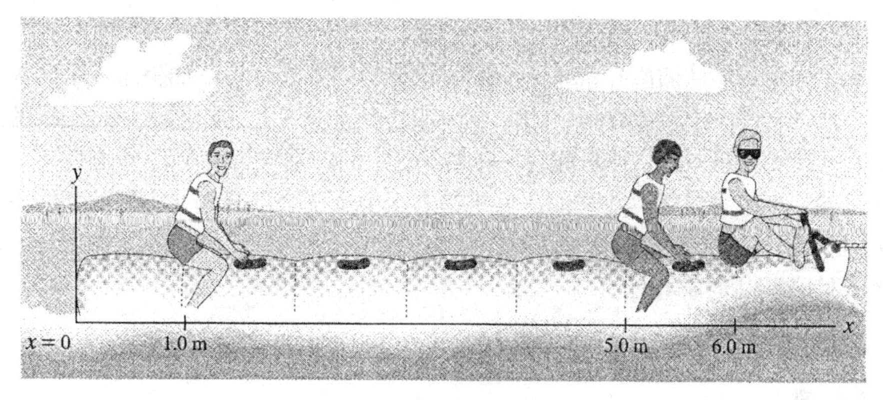

图 7-22　例 7-11

例 7-11　橡皮艇上三个人的质心。 三个质量大致相等（质量 m）的人坐在充气橡皮艇上，其位置沿 x 轴分别为 $x_1=1.0\ \mathrm{m}$，$x_2=5.0\ \mathrm{m}$ 和 $x_3=6.0\ \mathrm{m}$（图 7-22）。试求质心的位置。

解：我们用三项的方程 7-9a：

$$x_{\mathrm{CM}}=\frac{mx_1+mx_2+mx_3}{m+m+m}=\frac{m(x_1+x_2+x_3)}{3m}$$
$$=\frac{(1.0\ \mathrm{m}+5.0\ \mathrm{m}+6.0\ \mathrm{m})}{3}=\frac{12.0\ \mathrm{m}}{3}=4.0\ \mathrm{m}$$

如果质点分布在二维或三维，我们不仅需要确定质心的 x 坐标（x_{CM}），也需要 y 和 z 坐标，其公式与方程 7-9a 给出的形式一样。例如，两质点 m_1 和 m_2，其坐标分别在 y 轴上 y_1 和 y_2 处，质心的 y 轴坐标 y_{CM} 为：

$$x_{\mathrm{CM}}=\frac{m_1y_1+m_2y_2}{m_1+m_2}=\frac{m_1y_1+m_2y_2}{M} \qquad (7\text{-}9)$$

对更多的质点，就要在方程中加上更多的项。

与质心相似的一个概念是**重心**（CG）。物体的重心是我们认为的引力作用点。当然，引力实际上作用在物体的所有不同部分或质点上，但为了将物体作为整体确定它的平动，我们

设物体的全部重量（所有部分重量的和）集中在重心。严格的讲，重心与质心的概念有所不同，但实际应用时，通常将它们看作一个点。

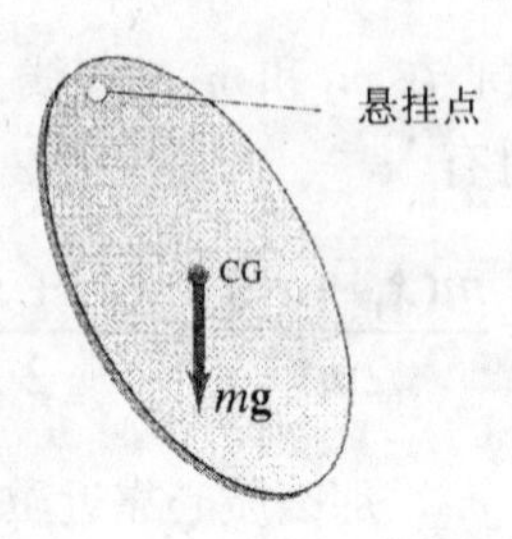

图 7-23 如果物体的重心不在悬挂点的垂线上，由于引力作用在重心上，物体就会转动，直到它的重心垂线一致。

从实验上确定扩展体的质心或重心一般要比分析的方法容易。如果将一个物体从任意点悬挂，它将摆动（图 7-23），直到它的重心在悬挂点的垂线上。如果物体是二维的或有一个对称平面，只需从不同的两个点悬起它，并画出过它们的垂线（摆线）。重心就是两条线的交点，如图 7-24。如果物体没有对称面，可将物体至少从三个点挂起（它们的摆线不在一个平面内），从而求出三维的重心。具有对称性的均匀物体，如圆筒（车轮）、球型和方形固体，它们的重心处在其几何中心处。

*7–9 人体的质心

如果有一组扩展体，每一个的质心是已知的，那么我们可以用方程 7-9a 和 b 求出这组物体的质心。我们用人体作为例子。表 7-1 给出了“典型”人体的质心和不同部位的连接点（关节）。当然，不同的人其数值将在很大范围内变化，这里的数据只是一个很粗略的平均值。注意这里的数据表示的是占总高度的百分比，同样总质量也是 100 个单位。因此，如果人的身高是 1.70 m，那么他的肩关节将在离地（1.70 m）（81.2/100）= 1.38 m 高处。

表 7-1 典型人体各部位的质心（总高度和总质量=100 单位）

连接点距离（%）	连接点(·)（关节）	质心（×）（%离地高度）		质量百分比
91.2	颈椎	头	93.5	6.9
81.2	肩关节	躯干	71.1	46.1
62.2	肘关节	小臂	71.7	6.6
46.2	腕关节	大臂	55.3	4.2
52.1	髋关节	手	43.1	1.7
28.5	膝关节	大腿	42.5	21.5
		小腿	18.2	9.6
4.0	踝关节	脚	1.8	3.4

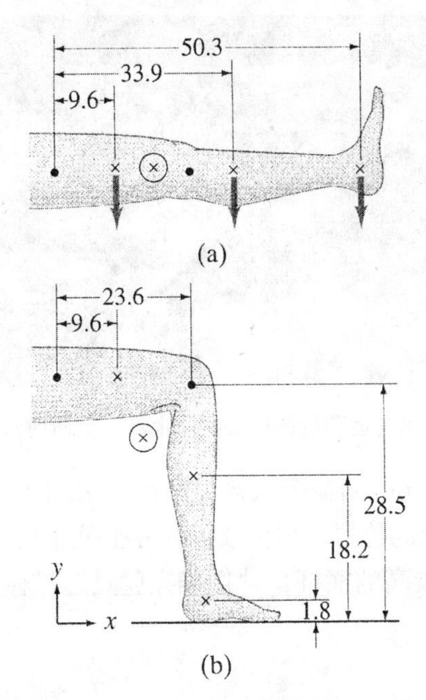

图 7-25　例 7-12 求出两种不同情况下腿的质心（⊗表示求出的质心）

例 7-12 腿的质心。 试求整个腿的质心（a）腿伸直时，（b）90 弯曲时，如图 7-25 所示。设人的身高为 1.70m。

解：（a）表 7-1 用的是百分单位，表示人的质量和高度都为 100 个单位。最后我们可以乘以（1.70m/100）。从表 7-1 我们得到髋关节的距离和图 7-25 中的数据。用方程 7-9a 得到

$$x_{CM}=\frac{(21.5)(9.6)+(9.6)(33.9)+(3.4)(50.3)}{21.5+9.6+3.4}=20.4\text{单位}$$

因此，腿和脚的质心离髋关节 20.4 单位，或离脚底 52.1-20.4 = 31.7 单位。因为人的身高是 1.70 m，所以腿的质心在离脚底（1.70m）（31.7/100）= 0.54m 处。

（b）在这一部分，我们遇到一个二维问题。如图 7-25b 选取 xy 坐标系。首先，我们计算质心在髋关节右侧的位置：

$$x_{CM}=\frac{(21.5)(9.6)+(9.6)(23.6)+(3.4)(23.6)}{21.5+9.6+3.4}=14.9\text{单位}$$

对 1.70m 高的人，这个值为（1.70m）（14.9/100）= 0.25 m。
其次，我们计算质心离地面的距离 y_{CM}：

$$y_{CM}=\frac{(3.4)(1.8)+(9.6)(18.2)+(21.5(28.5)}{21.5+9.6+3.4}=23.1\text{单位}$$

也就是（1.70m）（23.1/100）= 0.39 m。因此，质心的位置在 39 cm 高、髋关节右侧 25 cm 处。

注意在上面的例子中，质心可以在身体外部。另一个例子是油炸面包圈，它的质心在圈中心。

图 7-26 跳高运动员的质心实际上低于他所越过的横杆

知道身体在各种体位的质心，对研究人体力学很有用。图 7-26 给出体育中的一个简单例子。如果跳高运动员处在图示的位置，他的质心实际上低于他所越过的横杆，这意味着以一定的速率起跳，他可以越过较高的横杆。他们确实就是这样做的。

*7–10 质心和平动

在第 7-8 节我们曾提到，质心概念重要性的一个主要原因就是一个粒子系统（或扩展体）质心的运动直接与作用在整个系统的合力有关。我们现在证明这一点，考虑一维运动（x 方向）的简单情况，并且只有三个质点，但用同样的方法可推广到多体和三维情况。

设三个质点位于 x 轴上 x_1，x_2，x_3 处，质量分别为 m_1，m_2，m_3。从质心方程 7-9a，我们可写出：

$$Mx_{\mathrm{CM}} = m_1x_1 + m_2x_2 + m_3x_3$$

这里 $M = m_1 + m_2 + m_3$ 是系统的总质量。如果这些质点在沿 x 轴分别以速度 v_1，v_2，v_3 运动，那么在短的时间间隔 Δt 内，它们分别行进了距离：

$$\Delta x_1 = x_1' - x_1 = v_1\Delta t$$
$$\Delta x_2 = x_2' - x_2 = v_2\Delta t$$
$$\Delta x_3 = x_3' - x_3 = v_3\Delta t$$

这里 x_1'，x_2' 和 x_3' 代表它们在 Δt 时间后的位置。这时质心的位置在

$$Mx_{\mathrm{CM}}' = m_1x_1' + m_2x_2' + m_3x_3'$$

如果我们将两个质心方程相减，可得

$$M\Delta x_{\mathrm{CM}}' = m_1\Delta x_1 + m_2\Delta x_2 + m_3\Delta x_3$$

在时间间隔 Δt 内，质心移动得距离为

$$\Delta x_{\mathrm{CM}} = x_{\mathrm{CM}}' - x_{\mathrm{CM}} = v_{\mathrm{CM}}\Delta t$$

这里 v_{CM} 是质心的速度。代入上面的方程：

$$Mv_{CM}\Delta t = m_1v_1\Delta t + m_2v_2\Delta t + m_3v_3\Delta t$$

消去Δt得到

$$Mv_{CM} = m_1v_1 + m_2v_2 + m_3v_3 \tag{7-10}$$

因为$m_1v_1+m_2v_2+m_3v_3$是系统质点的动量和，它代表了系统的总动量。因此我们可从方程7-10得出，质点系统的总动量（线性）等于总质量和系统质心速度的乘积。或，扩展体的线动量是其质量与质心速度的积。

如果力作用在每个质点上，质点会加速。在短的时间间隔Δt内，每个质点的速度将改变

$$\Delta v_1 = a_1\Delta t\,,\quad \Delta v_2 = a_2\Delta t\,,\quad \Delta v_3 = a_3\Delta t$$

如果我们现在用推导方程7-10的方法，可得

$$Mv_{CM} = m_1a_1 + m_2a_2 + m_3a_3$$

根据牛顿第二定律，$m_1a_1 = F_1$，$m_2a_2 = F_2$，和$m_3a_3 = F_3$，这里F_1，F_2和F_3是分别作用在三个质点上的合力。因此，我们对整个系统得到：

$$Ma_{CM} = F_1 + F_2 + F_3 = F_{合} \tag{7-11}$$

即，作用在系统上所有力的和等于系统的总质量乘以质心的加速度。这就是质点系统的**牛顿第二定律**，它也可用在扩展体上（可看作质点的集合）。因此我们总结如下：总质量为M的质点系统（或扩展体），其质心的运动与质量M的单个质点在同样合外力作用下的运动一样。即，系统的运动就像所有质量集中在质心且所有外力作用在这一点上一样。因此，我们可将任意物体或物体系统的平动看作质点的运动（见图7-19和7-20）。这个定理大大简化了我们对复杂系统和扩展体的运动的分析。虽然系统不同部分的运动可能很复杂，但通常我们只要知道质心的运动就可以了。这个定理也使我们很容易解某些类型的问题，如下面例题给出的那样。

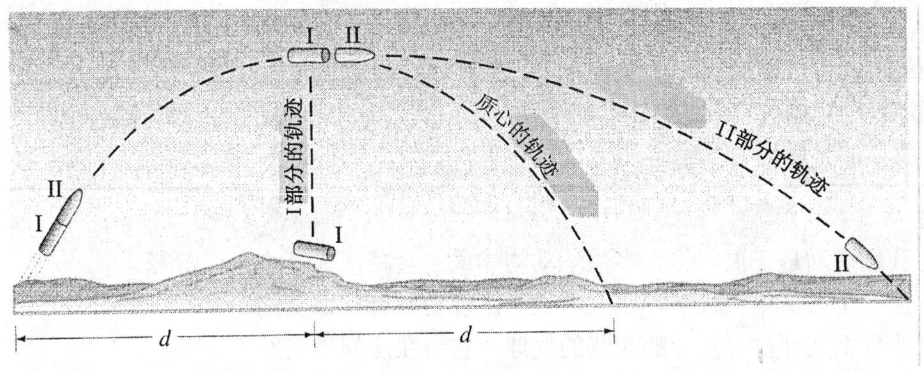

图 7-27 例 7-13

概念练习 例 7-13 **两级火箭**。一火箭射向空中，如图7-27所示。在到达最高点时，它离发射点的水平距离为d，火箭断成质量相等的两部分。部分1在空中停止并垂直落到地面。试问部分2在哪里落地？设**g**恒定。

解：在火箭发射后，在恒定引力作用下，系统质心的运动轨迹是抛物线。因此，质心将

到达离发射点 2d 的距离。因为两部分质量相等，质心必须在它们的中间。因此，部分 2 着地距离为 3d。（如果部分 1 具有向前或向后的速率，问题的解就比较复杂。）

小结

物体的**动量 p** 定义为其质量与速度的乘积，

$$\mathbf{p}=m\mathbf{v}$$

牛顿第二定律用动量表示可写成

$$\sum\mathbf{F}=\frac{\Delta\mathbf{p}}{\Delta t}$$

即，动量的改变率等于作用在物体上的合力。

动量守恒定律指出，一个孤立物体系统的总动量保持恒定。孤立系统就是作用其上的合外力为零的系统。

动量守恒定律对处理**碰撞问题**非常有效。在碰撞中，两个（或多个）物体在很短的时间内相互作用，在这期间的作用力非常大。

作用在物体上力的**冲量**定义为 $\mathbf{F}\Delta t$，这里 $\mathbf{F}$ 是时间 Δt 内（通常很短）的平均力。冲量等于物体动量的改变：

$$冲量 =\mathbf{F}\Delta t = \Delta\mathbf{p}。$$

在任意碰撞中，总动量守恒。如果两物体碰前的动量为 $m_1\mathbf{v}_1$ 和 $m_2\mathbf{v}_2$，碰后的动量为 $m_1\mathbf{v}_1'$ 和 $m_1\mathbf{v}_2'$，那么

$$m_1v_1+m_2v_2=m_1v_1'+m_2v_2'$$

总能量也是守恒的，但只在能量转化仅包括动能的情况下对解题有用。这时动能守恒，碰撞叫**弹性碰撞**，可写出

$$\frac{1}{2}m_1v_1^2+\frac{1}{2}m_2v_2^2=\frac{1}{2}m_1v_1'^2+\frac{1}{2}m_2v_2'^2$$

如果动能不守恒，碰撞叫**非弹性碰撞**。**完全非弹性碰撞**是碰后碰撞物体连在一起的碰撞。为了确定整个物体（或一组物体）的平动，可以认为合力作用在一点上，这一点就是系统的**质心**。物体的整体运动可看作其质心的平动加上绕其质心的转动（或其它内部运动）。

问答题

1. 我们说动量守恒。但大多数运动物体最终会减速并停止。请解释。

2. 当一个人从树上跳下，在人着地时出现动量有什么变化？

3. 为什么放开没有系口的吹胀的气球，它会在房间里飞？

4. 据说在古时候，有一个富人带着一袋金币冻死在湖面上。因为冰面没有摩擦力，它无法使自己到达岸边。如果他不吝啬，怎样做才能救他的命？

5. 火箭在外层空间时处于真空状态，它如何才能改变方向？

6. 根据方程 7-5，冲量作用时间越长，对同样的动量改变来说，它的作用力越小，因此作用力引起的物体的形变越小。根据这一点解释“气袋”的价值，它在汽车碰撞时膨胀以减少骨折或死亡的可能。

7. 过去通常将汽车建造得尽可能坚硬以经受碰撞。然而，现在的汽车设计有在碰撞时毁坏的“皱折部件”。它有什么优点？

8. 为什么投过来的球比抛起的球容易打出本垒打？

9. 尽管在球拍挥动不是很快的情况下，接发球回击球的速率也可与发球的速率一样快。为什么会这样？

10. 物体受到较小力的冲量大于较大力的，这可能吗？

11. 轻物体和重物体具有同样的动能。哪一个具有较大的动量？

12. 物体可能具有动量而没有动能吗？它可以具有动能而没有动量吗？请解释。

13. 在水电站，水以高速冲向带动发电机转动的叶片。你认为叶片可以设计成让水完全停止，或使水反弹回来吗？

14. 一弹性球从高度 h 落到坚硬的钢平面上（固定在地球上），其反弹回来的速率接近碰前速率。(a) 在这个过程的任意部分，球的动量守恒吗？(b) 如果我们将球与地球看作一个系统，在哪部分动量守恒？(c) 在一块泥落下并粘在钢平面上的情况下，回答 (b) 部分。

15. 当你抱着一个重物时，为什么会向后倾斜？

16. 为什么一米长管子的质心在中间，而你胳膊或腿则不是这样？

17. 画图说明当你从躺变成坐的姿势时，你质心的改变。

18. 给出一种确定任意三角形均匀薄盘质心的分析方法。

19. 一火箭在空中沿抛物线行进，忽然炸裂成许多碎片。你能说出这个碎片系统的运动吗？

20. 如果只有外力才能改变物体质心的动量，那么引擎的内力如何能加速汽车？

习题

7-1 和 7-2 节

1. (Ⅰ) 麻雀的质量为 22g，它以 8.1m/s 的速率飞行时，动量的值是多少？

2. (Ⅱ) 一坐在船上的小孩将 5.40kg 的包裹以 10.0m/s 的速率水平扔出，图 7-28。试求船向后反冲的速度，设它开始是静止的。小孩和船的质量分别为 26.0kg 和 55.0kg。

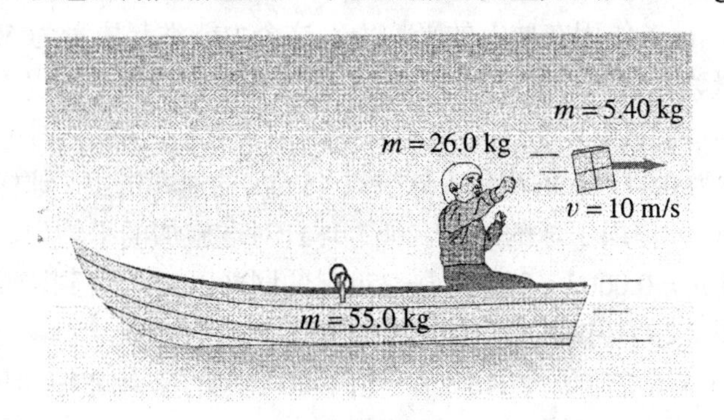

图 7-28 习题 2

3. (Ⅱ) 已知火箭（在发射时）喷出气体的速率为 40000 m/s，喷气率为 1300 kg/s，试求作用在火箭上的力。

4. (Ⅱ) 在美式橄榄球赛中，一中卫冲出准备触地得分，但被从后面抓住。如果中卫以

4.1 m/s 的速率奔跑，其质量为 95 kg，抓住他的侧卫质量为 85 kg，并以 5.5 m/s 沿同方向奔跑，试求他们扭在一起时共有的速度。

5.（Ⅱ）一辆 12500 kg 的火车厢沿水平无摩擦轨道以 18.0 m/s 恒定速率行驶。一个 5750 kg 的重物掉在车上。试问车厢随后的速率是多少？

6.（Ⅱ）一辆 9500 kg 的车厢以 16m/s 的速率碰在另一辆车厢上。两车厢连在一起，并以 6.0m/s 的速率行进。试问第二辆车厢的质量是多少？

7.（Ⅱ）用枪垂直向上射击一 1.40 kg 静止放置的木块。如果子弹的质量为 21.0 g，速率为 210m/s，在子弹镶入木块后，木块能上升多高？

8.（Ⅱ）一子弹质量为 15g，射入水平面上放置的质量为 1.10 kg 的木块。如果木块与平面间的动摩擦系数为 0.25，子弹的冲击使木块行进了 9.5 m 后停止，试问子弹的原来的速率是多少？

9.（Ⅱ）一静止原子核衰变时放出α粒子。如果α粒子的速率为$3.8\times10^5\,\mathrm{m/s}$，试问反冲核的速率是多少？设反冲核的质量是$\alpha$粒子的 57 倍。

10.（Ⅱ）一原子核的初始速率为 420 m/s，沿着其速度方向射出α粒子后，其速率降为 350 m/s。如果α粒子质量为 4.0 u，初始核的质量为 222 u，试问α粒子的射出速率是多少？

11.（Ⅱ）一子弹的质量为 13 g，它以 230 m/s 的速率射向 2.0 kg 的木块，射穿后速率降为 170 m/s。如果木块静止放置在无摩擦平面上，子弹射穿后，木块的速率是多少？

12.（Ⅱ）一个 975kg 的两级火箭以$5.80\times10^3\,\mathrm{m/s}$的对地速率飞行时，按设定程序炸裂成质量相等的两部分，两部分的相对速率为$2.20\times10^3\,\mathrm{m/s}$，并都沿初始速度方向运动。(a) 试求炸裂后每部分的速率（相对与地球）。(b) 爆炸提供的能量使多少？[提示：爆炸后动能改变多少？]

13.（Ⅲ）总质量为 3180 kg 的火箭在太空以 115 m/s 的速度向太阳飞行。它想将航向改变 35.0，要做到这一点，需向垂直方向喷射气体。如果气体喷出速率为 1750 m/s，需喷出多少质量的气体？

7-3 节

14.（Ⅰ）网球在发球时离开球拍的速率为 65.0m/s。如果球的质量为 0.0600kg，与球拍接触时间为 0.0300s，试求作用在球上的平均力？这个力能举起质量为 60kg 的人吗？

15.（Ⅰ）一质量为 0.145 kg 的球以 39.0 m/s 的速率碰到球棒，被以 52.0 m/s 的速率水平击向投手。如果球与棒的接触时间为$1.00\times10^{-3}\,\mathrm{s}$，试求它们之间的作用力。

16.（Ⅱ）一质量为 0.045 kg 的高尔夫球被以 45 m/s 的速率击出。球杆与球的接触时间为$5.00\times10^{-3}\,\mathrm{s}$。试求 (a) 作用于球的冲量，(b) 球杆对球施加的平均力。

17.（Ⅱ）一质量 m = 0.060 kg、速率 v = 25m/s 的网球以 45° 碰到墙面上，反弹后角度为 45°，速率不变（图 7-29）。试问它对墙的冲量是多少？

18.（Ⅱ）一橄榄球后卫质量为 115 kg，他以 4.0 m/s 的速率向东奔跑，与对面跑来的球员正碰后，在 0.75s 内停止。试求 (a) 后卫的初始动量，(b) 施加给后卫的冲量，(c) 施加给对面球员的冲量，(d) 施加给对面球员的平均力。

19.（Ⅱ）设作用在网球（质量 0.060kg）上沿+x 方向的力与时间的关系如图 7-30 所示。用作图的方法估算 (a) 作用于球的总冲量，(b) 球被击出后的速度，设球是被发出的，开始时接近静止。

20.（III）一质量为 75 kg 的人，从高处跳下而不致摔断腿骨的最大高度是多少？忽略空气阻力，设人的质心从着地到摔倒移动 0.60m。设骨头的断裂强度（单位面积承受的力）为 $170\times10^{6}\,N/m^{2}$，其最小横截面为 $2.5\times10^{-4}\,m^{2}$。

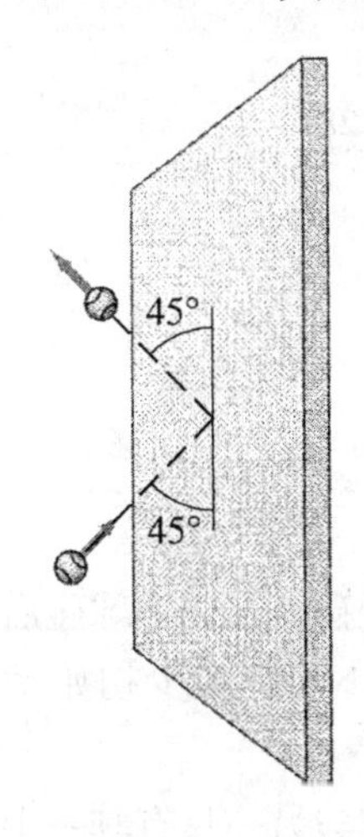

图 7-29 习题 17

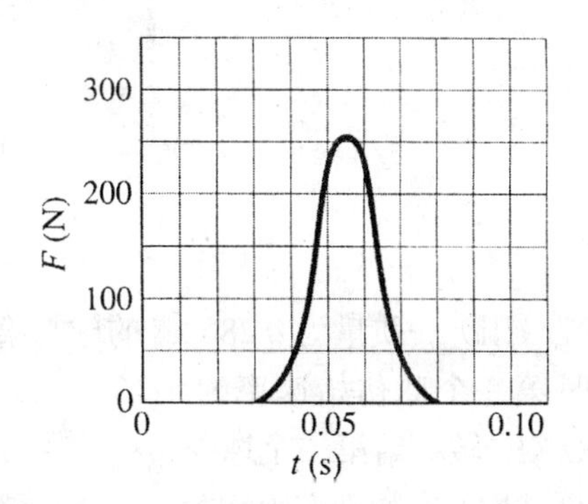

图 7-30 习题 19

7-4 和 7-5 节

21.（II）一质量为 0.440kg 的球以 3.70m/s 的速率向东（+x 方向）行进，与一质量为 0.220kg 静止放置的球正碰。如果碰撞是完全弹性的，碰后两个球的速率和方向如何？

22.（II）一质量为 0.450kg 的冰球，以 3.00m/s 的速率向东行进，与一质量为 0.900kg 静止放置的冰球正碰。设碰撞是完全弹性的，碰后两个球的速率和方向如何？

23.（II）两个等质量的台球发生弹性正碰。如果一个球的初始速率为 2.00m/s，另一个球速度方向相反，大小为 3.00m/s，它们碰后的速率如何？

24.（II）一质量为 0.060kg 的网球以 2.50m/s 的速率行进，与一质量为 0.090kg 向同方向以速率 1.00m/s 行进的球发生正碰。设碰撞是完全弹性的，碰后两个球的速率和方向如何？

25.（II）一垒球质量为 0.220kg，以 5.5m/s 的速率与另一静止放置的球发生弹性正碰。碰撞后发现，飞来的球以 3.7m/s 的速率反弹回去。试求（a）碰后靶球的速度，（b）靶球的质量。

26.（II）公园里的两辆碰碰车，当一辆靠近另一辆时，发生弹性碰撞（图 7-31）。由于所乘游客的不同，一辆车质量为 450kg，另一辆为 550kg。如果轻的一辆以 4.50m/s 靠近以 3.70m/s 行进的另一辆，试求（a）碰后它们的速度，（b）各自动量的变化。

图 7-31 习题 26：（a）碰前，（b）碰后。

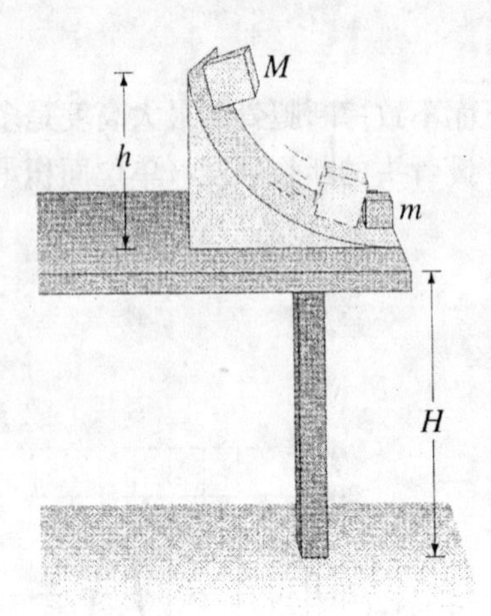

图 7-32 习题 28

27.（Ⅲ）一质量为 0.280 kg 的球与第二个静止放置的球发生弹性正碰。第二个球碰后的速率是第一个球初始速率的一半。（a）第二个球的质量是多少？（b）有多少初始动能 ($\Delta KE / KE$)转移给第二个球？

28.（Ⅲ）在物理实验室中，一个小滑块从无摩擦斜面滑下，在底部与另一只有其一半质量的滑块发生弹性碰撞。如果斜面高 30 cm，桌子离地 90 cm，每个滑块的着地点多远？

29.（Ⅲ）考虑通常情况下，一质量为 m_1、速度为 v_1 的物体与另一个质量 m_2、静止放置（$v_2 = 0$）的物体发生弹性正碰。（a）证明终速 v_1' 和 v_2' 由下式给出

$$v_1' = \left(\frac{m_1 - m_2}{m_1 + m_2}\right) v_1$$

$$v_2' = \left(\frac{2m_1}{m_1 + m_2}\right) v_1$$

（b）当 m_1 远小于 m_2 时，出现什么情况？举出常见例子。（c）当 m_1 远大于 m_2 时，出现什么情况？举出常见例子。（d）当 $m_1=m_2$ 时，出现什么情况？举出常见例子。

7-6 节

30.（Ⅱ）一弹头质量为 18g，以 230 m/s 的速率射入 3.6 kg 的摆中，摆的悬挂长度为 2.8 m，射入后摆沿圆弧荡起。试求摆位移的水平分量。

31.（Ⅱ）（a）推导例 7-9 中冲击摆碰撞后动能的损失比，$\Delta KE / KE$。（b）当 m =14.0g，M = 380g 时，求出此值。

32.（Ⅱ）一物体在爆炸中裂成两块，一块的质量是另一块的 1.5 倍。如果爆炸中释放 7500J 能量，每块的动能是多少？

33.（Ⅱ）一辆1.0×10^3 kg 的丰田车从后面撞到等待红灯的 2.2×10^3 kg 的凯迪拉克车尾。缓冲器和车闸都已锁住，两辆车滑行了 2.8m 后停止。警察知道路面与轮胎间的摩擦系数为 0.40，并算出了丰田车碰前的速率。这个速率是多少？

34.（Ⅱ）测量两物体非弹性正碰的恢复系数 e 定义为

$$w=\frac{v_1'-v_2'}{v_1-v_2}$$

这里$v_1'-v_2'$是两物体碰后的相对速度，v_1-v_2是碰前的相对速度。(a) 证明，对于完全弹性碰撞 $e=1$，完全非弹性碰撞 $e=0$。(b) 一种测量物体碰撞的恢复系数的简单方法是，用坚硬的钢球掉在沉重的钢盘上，如图 7-33 所示。试用初始高度 h 和碰后高度 h'，推出 e 的表达式。

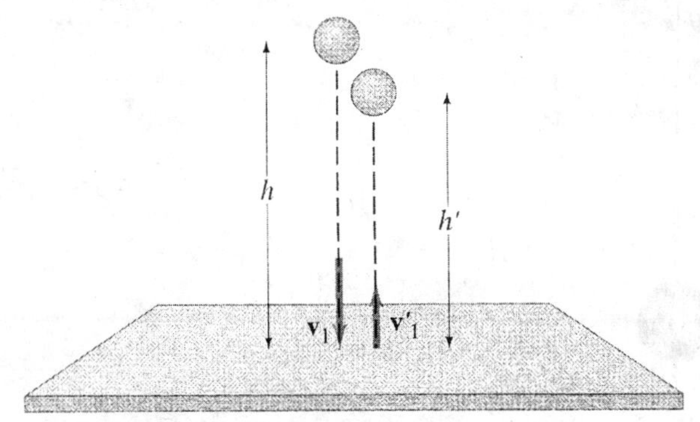

图 7-33 (习题 34。)测量恢复系数。

35.（Ⅲ）一木块被切成两块，一块质量是另一块的三倍。将它们重新装在一起，并在中间放入鞭炮。装好的木块放在粗糙桌面上。当鞭炮爆炸后，两块分开。试求两木块行进距离之比是多少？

36.（Ⅲ）一物体质量为 5.0kg，沿+x 方向以 5.5m/s 的速率与另一物体正碰，这个物体的质量为 3.0kg，沿-x 方向以 4.0m/s 的速率运动。试求每个物体的终速度，如果：(a) 两物体连在一起；(b) 碰撞是弹性的；(c) 碰后 5.0kg 的物体静止；(d) 碰后 3.0kg 的物体静止；(e) 碰后 5.0kg 的物体沿-x 方向以 4.0m/s 的速度运动。(c)、(d) 和 (e) 中的结果“合理”吗？请解释。

***7-7 节**

*37.（Ⅱ）一放射性核静止衰变成第二个核，放出一个电子和一个中微子。电子和中微子以直角射出，动量分别为$9.30\times10^{-23}\,\mathrm{kg\cdot m/s}$和$5.40\times10^{-23}\,\mathrm{kg\cdot m/s}$。试求第二个核（反冲核）动量的量值和方向。

*38.（Ⅱ）一只鹰（m_1= 4.3kg）以速率 v_1= 7.8m/s 飞行时，与垂直方向飞来的 v_2= 10.2m/s 的第二只鹰（m_2= 5.6kg）相撞。碰后它们抱成一团。试问碰后它们运动的方向和速率如何？

*39.（Ⅱ）一台球质量为 $m_A=0.400$kg，在以速率 $v_A=1.80$m/s 运动时与第二个质量为 $m_B=$ 0.500 kg 静止的球相撞。碰后第一个球以速率 $v_A'=1.10$m/s 沿 30.0°偏转角运行。(a) 取球 A 的初始运动方向为 x 轴方向，分别写出 x 和 y 方向分量的动量守恒表达式。(b) 解这些方程，求出球 B 的速率 v_B' 和角度 θ'。不要假设碰撞是弹性的。

*40.（Ⅲ）一质量为 m 的原子核，以速率 v 行进时与质量为 $2m$ 的静止靶粒子发生弹性碰撞，碰后以 90°散射角射出。(a) 试求碰后靶粒子的运动角度。(b) 碰后两个粒子的速度是多少？(c) 有多少（$\Delta\mathrm{KE}/\mathrm{KE}$）初始动能转移给靶粒子？

*41.（Ⅲ）两个质量相等的物体，各自具有初速 v，在发生完全非弹性碰撞后以 $v/3$ 的速率一起运动。试问它们初始方向间的夹角是多少？

*42.（Ⅲ）要使保龄球瓶大角度偏转，需让保龄球薄擦球瓶，如图 7-34 所示。设保龄球的初速为 12.0 m/s，其质量是瓶的 5 倍，碰后瓶沿与初始方向 80° 角飞出。试求（a）瓶的终速，（b）球的终速，（c）球的偏转角度。设碰撞是弹性的。

图 7-34 习题 42

*43.（Ⅲ）一中子与氦核发生弹性碰撞，氦核的质量是中子质量的 4 倍。观察到氦核的射出角 $\theta_2' = 45°$。试求碰后中子的散射角 θ_1' 和两个粒子的速率 v_n' 和 v_{He}'。中子的初速为 6.2×10^5 m/s。

*44.（Ⅲ）两个质量相等的台球，一个向上沿 y 轴以速率 2.0m/s 运动，另一个向右沿 x 轴以速率 3.7m/s 运动。在 xy 坐标原点它们发生弹性碰撞，碰后第二个球沿正 y 轴方向运动（图 7-35）。试求第一个球的方向以及两个球的速率。

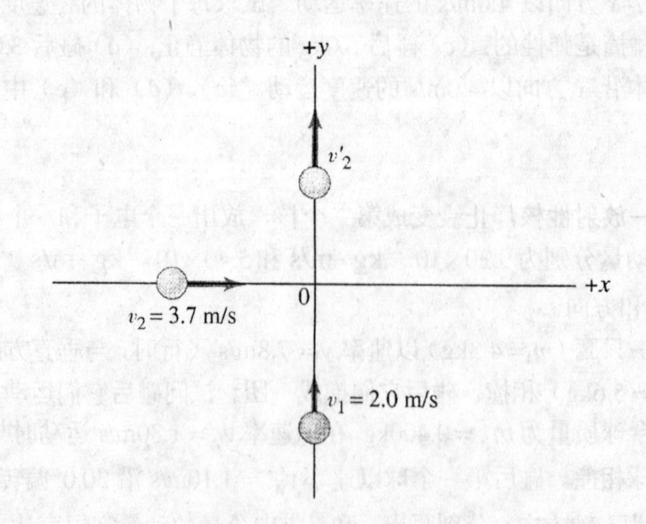

图 7-35 习题 44（碰撞后的球 1 没有画出）

*45.（Ⅲ）两个质量相等的物体，发生弹性碰撞时一个静止，试证明碰后它们速度矢量间的夹角总是 90°。

7-8 节

46.（Ⅰ）在 CO 分子中，碳原子（m=12u）和氧原子（m=16u）间的距离为1.13×10^{-10}m 。试问碳原子离分子的质心多远？

47.（Ⅰ）一辆空汽车质量为 1050kg，其质心离车前沿 2.50m。车的前排座位离车前沿 2.80m，后排座位离车前沿 3.90m。试问当前排坐两人和后排坐三人时，车的质心分别离车前沿多远？设每个人的质量为 70.0kg。

48.（Ⅱ）三个边长分别为 l_0、$2l_0$ 和 $3l_0$ 的正方体一个接一个放置，它们的中心沿一条直线，且边长 $l=2l_0$ 的放在中间（图 7-36）。试问这个系统的质心在直线上什么位置？设正方体用同一种材料制成。

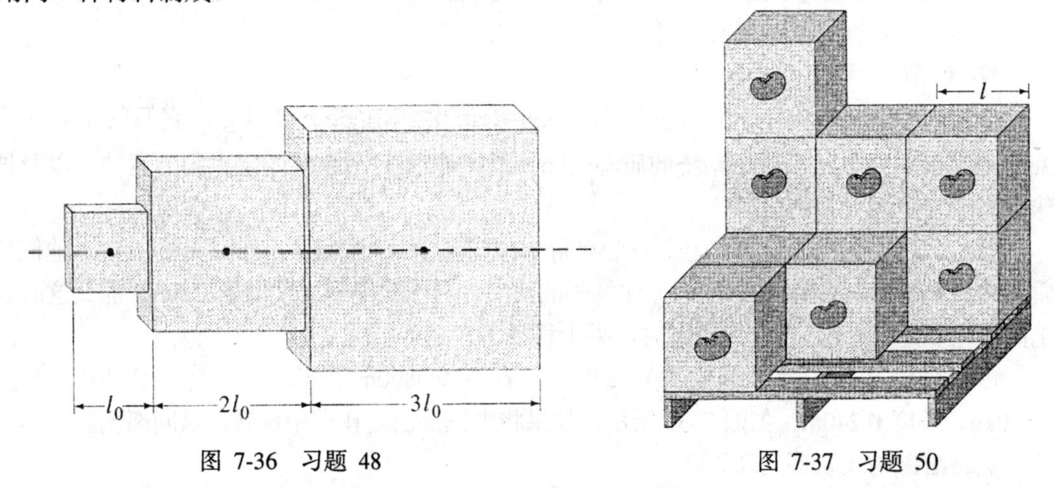

图 7-36 习题 48　　图 7-37 习题 50

49.（Ⅱ）一均匀正方形木筏用作渡船，边长 18m，质量为 6200kg。如果三辆质量都为 1200kg 的车占据东北、东南和西南三个角，试求此时渡船的质心。

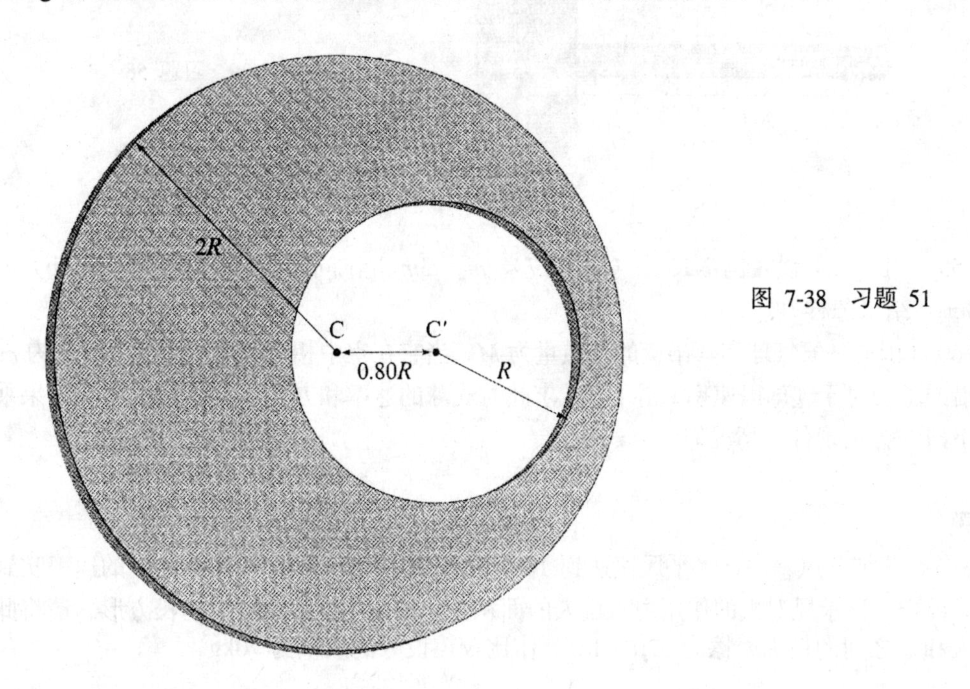

图 7-38 习题 51

*50.（Ⅱ）一托盘（很轻）上堆放着装西红柿酱的箱子，箱子是质量相等的立方体，边长为 l。为了不倾斜地吊起托盘，试求水平面上的重心。

*51.（Ⅲ）从半径 2R 的均匀圆盘上切出半径 R 的圆孔。圆孔的中心离大圆盘中心 0.80R，图 7-38。试求圆盘质心的位置。[提示：尝试用减法。]

***7-9 节**

*52.（Ⅰ）设你的比例与表 7-1 列出的一致，试求你一条腿的质量。

*53.（Ⅰ）试用表 7-1 求出伸展胳膊的质心。

*54.（Ⅱ）试用表 7-1 求出弯曲成直角胳膊的质心位置。设这个人的身高为 155cm。

*55.（Ⅱ）当跳高运动员处于双手和双腿垂直悬吊，头和躯干水平的状态时，他的质心低于身体中线多远。此时质心在身体之外吗？用表 7-1。

***7-10 节**

*56.（Ⅱ）地球和月球的质量分别为 $5.98\times10^{24}\,\text{kg}$ 和 $7.35\times10^{22}\,\text{kg}$，它们的中心相距 $3.84\times10^{8}\,\text{m}$。（a）试求这个系统的质心。（b）描述地球-月球系统围绕太阳的运动，以及地球和月球分别绕太阳的运动。

*57.（Ⅱ）一个 55kg 的女士和一个 90kg 的男士在冰面上相距 10.0m。试问：（a）他们的质心离女士多远？（b）如果他们抓住绳子的两头，男士拉绳子后移动了 2.5m，那么这时女士离男士多远？（c）当他们相碰时，男士移动了多远？

*58.（Ⅱ）一木棰的头是质量为 2.00kg、直径 0.0800m 的均匀圆柱体，它的柄质量为 0.500kg、长度 0.240m，如图 7-39 所示。如果将木棰扔出，在空中旋转，试问离柄底部多高的一点将沿抛物线轨迹运动？

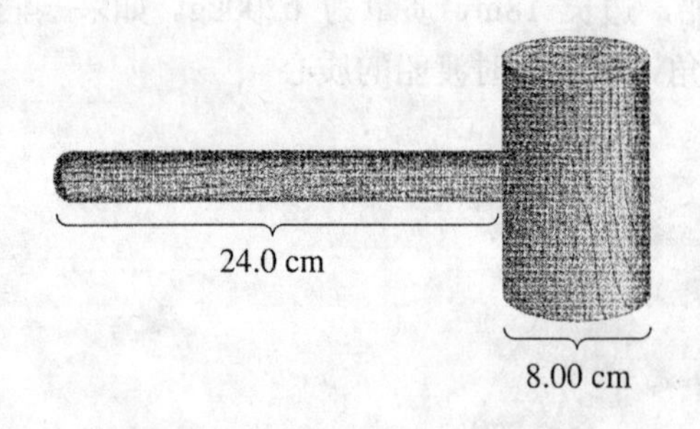

图 7-39 习题 58

*59.（Ⅱ）（a）设在例 7-13 中（图 7-27），$m_2=3m_1$。试问 m_2 将在哪里着地？（b）如果 $m_1=3m_2$，结果怎样？

*60.（Ⅲ）一氦气球和其吊蓝的总质量为 M。当它在空中相对地静止时，一质量为 m 的乘客沿绳子相对于气球以速率 v 滑下。试求此时气球的速率和方向（相对于地球）。如果乘客停止下滑，会出现什么情况？

综合题

61. 在芝加哥风暴中，水平风速达到 100km/h。如果风以每平方米 40kg/s 的速率吹到人身上后停止，试求风对人的作用力。设人的面积为 1.50m 高、0.50m 宽的长方形。请将此结果与人和地之间的最大摩擦力（$\mu\approx1.0$）作比较，设人的质量为 70kg。

62. 一敞蓬火车厢质量为 5800kg，沿水平轨道以恒定速率 8.60m/s 滑行。雪以 3.50 kg/min 的速率垂直落下。忽略与轨道的摩擦力，试问 90.0 分钟后，车厢的速率是多少？

63. 一棒球质量为 0.145kg，当它以 35.0m/s 的速率水平碰到球棒后，垂直升起的最大高度为 55.6m。如果接触时间为 0.50ms，试求接触时作用在球上的平均力。

64. 一质量为 m 的火箭，以速率 v_0 沿 x 轴行进，忽然沿 y 轴方向以速率 2 v_0 喷出其质量三分之一的燃料。试求火箭终速度的分量。

65. 一台球新手准备击打底袋球，如图 7-40 所示。图中给出有关的相对距离（单位不重要，关键是比例）。他担心这一击会失败，即可能将本球也碰入底袋。这种担心有必要吗？请给出你的详细解释。

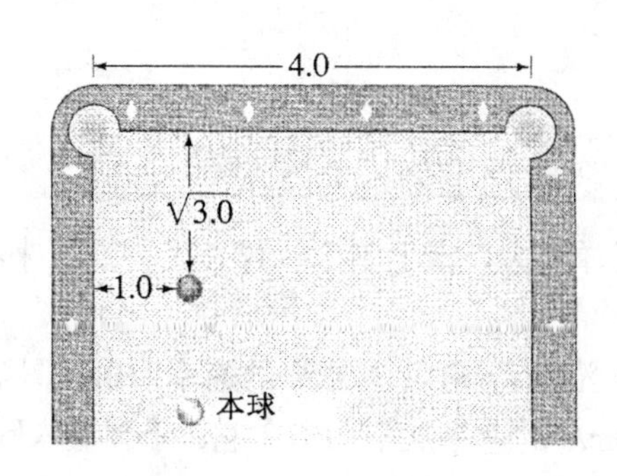

图 7-40 习题 65

66. 一宇航员质量为 140 kg（包括宇航服），在用脚猛推 1800 kg 的太空舱后得到 2.50m/s 的速率。试问：（a）太空舱速率的变化是多少？（b）如果推动持续了 0.500s，相互的平均作用力是多少？用太空舱被推以前的位置作为参照系。

67. 一高尔夫球从总垂直高度 4.00 m 的水泥台阶上滚下。在下落过程中，球在不同台阶的水平面上碰撞了四次。如果所有碰撞是完全弹性的，试求到达台阶底部时，球第五次碰撞反弹的高度。

68. 一质量为 m 的球与第二个（静止）球发生弹性正碰后，反弹速率等于其初始速率的四分之一。试求第二个球的质量。

69. 在一起撞车事故案件中，你作为专家被邀请参加调查。事故涉及一辆 2000 kg 的车（车 A）撞在另一辆静止的 1000 kg 的车（车 B）上。车 A 的司机在离车 B 还有 15m 时刹车。碰后，车 A 滑行 15m，车 B 滑行了 30m。测量出锁住的车轮与路面间的动摩擦系数为 0.60。请证明车 A 的司机在刹车前的速率超过了 55mph（每小时英里）的限速。

70. 两人质量分别为 75kg 和 60kg，坐在质量 80kg 的小舟里。小舟开始是静止的，两人坐在舟的两端，相距 2.0m，现在交换座位。试求小舟移动的方向和距离。

71. 一彗星质量约为 10^8kg，以 15km/s 的速率撞击地球（$m = 6.0\times10^{24}$ kg）后停止。试问：（a）地球的反冲速率是多少？（b）彗星的多少动能转化成地球的动能？（c）碰撞的结果，地球的动能改变了多少？

72. 一静止放置的物体被炸成两块。一块获得的动能是另一块的两倍。它们的质量比是多少？

73. 作用在弹头上的力由下式给出 $F = 580 - 1.8\times10^5 t$，时间间隔从 t=0 到

$t = 3.0\times10^{-3}$ s。在这个表达式中，t 的单位是秒，F 是牛顿。(a) 画出 F 对 t 的图，从 t=0 到 t = 3.0ms。(b) 用作图法估算作用在弹头上的冲量。(c) 如果在这个冲量作用下，弹头的速率达到 220 m/s，试求它的质量。

74. 一质量 m = 2.20kg 的木块沿高度 3.60m、坡度 30.0 的斜面滑下。在底部时与一质量 M = 7.00 kg 水平面上静止放置的木块相撞，图 7-41。(设在斜面底部光滑过渡) 如果碰撞是弹性的，并忽略摩擦力，试求 (a) 碰后两木块的速率，(b) 小木块将沿斜面返回多远距离？

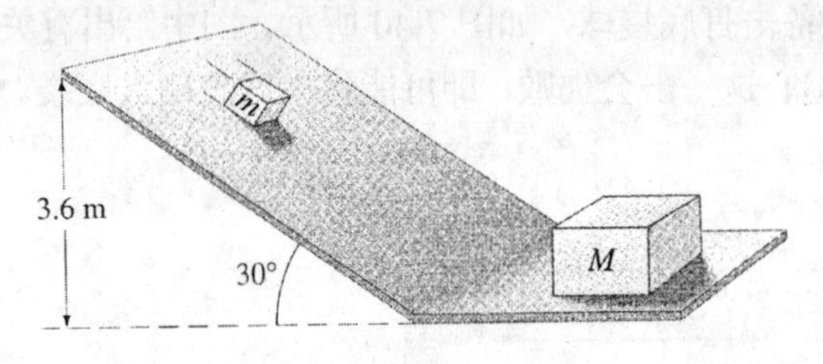

图 7-41 习题 74 和 75

75. 在习题 74 中，如果质量 m 从 M 反弹回去，滑上斜面，停止，再滑下来与 M 相碰，质量 m 需从多高滑下？

76. 一质量为 0.25 kg 的飞碟（粘土靶）沿 30° 角以 30 m/s 的速率射出（图 7-42）。当它到达最高点时，一质量为 15g 的子弹以 200m/s 的速率从下面击中它。子弹镶入碟中。(a) 飞碟将上升多高？(b) 由于碰撞，飞碟增加的距离 x 是多少？

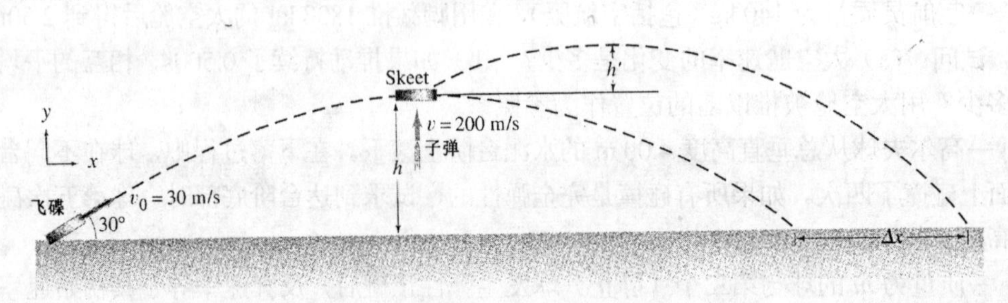

图 7-42 形习题 76

77. 引力弹弓效应。 图 7-43 给出土星在其轨道上沿负 x 方向以 9.6 km/s 的速率（相对太阳）运行。一质量为 828kg 的航天器，以 10.4 km/s 的速率沿+x 方向靠近土星。土星的引力（向心力）使航天器围绕它偏转（轨道用虚线画出）并转向相反方向。试估计航天器行进足够远几乎不受土星的引力时的终速。

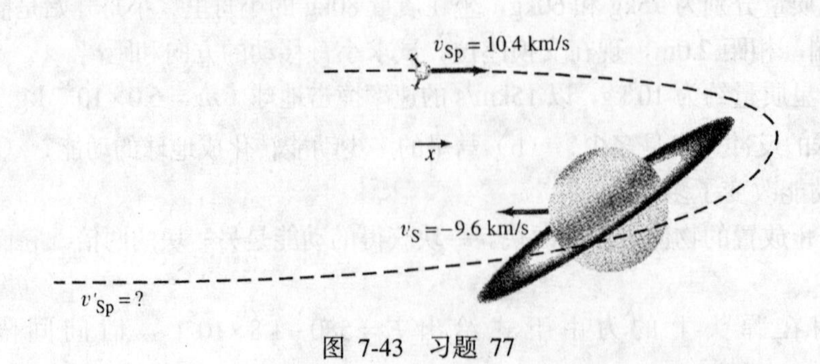

图 7-43 习题 77

图注：如果你的胃部可以忍受较高的角速度和向心加速度，你也就可以忍受高速的转动。如果不能忍受，试一试慢速的大观览车，旋转狂欢飞行中有旋转动能和角动量。

第八章　转动

到目前为止，我们讨论的主要是平动。在这一章里，我们将研究转动问题。主要考虑刚体的转动。所谓**刚体**就是具有一定形状且不会产生变形的物体，因此组成它的质点将处在相对固定的位置。当然，在受力作用时，任何实际物体都会有振动或变形。但这种效应通常都很小，所以理想刚体的概念作为一种很好的近似非常有用。

刚体的运动（如第七章提到的）可看作质心的平动加上刚体围绕质心的转动。我们已经详细讨论了平动，所以现在主要关注纯转动问题。所谓纯转动，就是物体上的所有点在作圆周运动，如图 8-1 中轮子上的 P 点，这些圆的中心落在一条叫做**转轴**的直线上，在图 8-1 中转轴通过 O 点，且垂直于页面。

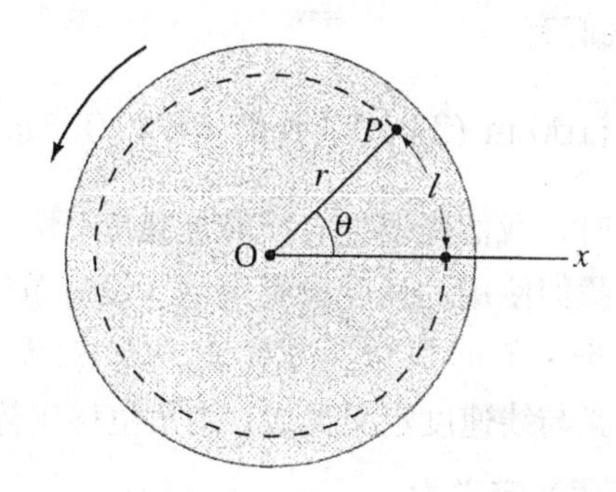

图 8-1　一个绕过轴心 O 的轴（垂直于页面）逆时针旋转的转轮，虚线是点 P 的路径。

8–1　角量

我们用角量来描述转动，例如角速度和角加速度。这些量的定义与线性运动的有关量类似。

绕固定轴转动的物体上的每一点都沿圆周运动（在图 8-1 中，对 P 点如虚线所示），其圆心在轴线上，其半径为 r，即从转轴到这一点的距离。从转轴到任意点画的直线在同样的时间内扫过同样的角度 θ。

为了表明物体的角位置，或它转动了多少，对物体上一些特殊线，我们指定它相对于一些参照线（如图 8-1 中的 x 轴）的角度为 θ。当物体上的一点（如图 8-1 中 P 点）沿圆轨道行进了距离 l 时，它运行了 θ 角。通常用度来测量角，但如果使用弧度，圆周运动的计算将更简单。一**弧度**定义为弧长等于半径所对应的角的大小。例如，在图 8-1 中，从转轴到点 P 的半径为 r，点 P 沿圆弧移动的距离为 l。弧长 l 对应于角 θ。如果 $l = r$，那么 θ 正好等于一弧度。普遍的，任意角 θ 由下式给出

$$\theta = {}^{l}\!/_{r} \tag{8-1}$$

这里 r 是圆的半径， l 是用弧度表示的角 θ 对应的弧长。用下面的方法，弧度可换算成度。绕圆一周是 360° ，对应的弧长等于圆的周长 $l = 2\pi r$。因此，$\theta = l/r = 2\pi r/r = 2\pi$，即一个完整的圆具有 2π 弧度，所以

$$360° = 2\pi \text{ rad}$$

因此一弧度等于 $360°/2\pi \approx 360°/6.28 \approx 57.3°$ 。

例 8-1 鸟的猎物——弧度表示。一种鸟的眼睛正好能分辨所张角不小于 3×10^{-4} 弧度的物体。（a）这是多少度？（b）当鸟飞行高度为 100 m 时（图 8-2a），它刚能辨认的物体有多大？

解：（a）一弧度(rad)是 $360°/2\pi$，所以 3×10^{-4} 弧度为

$$(3\times10^{-4}\text{ rad})\left(\frac{360°}{2\pi\text{ rad}}\right) = 0.017°$$

（b）从方程 8-1，$l = r\theta$。对小角度，弧长与弦长近似相等（图 8-2b）。因为 $r = 100$ m，$\theta = 3\times10^{-4}$ 弧度(rad)，我们有

$$l = (100\text{ m})(3\times10^{-4}\text{ rad}) = 3\times10^{-2}\text{ m} = 3\text{ cm}$$

如果角用度给出，在计算时，我们先要把它换算成弧度。

注意在这个例子中，我们使用的弧度没有量纲（没有单位），因为它是两个长度的比。

当一个物体（如图 8-3 中的自行车轮）从初位置 θ_0 到终位置 θ，它的角位移为 $\Delta\theta = \theta - \theta_0$。角速度的定义与线速度定义类似。用角位移代替线位移即可。因此，**平均角速度**（用小写希腊字母 ω 表示）定义为

$$\overline{\omega} = \frac{\Delta\theta}{\Delta t} \tag{8-2a}$$

这里 $\Delta\theta$ 是物体在时间 Δt 内转动的角度。我们定义**瞬时角速度**为物体在很短的时间间隔内转过很小的角度：

$$\omega = \lim_{\Delta t \to 0} \frac{\Delta \theta}{\Delta t} \tag{8-2b}$$

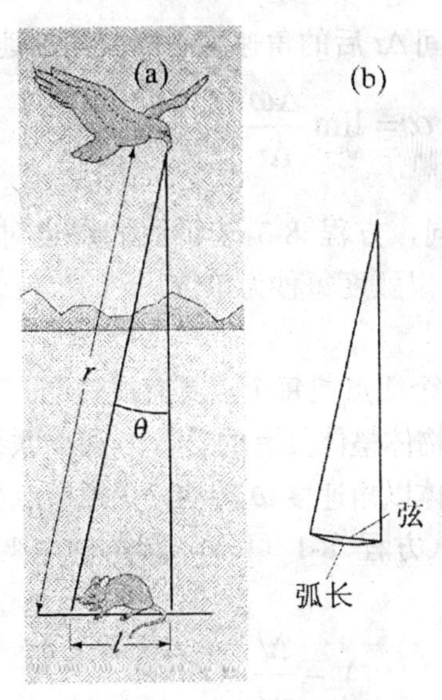

图 8-2 (a) 例 8-1，(b) 对于小角度，弧长和弦长（直线）近似相等。

角速度单位通常指定为弧度每秒。注意因为物体上每个位置在同一时间间隔内移动的角度一致，所以刚体上所有点以同一角速度转动。

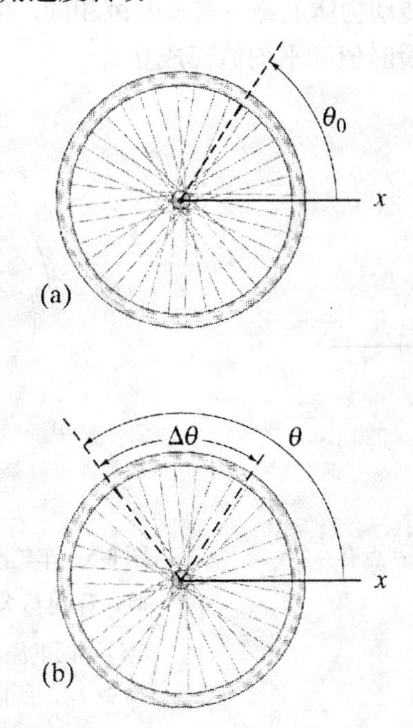

图 8-3 车轮从(a)初始位置 θ_0 转到(b)末位置 θ，角位移是 $\Delta\theta = \theta - \theta_0$

角加速度同普通线加速度一样定义为，角速度的改变量除以改变所用的时间。平均角加速度（用小写希腊字母 α 表示）定义为

$$\overline{\alpha}=\frac{\omega-\omega_0}{\Delta t}=\frac{\Delta\omega}{\Delta t} \tag{8-3a}$$

这里ω_0是初始角速度，ω是时间Δt后的角速度。**瞬时角加速度**用常用方法定义为：

$$\alpha=\lim_{\Delta t\to 0}\frac{\Delta\omega}{\Delta t} \tag{8-3b}$$

因为ω对转动物体上所有点相同，方程 8-3 告诉我们α也对所有点相同。因此，ω和α是转动物体作为整体的性质。ω以弧度每秒为单位，t 的单位是秒。α以度每秒平方为单位(rad/s^2)。

在任意时刻，转动刚体的每个质点或每个点具有线速度v和线加速度a。我们可以将每个质点的线性量v和a，同转动物体整体具有的角量ω和α联系起来。考虑一质点位于离转轴r处，如图 8-4 所示。如果物体以角速度ω转动，任意质点都将具有与其轨道相切的线速度。线速度的值$v=\Delta l/\Delta t$。从方程 8-1 可知，转角的改变$\Delta\theta$给出了行进的线性距离$\Delta l=r\Delta\theta$。因此

$$v=\frac{\Delta l}{\Delta t}=r\frac{\Delta\theta}{\Delta t}$$

或者

$$v=r\omega \tag{8-4}$$

所以，虽然在任意时刻，对转动物体上每一点来说ω相同，但离轴远的点，其线速度v较大（图 8-5）。注意方程 8-4 对瞬时值和平均值都成立。

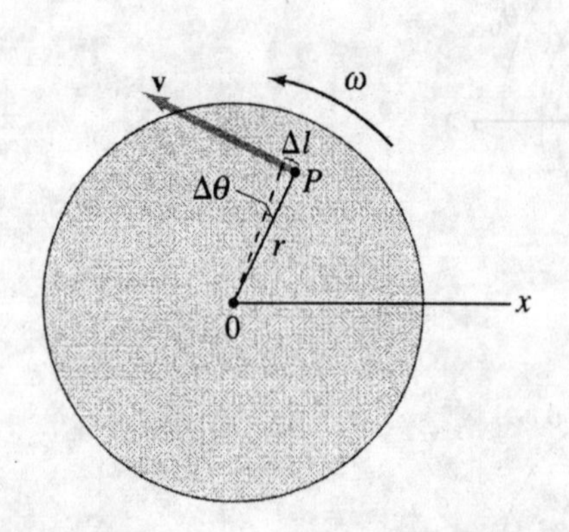

图 8-4 在任意时刻转动车轮上的 P 点有一个线速度 $\mathbf{v}$

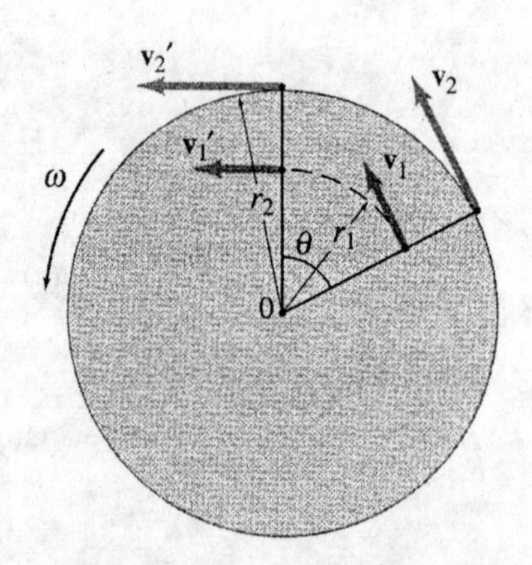

图 8-5 车轮沿逆时针方向匀速转动，在车轮上距轴心r_1和r_2处两点由于他们在相同的时间间隔内走过不同的路程，因此它们有不同的线速度。由于$r_2>r_1$，所以$v_2>v_1$（$v=r\omega$）。但是，两点在相同的时间间隔内走过了相同的角度，因此有相同的角速度。

概念练习 例 8-2 **狮子比马快吗？**在一个大转盘上，一个孩子坐在靠近边缘的木马上，另一个坐在离中心一半处的木狮子上。(a)哪个孩子的线速度大？(b)哪个孩子的角速度大？

答：(a) 线速度是行进的距离除以所用的时间。在转动一周时，坐在边缘的孩子行进的距离大于靠近中心孩子的，但他们的时间间隔是一样的。因此坐在边缘孩子的线速度大。

(b) 角速度是转动的角度除以所用的时间。两个孩子转一周通过的角度一样（$360° = 2\pi$）。因此两个孩子的角速度相同。

我们以方程 8-4 来说明转动物体上质点的角加速度α与切向线加速度$a_{\tan}$有关：

$$a_{\tan} = \frac{\Delta v}{\Delta t} = r\frac{\Delta\omega}{\Delta t}$$

或者

$$a_{\tan} = r\alpha \tag{8-5}$$

在这个方程中，r 是质点运动的圆半径，下标 tan 表示加速度沿着圆的切向方向。

质点的总线加速度是两个分量的矢量和：

$$\mathbf{a} = \mathbf{a}_{\tan} + \mathbf{a}_{\mathrm{R}}$$

这里径向分量$\mathbf{a}_{\mathrm{R}}$是径向或“向心”加速度，其方向指向质点圆轨道中心（图 8-6）。我们在第五章学过（方程 5-1）$a_{\mathrm{R}} = v^2/r$，利用方程 8-4，可得到：

$$a_{\mathrm{R}} = \frac{v^2}{r} = \frac{(\omega r)^2}{r} = \omega^2 r \tag{8-6}$$

因此，离转轴越远，则向心加速度越大：在旋转木马上最边缘的孩子感受到最大的加速度。方程 8-4、8-5 和 8-6 给出了描述转动物体的角量与物体上每个质点线量间的关系。

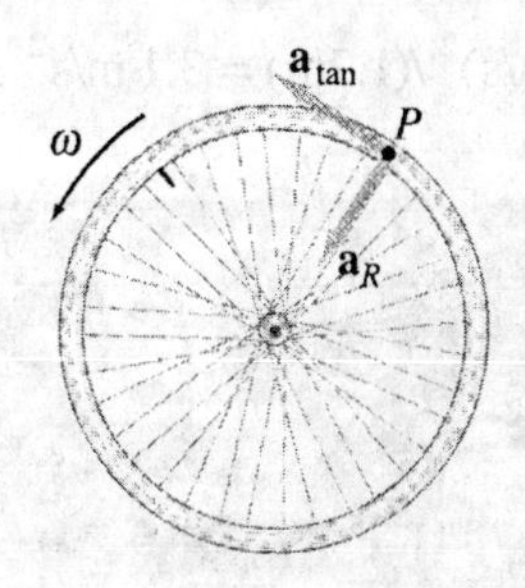

图 8-6 在一个转速增加的转轮上，点 P 的加速度有切向和径向两个分量（可参考第五章）。

我们给出角速度ω与转动频率f间的关系，这里频率表示每秒旋转的圈数。一圈是2π弧度，因此 1rev/s = 2π rad/s。所以，角速度ω与频率f关系是

$$f = \frac{\omega}{2\pi}$$

或者

$$\omega = 2\pi f \tag{8-7}$$

频率的单位是圈每秒（或 rev/s），给它定义了一个特殊名称：赫兹（Hz）。即

$$1\text{Hz} = 1\ \text{rev/s}$$

注意“圈”不是一个真实单位，所以我们也可以写成 $1\text{Hz} = 1\text{s}^{-1}$。

旋转一周所需的时间叫**周期** T，它与频率的关系为

$$T = \frac{1}{f} \tag{8-8}$$

例如，一个质点的转动频率是每秒三圈(rev)，那么每圈用 1/3 秒。

例 8-3 在旋转木马上的速率和加速度。 (a) 一小孩坐在离旋转木马（图 8-7）中心 1.2 m 处，转一周的时间需 4.0 s，试问他的线速度是多少？(b) 他的加速度是多少？

解： (a) 首先，我们求出角速度：已知周期是 4.0 s，所以

$$f = \frac{1}{T} = \frac{1\text{rev}}{4.0\ \text{s}} = 0.25\text{rev/s} = 0.25\ \text{Hz}$$

$$\omega = 2\pi f = (2\pi\frac{\text{rad}}{\text{rev}})(0.25\frac{\text{rev}}{\text{s}}) = 1.6\ \text{rad/s}$$

半径是 1.2 m，所以速率 v 等于

$$v = r\omega = (1.2\ \text{m})(1.6\ \text{rad/s}) = 1.9\ \text{rad/s}$$

(b) 因为 $\omega = 1.6$ rad/s = 常数，因此 $\alpha = 0$，线加速度的切向分量（方程 8-5）为

$$a_{\tan} = r\alpha = 0$$

从方程 8-6 知，径向分量为

$$a_{\text{R}} = \omega^2 r = (1.6\ \text{rad/s})^2(1.2\ \text{m}) = 3.1\ \text{m/s}^2$$

或我们可求出：$a_{\text{R}} = v^2/r = (1.9\text{m/s})^2/(1.2\text{m}) = 3.1\ \text{m/s}^2$。（误差来自舍入。）什么力导致这个加速度？是木马施加的摩擦力吗？

图 8-7 旋转木马

例 8-4 硬盘驱动器。 计算机硬盘盘片的转速是 5400 转/分（rpm）。（a）盘片的角速度是多少？（b）如果磁头离转轴 3.0cm，它下面盘片的速率是多少？（c）这一点的线加速度是多少？（d）如果一字节的空间沿运动方向需 5μm 长度，当磁头离轴 3.0 cm 时，每秒能写入多少字节？

解：(a) 角速度

$$\omega = 2\pi f = (2\pi\ \text{rad/rev})\frac{(5400\text{rev}/\text{min})}{(60\text{s}/\text{min})} = 570\text{rad/s}$$

(b) 离轴 3.0 cm 处点的速率

$$v = r\omega = (3.0\times10^{-2}\,\text{m})(570\text{rad/s}) = 17\text{m/s}$$

(c) 线加速度有两个切向和径向分量。因为$\omega=$ 常数， $\alpha=0$，所以$a_{\tan}=r\alpha=0$。径向角速度为

$$a_{\text{R}} = \omega^2 r = (570\text{rad/s})^2(0.030\text{m}) = 9700\text{m/s}^2$$

方向指向轴心。

(d) 每字节(bit)需 5.0×10^{-6} m，所以速率为 17 m/s 时，每秒经过磁头的字节数等于

$$\frac{17\text{m/s}}{5.0\times10^{-6}\,\text{m}} = 3.4\times10^{6}\,\text{bits/s}$$

例 8-5 离心加速度。一离心机从静止加速到 20000 转/分(rev/min)需 5.0 分钟。它的平均角加速度是多少？

解：要计算$\alpha=\Delta\omega/\Delta t$，我们需初始角速度和最终角速度。初始角速度$\omega=0$。最终角速度为

$$\omega = 2\pi\ f = (2\pi\ \text{rad/rev})\frac{20000\ \text{rev/min}}{60\ \text{s/min}} = 2100\ \text{rad/s}$$

由于$\overline{\alpha}=\Delta\omega/\Delta t$，$\Delta t = 5.0\,\text{min} = 300\text{s}$，我们有

$$\overline{\alpha} = \frac{\omega-\omega_0}{\Delta t} = \frac{2100\ \text{rad/s}-0}{300\ \text{s}} = 7.0\ \text{rad/s}^2$$

即，离心机的角速度每秒增加 7.0 rad/s，或（7.0/2π）=1.1 圈/秒(rev/s)。

8-2 匀加速转动的运动学方程

在第二章，我们推导出线性匀加速运动的有关加速度、速度、和距离关系的重要方程（2-10）。这些方程是在假设**加速度不变**的情况下，从线速度和加速度的定义推出。角速度和角加速度的定义与它们的线性对应量一样，只需用θ代替线位移x，ω代替v，α代替a。因此，对于角加速度不变的角运动方程将与方程 2-10 相似，它们可用同样的方法严格地推导出。这里列出对应的方程（取$x_0=0$，$\theta_0=0$）

角度	线性		
$\omega = \omega_0 + \alpha t$	$v = v_0 + at$	[常数α，a]	(8-9a)
$\theta = \omega_0 t + \frac{1}{2}\alpha t^2$	$x = v_0 t + \frac{1}{2}at^2$	[常数α，a]	(8-9b)
$\omega^2 = \omega_0^2 + 2\alpha\theta$	$v^2 = v_0^2 + 2ax$	[常数α，a]	(8-9c)
$\overline{\omega} = \frac{\omega+\omega_0}{2}$	$\overline{v} = \frac{v+v_0}{2}$	[常数α，a]	(8-9d)

注意 ω_0 表示$t=0$时的角速度，而θ和ω分别代表t时刻的角位置和角速度。因为角加速度不变，$\alpha=\overline{\alpha}$。这些方程当然也对恒定角速度成立，在这时$\alpha=0$，并有$\omega=\omega_0$，$\theta=\omega_0 t$和$\overline{\omega}=\omega$。

例 8-6 重作离心机问题。在例 8-5 中离心机加速期间，其转机转了多少圈？设角加速度不变。

解：已知$\omega_0=0$，$\omega=2100\text{rad/s}$，$\alpha=\overline{\alpha}=7.0\text{rad}/s^2$，和$t=300\text{s}$。我们用方程 8-9b 或 8-9c 求出$\theta$。前一个方程给出

$$\theta=0+\frac{1}{2}(7.0\text{rad/s}^2)(300\text{s})^2=3.15\times10^5\text{rad}$$

这是一个中间结果，我们保留了多余的数位。要求总转数用上面结果除以2π，即可得

$$\frac{3.15\times10^5\text{rad}}{2\pi\ \text{rad/rev}}=5.0\times10^4\text{rev}$$

8–3 滚动

球和轮子的滚动是日常生活中熟悉的现象：沿地板滚动的球，或沿马路滚动的汽车和自行车的轮子。无滑动的滚动依赖于滚动物体和地面间的摩擦力，分析起来比较容易。由于滚动物体与地面的接触点在每个瞬时是静止的，所以这个摩擦力是静摩擦力。（当猛烈刹车以至车轮滑动时，或加速太快以至打滑时，出现滑动摩擦——但这些都是更复杂的情况。）

无滑动滚动包括转动和平动。但在车轴的线速度v和转动车轮或球体的角速度ω间有一个简单的关系，$v=r\omega$，这里r是半径。图 8-8a 给出一个向右无滑动滚动的轮子。在给出的时刻，轮子上的点 P 与地面接触，在瞬间是静止的。轮子中心 C 的速度为$\mathbf{v}$。在图 8-8b 中，我们将自己放在轮子的参照系——即，我们相对地面以速度$\mathbf{v}$运动。在这个参照系中，轴 C 是静止的，而地面和 P 点以速度$-\mathbf{v}$（如图示）向左运动。这里我们看到的是纯转动。所以我们可以用方程 8-4 得到 $v=r\omega$，这里r是轮子的半径，v是仍等于轮子中心的平动速率。

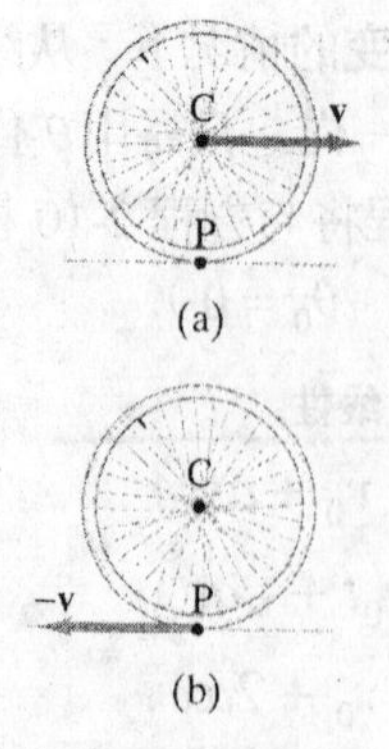

图 8-8 (a) 一个车轮向右转动，中心 C 的速度为v。(b) 同一个轮子在我们以(a)中的速度$\mathbf{v}$向右移动的坐标系中看，车轮的轴心 C 是静止的。在(a)中静止的 P 点在(b)中以$-\mathbf{v}$的速度向左运动（可参考 3-8 节关于相对速度的部分）

例 8-7 自行车。一辆自行车在 115 m 的距离内，从 $v_0 = 8.40$ m/s 匀减速到停止，图 8-9a。每个轮子的直径为 68.0 cm。试求：（a）初始时刻轮子的角速度，（b）减速期间每个轮子转动的总圈数，（c）轮子的角加速度，（d）减速所用的时间。

解：（a）让我们将自己放到自行车参照系中——即，就像我们在骑自行车一样。那么，地面开始时以 8.40m/s 的速率向后运动，如图 8-9b 所示。因为轮子在任意时刻与地面接触，所以在这个参照系中，它边缘上的一点（如触地点）以 8.40m/s 的初速运动。因此，轮子的初始角速度为

$$\omega_0 = \frac{v_0}{r} = \frac{8.40\text{m/s}}{0.340\text{m}} = 24.7\text{rad/s}$$

（b）减速时轮子下经过 115 m 的地面。因为轮子与地面是紧密接触的，所以轮子边缘的每一点都行进了 115 m。每一圈行进距离为 $2\pi r$，所以轮子在减速过程中转动的圈数为

$$\frac{115\text{m}}{2\pi\ r} = \frac{115\text{m}}{(2\pi)(0.340\text{m})} = 53.8\text{rev}$$

（c）轮子的角加速度可从方程 8-9c 得到：

$$\alpha = \frac{\omega^2 - \omega_0^2}{2\theta} = \frac{0-(24.7\ \text{rad/s})^2}{2(2\pi)(53.8\ \text{rev})} = -0.902\ \text{rad/s}^2$$

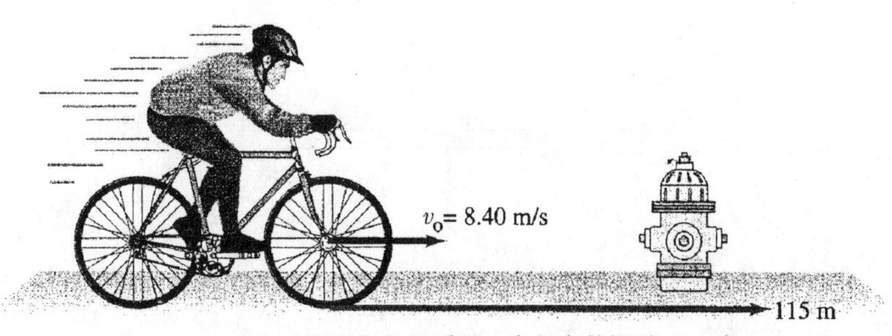

(a) 以地面为参照系时，自行车的运动（t=0）

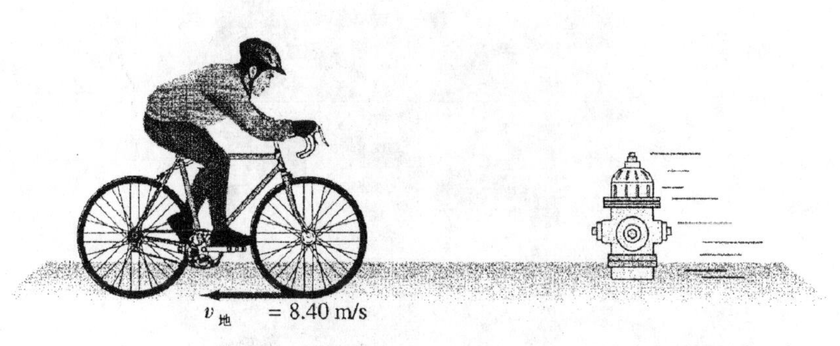

(b) 以骑车者为参照系时，地面以8.40m/s的速度向后运动（t=0）

图 8-9 例 8-7

这里我们用了$\theta = 2\pi$ rad/rev×53.8rev (= 338rad)，因为每一圈对应2π弧度。[另外，我们也可以用方程 8-1 得到总θ：$\theta = l/r = 115\text{m}/0.340\text{m} = 338\ \text{rad}$]

（d）从方程 8-9a 和 b 可求出时间。前者较容易：

$$t = \frac{\omega - \omega_0}{\alpha} = \frac{0 - 24.7\text{rad/s}}{-0.902\text{rad/s}^2} = 27.4\text{s}$$

8–4 力矩

我们已经讨论了转动运动学——用角度、角速度和角加速度对转动的描述。现在我们讨论动力学，即转动的起因。正如我们发现对线性运动和转动的描述具有相似性一样，对转动的动力学也存在这样的相似性。

使一个物体开始绕着一个轴转动显然需要力。但这个力的方向，以及它作用在哪里，也很重要。例如，举一个开门的普通例子，如图 8-10（俯视）所示。如果用力 $\mathbf{F}_1$ 垂直作用在门上离轴较远的地方，你会发现力越大，门开得越快。（我们假设只有这一个力作用——忽略轴上的摩擦力，等等）但现在如果你用同样的力作用在靠近轴的点，如图 8-10 中的 $\mathbf{F}_2$，你会发现门打开得没有那样快。力的效应变小了。确实，实验观察到门的角加速度不仅正比于力的量值，而且也直接正比于从力的作用线到转轴的垂直距离。这个距离叫力的力臂或矩臂，对图 8-10 中的两个力标为r_1和r_2。因此，如果r_1是r_2的三倍，并设力的量值一样，那么门的角加速度就是三倍。换种方式说，如果$r_1 = 3r_2$，那么要得到同样的角加速度，F_2必须是F_1的三倍。（图 8-11 给出两个例子，两个长力臂帮助产生大力矩的工具。）

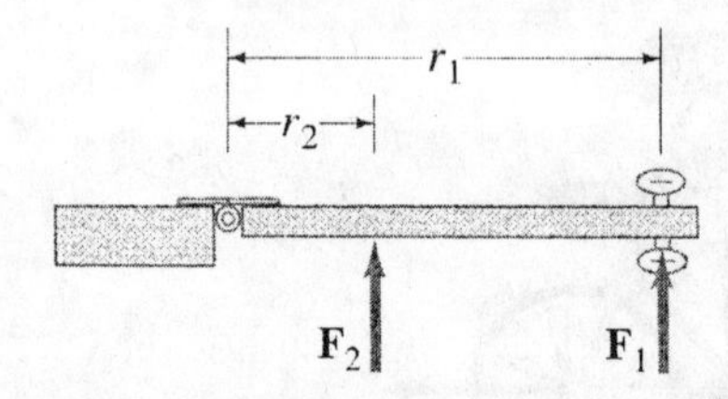

图 8-10 在不同的杠杆力臂r_1和r_2上，使用同样的力。如果$r_1 = 3r_2$，要产生相同的效果（角加速度），F_2需要是F_1的三倍，或$F_1 = \frac{1}{3}F_2$。

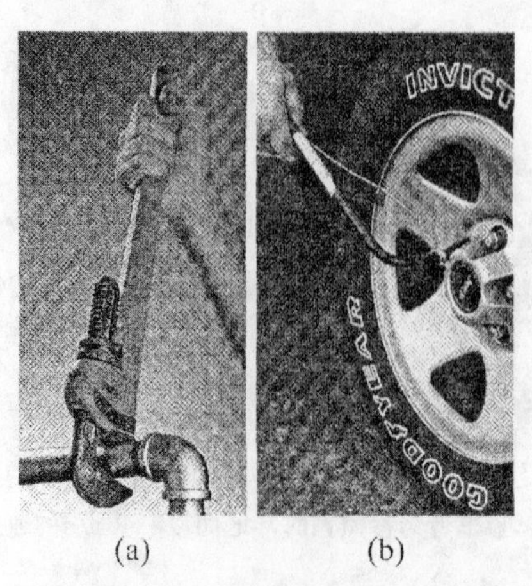

图 8-11 (a)管道工利用有长臂的扳钳可以施加更大的转距。(b)轮胎铁器也有一个长的力臂。

于是，角加速度正比于力乘以力臂的积。这个积叫做力对轴的矩，或力矩，记做τ（希腊小写字母）。因此，物体的角加速度α直接正比于作用在净力矩τ：

$$\alpha \propto \tau$$

这与线性运动的牛顿第二定律$a \propto F$相似。

我们定义力臂为力的作用线到转动轴的垂直距离——即，转轴到沿力的方向画延长线的垂直距离。我们来看考虑力的作用角度时的情况。显然，图 8-12 中以一定角度作用的力$\mathbf{F}_3$比同量值垂直作用的力（图 8-12 中的$\mathbf{F}_1$）效果要差。如果你从门边推，这个力指向门轴，如给出的$\mathbf{F}_4$，则门根本不转动。

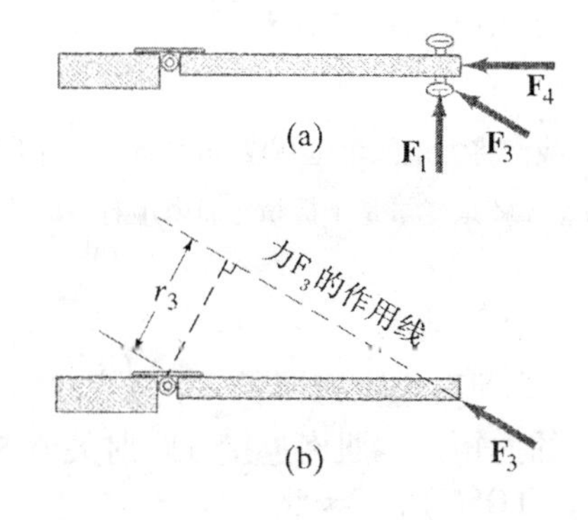

图 8-12 (a)在门把手上不同角度施加的力。(b)力臂定义为转轴到力作用线的垂直距离。

对$\mathbf{F}_3$这样的力，其力臂由以下方法求出，沿$\mathbf{F}_3$的方向画延长线（即$\mathbf{F}_3$的“作用线”）。然后画出另一条线，它通过并垂直于轴，也垂直这条“作用线”。第二条线的长度就是F_3的力臂，在图 8-12b 中用r_3标出。力臂的一端垂直于力的作用线，另一端垂直于转轴。

与$\mathbf{F}_3$相联系的力矩的量值为r_3F_3。$\mathbf{F}_3$这个短的力臂给出小的力矩，与观察到的$\mathbf{F}_3$对门的加速效果低于$\mathbf{F}_1$的结果一致。当以这种方式定义力矩时，实验证明$\alpha \propto \tau$的关系是普适的。注意到图 8-12 中力$\mathbf{F}_4$的作用线通过转轴，因此它的力臂为零。具有零力矩的$\mathbf{F}_4$不产生角加速度，这符合日常经验。

普遍的，我们可以写出对于给定轴的力矩为

$$\tau = r_{\perp}F \tag{8-10a}$$

这里$r_{\perp}$是力臂，垂直符号（⊥）提示我们必须用从转轴到力作用线的垂直距离（图 8-13a）。

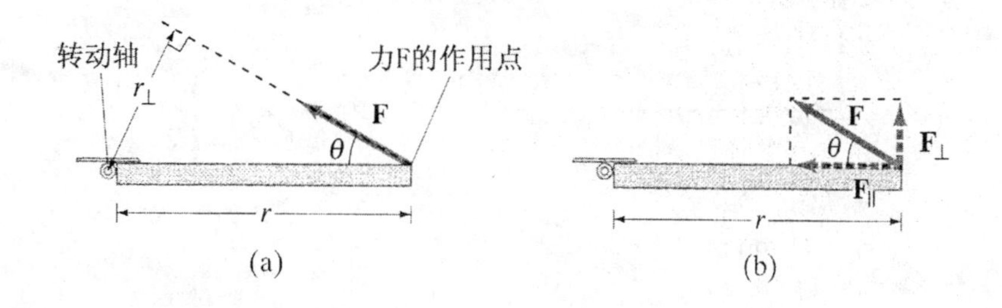

另一种等效的确定力矩的方法是，将力分解成平行和垂直于力作用点到轴连线的分量，如图 8-13b 所示。F 平行分量 $F_{\parallel}$ 没有作用力矩，因为它指向轴（它的力臂为零）。因此，力矩等于 F 的垂直分量乘以从力作用点到轴的距离 r：

$$\tau = rF_{\perp} \tag{8-10b}$$

这个方程与方程 8-10 给出同样的结果，从 $F = F\sin\theta$ 和 $r = r\sin\theta$ 就可看出。[注意：是力 **F** 的方向与 r（从轴到力作用点的径线）间的夹角]。所以

$$\tau = rF\sin\theta \tag{8-10c}$$

两种情况是等价的。我们可用方程 8-10 的任意一个计算力矩，当然要选最容易计算的。

因为力矩是距离乘以力，在国际单位制里，它的单位是 m·N；在 cgs 单位制里是 cm·达因(dyne)；在英制里是英尺·磅(ft·lb)。

+注意力矩和能量的量纲是相同的，我们将力矩的单位写成 m·N,就是为了区分它和能量（N· m）。因为这两个量的意义是不同的。一个明显的差异就是能量是个标量，而力矩有方向是一个矢量。焦耳这个特定的单位只能用于能量，而不能用于力矩。

例 8-8 二头肌的力矩。 二头肌对小臂施加了一个竖直的力，如图 8-14a 和 b 所示。试求两种情况下以肘关节为转轴的力矩，设肌肉连接处距肘关节 5.0 m。

解：(a) $F = 500\ \mathrm{N}$ 和 $r_{\perp} = 0.050\ \mathrm{m}$，因此

$$\tau = r_{\perp}F = (0.050\ \mathrm{m})(700\ \mathrm{N}) = 35\ \mathrm{m \cdot N}$$

（b）由于手臂成一角度，力臂变短了（图 8-14c）：$r_{\perp} = (0.050\ \mathrm{m})(\sin 60°)$。$F$ 仍为 700N，所以

$$\tau = (0.050\ \mathrm{m})(0.866)(700\ \mathrm{N}) = 30\ \mathrm{m \cdot N}$$

在这个角度下力矩变小了。体育馆里的健身器械通常要考虑这种角度的变化。

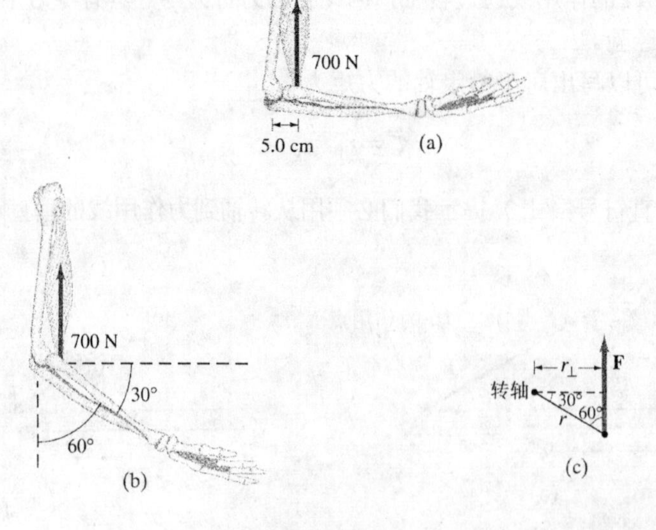

图 8-14 例 8-8

概念练习 例 8-9 黑猩猩不软弱。成年黑猩猩的肌肉群只有人类成年男子的三分之一，但已证明，在一些情况下其力量超过人类的两倍。你怎样解释这个问题？

答：这种差异可由解剖学得到证明。例如，黑猩猩的二头肌与前臂的连接点离肘部的距离远大于人类的。力臂的增加意味着黑猩猩二头肌施加同样的力能产生更大的力矩。黑猩猩具有更大机械效益。

当多于一个的力矩作用在物体上时，发现加速度α正比于合力矩。如果作用在物体上的所有力矩使物体向一个方向转动，合力矩就是所有力矩的和。但如果一个力矩使物体向一个方向转动，而第二个向相反方向（图 8-15），则净力矩就是两者的差。我们可以指定向一个方向（如反时针）转动物体的力矩为正号，而向相反方向（顺时针）的则为负号。

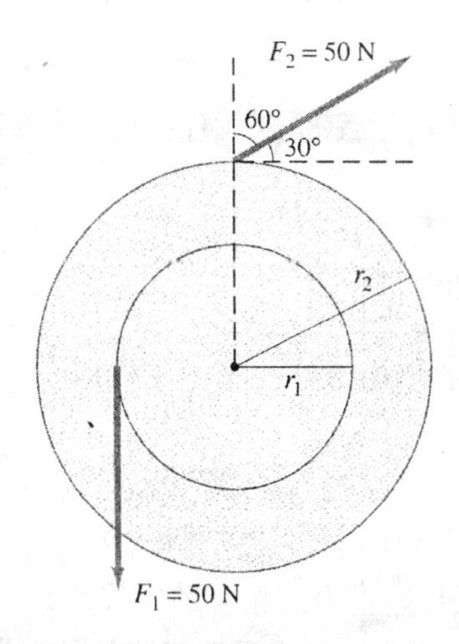

图 8-15 (例 8-10)由 $\mathbf{F}_1$ 引起的转距加速车轮的逆时针方向旋转，由 $\mathbf{F}_2$ 引起的转距加速车轮的顺时针方向的旋转。

例 8-10 作用在复合轮上的力矩。两个柱状薄轮，半径分别为$r_1 = 30\text{ cm}$，$r_2 = 50\text{ cm}$，互相连在一起，并让轴通过它们的中心，如图 8-15 所示。试求如图示的两个力，各为 50N，作用在这个复合轮上的合力矩。

解：力 $\mathbf{F}_1$ 使系统向反时针转动，而力 $\mathbf{F}_2$ 使系统向顺时针转动。所以两个力向相反方向互相作用。我们必须选择一个转动方向为正——如反时针方向。那么 $\mathbf{F}_1$ 施加一个正力矩，$\tau_1 = r_1 F_1$，因为力臂是r_1。而 $\mathbf{F}_2$ 产生了一个负力矩（顺时针），并且与r_2不垂直，所以我们必须用它的垂直分量计算它产生的力矩：$\tau_2 = -r_2 F_{2\perp} = -r_2 F_2 \sin\theta$，这里$\theta = 60°$。（注意$\theta$必须是 $\mathbf{F}_2$ 与轴径线的夹角。）因此，合力矩为

$$\begin{aligned}\tau &= r_1 F_1 - r_2 F_2 \sin 60° \\ &= (0.30\text{m})(50\text{N}) - (0.50\text{m})(50\text{N})(0.866) = -6.7\text{m} \cdot \text{N}\end{aligned}$$

这个合力矩使轮子向顺时针方向加速转动。注意两个力虽然量值相同，由于力臂不同产生了合力矩。

[因为我们只对绕固定轴的转动感兴趣，所以只考虑作用在转动轴垂直面上的力。如果有

一个力（或力分量）作用方向与转轴平行，它将使转轴扭动——图 8-16 中的 $F_{\parallel}$ 分量就是一小例子。因为我们假定轴的方向是固定的，所以或者没有这种力，或者轴是安装在轴承或铰页等使其固定的装置中。因此只有垂直转轴平面内的力或力分量才能产生转动，我们只考虑这种情况。]

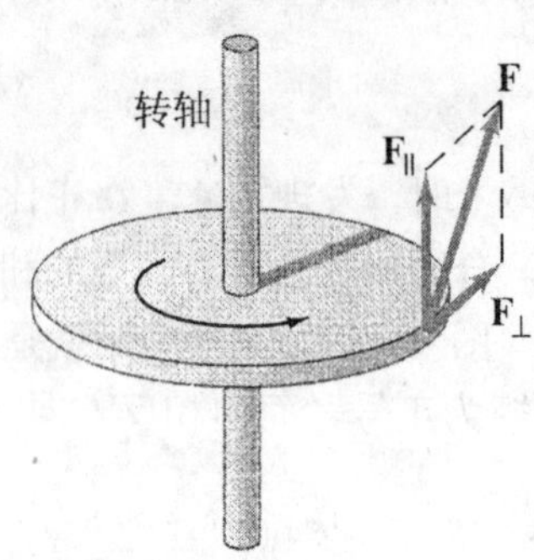

图 8-16 **F** 垂直于转轴的方向的分量 $\mathbf{F}_{\perp}$ 对转轮的的旋转有作用，而与转轴平行的分量 $\mathbf{F}_{\parallel}$，作用效果倾向于使假设固定的转轴本身发生移动。

8–5 转动动力学；力矩和转动惯量

我们已经讨论了转动物体的角加速度 α 正比于作用的合力矩：

$$\alpha \propto \sum \tau$$

这里写成 $\sum\tau$ 提示我们是合力矩（所用作用在物体上力矩的和）与 α 成比例。这对应于平动的牛顿第二定律，$\alpha \propto \sum F$，只是这里力矩相应的代替了力，角加速度 α 代替了线加速度 a。在线性情况下，加速度不仅正比于合力，也反比于物体的惯性质量 m。这样，我们可以写出 $a = \sum F / m$。但在转动情况下，扮演质量角色的是什么呢？这正是我们现在准备确定的。同时，我们将看到比例关系 $\alpha \propto \sum \tau$ 类同于牛顿第二定律 $\sum F = ma$。

首先考虑一种非常简单的情况：一质量 m 的质点在无质量的绳子或棒的一端，沿半径 r 的圆轨道转动（图 8-17），假设有唯一的力 F 作用其上（如图所示）。产生角加速度的力矩为 $\tau = rF$。如果对线性量用牛顿第二定律，$\sum F = ma$，方程 8-5 给出角加速度与切向线加速度的关系，$a_{\tan} = r\alpha$，因此

$$F = ma = mr\alpha$$

两边乘以 r，我们发现力矩 $\tau = rF$ 由下式给出

$$\tau = mr^2\alpha \qquad [单质点] \qquad \textbf{(8-11)}$$

终于我们有了一个角加速度和作用力矩 τ 间的直接关系。量 mr^2 表示质点的转动惯性，叫做惯性矩（或转动惯量）。

现在，让我们考虑转动刚体，如绕中心轴转动的轮盘。我们可以将轮盘看作由位于离转轴不同距离的许多质点组成。对每个质点用方程 8-11，然后将所有质点加起来。不同力矩的和正是合力矩 $\sum\tau$，所以我们有：

$$\sum\tau=(\sum mr^2)\alpha \tag{8-12}$$

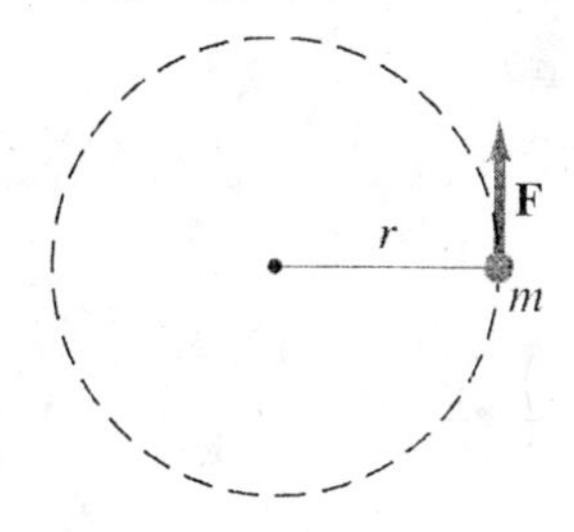

图 8-17　一个质量为 m 的质点绕一固定点在半径为 r 的圆上旋转。

这里我们将α提出，因为对物体的所有质点它是相同的。和$\sum mr^2$代表了物体上每个质点的质量乘以这些质点离转轴距离的平方的和。如果我们给每个质点标出数字（1，2，3，…），那么 $\sum mr^2=m_1r_1^2+m_2r_2^2+m_3r_3^2+\cdots$。这个量叫做物体的**惯性矩**（或转动惯量）$I$:

$$I=\sum mr^2=m_1r_1^2+m_2r_2^2+\cdots \tag{8-13}$$

将方程 8-12 和 8-13 组合，得到

$$\sum\tau=I\alpha \tag{8-14}$$

这就是牛顿第二定律的转动表现形式。它适用于绕固定轴的刚体转动⁺。

我们看到惯性矩I，它是物体转动惯性的量度，对转动来说，它与平动中的质量的作用一样。从方程 8-13 可以看出，物体的转动惯量不仅依赖于它的质量，也与质量相对轴如何分布有关。例如，一个大直径的圆柱体，它的转动惯量比等质量的小直径圆柱体（因此它比较长）要大，图 8-18。前者比较难以开始转动和停止。当质量集中得离转轴越远，转动惯量就越大。对转动来说，物体的质量不能考虑成集中在质心。

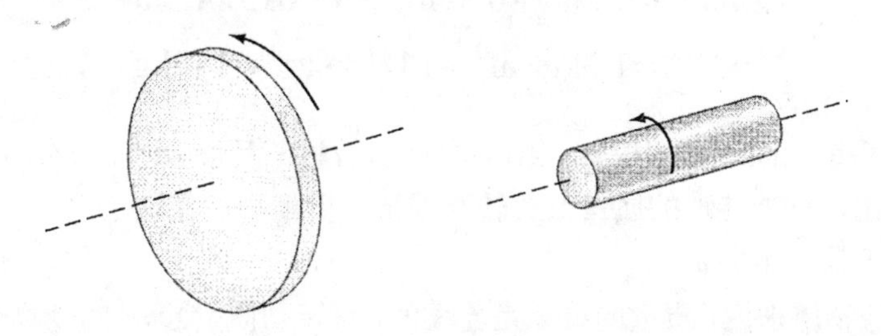

图 8-18　一个直径较大的圆柱的转动惯量比一个质量相同的但直径较小的圆柱的转动惯量要大。

⁺如果物体加速运动，但只要 I 和α是相对于体系质心而言的，且通过质心的转轴不改变方向，则方程 8-14 同样是适用的。

8–6　转动动力学的解题方法

在使用方程 8-14 时，请记住要用一致的单位，在国际单位制中：α用 rad/s^2；τ用 m·N；转动惯量 I 用 kg· m^2。

例 8-11　双质量棒：不同的轴，不同的 I。一质量很轻（它的质量可以忽略）的棒长为

4.0 m，它的两端分别接有质量为 5.0 kg 和 7.0 kg 的物体，如图 8-19 所示。试求：(a) 当系统以两物体中间为轴转动时，图 8-19a，(b) 当系统以质量为 5.0 kg 的物体左侧 0.50 m 处为轴转动时（图 8-19b），系统的转动惯量。

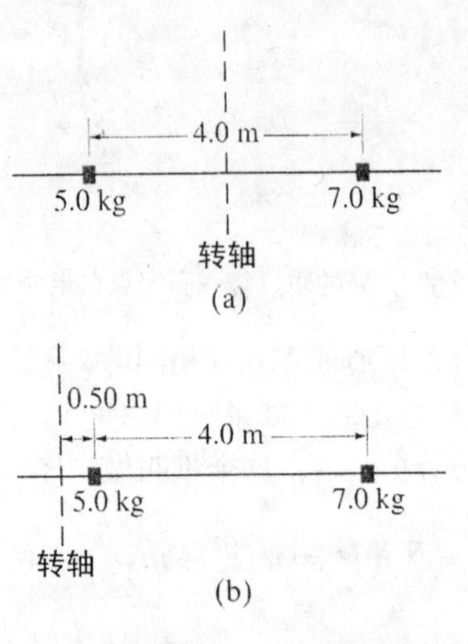

图 8-19 (例 8-11)计算转动惯量

解：（a）两个物体离转动轴同样的距离 2.0 m。因此

$$I=\sum mr^2=(5.0\text{kg})(2.0\text{m})^2+(7.0\text{kg})(2.0\text{m})^2$$
$$=20\text{kg}\cdot\text{m}^2+28\text{kg}\cdot\text{m}^2=48\text{kg}\cdot\text{m}^2$$

（b）5.0 kg 的物体现在离转动轴 0.50 m，7.0 kg 的物体现在离转动轴 4.50 m。因此

$$I=\sum mr^2=(5.0\text{kg})(0.50\text{m})^2+(7.0\text{kg})(4.5\text{m})^2$$
$$=1.3\text{kg}\cdot\text{m}^2+142\text{kg}\cdot\text{m}^2=143\text{kg}\cdot\text{m}^2$$

上面的例子说明了重要的两点。第一，给定系统的转动惯量随转动轴的不同而不同。第二，我们从(b)部分看出，靠近转轴的质量对总转动惯量的贡献小；在这个例子中，5.0 kg 的物体对总转动惯量的贡献小于 1%。

对大多数普通物体来说，质量的贡献是连续的，对转动惯量$\sum mr^2$的计算比较困难。然而，一些特殊形状物体的转动惯量表达式已经算出（用微积分的方法）。图 8-20 给出了这些物体绕特定轴转动的转动惯量表达式。薄环绕垂直环平面，并通过其中心的轴的转动是唯一一个具有明显结果的例子（图 8-20a）。对这个物体，所有质量集中在离轴相同的距离 R 上。因此，$\sum mr^2=(\sum m)R^2=MR^2$，这里 M 是环的总质量。

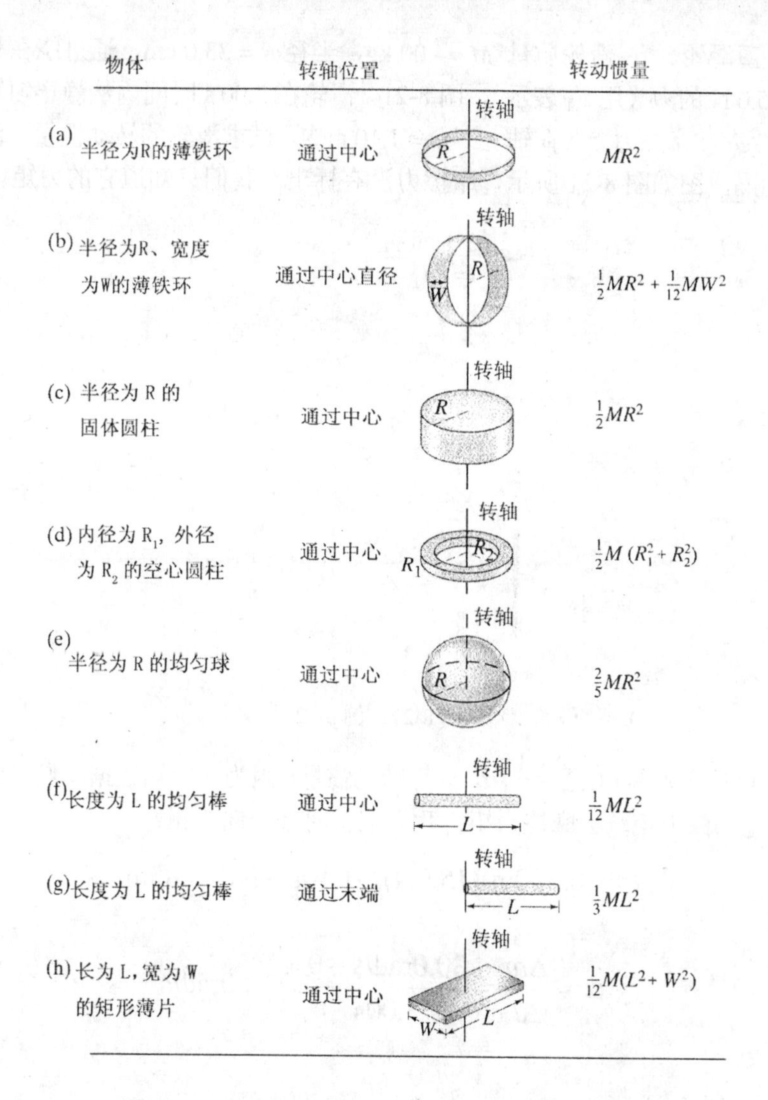

图 8-20 具有相同材料不同形状的物体的转动惯量

解题步骤：转动

1. 与往常一样，画出清晰、完整的示意图。

2. 画出要考虑物体的隔离图（或每个物体），只标出作用在这个物体上的力，并确认它的作用点，这样你能够确定每个力的力矩。引力作用在物体的质心（7-8 节）。

3. 确定转动轴，并计算相对于转轴的力矩。选择转动的正负方向（逆时针和顺时针），对每个力标出正确的符号。

4. 用转动的牛顿第二定律，$\sum\tau = I\alpha$。如果转动惯量没有给出，并且它不是所求的未知量，你需要先求出它。使用一致的单位，在国际单位制里：α用 rad/s²；τ用 m・N；转动惯量 I 用 kg・ m²。

5. 解未知量的方程。

6. 与往常一样，做一个粗略估算，确认你的答案是否合理：它有意义吗？

例 8-12 重滑轮。 一滑轮质量 $M=4.00\ \mathrm{kg}$，半径 $R=33.0\ \mathrm{cm}$，通过绕在其上的绳子向其施加一个 15.0 N 的力（用 $\mathbf{F}_\mathrm{T}$ 表示），图 8-21。滑轮在 3.00 s 时间内从静止匀加速到角速度 30.0rad/s。如果存在摩擦力矩（在轴上）$\tau_{\mathrm{fr}}=1.10\ \mathrm{m\cdot N}$，试求滑轮的转动惯量。设滑轮绕其中心转动。它的隔离图如图 8-21 所示，摩擦力没有标出，我们只知道它的力矩。

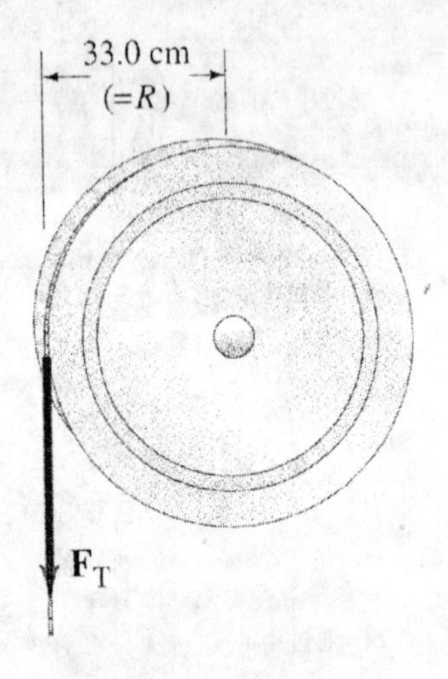

图 8-21 例 8-12

解：我们可从方程 8-14，$\sum\tau=I\alpha$，计算转动惯量，因为从已知数据我们可以确定$\sum\tau$和α。合力矩为 $\mathbf{F}_\mathrm{T}$ 施加的力矩减去摩擦力矩；我们取反时针方向为正：

$$\sum\tau=(0.330\mathrm{m})(15.0\mathrm{N})-1.10\mathrm{m}\cdot\mathrm{N}=3.85\mathrm{m}\cdot\mathrm{N}$$

角加速度为

$$\alpha=\frac{\Delta\omega}{\Delta t}=\frac{30.0\mathrm{rad/s}-0}{3.00\mathrm{s}}=10.0\mathrm{rad/s}^2$$

因此

$$I=\frac{\sum\tau}{\alpha}=\frac{3.85\mathrm{m}\cdot\mathrm{N}}{10.0\mathrm{rad/s}^2}=0.385\mathrm{kg}\cdot\mathrm{m}^2$$

例 8-13 滑轮和桶：从井里打水。 重新考虑图 8-21 中的滑轮，但这次假设用重 15.0 N（质量 $m=1.53\ \mathrm{kg}$）吊在绳子上的桶，代替作用在绳子上 15.0 N 的恒力，设绳子在滑轮上不会伸长或滑动。见图 8-22a。（a）试求滑轮的角加速度α和桶的线加速度 a。（b）如果滑轮（和桶）在 $t=0$，从静止开始，试求在 $t=3.00\ \mathrm{s}$ 时，滑轮的角速度 ω 和桶的线速度 v。

解：（a）设 F_T 为绳子上的张力。那么 F_T 作用在滑轮的边缘，对转动的滑轮有：

$$I\alpha=\sum\tau=F_\mathrm{T}R-\tau_{\mathrm{fr}} \qquad \text{[滑轮]}$$

接下来，我们看质量为 m 的桶的（线性）运动，图 8-22b 给出桶的隔离图。两个力作用在桶上：向下的引力 mg，向上的绳子张力 F_T。所以，根据$\sum F=ma$，对桶我们有（取向下为正）：

$$mg-F_\mathrm{T}=ma \qquad \text{[桶]}$$

注意：施加在滑轮边缘的张力 F_T 不等于桶的重力（$= mg = 15.0$ N）。如果桶加速，必须有合力作用（所以 $F_T < mg$）。实际上，从上面的方程，$F_T = mg - ma$。我们用方程 8-5 可得到α。

$$a = R\alpha$$

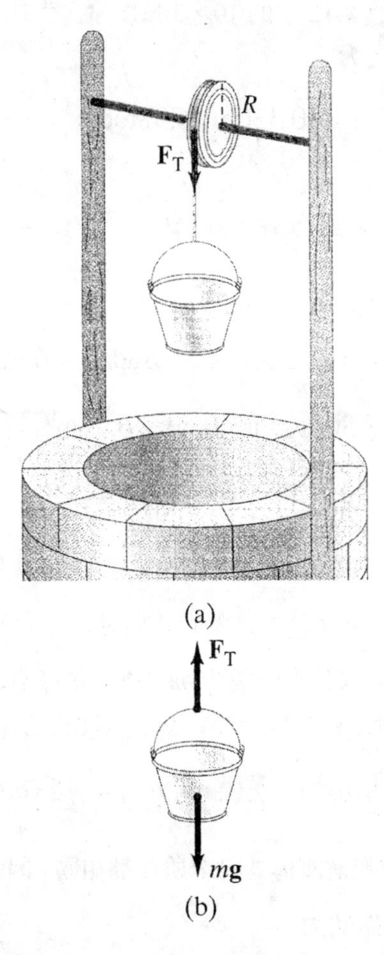

图 8-22 （例 8-13）（b）中给出了质量为 m 的下落桶的隔离图

它是成立的，因为如果绳子不伸长或滑动，滑轮边缘一点的切向加速度与桶的加速度一样。将 $F_T = mg - ma$ 代入上面第一个方程，可得

$$I\alpha = \sum\tau = F_T R - \tau_{fr} = (mg - mR\alpha)R - \tau_{fr} = mgR - mR^2\alpha - \tau_{fr}$$

现在 α 出现在关系式两边，可求出它：

$$\alpha(I + mR^2) = mgR - \tau_{fr}$$

因此

$$\alpha = \frac{mgR - \tau_{fr}}{I + mR^2}$$

因为 $I = 0.385\text{kg}\cdot\text{m}^2$（例 8-12），

$$\alpha=\frac{(15.0\text{N})(0.330\text{m})-1.10\text{m}\cdot\text{N}}{0.385\text{kg}\cdot\text{m}^2+(1.53\text{kg})(0.330\text{m})^2}=6.98\text{rad/s}^2$$

在这种情况下，角加速度小于例 8-12 中的 10・0 弧度/s²。为什么？因为 F_T （$=mg-ma$）小于桶的重力 mg。桶的线加速度为

$$a=R\alpha=(0.330\text{m})(6.98\text{rad/s}^2)=2.30\text{m/s}^2$$

（b）因为角加速度恒定，

$$\omega=\omega_0+\alpha t=0+(6.98\text{rad/s}^2)(3.00\text{s})=20.9\text{rad/s}$$

在 3.00 s 后。桶的线速度与轮子边缘一点的一样：

$$v=R\omega=(0.330\text{m})(20.9\text{rad/s})=6.90\text{m/s}$$

用线性方程 $v=v_0+at=0+(2.30\text{m/s}^2)(3.00\text{s})=6.90\text{m/s}$ 可得到同样的结果。

8–7 转动动能

$\frac{1}{2}mv^2$ 是物体的平动动能。绕轴转动的物体，我们说它具有**转动能**。与平动能一样，我们期望用 $\frac{1}{2}I\omega^2$ 表示转动能，这里 I 是物体的转动惯量，ω 是它的角速度。我们可以证明这确实是正确的。考虑由许多质点（每个质量为 m）组成的任意转动刚体。如果让 r 代表任意质点到转轴的距离，那么它的线速度 $v=r\omega$。整个物体的总动能将是所有质点动能的和；

$$\text{KE}=\Sigma(\tfrac{1}{2}mv^2)=\Sigma(\tfrac{1}{2}mr^2\omega^2)=\tfrac{1}{2}\Sigma(mr^2)\omega^2,$$

这里我们提出 $\frac{1}{2}$ 和 ω^2，因为它们对刚体的每个质点都相同。因为 $\Sigma mr^2=I$，恰好是转动惯量，可以看出转动刚体的动能如预期的为

$$\text{转动能}=\tfrac{1}{2}I\omega^2。\tag{8-15}$$

单位是焦耳，与所有形式的能一样。

一个质心平动的转动物体将具有平动和转动动能。如果转动轴固定，方程 8-15 给出转动能。如果物体运动（如轮子从山坡滚下），只要转动轴的方向固定，这个方程仍然成立。因此，总动能(KE)为

$$\text{KE}=\tfrac{1}{2}Mv_{\text{CM}}^2+\tfrac{1}{2}I_{\text{CM}}\omega^2,$$

这里 v_{CM} 是质心的线速度，I_{CM} 是绕通过质心的转动轴的转动惯量，ω 是绕这个轴的角速度，M 是物体的总质量。

例 8-14 球体沿斜面滚下。 一质量为 M，半径为 R 的实心球从竖直高度 H 的斜面无滑动滚下，如图 8-23 所示，试求它到达斜面底部时的速率。忽略各种损耗，请将你的结果与物体从无摩擦斜面滑下的做比较。

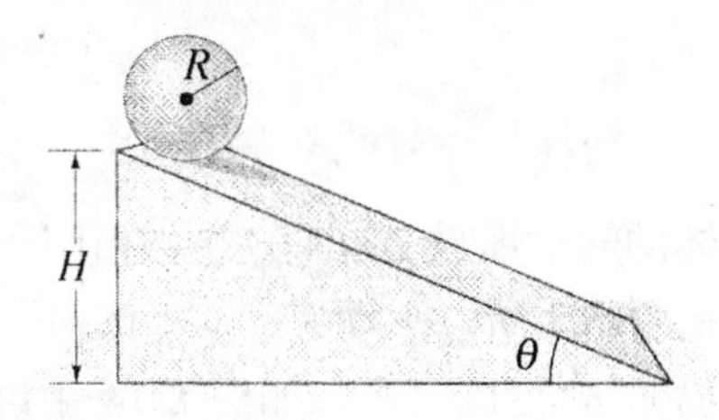

图 8-23 (例 8-14)从线上滚下的球既有平动能也有转动能。

解：我们用能量守恒定律，现在必须包括转动能。离斜面底部竖直高度为 y 时的总能量为

$$\frac{1}{2}Mv^2+\frac{1}{2}I_{CM}\omega^2+Mgy$$

这里 v 是质心的速率。我们让顶部（$y=H,v=\omega=0$）的总能量等于底部（y=0）的总能量：

$$0+0+MgH=\frac{1}{2}Mv^2+\frac{1}{2}I_{CM}\omega^2+0$$

从图 8-20 ，实心球绕通过其质心的转动轴的转动惯量为 $I_{\mathrm{CM}}=\frac{2}{5}MR^2$。因为球体是无滑动的滚动，所以其质心相对于接触点（在任意瞬时，这一点是静止的）的速率等于边缘点相对于质心的速率，如我们在 8-3 节看到的（图 8-8）。这样我们有 $\omega=v/R$ 。因此

$$\frac{1}{2}Mv^2+\frac{1}{2}(\frac{2}{5}MR^2)\left(\frac{v^2}{R^2}\right)=MgH$$

消去 M 和 R，得到

$$(\frac{1}{2}+\frac{2}{5})v^2=gH$$

或者

$$v=\sqrt{\frac{10}{7}gH}$$

首先我们注意到速率 v 与球的质量 M 和半径 R 无关。我们也可以将这个结果与物体无滚动和无摩擦地从斜面滑下的结果做比较。（见 6-7 节，$\frac{1}{2}mv^2=mgH$），在那种情况下，$v=\sqrt{2gH}$，比现在的速率大。无摩擦滑下的物体将其初始势能全部转化成平动能（没有转动能），所以它的速率大。

概念练习 例 8-15 **哪一个最快**？一些物体从竖直高度为 H 的斜面，在同一时刻，从静止开始无滑动地滚下。这些物体是：一个薄圈（或卷起的带子），一个弹子球，一个实心圆柱电池，一个空罐头盒和一个装满汁的罐头盒。另外还有一个涂上油的盒子无摩擦滑下。试问它们到达斜面底部的顺序如何？

答：滑下的盒子最先到达底部。如我们在例 8-14 中看到的，滚动球体到达斜面底部的速率小于滑下（无摩擦）盒子，因为盒子势能（MgH）的损失全部转化成了平动能，而对滚动物体，初始势能被平动能和转动能分享。对每一种滚动物体，我们可以给出势能的损失等

于增加的动能：

$$MgH = \frac{1}{2}Mv^2 + \frac{1}{2}I_{\text{CM}}\omega^2$$

首先，我们注意到所有滚动物体的转动惯量 I_{CM} 是一个数值因子乘以质量 M 和半径 R^2（图 8-20）。由于质量 M 出现在每一项中，所以平动速率 v 不依赖于 M，也不依赖于半径 R，因为 $\omega = v/R$，所以对所有滚动物体 R^2 可以消去，如例 8-14 中讲过的。因此，到达底部的速率 v 只依赖于 I_{CM} 中的数值因子，它表示质量如何分布。从而，将所有质量集中在半径 R 处（$I_{\text{CM}} = MR^2$）的薄圈将具有最小的速率，且到达底部时落后于电池（$I_{\text{CM}} = \frac{1}{2}MR^2$），而电池又落后于弹子球（$I_{\text{CM}} = \frac{2}{5}MR^2$）。空罐头盒主要是薄圈加上小圆盘，它的质量也几乎集中在 R 处，所以它比纯薄圈稍快一些但比电池慢。见图 8-24。未打开的罐头盒的情况比较复杂。它不能考虑成实心圆柱体，因为汁可以在内部运动，这要消耗一些能量；所以我们预期它比电池慢，也只能肯定地说这么多。对所有的其它物体，其到达底部的速率不依赖于物体的质量 M 和半径 R，而只依赖于它的形状（和坡的高度）。

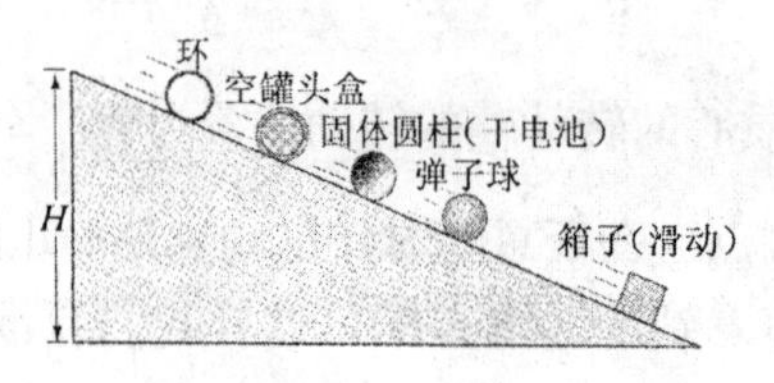

图 8-24　例 6-15

如果球体（或其它滚动物体）与这些例子中的平面间没有摩擦，球体将滑动而不是滚动。要使圆形物体滚动，必须有摩擦。我们不需将摩擦计入能量方程，因为它是静摩擦，是不作功的。如果球体是完全刚体，那么它与面的接触只有一个点，因此摩擦力平行于平面。但球体在每个瞬时的接触点没有滑动——当球滚动时，它垂直于平面运动（先上升，然后下降），图 8-25。因此，由于力和运动垂直，摩擦力没有作功。例 8-14 和 8-15 中，物体沿坡滚下时的速率比滑动时要慢，其原因不是由于摩擦力作功。而是由于一些引力势能转化成转动能，使平动能减少。

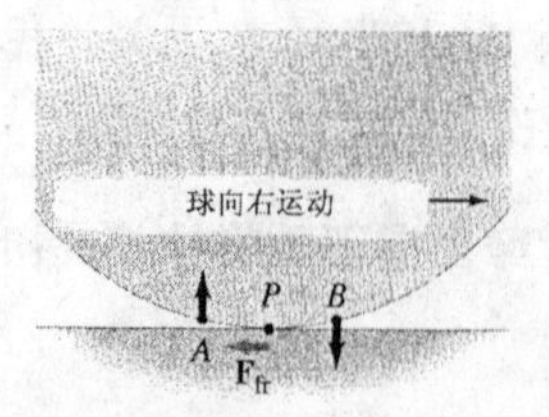

图 8-25　一个球体在平面上向右滚动，在任意时刻与地接触的 P 点在瞬间都是静止的。在 P 点左边的 A 点在瞬间看来是垂直向上的，而在 P 点的右边在瞬间看来是垂直向下的。（在瞬间之后，B 点将接触到平面，瞬间静止）

对沿固定轴转动物体所作的功，如例 8-21 和 8-22 中的轮子或滑轮，可用角量写出。如图 8-26 所示，力 F 对轮子施加一个力矩 $\tau = rF$，当转动轮子很小的距离 Δl 时，它作的功 $W = F\Delta l$。这时轮子转动了一个小角度 $\theta = \Delta l/r$（见方程 8-1）。因此

$$W = F\Delta l = Fr\Delta\theta$$

因为$\tau = rF$，因此

$$W = \tau\Delta\theta \quad (8\text{-}16)$$

这就是力矩τ推动轮子转动$\Delta\theta$角所作的功。

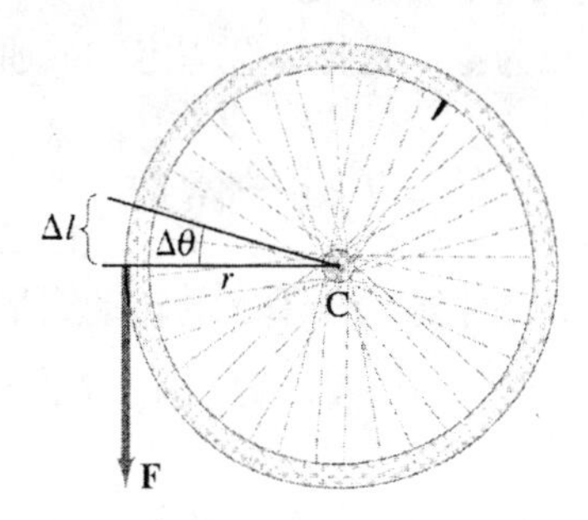

图 8-26 作用在旋转的转轮上的转距$\tau = rF$等于$W = F\Delta l = Fr\Delta\theta = \tau\Delta\theta$

8–8 角动量及其守恒

在本章中，我们看到，如果选取适当的角变量，转动的运动学和动力学方程与那些普通线性运动是相对应的。例如，在上一节（8-7 节），我们看到转动能可写成$\frac{1}{2}I\omega^2$，它对应于平动能=$\frac{1}{2}mv^2$。同样线动量$p = mv$也具有转动对应量。它叫做**角动量 L**。绕固定轴转动物体的角动量定义为

$$L = I\omega \quad (8\text{-}17)$$

这里I是转动惯量，ω是角速度。在国际单位制里L的单位是 kg· m²/s。

我们在第七章看到，牛顿第二定律不仅可以写成$\sum F = ma$，而且可以用动量写成更普遍的形式（方程 7-2）$\sum F = \Delta p/\Delta t$。同样，牛顿第二定律的转动形式可写成（方程 8-14）$\sum\tau = I\alpha$，也可以用角动量写成：

$$\sum\tau = \frac{\Delta L}{\Delta t} \quad (8\text{-}18)$$

这里$\Sigma\tau$是作用在转动物体上的合力矩，ΔL是在时间Δt内角动量的改变。方程 8-14，$\sum\tau=I\alpha$，是方程 8-18 在转动惯量恒定时的特殊形式。这可从以下的讨论看出。如果物体在时刻t=0 的角速度为ω_0，过时间Δt后，角速度为ω，那么它的角加速度（方程 8-3）为

$$\alpha = \frac{\Delta\omega}{\Delta t} = \frac{\omega - \omega_0}{\Delta t}$$

然后从方程 8-18，我们有

$$\sum\tau = \frac{\Delta L}{\Delta t} = \frac{I\omega - I\omega_0}{\Delta t} = I\frac{\Delta\omega}{\Delta t} = I\alpha$$

这就是方程 8-14。

角动量是物理学中的一个重要概念，因为在一定条件下，它是一个守恒量。我们可从方程 8-18 看出，如果作用在物体上的合力矩为零，那么$\Delta L/\Delta t$等于零。即，L不改变。因此，

这就是转动物体的**角动量守恒定律**：

如果作用在转动物体上的合力矩为零，那么该物体的总角动量保持恒定。

角动量守恒定律是物理学中重要的守恒定律之一。

当作用在一个物体上的合力矩为零，且物体绕固定轴或通过其质心方向不改变的轴转动时，我们可以写出

$$I\omega = I_0\omega_0 = \text{常数}$$

I_0和ω_0分别是绕那个轴在初始时刻（$t=0$）的转动惯量和角速度，I 和ω是在其它时刻的值。物体的各个部分可能改变它们的相互位置，因而I 改变了。但ω也会改变并使积$I\omega$保持恒定。

许多有趣的现象可在角动量守恒的基础上加以理解。考虑滑冰者在冰上的旋转，图 8-27。当手臂伸开时，她的转速较慢，但当手臂靠近身体时，她转得很快。通过回忆转动惯量的定义，$I=\sum mr^2$，很显然当她将手臂靠近转轴时，手臂的r减小，所以她的转动惯量减小。因为角动量$I\omega$保持恒定（我们忽略摩擦引起的小力矩），如果I 减小，那么角速度ω必须增加。如果滑冰者将她的转动惯量减小为一半，她将以两倍的角速度旋转。

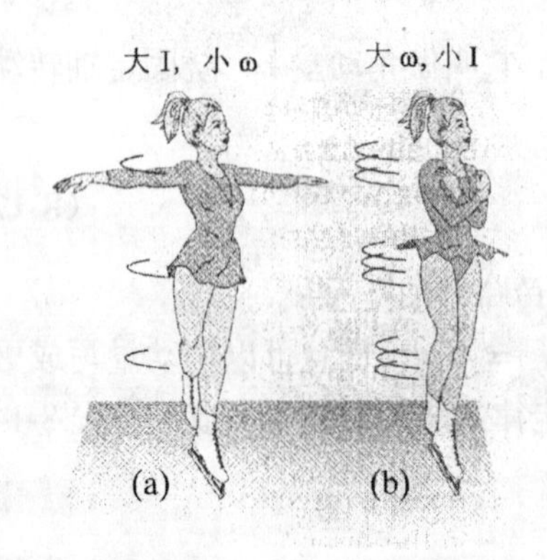

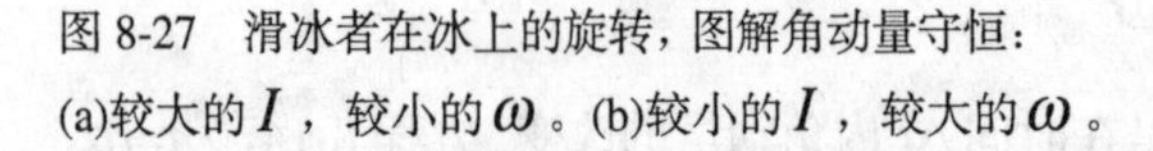
图 8-27 滑冰者在冰上的旋转，图解角动量守恒：(a)较大的I，较小的ω。(b)较小的I，较大的ω。

图 8-28 潜水员在手脚缩拢时的转速要比手脚伸展时的快，角动量守恒。

另一个相似的例子是跳水，如图 8-28 所示。在跳离踏板时，踏板给她一个绕其质心的初始角动量。当她缩拢身体时，转动增快一倍或两倍。然后打开身体，增加她的转动惯量，使角速度减小成很小的值，再进入水中。从伸直到缩拢身体，转动惯量的改变因子可达$3\frac{1}{2}$。

要使角动量守恒，合力矩必须为零，但合力不必为零。例如，作用在图 8-28 中跳水者身上的合力不为零（引力在作用），但作用于她的合力矩为零。

例 8-16 物体在长度变化细绳上的转动。 一质量为 m 的物体系于细绳一端，在无摩擦桌面上转动。绳子的另一端通过桌面上的一个小孔（图 8-29）。开始时，物体以速率v_1= 2.4 m/s 沿半径 r_1= 0.80 m 的圆转动。通过小孔缓慢拉绳子，使圆半径减小到 r_2= 0.48 m。试问，现在物体的速率 v_2是多少？

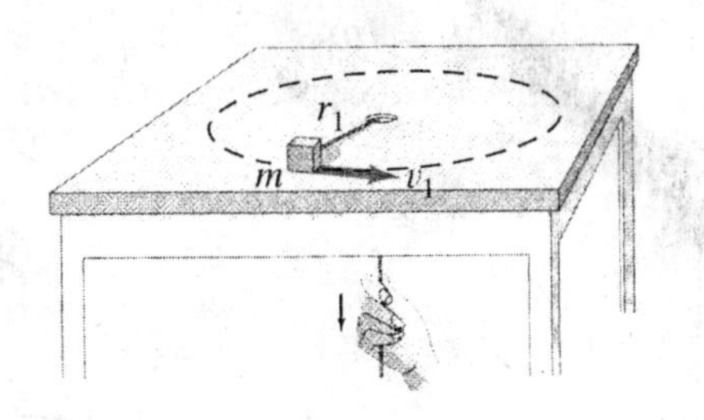

图 8-29 例 8-16

解：绳子作用在物体上的力没有改变它绕转动轴的角动量，因为力的方向指向轴，所以力臂为零，即$\tau=0$。因此，根据角动量守恒：

$$I_1\omega_1 = I_2\omega_2$$

这里小物体实质上为一个质点，其转动惯量为$I=mr^2$（8-5 节，方程 8-11），所以

$$mr_1^2\omega_1 = mr_2^2\omega_2$$

或者

$$\omega_2 = \omega_1\left(\frac{r_1^2}{r_2^2}\right)$$

然后，因为$v=r\omega$，我们可以写出：

$$v_2 = r_2\omega_2 = r_2\omega_1\left(\frac{r_1^2}{r_2^2}\right) = r_2\frac{v_1}{r_1}\left(\frac{r_1^2}{r_2^2}\right) = v_1\frac{r_1}{r_2} = (2.4\text{m/s})\left(\frac{0.80\text{m}}{0.48\text{m}}\right) = 4.0\text{m/s}$$

*8–9 角量的矢量本质

到现在，我们只考虑了ω、α和L等角变量的量值。但它们被看作矢量，现在我们考虑这些矢量的方向。实际上，我们不得不定义转动量的方向，先来看角速度ω。

考虑图 8-30a 中的转动轮子。轮子上不同点的线速度指向不同的方向。空间中与转动有关的唯一特殊方向沿着转动轴，与实际转动垂直。因此，我们选择转轴为角速度矢量ω的方向。实际上，这仍然不清楚，因为ω可以沿转轴指向另一个方向（图 8-30 中，向上或向下）。按惯例，我们用**右手定则**：当右手握住转轴并指向转动方向时，拇指的方向就是ω的方向。如图 8-30b 所示。注意当转动方向改变时，右手螺旋所指的ω的方向也会改变。因此，如果图 8-30a 中的轮子逆时针转动，ω的方向如图 8-30b 指向上。如果轮子顺时针转动，ω指向相反的方向，向下。注意，转动物体上的任何部分没有沿ω方向运动。

如果转动轴固定，ω只能在量值上改变。因此$\alpha=\Delta\omega/\Delta t$也只能沿转动轴方向。如果转动沿如图 8-30a 的逆时针方向，且ω的量值增加，那么α指向上；但如果ω减小（轮子减速），α指向下。如果转动顺时针方向，且ω增加，α将指向下，如果ω减小，α将指向上。

角动量与线动量一样是矢量。对于一个对称物体（如轮子，圆柱体，环，球体）绕对称轴的转动，我们可以写出角动量矢量为

$$L = I\omega \tag{8-19}$$

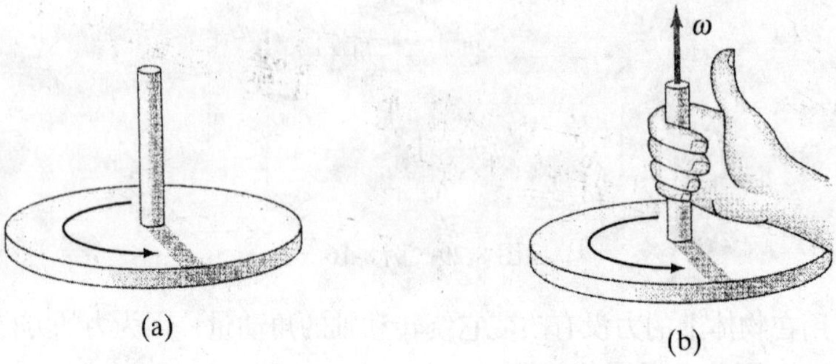

(a) (b)

图 8-30 (a) 旋转的轮子。(b) 利用右手定则得到$\boldsymbol{\omega}$的方向。

角速度矢量$\boldsymbol{\omega}$（$\mathbf{L}$也一样）指向沿着转动轴由右手定则确定的方向（图 8-30b）。

角动量的矢量本质可用来解释一系列有趣的（有时惊奇的）现象。例如，考虑一个人站在一静止可绕其过质心轴无摩擦转动的圆盘上（简单地说就是旋转木马）。如果人现在沿圆盘边缘开始行走，图 8-31a，则圆盘向相反方向转动。为什么？首先，因为人的脚对施加了力；但这也是一个角动量守恒（这里的分析方程十分有用）的例子。如果人沿逆时针方向行走，人的角动量方向将沿着转轴指向上（回忆为什么我们用右手定则定义的$\boldsymbol{\omega}$方向）。人的角动量的值为$L = I\omega = (mr^2)(v/r)$，这里$v$是人的速率（相对地面，而不是圆盘），$r$是他离转轴的距离，$m$是他的质量，如果将他看作一个质点（质量集中于一点），他的转动惯量为mr^2。圆盘向反方向转动，所以它的角动量指向下。如果初始总角动量为零（人和圆盘静止），人开始行走后将保持为零——即，人向上的角动量正好被圆盘向下的角动量抵消（图 8-31b），所以总角动量保持为零。尽管人对圆盘施加了力（和力矩），但这是内力矩（对圆盘和人的系统），反之亦然。没有外力矩作用（设圆盘无摩擦），所以角动量保持恒定。

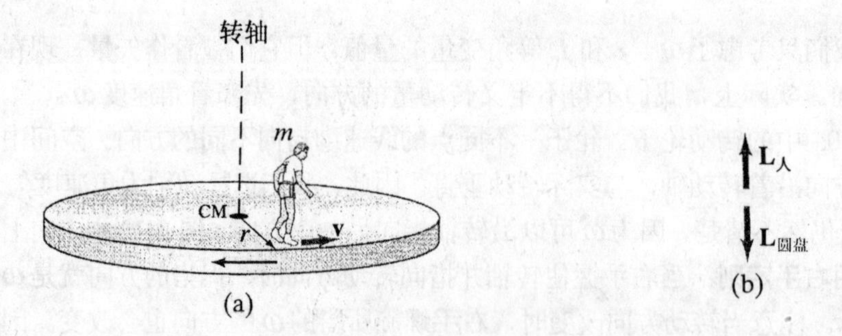

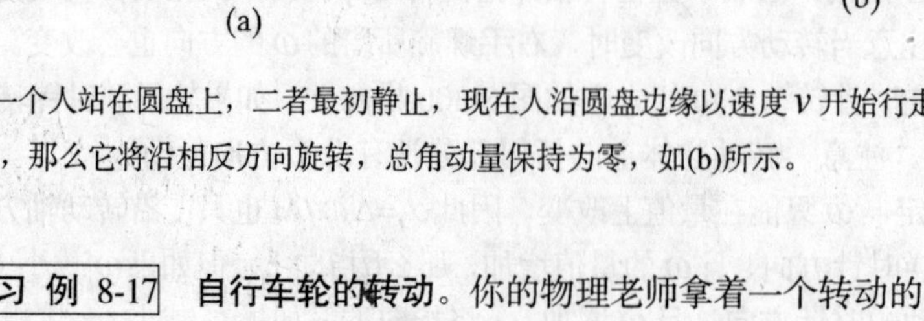

图 8-31 (a) 一个人站在圆盘上，二者最初静止，现在人沿圆盘边缘以速度v开始行走。假设盘固定在没有摩擦的支架上，那么它将沿相反方向旋转，总角动量保持为零，如(b)所示。

概念练习 例 8-17 **自行车轮的转动。**你的物理老师拿着一个转动的自行车轮站在一静止转盘上（图 8-32）。如果老师忽然翻转自行车轮，使它沿反方向转动，会出现什么情况？

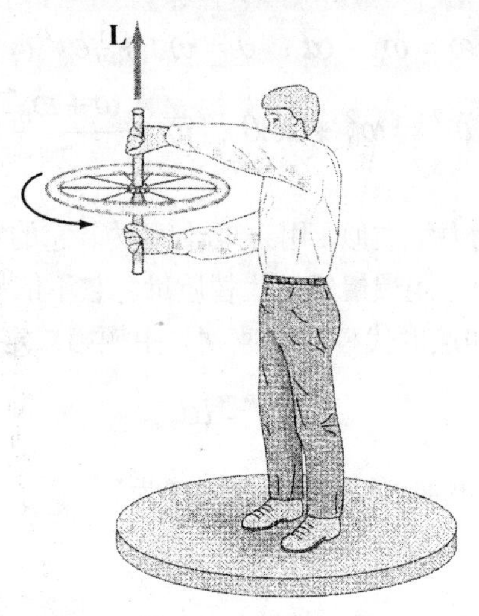

图 8-32　例 8-17

答：初始总角动量为 **L**，垂直向上，反向后系统的角动量仍将保持这个值，因为 **L** 是守恒的。因此，如果车轮的角动量反向后为向下的-**L**，那么老师加上转盘的角动量为向上的+2**L**。我们可以肯定地说，老师将沿车轮的初始旋转方向转动。

小结

当刚体绕固定轴转动时，刚体上的每一点沿圆轨道运动。在任意给定的时间间隔内，从转动轴到物体上不同点所画的垂直于轴的直线都扫过同样的角度θ。

角度用弧度表示比较方便。一**弧度**张角对应的弧长等于半径，或

$$2\pi \text{ rad} = 360°$$

$$1\text{rad} \approx 57.3°$$

角速度 ω 定义为角位置的变化率：

$$\omega = \frac{\Delta\theta}{\Delta t}$$

在任意瞬时，绕固定轴转动刚体上的所有部分具有同样的角速度。

角加速度α定义为角速度的变化率：

$$\alpha = \frac{\Delta\omega}{\Delta t}$$

离转轴固定距离为 r 一点的线速度 v 和线加速度 a 与 ω 和α的对应关系为

$$v = r\omega，\quad a_{\tan} = r\alpha，\quad a_R = \omega^2 r$$

这里 $a_{\tan}$ 和 a_R 分别是线加速度的切向和径向（向心）分量。

频率 f 与 ω 的关系为 $\omega = 2\pi f$，与周期 T 的关系为 $T = 1/f$ 。

描述匀加速转动的方程（α =恒量）与匀加速线性运动的方程具有同样的形式：

$$\omega = \omega_0 + \alpha t\text{；}\ \theta = \omega_0 t + \tfrac{1}{2}\alpha t^2\text{；}$$

$$\omega^2 = \omega_0^2 + 2\alpha\theta\text{；}\ \overline{\omega} = \frac{\omega + \omega_0}{2}$$

转动动力学与线性运动动力学类似。用力矩τ代替力，它的定义为力与力臂（从力的作用线到转轴的垂直距离）的乘积。用**惯量矩** I 代替质量，它不依赖于物体的质量，而与质量相对于转轴的分布有关。用角加速度代替线加速度。牛顿第二定律的转动表达式为

$$\sum \tau = I\alpha$$

绕固定轴以角速度ω转动的物体的**转动能**(KE)为

$$\text{KE} = \frac{1}{2} I\omega^2$$

具有平动和转动的物体，其总动能为物体质心的平动能与绕质心的转动能之和：

$$\text{KE} = \frac{1}{2} M v_{\text{CM}}^2 + \frac{1}{2} I_{\text{CM}}\omega^2$$

只要转动轴的方向是固定的。

绕固定轴转动物体的**角动量** L 由下式给出

$$L = I\omega$$

牛顿第二定律用角动量表示成为

$$\sum \tau = \frac{\Delta L}{\Delta t}$$

如果作用在物体上的合力矩为零，$\Delta L/\Delta t = 0$，则 L = 恒量。这就是转动物体的**角动量守恒定律**。

问答题

1. 你站的地点在离自由女神像的距离已知。请只用米尺，并且不移动你的位置来确定像的高度。

2. 自行车里程计（测量行进距离的装置）安装在靠近毂轮处，如果将为 27 英寸车轮设计的里程计用到 24 英寸车轮的自行车上，会出现什么情况？

3. 设一电唱盘以恒定角速度转动。它边缘的一点有径向或切向加速度吗？如果唱盘的角速度均匀增加，这一点有径向或切向加速度吗？在哪种情况下，线加速度两个分量值改变？

4. 如果角量θ、ω和α用度而不是弧度表示，匀加速转动方程 8-9 将如何改动？

5. 一个小力的力矩能比大力的更大吗？请解释。

6. 如果一个力 F 作用在物体上，其力臂为零，它对物体的运动有什么影响？

7. 为什么两手放在脑后做仰卧起坐比伸直放在身前困难？画图可帮助你回答这个问题。

8. 职业自行车运动员用非常轻的“缝制”（管状）轮胎。他们说轮胎质量的减少远比自行车其它部分质量的减少更有效。请解释为什么。

9. 一辆 21 速的变速自行车，有七个链齿在后轮上，三个在踏板曲柄上。在哪一挡蹬起

来更困难，小的后齿轮还是大的后齿轮？为什么？在哪一挡蹬起来更困难，小的前齿轮还是大的前齿轮？为什么？

10. 依赖于快速奔跑的哺乳动物具有细长的小腿和肌肉饱满且靠近身体的大腿（图8-33）。根据转动动力学，解释这种质量分布的长处。

图 8-33 问题 10：一个瞪羊

11. 为什么走钢丝者要拿一根细长的棒（图 8-34）？

图 8-34 问题 11

12. 如果作用在系统上的合力为零，合力矩也为零吗？如果合力矩为零，合力为零吗？

13. 一根棒垂直站立在无摩擦平面上。当它被轻碰后倒下时，请描述它的质心，以及两端的运动。

14. 两个斜面高度相同，但与水平面的夹角不同。同样的钢球从两个斜面滚下。钢球到达哪个斜面底部时，具有更大的速率？请解释。

15. 两个实心球同时从一个斜面上（从静止）滚下。其中一个的半径和质量是另一个的两倍。哪一个先到达底部？哪一个到达底部时的速率大？在底部时，哪一个具有的总动能大？

16. 一球体和一圆柱体的半径和质量相等。它们从一斜面上静止滚下。哪一个先到达底部？在底部时，哪一个的速率大？哪一个具有的总动能大？哪一个具有大的转动能？

17. 一自行车选手骑过一个坡顶。试问自行车的运动是平动、转动、还是两者的复合？

18. 我们说动量和角动量守恒。但大多数运动或转动物体最终会减速并停止。请解释为什么。

19. 如果大量的人迁移到赤道上，这如何影响一天的长度？

20. 当图 8-28 的跳水者离开跳板时没有任何初始转动，她能在空中翻筋斗吗？

21. 地球自转的角速度指向哪个方向？

22. 一绕水平轴转动的轮子的角速度方向指向西。轮子顶部一点的线速度指向哪个方向？如果角加速度方向指向东，请描述这一点的切向线加速度。它的角速度增加还是减少？

23. 当摩托车手驾车离开地面跳跃时，如果油门继续开着（这样后轮能继续转动），为什么前轮会升起？

24. 假设你站在一个大转盘的边缘。如果你向中心行走，会出现什么情况？

25. 四分卫球员在空中将球传出。当他扔球时，身体上半部分转动。如果你看得很快，你会发现他的臀和腿部向相反方向转动（图 8-35）。请解释。

图 8-35 例 25：四分卫球员在空中将球传出

26. 观察钟表的秒针。请指出秒针角动量的方向。

27. 根据角动量守恒定律，讨论为什么直升飞机的螺旋桨必须多于一个。第二个螺旋桨是如何保持机体稳定的？试以一种或多种方式讨论。

习题

8-1 节

1.（Ⅰ）下列角度用弧度表示是多少？(a) 30°，（b）57°，（c）90°，（d）360°，（e）420°。请给出数值和分数π两种表示形式。

2.（Ⅰ）太阳离地球 150 百万公里，对我们的张角为 0.5°。试问太阳的半径是多少？

3.（Ⅰ）由于奇妙的重合，地球上出现日蚀和月蚀现象。试用封面内页给出的数据，计算地球上看到的太阳和月亮的角直径（用弧度表示）。

4.（Ⅰ）埃费尔铁塔有 300 m 高。当你站在巴黎的一个地方时，它的张角为 6°。你离塔多远？

5.（Ⅰ）月球离地球 380000k m 远。一激光束对准月球，它的发散角θ为 1.8×10^{-5} 弧度（图 8-36），它射到月球上斑点的直径是多少？

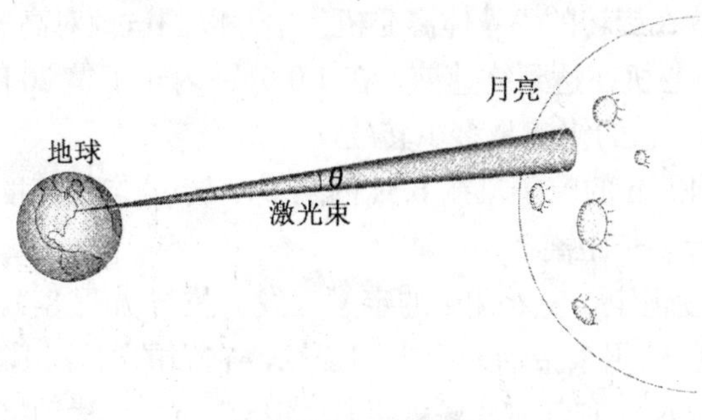

图 8-36　习题 5

6.（Ⅰ）一个直径为 0.35 m 的研磨轮，其转速为 1800 转/分。试求它的角速度（弧度/s）。

7.（Ⅰ）在习题 6 中轮子边缘一点的线速率和加速度是多少？

8.（Ⅰ）录象机在开机 1.8s 后达到 33 转/分的转速。它的角加速度是多少？

9.（Ⅰ）试求钟表（a）秒针，（b）分针，（c）时针的角速度，用弧度/s 表示。在每种情况下的角加速度是多少？

10.（Ⅰ）搅拌机的叶片以 7500 转/分的转速旋转。它从工作状态到关机后 3.0 秒停止。当它减速时，角加速度是多少？

11.（Ⅱ）一小孩在地板上给 4.5 m 远的另一个小孩滚球。如果在这段距离内，球转了 15.0 圈，试问球的直径是多少？

12.（Ⅱ）一自行车轮胎直径为 68 cm，试问它行进 7.0 km 时，轮子转了多少圈？

13.（Ⅱ）用尺子和你的手指或其它能正好遮住月球的物体估计月球的张角。给出你的测量过程和得到的结果，并用它估计月球的直径。月球离地球的距离为 380000k m。

14.（Ⅱ）试求地球的角速度（a）在它绕太阳的轨道上，（b）绕自己的轴转动。

15.（Ⅱ）试求由于地球的转动，下列各点的线速率：（a）赤道上，（b）北极圈（纬度 66.5°N），（c）纬度 45.0°N 处。

16.（Ⅱ）如果离转轴 7.0 m 的质点经历 100000 个 g 的加速度，离心机必须转多快（转/分）？

17.（Ⅱ）一直径 70cm 的轮子，在 4.0s 内从 160 转/分匀加速到 280 转/分。试求（a）它的角加速度，（b）减速 2.0s 后，轮子边缘一点线加速度的切向和径向分量。

18.（Ⅱ）一半径为 R_1 的录音转盘被一个外沿与之接触的半径为 R_2 的橡皮圆圈滚驱动。它们角速度之比 ω_1/ω_2 是多少？

19.（Ⅱ）在登月行动中，为了使太阳的能量均匀分布在阿波罗飞船上，宇航员给飞船一个缓慢的转动。行动开始时，他们在 10 分钟内使没有转动的飞船加速到每分钟转一圈。飞船可看作直径 8.5 m 的圆柱体。试求（a）角速度，（b）加速 5 分钟后，飞船壳上一点线加速度的径向和切向分量。

8-2 和 8-3 节

20.（Ⅰ）电唱机转盘在转了 1.7 圈后转速达到 33 转/分。它的角加速度是多少？

21.（Ⅰ）一离心机从静止加速到 4000 转/分用了 220s。在这段时间内，它转了多少圈？

22.（Ⅰ）一汽车引擎在 3.5s 内从 4000 转/分降到 1200 转/分。试计算（a）它的角加速度，设为匀加速过程，（b）在这段时间内，引擎转动的总圈数。

23.（Ⅱ）飞行员被放在旋转的“人体离心机”中，以测试他对高速喷气式飞机飞行时的压力的忍受程度，如果离心机在达到终速前，在 1.0 分钟内转了整 20 圈。（a）它的角加速度是多少（设恒定）？（b）它的终速是多少转/分？

24.（Ⅱ）一直径为 40cm 的轮子，在 6.5s 内从 240 转/分匀加速度到 360 转/分。轮子边缘一点在这段时间内运行多长距离？

25.（Ⅱ）设角加速度恒定，从ω和α的定义出发，推导方程 8-9。

26.（Ⅱ）一个小橡胶轮用来带动一个大陶瓷轮，它们的边缘相切。如果小轮的半径为 2.0cm，角加速度为 7.2rad/s^2，它与陶瓷轮（半径为 25.0cm）无滑动接触，试求（a）陶瓷轮的角加速度，（b）使陶瓷轮达到要求的 65 转/分，需多长时间？

27.（Ⅱ）汽车从 100k m/h 减速到 50k m/h，车轮转了 65 圈。轮胎的直径为 0.80 m。（a）它的角加速度是多少？（b）如果汽车继续以这个速率减速，还需多长时间才能停止？

28.（Ⅲ）一轮子绕其固定轴从静止开始以角加速度α均匀加速。（a）试用α、r 和时间 t，写出离轴距离 r 处 P 点的线加速度的分量，$a_{切}$和 a_R。（b）取ϕ为线加速度矢量 a 与 P 点到轴连线间的夹角。试用轮子的总转数 N 表示ϕ。

8-4 节

29.（Ⅰ）当一个质量为 55kg 的人骑自行车爬坡时，她将所有重量作用在每个脚蹬上，脚蹬的旋转半径为 17cm，试求她的最大作用力矩。

30.（Ⅰ）一人对宽为 84cm 的门边施加了 45N 的力。试求下列条件下力矩的值：（a）力垂直于门，（b）力与门面成 60°角。

31.（Ⅱ）试求图 8-37 中对轮轴的合力矩。设与运动方向相反的摩擦力矩为 0.40 m·N。

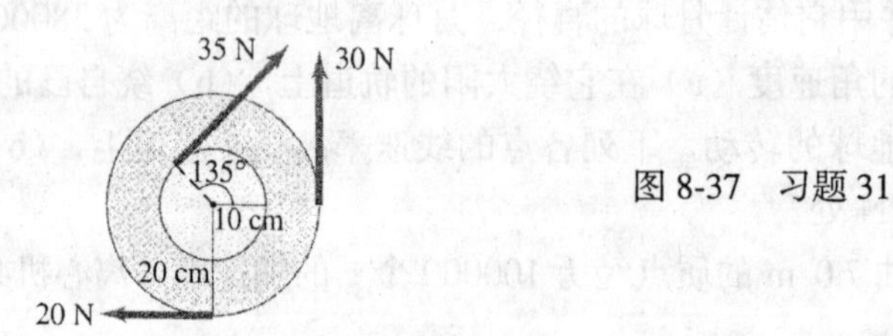

图 8-37 习题 31

32.（Ⅱ）如果轮胎与路面间的静摩擦系数为 0.75，要使轮胎直径 66cm，质量为 1080kg 的汽车“打滑”（车加速时，车轮空转），试求作用于轮胎的最小力矩。设每个车轮分担的重量相等。

33.（Ⅱ）引擎缸盖螺栓的拧紧力矩需 80 m·N。如果扳手的长度为 30cm，需在扳手一端垂直施加多大的力？如果六角螺栓的直径为 15cm，试估算套筒扳手对靠近六个点的每一处施加的力（图 8-38）。

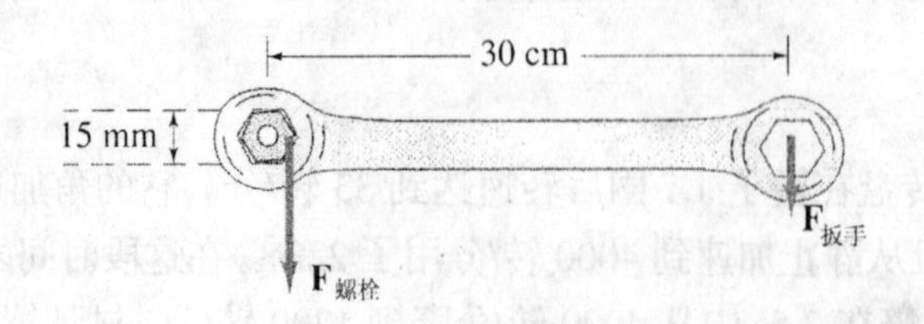

图 8-38 习题 33

8-5 和 8-6 节

34.（Ⅰ）试求半径为 0.623 m、质量为 12.2kg 的球绕其中心转动时的转动惯量。

35.（Ⅰ）试求直径为 66.7cm 的自行车轮的转动惯量。轮圈和胎的复合质量为 1.25kg。轴的质量可以忽略（为什么？）。

36.（Ⅱ）试求图 8-39 中组合物体当其相对于（a）垂直轴，（b）水平轴的转动惯量。设物体用很轻的细钢丝连接在一起。相对于哪个轴，组合体更难被加速？在图 8-39 中，m = 1.8kg，M = 3.1kg。组合体是矩形，水平轴通过中心。

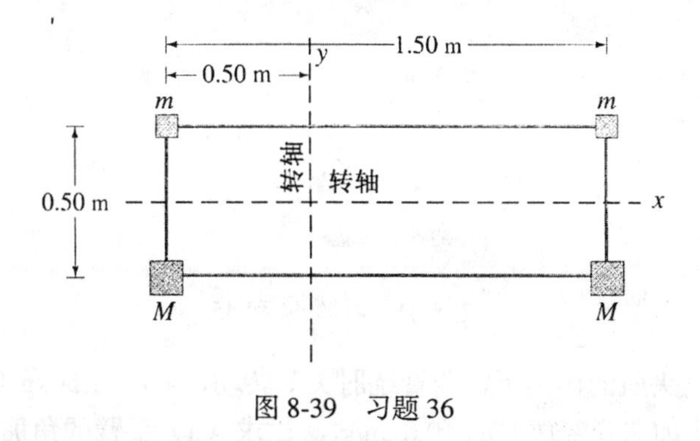

图 8-39　习题 36

37.（Ⅱ）由两个氧原子组成的氧分子质量为 5.3×10^{-26}kg，它绕两原子连线中点垂直轴的转动惯量为 1.9×10^{-46}kg· m^2。试从这些数据估计两原子间的有效距离。

38.（Ⅱ）在轻杆的一端有一质量为 1.05kg 的小球，它绕水平圆转动的半径为 0.900 m。试求（a）系统对转轴的转动惯量，（b）如果作用在球上的空气阻力为 0.0800N，维持球以匀角速度转动的力矩需多大？

39.（Ⅱ）为了使平坦、均匀的圆柱状卫星以正确的速率旋转，工程师设计了四个切向火箭，如图 8-40 所示。如果卫星的质量为 2600kg，半径为 3.0 m，且要在 5.0 分钟内达到 30 转/分，试问每个火箭所需提供的恒力多大？

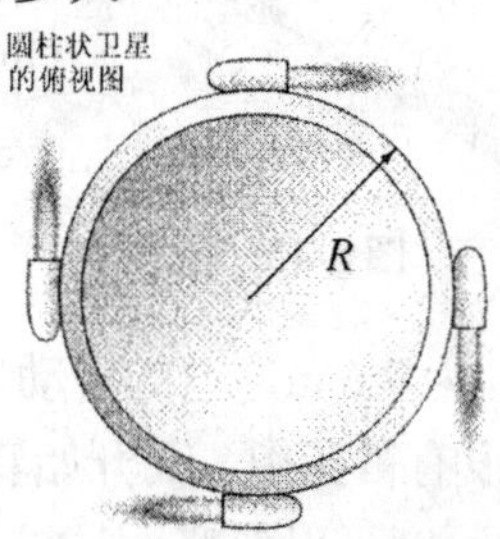

图 8-40　(习题 39)圆柱形火箭的末端视图

40.（Ⅱ）一研磨轮是质量 0.580 kg，半径 8.50 cm 的均匀圆柱体。试求（a）绕中心的转动惯量，（b）如果已知它在 55.0 s 内，从 1500 转/分减速到停止，要使它在 5.00s 内从静止加速到 1500 转/分，需多大力矩？

41.（Ⅱ）垒球选手在 0.20s 内，将球棒从静止加速挥动到 3.0rev/s。将球棒近似看成长 0.95 m，质量 2.2 kg 的均匀棒，试求作用在棒一端的力矩。

42.（Ⅱ）托儿所的老师切向推动一个小型旋转木马，在 10.0s 内使它从静止达到 20 转/分。设转盘的半径为 2.5m，质量为 800kg，两个孩子（各自质量为 25kg）相对坐在转盘的边上。试求产生这个加速度所需的力矩，忽略摩擦力，所需的力多大？

43.（Ⅱ）一离心机以 10000 转/分转动时关机，在 1.2 m·N 的摩擦力矩的作用下，最终停止。如果转机的质量为 4.80kg，且它可被近似看成一个半径为 0.0710 m 的实心圆柱体，试问转机转了多少圈才停止？用了多长时间？

44.（Ⅱ）图 8-41 中，前臂用三头肌将一 3.6kg 的球以 7.0 m/s^2 加速。试求（a）所需的力矩，（b）三头肌必须施加的力。忽略胳膊的质量。

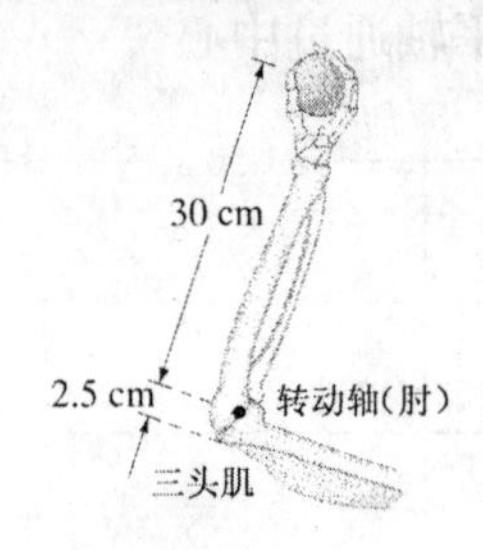

图 8-41 习题 44 和 45

45.（Ⅱ）设在三头肌的作用下，前臂绕肘关节转动，并将 1.50kg 的球扔出，图 8-41。球在 0.350s 内从静止加速到释放时的 10.0 m/s,。试求（a）手臂的角加速度，（b）三头肌的作用力。设前臂的质量为 3.70kg，其转动像以一端为轴的均匀棒。

46.（Ⅱ）直升机的螺旋桨可看成细长的棒，如图 8-42 所示。如果三个桨每个的长度为 3.75 m，质量为 160kg，试求三个桨对轴的转动惯量。若在 8.0s 内使桨的转速达到 5.0 转/秒，发动机需施加多大的力矩？

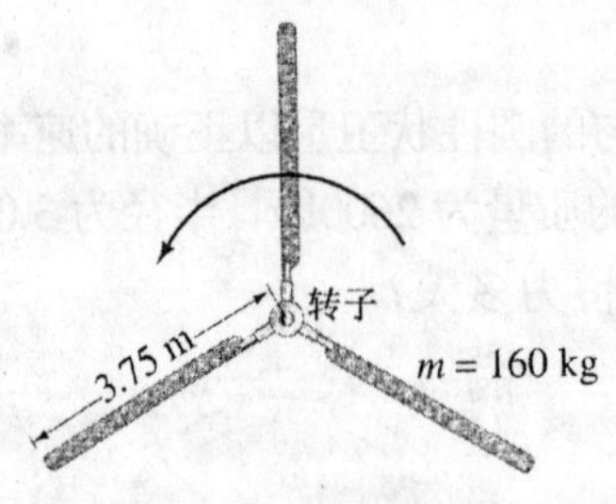

图 8-42 习题 46

47.（Ⅱ）图 8-43 中纸卷的半径为 7.6 m，它的转动惯量为 $I = 2.9\times10^{-3}kg\cdot m^2$。一个 3.2N 的力在纸的端头作用了 1.3s，但纸没有被撕裂，而开始转动。一个 0.11 m·N 的摩擦力矩作用在纸卷上，使其逐渐停止。设纸的厚度可以忽略，试求（a）在力作用时间内（1.3s），纸拆开的长度，（b）从停止施加作用力到纸卷停止转动的时间内，纸卷拆开的长度。

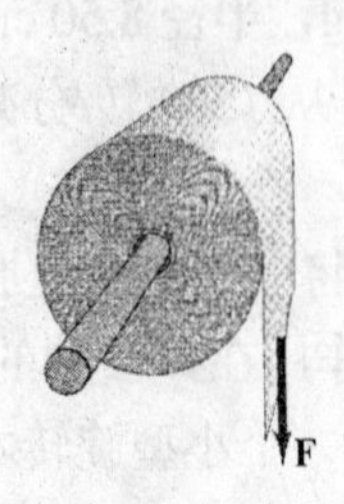

图 8-43 习题 47

48.（Ⅲ）阿特伍德机器由经过滑轮用无弹性细绳连接的两个质量 m_1 和 m_2 组成，图 8-44。如果滑轮的半径为 R，转动惯量为 I，试求质量 m_1 和 m_2 的加速度，并与忽略滑轮转动惯量的情况比较。[提示：张力 F_{T1} 和 F_{T2} 不必相等。]

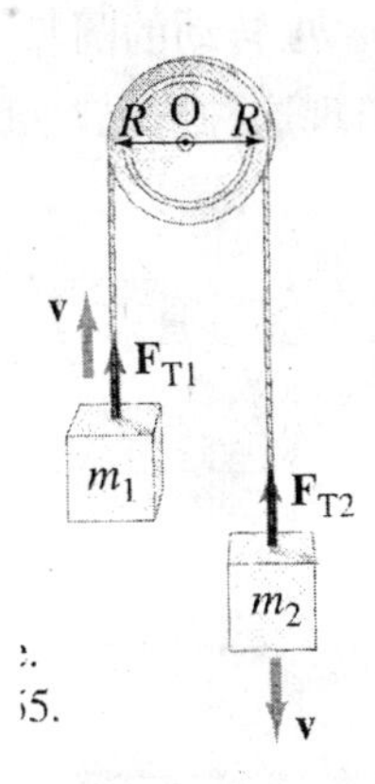

图 8-44 (习题 48 和 55)阿特伍德机器

49.（Ⅲ）链球（质量 = 7.30kg）从静止被加速四圈后掷出，出手速度为 28.0 m/s。设角速度匀速增加，旋转半径为 1.20 m，试求（a）角加速度，（b）切向（线）角速度，（c）释放时的向心加速度，（d）释放时运动员作用在链球上的合力，（e）这个力与圆半径所成的夹角。

8-7 节

50.（Ⅰ）一质量为 7.3kg，半径 9.0cm 的保龄球在球道上以 4.3 m/s 的速率无滑动滚动。试求它的转动能。

51.（Ⅰ）一离心机的转动惯量为 3.15×10^{-2}kg· m^2。从静止将它加速到 8000 转/分，需多少能量？

52.（Ⅱ）试估计地球相对于太阳的转动能，可看作两项的和，（a）绕地轴的日转动，（b）绕太阳的年转动。[设地球为均匀球体，质量 = 6.0×10^{24}kg，半径 = 6.4×10^{6} m，离太阳的距离为 1.5×10^{8}k m。]

53.（Ⅱ）一个旋转木马的质量为 1640kg，半径为 8.20 m。将它从静止加速到每 8.00s 转一圈，需作多少净功？（设它是实心圆柱。）

54.（Ⅱ）（a）一球体（半径 20.0cm，质量 1.20kg）从 10.0 m 长、倾角 30.0°斜面上无滑动滚下，试求它到达底部时的平动和转动速率。设它从静止开始。（b）在底部时，平动能与转动能之比是多少？直到最后结果之前，尝试不代入数值，回答：（c）在（a）和（b）中的答案依赖于球的半径还是质量？

55.（Ⅲ）两物体质量 m_1= 18.0kg 和 m_2= 26.5kg 由通过滑轮的绳子连接（如图 8-44）。滑轮是半径为 0.260 m，质量为 7.50kg 的均匀圆柱体。开始时，m_1 静止放在地面上，m_2 在离地面 3.00 m 高处。如果现在释放系统，试用能量守恒确定 m_2 碰地前的速率。设滑轮无摩擦。

56.（Ⅲ）一根 3.30 m 长的棍垂直平衡站立。轻推一下倒下。试问它的顶端触地时的速率是多少？设底端没有滑动。

8-8 节

57.（Ⅰ）一质量为 0.210kg 的球，在绳的一端以 10.4red/s 的角速度沿半径 1.10 m 的圆转动，试求它的角动量。

58.（Ⅰ）一人两臂垂立站在以 1.30rev/s 转动的圆盘上。如果现在两臂水平举起，图 8-45，圆盘转速降为 0.80rev/s。(a)为什么会出现这种情况？(b)人的转动惯量改变的因子是多少？

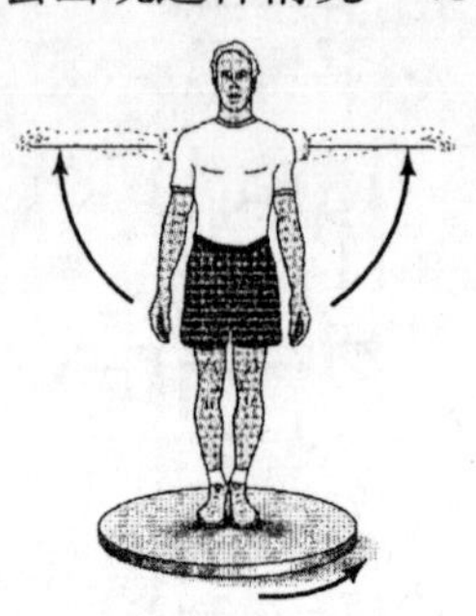

图 8-45 习题 58

59.（Ⅰ）当一跳水者（如图 8-28 中所示）从伸直变成蜷曲状态时，她的转动惯量因子将减少 3.5。如果她在蜷曲情况下，在 1.5s 内转了 2 周，试问她在伸直状态时的角速度（转/分）是多少？

60.（Ⅰ）一花样滑冰选手在她的结束动作中将其转速从开始的每 2.0s 转 1.0 周变成 3.0 转/s。如果她的初始转动惯量为 4.6kg· m^2，试问她的最终转动惯量为多少？她的身体是如何实现这个变化的？

61.（Ⅱ）飓风风速有时超过 120k m/h。如果将它近似看作均匀转动的刚性空气柱（密度 1.3km/ m^3），其半径为 100km，高度为 4.0km，试给出粗略估计（a）飓风的能量，（b）角速度。

62.（Ⅱ）（a）一花样滑冰选手（手臂靠近身体）以 3.5 转/s 旋转，设她为一个高 1.5 m，半径 15cm，质量为 55kg 的均匀圆柱体，试求她的角动量。（b）设她不移动手臂，在 5.0s 内要使她停止，需多大力矩？

63.（Ⅱ）试求地球的角动量（a）绕其自转轴转动（设地球为均匀球体），（b）在绕太阳的轨道上（将地球看成绕太阳转动的质点）。地球质量=6.0×10^{24}kg，半径=6.4×10^{6} m，离太阳距离为 1.5×10^{8}km。

64.（Ⅱ）一个转动惯量为 I、无转动的圆盘放到以角速度 ω 转动的相同圆盘上。设没有外力矩作用，试问，最后两个圆盘的共同角速度是多少？

65.（Ⅱ）一均匀圆盘，如录音磁盘，以 7.0rev/s 绕一无摩擦轴转动。一质量与磁盘相同且长度等于磁盘直径的无转动棒落在自由转动的磁盘上。然后它们一起转动，图 8-46。试问复合体角速度为多少 rev/s？

66.（Ⅱ）一质量为 75kg 的人站在半径 3.0 m、转动惯量为 1000kg· m^2 的旋转木马平台中心。平台以角速度 2.0rad/s 无摩擦转动。人沿径向走到平台边缘。（a）试求人到达边缘时的角速度。（b）比较平台和人这个系统在走动前后转动能的变化。

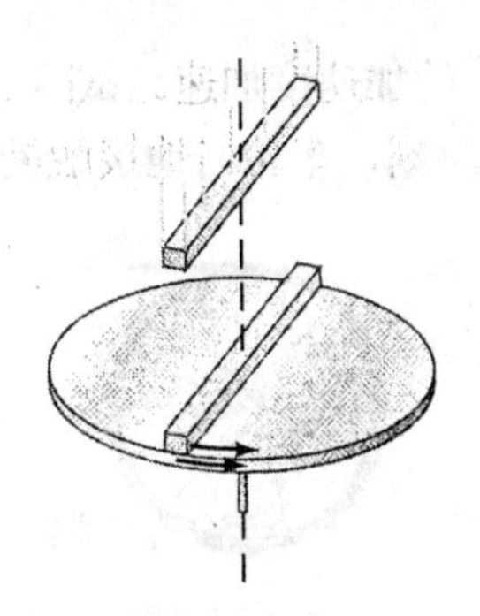

图 8-46 习题 65

67.（Ⅱ）一质量为 1.0×10^5 的小行星，以相对地球 30k m/s 的运行速率撞击在地球赤道上。它沿地球转动方向切向撞击。试用角动量估计撞击后地球角速度的变化因子。

68. （Ⅱ）一直径为 4.2 m 的大转盘以角速度 0.80rad/s 自由转动。它的总转动惯量是 1760kg· m^2。四个质量都为 65kg 的人忽然上到盘的边缘。试问现在盘的角速度是多少？如果开始他们在盘上，然后径向（相对于转盘）跳出，此时的角速度是多少？

69.（Ⅱ）设太阳最终塌缩成一个白矮星，在这个过程中大约损失了一半质量，并且最终卷曲成只有现在半径的 1.0%大小。试问此时的转速是多少？（取太阳现在的周期约为 30 天）它的最终动能与现在初始动能的关系如何？

***8-9 节**

*70.（Ⅱ）设一质量为 55kg 的人站在一个直径 6.5 m 的大转盘边缘，该盘转动惯量为 1700kg· m^2 且安放在无摩擦轴上。初始转盘是静止的，但当人以 3.8 m/s（相对转盘）的速率沿边缘行走时，向相反方向转动。试求转盘的角速度。

*71.（Ⅱ）一人站在初始静止可无摩擦自由转动的平台上。人加上平台的转动惯量为 I_P。人手里拿着一个轴向水平的转动的自行车轮。轮子的转动惯量为 I_W，角速度为 ω_W。如果人将轮轴指向下列方向，试求平台的角速度 ω_P:（a）垂直向上，（b）与垂直方向成 60°角。（c）垂直向下。（d）如果在（a）部分中，人将轮子伸出平台并停止它，此时 ω_P 使多少？

综合题

72. 一大型绕线筒放在地板上，线的一端在筒边缘的顶部。一人拿住线头行走了距离 L，图 8-47。线筒在人后边无滑动滚动。试求线从筒子上拆开的长度。筒子的质心移动了多远距离？

图 8-47 习题 72

73. 月球绕地球转动，所以总是只有一面对着地球。试求它的自旋角动量和轨道角动量之比。（在后一种情况，将月球看作绕地球的质点。）

74. 一自行车从静止以 1.00 m/s^2 的加速度加速。试问 3.0s 后，车轮（直径=68cm）上部一点的速率是多少？[提示：在任意时刻，车轮与地接触的最低点是静止的，见图 8-48。]

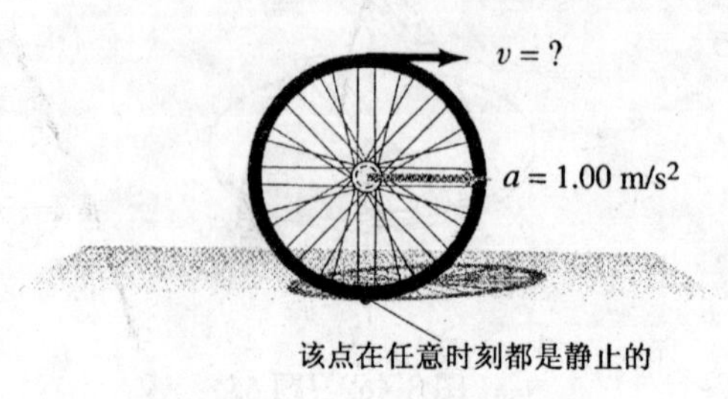

图 8-48 习题 74

75. （a）“悠悠”是由两个质量各为 0.050kg，直径 0.075 m 的圆盘，中间用质量 0.0050kg，直径 0.010 m 的细实心棒连接制成的。当悠悠到达其 1.0 m 长绳子的末端时，试用能量守恒计算它的线速度，设它从静止释放。（b）它的转动能与总动能之比是多少？

76. （a）自行车后轮的角速度（ω_R）与脚踏前齿盘的角速度（ω_F）关系如何？即，推导出ω_R/ω_F的表达式。取 N_F 和 N_R 分别是前后齿轮的齿数。所有齿的大小一致，这样才能与链条耦合。见图 8-49。（b）当前后轮齿分别有 52 和 13 个齿时，（c）当它们分别有 42 和 28 个齿时，试求ω_R/ω_F的比值。

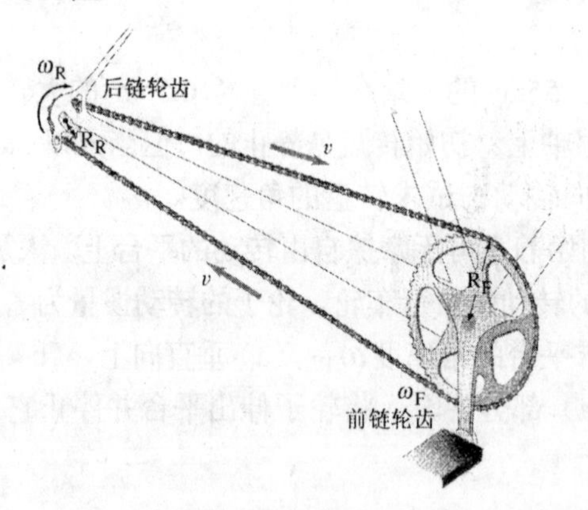

图 8-49 习题 76

77. 设一星体与太阳大小一样，但质量为太阳的 8.0 倍，其转速为每 10 天转一周。如果它在引力塌缩中变成一个半径 10km 的中子星，并在这个过程中损失了 3/4 的质量，此时它的转速是多少？设星体一直是均匀球体，且在此过程中角动量没有损失。

78. 降低汽车污染的一种方法是将能量储存在重惯性轮的转动中。设这样的汽车总质量为 1400kg，用直径 1.50m，质量 240kg 的均匀圆柱惯性轮，能行驶 300km 而无须给惯性轮“加转”。（a）作一合理假设（平均摩擦阻力= 500N，有二十次从静止到 90km/h 的加速过程，上下坡时能量损耗一样——设下坡时能量返还给惯性轮），并证明需储存在惯性轮中总能量为 1.6×10^{8}J。（b）当惯性轮能量“充满”时，它的角速度是多少？（c）旅行前，用 150 马力的发动机给惯性轮充满能量需多长时间？

79. 一中空圆柱（环）沿水平面以速率 v = 4.3 m/s 滚动，来到一倾角为 15°的斜坡面前。（a）它能沿斜面行进多远？（b）在返回坡底之前，它在斜面上停留了多长时间？

80. 一质量 M，长度 L 的均匀棒用活页固定在墙上，可自由转动（即，忽略摩擦），如图 8-50。棒从水平位置释放。试求释放时（a）棒的角加速度，（b）棒端的线加速度。设引力作用在棒的中心，如图所示。[提示：见图 8-20 所示。]

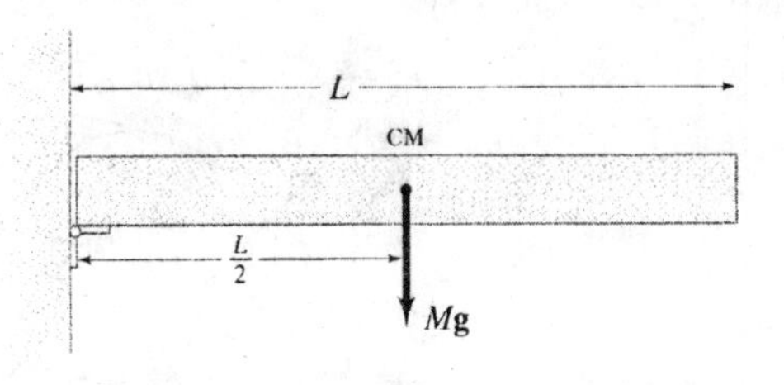

图 8-50 习题 80

81. 一轮子质量为 M 半径为 R，停放在地板上。现在要在它的轴上施加一水平力 F，使其能爬上一台阶（图 8-51）。台阶的高度为 h，且 $h<R$。所需的最小力是多少？

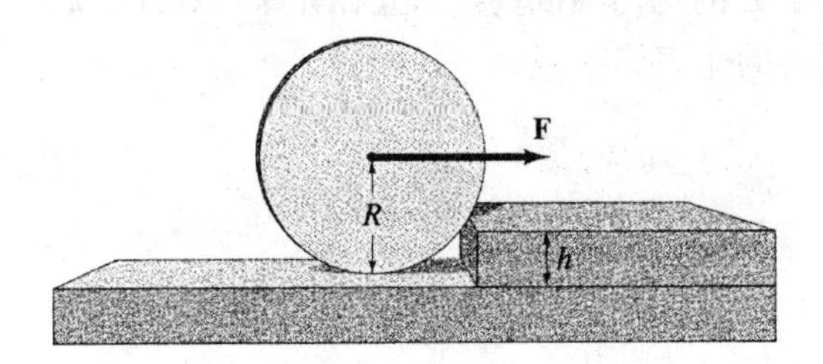

图 8-51 习题 81

82. 一自行车运动员在平坦路面上以 $v = 4.2$ m/s 的速率转了一个半径 $r = 6.4$ m 的弯。作用在运动员和车子上的力有法向力（$\mathbf{F}_N$）和路面施加的摩擦力（$\mathbf{F}_{fr}$），以及运动员和车子的总重力 $m\mathbf{g}$（见图 8-52）。（a）如果运动员保持平衡，详细解释为什么自行车与垂直方向的夹角θ（图 8-52）一定由下式给出，$\tan\theta = F_{fr}/ F_N$。（b）对已知值，求出θ。[提示：考虑自行车和运动员的"圆形"平动，]（c）如果轮胎与路面间的静摩擦系数$\mu_s= 0.70$，最小转弯半径是多少？

图 8-52 习题 82

83. 一质量 m、半径 r 的弹子球沿图 8-53 的圈型轨道滑下。如果弹子球在圆圈最高点时，不离开轨道，试求滚下的最小高度 h？设 $r<<R$，忽略摩擦损失。

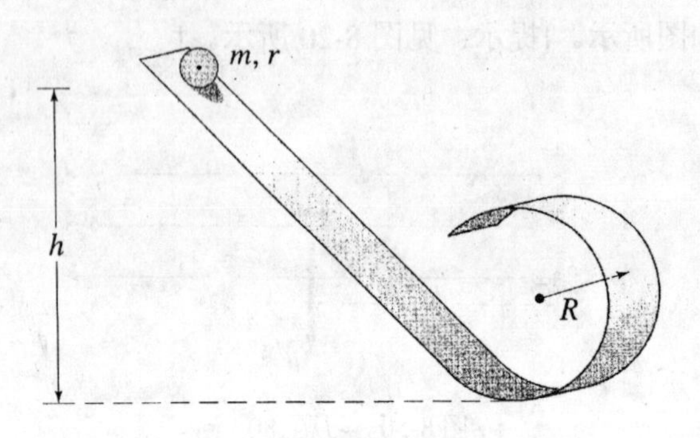

图 8-53 习题 83 和 84

84. 重做习题 83，但不假设 $r << R$。

85. 一质量 M、长度 L 的均匀细棍垂直站立在无摩擦桌面。放开让它滑倒（图 8-54）。试求碰到桌面时，其质心的速率。

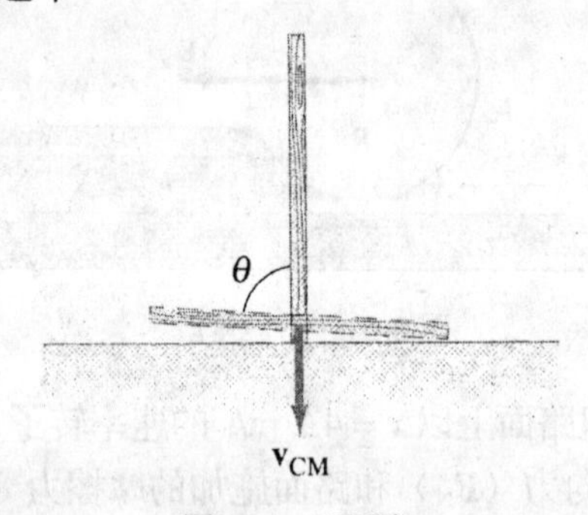

图 8-54 习题 85

图注：古罗马人于两千多年前建立的 Pont du Gard 桥至今仍然屹立在法国的南部。

第九章　平衡体；弹性与断裂

在这一章中，我们将学习运动的一种特殊情况——即作用在物体或物体系统上的力和力矩都为零。在这种情况下，物体或系统或者处于静止状态，或者其质心作匀速运动。我们将主要考虑第一种情况，即物体或物体系统都处在静止状态。现在你可能认为研究静止的物体不会很有趣，因为物体即无速度又无加速度，并且合力和合力矩都为零。但这并不意味着没有一点力作用在物体上。事实上，不可能真正找出一个不受任何力作用的物体。有时候，力会很大，以至物体严重形变，甚至断裂。要避免这种情况的发生，使**静力学**这门学科变得格外重要。

9–1　静力学——研究力的平衡

根据我们的经验，物体至少会受到一个力的作用（引力），那么如果物体是静止的，则肯定还有另一个力作用在其上，从而使合力为零。例如，在桌面上静止的物体受到两个力的作用，向下的引力和桌面施加的向上的支持力（图 9-1）。由于合力为零，桌面施加的向上的力必须在量值上等于向下的引力。（不要将这两个力与牛顿第三定律给出的大小相等、方向相反作用在不同物体上的力搞混，这里的两个力作用在同一个物体上）我们说这样的物体处在这两个力作用下的**平衡**（equilibrium 是拉丁词，表示“相等的力”或“平衡”）状态。

静力学主要涉及作用力的计算和平衡结构问题。在本章开始部分，我们先对这些力进行确定，随后讨论各种结构在不出现显著形变或断裂的情况下所能承受的力。这些技术可广泛应用于许多领域。建筑师和工程师必须能够计算作用在建筑、桥梁、机械、车辆和其它结构上的力，因为任何材料在足够大的力作用下，都会弯曲或断裂（图 9-2）。研究人体肌肉和关节的受力情况，对于药物和物理治疗，以及体育运动都具有很大的价值。

让我们看一个利用力进行治疗的简单例子。

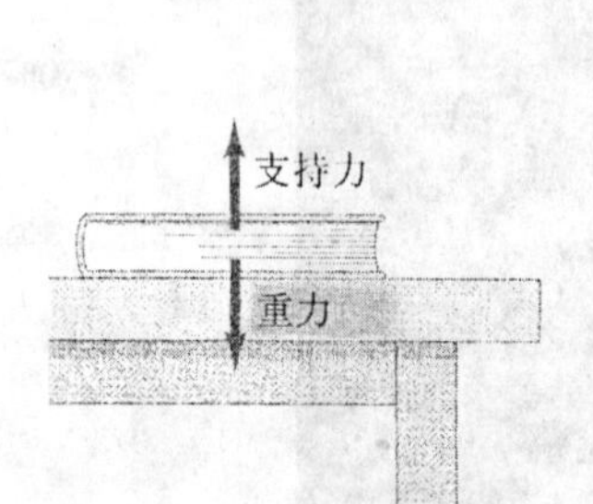

图 9-1 合力为零，书处于平衡状态。

图 9-2

例 9-1 牙齿矫正。 图 9-3a 中钢丝上的张力 F_T 为 2.0N。因此它对牙齿（与它接触的）在两个方向上施加了 2.0N 的力。试求钢丝作用在牙齿上的合力 F_W。

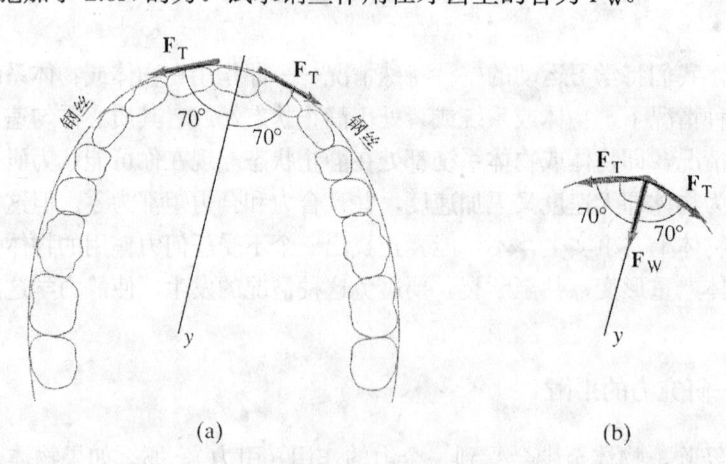

图 9-3 （例 9-1）钢丝作用在牙齿上的力

解：因为两个力相等，它们的和将沿着角等分线，我们将此方向看作 y 轴。两个力的 x 分量加起来为零。每个力的 y 分量为 $(2.0\text{N})(\cos 70^\circ) = 0.68\text{N}$；加起来后得到合力 F_W 为 1.36N，如图 9-3b 所示。注意，如果钢丝紧靠牙齿，向右的张力会大于向左的，合力的方向也会向右偏一点。

例 9-2 牵引术。 试求图 9-4 中牵引装置作用在腿上的力。设滑轮无摩擦。

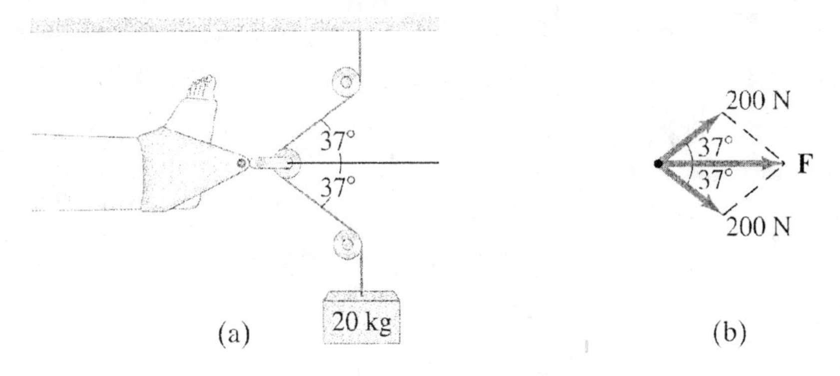

图 9-4 （例 9-2）试求中牵引装置作用在腿上的力。

解：绳子上的张力等于 $20\text{k}\times 9.8\text{m/s}^2 = 200\text{N}$ 。因此有两个 200N 的力沿 37° 角通过滑轮作用在腿上，图 9-4b。所以作用在腿上向右的合力为 $F = 2(200\text{N})\cos 37^\circ = 320\text{N}$ 。（腿是平衡的，所以必须有另一个 320N 的力作用在腿上以保持静止。这个力从哪来？）

9-2　平衡条件

静止的物体，作用其上的力加起来必须为零。因为力是矢量，合力的分量也必须为零。所以，对平衡状态有

$$\Sigma F_x = 0, \qquad \Sigma F_y = 0, \qquad \Sigma F_z = 0 \tag{9-1}$$

我们将主要考虑作用在平面上的力，因此通常只需要 x 和 y 分量。我们一定要记住如果力的分量沿负 x 轴或负 y 轴，则它必须有负号。方程 9-1 叫做**平衡的第一条件**。

例 9-3　在秤上引体向上。一个质量为 90kg 身体虚弱的人，连一次引体向上也做不了。通过站在秤上，他就可以知道自己究竟还差多少。他努力的最佳结果是秤的读数为 23kg。试问他的拉力多大？

解：有三个力作用在他身上，如图 9-5 所示：向下的引力 $mg=(90\text{kg})(9.8\text{m/s}^2)$，和两个向上的力，（1）横杆向上拉他的力 F_B（等于但反向于他作用在横杆上的力）的大小，（2）秤作用在他脚上的力 F_S。在最好情况下，$F_S=(23\text{kg})(g)$。人体没有运动，所以这些力的和为零：

$$\Sigma F_y = 0$$

$$F_B + F_S - mg = 0$$

求出 F_B：

$$F_B = mg - F_S = (90\text{kg} - 23\text{kg})(g) = (67\text{kg})(9.8\text{m/s}^2) = 660\text{N}$$

即，如果他的质量只有 67kg，他就能拉起自己。

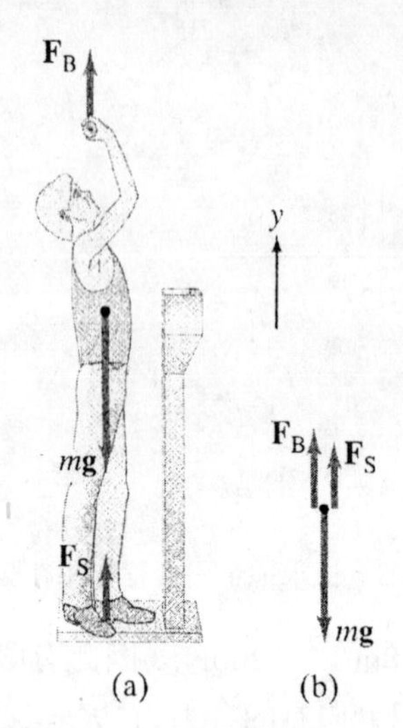

图 9-5 （例 9-3）(a)一人正在做引体向上 (b)为隔离体图

例 9-4 吊灯绳上的张力。一吊灯质量为 200kg，由如图 9-6 所示的两根绳子吊起，试求作用在绳上的张力 $\mathbf{F}_1$ 和 $\mathbf{F}_2$。

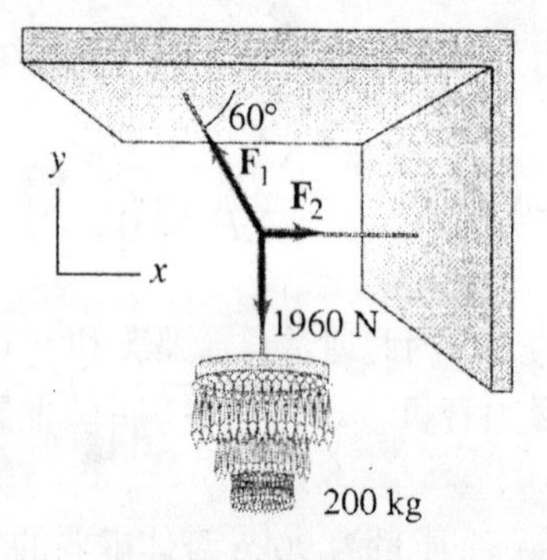

图 9-6 例 9-4

解：有三个力作用在三根绳子的连接点，$\mathbf{F}_1$、$\mathbf{F}_2$ 和吊灯的重力。我们选这个连接点（它可能是一个结）作为考虑的物体，对它我们可写出 $\Sigma F_x = 0, \Sigma F_y = 0$。（我们不用考虑吊灯本身，因为只有两个力作用在它上面，向下的引力和与此大小相等但向上的绳子拉力，两者都等于 mg =(200kg)(9.8m/s^2)= 1960N。）现在有两个未知量(F_1 和 F_2)$^+$，我们可以用方程 9-1 求解它们。首先将 $\mathbf{F}_1$ 分解成水平（x）和垂直（y）分量。虽然我们不知道 F_1 的值，但可以写出 $F_{1x} = -F_1\cos60^\circ$ 和 $F_{1y} = -F_1\sin60^\circ$。$\mathbf{F}_2$ 只有 x 分量。在垂直方向上，只有吊灯向下作用的重力 =(200kg)(g) 和 $\mathbf{F}_1$ 的垂直向上分量。因为 $\Sigma F_y = 0$，所以有

$$\Sigma F_y = F_1 \sin 60^\circ - (200\text{kg})(g) = 0$$

则有 $$F_1 = \frac{(200\text{kg})(g)}{\sin 60^\circ} = \frac{(200\text{kg})(g)}{0.866} = (231\text{kg})(g) = 2260\text{N}$$

在水平方向，

$$\Sigma F_x = F_2 - F_1 \cos 60^\circ = 0$$

因此

$$F_2 = F_1\cos 60^\circ = (231\text{kg})(g)(0.500) = (115\text{kg})(g) = 1130\text{N}$$

$\mathbf{F}_1$ 和 $\mathbf{F}_2$ 的值决定了所使用吊绳或钢索的强度。在这里，吊绳至少要能拉起 231kg 的物体。注意，在这个例子中，直到最后，我们才代入 g（重力加速度）的值。我们建立了用千克（它是比牛顿更熟悉的量）数乘以 g 作为表示力的大小的方法。

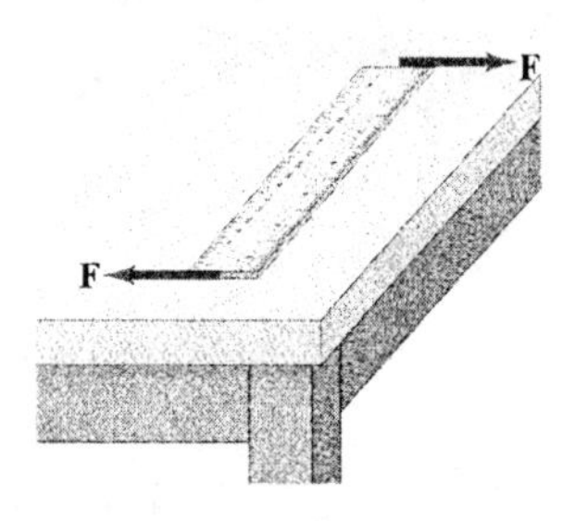

图 9-7 两个大小相等、方向相反、作用在不同直线上的力使物体产生转动

虽然一个物体处在平衡态时，方程 9-1 必须成立，但它们不是充分条件。如图 9-7 所示，作用在物体上的合力为零。虽然两个作用在物体上、标记为 **F** 的力加起来合力为零，但它们产生了使物体转动的合力矩。根据方程 8-14，$\Sigma\tau = I\alpha$，我们知道，如果物体要保持静止，作用其上的合力矩（对任意轴）必须为零。因此我们有**平衡第二条件**：作用在物体上的力矩之和必须为零：

$$\Sigma\tau = 0 \qquad \textbf{(9-2)}$$

这就可以保证对任意轴的角加速度为零。如果物体初始没有转动 $(\omega = 0)$，它将不会转动。方程 9-1 和 9-2 是物体处于平衡状态的唯一必要条件。

我们将考虑所有力作用在一个平面上的情况（xy 平面）。在这种情况下，计算力矩时是相对于垂直于 xy 平面的轴而言的。这个轴的选取是任意的。如果物体静止，那么对于任意轴 $\Sigma\tau = 0$。因此我们可以选取可使计算简化的任意轴。

[+]力 $\mathbf{F}_1$ 和 $\mathbf{F}_2$ 的方向是已知的。因为一根绳子中的张力只能沿绳子的方向，如第四章所指出的，其他任何方向的力都会使绳子弯曲，因此，我们的未知量是 F_1 和 F_2 的大小。

概念练习 例 9-5 **杠杆。** 图 9-8 中的棒作为杠杆来撬动大石块。小石块作为支点。由于是力矩支配着绕支点的转动，所以棒的长端所需的力 F_P 比石块的重力 mg 要小得多。然而，如果杠杆作用不够理想，石块没有移动。试问增加杠杆作用从而能移动石块的两个方法是什么？

答：一种方法是增加杠杆的臂长，在棒的长端套上一段管子就可得到较长的杠杆臂。第二个方法也许更容易，就是将支点移得更靠近大石块。这种方法对长臂 R 只增加了一点，但对短臂 r 变化的比例更大，因此比例 R/r 显著增加。要撬动石块，F_P 的力矩至少要与 mg 的力矩平衡，所以有 $mgr = F_P R$ 和

$$\frac{r}{R}=\frac{F_{\mathrm{P}}}{mg}$$

r 越小，与重力平衡所需的力 F_{P} 就越小。

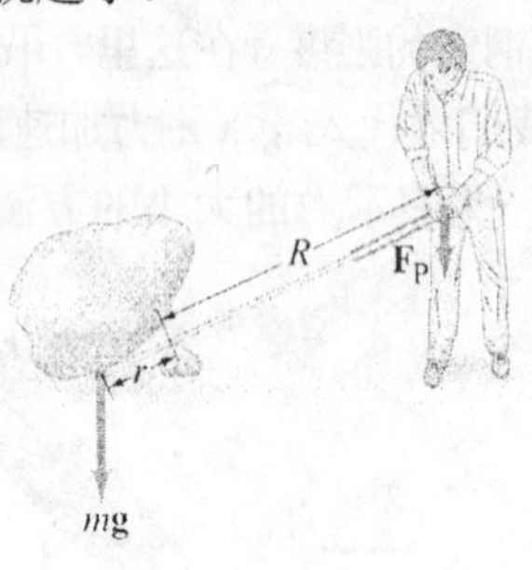

图 9-8 例 9-5

9–3 解静力学习题

静力学课程的重要性在于，它使我们能够从一些已知的作用在物体上（或其内部）的力算出其它的特定力。处理静力学问题，没有一种普遍适用的方法，但下面的解题步骤也许对你有所帮助。

解题步骤： 静力学

1. 一次选定一个要考虑的物体，仔细作出它的隔离图，标出所有作用在物体上的力，以及这些力的作用点。

2. 选择方便的坐标系，将力分解成分量。

3. 确定未知量，写出下列方程

$$\Sigma F_x=0, \qquad \Sigma F_y=0, \qquad \Sigma\tau=0$$

4. 对方程 $\Sigma\tau=0$，按需要任意选定垂直于 xy 平面的轴。（例如，你可以选取轴线使一个未知的力通过它，从而减少未知量的数目；因为这个力具有零臂长，产生零力矩，所以不会出现在方程中）。对每个力要非常仔细地确定力臂，给每个力矩标上正负号。使物体趋向反时针转动的力矩标为正号，顺时针的则标为负号。

5. 求解这些方程的未知量。三个方程最多只能解出三个未知量；它们可以是力、距离甚至角度。（如果一未知力在结果中出现负号，它表示与你最初选定的力方向相反。）

以上第 1 步可能是最难的，因为隔离图必须包括所有作用在该物体上的力，但决不能将这个物体作用于其它物体上的力也包括进来。

让我们回过头看一下例 9-4 是如何按照这个步骤解题的。注意到我们只是十分简单地考虑了作用在吊灯上的力（向下的引力和绳子中量值相等的向上拉力）。要求解的是两根绳子上的张力，所以我们选绳子的连接点（或结点）作为我们考虑的对象。因为此对象实际上是一个点，它不会有力矩，所以不需要用力矩方程。当然，如果不需要，你不必非要三个方程都用到。在许多情况下，我们必须用力矩方程，这在下面会看到。与力的分量的正负取决于其方向一样，力矩的正负也是如此。如果力矩使物体趋向反时针转动，则为正号，使物体趋向顺时针转动的则为负号。

表述力矩平衡的另一种方法是所有顺时针的力矩之和等于所有逆时针的力矩之和。对力来说，则是向上力的和等于向下力的和，向右的水平力的和等于向左的水平力的和。

作用在物体上的一个力是引力。如果我们用重心和质心的概念（实际使用中它们是同一个点），我们在本章进行的分析将会大大简化。正如在7-8节讨论过的，我们可将作用在物体上的引力看作整体作用在质心上。对于对称、均匀的物体来说，质心就是它的几何中心。对于复杂的物体，质心可用7-8节讨论过的方法确定。

例 9-6 跷跷板的平衡。 一块质量为2.0kg的木板被两个孩子用作跷跷板，如图9-9a所示。一个质量为30kg的孩子坐在离支点2.5m处（即他的质心离支点2.5m）。另一个孩子质量为25kg，她应坐在离支点多远距离（x）才能使跷跷板平衡？设木板是均匀的，且中心在支点上。

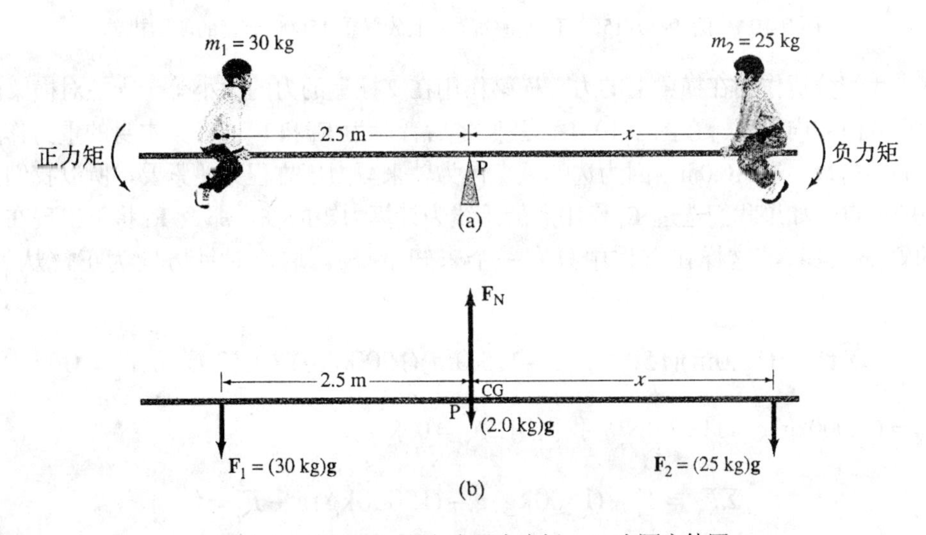

图 9-9 （例 9-6）两小孩玩跷跷板，(b)为隔离体图

解： 图9-9b给出木板的隔离图。作用在木板上的力是两个孩子施加的向下的力 $\mathbf{F}_1$ 和 $\mathbf{F}_2$，以及支点向上的作用力 $\mathbf{F}_N$，和作用在均匀木板中心的引力（它的重力）。让我们对支点计算力矩 P：$\mathbf{F}_N$ 和木板重力的杠杆臂长为零，它们将不出现在力矩方程中。因此力矩方程只包括力 $\mathbf{F}_1$ 和 $\mathbf{F}_2$，它们是两个孩子所受的重力。每个孩子的作用力矩为 mg 乘以杠杆臂长，即他们离支点的距离。因此力矩方程为

$$\Sigma\tau = (30\text{kg})(g)(2.5\text{m}) - (25\text{kg})(g)(x) = 0$$

这里使木板趋向反时针转动的力矩选为正号，使物体趋向顺时针转动的选为负号。引力加速度 g 出现在方程两边，可以消去。求出 x 为

$$x = \frac{(30\text{kg})(2.5\text{m})}{25\text{kg}} = 3.0\text{m}$$

要平衡跷跷板，第二个孩子必须坐在使她的质心离支点3.0m处。也就是说，因为她比较轻，所以她要坐得离支点远一点。

例 9-7 横梁和支柱上的力。一均匀横梁质量为 1500kg，长为 20.0m。一质量为 15000kg 的印刷机放在离右支撑柱 5.0m 处（图 9-10）。试求作用在每个垂直支柱上的力。

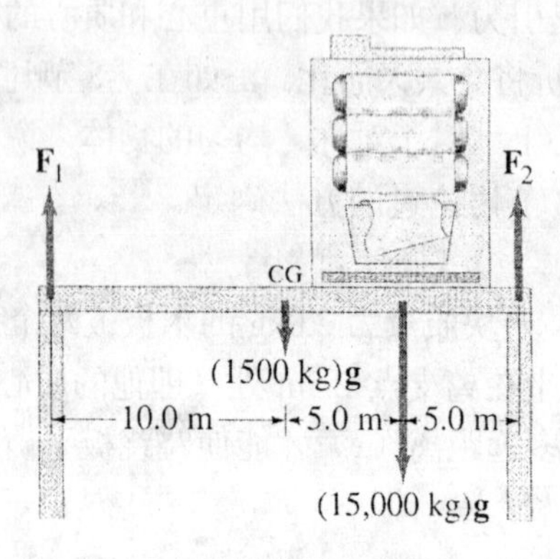

图 9-10 （例 9-7）1500 千克重的横梁上放置重 15000 千克的印刷机。

解：我们分析作用在横梁上的力。横梁作用在支柱上的力的大小等于支柱对横梁的作用力的大小，但方向相反。在图 9-10 中，我们将后者标为 $\mathbf{F}_1$ 和 $\mathbf{F}_2$。横梁本身的重力作用在它的重心上，离每一端 10.0m。因为选哪一点作为轴来写力矩方程无关紧要，所以我们可以选取方便的一点。如果我们选过 $\mathbf{F}_1$ 作用点的垂线为计算力矩的轴，那么 $\mathbf{F}_1$ 将不出现在方程中（它的臂长为零），这样在方程中只有一个未知量 F_2。取反时针方向为正，从 $\Sigma\tau = 0$ 得

$$\Sigma\tau = -(10.0\text{m})(1500\text{kg})g - (15.0\text{m})(15000\text{kg})g + (20.0\text{m})F_2 = 0$$

解出 $F_2 = (12000\text{kg})g = 118000\text{N}$。我们用 $\Sigma F_y = 0$ 求 F_1：

$$\Sigma F_y = F_1 - (1500\text{kg})g - (15000\text{kg})g + F_2 = 0$$

代入 $F_2 = (12000\text{kg})g$，我们得到 $F_1 = (4500\text{kg})g = 44100\text{N}$。

要确认结果不依赖于轴选在那里，我们可以选取不同的轴，如选横梁的另一端，过 F_2 作用点的垂线为轴。在这种情况下，力矩方程为

$$\Sigma\tau = -(20.0\text{m})F_1 + (10.0\text{m})(1500\text{kg})g + (5.0\text{m})(15000\text{kg})g = 0$$

从这个方程解出 $F_1 = (4500\text{kg})g$，与前面结果一致。ΣF_y 方程也与前面的一样，可得 $F_2 = (12000\text{kg})g$。所以不管选取哪个轴计算力矩，我们得到的结果都一样。

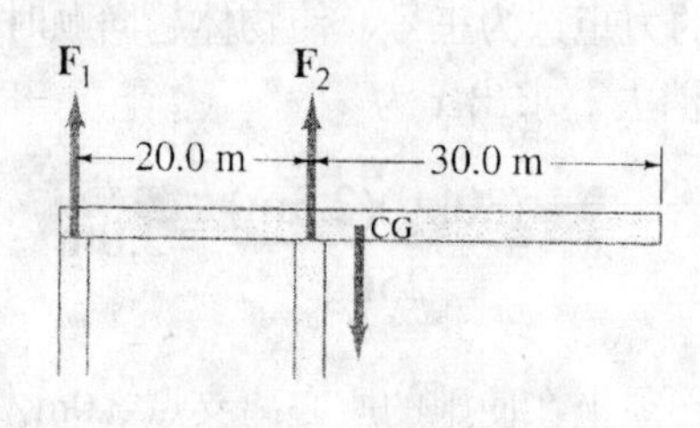

图 9-11 悬臂梁

在图 9-11 中，将横梁伸出支柱一定距离成为类似跳水板的装置。这样的横梁叫做悬臂梁。在这个图中，作用在梁上的力有支撑力 $\mathbf{F}_1$ 和 $\mathbf{F}_2$，和作用在离右支柱 5.0m 处重心上的引力。如果你按上例的步骤计算 F_1 和 F_2，设它们如图指向上，你将会发现 F_1 成为负值。如果横梁的质量为 1200kg，那么 F_2=1500N，F_1= -3000N（见习题 15）。未知力出现负值，它只表示力的实际方向与你设定的方向相反。因此，在图 9-11 中，$\mathbf{F}_1$ 实际上指向下。稍微想一下，就会清楚要使横梁处于平衡状态，左支柱必须向下拉横梁（用螺栓、螺钉、扣件或粘胶）；否则相对于重心（或对于 $\mathbf{F}_2$ 作用点）的力矩和就不为零。

在下面的例子中，一横梁用铰链和吊索固定在墙上（图 9-12）。这里要牢记柔性绳索只能沿它的长度方向施加力。（如果存在垂直于绳索的力分量，它就会弯曲，因为它是柔性的。）对刚性装置，如图 9-12 中的铰链，力可以沿任意方向，只有解完题后，才能知道它的方向。

例 9-8　横梁和吊索。一质量 m = 25.0kg，长度为 2.20m 的均匀横梁用铰链安装在墙上，如图 9-12 所示。横梁由一根与其夹角角度为 30.0° 的吊索拉到水平位置。横梁末端悬吊着质量 M=280kg 的物体。试求铰链作用在横梁上力 $\mathbf{F}_\mathrm{H}$ 的分量，以及吊索上张力 $\mathbf{F}_\mathrm{T}$ 的分量。

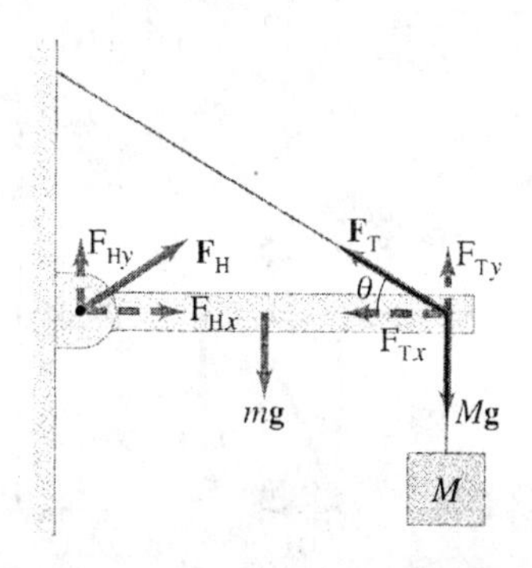

图 9-12　(例 9-8)横梁的隔离图

解：图 9-12 是横梁的隔离图，给出了所有作用在横梁上的力；同时也给出了力 F_H 和 F_T 的分量。我们有三个未知量，$F_{\mathrm{H}x}$，$F_{\mathrm{H}y}$ 和 F_T（已知 θ），所以需要三个方程 $\Sigma F_x = 0, \Sigma F_y = 0, \Sigma\tau = 0$。

在垂直（y）方向，力的和为

$$\Sigma F_y = F_{\mathrm{H}y} + F_{\mathrm{T}y} - mg - Mg = 0 \quad \textbf{(i)}$$

在水平（x）方向，力的和为

$$\Sigma F_x = F_{\mathrm{H}y} - F_{\mathrm{T}x} = 0 \quad \textbf{(ii)}$$

对力矩方程，我们选 $\mathbf{F}_\mathrm{T}$ 和 $M\mathbf{g}$ 的作用点（这样我们的方程就只有一个未知量 $F_{\mathrm{H}y}$，从而能够很快解出来）；选使横梁逆时针转动的力矩为正。横梁的重力 mg 作用在它的中心，所以有

$$\Sigma\tau = -(F_{\mathrm{H}y})(2.20\mathrm{m}) + (mg)(1.10\mathrm{m}) = 0$$

或

$$F_{\mathrm{H}y} = \frac{1}{2}mg = \frac{1}{2}(25.0\mathrm{kg})(9.8\mathrm{m/s^2}) = 123\mathrm{N}$$

其次，因为张力 F_T 沿着吊索方向（$\theta=30^\circ$），

$$F_{Ty} = F_{Tx}\tan\theta = 0.577F_{Tx} \qquad \text{(iii)}$$

从方程(i)，(ii)，(iii)，我们有

$$F_{Ty} = (m+M)g - F_{Hy} = (305\text{kg})(9.8\text{m/s}^2) - 123\text{N} = 2870\text{N}$$

$$F_{Tx} = \frac{F_{Ty}}{0.577} = 4970\text{N}$$

$$F_{Hx} = F_{Tx} = 4970\text{N}$$

$\mathbf{F}_H$ 的分量为，F_{Hy}=123N 和 F_{Hx}=4970N。吊索上的张力为 $F_T = \sqrt{F_{Tx}^2 + F_{Ty}^2} = 5740\text{N}$ 。

例 9-9 梯子。 一梯子长 5.0m，斜靠在墙上 4.0m 高处的一点，如图 9-13 所示。均匀梯子的质量为 12.0kg。设墙是无摩擦的（但地面不是）。试求地面和墙壁对梯子的作用力。

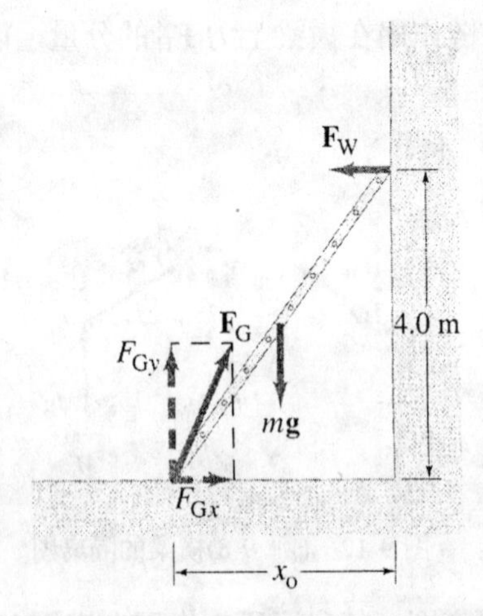

图 9-13（例 9-9）靠在墙上的梯子

解：图 9-13 给出梯子的隔离图，所有作用在梯子上的力都已标出。因为墙是无摩擦的，它只能沿垂直墙壁的方向施加力，我们将这个力标为 $\mathbf{F}_W$。然而，地面可以施加水平和垂直两个方向的力，即水平摩擦力 F_{Gx} 和垂直支持力 F_{Gy}。最后，因为梯子是均匀的，引力 mg = (12.0kg)(9.8m/s^2)=118N 作用在梯子的中点。力方程的 y 分量为

$$\Sigma F_y = F_{Gy} - mg = 0$$

所以我们马上可以得出 $F_{Gy} = mg$ =118N，力方程的 x 分量为

$$\Sigma F_x = F_{Gx} - F_W = 0$$

因为有两个未知量，要确定 F_{Gx} 和 F_W，我们需要另一个方程，即力矩方程，我们以梯子着地点为轴计算力矩。这一点离墙的距离为 $x = \sqrt{(5.0\text{m})^2 - (4.0\text{m})^2} = 3.0\text{m}$ 。重力 mg 的力臂是这个值的一半，即 1.5m，而 F_W 的力臂为 4.0m。因为 F_G 作用在轴上，它的力臂为零，所以不

出现在方程中（我们计划如此），我们有

$$\Sigma\tau=(4.0\text{m})F_{\text{W}}-(1.5\text{m})mg=0$$

因此

$$F_{\text{W}}=\frac{(1.5\text{m})(12.0\text{kg})(9.8\text{m/s}^2)}{4.0\text{m}}=44\text{N}$$

从力方程的 x 分量，

$$F_{\text{G}x}=F_{\text{W}}=44\text{N}$$

因为 $\mathbf{F}_{\text{G}}$ 的分量 $F_{\text{G}x}$= 44N 和 $F_{\text{G}y}$=118N，所以

$$F_{\text{G}}=\sqrt{(44\text{N})^2+(118\text{N})^2}=126\text{N}\approx130\text{N}$$

（舍为两位有效数字）它的作用角

$$\theta=\tan^{-1}(118\text{N}/44\text{N})=70^{\circ}$$

此方向是相对于地面的。注意，因为梯子是刚体，不像绳索那样柔软，所以力 $\mathbf{F}_{\text{G}}$ 不一定非要沿梯子的方向作用。

*9-4 肌肉和关节中的应用

我们讨论的计算平衡物体受力情况的方法可以很轻易地应用于人类（或动物）身体。这些方法在研究运动或静止生物体的肌肉、骨骼和关节受力情况时极为有用。通常肌肉通过肌腱附着在两块不同的骨骼上（见图 9-14）。附着点叫*嵌入*。两块骨骼在*关节* 处被柔性连接，如在肘、膝和髋关节处。当受到神经刺激时，肌肉纤维收缩从而产生拉力，但它不能产生推力。肌肉趋向于将两个肢体拉近，如大臂上（图 9-14）的二头肌叫做*屈肌*；那些起伸开肢体作用的，如三头肌，叫做*伸肌*。大臂上的屈肌在举起物体时起作用；伸肌在扔出物体时起作用。

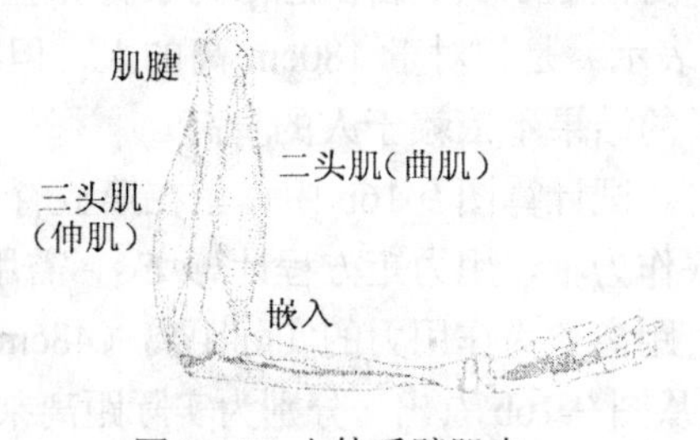

图 9-14 人体手臂肌肉

例 9-10 二头肌的作用力。 当手里举着 5.0kg 的物体时，二头肌的作用力是多少？（a）小臂平举，如图 9-15a，（b）小臂于水平成 30°角时，如图 9-15b。设小臂和手的质量为 2.0kg，它们的质心如图所示。

解：（a）如图 9-15a 所示，作用在小臂上的力包括肌肉施加的向上的力 F_{M} 和关节处大臂骨的作用力 F_{J}（设两者都垂直）。我们用力矩方程，可很容易地求出 F_{M}，选作用轴通过关节，因此 F_{J} 不记入计算：

$$\Sigma\tau = (0.050\text{m})(F_{\text{M}}) - (0.15\text{m})(2.0\text{kg})(g) - (0.35\text{m})(5.0\text{kg})(g) = 0$$

求出 $F_{\text{M}}=(41\text{kg})(g)=400\text{N}$。

（b）三个力相对于关节的力臂都减少了因子 cos30°。所以力矩方程除了每项乘以“cos30°”外，与上面给出的一样。由于相同因子可能被消去，所以结果一样，$F_{\text{M}} = 400\text{N}$。

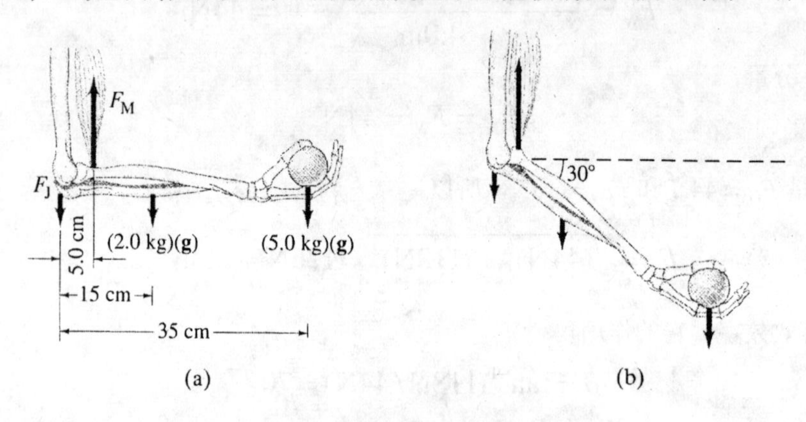

图 9-15 例 9-10

在这个例子中，所需的肌肉施加的力（400N）比举起的重量（49N）大许多。确实，身体的肌肉和关节通常承受的力就是相当大的。

肌肉的嵌入点位置随不同的人变化。二头肌嵌入点轻微的变化（如从 5.0cm 到 5.5cm），可给拉力或其它用力情况带来相当大的变化。实际上，优秀运动员的肌肉嵌入点比普通人离关节的距离要远，不仅对一块肌肉如此，通常对所有的也是如此。

作为人体可产生很大作用力的另一个例子，我们考虑当人向前弯腰时，支持躯干的肌肉（图 9-16a）产生的作用力。对这种弯曲的姿势，脊柱的最低一个脊椎（第五脊椎）起着支点的作用。脊背上的“背扩肌”支撑着躯干与脊轴成 12°角。图 9-16b 给出上体受到的作用力的简单示意图。我们设躯体与水平成 30°角。背部肌肉施加的力用 $\mathbf{F}_{\text{M}}$ 表示，作用在最低脊椎处的力为 $\mathbf{F}_{\text{V}}$，$\mathbf{w}_1$、$\mathbf{w}_2$ 和 $\mathbf{w}_3$ 分别表示头、自由悬吊的手臂和躯干的重力。给出的近似值从表 7-1 得到。距离值（用 cm 表示）是相对于 180cm 高的人，但对任意高度的平均人体，这个比例接近 1:2:3，下面例子的结果不依赖于人的身高。

例 9-11 背部的作用力。试计算图 9-16b 中作用在第五脊椎处的力 $\mathbf{F}_{\text{V}}$ 的方向和量值。

解：首先我们取脊椎底作为轴，用力矩方程计算 F_{M}。需用三角函数确定力臂。$\mathbf{F}_{\text{M}}$ 的力臂（从轴到力作用线的垂直距离）为作用力的实际距离（48cm）乘以 sin12°，如图 9-16c 所示。$\mathbf{w}_1$、$\mathbf{w}_2$ 和 $\mathbf{w}_3$ 的力臂可从图 9-16b 看出，分别为实际距离乘以 sin60°。因此，$\Sigma\tau=0$ 给出

$$\begin{aligned}(0.48\text{m})(\sin 12^{\circ})(F_{\text{M}}) &- (0.72\text{m})(\sin 60^{\circ})(\omega_1) \\ &- (0.48\text{m})(\sin 60^{\circ})(\omega_2) - (0.36\text{m})(\sin 60^{\circ})(\omega_3) = 0\end{aligned}$$

这里我们选反时针方向为正。代入 w_1、w_2 和 w_3 的值，求出 $F_{\text{M}} = 2.2w$，这里 w 是躯体的总重量。我们用力方程的 x 和 y 分量，求 $\mathbf{F}_{\text{V}}$ 的分量（注意，30°-12°=18°）：

$$\Sigma F_y = F_{Vy} - F_M \sin 18^\circ - \omega_1 - \omega_2 - \omega_3 = 0$$

$$F_{Vy} = 1.3\omega$$

$$\Sigma F_x = F_{Vx} - F_M \cos 18^\circ = 0$$

$$F_{Vx} = 2.1\omega$$

则有

$$F_V = \sqrt{F_{Vx}^2 + F_{Vy}^2} = 2.5\omega$$

F_V与水平的夹角由下式给出：

$$\tan\theta = \frac{F_{Vy}}{F_{Vx}} = 0.62 \quad 因此，\theta = 32^\circ$$

因此作用在最低脊椎处的力为身体重量的 2.5 倍！这个力从脊椎底部的骶骨传递到充满液体的柔性的椎间盘。显然，脊柱底部的椎间盘受到很大的力的压迫。[如果身体弯曲不大（如图 9-16b 中，从 30°变成 60°或 70°），那么腰部的应力就会减小（见习题 40）。]

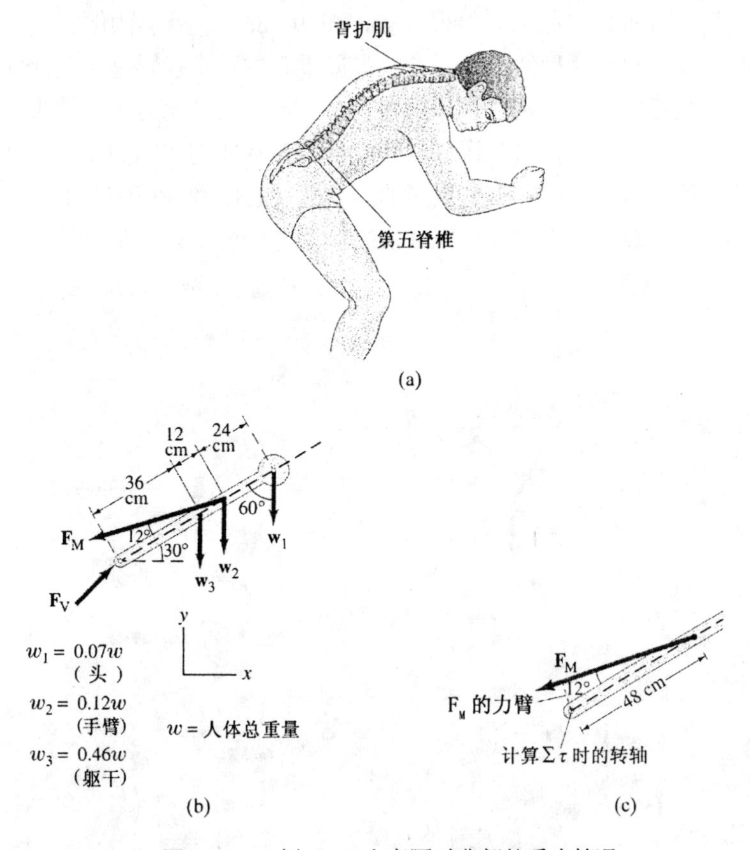

图 9-16　(例 9-11)人弯腰时背部的受力情况。

如果图 9-16 中的人具有 90kg 质量，并在手里举着 20kg 的物体（这使 w_2 增加到 0.33w），那么 F_V 增加到接近人体重量的五倍(5w)！（对这个 2000 磅的人，作用在椎间盘的力达到 1000 磅！）由于有这样强的作用力，对于许多人时常遭受腰痛就一点也不奇怪了。

*9–5 稳定和平衡

处于静平衡的物体，如果不扰动它，由于所有作用力和力矩的和为零，它将不具有平动和转动加速度。然而，如果给物体一个轻微的位移，就会出现三种不同的情况：（1）物体回到初始位置，这种情况叫做**稳定平衡**；（2）物体离初始位置越来越远，这种情况叫做**非稳定平衡**；（3）物体保持在新位置上，这种情况叫做**中性平衡**。

考虑下面的例子。用线自由悬垂的球处于稳定平衡状态，因为如果将它移向一边，它会很快返回初始位置（图 9-17a）。而用笔尖站立的铅笔处于非平衡状态。如果它的重心直接落在笔尖上（图 9-17b），作用于它的合力和合力矩为零。但如果给它极微小的位移（如轻微的振动或很小的空气流动），它就会受到力矩作用，从而倒向初始位移的方向。最后，物体处于中性平衡状态的例子是水平桌面上静止放置的球。如果它向一边轻微移动，它将保持在新位置上。

在许多情况下，如设计一种结构和工作中的人体，我们对保持稳定平衡感兴趣。通常，重心低于支撑点的物体（如线上悬挂的球）处于稳定平衡状态。如果重心高于支撑面，情况比较复杂。考虑一台站立的冰箱（图 9-18a）。如果它轻微倾斜，由于存在如图 9-18b 所示的力矩，它将回到初始位置。但如果倾斜得太多，图 9-18c，它就会倾倒。当重心超过支撑点以上的临界点时，就会出现这种情况。通常，如果重心的垂直投影落在支撑面以内，重心在支撑面以上的物体是稳定的。这是由于作用在物体上向上的法向力（抵消重力）只能由接触面施加，所以，如果重力作用在这个区域以外，合力矩将使物体倾倒。稳定性是相对的。一块砖侧放比立起来稳定，因为这样需要更多的力才能使它倾倒。在图 9-17b 中铅笔的极端情况下，基座实际是一个点，轻微的扰动就会使它倾倒。一般来说，基座越大、重心越低，物体越稳定。

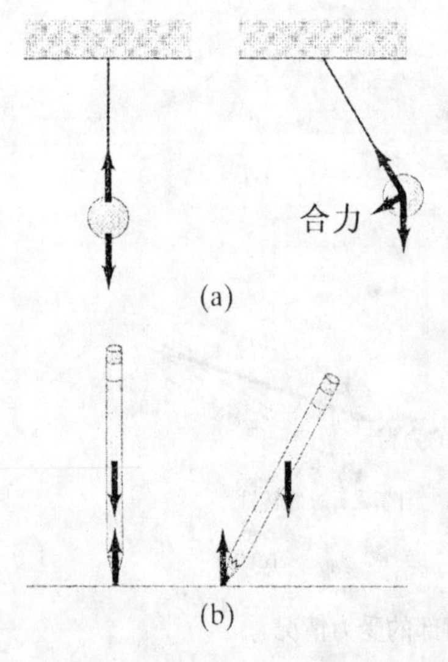

图 9-17 稳定平衡和非稳定平衡

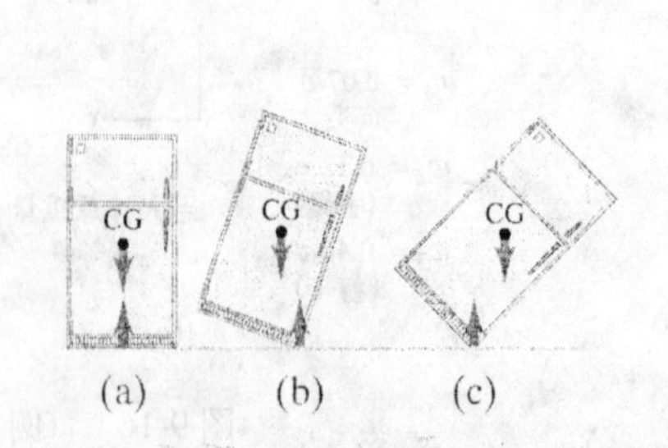

图 9-18 冰箱在地面上的平衡情况

在这种情况下，人类远没有四条腿的动物稳定，它们不仅由于有四条腿而具有一个大的支撑面，而且也具有较低的重心。为了解决这个问题，人类不得不发展特殊的器具，如强壮的肌肉，来维持自己直立的同时保持稳定。由于其直立姿势，人类遭受了众多的病痛，如我们在例 9-11 中看到的，由于很大力的作用，导致腰背疼痛。当行走和进行其它运动时，人类持续地改变身体使重心落在脚上，虽然对于普通成年人，这完全是无意识的。甚至像弯腰这样简单的动作，需要臀部后移，以便使重心保持在脚上，做这样的动作是无须思考的。看一下这个动作，背靠墙，固定脚跟，尝试用手触摸你的脚趾。你不可能做倒这一点而不跌倒。背负重物的人自动调节他们的姿势，以便使总质量的重心落在脚上，图 9-19。

图 9-19　人靠调整姿势来获得身体的平衡

9–6　弹力；应力和应变

在本章第一节，我们讨论了如何计算作用在平衡物体上的力。在这一节，我们讨论这些力的影响：任意物体在力的作用下都会出现形变。在 9-7 节，我们将看到，如果力足够大，物体将断裂。

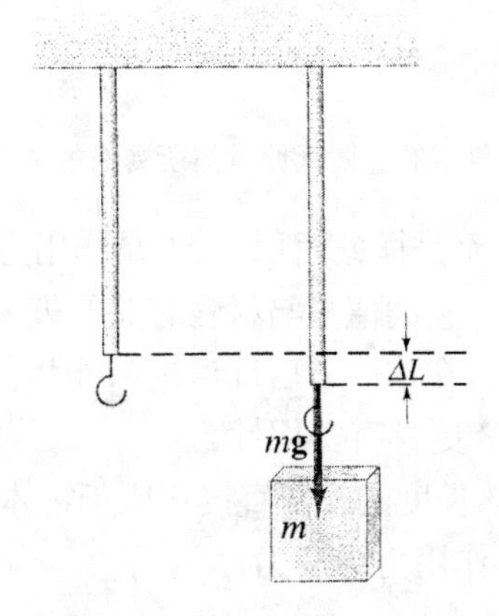

图 9-20　胡克定律：$\Delta L \propto$ 作用力

如果力施加在物体上，如图 9-20 中悬挂的金属棒，物体的长度就会改变。如果延伸量 ΔL 与物体的长度相比很小，实验发现 ΔL 正比于重量或施加在物体上的力。这个比例，如我们在 6-4 看到的，可写成一个方程：

$$F = k\Delta L \tag{9-3}$$

这里 F 代表作用在物体上的拉力（或重量），ΔL 是长度的改变，k 是比例常数。方程 9-3，有时叫做**胡克定律**，以罗勃特· 胡克（1635-1703）命名，他首先发现了这个关系。实验发现，方程 9-3 几乎对从铁到骨骼的所有固体材料成立，但它有一个上限。因为如果力太大，物体会过度延伸，以至最终断裂。图 9-21 给出延伸量与所加力的典型示意图。直到一个叫做**比例极限**的点之前，方程 9-3 对许多普通材料是一个很好的近似，曲线是直线。超过这个点，曲线偏离线性，F 与 ΔL 之间不再是简单的比例关系。虽然如此，沿曲线更远的点叫弹性限，在这点之前，如果去掉作用力，物体将回到初始长度。从初始点到弹性限叫*弹性区*。如果物体伸长超过弹性限，进入塑性区：此时除去外力，物体将不能恢复到初始长度，将保持永久形变（像折弯的回型针）。最大延伸点叫断裂点。在不断裂情况下，所能施加的最大力叫材料的**强度极限**（在 9-7 节讨论过的，单位面积上的实际作用力）。

物体的延伸量，如图 9-20 中的棒，不仅依赖于所加力的大小，而且与制成材料和形状有关。即，方程 9-3 中的常数 k 可用这些因子写出。如果我们比较同样材料制成的但长度和横截面不同的棒，就会发现对于同样的作用力，延伸量正比于初始长度，反比于横截面积。即，物体越长，在一定力作用下，延伸越多；它越粗，延伸越少。将这些结果用于方程 9-3 得到

$$\Delta L = \frac{1}{E}\frac{F}{A}L_0 \qquad \textbf{(9-4)}$$

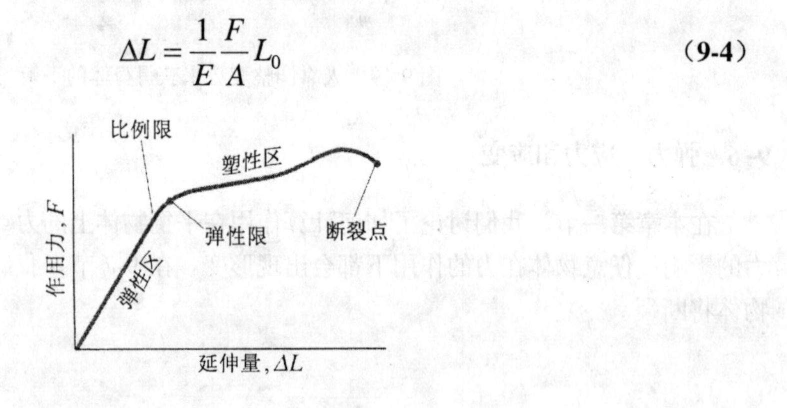

图 9-21 典型的金属延伸量与所受力的关系曲线

这里 L_0 是物体的初始长度，A 是横截面积，ΔL 是作用力 F 引起的长度的改变。E 是比例常数，叫做**切变量或杨氏模量**，它的值只与材料有关。表 9-1 给出不同材料的杨氏模量值（注意：表中的切变和体积模量将在这一节后部讨论）。因为 E 只是材料的性质，与物体的尺寸或形状无关，方程 9-4 比 9-3 更具有实用性。

从方程 9-4，我们看到，物体长度的改变直接正比于物体长度 L_0 和单位面积作用力 F/A 的乘积。通常，定义单位面积上作用力为**应力**：

$$\text{应力} = \frac{\text{作用力}}{\text{横截面积}} = \frac{F}{A}$$

它的单位是 N/m^2。同样，**应变**定义为长度改变与初始长度的比；

$$\text{应变} = \frac{\text{长度改变量}}{\text{初始长度}} = \frac{\Delta L}{L_0}$$

这是个无量纲数（无单位）。因此，应变是物体长度的变化率，是物体形变多少的度量。应力由外部媒介施加到材料上，而应变是材料对应力的响应。方程 9-4 可写成

$$\frac{F}{A} = E\frac{\Delta L}{L_0} \tag{9-5}$$

或

$$E = \frac{F/A}{\Delta L/L_0} = \frac{\text{应力}}{\text{应变}}$$

因此，我们看到在图 9-21 的线性（弹性）区，应变直接正比于应力。

表 9-1　不同材料的弹性模量值

材料	弹性模量 E (N/m^2)	切变模量 G (N/m^2)	体积模量 B (N/m^2)
固体			
铁,铸铁	100×10^9	40×10^9	90×10^9
钢	200×10^9	80×10^9	140×10^9
黄铜	100×10^9	35×10^9	80×10^9
铝	70×10^9	25×10^9	70×10^9
混凝土	20×10^9		
砖	14×10^9		
大理石	50×10^9		70×10^9
花岗岩	45×10^9		45×10^9
木材(松木)			
（平行纹理）	10×10^9		
（垂直纹理）	1×10^9		
尼龙	5×10^9		
骨头(四肢)	15×10^9	80×10^9	
液体			
水			2.0×10^9
酒精（乙基）			1.0×10^9
水银			2.5×10^9
气体$^+$			
空气，氢气，氦气，二氧化碳			1.01×10^9

$^+$在常压下，测量过程保持恒温。

例 9-12　钢琴丝上的张力。一根 1.6m 长的钢琴钢丝直径为 0.20cm。如果当它绷紧时伸长了 0.30cm，试求钢丝上的张力多大？

解：我们用方程 9-5 求 F，注意到面积 $A = \pi r^2 = (3.14)(0.0010\text{m})^2 = 3.1\times10^{-6}\text{m}^2$。因此

$$F = E\frac{\Delta L}{L_0}A$$

$$= (2.0\times10^{11}\,\mathrm{N/m^2})(\frac{0.0030\mathrm{m}}{1.60\mathrm{m}})(3.1\times10^{-6}\,\mathrm{m^2}) = 1200\mathrm{N}$$

这里我们从表 9-1 得到 E 的值。钢琴所有钢丝上的张力很大，必须用强度很高的骨架才能支撑它。

我们说图 9-20 中的棒处在张力或**拉伸应力**作用下。不仅由于棒底端有向下的拉力，而且由于棒是平衡的，其顶端也有一个相等的向上作用力，图 9-22a。实际上，这个拉伸应力作用在整个材料上。例如，考虑悬吊棒的下半部，如图 9-22b 所示。下半部处于平衡态，所以必须有向上的力去抵消下端头向下的力。这个向上的力从哪来？它肯定来自上半部。因此，我们看到作用于物体的外力引起了材料本身的内力，即应力。（回顾 92 页讨论过的绳子的张力。）

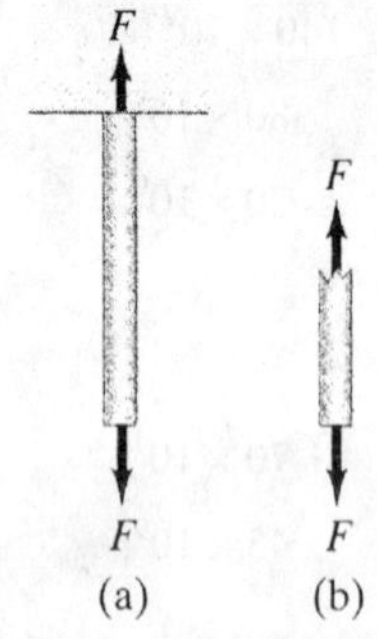

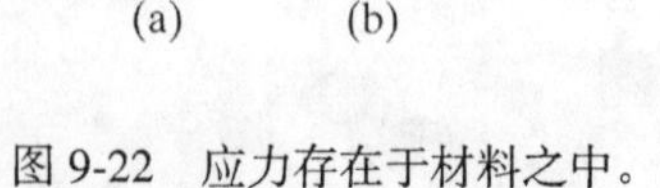

图 9-22　应力存在于材料之中。

图 9-23　古希腊神庙。

应变或形变来自拉伸应力，它是材料可能承受的一种应力形式。还有其它两种普通类型的应力：压应力和切变应力。**压应力**是正好与拉伸应力相反。当材料被压缩时，力向物体内部作用。支撑重物的圆柱，如希腊神庙的柱子（图 9-23），或图 9-10 中横梁的支撑物，都受到压应力作用。方程 9-4 和 9-5 同样可用于压缩和拉伸，弹性模量 E 的值通常是一样的。

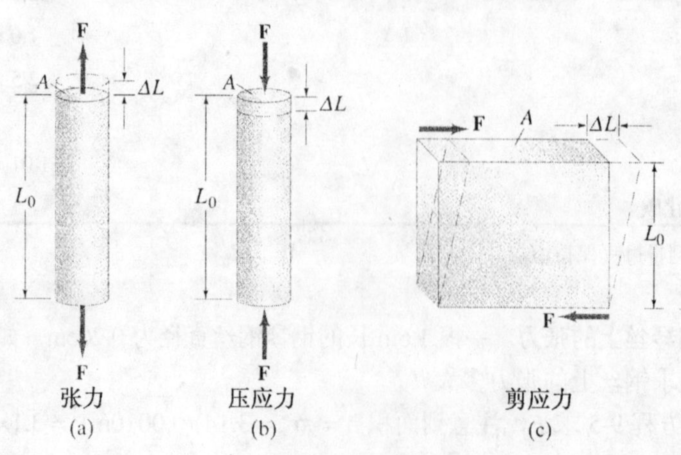

图 9-24　刚体中可能存在的三种应力

图 9-24 对拉伸和压应力，以及第三种形式切变应力作了比较。在**切变应力**作用下，物体受到相等、反向的力横向作用在相对的两个面上。一个例子是书或砖紧贴在桌面上，一个力平行作用在上表面。桌子沿底面施加了一个相等、反向的力。虽然物体的大小没有显著改变，但图中物体的形状确实改变了。一个类似与方程 9-4 的方程可用来计算切变应变：

$$\Delta L=\frac{1}{G}\frac{F}{A}L_0 \tag{9-6}$$

但 ΔL，L_0 和 A 必须按图 9-24c 中给出的那样重新解释。注意 A 是作用力平行面的面积（不是拉伸和压缩的垂直面），ΔL 垂直于 L_0。比例常数 G 叫做**切变模量**，通常只有弹性模量 E（见表 9-1）的三分之一到一半。图 9-25 说明了为什么 $\Delta L\propto L_0$：对同样的切变应力，较厚的书发生了较大的变形。

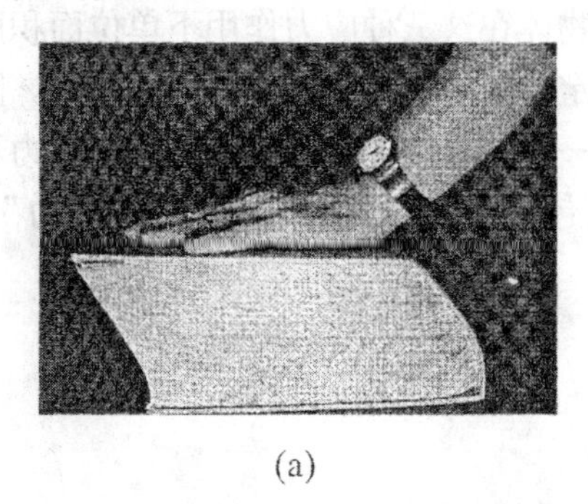

(a)

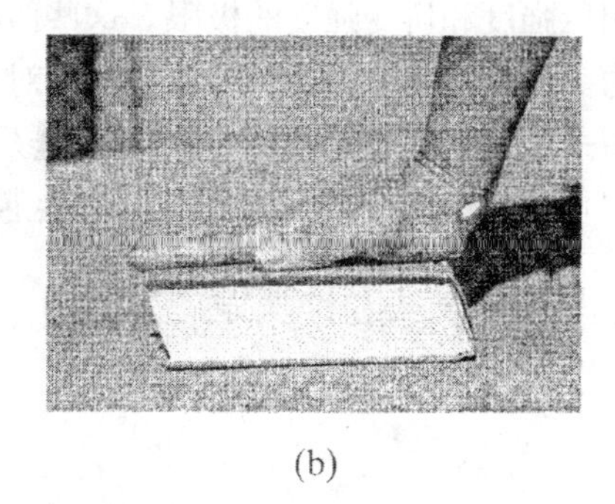

(b)

图 9-25　在相同的受力情况下，较厚的书本比薄的书本更容易变形。

图 9-24 中的长方体在图示力的作用下实际上不处于平衡态，因为有合力矩存在。如果这个物体确实平衡，则必须有其它两个力来抵消这个力矩。一个在右边垂直向上作用，另一个在左边垂直向下作用，如图 9-26 所示。通常，切变应力就是这种情况。如果这个物体是放在桌子上的一块砖或一本书，这两个附加力由桌面和给出水平力的物体施加（如手横推书面）。

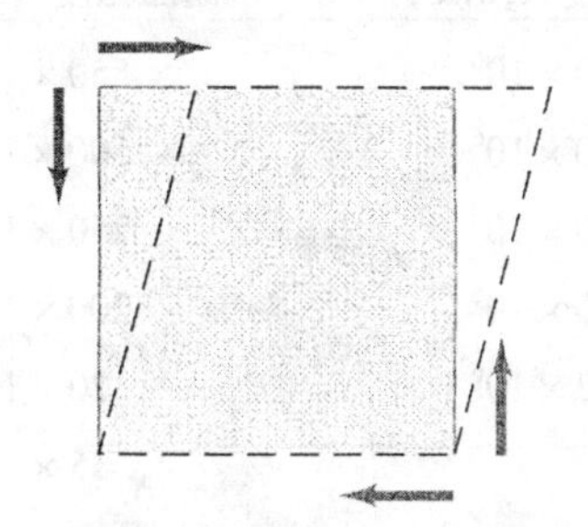

图 9-26　力和力矩的平衡

如果物体所有的侧面承受向内的压力，它的体积将减小。通常情况是浸入液体中的物体；在这种情况下，液体在所有方向上对物体施加压力，如我们将在第十章看到的。压力定义为单位面积上的力，因此等同于应力。对于这种情况，观察到体积的改变ΔV 正比于初始体积 V_0 和 ΔP 。因此，我们得到与方程 9-4 同样的表达式，但所用的比例常数叫**体积模量** B：

$$\frac{\Delta V}{V_0}=-\frac{1}{B}\Delta P \tag{9-7}$$

或

$$B=-\frac{\Delta P}{\Delta V/V_0}$$

这里负号表示随压力增加，体积减小。表 9-1 给出体积模量的值。对于液体和气体没有固定形状，因而只有体积模量。

9–7 断裂

如果作用在固态物体上的力太大，物体就会断裂（图 9-27）。表 9-2 列出不同材料的拉伸强度、耐压强度和切变强度的极限。这些值给出物体在这三种应力作用下单位面积所能承受的最大力。然而，它们只是一些典型值，对于给定物体的实际值要作不同地对待。因此，有必要保留一个从 3 到 10 甚至更高的“安全系数”——即，作用在构件上的实际应力不能超过表中给出值的十分之一到三分之一。你会遇见已包含适当安全因子的“容许应力”表。

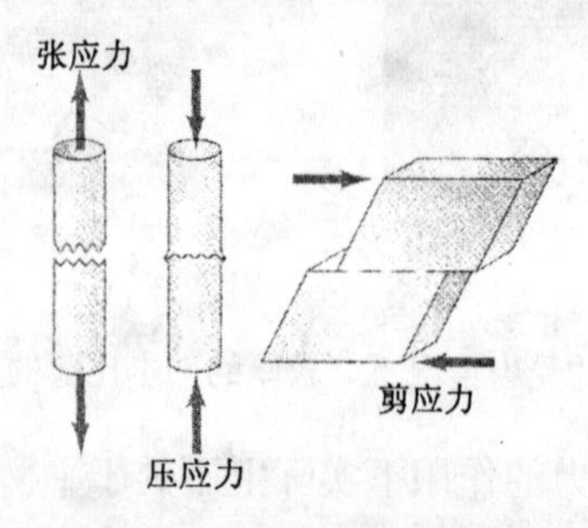

图 9-27 三种应力产生的断裂

表 9-2 不同材料的拉伸强度、耐压强度和切变强度

材料	拉伸强度（N/m^2）	耐压强度（N/m^2）	切变强度（N/m^2）
铁,铸铁	170×10^6	550×10^6	170×10^6
钢	500×10^6	500×10^6	250×10^6
黄铜	250×10^6	250×10^6	200×10^6
铝	200×10^6	200×10^6	200×10^6
混凝土	2×10^6	20×10^6	2×10^6
砖		35×10^6	
大理石		80×10^6	
花岗岩		170×10^6	
木材(松木)			
（平行纹理）	40×10^6	35×10^6	5×10^6
（垂直纹理）		10×10^6	
尼龙	500×10^6		
骨头(四肢)	130×10^6	170×10^6	

例 9-13 支柱的尺寸和受压。（a）设例 9-7（图 9-10）中的支撑横梁的支柱是用混凝土制成的，所需安全因子为 6，试求两个柱子的最小横截面积。从例 9-7，我们已知左支柱受力 4.4×10^4N，右支柱受力 1.2×10^5N。（b）在给定负载下，柱子上的压缩量为多大？

解：（a）右边的柱子受到更大的力，即受到 1.2×10^5 N 的力。从表 9-2 知，我们得到极限耐压强度为 $2.0\times10^7\text{N/m}^2$。用安全因子 6，最大容许应力为 1/6（$2.0\times10^7\text{N/m}^2$）= $3.3\times10^6\text{N/m}^2$，它等于 F/A。因为 $F = 1.2\times10^5$N，可求出 A：

$$A=\frac{1.2\times10^5\,\text{N}}{3.3\times10^6\,\text{N/m}^2}=3.6\times10^{-2}\,\text{m}^2=360\text{cm}^2$$

支柱大小需 18cm×20cm。

（b）代入方程

$$\frac{\Delta L}{L_0}=\frac{1}{E}\frac{F}{A}=\left(\frac{1}{2.0\times10^{10}\,\text{N/m}^2}\right)(3.3\times10^6\,\text{N/m}^2)=1.7\times10^{-4}$$

因此，如果支柱长度为 $L_0 = 5.0$ m，则 $\Delta L = 0.85\times10^{-3}$m，或约为 1mm。这个结果是对右支柱而言的。如果左支柱用同样的横截面积制成，它受到的压力小，这一点应该考虑到。

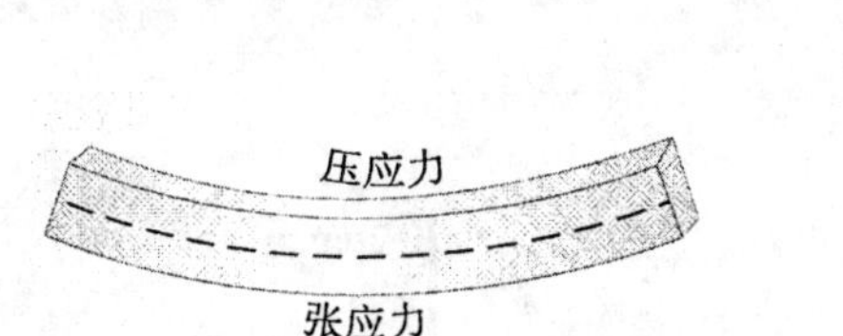

图 9-28　横梁在自身重力的作用下发生倾斜

图 9-29　嵌入铁棒的钢筋混凝土

从表 9-2 可以看到，混凝土（与石头和砖块一样）在压力作用下强度相当高，但在张力作用下则非常弱。因此，混凝土可用作承压的垂直支柱，而用作横梁则价值不大，因为它不能承受产生的张力（图 9-28）。嵌入铁棒的钢筋混凝土强度更高（图 9-29）。但由于它在张力作用下很脆弱，混凝土承重横梁的下边缘仍会出现裂缝。这个问题可用包含铁棒和丝网的预应力混凝土来解决，但在浇注时，棒和丝网上保持着张力。混凝土干燥后，在压力作用下，铁上的张力释放。压应力的大小预先仔细确定，当设计负载加在横梁上时，它只是减少了下边缘的压力，而从不会使混凝土承受张力。

让我们看一个更具说明性的例子。

概念练习 例 9-14　悲剧性的替换。一高层饭店的过道，上下两层用通到天花板的垂直柱子支撑着，图 9-30a（只画出一个柱子）。最初设计要求用 14m 长的单根柱子，但当这种长柱子很难安装时，又决定用两根短柱子代替长柱子，如图 9-30b 所示。试求两种设计中柱子作用在支撑轴销 A 上（设尺寸一样）的合力。设每根柱子支撑的过道质量为 m。

答：图 9-30 中，单根垂直长柱子对轴销 A 施加了一个等于 mg 的向上作用力，来支撑上过道的质量 m。为什么？因为轴销是平衡的，抵消这个力的是上过道施加的向下作用力 mg。（因此在轴销上存在切变应力。）见图 9-30c。图 9-30d 给出用两根短柱子支撑过道时（图 9-30b）的情况，这里只画出与上过道的连接。下面的柱子对下轴销施加向下 mg 的力，因为它支撑下过道。上面的柱子对上轴销（A）施加的力为 $2mg$，因为上柱子支撑两个过道。因此我们看到，当建造者用两根短柱子代替了一根长的后，轴销 A 处的力增加了一倍。这看上去像一次简单的替换，实际上正是这一简单的替换在 1981 年导致悲剧性的倒塌，夺去了 100 个人的生命（见图 9-2）。对物理学有所了解，并能够依据物理学做些简单的计算，可有效地挽救人的生命。

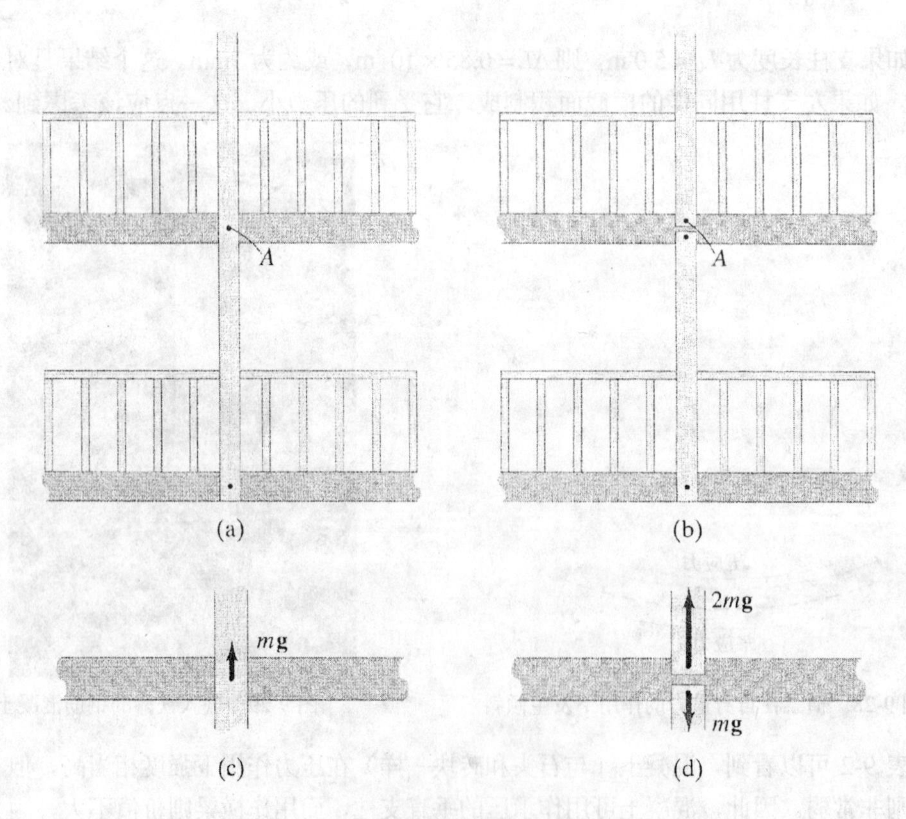

图 9-30　例 9-14

*9–8　空间的跨越：拱型和圆屋顶

在许多领域里，艺术和人文科学与自然科学交叠，这一点在建筑上十分明显，因为需要弄清作用在建筑材料上的力，以避免建筑物的过分变形和倒塌。许多令我们羡慕的古代建筑特征，不只简单的在于它的装饰效果，而且常常在于它的技术原因。一个例子是跨越空间方法的发展，从简单的横梁发展到拱型和圆屋顶。

可以说第一个重要的建筑发明是梁柱（或楣柱）结构，这种结构就是两根直立的柱子支撑一个水平横梁。在 19 世纪钢铁引入建筑之前，横梁的长度相当有限，因为最好的建筑材料是石头和砖块。因此，跨越的宽度受到石料尺寸的限制。同样重要的是，石料和砖块虽然抗压强度很高，但在张力和切变应力作用下很脆弱；所有三种应力作用在横梁上，如图 9-28 所示。伟大的希腊神庙中（图 9-23），相邻的柱子表明用石料所能跨越的狭小的空间。

由古罗马人引入的**半圆拱**（图 9-31）（且不论它的美学吸引力）是一项巨大的技术发明。虽然它被“三角拱”和“叠涩拱”超越，但这些只是对梁柱结构（见图 9-32）相当小的改进。圆拱和半圆拱的优点在于，如果设计得好，楔型石料将主要承受压应力，甚至在承受如大教堂的墙壁和屋顶这样大的负载时，也是如此。由于石块互相挤压，它们将主要受到压应力（见图 9-33）。然而，拱将水平力也将垂直力传递给支撑物。一个包括许多特定形状石块的圆拱

图 9-31　古罗马人引入的半圆拱

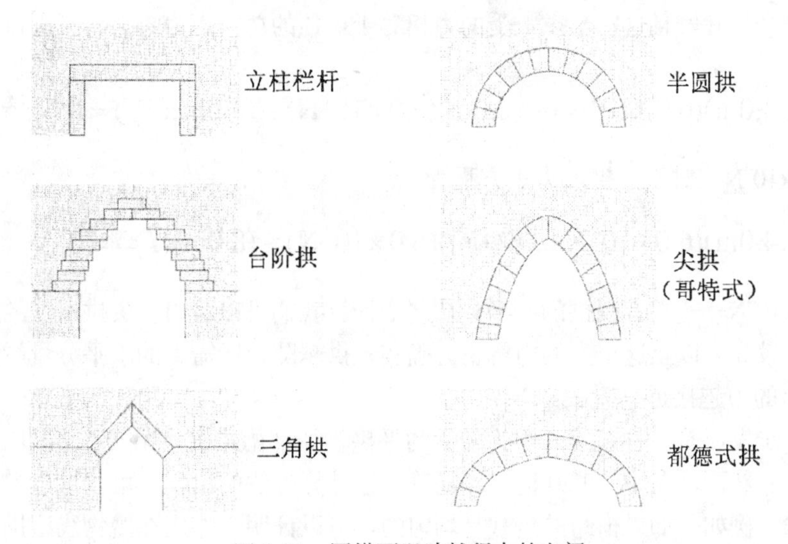

图 9-32　圆拱可以跨越很大的空间

可以跨越很大的空间。然而，需要侧面的支撑墙来承受力的水平分量。大约在公元 1100 年，尖拱开始使用，并成为哥特式大教堂的标志。它也是一项重要的技术革新，开始是用来支撑教堂塔顶和中心拱的。建造者显然认识到，由于尖拱很陡，上部的重力更接近垂直，所以只需要很少的水平支撑。尖拱减少了墙壁的负重，所以可建造得更敞开和光亮。外部优美的拱扶垛用作所需甚少的撑墙（图 9-34）。

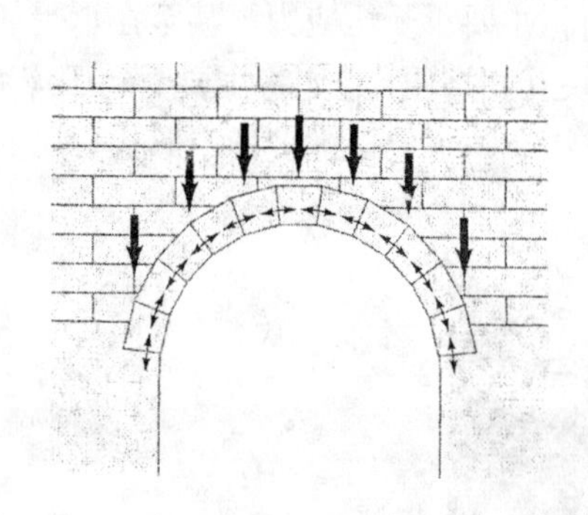

图 9-33 圆拱的石料承受主要压应力

图 9-34 尖拱常用来支撑教堂塔顶

尖拱技术成就的取得不是通过计算，而是凭经验与直觉，因为在这以后很久，才用到本章前面讲到的详细的计算。在实际工作中，要对石拱作一个精确的分析相当困难。但如果我们作一些简单的假设，就可以说明为什么尖拱底座上受力的水平分量小于圆拱的。图 9-35 给出跨度各为 8.0m 的圆拱和尖拱。因此，圆拱的高为 4.0m，而尖拱的要高一些，这里选为 8.0m。每个拱支撑 12.0×10^4N（= 12000kg×g）的重量，为了简化，我们将这个重量平分成两份（每份 6.0×10^4N）作用在每个拱的两部分。要达到平衡，每个支撑必须向上施加 6.0×10^4N 的力。每个支撑也对拱的底座施加水平力 F_H，这就是我们要计算的。我们只考虑每个拱的右半部分。设拱顶存在一个折叶，且这一半拱上受的力相对于拱顶的总力矩为零。对于圆拱，力矩方程为

$$(4.0\text{m})(6.0\times10^4\text{N})-(2.0\text{m})(6.0\times10^4\text{N})-(4.0\text{m})(F_H)=0$$

因此 F_H= 3.0×10^4N。对于尖拱，力矩方程为

$$(4.0\text{m})(6.0\times10^4\text{N})-(2.0\text{m})(6.0\times10^4\text{N})-(8.0\text{m})(F_H)=0$$

解得 F_H= 1.5×10^4N——只有圆拱的一半！从这个计算我们可以看出，尖拱所需的水平支撑力较少是由于它较高，以至这个力的力臂长。确实，拱越陡，所需力的水平分量越少，因此作用在拱底座上的力越接近垂直。

拱的进一步发展是一种衰落。因为随后的平拱，如都德式拱（图 9-32），比简单的尖拱结构上要脆弱。然而，在 19 和 20 世纪，随着先进计算方法的出现，可以算出一定负重下最佳的拱的形状。例如，如果横跨的负载是均匀的，可以证明，作用在抛物线型拱上的力将只有压应力。

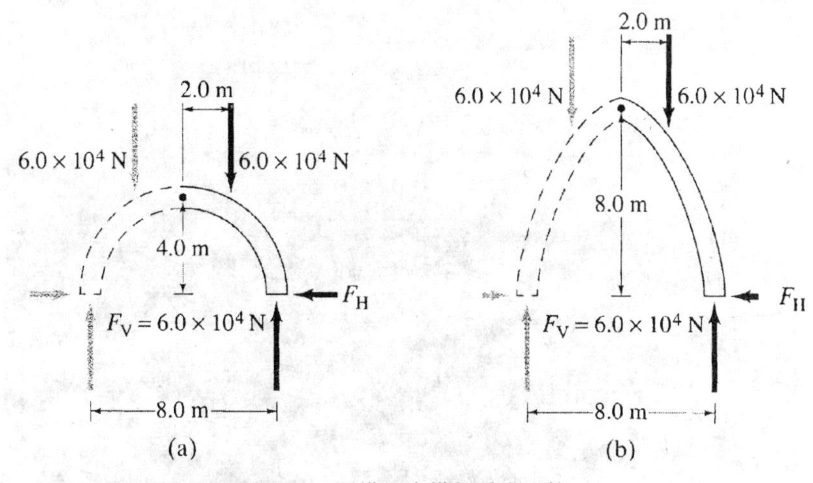

图 9-35 圆拱和尖拱的受力比较

拱跨越的是二维空间，而**圆屋顶**（实际上它是拱绕垂直轴旋转的结果）跨越的是三维空间。罗马人第一个建造了大圆屋顶。它们的形状是半球型，至今仍有一些耸立着，如罗马万神殿（图 9-36）。到文艺复兴时期，建造大圆屋顶的技术好象失传了。确实，万神殿的圆屋顶令文艺复兴时期建筑师们惊讶不已。在 15 世纪前期出现了问题，佛罗伦萨要建造一座具有 43m 直径圆屋顶的新教堂，以便和万神殿竞争。在 1418 年，教堂除了屋顶其它已完工，菲力蒲 布诺勒斯基（1377-1446）赢得了圆屋顶设计竞赛。一个必须解决的问题是屋顶要放在完全没有辅助支撑的“鼓型座”上，因为没有可增加辅助支撑的空间。因此，需要圆屋顶的水平作用力很小。布诺勒斯基用尖屋顶解决了这个问题，因为尖屋顶像尖拱（图 9-37）一样对基座的侧推力较小。

图 9-36 建立于公元 1 世纪的原屋顶罗马万神殿

另一个问题是在建造过程中如何支撑圆屋顶。它和拱一样，在所有石料镶入之前，是不稳固的。一般在建造中用木框架支撑圆屋顶。但对佛罗伦萨教堂需要 43m 的跨度，找不到足够大、足够结实的木材。布诺勒斯基用在水平层上建造圆屋顶的方法代替木框架。每一层砌合在前一层上，直到圆弧上最后一块石料入位，这个圆弧就像一个完整的拱一样稳固。每个靠近的圆弧足够结实，从而能够支撑下一层。这是一项令人惊异的技术。

图 9-37 布诺勒斯基设计的尖屋顶佛罗伦萨教堂

在结束这一节时，我们看一下支撑一个现代圆屋顶，如罗马小体育馆（图 9-38），需多大的力。圆屋顶与拱一样，在压力作用下静力学平衡。体育馆的 36 座撑墙以 38°角平滑连接并支撑着 1.2×10^6kg 的圆屋顶。

图 9-38 罗马体育馆

例 9-15 现代圆屋顶。 试求每座撑墙作用在圆屋顶上的力的分量 F_V 和 F_H，这个力以压应力形式作用——即，以 38°角作用（图 9-39）。

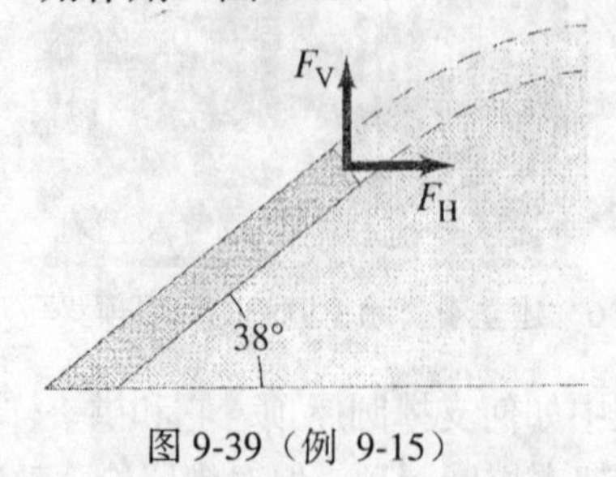

图 9-39（例 9-15）

解：每座撑墙上的垂直负重是总重量的 1/36。因此

$$F_V=\frac{(1.2\times10^6\,\text{kg})(9.8\text{m/s}^2)}{36}=3.4\times10^5\,\text{N}$$

作用在圆屋顶底部的力要成为纯压应力，必须以 38°角。因此

$$\tan 38^\circ = \frac{F_V}{F_H} = \frac{340000\text{N}}{F_H}$$

$$F_H = \frac{340000\text{N}}{\tan 38^\circ} = 430000\text{N}$$

为了使每座撑墙能够承受 430000N 的水平力，一个预应力混凝土张力环围绕着撑墙的地下基座（见习题 63 和图 9-71）。

小结

静止（或以恒定速度作匀速运动）的物体，我们说它处于**平衡状态**。分析静止结构受力情况的学科叫**静力学**。

物体处于平衡态的两个必要条件是（1）所有作用在物体上的力的矢量和为零，（2）所有力矩（对任意轴计算）之和也必须为零：

$$\Sigma F_x = 0 \qquad \Sigma F_y = 0 \qquad \Sigma \tau = 0$$

当解静力学问题时，重要的是只对一个物体用一次平衡条件。

处在静平衡状态下的物体根据给它轻微的位移出现的不同情况（a）物体回到初始位置，（b）物体离初始位置越来越远，（c）物体保持在新位置上，我们称作（a）**稳定平衡**，（b）**非稳定平衡**，（c）**中性平衡**。处在稳定平衡状态的物体也叫做**平衡体**。

胡克定律可用于许多弹性固体，它给出物体长度的变化正比于作用力：

$$F = k\Delta L$$

如果作用力太大，物体将超过弹性限，这表示在去掉作用力后，它将不再回到初始形状。如果作用力更大，超过材料的**强度极限**，物体就会断裂。

物体单位面积上的作用力叫**应力**，长度变化比叫**应变**。

应力作用在物体上表现出三种形式：**压应力**，**张应力**，**切应力**。

应力与应变的比叫做材料的**弹性模量**。**杨氏模量**用于压应力和张应力，**切变模量**用于切变应力；**体模量**用于所有边受到压力，从而引起体积改变的物体。当形变处于弹性区时，对于给定的材料，所有三种模量是恒定的。

问答题

1. 给出几个例子，虽然作用的合力为零，但物体不处于平衡态。

2. 蹦极跳者在到达底部未返回的瞬时是静止的。此时，他处在平衡态吗？请解释。

3. 你可用下面的方法求出米尺的重心，将尺子水平静放在食指上，然后缓慢收拢手指。开始尺子会从手指上滑下，重复几次，直到找到重心。这样做的依据是什么？

4. 体重秤的臂上有秤砣滑动，从而量出你的体重，图 9-40。这些秤砣明显比你轻多了。它是怎样工作的？

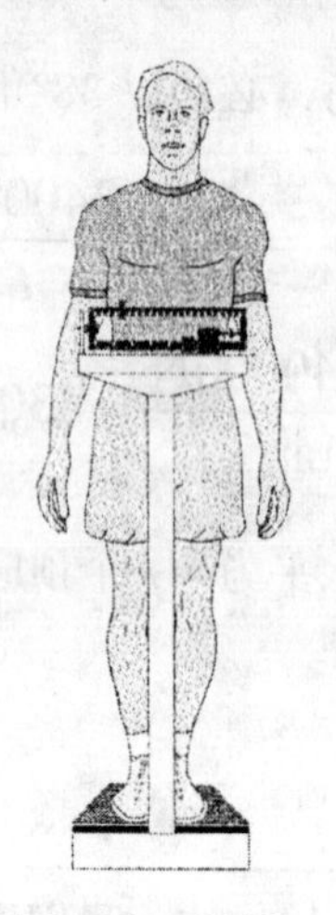

图 9-40 问题 4

5. 在一些国家公园里，用图 9-41 中的吊索将旅游者的食物吊起，以免狗熊偷吃。请解释为什么所需的拉力随背包的升高而增加。能否用力拉绳子，从而使它一点也不下垂吗？

图 9-41 问题 5

6. 一架梯子与地面成 60°角斜靠在墙上。当一个人站在靠近顶部或靠静底部，哪种情况更容易滑倒？请解释。

7. 请解释，为什么伸直腿坐在地板上用手摸脚趾比站立位置做同样的动作对下脊椎产生的应力较小。画出示意图。

8. 图 9-42a 给出一种挡土墙。土可以对墙施加一个相当大的力 F，特别是在它潮湿时。（a）哪个力给出力矩使墙保持垂直？（b）解释为什么图 9-42b 中的挡土墙看起来不易翻到。

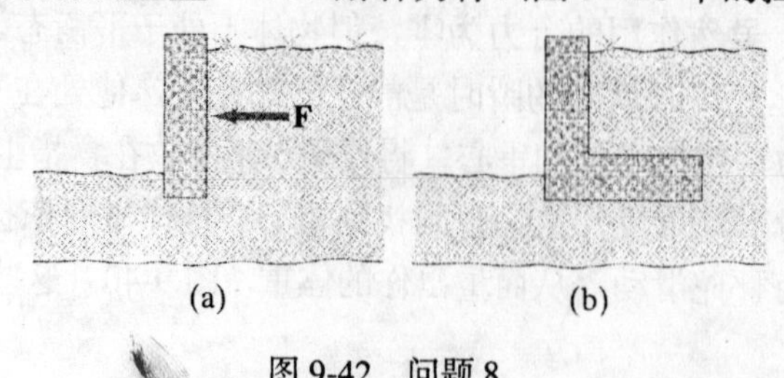

图 9-42 问题 8

9. 图 9-43 给出一个锥体。画图说明，怎样放置可使其处在（a）稳定平衡，（b）非稳定平衡，（c）中性平衡状态。

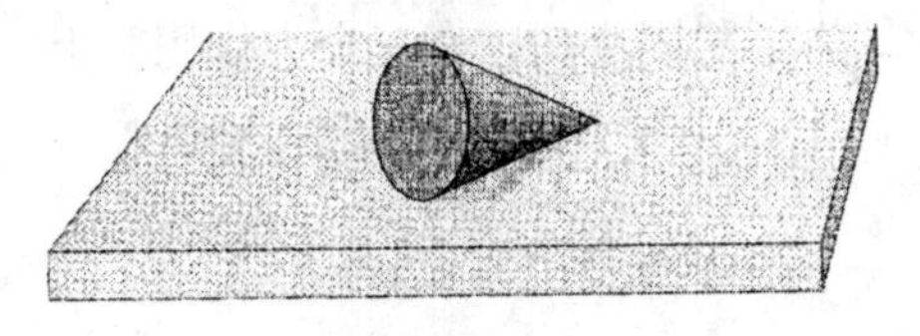

图 9-43　问题 9

10. 将 1kg 石块悬在一均匀米尺的 0cm 处，当支撑点放在 25cm 处时，尺子平衡（如图 9-44 所示）。试问米尺的质量是大于、等于还是小于石块的质量？请解释你的理由。

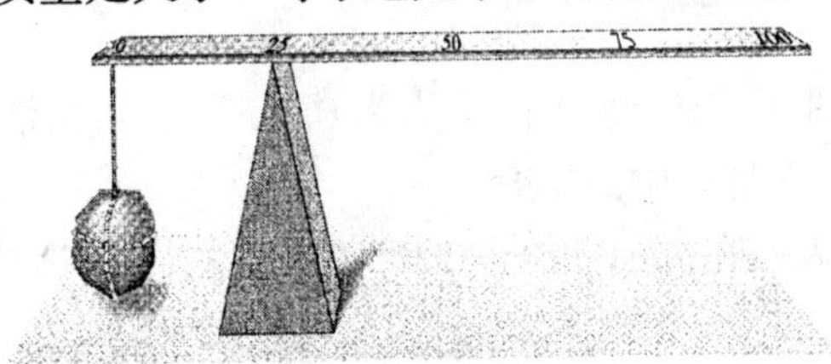

图 9-44　问题 10

11. 图 9-45 中的砖块垒放图形（a）和（b），哪一种看起来更稳定？为什么？

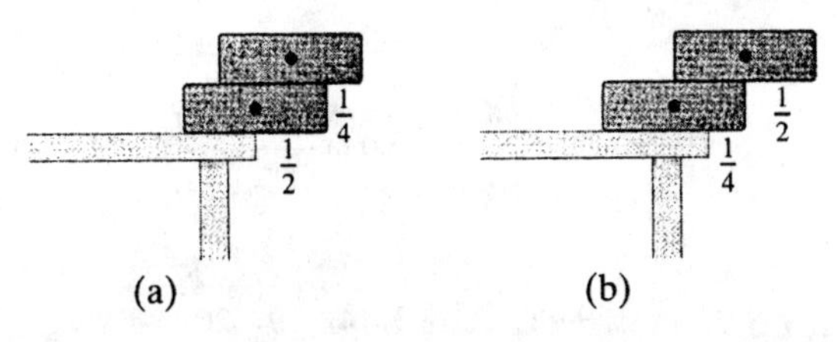

图 9-45　（问题 11）圆点表示重心，分数表示砖离开支撑点的长度比例

12. 指出图 9-46 中每个球的位置是处于哪种平衡状态。

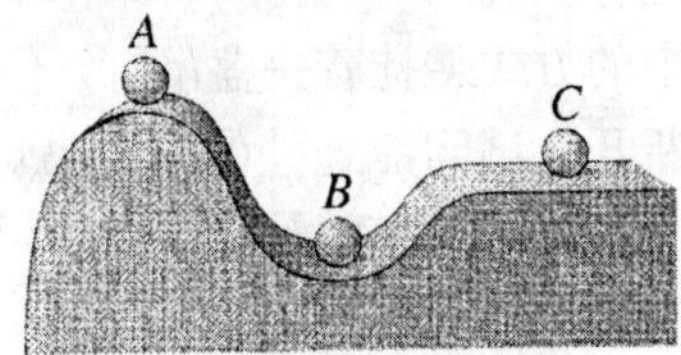

图 9-46　问题 12

13. 为什么当你抱着一个重物时，你的身体向后倾斜？

14. 请面对打开的门边站着，将你的脚放在门的两边，让鼻子和腹部贴着门边。现在尝试踮起脚尖。为什么做不到这一点？

15. 为什么挺直坐在椅子上时，如果不先向前倾，不可能站起？

16. 在做仰卧起坐时，为什么在膝部弯曲的情况下比双腿伸直更困难？

17. 观察剪刀如何剪开一张卡片。“剪刀”的名称正确吗？

18. 普通的混凝土和石块在张应力和切变应力作用下很脆弱。能用这样的材料支撑图 9-11 中的悬臂吗？如果可以，是哪几种？

习题

9-1 到 9-3 节

1.（Ⅰ）如图 9-47 所示，为了稳固小树，有三个力作用其上。如果 F_1=282N，F_2=355N，试求 $\mathbf{F}_3$ 的量值和方向。

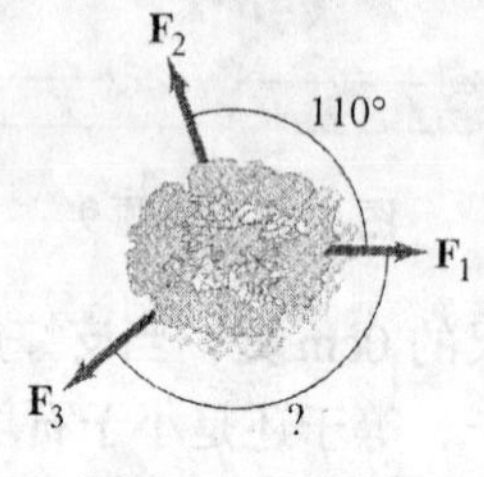

图 9-47 习题 1

2.（Ⅰ）如果施加在图 9-3 中牙齿上的合力为 0.75N，试问绷带上的张力是多少？设两个力之间的夹角为 155°，而不是图中的 140°。

3.（Ⅰ）试求 60kg 的人站在离前支撑柱 3.0m 处时，对图 9-48 中跳板右支柱的作用力矩。

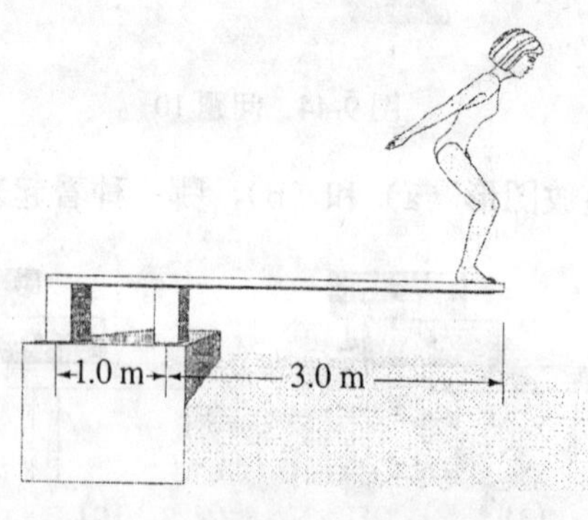

图 9-48 习题 3，4，19，20

4.（Ⅰ）试问 60kg 的人站在离前支撑柱多远时，对跳板后支柱（图 9-48 中左支柱）的作用力矩为 1000 m·N？

5.（Ⅰ）两根绳子以图 9-6 中的方式悬挂着一盏吊灯，但顶上绳子与天花板成 45°角。如果绳子能维持 1300N 的力而不断开，试问能悬挂的最大吊灯重量是多少？

6.（Ⅰ）试求图 9-49 中为吊起腿所需的质量 m。设腿（加上模具）的质量为 15.0kg，它的质心离髋关节 35.0cm；吊索离髋关节 80.5cm。

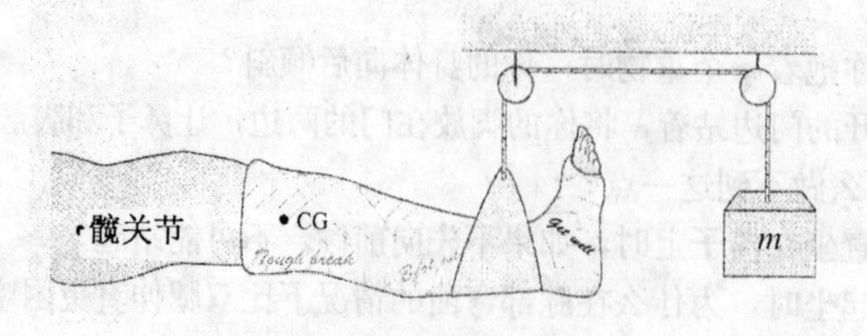

图 9-49 习题 6，21

7.（Ⅱ）一根 160kg 的水平横梁，其两端被支柱撑起。一架 300kg 的钢琴放在横梁的 1/4

长度处。试求作用在两根支柱上的垂直作用力是多少？

8.（Ⅱ）一均匀钢梁质量为1000kg。其上放置半截相同的钢梁，如图9-50所示。试求作用在每一端的垂直支撑力。

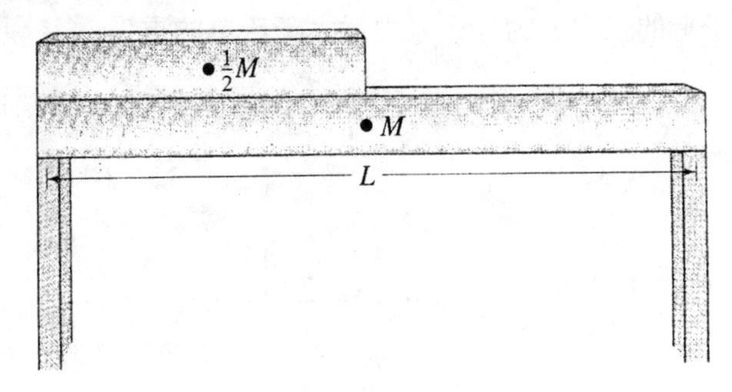

图9-50（习题8）

9.（Ⅱ）设例9-1中算出的合力向左偏离牙齿正确矫正方向10°。如果向左的张力为2.0N，要使合力沿正确方向作用，试求向右的张力多大？

10.（Ⅱ）一个70kg的大人站在10m长木板的一端，另一端站着他30kg的孩子。试问支点放在哪里，木板（忽略其质量）才能平衡？

11.（Ⅱ）如果木板的质量为15kg，重做习题10。

12.（Ⅱ）试求图9-51中两根绳子上的张力。忽略绳子的质量，设θ角为30°，质量m等于200kg。

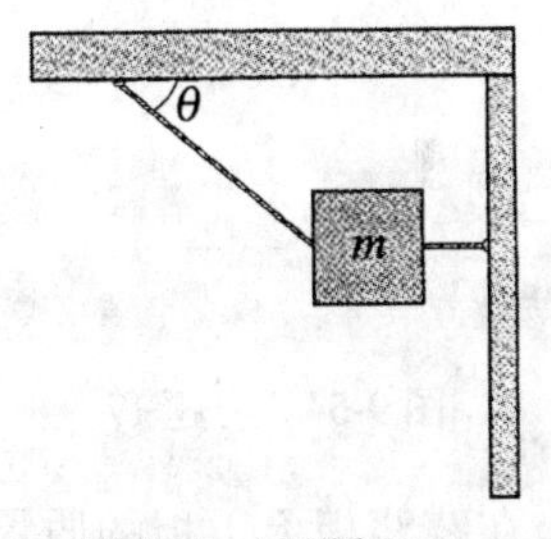

图9-51（习题12）

13.（Ⅱ）试求图9-52中悬挂信号灯的两根钢索上的张力。

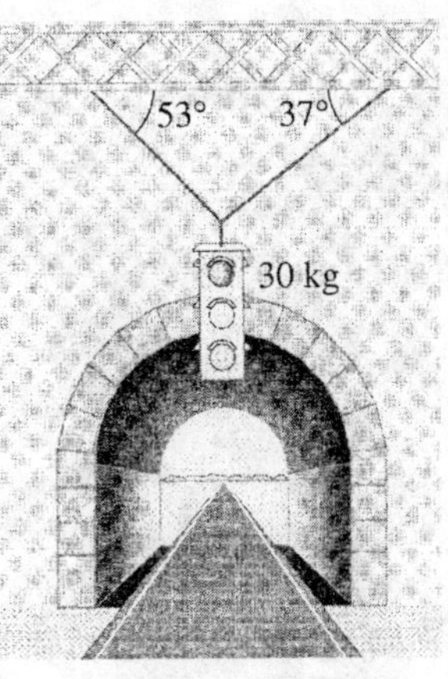

图9-52　习题13, 48

14.（Ⅱ）试求图 9-9 中支点作用在跷跷板上的力 F_N。

15.（Ⅱ）试求作用在图 9-11 中质量为 1200kg 的均匀悬臂上力 F_1 和 F_2。

16.（Ⅱ）一个 0.60kg 的床单挂在无质量细绳上，如图 9-53 所示。床单两边的细绳与水平成 3.5°角。试求绳子上的张力。为什么张力远大于床单的重量。

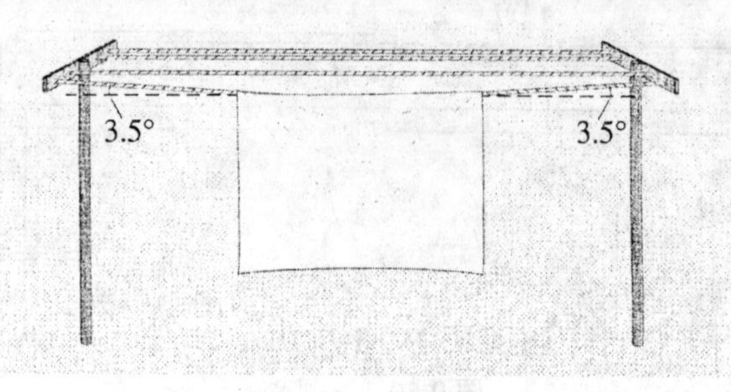

图 9-53 习题 16

17.（Ⅱ）一扇门高 2.30m，宽 1.30m，质量为 13.0kg。离顶部 0.40cm 处装有活页，另一个装在离底部 0.40cm 处，它们各自承受门重量的一半（图 9-54）。设门的重心就是它的几何中心，试求每个活页对门作用力的水平和垂直分量。

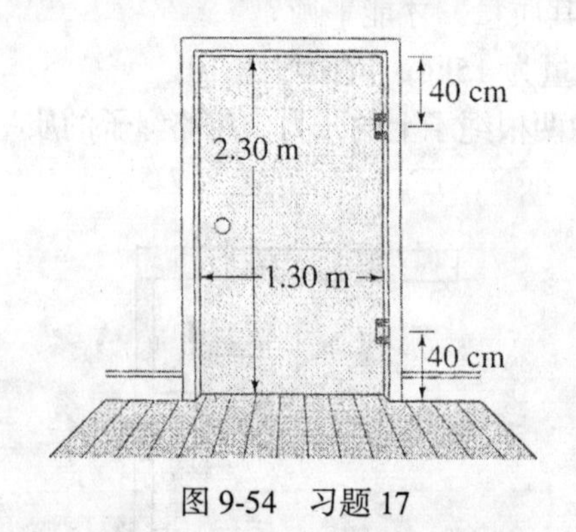

图 9-54 习题 17

18.（Ⅱ）三个小孩想平衡地坐在跷跷板上，板的质量很轻，长度为 3.6m，石块作为支点放在板的中间(图 9-55)。两个小孩已坐在板的两端。一个质量为 50kg，另一个质量为 35kg。第三个小孩的质量为 25kg，他坐在哪里能使跷跷板平衡？

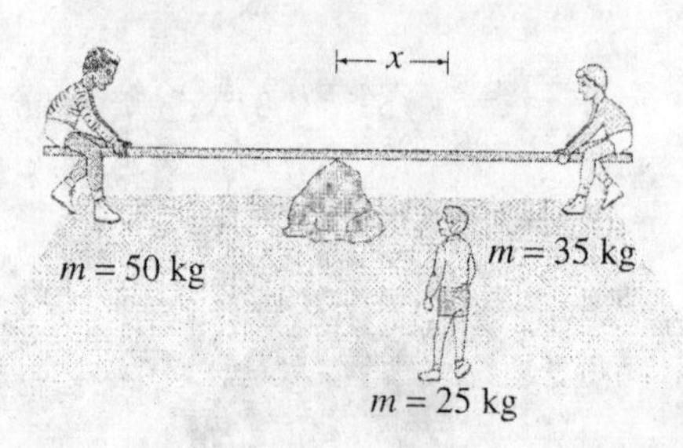

图 9-55 习题 18

19.（Ⅱ）试求当 60kg 的人站在跳板端头时，图 9-48 中支柱作用在跳板上的力 F_1 和 F_2。忽略跳板的重量。

20.（Ⅱ）重作上题，考虑跳板的质量为 35kg。设跳板的重心在它的中心处。

21.（Ⅱ）用例 7-12 的结果和表 7-1 给出的值，设 60.0kg 的人身高 160cm，试求图 9-49 中悬吊腿（无模具）所需的质量 m。腿的支点在髋关节，悬吊点作用在踝关节。

22.（Ⅱ）试求图 9-56 中横梁上的作用力 F_1 和 F_2。设它是均匀的，质量为 250kg。

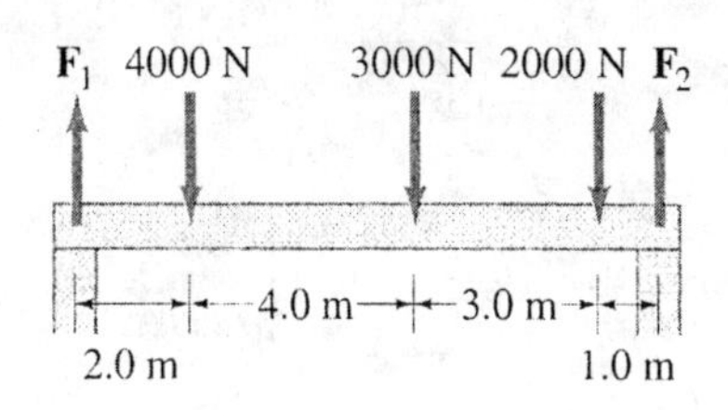

图 9-56　习题 22

23.（Ⅱ）试求图 9-57 中支持 30kg 横梁的绳索上的张力 F_T，以及墙壁对横梁的作用力 $\mathbf{F}_W$（给出量值和方向）。

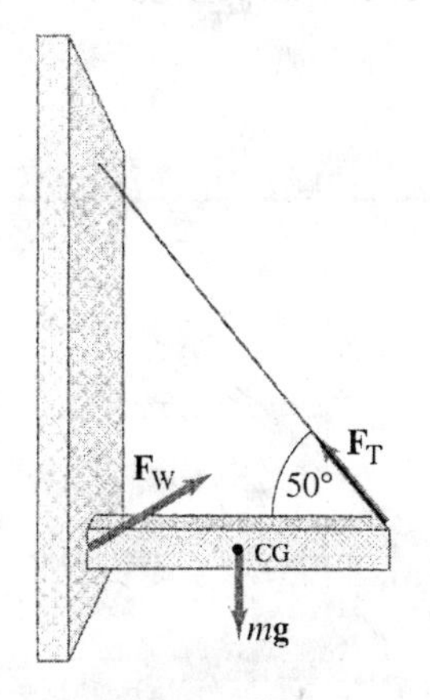

图 9-57　习题 23

24.（Ⅱ）图 9-41 中的两棵树相距 7.6m。当 16kg 的背包在绳索中间下沉（a）1.5m，（b）0.15m 时，试求人的作用力 **F**。

25.（Ⅱ）一个 170cm 高的人躺在一很轻（无质量）的木板上，两个秤分别放在脚下和头下（图 9-58）。两个秤的读数分别为 31.6 和 35.1kg。这个人的重心在哪里？

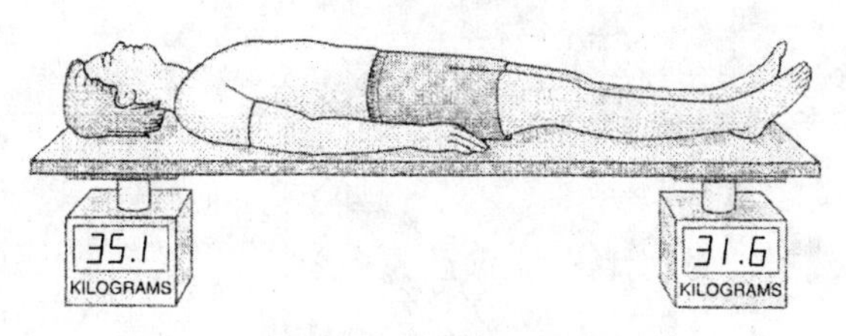

图 9-58　习题 25

26.（Ⅱ）一个重 215N 的广告牌用一根 135N 的均匀横梁支撑，如图 9-59 所示。试求拉索上的张力和铰链对横梁的水平和垂直作用力。

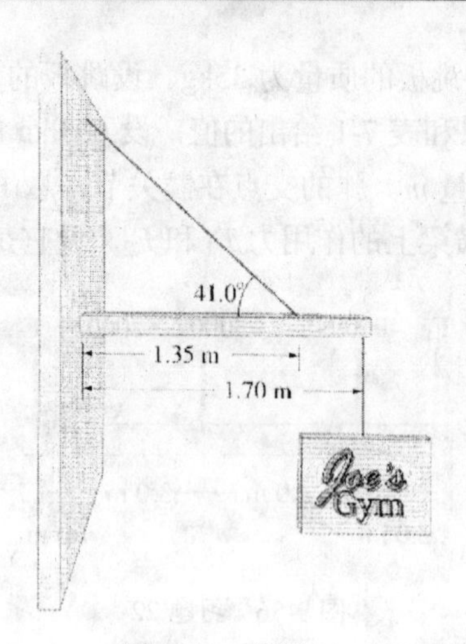

图 9-59 习题 26

27.（Ⅱ）图 9-60 给出一交通信号灯的悬挂结构。均匀铝杆 AB 的长度为 7.5m，质量为 8.0kg。信号灯的质量为 12.0kg。试求水平无质量缆绳 CD 上的张力，以及支点 A 对铝杆作用力的垂直和水平分量。

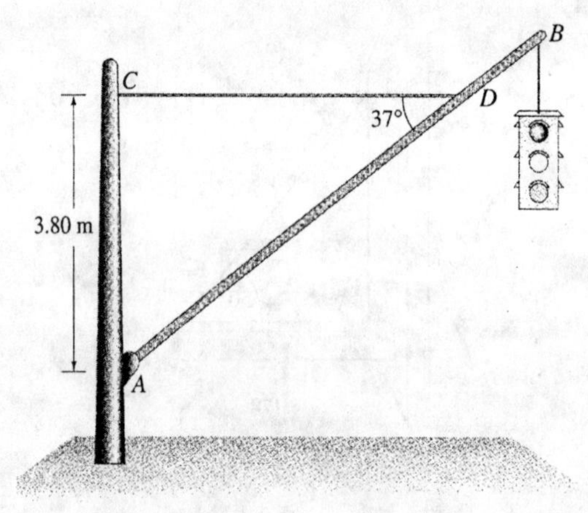

图 9-60（习题 27）

28.（Ⅱ）一质量 m、长度 L 的均匀梯子以θ角斜靠在无摩擦墙面上，图 9-61。如果梯子与地面间的静摩擦系数为 μ，试求梯子不滑倒的最小角度。

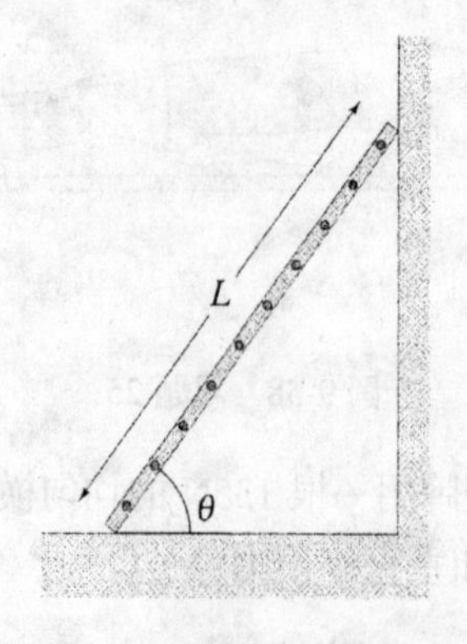

图 9-61 习题 28， 76， 77

29.（III）一个 23.0kg 的背包挂在图 9-41 中两树间细绳的中间。一只熊抓住背包以恒力垂直向下拉，以至两边绳子都与水平成 30°角。开始时熊未拉绳子，绳子的角度是 15°；熊拉后，绳子上的张力比拉前增加一倍。试求熊作用在背包上的力。

30.（III）一质量为 230g 的米尺用两根细绳水平悬挂，一根在 0cm 标志处，另一根在 90cm 处（图 9-62）。试求：（a）0cm 处绳子上的张力，（b）90cm 处绳子上的张力。

31.（III）考虑例 9-9 中的梯子上有一个人向上爬。如果梯子的质量为 12.0kg，人的质量为 60.0kg，当她爬到梯子长度的 70%时，梯子开始滑到，试求梯子与地板间的静摩擦系数。再次设墙面是无摩擦的。图 9-63 给出隔离图。

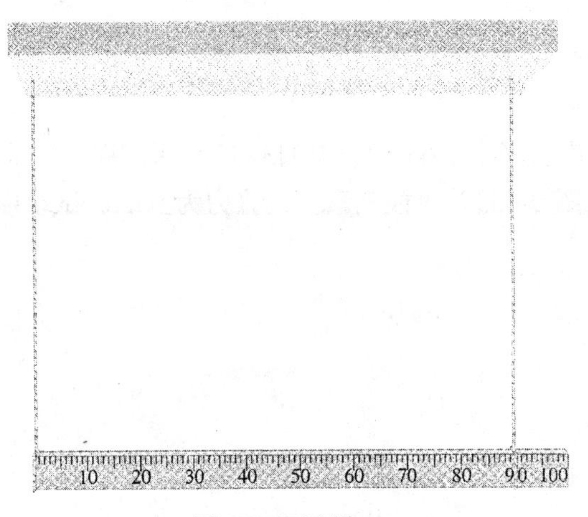

图 9-62　习题 30

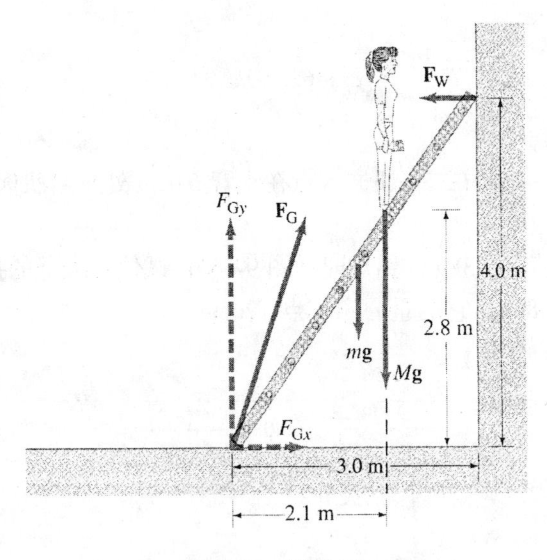

图 9-63　习题 31

32.（III）一人想沿地板推动一座灯（质量 7.2kg）。（a）设人在离地面 60cm 处推，摩擦系数为 0.20，试问灯将滑动还是翻倒（图 9-64）？（b）试求推动灯而不翻倒的最大高度。

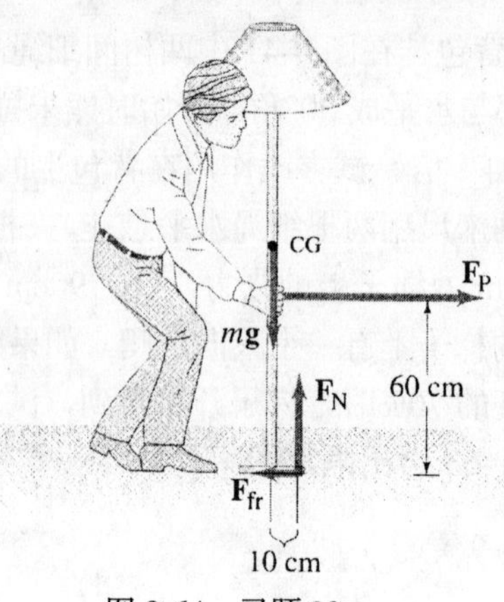

图 9-64 习题 32

33.（Ⅲ）两根钢索用来固定 2.6m 高的排球网架。两根钢索的地面固定点相距 2.0m，各自离杆的距离为 2.0m（图 9-65）。每根钢索上的张力为 95N。试求网上的张力，设网水平连接在杆的顶端。

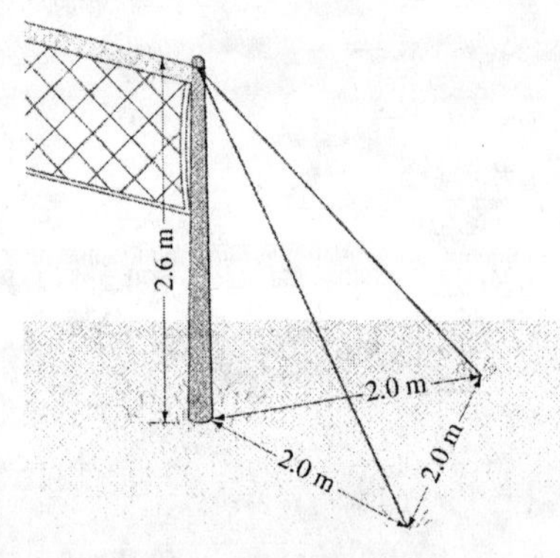

图 9-65 习题 33

***9-4 节**

*34.（Ⅰ）如果图 9-15a 中二头肌嵌入点在小臂 6.0cm 处，当肌肉的作用力为 400N 时，人能提起多少质量？

*35.（Ⅰ）当手里持有 7.3kg 的铅球时（图 9-66），试估计大臂的扩张肌对小臂的作用力 F_W。设小臂的质量为 2.8kg，它的重心离支点 12cm。

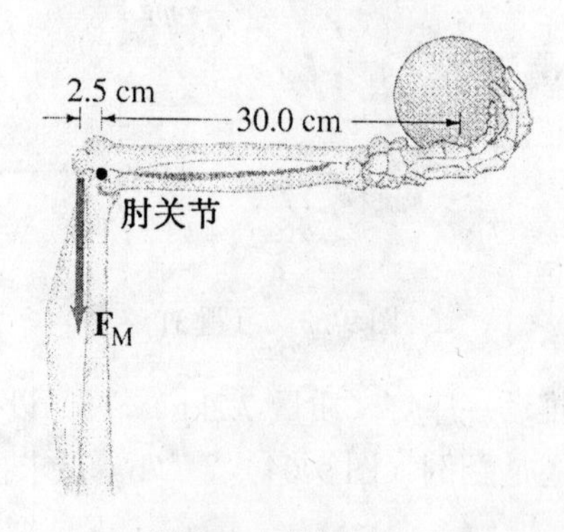

图 9-66 习题 35

*36.（Ⅱ）试求“三角”肌为维持伸直的手臂施加的力 F_M，图 9-67。手臂的总质量为 3.3kg。

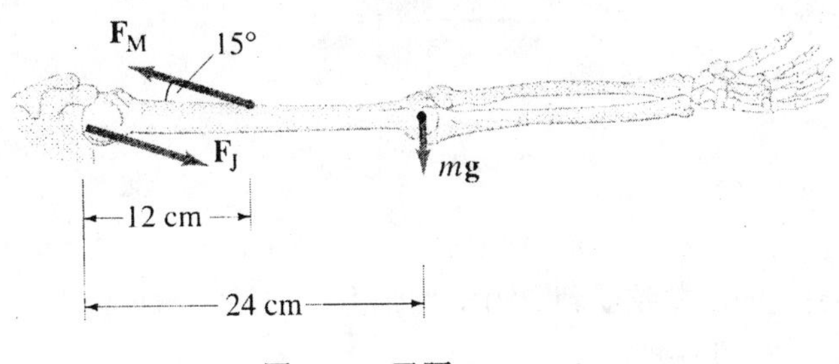

图 9-67　习题 36, 37, 38

*37.（Ⅱ）设上题中的手里握有 15kg 的质量。试求三角肌施加的力 F_M，设质量离肩关节 52cm。

*38.（Ⅱ）试求习题 36 和 37 中肩膀作用在大臂关节处的力 F_J 的量值。

*39.（Ⅱ）跟腱与脚后跟相连，如图 9-68 所示。试估计当人用一只脚踮起脚尖时，跟腱上的张力（向上拉），以及小腿骨作用在脚上的力（向下）。设人的质量为 70kg，D 的长度是 d 的两倍。

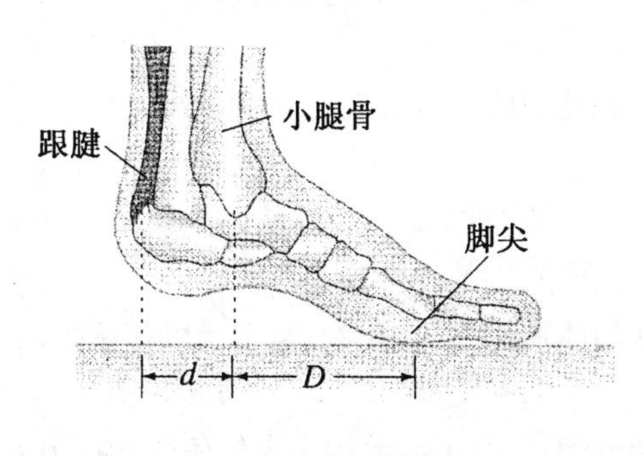

图 9-68　习题 39

*40.（Ⅱ）重作例 9-11，现在设图 9-16b 中的人倾斜 30°而不是 60°。试求作用在脊椎上的力 F_V 的量值。

*41.（Ⅲ）在例 9-11 中（图 9-16b），如果人手里拿着 20kg 的质量，手臂垂吊。试求作用在脊椎底部的力 F_V。设人的质量为 70kg。

***9-5 节**

*42.（Ⅱ）比萨斜塔高 55m，直径约为 7.0m。顶部偏离中心 4.5m。塔处在稳定平衡状态吗？如果是，在成为非稳定平衡之前，它还能再倾斜多远？设塔是均匀构成的。

*43.（Ⅲ）四个砖块叠放在桌边上，一块比一块伸出一些，以使顶上的砖块尽可能伸出桌边。（a）要做到这一点，证明成功的叠放形式为上部的砖不超出下部的（从顶部开始）1/2，1/4，1/6，1/8（图 9-69）。（b）顶部的砖全部超出桌面了吗？（c）试求能保持稳定的 n 块砖所跨越的最大总距离的通用表达式。（d）一建造者想根据（a）和（c）讨论的稳定原理，建造一座突拱（叠涩拱）（图 9-32）。如果拱的跨度为 1.0m，试问用 0.30m 长的砖块，最少需多少块？

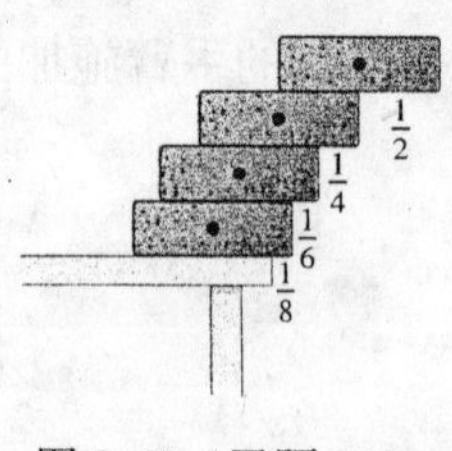

图 9-69（习题 43）

9-6 节

44.（Ⅰ）网球拍上的尼龙弦受到 250N 的张力。如果它的直径为 1.00mm，试问它从未受力的长度 30.0cm，伸长到多少？

45.（Ⅰ）一根横截面积 $2.0m^2$ 的大理石柱支撑着 25000kg 的质量。（a）试问柱子上的应力是多少？（b）应变是多少？

46.（Ⅰ）在上题中，如果柱子的高度是 12m，它缩短了多少？

47.（Ⅰ）一根横截面积为 $0.15m^2$ 的垂直钢梁，一端悬挂质量 2000kg 的重物。试问：（a）钢梁上的应力是多少？（b）应变是多少？（c）如果钢梁长 9.50m，它伸长多少？（忽略钢梁本身的质量。）

48.（Ⅱ）如果图 9-52（习题 13）中的两根钢索为直径 1.0mm 的钢丝，由于负重，它们各自伸长的百分比是多少？

49.（Ⅱ）当装在柔性容器中的一升酒精（$1000cm^3$）放到压力为 $2.6\times10^6 N/m^2$ 的海底时，它的体积是多少？

50.（Ⅱ）一根 15cm 长的动物肌腱，在 13.4N 力的作用下伸长 3.7mm。肌腱近似为圆柱，平均直径为 8.5mm。试求这根肌腱的弹性模量。

51.（Ⅱ）要将一块铁的体积压缩 0.10%，需多大的压强？答案用 N/m^2 表示，并与大气压（$1.0\times10^5 N/m^2$）比较。

52.（Ⅱ）在海底 2000m 深处的压强大约为大气压（$1.0\times10^5 N/m^2$）的 200 倍。在这个深度铁制探测球的体积变化率是多少？

53.（Ⅲ）扇贝用一种叫做扩展廷的材料打开贝壳，这种材料的弹性模量为 $2.0\times10^6 N/m^2$。如果这片扩展廷厚 3.0mm，横截面积 $0.50cm^2$。试问当它压缩 1.0mm 时，储存了多少能量？

54.（Ⅲ）一根横杆从商店前水平伸出。一个质量 5.1kg 的标牌挂在离墙 2.2m 处（图 9-70）。（a）试求标牌对横杆相对于横杆与墙连接处的力矩，（b）如果横杆不倒下，必须有另一个力矩平衡它，这个力矩从哪来？（c）讨论在（b）部分是压力、张力还是切应力起作用。

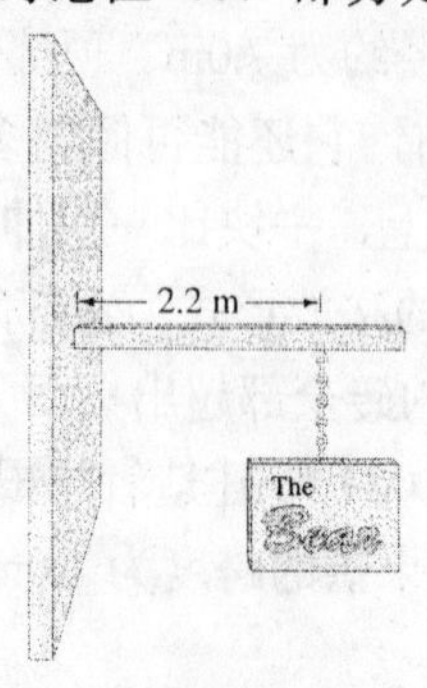

图 9-70 习题 54

9-7 节

55.（Ⅰ）小腿上股骨的最小有效横截面积约为 3.0cm^2（= 3.0×10^{-4}m^2）。它能承受多大的压力而不断裂？

56.（Ⅱ）直径为 1.00mm 的尼龙网球拍弦能承受的最大张力是多少？如果你想上紧弦，怎样做才能避免断裂：选细的还是粗的弦？为什么？击球时，什么原因导致弦的断裂？

57.（Ⅱ）如果一个 3.6×10^4N 的压力作用在 20cm 长、横截面积 3.6cm^2 的骨头的一端。试问：（a）骨头会断裂吗？（b）如果不会，它缩短多少？

58.（Ⅱ）（a）一垂直钢缆上悬挂 320kg 的吊灯，钢缆所需的最小横截面积是多少？设安全系数 7.0。（b）如果钢缆 7.5m 长，它被拉长多少？

59.（Ⅱ）设图 9-11 中悬臂（质量=2600kg）的支撑物用木头制成。试求每个所需的最小横截面积，设安全系数 8.5。

60.（Ⅱ）一个铁螺栓将两个铁盘连接在一起。螺栓必须承受高达 3200N 的切变力。试求螺栓的最小直径，取安全系数 6.0。

61.（Ⅲ）一根钢缆悬挂总（已装载）质量不超过 3100kg 的升降机。如果升降机的最大加速度为 1.2 m/s^2，试求钢缆所需的直径。设安全系数 7.0。

***9-8 节**

*62.（Ⅱ）如果一座尖拱的跨度为 8.0m，对底座施加的水平力等于圆拱的三分之一，试求尖拱的高度。

*63.（Ⅱ）在图 9-38 中，平衡圆屋顶底座上水平力的地下张力环有 36 个边，所以每个边与相邻边成 10°角（图 9-71）。如果作用在每个角上的力达到 4.3×10^5N，试求每个边上所需的张力（例 9-15）。

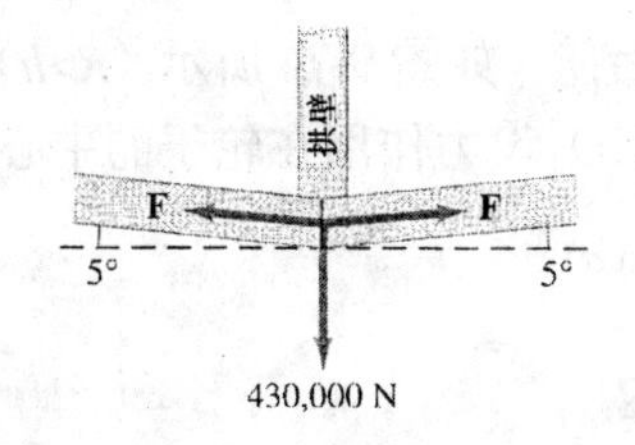

图 9-71　习题 63

综合题

64. 图 9-72 中的活动架是平衡的。B 物体的质量为 0.735kg。试求 A、C、D 物体的质量。（忽略横杆的质量。）

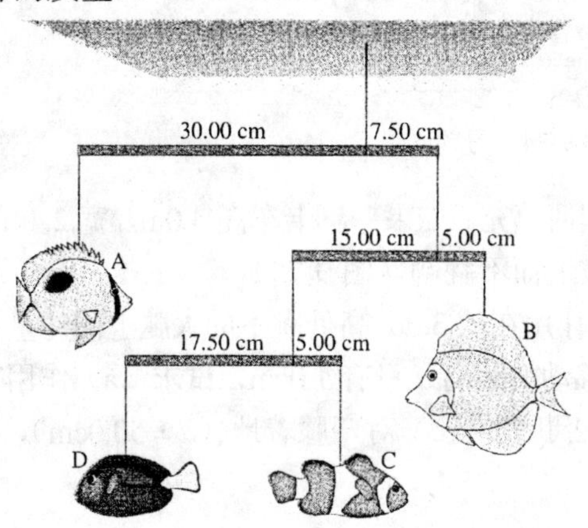

图 9-72　习题 64

65. 一座 50 层的建筑设计成 200m 高，底边 40m 乘以 70m 的长方体。它的总质量将达到 1.8×10^7kg，因此重量为 1.8×10^8N。设 200km/h 的风对 70m 宽的面施加的力为 950N/m^2（图 9-73）。试求风对建筑的潜在支点（后边沿，图 9-73 中 $\mathbf{F}_E$ 的作用点）的作用力矩，并确定建筑是否翻倒。设风的总力作用在建筑表面的中点，且建筑没有固定在岩床上。[提示：图 9-73 中 $\mathbf{F}_E$ 表示建筑刚开始倾斜时，大地对建筑的作用力。]

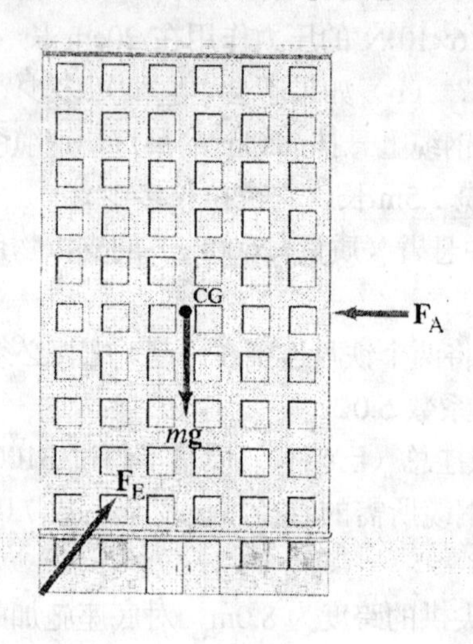

图 9-73 $\mathbf{F}_E$ 是风力，$m\mathbf{g}$ 是房子的重力，$\mathbf{F}_A$ 是地面对房子的作用力（习题 65）

66. 一根 46m 长的钢丝绳。当 60kg 的人站在它的中间时，下沉 3.4m。试问绳上的张力是多少？能够增加张力使钢丝不下沉吗？

67. 要使一个半径 R、质量 M 的轮子爬上 h 高的台阶，如图 9-74 所示（$R>h$），所需的最小水平力 F 是多少？（a）设力作用在轮子的顶边。（b）设力作用在轮子的中心。

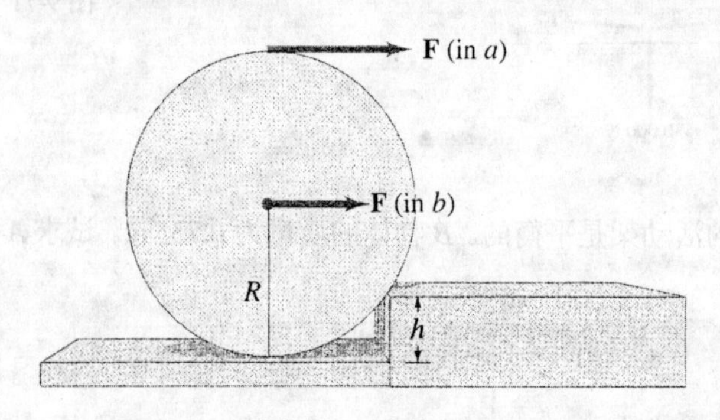

图 9-74 习题 67

68. 加载后卡车的重心取决于货物如何填充。如果一辆卡车高 4.0m，宽 2.4m，它的重心离地 2.2m 高，试问它能停在多陡的斜坡上而不翻倒（图 9-75）？

69. 在第七章例 7-5 中，我们计算了作用在从 3.0m 高处跳下的人腿上的冲量和平均作用力。如果落地时腿不弯曲，碰撞时身体移动的距离 d 只有 1.0cm，试求（a）作用在胫骨（面积$=3.0\times10^{-4}m^2$）上的应力，（b）骨头是否断裂，（c）对弯膝着地（$d=50.0$cm），重作此题。

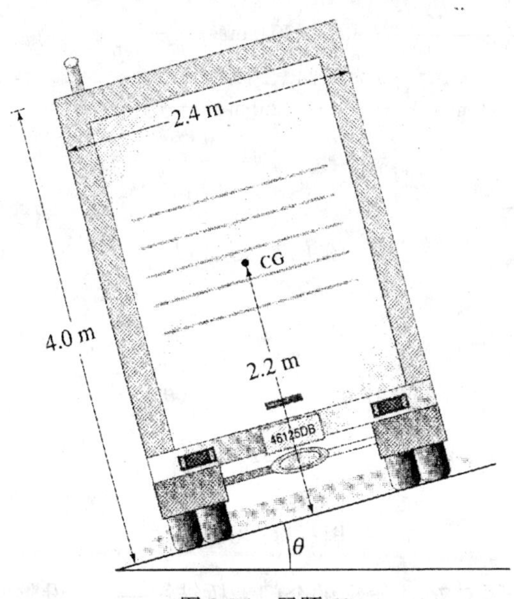

图 9-75　习题 68

70. 学校一座房子的屋顶面积为 9.0m×10.0m，总质量 12600kg。屋顶用 4.0cm×9.0cm 的支柱沿 10.0m 边支撑。试问每一边需多少支柱，它们相距多远？只考虑压应力，设安全系数为 12。

71. 在图 9-76 中，考虑金门大桥的右侧一段（最北边），此段长 d_1 = 343m。设这段跨度的重心在塔与拉桩的中间。试求 F_{T1} 和 F_{T2}（作用在最北端的缆绳上），已知这段跨度的重量为 mg。计算达到平衡所需的塔高 h。设桥只靠缆绳悬吊，忽略缆绳的质量。[提示：F_{T3} 没有作用在这段上。]

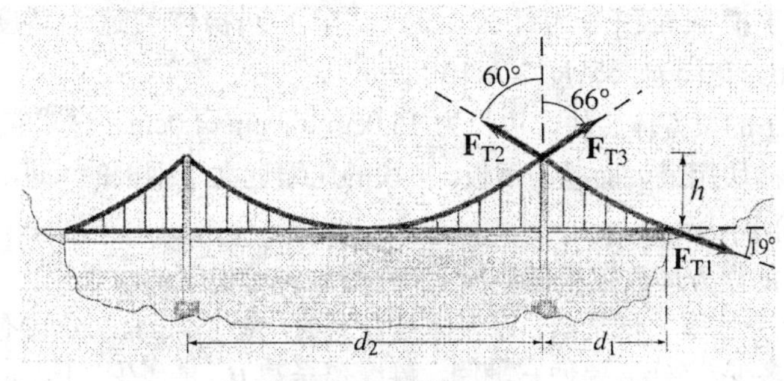

图 9-76　习题 71, 75

72. 一根 20.0m 长的均匀横梁，重 600N，由 A 和 B 墙支撑，如图 9-77 所示。(a) 试求能够走到横梁末端 D 而不压翻它的人的最大重量。当这个人站在以下各点时，求出墙 A 和 B 对横梁的作用力：(b) 在 D 点；(c) 在 B 右侧 2.0m 处；(d) 在 A 右侧 2.0m 处。

73. 一个 36kg 的圆桌用三条等距分开的桌腿支撑在边沿上。试求放在桌边能使桌子翻倒的最小质量。

74. 一根柔性钢缆重量 mg，悬挂在等高的两点上，如图 9-78 所示，这里 θ = 60°。试求缆绳上的张力 (a) 在它的最低点，(b) 在固定点。(c) 两种情况下，张力的方向。

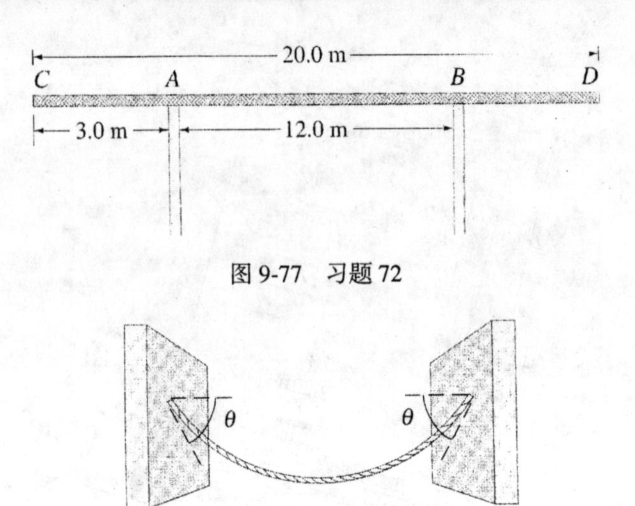

图 9-77 习题 72

图 9-78 习题 74

75. 一座单跨吊桥与图 9-76 中给出的金门大桥结构一样。设整座桥建造均匀，且每段钢缆只负担正下方路面的重量。钢缆的末端只固定在地上，与桥面没有连接。要使钢缆作用在吊塔上水平合力为零，d_2与 d_1 的比是多少？忽略钢缆的质量和桥面不是绝对水平的事实。

76. 一质量 15.0kg、长度 7.0m 的均匀梯子斜靠在光滑墙面上（所以墙施加的力 F_W垂直于墙面）。梯子与垂直墙面的夹角$\theta = 20°$（见图 9-61）；地面是粗糙的。（a）试求地面对梯子底部的作用力的分量，（b）当 70kg 的人站在梯子上部四分之三处时，如果梯子不滑倒，试求梯子与地面的摩擦系数是多少？

77. 如果上题中梯子与地面的摩擦系数为 0.3，在梯子滑倒前，人能爬上梯子多远？

78. 任意材料制成的均匀垂直柱体，有一个能够支撑其自身重量而不弯曲的最大高度。这个结果不依赖于横截面积（为什么？）。试求下列物体的这个高度：（a）钢（密度 $7.8 \times 10^3 kg/m^3$），（b）花岗岩（密度 $2.7 \times 10^3 kg/m^3$）。

79. 一块 1.2kg 的长方体砖块，边长为 15.0cm×6.0cm×4.0cm，试求它落到坚硬钢板上摔断的最小高度。设砖块用最大面撞击钢板，砖块的压缩远大于钢板的（即，忽略钢板的压缩）。给出其它需要的简单假设。

80. 一边长 L 的立方体放在粗糙地板上。它受到一个恒定的水平拉力 F，作用在离地面 h 高处，如图 9-79 所示。当 F 增加时，立方体或者滑动，或者翻倒。（a）要使它滑动而不翻倒，静摩擦系数 μ_s 是多少？（b）要使它翻倒，静摩擦系数 μ_s 是多少？[提示：如果它翻倒，法向力将作用在立方体的哪里？]

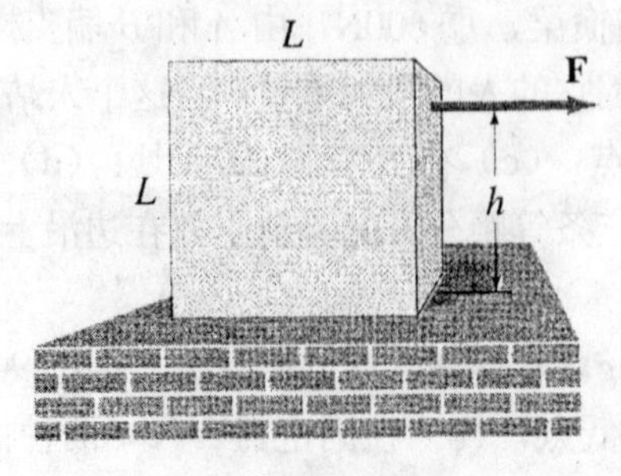

图 9-79 习题 80

81. 图 9-80，一个人在做俯卧撑。它的质量 m=70kg。试求地板施加的支持力（a）在每个手上；（b）在每个脚上。

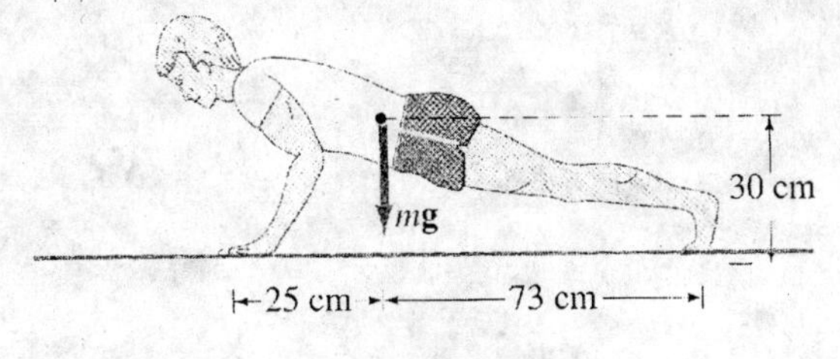

图 9-80 习题 81

82. 一个 60kg 的油漆工站在用绳悬挂的脚手架上（图 9-81）。脚手架的质量为 25kg，且制造均匀。一个 4.0kg 的颜料桶放在一侧，如图所示。油漆工能安全地走到脚手架的两端吗？如果不能，哪一端危险，离端头多远，他才安全？

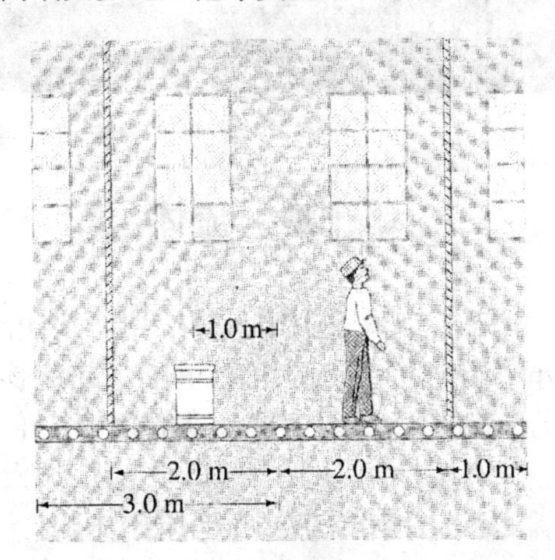

图 9-81 习题 82

图注：在水底下，鱼和潜水员受到的浮力和他们各自的重力趋于平衡。

第十章 流体

物质的三种常见形态（或**相**）：固体、液体和气体。我们可以用下面的方法区分这三种相。**固体**保持固定的形状和大小，即使很大的力作用在固体上，它的形状和体积也不会轻易改变。**液体**没有固定的形状（它的形状就是盛它的容器），但像固体一样，它不容易被压缩，只有在很大的力作用下，它的体积才有显著的变化。**气体**既没有固定的形状，也没有固定的体积——它将膨胀并充满整个容器。例如，当空气充到汽车轮胎中，空气不会像液体一样全跑到轮胎的底部；它扩散并填充到轮胎的整个空间中。因为液体和气体没有固定的形状，它们都可以流动，因此，常常将它们统称为**流体**。

区分物质的三种形态并不总是这样简单。例如，黄油如何划分？另外，可分出物质的第四种形态**等离子态**，它只出现在极高的温度下，由电离（电子从核上脱离）的原子组成。一些科学家相信一种叫做胶体（液体中悬浮着微小的粒子）的形态也可被看作物质的独立形态。然而，我们现在将主要学习物质的三种常见状态。在第九章，我们讨论了固体材料的一些性质。在这一章我们将讨论流体的性质。

10–1 密度和比重

人们有时说铁比木头“重”。这并不绝对正确，因为一个大原木显然比铁钉重得多。我们应该说铁比木头密度大。

物体的**密度**ρ（小写希腊字母）定义为单位体积的质量：

$$\rho=\frac{m}{V} \tag{10-1}$$

这里 m 是物体的质量，V 是它的体积。密度是任意纯物质的特性量。由一定纯物质（如纯金）

做成的物体可具有任意的形状和质量，但每一个的密度是一样的。（我们将发现用方程 10-1 可将物体的质量方便地写成 $m=\rho V$，物体的重量 mg 写成ρVg。）

在国际单位制里，密度的单位为 kg/m^3。有时密度用 g/cm^3 给出。注意由于 $1kg/m^3=1000\ g/(100cm)^3=10^{-3}\ g/cm^3$，所以密度用 g/cm^3 给出时必须乘以 1000 才得到用 kg/m^3 的结果。因此铝的密度$\rho=2.70\ g/cm^3$，这等于 $2700\ kg/m^3$。不同物质的密度列在表 10-1 中。表中强调了温度和压力，因为它们影响物质的密度（虽然对液体和固体影响很小）。

表 10-1 不同物质的密度[+]

物质	密度 ρ (kg/m^3)
固体	
铝	2.70×10^3
铁和钢	7.8×10^3
铜	8.9×10^3
铅	11.3×10^3
金	19.3×10^3
混泥土	2.3×10^3
花岗岩	2.7×10^3
木料（典型）	$0.3\text{-}0.9\times10^3$
玻璃，普通	$2.4\text{-}1.8\times10^3$
冰	0.917×10^3
骨头	$1.7\text{-}2.0\times10^3$
液体	
水（4°C）	1.00×10^3
血液，血浆	1.03×10^3
血液，含血浆	1.05×10^3
海水	1.025×10^3
水银	13.6×10^3
酒精，乙基	0.79×10^3
汽油	0.68×10^3
气体	
空气	1.29
氦气	0.179
二氧化碳	1.98
水（蒸汽）(100°C)	0.598

[+]除特殊说明外，表中给出的是在 0°C 和 1 标准大气压下的物体密度

例 10-1 质量，给定体积和密度。 半径 18cm 的实心铁球（破碎球）的质量是多少？

解：任意球体的体积 $V=\dfrac{4}{3}\pi r^3$，所以我们有

$$V = \frac{4}{3}\pi r^3 = \frac{4}{3}(3.14)(0.18\text{m})^3 = 0.024\,\text{m}^3$$

从表 10-1，铁的密度$\rho = 7800\ \text{kg/m}^3$，所以，从方程 10-1 可得，

$$m = \rho V = (7800\text{kg/m}^3)(0.024\text{m}^3) = 190\text{kg}$$

物质的**比重**定义为物质的密度与 4.0°水的密度之比。比重（简写为 SG）是个数值，没有量纲和单位。因为水的密度是 $1.00\ \text{g/cm}^3 = 1.00\times10^3\ \text{kg/m}^3$，所以任意物质的比重数值上等于它的用 g/cm^3 表示的密度，或它的密度用 kg/m^3 表示时乘以 10^{-3}。例如（见表 10-1），铅的比重为 11.3，酒精的比重为 0.79。

10–2 流体的压强

压强定义为单位面积上受的力，这里力 F 理解为是垂直作用在表面积 A 上的：

$$\text{压强} = P = \frac{F}{A} \qquad \textbf{(10-2)}$$

在国际单位制里，压强的单位为 N/m^2。这个单位有一个正式的名称**帕斯卡**(Pa)，以布莱斯·帕斯卡的名字命名（见 10-4 节）；即，$1\text{Pa} = 1\ \text{N/m}^2$。然而，为了简单，我们多用 N/m^2。有时用到其它单位如达因/cm^2，磅/英寸^2（有时简写为 psi）等。我们很快会遇到一些其它单位，在 10-5 节将讨论它们之间的转换（也见本书封面内的表）。

作为一个计算压强的例子，一个 60kg 的人，他两脚的面积为 500cm^2，对地施加的压强为

$$F/A = mg/A = (60\text{kg})(9.8\text{m/s}^2)/(0.050\text{m}^2) = 12\times10^3\,\text{N/m}^3$$

如果此人用一只脚站立，作用力是一样的，但面积是一半，所以压强翻一番，等于 $24\times10^3\ \text{N/m}^2$。

压强的概念在处理流体问题时特别有用。一个实验事实是流体对所有方向施加压力。游泳和潜水的人对这一点很清楚，他们在身体的所有部分都感到水的压力。在静止流体中的任意点，压强在所有方向上大小是一样的。图 10-1 给出说明。考虑流体的一个小立方体，它很小以至可以忽略引力对它的作用。作用在它一边的压强必须等于相对一边的压强。如果不是这样，立方体上就存在合力，它就会运动。如果流体不流动，则流体内任意一点各个方向上的压强必须相等。

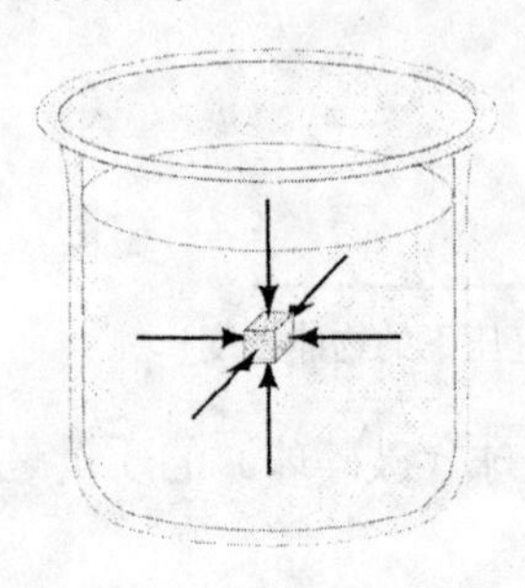

图 10-1 在同一液体的深度，各个方向上的压强大小相等，如果不相等，那液体就要运动。

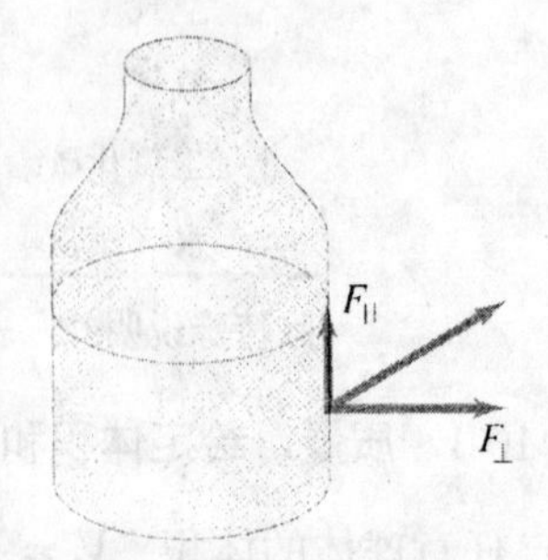

图 10-2 液体静止时，平行于容器壁的分力 $F_{\parallel}=0$。

静止流体的另一个重要性质是流体的压力总是垂直作用在与它接触的任意表面。如果存在如图 10-2 所示的平行于表面的力分量，那么根据牛顿第三定律，表面对流体会给出一个反作用力，这个力也会有平行于表面的分量。这个力分量将导致流体流动，这与我们流体是静止的的假设不符。因此压力垂直于表面。

现在，让我们定量计算随深度变化密度均匀的液体中的压强。考虑液面下深度 h 的一点（即，液面对这一点的高度为 h），如图 10-3 所示。液体在深度 h 产生的压强来自其上液体柱的重力。因此，作用在这个面积上的力 $F = mg = \rho Ahg$，这里 Ah 是液体柱的体积，ρ是液体的密度（设是恒量），g 是重力加速度。压强 P 则为

$$P = \frac{F}{A} = \frac{\rho Ahg}{A}$$

$$P = \rho gh \qquad \text{[液体]} \qquad \textbf{(10-3a)}$$

因此压强直接正比于液体的密度和深度。一般来说，均匀液体中相同深度处的压强相等。（方程 10-3a 给出液体本身的压强。如果有一个外部压强加在液体表面，则必须考虑在内，像我们在 10-4 节将要讨论的一样。）

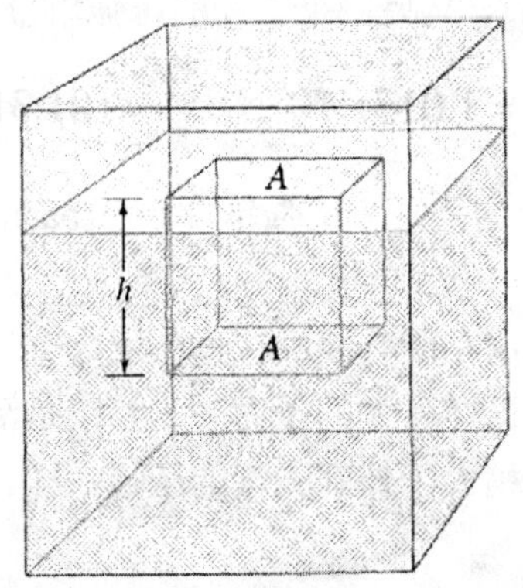

图 10-3　计算液体中深度为 h 处的压强。

方程 10-3a 非常有用。它适用于密度不随深度变化的流体——即，设流体是*不可压缩的*。通常，对液体来说，这是一个很好的近似（虽然在海洋深处，由于上面水很大的重力，水的密度由于压缩而有所增加）。然而，气体则是很容易压缩的，它的密度可以随深度显著变化。如果密度变化很小，方程 10-3a 可用来确定不同深度处，ρ取平均值时，此时，压强的变化ΔP:

$$\Delta P = \rho g \Delta h \qquad \textbf{(10-3b)}$$

例 10-2　水龙头上的压强。水箱中的液面高出厨房中的水龙头 30m，图 10-4。试求水龙头上的压强。

解：大气压同时作用在水箱中的液面和离开水龙头的水上。水龙头内外的压强差为

$$\Delta P = \rho gh = (1.0\times10^3\,\text{kg/m}^3)(9.8\,\text{m/s}^2)(30\,\text{m}) = 2.9\times10^5\,\text{N/m}^2$$

高度 h 有时叫做**压差**。在这个例子中，水的压差是 30m。注意水箱和水龙头相差很大的直径不影响结果——只有压强如此。

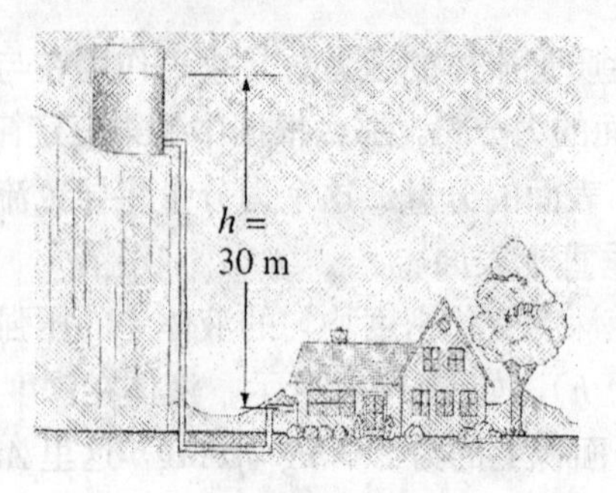

图 10-4 例 10-2

10–3 大气压和计示压

与其它流体一样，地球大气的压强，随深度变化。但地球的大气有些复杂，因为不仅空气的密度随高度变化很大，而且大气没有明显的顶面来测量 h（用在方程 10-3a 中）。然而，我们可用方程 10-3b 计算两个高度间压强的近似差。

给定地点空气的压强随天气轻微变化。在海平面上，大气的平均压强为 $1.013\times10^5\mathrm{N/m^2}$（或 14.7 磅/英寸 ^{2}）。这个值用来定义另一个常用的压强单位，即标准大气压（简写为 atm）：

$$1\,\mathrm{atm}=1.013\times10^5\,\mathrm{N/m^2}=101.3\,\mathrm{kPa}$$

有时用到（用在气象学和天气图）的另一个压强单位是巴(bar)，它定义为 $1\mathrm{bar}=1.00\times10^5\mathrm{N/m^2}=100\mathrm{kPa}$。因此标准大气压稍大于 1 巴。

由于大气重量产生的压强作用在所有浸没在这个巨大空气海洋中的物体上，包括我们的身体。人类身体表面如何能承受这样巨大的压力呢？答案是活的细胞中保持的内部压强接近等于外部压强，正如气球的内压稍大于外部大气的压强一样。汽车轮胎的强度，可以使它保持的内压比外压大得多。

要注意轮胎压强计，以及其它压强计，记录的是超过大气压的压强。这叫做**计示压**。因此，要得到绝对压强 P，必须将大气压 P_A与计示压 P_G相加：

$$P=P_A+P_G$$

例如，如果轮胎压强计的读数为 220kPa，则轮胎中的绝对压强为 220kPa +101kPa = 321kPa。这约等于 3.2atm（2.2atm 计示压）。

概念练习 10-3 **用手指拿住吸管中的水。** 你将一段长度 L 的吸管浸入你最喜欢的一杯饮料中。用你的手指盖住吸管的顶端，不要让空气进出，然后从液体中拿出吸管。你会发现吸管中保存了一些液体，从手指底部到液体顶端的距离为 h（见图 10-5）。试问：在你的手指与液体顶端之间的空气压强 P 是（a）大于，（b）等于，还是（c）小于，外部大气压 P_A？

答：考虑作用在液体柱上的力。吸管外部的大气压在吸管底部向上推液体，引力向下拉液体，吸管上部的空气向下压液体。因为液体是平衡的，向上的大气压力必须在数值上等于两个向下的力。吸管内空气的压强只能小于外部的大气压。

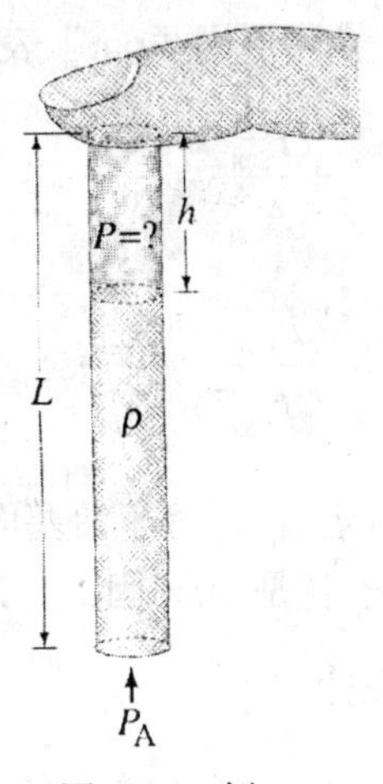

图 10-5 例 10-3

10–4 帕斯卡原理

地球的大气对所有与它接触的物体施加压力，包括其它流体。作用在流体上的外部压力遍及整个流体。例如，按照方程 10-3a，在湖面下 100m 的深处，由于水的压力产生的压强为 $P=\rho gh=$（1000kg/m^3）（9.8m/s^2）（100m）$=9.8\times10^5$N/m^2，或 9.7atm。然而，在这一点的总压强等于水的压强加上空气的压强。因此，总压强（如果湖面接近海平面）为 9.7atm +1.0atm = 10.7atm。这正是以法国哲学家和科学家布莱斯·帕斯卡（1623-1662）名字命名的普遍原理的一个例子。**帕斯卡原理**指出施加在封闭流体上的压强将使整个流体内部的压强增加相同的量。

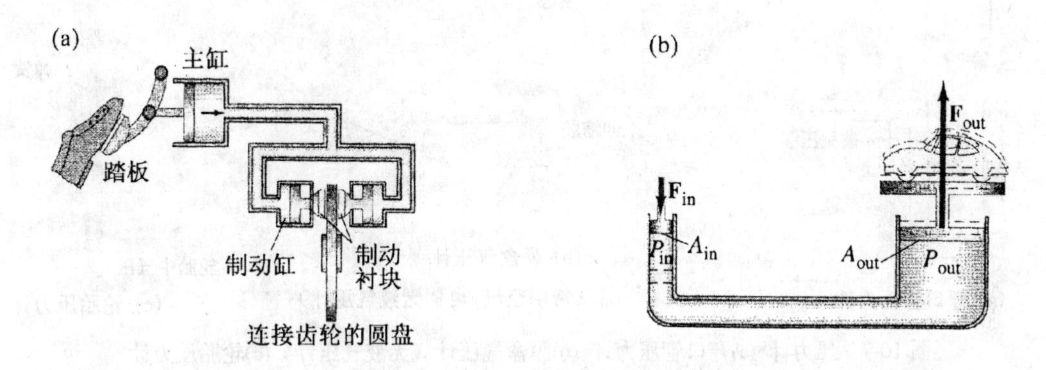

图 10-6 帕斯卡原理的应用 (a) 汽车的液压闸 (b)液压千斤顶

许多实用仪器是利用帕斯卡原理制造的。两个例子是，汽车的液压闸和液压千斤顶，图 10-6 给出原理图。在液压千斤顶的情况下，通过将活塞（输出）的面积制造得比另一个（输入）的大，一个小力可变成很大的力。让我们看一下它是如何工作的，设输入和输出活塞处在同样的高度（至少近似）。那么施加的外力 F_{in}，根据帕斯卡原理，整个液体压强增加相同的量，所以在同一高度（见图 10-6b）有：

$$P_{out}=P_{in}$$

这里输入量用下标“in”表示，输出量用下标“out”表示。因此

$$\frac{F_{\text{out}}}{A_{\text{out}}} = \frac{F_{\text{in}}}{A_{\text{in}}}$$

则

$$\frac{F_{out}}{F_{in}} = \frac{A_{out}}{A_{in}}$$

上式中，$F_{\text{out}}/F_{\text{in}}$ 叫做液压顶的“机械效益”，等于活塞面积的比。例如，如果输出活塞的面积是输入的 20 倍，那么力的倍增因子就是 20。因此，200 磅的力可升起 4000 磅的汽车。

10–5 压强的测量；标准度量和压强计

人们发明了许多仪器来测量压强，图 10-7 给出其中的一些。最简单的是开管压强计（图 10-7a），这是一个装满液体的 U 型管，通常使用的是水银或水。待测的压强 P 与两管中液面高度差 h 间的关系为（见方程 10-3a）

$$P = P_0 + \rho g h \qquad \textbf{(10-3c)}$$

这里 P_0 是大气压（作用在左侧管流体的顶部），ρ是液体的密度。注意量ρgh 是“计示压”——P 超过大气压的量。如果左侧柱的液体低于右侧的，这表示 P 小于大气压（h 将是负值）。

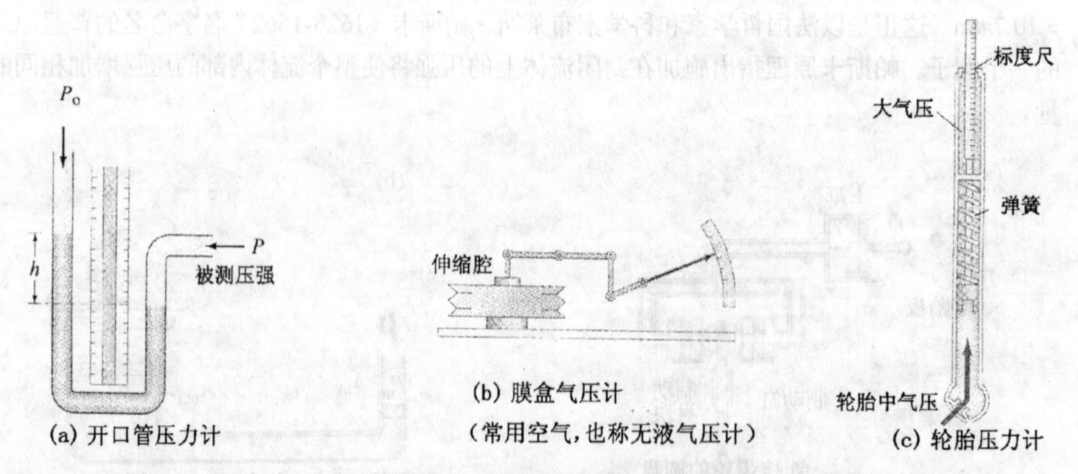

图 10-7 压力计 (a)开口管压力计 (b)膜盒气压计（无液气压计）(c)轮胎压力计

通常简单地用高度 h 表示压强，而不是算出ρgh 的值。实际上，压强有时表示为多少“毫米汞柱”（mm-Hg），或多少“毫米水”（mm-HO_2）。一个 mm-Hg 等于 133N/m^2 的压强，因为 1.00mm = 1.00×10^{-3}m，水银的密度为 13.6×10^{3}kg/m^3：

$$\rho gh = (13.6\times10^3\,\text{kg/m}^3)(9.80\,\text{m/s}^2)(1.00\times10^{-3}\,\text{m}) = 1.33\times10^2\,\text{N/m}^2$$

mm-Hg 的单位也叫做托，以纪念艾万吉里斯特·托里切里（1608-1647），他发明了压强计（见下面）。压强不同单位间的转换系数（难以置信的繁杂！）列在表 10-2 中。重要的是，只有 N/m^2= Pa，才是标准的国际单位，才能与包括其它国际单位的量进行计算。

表 10-2　不同压强单位间的换算关系

转换为 1 Pa=1 N/m²	1 atm 化为其它单位
1 atm = 1.013×10^5 N/m²	1 atm = 1.013×10^5 N/m²
= 1.013×10^5 Pa = 101.3 kPa	
1 bar = 1.000×10^5 N/m²	1 atm = 1.013 bar
1 dyne/cm² = 0.1 N/m²	1 atm = 1.013×10^6 dyne/cm²
1 lb/in² = 6.90×10^3 N/m²	1 atm = 14.71 lb/in²
1 lb/ft² = 47.9 N/m²	1 atm = 2.12×10^3 lb/ft²
1 cm-Hg = 1.33×10^3 N/m²	1 atm = 76 cm-Hg
1 mm-Hg = 133 N/m²	1 atm = 760 mm-Hg
1 torr = 133 N/m²	1 atm = 760 Torr
1mm-H_2O (4°C) = 9.81 N/m²	1 atm = 1.03×10^4 mm-H_2O (4°C)

另一种类型的压力计是无液压强计（图 10-7b），它的指针与抽空金属盒的伸缩端相连。在电子压强计中，作用在金属薄膜上压强引起的形变以电信号被探测到。图 10-7c 给出了普通的轮胎压强计的结构图。

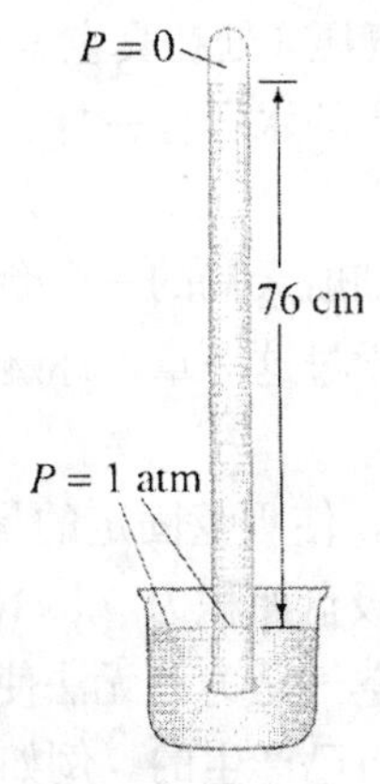

图 10-8　水银压强计（在标准大气压时水银柱高为 76cm-Hg）

大气压常常用改进的一端封闭的水银压强计测量（图 10-8）。将一个完全充满水银的玻璃管倒放入水银杯中。如果管子足够长，水银的液面将下落，使管子的顶端成为真空，因为大气压能够支撑的水银柱只有约 76cm 高（在标准大气压下准确值为 76.0cm）。即，76cm 高的水银柱与大气压的压强一样；我们可从公式 $P=\rho gh$ 看到这一点，对水银$\rho=13.6\times10^3\text{kg/m}^3$，$h = 76.0\text{cm}$：

$$P=(13.6\times10^3\,\text{kg/m}^3)(9.80\text{m/s}^2)(0.760\text{m})=1.013\times10^5\,\text{N/m}^2=1.00\text{atm}$$

家用气压表通常是无液气压计（图 10-7b），或机械型或电子型。

用与上面同样的计算可以证明，大气压能够保持一端封闭管子中 10.3m 高的水柱（图 10-9）。

图 10-9 水压计：将水从管子顶端注入后，塞紧顶部，在管子顶部出先一段真空。为什么？因为，大气压不能支持高于 10 米长的水柱。

几个世纪以前，人们惊讶和屡次失败于，不管用多好的真空泵，也不能将水提升到高于 10m 处。例如，从深于 10m 的矿井中抽出水的唯一方法是多级提水。伽利略曾研究过这个问题，他的学生托里切里第一个解释了它。他的观点是泵并没有真正吸管子中的水——它只是减小了管子顶部的压强。如果顶端处在低气压（处在真空），大气压会把管子中的水向上*推*，正如压强计中气压推（或保持）起 76cm 高的水银柱一样。

概念练习 例 10-4 **吸力**。你参加航天局的一个会议，会上一位新来的工程师提议宇航员可穿上吸盘鞋在舱外工作。由于刚学过这一章，你婉转地提醒他这个计划的缺陷。它是什么？

答：吸盘靠压出盘下的空气工作。使吸盘固定的是盘外的空气压力。（在地球上，这个力相当大。例如，一个直径 10cm 的吸盘面积为 $7.8\times10^{-3}m^2$。作用在盘外侧的大气压力可达 800N，约 180 磅！）在外层空间没有空气压力，无法使吸盘固定在飞船上。

我们有时错误地认为吸力是我们自己产生的。例如，我们本能地认为，是我们自己用吸管将饮料吸到嘴里的。但实际上，我们所作的只是降低了吸管顶部的压强，是大气压将饮料推上吸管的。

10-6 浮力和阿基米德原理

浸没在流体中的物体比它们在流体外部时的重量显得要轻。例如，一块你在地面上很难拿起的大石块，常常能够容易地从溪流底部拿起。当石块露出水面时，忽然显得变重了。许多像木材一样的物体可漂浮在水面。这是浮力的两个例子。在每个例子中，重力是向下作用的，但流体给出一个额外向上的浮力。作用在鱼和潜水者（本章开始照片）身上向上的浮力几乎完全抵消了向下的重力。

浮力的产生是由于流体中的压强随深度增加。因此，作用在浸没物体底面向上的压强大于顶面向下的压强。为了弄清这个效应，考虑一个完全浸没在密度为ρ_F的流体中的圆柱体，它的高度为 h，底和顶端具有同样的面积 A，如图 10-10 所示。

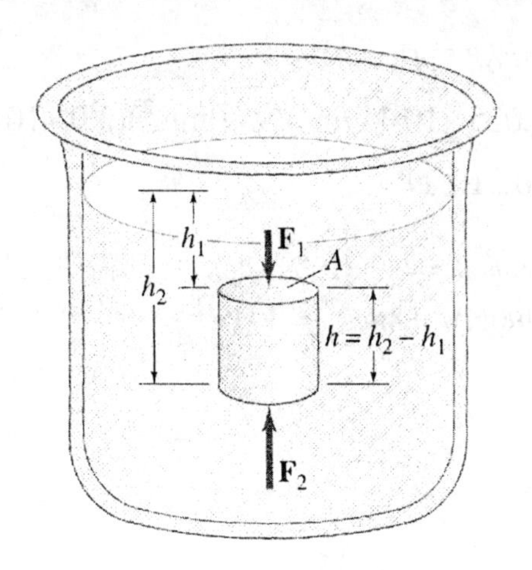

图 10-10　浮力的计算

流体对圆柱体顶面施加的压强为 $P_1 = \rho_F g h_1$。这个压强对圆柱体顶部的压力为 $F_1 = P_1 A = \rho_F g h_1 A$，它的方向指向下。同样，流体对圆柱体底面向上的作用力等于 $F_2 = P_2 A = \rho_F g h_2 A$。由于流体压强产生的合力，就是**浮力 $\mathbf{F}_B$**，它向上作用且大小为

$$F_B = F_2 - F_1 = \rho_F g A(h_2 - h_1) = \rho_F g A h = \rho_F g V$$

这里 $V = Ah$ 是圆柱体的体积。因为ρ_F是流体的密度，乘积$\rho_F g V = m_F g$ 是具有与圆柱体相同体积流体的重量。因此作用在圆柱体上的浮力等于它所排开流体⁺的重量。这个结果适用于任意形状的物体。这个发现归功于阿基米德（287？— 211 B.C.），因此叫做**阿基米德原理**：作用在浸入流体中物体上的浮力等于这个物体排开流体的重量。

⁺“所排开流体”，我们的意思是流体的体积等于该物体的体积，或浸入流体的部分物体的体积（当物体漂浮或只是部分浸没时）。如果物体放入一个原装满水的杯子中，从杯子流出的水的体积就是物体排开的水的体积。

我们可用以下简单而优美的论证普遍地推出阿基米德原理。作用在图 10-11a 中不规则形状物体 D 上的力有重力（它的重量 $\mathbf{w}$，方向指向下）和向上的浮力 F_B。我们想求出 F_B。要作到这一点，我们接着考虑一个物体，它是用同样的流体制成的（图 10-11b 中的 D'），并且与原来物体具有同样的形状和大小，放置在同样的深度。你可以将它看成是一个由想象的透明膜与静止流体隔开的流体物。因为给出 F_B 的包围物体的流体处于完全一样的构形，所以作用在这个流体物上的浮力 F_B 与原来物体的完全一样。现在流体物 D' 是平衡的（整个流体是静止的）；因此，$F_B = w'$，这里 w' 是流体物的重量。因此浮力 F_B 等于流体物的重量，而流体物的体积等于原来浸没物体的体积，这就是阿基米德原理。

例 10-5　打捞沉没的雕像。 一个 70kg 的古代雕像沉在海底。它的体积为 $3.0\times10^4 \text{cm}^3$。试问，提起它需多大的力？

解：水作用在雕像上的浮力等于 $3.0\times10^4 \text{cm}^3 = 3.0\times10^{-2} \text{m}^3$ 水的重量（海水$\rho = 1.025\times10^3$ kg/m^3）：

$$F_{\mathrm{B}} = m_{\mathrm{H_2O}}g = \rho_{\mathrm{H_2O}}gV$$
$$= (1.025\times10^3\mathrm{kg/m^3})(9.80\mathrm{m/s^2})(3.0\times10^{-2}\mathrm{m^3})$$
$$= 3.0\times10^2\mathrm{N}$$

雕像重量 mg =（70kg）（$9.8\mathrm{m/s^2}$）= 6.9×10^2N。因此，所需的拉力为 690N − 300N = 390N。这相当于雕像的质量只有 (390N) /($9.8\mathrm{m/s^2}$) = 40 kg。

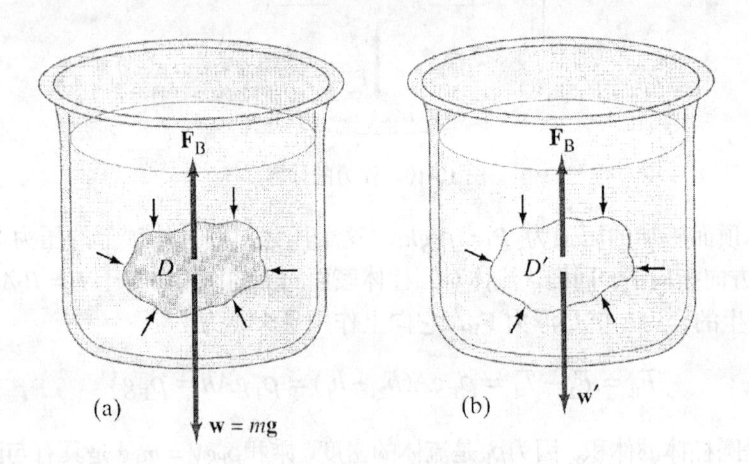

图 10-11 阿基米德原理。

据说阿基米德是在浴盆中发现他的原理的，当时他正在思考如何确认皇帝的新皇冠是纯金的还是赝品。金的比重为 19.3，比大多数金属的大，但不能直接得出比重或密度，因为尽管质量很容易知道，但不规则形状物体的体积不易算出。然而，如果称出物体在空气中的重量（= w），同时也称出它在水中的重量（= w'），则它的密度可由阿基米德原理求出，如下面例子中给出的。量 w' 叫做水中的表观重量，是物体浸在水中时弹簧秤的读数（见图 10-12）；w' 等于真实重量（$w = mg$）减去浮力。

例 10-6 阿基米德：皇冠是金的吗？ 当质量为 14.7kg 的皇冠浸没在水中时，一精确弹簧秤的读数只有 13.4kg。皇冠是纯金制造的吗？

解：见图 10-12 的分析。浸没物体的表观重量 w'（= F'_{T}，在图 10-12b 中），等于它的实际重量减去浮力 F_{B}:

$$\omega' = F'_{\mathrm{T}} = \omega - F_{\mathrm{B}} = \rho_{\mathrm{O}}gV - \rho_{\mathrm{F}}gV$$

这里 V 是物体的体积，ρ_{O} 是它的密度，ρ_{F} 是流体（这里是水）的密度。从这个关系，我们可以看出 $w - w' = \rho_{\mathrm{F}}gV$。因此，我们可以写出

$$\frac{\omega}{\omega - \omega'} = \frac{\rho_{\mathrm{O}}gV}{\rho_{\mathrm{F}}gV} = \frac{\rho_{\mathrm{O}}}{\rho_{\mathrm{F}}}$$

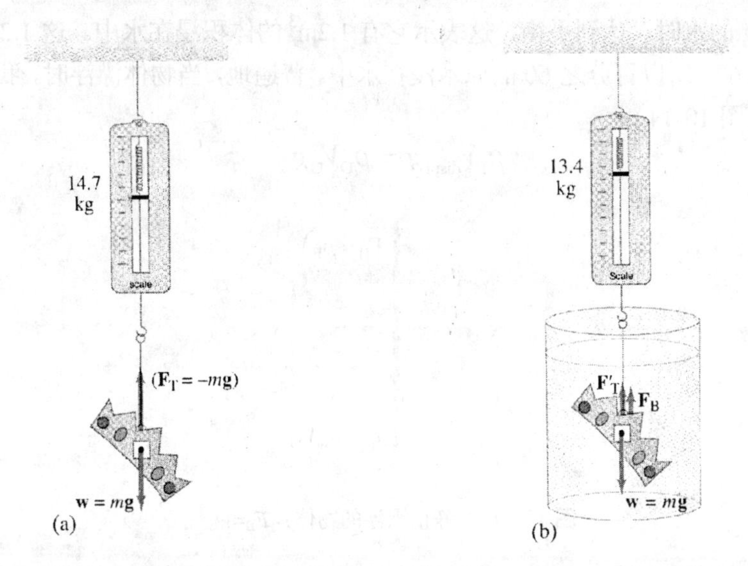

图 10-12　（a）在空气中称皇冠的质量：$F_T = mg$（b）在液体中称皇冠的质量，考虑浮力（F_B）的存在：$F_T' + F_B = \varpi$

[因此，如果浸入的流体是水，则 $\omega/(\omega-\omega')$ 等于物体的比重。]对皇冠我们有

$$\frac{\rho_O}{\rho_{H_2O}} = \frac{\omega}{\omega-\omega'} = \frac{(14.7\text{kg})g}{(14.7\text{kg}-13.4\text{kg})g} = \frac{14.7\text{kg}}{1.3\text{kg}} = 11.3$$

这对应于比重为 11300kg/m^3。皇冠看起来是铅制造的（见表 10-1）！

阿基米德原理同样可以很好地用于像木材这样的漂浮物体。通常，如果一个物体的密度小于流体的密度，它就会漂浮在流体上。处在平衡时——即，漂浮时——作用在物体上的浮力量值上等于物体的重量。例如，原木的比重为 0.60，体积为 2.0m^3，其质量为 $m_O=\rho_O V=(0.60\times10^3\text{kg/m}^3)(2.0\text{m}^3)= 1200\text{kg}$。如果原木全部浸入水中，它将排开水的质量 $m_F = \rho_F V=(1000\text{kg/m}^3)(2.0\text{m}^3)= 2000\text{kg}$。因此，作用在原木上的浮力将大于它的重量，它将浮上水面（图 10-13）。

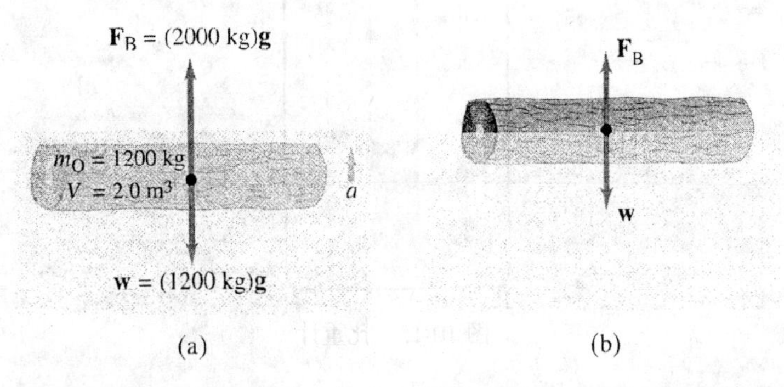

图 10-13　(a) 完全浸没的原木因为 $F_B>w$,向上加速，以趋于平衡。(b) $\Sigma F=0$，使得 $F_B=w=m_O=(1200\text{kg})g$，相当于 1200kg（体积约 1.2m^3）的水原木取代。

当它排开 1200kg 的水时，达到平衡，这表示它有 $1.2m^3$ 的体积浸在水中。这 $1.2m^3$ 相当于原木体积的百分之 60，所以百分之 60 的原木浸在水中。普遍地，当物体漂浮时，我们有 $F_B=w$，可将此写成（见图 10-14）：

$$\rho_F V_{displ} g = \rho_O V_O g$$

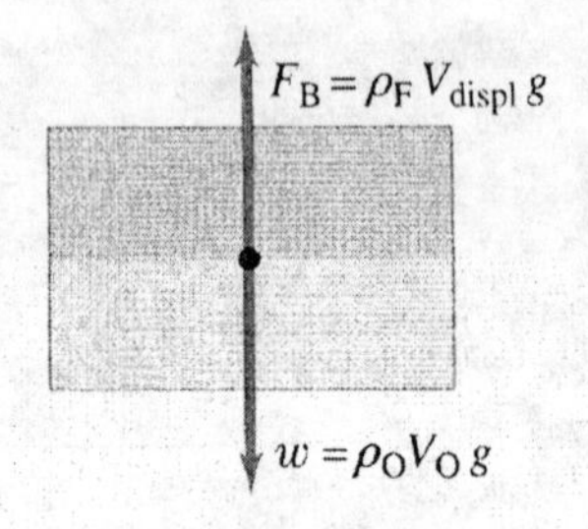

图 10-14 静止漂浮的物体：$F_B=w$

这里 V_O 是物体的总体积，V_{displ} 是它排开流体的体积（= 浸没体积）。因此

$$\frac{V_{displ}}{V_O} = \frac{\rho_O}{\rho_F}$$

即，物体浸没的体积比例等于它与流体的密度比。

例 10-7 比重计校准。 比重计是一种通过测量它在液体中下沉多深来确定液体比重的简单仪器。一种比重计（图 10-15）由一个底部负重的玻璃管构成，它的长度为 25.0cm，横截面积为 $2.00cm^2$，质量为 45.0g。试问 1.000 的标记应标在离底端多远处？

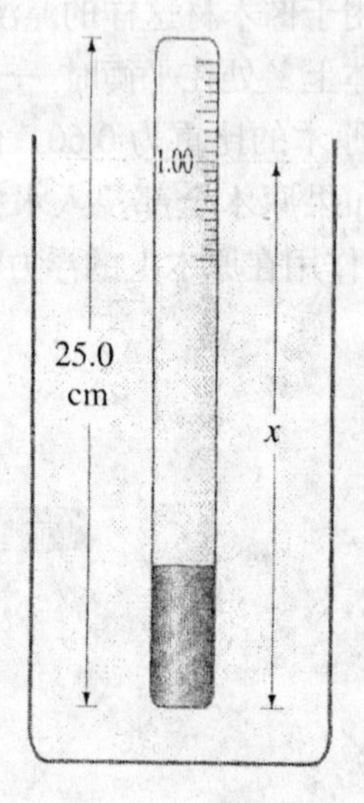

图 10-15 比重计

解：比重计的密度为

$$\rho = \frac{m}{V} = \frac{45.0g}{(2.00cm^2)(25.0cm)} = 0.900g/cm^3$$

因此，当它被放入水中，且体积的 0.900 浸没时达到平衡。因为它的横截面是均匀的，所以有(0.900)(25.0)= 22.5cm 的长度浸入水中。因为水的比重定为 1.000，所以标记应刻在离底端 22.5cm 处。

阿基米德原理在地质学中也很有用。根据板块构造和大陆漂移理论，可认为陆地漂浮在微形变岩石（表层岩）的流体“海”上。用非常简单的模型可进行一些有趣的计算，在这里和本章后的习题中，将对此有所涉及。

例 10- 8 估算漂浮的大陆。 一个简单的模型（图 10-16），将大陆看成一个整块（密度 = 2800kg/m^3）漂浮在表层岩（密度 = 3300kg/m^3）上。设大陆厚 35km（地壳的平均厚度），试估计大陆超出周围岩石的高度。

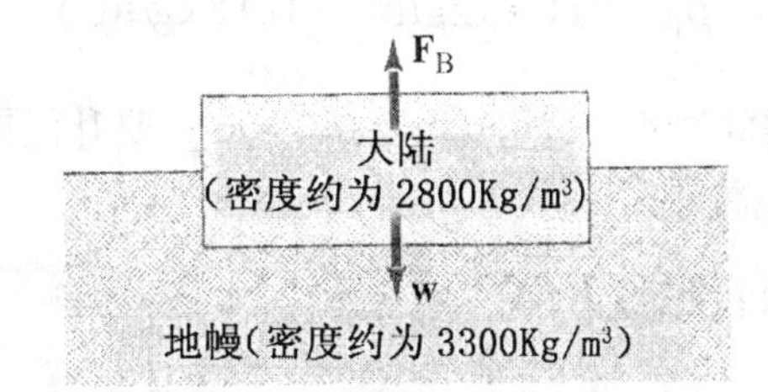

图 10-16 大陆“漂移”在地壳熔岩上，浮力 $\mathbf{F_B}$ 等于大陆的重量 $\mathbf{w}$。

解：如上面讨论的，大陆浸没的比例等于密度比：

$$\frac{(2800\text{kg/m}^3)}{(3300\text{kg/m}^3)}=0.85$$

因此大陆高度的 0.15 超出周围岩石，等于（0.15）（35km）= 5.3 km。这个结果（即 5.3km）粗略估计了海洋底到大陆顶的平均深度。（说它粗略是因为忽略了海洋的重量。）

空气是流体，它也可以施加浮力。一般物体在空气中比它们在真空中的重量要轻。因为空气的密度太小，对一般固体的影响很轻微。然而，有些物体可以漂浮在空气中——例如，充满氦气的气球，因为氦的密度小于空气的密度。

例 10-9 氦气球。 如果一个气球要升起 800kg 的负重（包括空气球的重量），需多少体积 V 的氦气？

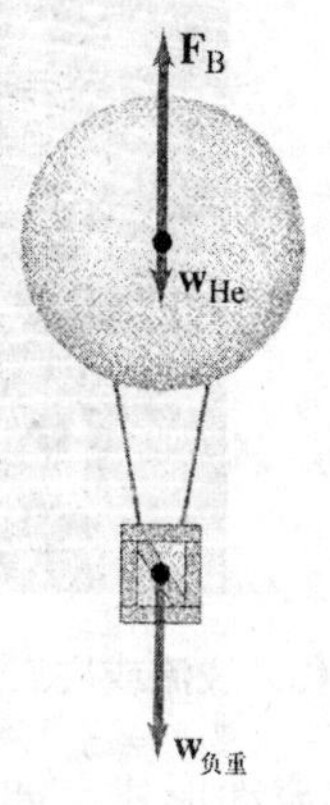

图 10-17 例 10-9

解：作用在氦气上的浮力 F_B（等于排开空气的重量），必须至少等于氦气的重量加上负重（图 10-17）：

$$F_B = (m_{He} + 800\text{kg})g$$

这里 g 是引力加速度。这个方程可写成密度的形式：

$$\rho_{air}Vg = (\rho_{He}V + 800\text{kg})g$$

现在求解 V，得到

$$V = \frac{800\text{kg}}{\rho_{air} - \rho_{He}} = \frac{800\text{kg}}{(1.29\text{kg/m}^3 - 0.18\text{kg/m}^3)} = 720\text{m}^3$$

这就是在近地球表面处所需的体积，这里$\rho_{air} = 1.29\text{kg/m}^3$。要升得更高，需要更大的体积，因为空气密度随高度的增加而减小。

10–7 流体的运动；流速和连续性方程

现在，我们从研究静止的流体转到更复杂的运动的流体，这方面的研究叫做**流体动力学**，或**水动力学**。流体运动的许多方面今天仍在研究（例如，湍流作为混沌的一种表现是当今研究的热点）。尽管如此，通过一些简单的假设，可以很好地理解这门学科。

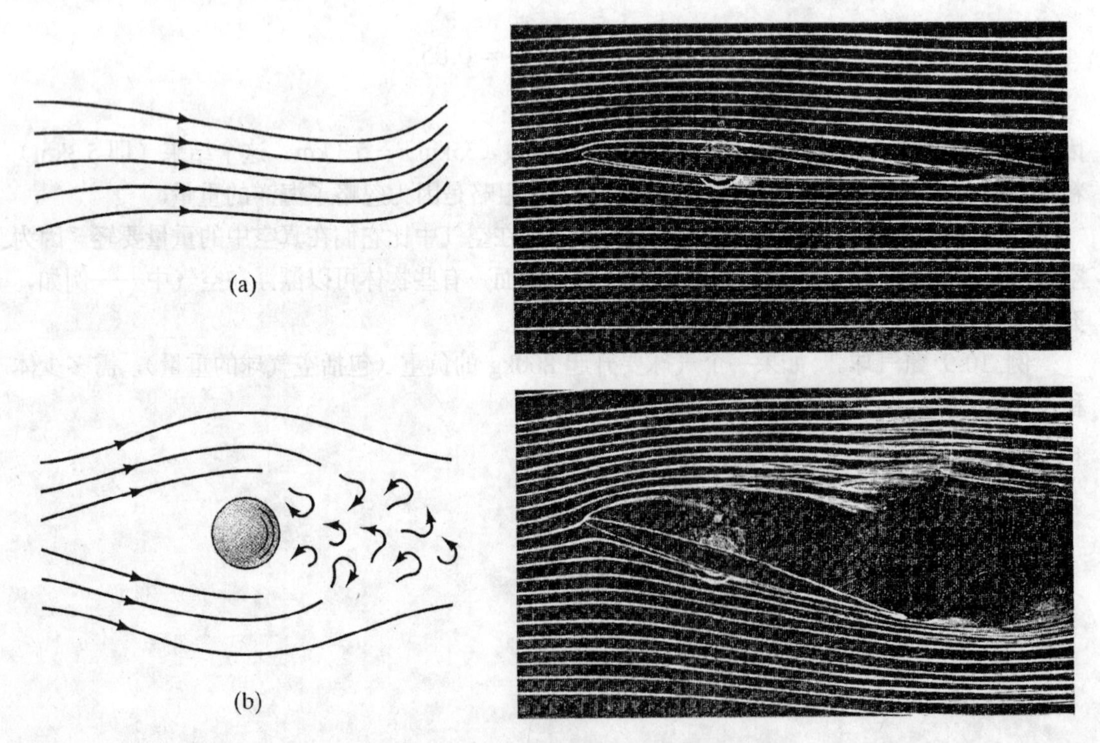

图 10-18 （a）线流或层流；（b）湍流

首先，我们要区分两种主要的流体流动形式。如果流动是平滑的，即流体相邻层间相互平稳滑动，这样的流动叫做**线流**或**层流**。在这种流动中，流体的每个质点沿平滑路径流动，这些路径相互不交叠（图 10-18a）。流动超过一定的速率后变成**湍流**，这个速率取决于一系列因素，我们后边将会看到。湍流线流或层流的特征是分散、微小、旋涡状的旋流（图 10-18b）。旋流吸收了大量的能量，虽然在线性流动中存在一定的叫做**粘性**的内摩擦，但在湍流中内摩擦要大得多。在运动的流体中滴几小滴墨水或食用色，就可以很快知道流动是流线型还是湍流型。

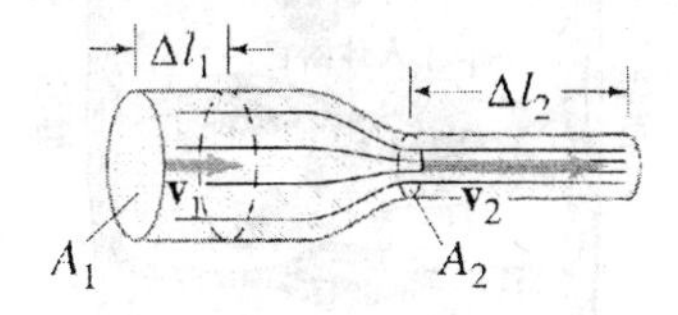

图 10-19　流体从分布不均匀的管中流过

让我们考虑图 10-19 中给出的通过一段封闭管道的稳定层流。首先，我们要确定当管道的尺寸改变时，流速如何变化。质量流量定义为，在单位时间Δt 内流过给定点的流体质量Δm：质量流量= $\Delta m/\Delta t$。在图 10-19 中，在时间Δt 内流过点 1（即，通过面积 A_1）的流体体积正好等于 $A_1\Delta l_1$，这里Δl_1 是流体在时间Δt 内运动的距离。因为流体经过点 1 的速度为 $v_1= \Delta l_1/\Delta t$，所以，通过面积 A_1 的质量流量$\Delta m_1/\Delta t$ 等于

$$\frac{\Delta m_1}{\Delta t}=\frac{\rho_1\Delta V_1}{\Delta t}=\frac{\rho_1 A_1\Delta l_1}{\Delta t}=\rho_1 A_1 v_1$$

这里$\Delta V_1= A_1\Delta l_1$ 是质量Δm_1 的体积，ρ_1 是流体的密度。同样，在点 2（通过面积 A_2），流量为 $\rho_2A_2v_2$。因为没有流体从侧边流入或流出，通过 A_1 和 A_2 的流量必须相等。因此，由于：

$$\frac{\Delta m_1}{\Delta t}=\frac{\Delta m_2}{\Delta t}$$

则

$$\rho_1 A_1 v_1=\rho_2 A_2 v_2$$

这叫做**连续方程**。如果流体是不可压缩的（ρ不随压强改变），对于许多情况下的流体（有时也可用于气体），这是一个极好的近似，在ρ_1=ρ_2 时，连续方程变成

$$A_1 v_1=A_2 v_2 \qquad [\rho=\text{常数}] \qquad \textbf{(10-4)}$$

注意乘积 Av 表示体积流量（流体每秒流过给定点的体积），因为$\Delta V/\Delta t = A\Delta l/\Delta t = Av$，在国际单位制里用 m^3/s 表示。方程 10-4 告诉我们，横截面积大的流速小，面积小的流速大。可通过观察河流的流动来理解这一点。当河流通过草地时，它很宽阔，流速也比较慢，但当通过很窄的峡谷时，它速度加快而成为激流。

方程 10-4 可用于身体中血液的流动。血液从心脏流向主动脉，从这里再流向其它大动脉。这些大动脉又分成小动脉，然后进入无数的毛细血管。血液通过静脉返回心脏（图 10-20）。

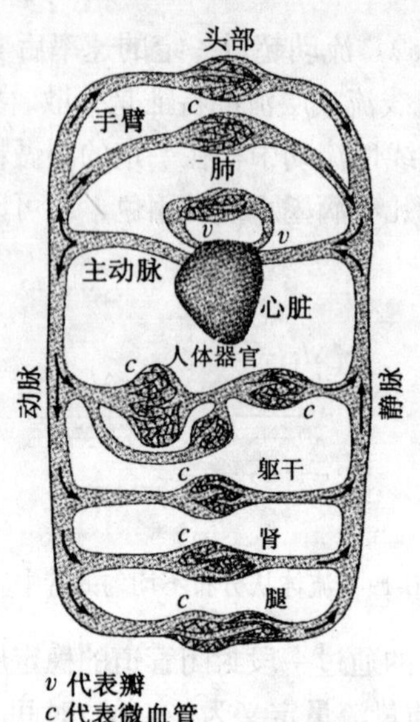

图 10-20 人体血液循环系统示意图

例 10-10 **估算血液流动。** 人体主动脉的半径大约 1.0cm，血液流过它的速率约为 30cm/s。典型的毛细血管的半径约为 4×10^{-4}cm，通过它时血液的流速约为 5×10^{-4}m/s。试估算人体中有多少毛细血管。

解：设 A_1 为主动脉的面积，A_2 为血液流过的所有毛细血管的总面积。因此 $A_2 = N\pi r_{\text{cap}}^2$，这里 N 是毛细血管数量，$r_{\text{cap}}\approx4\times10^{-4}$cm 是一个毛细血管的平均半径。从方程 10-4 我们有

$$v_2A_2 = v_1A_1$$

$$v_2N\pi r_{\text{cap}}^2 = v_1\pi r r_{\text{aorta}}^2$$

所以

$$N = \frac{v_1}{v_2}\frac{r_{\text{aorta}}^2}{r_{\text{cap}}^2} = \left(\frac{0.30\text{m/s}}{5\times10^{-4}\text{m/s}}\right)\left(\frac{1.0\times10^{-2}\text{m}}{4\times10^{-6}\text{m}}\right)^2 \approx 4\times10^9$$

或约 4 百万个毛细血管。

下面给出用到连续方程和它的论证过程的另一个例子。

例 10-11 **房屋中的加热管道。** 如果加热管道中空气以 3.0m/s 运动，如果要在 15 分钟内将体积 300m^3 的房屋内的空气更新一遍，试问管道有多大？（见图 10-21）设空气密度保持恒定。

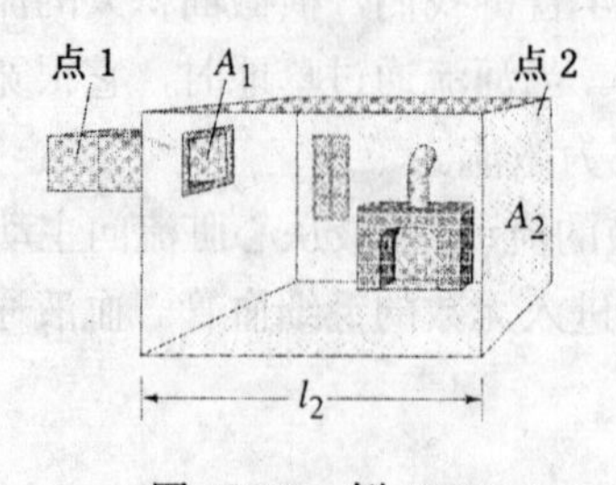

图 10-21 例 10-11

解：如果将房屋（称做点 2）看作一个大管道，我们就可以用方程 10-4。与我们得出方程 10-4 的方法一样，我们有 $A_2v_2 = A_2l_2/t = V_2/t$，这里 V_2 是房屋的体积。因此 $A_1v_1 = A_2v_2 = V_2/t$ 并且

$$A_1 = \frac{V_2}{v_1 t} = \frac{300\text{m}^3}{(3.0\text{m/s})(900\text{s})} = 0.11\text{m}^2$$

如果导管是正方形，那么每边长为 $l = \sqrt{A} = 0.33\text{m} = 33\text{cm}$。也可以是矩形导管 $20\text{cm} \times 55\text{cm}$。

10–8 伯努利方程

你是否曾经想过，草原牧犬洞中的空气是如何循环的，为什么烟会沿烟囱上升，为什么活动车蓬汽车在高速行驶时顶部会向上凸起？这些都是丹尼尔・伯努利（1700-1782）在 19 世纪早期提出的原理的一些实际例子。在本质上，**伯努利原理**指出流体流速高的地方压强低，流速低的地方压强高。例如，如果测量图 10-19 中点 1 和点 2 处的压强，将会发现由于点 2 处的速度大，此处的压强比点 1 处的低。初看起来，也许有点奇怪；你会认为点 2 处高的速率意味着高的压强。但实际情况不是这样。因为如果点 2 处的压强比点 1 处高，这个高的压强将使流体减速，但实际上从点 1 到点 2 流体是加速的。因此点 2 的压强必须小于点 1 的，这才能与流体加速的事实相符。

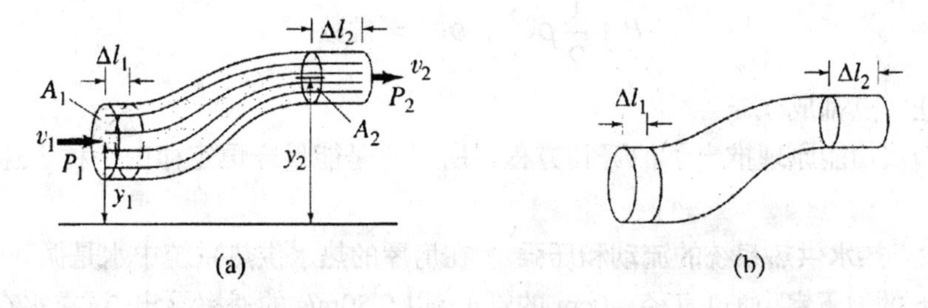

图 10-22　液体的流动伯努利方程的推导

伯努利推出了定量的表示这个原理的方程。为了推导伯努利方程，我们假设流动是稳定的层流，且流体是不可压缩的，其粘度小到可以忽略。为了得到普遍表达式，我们假设流体在非均匀截面的管中流动，且高度相对于参照线在变化，图 10-22。我们将考虑阴影部分的流体，并计算将它从（a）中的位置移动到（b）时作的功。在这个过程中，点 1 的流体流动了距离Δl_1并推动点 2 的流体移动距离Δl_2。点 1 左侧的流体对阴影部分的流体施加的压强为 P_1，作的功等于

$$W_1 = F_1 \Delta l_1 = P_1 A_1 l_1$$

在点 2，流体对阴影部分作的功为

$$W_2 = -P_2 A_2 \Delta l_2$$

给出负号是由于作用力与运动方向相反（因此，阴影部分流体对点 2 右侧流体作功）引力也对流体作了功。因为图 10-22 中过程的净效应是将体积 $A_1\Delta l_1$（$=A_2\Delta l_2$，因为流体是不可压缩的）的质量 m 的流体从点 1 移动到点 2，重力作的功为

$$W_3 = -mg(y_2 - y_1)$$

这里 y_1 和 y_2 是管中心相对于参照线（任意）的高度。注意在图 10-22 中的情况下，这一项为负是由于运动与重力方向相反是上升的。因此，对流体作的总功为：

$$W = W_1 + W_2 + W_3$$
$$W = P_1 A_1 \Delta l_1 - P_2 A_2 \Delta l_2 - mgy_2 + mgy_1$$

根据功能原理（6-3 节），对一个系统作的总功等于它动能的改变，因此

$$\frac{1}{2}mv_2^2 - \frac{1}{2}mv_1^2 = P_1 A_1 \Delta l_1 - P_2 A_2 \Delta l_2 - mgy_2 + mgy_1$$

质量为 m 的流体的体积为 $A_1\Delta l_1=A_2\Delta l_2$。因此我们可以代入 $m=\rho A_1\Delta l_1=\rho A_2\Delta l_2$，并消去 $A_1\Delta l_1=A_2\Delta l_2$，得到

$$\frac{1}{2}\rho v_2^2 - \frac{1}{2}\rho v_1^2 = P_1 - P_2 - \rho gy_2 + \rho gy_1$$

重新写成

$$P_1 + \frac{1}{2}\rho v_1^2 + \rho gy_1 = P_2 + \frac{1}{2}\rho v_2^2 + \rho gy_2 \tag{10-5}$$

这就是**伯努利方程**。由于点 1 和点 2 是任意的两点，伯努利方程可写成：

$$P + \frac{1}{2}\rho v^2 + \rho gh = \text{常数}$$

对流体中的任一点都成立。

由于我们从功能原理推出了伯努利方程，所以它是能量守恒定律的一种表达形式。

例 10-12 **热水供热系统的流动和压强。** 在房屋的热水供热系统中水是循环的。如果水从压强 3.0atm 的地下室，通过直径 4.0cm 的管道，以 0.50m/s 的速率泵出，试求水在楼上 5.0m 直径 2.6cm 的管道中的流速和压强。

解：我们首先用连续方程 10-4 计算楼上的流速 v_2。注意面积与半径的平方成比例（$A = \pi r^2$），我们将地下室记为点 1 得到

$$v_2 = \frac{v_1 A_1}{A_2} = \frac{v_1 \pi r_1^2}{\pi r_2^2} = (0.50\text{m/s})\frac{(0.020\text{m})^2}{(0.013\text{m})^2} = 1.2\text{m/s}$$

要求压强，我们用伯努利方程：

$$\begin{aligned}P_2 &= P_1 + \rho g(y_1 - y_2) + \frac{1}{2}\rho(v_1^2 - v_2^2)\\ &= (3.0\times10^5\,\text{N/m}^2) + (1.0\times10^3\,\text{kg/m}^3)(9.8\text{m/s}^2)(-5.0\text{m})\\ &\quad + \frac{1}{2}(1.0\times10^3\,\text{kg/m}^3)[(0.50\text{m/s})^2 - (1.2\text{m/s})^2]\\ &= 3.0\times10^5\,\text{N/m}^2 - 4.9\times10^4\,\text{N/m}^2 - 6.0\times10^2\,\text{N/m}^2\\ &= 2.5\times10^5\,\text{N/m}^2\end{aligned}$$

或 2.5atm。注意在这种情况下速度项贡献很小。

10–9 伯努利原理的应用：从托里切里原理到帆船、机翼和暂时缺血性疾病（TIA）

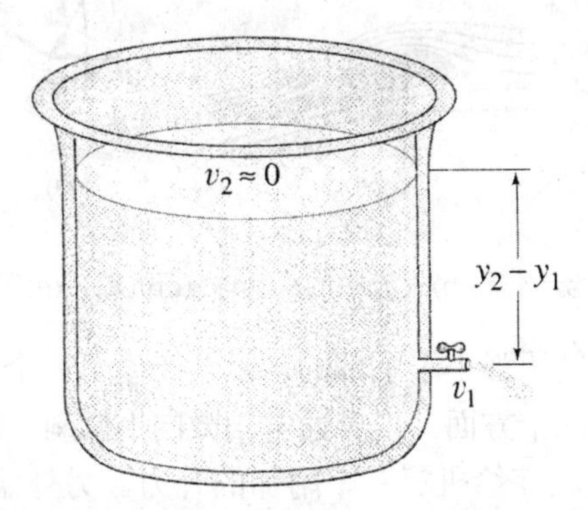

图 10-23 托里切里定理：$v_1 = \sqrt{2g(y_2 - y_1)}$

伯努利方程可用于许多情况下。一个例子是计算水箱底部水龙头中液体流出的速度 v_1，图 10-23。我们选液体顶面为方程 10-5 中的点 2。设水箱的直径大于水龙头的，v_2 将几乎为零。点 1（水龙头）和点 2（液面）与大气相通，所以两点的压强等于大气压：$P_1 = P_2$。因此伯努利方程变成

$$\frac{1}{2}\rho v_1^2 + \rho g y_1 = \rho g y_2$$

或

$$v_1 = \sqrt{2g(y_2 - y_1)} \qquad \textbf{(10-6)}$$

这个结果叫做**托里切里定理**。虽然它看起来是伯努利方程的特殊情况，但早在伯努利之前一个世纪，伽里略的学生托里切里就发现了它，因此以他的名字命名。方程 10-6 告诉我们液体离开水龙头的速率与从同样高度落下的自由落体具有的速率一样。这并不奇怪，因为伯努利方程是在能量守恒的基础上推导出来的。

当液体流动但高度没有明显差别，即 $y_1 = y_2$ 时，出现伯努利方程的另一种特殊情况。这时方程 10-5 变成

$$P_1 + \frac{1}{2}\rho v_1^2 = P_2 + \frac{1}{2}\rho v_2^2 \qquad \textbf{(10-7)}$$

这告诉我们，速率高的地方压强低，反之亦然。它解释了许多常见现象，其中一些图示在图 10-24 中。当空气高速吹过时（图 10-24a），在香水喷瓶垂直管顶部的压强小于瓶中液面受到的正常空气压强。因此，由于管顶的压强减小，香水被压上喷管。一个乒乓球可浮在空气喷嘴气流的上面（一些吸尘器可吹出空气），图 10-24b；如果球开始离开气流，由于喷嘴外部静止空气的压强较高（伯努利原理）会将球推回去。

飞机机翼和其它相对空气快速运动的翼型物体，通常被设计成一定形状来偏转气流，虽然气流大部分仍保持线性流动，但机翼上部的流线比较密集，图 10-24c。正如收缩管子中流速高的地方流线较密集一样（见图 10-19），机翼上部密集的流线表明上部的空气流速大于下

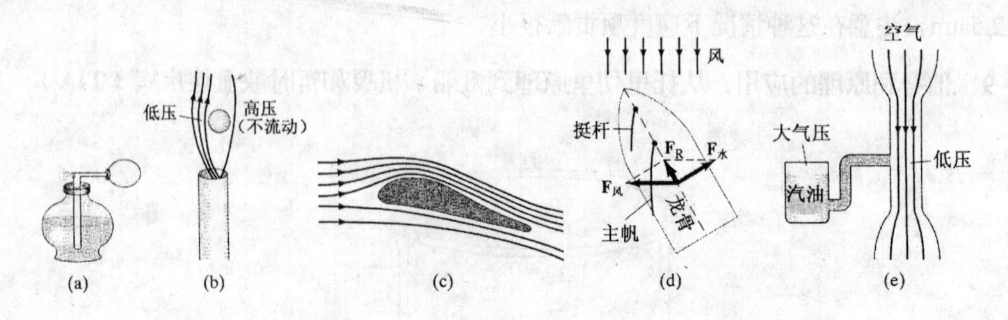

图 10-24 (a) 雾化器, (b)气流中的乒乓球, (c)机翼，(d)船帆，(e)化油器

部的。因此，机翼上部的空气压强小于下部的，以至产生了一个向上的合力，叫**动力提升**。伯努利原理只是升起机翼的一个方面。机翼通常稍微向上倾斜，以至空气碰到下表面后向下偏转；反弹空气分子动量的改变给机翼一个附加的升力。另外湍流也起着重要的作用。

图 10-25 利用伯努利原理在逆风中行驶的帆船。

帆船可迎着风行驶，图 10-24d 和图 10-25，如果将帆设置成使两帆间狭窄区域的空气流速增加，则伯努利效应可起相当大的作用。此时主帆后的正常气压大于前部减小的气压（由于两帆间缝隙中快速运动的空气），这个推力使船前行。当船迎风行驶时，主帆设置的角度近似在风的方向和船身（龙骨线）方向之间， 如图 10-24d 所示。作用在帆上的合力（风和伯努利响应）几乎垂直于帆（$\mathbf{F}_{风}$）。如果船身不是垂直伸入水下——那么因为水对船的作用力（$\mathbf{F}_{水}$）几乎垂直于船身，风的作用会使船侧向运动。这两个力的合力（$\mathbf{F}_{合}$）指向船的前方。

文丘里管实际上是一段有收缩部位（管颈）的管子。文丘里管的一个例子是汽车上的化油器（图 10-24e）。流动的空气在通过收缩管时加速（方程 10-4），导致压强减小。由于压强减小，化油器储存箱中处在大气压下的汽油被压到气流中，然后进入气缸。

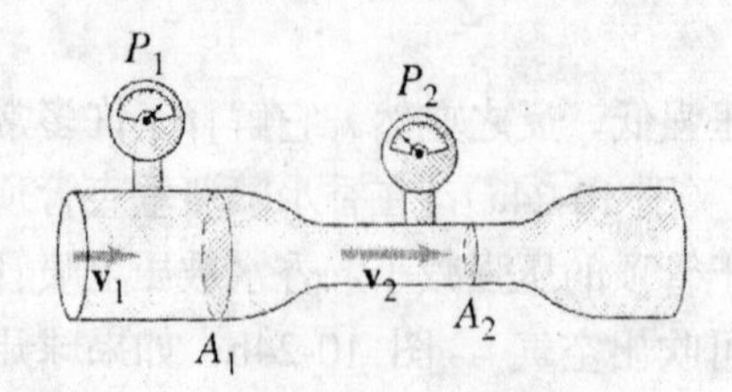

图 10-26 文丘里管

文丘里管也用在文丘里流速计上，它用来测量流体的流速，图 10-26。文丘里流速计可以测量气体和液体的流速，也可设计成用来测量动脉中血液的流速。

为什么烟会沿烟囱上升？部分原因是由于热空气上升（它的密度轻，因此上浮）。但伯努利原理也起了很大作用。因为风吹过烟囱的顶部，使此处的压强低于房子里的。因此，空气和烟被推上烟囱。甚至在很平静的夜晚，烟囱顶部仍有足够的大气流动使烟上升。

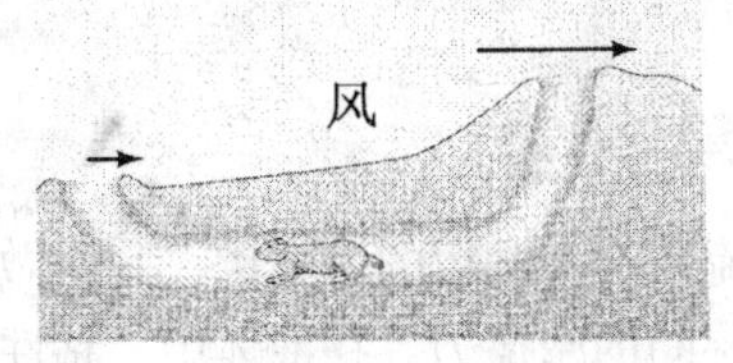

图 10-27　伯努利原理对田鼠洞中的空气流动起作用

如果囊地鼠、草原犬、兔子和其它穴居在地下的动物要避免窒息，它们洞中的空气必须循环。这种洞一般至少有两个出口（图 10-27）。流过不同洞口的空气速率通常稍有不同。这使压强出现差异，致使空气在洞中流动。如果一个洞口比另一个高（动物常常设计成这样），由于高处的风速增加，洞中的空气流动增强了。

在医学中，伯努利原理有许多应用，其中之一是解释由所谓的“锁骨下动脉偷血症”引起的暂时缺血性发作（TIA）（表示对大脑供血暂时缺乏）。患了 TIA 的人常常伴有眩晕、重影、头疼和四肢乏力等症状。TIA 是这样发生的。血液通常通过两条椎动脉流向头部后侧的大脑，椎动脉在颈部两侧各有一条，两动脉在大脑正下方汇合成基底动脉，如图 10-28 所示。椎动脉是在锁骨下动脉流向手臂之前从锁骨下动脉流出来的，如图所示。当手臂活动剧烈时，血液流动增大以满足手臂肌肉的需要。然而，如果身体一侧的锁骨下动脉被部分阻塞（如动脉硬化），这一侧的血液流速就会增加以满足需要。（回忆连续方程：对同样的流量来说，面积小意味着速度大，方程 10-4）流过椎动脉血液速度的增加导致血压降低（伯努利原理）。因此，由于这一侧压强低，处在常压的一侧的的椎动脉就可能向另一侧的椎动脉倒流（像文丘里效应），而不向上经过基底动脉和大脑。因此，脑部的供血不足是由于“锁骨下动脉偷血症”引起的：锁骨下动脉中快速流动的血液“偷去”了脑部的供血。眩晕或无力的症状通常会使人停止运动，然后恢复到正常。

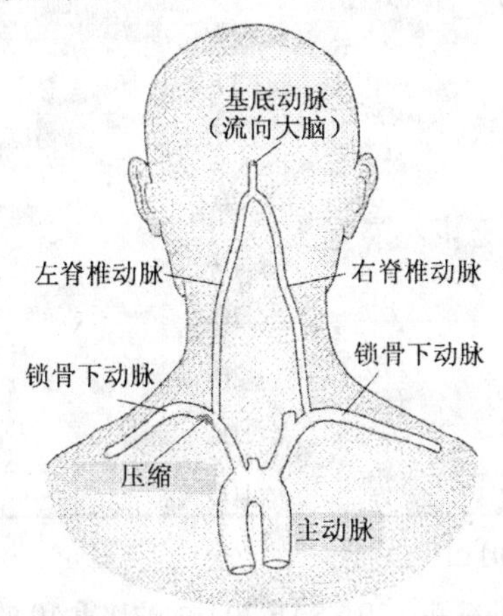

图 10-28　向大脑和胳膊供血的动脉血管示意图。流过左锁骨下动脉收缩处的血液速度过高就会引起左椎动脉中的血压过底，导致血液逆向（向下）流动，从而引起“锁骨动脉偷血症”

伯努利方程忽略了摩擦效应（粘性）和流体的可压缩性。流体的能量由于受到压缩而转换成内能（或势能），以及由于摩擦转换成热能，可在方程 10-5 右侧增添附加项而予以考虑。这些项很难从理论上计算出来，通常由实验确定。我们这里不作深入讨论，只是注意到它们不会明显改变对上述现象所作的解释。

*10-10 粘性

正如已经提到的，实际的流体具有一定的内摩擦，它叫做**粘性**。粘性存在于液体和气体中，本质上它是流体的相邻流层间的摩擦力。在液体中，粘性主要来源于分子间的亲和力。在气体中，它来自分子间的碰撞。

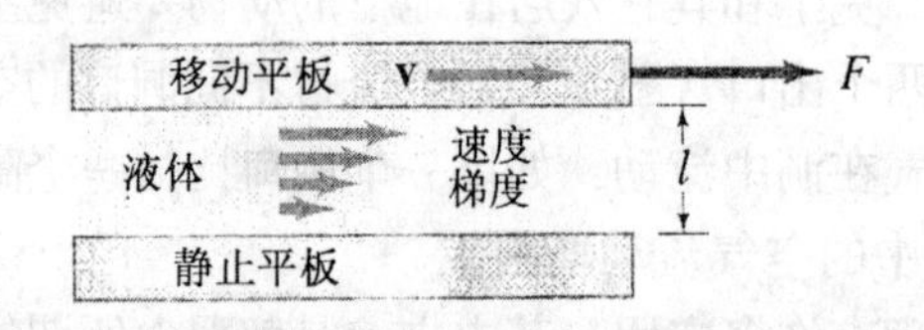

图 10-29 粘滞系数的确定

不同的流体具有不同的粘度：糖浆的粘度比水大；润滑油比汽油更粘稠；总的来说，液体的粘性比气体的大得多。不同流体的粘性可用粘滞系数η定量表示，它用以下方法给出定义。一流体薄层放在两个平板之间。一个板是固定的，另一个以匀速运动，图 10-29。由于流体与平板分子间的亲和力而产生的直接接触只出现在流体与每个平板的表面。因此流体的上表面以速率v与上平板一起运动，而与静止平板接触的流体保持静止。流体的静止层减缓

表 10-3 不同液体的粘滞系数

液体	温度（°C）	粘滞系数，η（Pa·s）$^+$
水	0	1.8×10^{-3}
	20	1.0×10^{-3}
	100	0.3×10^{-3}
血液	37	$\approx4\times10^{-3}$
血浆	37	$\approx1.5\times10^{-3}$
乙基酒精	20	1.2×10^{-3}
发动机机油（SAE 10）	30	200×10^{-3}
甘油	20	1500×10^{-3}
空气	20	0.018×10^{-3}
氢气	0	0.009×10^{-3}
水蒸气	100	0.013×10^{-3}

$^+$1 Pa·s = 10 P =1000 cP

$^+$发动机工程师协会用数字来表示油的粘性：30（SAE 30）的油比重 10 的油粘度更大。多级油，像 20-50，被设计配制成它的粘性随温度升高而保持不变；20-50 意思是，当油冷却时，重 20，当油是热的时（机器运转温度），为重 50 的纯油。

了它上面一层流体的流动，这一层又减缓了下一层的流动，依次类推。因此速度从 0 到 v 连续变化，如图所示。速度的改变除以变化区域的距离（等于 v/l）叫做速度梯度。移动上面的平板需要力，沿涂满糖浆的桌面移动一块平板，你就可以证明这一点。对于给定的流体，发现所需的力 F 正比于流体与平板的接触面积 A 和速率 v，反比于平板间的间距 l：$F \propto vA/l$。对于不同的流体，其粘性越大，所需的力越大。因此，这个方程的比例系数定义为*粘滞系数*，η：

$$F = \eta A \frac{v}{l} \tag{10-8}$$

求解η，我们发现$\eta = Fl/vA$。在国际单位制中，η的单位为 $N \cdot s/m^2 = Pa \cdot s$（帕斯卡·秒）。在 cgs 单位制中，它的单位是达因·s/cm^2，叫做泊（P）。粘度常常用厘泊（cP）表示，它是泊的百分之一。表 10-3 中给出了流体的粘滞系数，同时温度也给定，因为它的影响很明显：例如，发动机油的粘性随温度增加快速减小。

*10–11 管中的流动：泊肃叶方程，血液流动

如果流体没有粘性，它可以在水平管中流动而无需施加力。由于粘性，实际液体，无论它是管中的水或油，还是人体循环系统中的血液，它的稳定流动需要管中两端存在压差才能实现，甚至在水平管中也是如此。

在圆管中流体的流速依赖于流体的粘性、压差和管子的尺寸。法国科学家泊肃叶（1799-1869）对血液循环的物理过程很感兴趣（以他的名字命名“泊”），他研究了圆管中不可压缩流体层流的流量如何变化。他的结果叫做泊肃叶方程：

$$Q = \frac{\pi r^4 (P_1 - P_2)}{8\eta L} \tag{10-9}$$

这里 r 是管的内径，L 是它的长度，P_1-P_2 是两端的压差，η是粘滞系数，Q 是体积流量（单位时间流过一点的体积，在国际单位里（SI）为 m^3/s）。方程 10-9 适用于层流。如果是湍流，则没有这样简单的数学关系。

例 10-13 汽车发动机油管中的压强。在标准发动机中，发动机油（SAE 10，表 10-3）经过一直径 1.80mm、长度 5.5cm 的细管。要保持 5.6mL/min 的流量，需多大的压差？

解：此流量在 SI 单位制中为 $Q = 5.6\times10^{-6}m^3/60s = 9.3\times10^{-8}m^3/s$。用方程 10-9 解 P_1-P_2，所有项用 SI 单位代入：

$$\begin{aligned} P_1 - P_2 &= \frac{8\eta LQ}{\pi r^4} \\ &= \frac{8(2.0\times10^{-1}\,\mathrm{N/m^2})(5.5\times10^{-2}\,\mathrm{m})(9.3\times10^{-8}\,\mathrm{m^3/s})}{3.14(0.90\times10^{-3}\,\mathrm{m})^4} \\ &= 4.0\times10^3\,\mathrm{N/m^2} \end{aligned}$$

或约为 0.040atm。

泊肃叶方程告诉我们，流量 Q 直接正比于“压强梯度” （P_1-P_2）/L，反比于流体的粘

度。这正是我们预期的。然而，让人奇怪的是，Q 依赖于管半径的*四次*方。这意味着对于同样的压强梯度，如果管半径变成一半，则流量减少的因子为16！因此，管半径只要有微小的变化，就会引起流量或保持一定流量下的压强有很大改变。

有关 r^4 关系的一个有趣的例子是人体中的血液流动。泊肃叶方程只适用于那些粘滞系数η固定的不可压缩流体的线性流动。所以，它用于血液并不准确，因为血液的流动具有湍流且包含着血球（它的直径接近毛细血管的）。因此，粘滞系数η在某种程度上依赖于血液流速 v。尽管如此，泊肃叶方程给出了合理的一级近似。人体用包围动脉的细小肌带控制血液的流动。这些肌肉的收缩会使动脉的直径变小，由于方程 10-9 中的 r^4 项，半径稍微减小就会引起流量很大的减少。这些肌肉轻微的作用就可以精确控制血液流向身体的各个部分。另一方面，动脉硬化和胆固醇积累可引起动脉半径减小；当出现这种情况时，必须增加压强梯度以保持同样的流量。如果半径减小一半，心脏不得不增加倍增因子为 2^4=16 的压强以保持同样的血流量。在这种情况下，心脏工作负担加重，但通常并不能保持原来的流量。因此，高血压意味着心脏工作加重和血流量减少。

*10–12 表面张力和毛细管作用

在本章里，到目前我们主要研究流体的整体行为。但静止液体的表面行为也很有趣。一系列日常观察表明液体的表面像一个在张力作用下绷紧的膜。例如，水龙头滴下的一滴水，或清晨挂在细枝上的小露珠（图 10-30），都形成近似球型的形状，就像充满水的小气球一样。一根钢针可浮在水的表面，尽管它比水致密。液体的表面行为表明它好像处在张力作用之下，这个张力平行作用于表面，它来自分子间的吸引力。这个效应叫表面张力。更明确地，表面张力γ的量定义为，作用于表面任意单位长度的线 L 上的使表面收紧的力 F：

$$\gamma = \frac{F}{L} \tag{10-10}$$

要理解这一点，考虑图 10-31 中给出的包含一液体薄膜的 U 型装置。由于存在表面张力，需要力 F 去拉动钢丝以增加液体的表面积。钢丝装置包含的液体是一个具有顶表面和底表面的薄膜。因此正在增大的表面的一边长度为 2l，表面张力$\gamma = F/2l$。这种类型的精密仪器可用来测量不同液体的表面张力。水的表面张力在 20°为 0.072N/m。表 10-4 给出了其它液体的值。注意温度对表面张力影响很大。

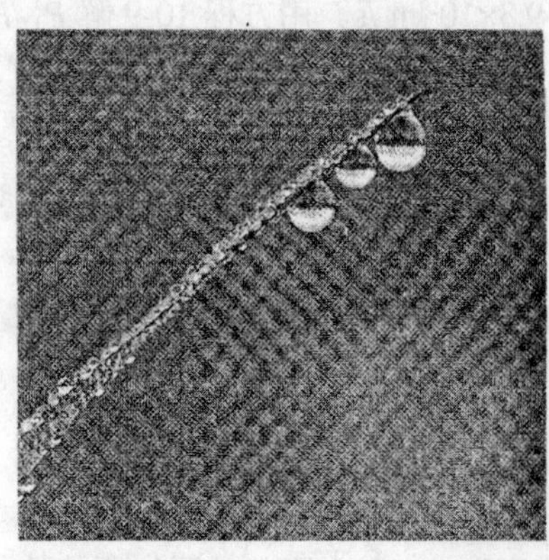

图 10-30 球形水滴，草尖上的露珠

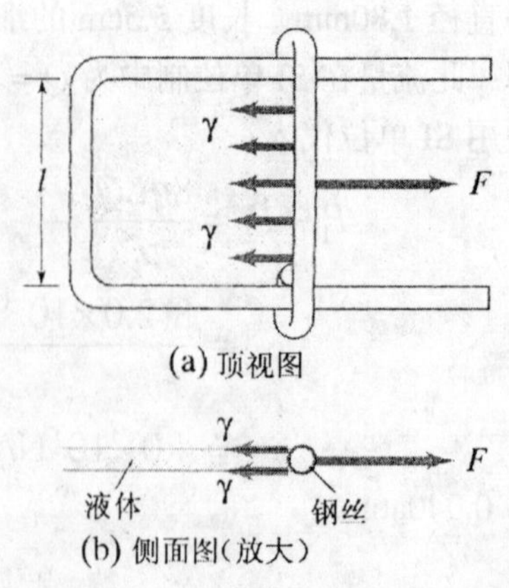

图 10-31 U 形线圈上的液体薄膜(a) 俯视图 (b) 侧截面图

表 10-4　一些液体的表面张力

物质	表面张力（N/m）
水银（20ºC）	0.44
血液（37ºC）	0.058
血浆（37ºC）	0.073
酒精，乙基（20ºC）	0.023
水（0ºC）	0.076
（20ºC）	0.072
（100ºC）	0.059
苯 (20ºC)	0.029
肥皂液（20ºC）	≈ 0.025
氧（-193ºC）	0.016

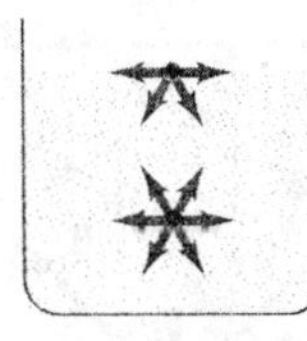

图 10-32　表面张力的分子理论，图中画出的分别是表面层分子和液体内部分子受的引力。

我们从分子的观点出发，探讨表面张力的起因。液体的分子相互吸引：在图 10-32 中，这些吸引力作用在一个液体内的分子和另一个液体表面分子上。在液体内的分子是平衡的，因为其它分子的力作用在各个方向上。在表面的分子正常情况下也是平衡的(液体是静止的)。即使在表面的分子只受到它下面的（或旁边的）分子吸引，情况也是如此。因此存在一个趋于轻微压缩表面层的向下的合力——表面轻微压缩至向下的力被向上的力抵消，向上的力来自分子靠近产生的排斥力和与下面分子的碰撞⁺。表面的这种压缩从本质上意味着液体减小它的表面积。这就是为什么水滴会形成球型（图 10-30），因为对于给定体积，球型给出最小表面积。

⁺表面上的空气分子也施加了一个力，但是它的影响很小，因为空气分子间距离太大。表面张力确实是依 赖于表面之上的物质的。但如果此物质是稀薄空气，则在一般情况下，这个效应很小。由于这个小效应，在谈到表面张力时，必须明确界面两边的物质。如果第二种物质没有被提及，则认为它是大气压条件下的空气。

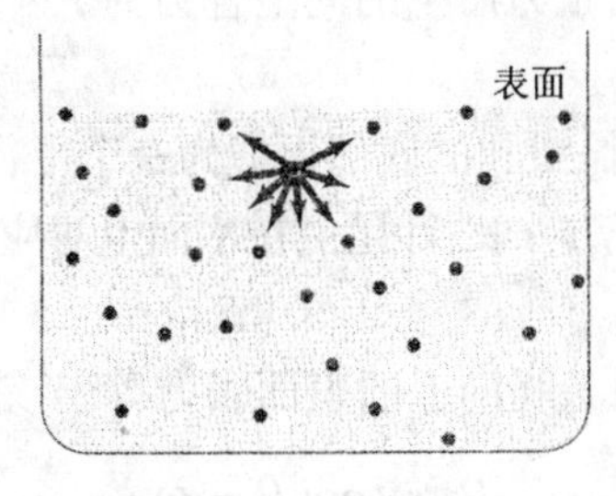

图 10-33　表面积的增加把一部分分子拉到表面层。表面层的分子必须对表面层附近的分子施加较大的力才能把它们拉到表面层，根据牛顿第三定律可知表面层的分子也受到一个较大力的作用。这就是常说的表面张力。

为了增加液体的表面积，需要力作功使内部的分子到表面上来（图 10-33）。这个功增加了分子的势能，有时也叫做表面能。表面积越大，表面能越大。增加表面积所需的功可由方程 10-31 和 10-10 算出：

$$\begin{aligned} W &= F\Delta x \\ &= \gamma\ L\Delta x \\ &= \gamma\Delta A \end{aligned}$$

这里Δx是距离的改变，ΔA（$=L\Delta x$）是面积的总增加（在图 10-31 中考虑两个表面的变化）。所以我们可以写出

$$\lambda = \frac{W}{\Delta A}$$

因此，表面张力γ不仅等于单位长度上的力，也等于表面积上增加单位面积所作的功。这样，γ可用 N/m 或 J/m^2 表示，它们是等同的。

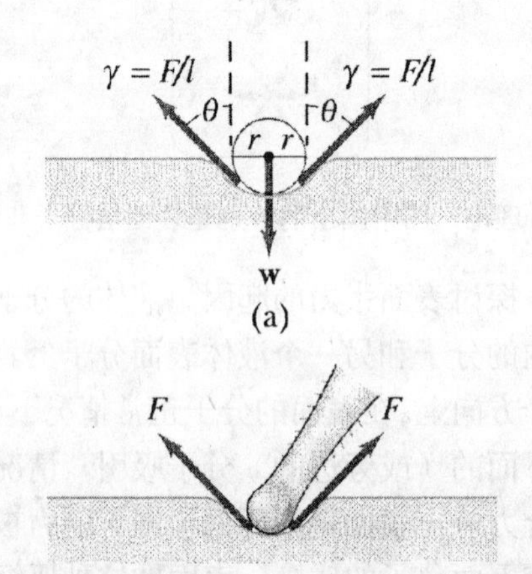

图 10-34　(a)球面受到的表面张力 (b) 昆虫腿受到的表面张力

由于表面张力，昆虫可在水面上行走；如钢针一样比水致密的物体可浮在水面上。图 10-34a 给出了表面张力如何支撑重量为 w 的物体。实际上，物体稍微沉入液体中，所以 w 是物体的“有效重量”——它的实际重量减去浮力。如果物体是球型的，表面张力作用在半径近似为 r 的水平圆的所有点上（图 10-34a）。只有垂直分量$\gamma\cos\theta$抵消了 w。我们取长度 L 等于圆的周长，$L\approx 2\pi r$，所以表面张力产生的向上合力为 $F\approx$（$\gamma\cos\theta$）$L\approx 2\pi r\gamma\cos\theta$。

例 10-14 估算水中散步。 昆虫腿的底部近似为一个半径为 2.0×10^{-5}m 的球型。质量为 0.0030g 的昆虫由六条腿共同支撑。试估计昆虫在水面上对应的θ角（见图 10-34）。设水温为 20°。

解：因为昆虫是平衡的，每条腿向上的表面张力等于该腿的有效重力：

$$2\pi r\gamma\cos\theta \approx \omega$$

这里ω是昆虫六分之一的重量（因为它有六条腿）。因此

$$(6.28)(2.0\times10^{-5}\text{m})(0.072\text{N/m})\cos\theta\approx\frac{1}{6}(3.0\times10^{-6}\text{kg})(9.8\text{m/s}^2)$$

$$\cos\theta\approx\frac{0.49}{0.90}=0.54$$

所以$\theta\approx57°$。注意，如果 $\cos\theta$大于 1，表示表面张力不足以支撑该物体。

例 10-14 中这样的计算通常只是近似的，因为凹陷表面的半径 r 不是正好等于物体的半径。然而，关于物体会不会保持在表面，这样做已经得到了合理的估计。

肥皂和清洁剂可以减小水的表面张力。这正是洗涤和清洁所需要的，因为纯水的表面张力使它不易穿透材料纤维间的缝隙。能够降低液体表面张力的材料叫表面活化剂。

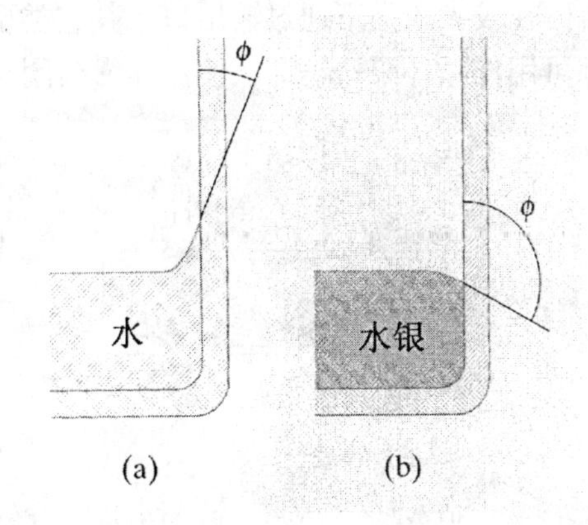

图 10-35 (a) 水“湿润”玻璃 (b)水银不能“湿润”玻璃

在另一个有趣的现象——毛细管作用中，表面张力也起着作用。一个常见现象是，玻璃容器中的水在与玻璃接触处轻微上升，图 10-35a。我们说水“润湿”了玻璃。与此相反，水银接触玻璃时出现凹陷，图 10-35b；水银没有润湿玻璃。液体是否润湿固体表面取决于液体分子间的亲和力与液体和容器分子间的粘和力的相对强度。（亲和表示同类分子间的力，*粘合*是不同类型分子间的力。）水润湿玻璃是由于水分子受到玻璃分子的吸引力强于水分子间的吸引力。对水银则相反：亲和力强于粘合力。

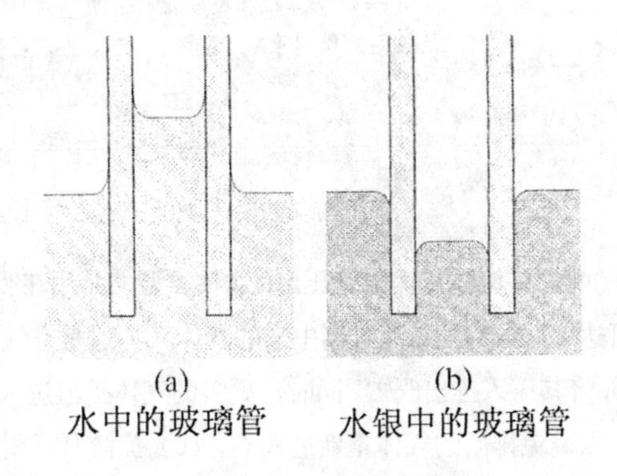

图 10-36 毛细现象(a) 玻璃管中的水 (b)玻璃管中的水银

可观察到直径很细的管子中的液体相对于周围液面的上升或下降。这种现象叫毛细管作用，这样的细管叫毛细管。液体是上升还是下降（图 10-36）取决于亲和力与粘合力的相对强度。因此水在玻璃管中上升，而水银则下降。实际上升的量（或下降）依赖于表面张力——它保持液面不破裂。

*10-13 泵；心脏和血压

我们用简要的讨论各种类型的泵，以及心脏来结束这一章。泵按照它们的功能可分成几类。真空泵用来降低给定容器中的气压（通常是空气）。而压力泵则用来增加压强——例如，提升液体（如从井里抽水）或推动管道中的流体。图 10-37 给出了一种简单往复泵的原理图。它可以是真空泵，在这种情况下，输入口与要抽真空的容器连接。同样的原理也用在一些压力泵上，在这种情况下，流体在较大压强下通过输出口。其它类型的泵图示在图 10-38 中。离心泵或任意一种压力泵都可用作循环泵——即，使流体沿封闭路径循环，如汽车中的冷却液或润滑油。

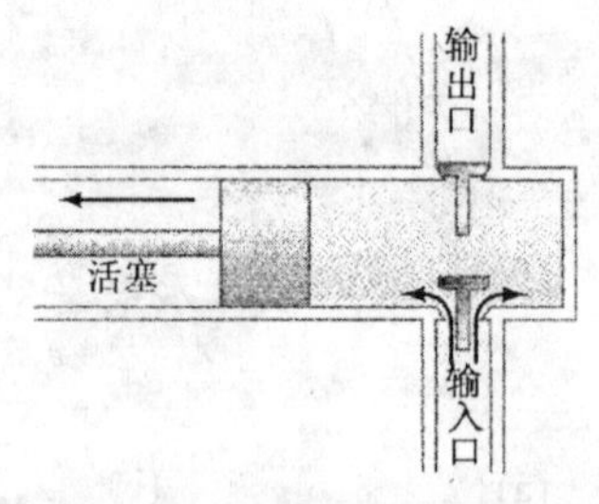

图 10-37 一种泵的例子。如图所示，当活塞向左移动时，输入阀打开，空气（或被增压的流体）填充抽空的空间。当活塞向右移动时（没有画出），输出阀打开，流体被压出。

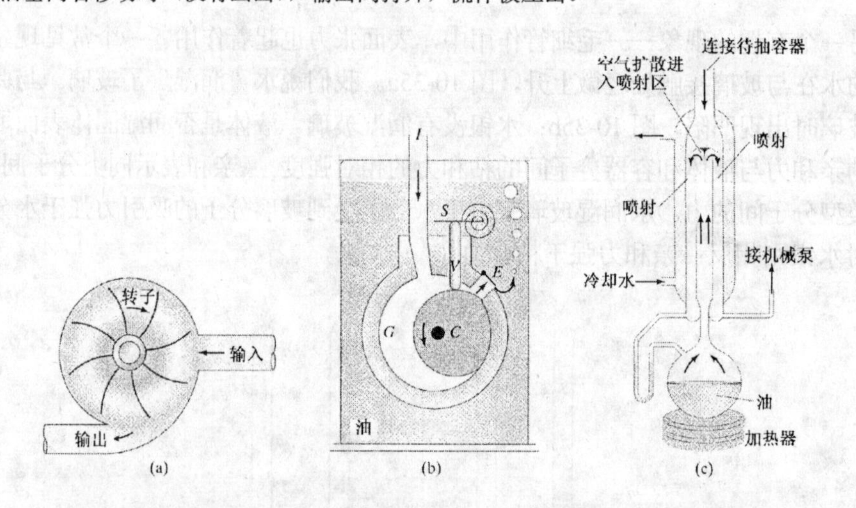

图 10-38 (a)离心泵：转动的叶片将流体从输出管压出；这种类型的泵用在吸尘器和汽车中的水泵上。(b)旋转式油泵，用作抽真空，可达 10^{-4}mm-Hg：从容器中来的气体（一般是空气）通过输入管 I 进入空间 G；偏心转子 C 隔离 G 中的气体并将其压入排出阀 E，同时让更多的气体扩散进入 G，进行下一次循环。滑动阀 V 由弹簧 S 保持与 C 的接触，以避免排出的气体重新进入 G。(c) 扩散泵，用来获得 10^{-8}mm-Hg 的高真空：从容器来的空气分子扩散进入喷嘴，在这里，高速喷出的油将空气分子带走。这里需要一个“前置泵”，可用旋转类型（b）的机械泵，用作初级泵和抽预真空。

人类（其它动物的也一样）的心脏实质上是一个循环泵。图 10-39 给出人类心脏的活动。实际上，血液流动有两个分立的路径。通过动脉，这个较长的路径将血液带到人体的各部分，为身体的各个组织带来氧；通过静脉将收集的二氧化碳带回心脏。返回的血液被注入到肺（第二路径），在这里二氧化碳被释放，氧气被吸入。载氧血液又返回心脏，从这里再输送到身体的各个组织。

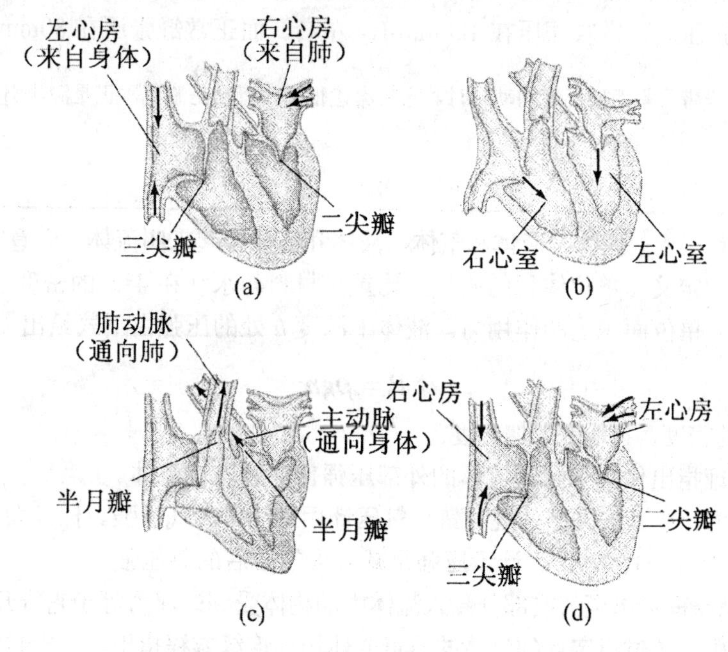

图 10-39 （a）在跳动间隙，心脏放松，处于舒张状态。血液流入心脏；两个心房被快速充满。（b）当心房收缩时，心脏进入收缩或泵出状态。压缩使血液通过二尖瓣和三尖瓣进入心室。（c）心室的收缩使血液通过半月瓣进入肺动脉（通向肺）和通向全身（图 10-20）动脉的主动脉（人体最大的动脉）。（d）当心脏放松时半月瓣关闭；血液注入心房，开始下一次循环。

血压用水银压力计或前面提到的（10-5 节）其它类型的压力计来测量，通常用 mm-Hg 来计量。将与压力计连接的充有空气的封闭囊带缠在大臂上与心脏同一高度处，图 10-40。

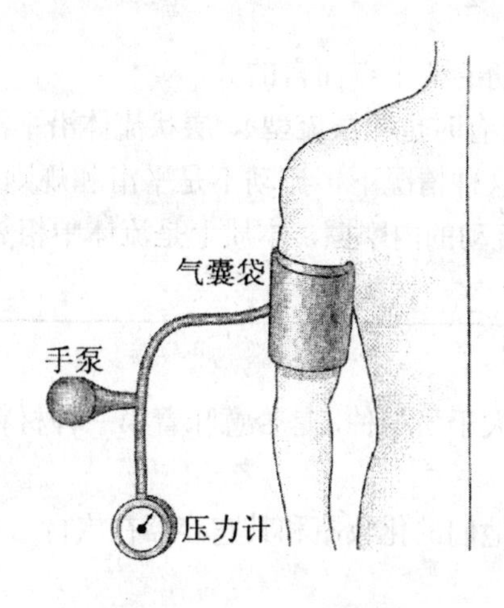

图 10-40 血压测量仪

血压测量两个值：心脏泵出时的最大压强，叫*收缩压*；心脏处在循环间歇时的压强，叫舒张压。开始时，用手泵将囊带中的空气压强增加到高于收缩压，这样就压缩了手臂上的主（支）动脉，并切断了血液流动。然后缓慢降低空气压强使血液重新流向手臂；用听诊器可以探测到血液重新流入小臂的典型流入声。在这一点，收缩压正好等于囊带中的空气压强，这可由压力计读出。空气压强继续降低，当低压的血液也能够进入动脉时流入声消失。在这一点，压力计指出舒张压。正常收缩压在 120mm-Hg 左右，而正常舒张压在 80mm-Hg 左右。

+当血液流过由于囊带收紧而被压缩的动脉时，它的流速很高，流动是湍流。正是湍流引起了轻拍声。

小结

物质通常有三相：**固体**、**液体**和**气体**。液体和气体合起来叫流体，着意味着它们可以流动。材料的密度定义为单位体积的质量。**比重**是材料与水（在 4°）的密度之比。

压强定义为单位面积上的作用力。液体中深度 h 处的压强由下式给出

$$P = \rho g h$$

这里ρ是流体的密度，g 是重力加速度。

帕斯卡原理指出作用于封闭流体的外部压强传递到整个流体。

压强用压力计或其它类型的规测量。**气压计**用来测量大气压强。标准大气压（海平面上的平均值）为 $1.013\times10^5 \text{N/m}^2$。**计示压强**是减去大气压后的总压强。

阿基米德原理指出全部或部分浸入流体中的物体受到的浮力等于它排开流体的重量。流量是单位时间内、流过指定点的流体的质量或体积。**连续方程**指出，对于封闭管中的不可压缩流体的流动，其流速与管横截面积的乘积保持恒定：

$$Av = 常数$$

伯努利原理告诉我们流速高的地方，压强低，流速低的地方压强高。**伯努利方程**是

$$P_1 + \frac{1}{2}\rho v_1^2 + \rho g y_1 = P_2 + \frac{1}{2}\rho v_2^2 + \rho g y_2$$

此方程是对应于管中流体流动的两个点而言的。

流体的流动可呈**流线型**（有时也叫**层流型**），层状流体沿平滑、规则的路径流动叫做流线的路径运动，或**湍流型**，在这种情况下，流动不是平滑和规则的，而呈不规则的旋流。

粘滞性指阻止流体自由流动的内摩擦，本质上是流体中相邻层间相互移动时出现的摩擦力。

问答题

1. 如果一种材料的密度大于另一种，是否意味着第一种材料的分子一定比第二种重？请解释。

2. 乘飞机的人经常发现他们的化妆瓶和其它容器在旅行后有液体溢出，这是什么原因引起的？

3. 图 10-41 中的三个容器注水的高度相同，它们具有同样的底面积；因此作用在底面上

的水压和总力是一样的。但每一个容器中水的总重量不一样。请解释这个“自相矛盾的静水压问题”。

图 10-41 问答题 3

4. 当你用同样的力将铅笔尖和尾压到你的皮肤上。试问是压力还是压强决定着你的皮肤是否受到损伤？

5. 常说水会自动形成水平面。请解释。

6. 在容积一加仑的汽油桶中烧开少量的水。将桶从炉子上取下并盖上盖子。过一会儿，桶就会被压扁。请解释。

7. 请解释图 10-42 中的吸管如何将一个容器中的液体转移到另一个较低的容器中，即使在转移途中液体必须向上流动。（注意管子必须先充满水。）

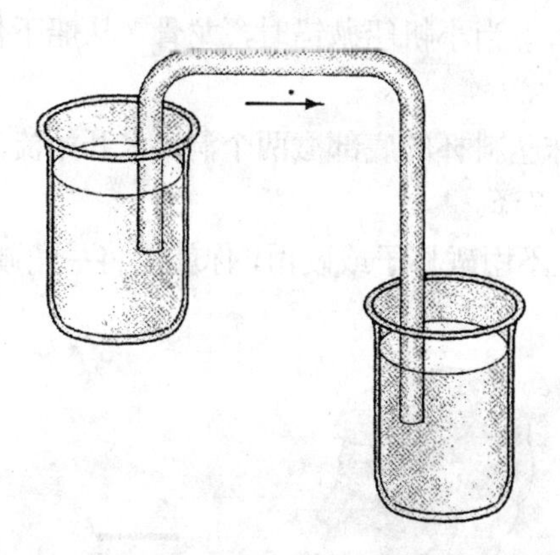

图 10-42 问答题 7

8. 一个冰块浮在装满水的玻璃杯中。当冰块融化时，水会溢出吗？

9. 冰块能否浮在一杯酒精上？为什么？

10. 一个装满沙子的小驳船来到一座矮桥前，刚好不能通过。试问，应该往船上添沙子，还是从船上卸沙子？

11. 氦气球能无限地上升吗？请解释。

12. 一个未充气的气球与一个充了空气的气球在秤上的表观重量精确一致吗？请解释。

13. 作用在潜水舱上的浮力，在深海与浅海精确一样吗？请解释。

14. 一个小木船浮在游泳池里，对池边的水面作标记。考虑下列情况下水面是上升、下降还是不变。（a）将船从水中拿出。（b）将船上的铁锚移到岸上。（c）将船上的铁锚放到池中。

15. 用来测量高空大气条件的气象氦气球，通常只充到它最大体积的 10%～20%就释放，请解释为什么。

16. 为什么你在咸水中比在淡水中更容易浮起来？

17. 在测量血压时，为什么囊带要放在与心脏同一水平处？

18. 在龙卷风或飓风期间，屋顶有时被“吹”走（或掀掉？）。请用伯努利原理作出解释。

19. 如果你垂直悬起两张纸，相距几英寸（图 10-43），并向它们之间吹气，你认为纸会怎样运动？试试看。请解释。

图 10-43　问答题 19

20. 当汽车高速行驶时，敞蓬车顶的帆布为什么会鼓起？

21. 人们告诉小孩不要站得离快速行驶的火车太近，以免被吸进去。这可能吗？请解释。

22. 为什么帆船需要龙骨？当小帆船抛锚时，龙骨（从船下伸到水中的垂直“板”）被取掉。为什么？

23. 在一个装满水的泡沫塑料杯的底部戳两个洞，水开始流出。如果放开杯子自由下落，水会继续从洞中流出吗？请解释。

24. 不用费多大劲，并且不用碰杯子或硬币，你就能将一角硬币吹到杯子里去，图 10-44。请解释（试一试）。

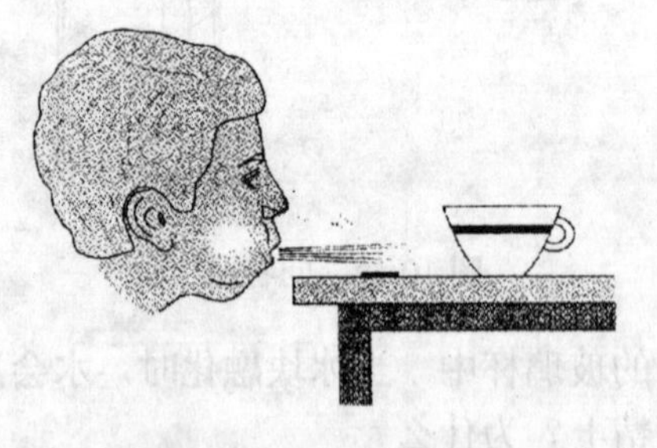

图 10-44　问答题 24

25. 为什么飞机通常迎着风起飞？

26. 蜂鸟在花前盘旋时要消耗 20 倍于它们普通飞行的能量。请解释。

27. 为什么从管子中流出的水流落下时会变细（图 10-45）？

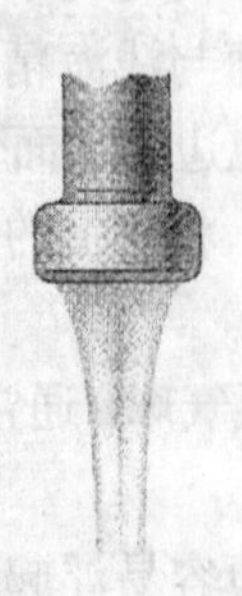

图 10-45　问答题 27，习题 78

*28. 请解释为什么随着地面上高度的增加风的速度也在增加。[提示：见图 10-29]为什么鼹鼠建洞一个出口比另一个要高一些？

*29. 钢珠分别在 10℃ 和 40℃ 的水中落下。哪个管中的钢珠先到达底部？

习题

10-1 节

1.（Ⅰ）约赛米特国家公园花岗岩巨石的体积约为 $10^8 m^3$。它的质量是多少？

2.（Ⅰ）体积为 5.8m×3.8m×2.8m 的房屋中空气的质量近似是多少？

3.（Ⅰ）如果你随便将金块塞满你的背包，想走私出境，背包的尺寸为 60cm×25cm×15cm，那么，它的质量是多少？

4.（Ⅰ）估计你的体积。[提示：由于你刚好能在游泳池的水面下游泳，因此有一个关于你的密度的相当好的近似。]

5.（Ⅱ）一瓶子的质量空着时为 35.00g，装满水时为 98.44g。当装入其它液体时质量为 88.78g。这个其它液体的比重是多少？

6.（Ⅱ）向 5.0L 的防冻液（比重 = 0.80）中加入 4.0L 的水得到 9.0L 的混合液，试问混合液的比重是多少？

10-2 至 10-5 节

7.（Ⅰ）一人身高 1.60m，垂直站立时头顶与脚底的血压差（mm-Hg）是多少？

8.（Ⅰ）估计并比较对地板的压强（a）一个 50kg 的模特暂时用单脚跟（面积= $0.05cm^2$）站立，（b）1500kg 的大象用一只脚（面积 = $800cm^2$）站立。

9.（Ⅰ）（a）试求作用在 1.6m×1.9m 桌面上大气的总压力。（b）作用在桌子底面向上的总力是多少？

10.（Ⅱ）在电影中，泰山为了躲避追捕，用一根细芦苇管呼吸，藏在水下许多分钟。设肺能够维持呼吸时可承受的最大压差为-80mm-Hg，试求他能藏多深？

11.（Ⅱ）汽车四个轮胎的计示压都为 240kPa。如果每个轮胎的“足印”为 $200cm^2$，试估计汽车的质量。

12.（Ⅱ）一个液压顶的最大计示压为 18atm。如果输出端的直径为 22cm，他能升起多重（kg）的车辆？

13.（Ⅱ）在标准大气压下，酒精气压计中的液面多高？

14.（Ⅱ）一游泳池面积为 22.0m×12.0m，均匀深度为 2.0m，作用在池底的总力和绝对压强是多少？对池底附近侧边的压强是多少？

15.（Ⅱ）如果大气密度全部等于海平面上的，那么它有多高？

16.（Ⅱ）将水和油注入两端开口的 U 型管，不要混合。如图 10-46 所示时达到平衡。油的密度是多少？[提示：在点 a 和 b 的压强相等。为什么？]

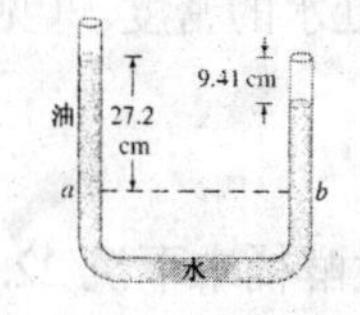

图 10-46　习题 16

17.（Ⅱ）山坡上水箱的深度为 5.0m，通过沿与水平成 60°的 100m 长的水管连接到山坡下的房屋中（图 10-47），试求房屋中水的计示压。忽略湍流，摩擦和粘滞效应。如果房前的水管破裂，水能喷射多高？

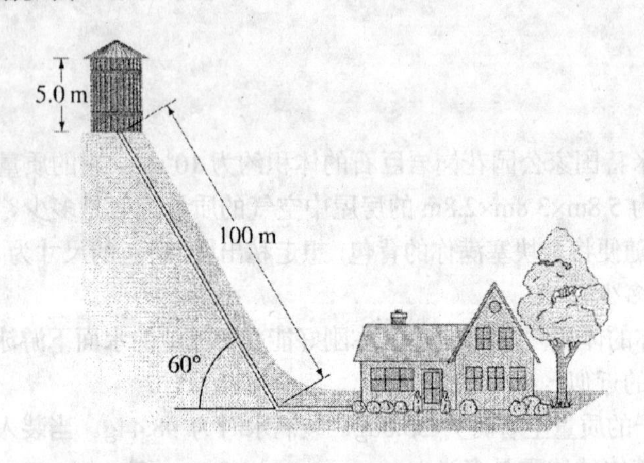

图 10-47 习题 17

18.（Ⅱ）如果水能从 41m 高的十二层楼上的水管流出，试求向这座建筑供水的水管中的最小计示压。

19.（Ⅱ）为了说明他的原理，帕斯卡戏剧性地演示了力是如何通过流体的压强倍增的。他将一根半径为 0.30cm 的细长管子垂直插入直径 20cm 的酒桶中，图 10-48。他发现在木桶装满水的情况下，当管子中的水柱达到 12m 时，木桶炸裂。试求（a）管子中流体的质量，（b）作用在木桶盖上的合力。

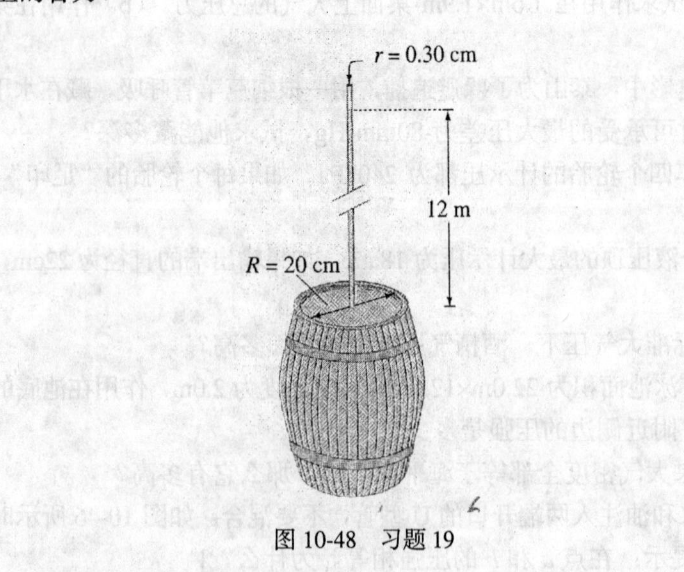

图 10-48 习题 19

20.（Ⅲ）试估计海洋中 6.0km 深处水的密度。（见 9-6 节和表 9-1）它与海面上的密度差多少？

10-6 节

21.（Ⅰ）例 10-7 中的比重计在发酵桶中下沉 22.9cm。试求发酵液的密度。

22.（Ⅰ）一地质学家发现一块月球岩石的质量为8.20kg，它浸入水中的表观质量为6.18kg。岩石的密度是多少？

23.（Ⅰ）当一块铝浮在水银上时，浸入比是多少？

24.（Ⅱ）一充满氦气的圆气球的半径为 9.5m。它能升起多重的重物？设气球囊和构件的质量为 100kg，忽略重物本身的浮力。

25.（Ⅱ）一个 78kg 的人，当他站在齐腰深的水中时，他的表观质量为 54kg（由于浮力）。试估计每条腿的质量。设人体的比重 SG = 1.00。

26.（Ⅱ）一块金属样品在空气中测得的质量为 63.5g，浸在水中测得的表观质量为 56.4g，试问它有可能是哪种金属？

27.（Ⅱ）阿基米德原理不仅可以在已知液体的情况下，用来确定固体的比重（例 10-6），也可以进行相反的测定。（a）作为一个例子，当一个 3.40kg 的铝球浸在一种液体中时，其表观质量为 2.10kg，试求液体的密度。（b）试用这个过程，推出确定液体密度的简单表达式。

28.（Ⅱ）（a）证明浸没物体受到的浮力作用在它排开的以前的流体的重心上。这个点叫浮心。（b）要稳定一只船，它的浮心应该在其重心的上部、下部还是同一点？请解释。

29.（Ⅱ）一个 0.48kg 的木块可以浮在水上，但会沉入酒精中，此时的表观质量为 0.035kg。试问木块的比重是多少？

30.（Ⅱ）冰的比重为 0.917，而海水的比重为 1.025。试问冰山有多少部分浮出水面？

31.（Ⅲ）北极熊半爬在一个大冰块上以支撑自己的身体，冰块露出水面的部分变为原来的一半，熊的体积（和重量）有 70%浮出水面。试估计熊的质量，设冰的总体积为 $10m^3$，熊的比重为 1.0。

32.（Ⅲ）一个 2.52kg 的木块（比重=0.50）浮在水面上。在它下面用细绳吊一块铅，试求使木块下沉的铅的最小质量。

33.（Ⅲ）如果一个物体浮在水面上，它的比重可以通过在其下系一重物使其下沉来确定。试证明物体的比重为 $w/(w_1-w_2)$，这里 w 是物体在空气中的重量，w_1 是它与沉块连在一起，而只有沉块浸没时的表观重量，w_2 是物体与沉块都浸没时的表观重量。

10-7 至 10-9 节

34.（Ⅰ）用例 10-10 的数据，试求人体主动脉中血液的平均流速，主动脉的总横截面积约为 $2.0cm^2$。

35.（Ⅰ）一个半径 17cm 的排气管在 10 分钟内可对 9.2m×5.0m×4.5m 的房间换气。试求排气管中空气的流速。

36.（Ⅱ）一个直径为 5/8 英寸（内径）的水管用来给一个直径 7.2m 的圆型游泳池注水。如果水从水管流出的速率为 0.28m/s，试问注水深度达 1.5m 需多长时间？

37.（Ⅱ）如果消防水管的喷水高度为 12.0m，那么水管中的计示压为多少？

38.（Ⅱ）如果压差是 12.0m，从直径 1.60cm 的水龙头流出水的体积流量是多少？

39.（Ⅱ）如果风以 30m/s 的速率吹过面积为 $240m^2$ 屋顶，试求作用在它上面的合力。

40.（Ⅱ）如果机翼上下面的空气流动速率分别为 340m/s 和 290m/s，试求伯努利原理对面积为 $80m^2$ 的机翼产生的上升力。

41.（Ⅱ）估计中心风速达 300km/h 的 5 级飓风的中心空气压强。

42.（Ⅱ）证明使流体流过管道所需的功率等于体积流量 Q 乘以压差 P_1-P_2。

43.（Ⅱ）街道平面上水的压强为 3.8atm，通过直径 5.0cm 的管道以 0.60m/s 的流速流向办公楼。在楼顶层 20m 高处，水管的直径减为 2.6cm（图 10-49）。试求顶楼管道中的流速和压强。忽略粘滞。压强是计示压。

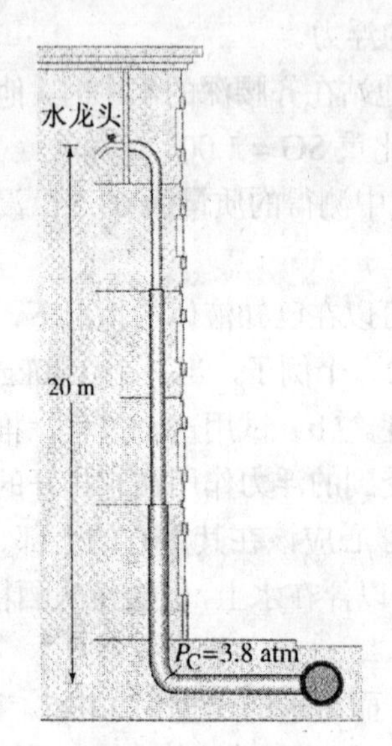

图 10-49 习题 43

44.（Ⅲ）（a）证明文丘里流量计测量的流速为 $v_1 = A_2\sqrt{2(P_1 - P_2)/\rho(A_1^2 - A_2^2)}$。见图 10-26。（b）用文丘里流量计测量水的流动；主管直径为 3.0cm，减细后咽部直径为 1.0cm；如果测出的压差为 18mm-Hg，水的流速是多少？

10-10 节

*45.（Ⅱ）粘度计具有两个直径分别为 10.20cm 和 10.60cm 的同心圆筒。将一种液体注入圆筒之间的空间，使深度达到 12.0cm。让外圆筒固定，给内筒以 0.024N·m 的力矩，使其以 62 转/分的转速匀速转动。试问液体的粘滞系数是多少？

10-11 节

*46.（Ⅰ）一园艺师觉得用 3/8 英寸的水管浇水太慢。如果他改用 5/8 英寸的水管，能节省多少时间？设其它不变。

*47.（Ⅱ）一段管道长 1.9km，直径 29cm，如果以 450cm^3/min 的流量输送油（$\rho = 950$kg/m^3，$\eta = 0.20$Pa·s），两端间的压差需多大？

*48.（Ⅱ）一瓶动物血液放在针头上方 1.70m 高处，针头长 3.8cm，内径 0.40mm，血液流速为 4.1cm^3/min。这种血的粘滞系数是多少？

*49.（Ⅱ）如果要给 9.0m×14m×4.0m 的房间每 10 分钟换一次气，设通风管的长度为 21m，施加的计示压为 0.71×10^{-3}atm，试求通风管的直径。

*50.（Ⅱ）设压力梯度恒定，如果血流减少 75%，血管半径减少多少？

*51.（Ⅱ）用例 10-10 和表 10-3 的数据，计算压强沿动脉每厘米下降多少。

*52.（Ⅱ）泊肃叶方程在流速足够大，从而出现湍流时不成立。当雷诺数 *Re* 超过 2000

左右时出现湍流。Re 的定义为 $Re=\frac{2\bar{v}r\rho}{\eta}$

这里 v 是流体的平均速率，ρ是密度，η 是粘滞系数，r 是流体流动管的半径。(a) 在心脏跳动间隙时，动脉（$r=1.0\text{cm}$）中血液的平均速率为 30cm/s，试确定血流是层流还是湍流。(b) 在锻炼时，血流速率加倍。试求这种情况下的雷诺数，并确定血流是层流还是湍流。

*53.（Ⅲ）根据板块构造模型，支撑大陆的板块在热变熔岩上非常缓慢地移动。试用下列数据估计它的雷诺数（见习题 52），并证明这种流动是层流：速率 $v=50\text{mm/年}$，形变岩石的密度和粘滞系数为$\rho=3200\text{kg/m}^3$ 和$\eta=4\times10^{19}\text{Pa·s}$（注意这个值！），厚度为 100km。

*54.（Ⅲ）一位患者需要输血。血液从吊起的瓶子通过针头流向静脉（图 10-50）。针头长 4.0cm，内径 0.40mm，所需流量为每分钟 4.0cm^3。试问瓶子需放在离针头多高处？从表中查ρ和η。设血压高于大气压 18 托。

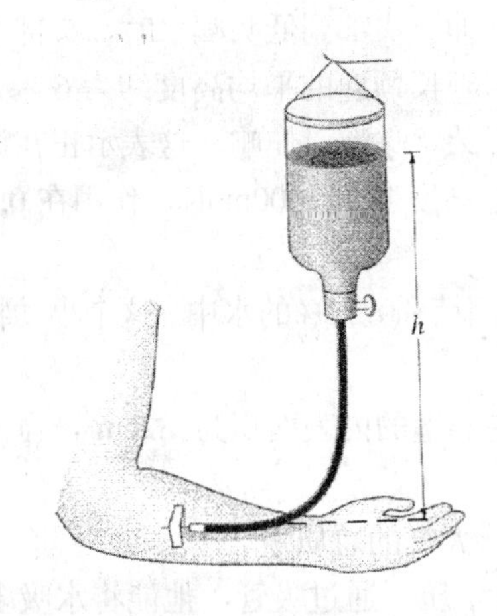

图 10-50　习题 54，61

***10-12 节**

*55.（Ⅰ）如果图 10-31 中移动钢丝所需的力 F 为 $5.1\times10^3\text{N}$，试求此流体的表面张力γ。设 $l=0.070\text{m}$。

*56.（Ⅰ）如果图 10-31 中的钢丝浸在肥皂液中，它的长度为 18.2cm，试求移动钢丝所需的力。

*57.（Ⅱ）一六条腿昆虫的质量为 0.016g，足底半径为 $3.0\times10^{-5}\text{m}$，它能浮在水面上吗？

*58.（Ⅱ）液体的表面张力可通过测量刚好能够将半径 r 的铂金圆环从液面拉起所需的力 F 来确定。(a) 试求用 F 和 r 表示的γ表达式。(b) 在 30°，如果 $F=840\times10^3\text{N}$，$r=2.8\text{cm}$，试求测试液体的表面张力系数γ。

*59.（Ⅱ）桌子上的一小滩水裂成 100 个水滴。设原来的水平坦，深度为 h，而水滴是半径 h 的半球体，试问表面能改变多少？

*60.（Ⅲ）证明肥皂泡的内部压强与外部压强的差值为$\Delta P=4\gamma/r$，这里 r 是肥皂泡的半径，γ是表面张力。[提示：将肥皂泡看成两个半球；这样它有两个表面。注意这个结果可用于任意类型的膜，在这个膜单位长度上的张力 $T=2\gamma$。]

综合题

61. 静脉注射通常是在重力作用下完成的，如图 10-50 所示。设流体的密度为 1.00g/cm^3，试问输液瓶放在多高处，液体的压强为以下值？（a）65mm-Hg，（b）550mm-H_2O。（c）如果血压超过大气压 18mm-Hg，瓶子应放在多高处液体才能正好流入静脉？

62. 用 2.4N 的力推动皮下注射针的推杆。如果针管的直径为 1.3cm，针头的直径为 0.20mm，（a）使流体离开针头的力有多大？（b）要将液体注入计示压为 18mm-Hg 的静脉，需用多大的推力？答案只对液体开始流动前的瞬时。

63. 用打气筒给自行车轮胎充气。轮胎的初始压强 210kPa（30psi）。打气结束时，终气压为 310kPa（45psi）。如果打气筒的直径为 3.0cm，试求从开始到结束，加在打气筒把手上的力的范围。

64. 试求纽约世界贸易中心大厦顶端与底部的气压差。它建在海平面上，高度为 410m。表示为海平面上大气压的分数。

65. 试估计作用在 4km 厚南极冰盖覆盖下的山上的压强。

66. 长颈鹿是心血管工程的一个奇迹。在它从伸直头部到低头喝水时，头部血管不得不适应压强的变化，试求这个压差（用大气压表示）。长颈鹿的平均高度约为 6 米。

67. 当你开车上山，或从山上冲下时，你的耳朵“嗡嗡“作响，这表示正在调节你耳膜内的压强，使其与外部的相等。如果不是这样，在高度变化 1000m 时，作用在 $0.50cm^2$ 耳膜上的近似压力是多少？

68. 一个小动物可悬浮在 18.0%（重量比）的酒精和 82.0%的水中。这个小动物的密度是多少？

69. 心脏左心室的收缩将血液泵向全身。设左心室的内表面积为 $82cm^2$，血液的最大压强 120mm-Hg，试估计在最大压强时心室的作用力。

70. 利用已知的海平面上大气压值，估计地球大气的总质量。

71. 设某人可将肺中的压强降到-80mm-Hg 计示压。通过吸管，他能将水吸多高？

72. 需多高的水位差才能使水以 7.2m/s 的速率从水龙头流出？忽略粘滞性。

73. 一艘船满载淡水运到加勒比地区的干旱岛屿，船在水线上的水平横截面积为 $2650m^2$。卸载后，船在海中升起 8.5m 高。试问卸掉的淡水有多少？

74. 一木筏用 10 根原木捆绑而成。每个原木的直径 33cm，长度 6.1m。设乘客的平均质量为 70kg，试问要使乘客刚好不湿脚，此筏能载多少人？不能忽略原木的重量。设木头的比重为 0.60。

75. 在每次心跳中，大约 $70cm^3$ 的血液以 105mm-Hg 的平均压强从心脏泵出。设每分钟跳 70 次，试求心脏的输出功率（用瓦特表示）。

76. 一桶水以 3.5g 加速向上。若一块 3.0kg 的花岗岩（比重=2.7）浸在水桶中，试求作用于它的浮力。石块会浮起吗？为什么？

77. 教室外饮水管喷嘴的直径 0.60cm，喷水高度 12cm。地下室（离喷嘴 1.1m）的泵将水压到直径 1.2cm 的供水管中。试问泵必须提供多大的计示压？忽略粘滞；因此你的答案是一个低估值。

78. 从水龙头流出的水柱下落时直径减少（图 10-45）。设从水龙头出来的水流速率为 v_0，直径为 D，试推出水流直径与下落距离 y 的关系式。

79. 一赛车有 12 个缸，总排气量 5.0 升。在涡轮增压时，引擎每转动一周，空气大约以

1.5 大气压——表示约 7.5 升的空气（加上油蒸汽）进入 12 个缸中。在巡行速度时，引擎可以 3000 转/分转动，每个燃油喷嘴（每个缸有四个）的有效直径为 6.0mm。(a）在每个喷嘴空气的流速是多少？（b）通过喷嘴进入每个缸中的空气压强是多少？

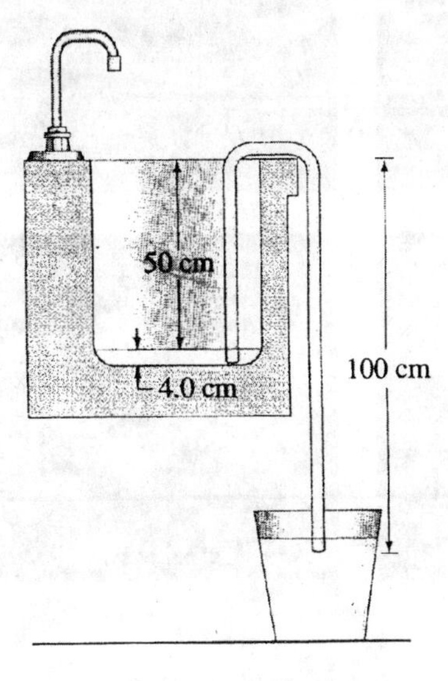

图 10-51 习题 80

80. 你需要将堵塞水池中的水抽出。水池的面积为 $0.375m^2$，水的高度为 4.0cm 如图 10-51 所示。虹吸管的最处高距离水池底面 50cm，然后下降 100cm 到一个水桶。虹吸管的直径 2.0cm。（a）设水进入虹吸管中时速度接近为零，试求进入桶中的速度。(b）估计抽空水池需多长时间。

图注：一条拉紧的绳子产生波动，通过调节频率使他们产生非常好的驻波，四种情形如图所示。你能估计出这几种情形频率之间的关系吗？

第十一章 振动和波

许多物体都会振动或摆动——如在弹簧一端的物体，一个音叉，老式表的钟摆，一个摆，固定在桌边的塑料尺，吉他或钢琴的弦等。蜘蛛通过网的振动探知俘获的猎物；汽车碰到凸起物时会上下振动；大卡车经过或狂风大作时，引起建筑物和桥梁的振动。实际上，由于许多固体具有弹性（见第九章），当受到冲击时，大多数材料物体会振动（起码暂时会这样）。在收音机和电视机里存在着电谐振。在原子水平，原子相对分子振动，固体中的原子相对于它们的固定位置振动。

振动和波动密切相关。波——不论大海的波涛，弦上的波动，地震波或空气中的声波——都与振动源有关。在声波的情况下，它不仅与振动物体，而且与探测物（耳膜或麦克风膜片）有关。确实，传播波的介质本身也在振动（如空气对于声波）。在本章的下半部分，在讨论了波以后，我们将讨论发生在水中和弦上的简单波动。在第十二章，我们将学习声波，在以后的章节中，我们会遇到其它类型的波动，包括电磁波和光。

11–1 简谐振动

当**振动**或**摆动**前后沿同样的路径重复运动，这样的运动是**周期性**的。周期运动的最简单形式就是弹簧一端物体的振动。由于许多其它类型的振动与这个系统类似，我们将详细研究它。设弹簧的质量可以忽略，弹簧水平放置，如图 11-1a 所示，质量为 m 的物体在水平面上无摩擦滑动。任意弹簧具有一个原始长度，此时质量为 m 的物体上没有力作用，物体在这一位置叫**平衡位置**。如果物体向左移动，将压缩弹簧，向右移动，将拉伸弹簧。弹簧对物体施加了一个力，使其向平衡位置返回，因此这个力叫“回复力”。研究发现，回复力 F 的值直接正比于弹簧从平衡位置被拉伸或压缩的位移 x（图 11-1b 和 c）：

$$F=-kx \tag{11-1}$$

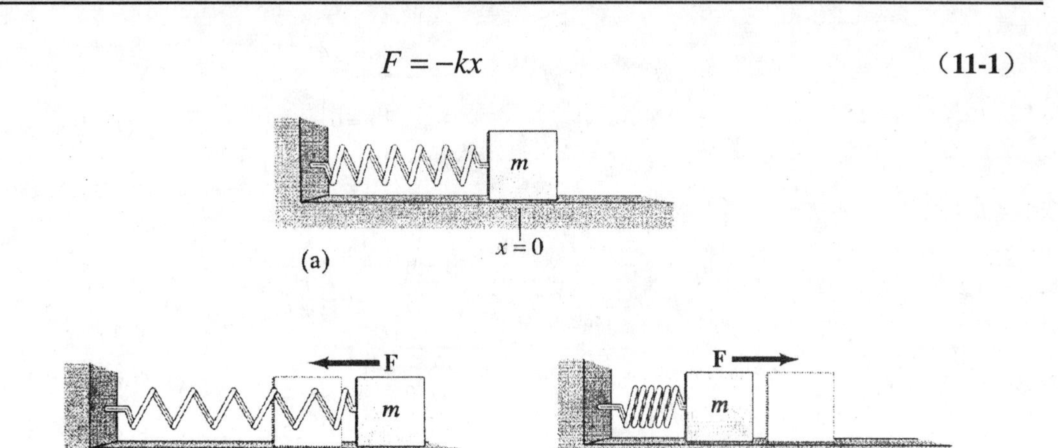

图 11-1　弹簧末端物体的振动

注意平衡位置在 $x=0$。方程 11-1 通常称作胡克定律（见 6-4 和 9-6 节），它在弹簧被压缩，或拉伸超过弹性区之前是准确的（见图 9-21）。负号表示回复力总是与位移 x 方向相反。例如，如果我们选择图 11-1 中向右为正，当弹簧拉伸时 x 为正，但回复力的方向向左（负方向）。如果弹簧被压缩，x 是负的（向左），但力 F 向右作用（图 11-1c）。

方程 11-1 中的比例常数 k 叫“弹性常数”。为了将弹簧拉伸距离 x，必须施加（外部的）的力至少等于 $F=+kx$。k 的值越大，将弹簧拉伸给定距离所需的力就越大。即，弹簧越硬，弹性系数 k 越大。

注意到方程 11-1 中的力 F 不是恒力，而是随位置变化。因此质量 m 的加速度不恒定，所以我们不能用第二章推出的恒加速度方程。

让我们看当弹簧从开始被拉伸距离 $x=A$，如图 11-2a 所示，然后释放时会出现什么情况。弹簧对物体施加拉力，将它拉向平衡位置。但由于物体在力的作用下被加速，它将以一定的速度经过平衡位置。实际上，当物体到达平衡位置时，弹簧对它施加的作用力减为零，但在这一点它的速率最大，图 11-2b。当它再向左移，作用在它上面的力使它减速，在 $x=-A$ 时，瞬时停止，图 11-2c。然后它开始向相反方向运动，图 11-2d，直到回到开始出发点 $x=A$，图 11-2e。然后，它重复这个过程，在 $x=A$ 和 $x=-A$ 之间前后对称地运动。

要讨论振动，我们需要定义一些量。在任意时刻质点离平衡点的距离 x 叫**位移**。最大位移（离平衡点的最大距离）叫**振幅** A。一**周**表示从一初始点往返回到同一点的运动，如从 $x=A$ 到 $x=-A$，再返回到 $x=A$。**周期** T 定义为完成一周的运动所需的时间。最后，**频率** f 定义为每秒完成的周数。频率通常记为赫兹（Hz），这里 1Hz = 每秒（s^{-1}）1 周。从它们的定义容易看到，频率和周期是倒数关系

$$f=\frac{1}{T} \quad \text{和} \quad T=\frac{1}{f} \tag{11-2}$$

例如，如果频率是每秒 5 周，那么周期是 0.2 s。

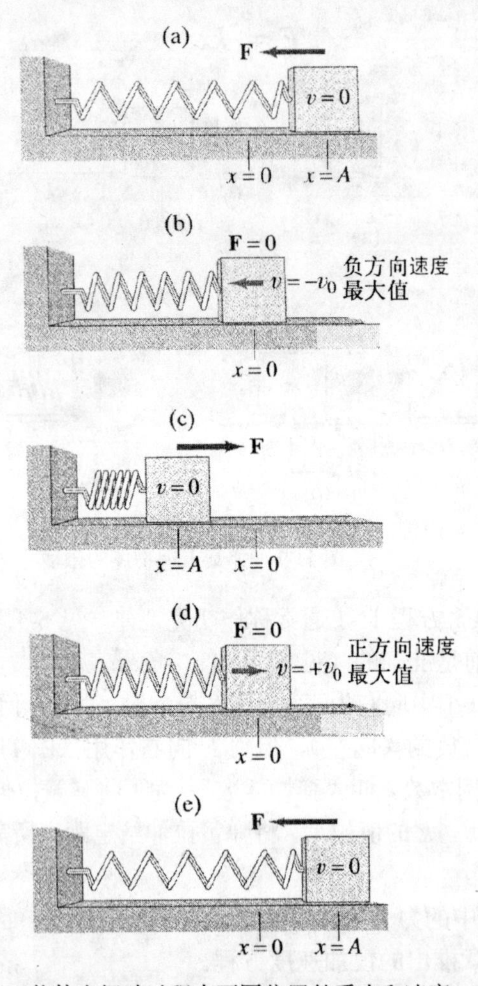

图 11-2 物体在振动过程中不同位置的受力和速度

垂直悬挂弹簧的振动本质上与水平放置的弹簧振动一致。由于引力，垂直弹簧平衡点的长度将比水平的长一些，如图 11-3 所示。当$\sum F=0=kx_0-mg$时，弹簧处在平衡位置，所以弹簧在平衡时额外伸长的量$x_0=mg/k$。如果从这个新位置测量x，方程 11-1 可用同样的k值直接使用。

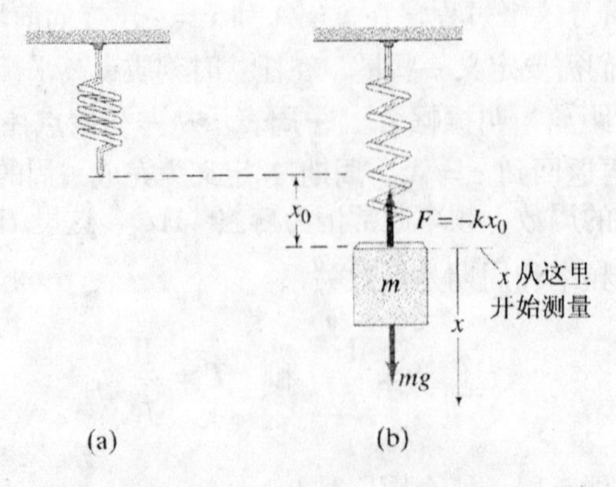

图 11-3 (a) 自由弹簧，垂直悬挂。(b) 当$\sum F=0=mg-kx_0$时，挂在弹簧上质量为m物体处于新的平衡。

例 11-1　汽车弹簧。 当总质量为 200 kg 的一家四口坐在一辆 1200 kg 的汽车里，汽车的弹簧压缩 3.0 cm。（a）设汽车弹簧像一根弹簧一样作用（图 11-4），它的弹性系数是多少？（b）如果负重 300 kg，汽车下沉多少？

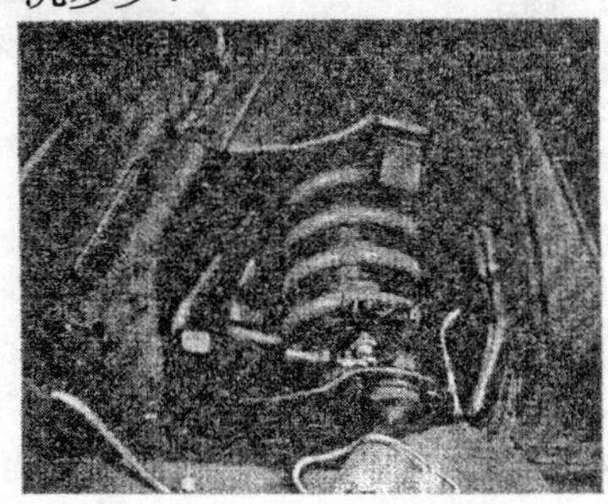

图 11-4 汽车弹簧的照片（在减震器中也可看到）

解：（a）施加的力$(200\ \text{kg})(9.8\ \text{m/s}^2) = 1960\ \text{N}$ 导致弹簧压缩 3.0×10^{-2} m。因此，用方程 11-1，弹性系数

$$k = \frac{F}{x} = \frac{1960\text{N}}{3.0\times10^{-2}\,\text{m}} = 6.5\times10^{4}\ \text{N/m}$$

（b）如果汽车负重 300 kg

$$x = \frac{F}{k} = \frac{(300\text{kg})(9.8\text{m/s}^2)}{(6.5\times10^{4}\,\text{N/m})} = 4.5\times10^{-2}\,\text{m}$$

或 4.5 cm。我们可以不用求出 k，而得到这个答案：因为 x 正比于 F，如果 200 kg 压缩弹簧 3.0 cm，那么 1.5 倍的力将压缩 1.5 倍的长度，即 4.5 cm。

回复力直接正比于负位移的任意振动系统（如方程 11-1，$F=-kx$）给出的振动是**简谐振动**。这样的系统通常叫做**简谐振动系统**。我们在 9-6 节看到，许多固体材料在位移不是很大时，按照方程 11-1 拉伸或压缩。因此，许多自然界的振动是简谐振动，或非常接近并可以用这个简谐振动模型作近似处理。

11-2　简谐振动的能量

在处理非恒力运动时，像这里的简谐运动，用能量的方法通常是简便而有效的，如我们在第六章看到的。

拉伸或压缩弹簧，需要作功。因此在被拉伸或压缩的弹簧中储存了势能。实际上，我们已经在 6-4 节见到过，弹性势能(PE)由下式给出

$$\text{PE} = \tfrac{1}{2}kx^2\text{。}$$

因此，由于弹簧-物体系统的总机械能 E 等于动能与势能的和，我们有

$$E = \tfrac{1}{2}mv^2 + \tfrac{1}{2}kx^2\text{，} \qquad \textbf{(11-3)}$$

这里 v 是质量为 m 的物体离平衡位置距离为 x 时的速度。只要没有摩擦力，总机械能 E 就保

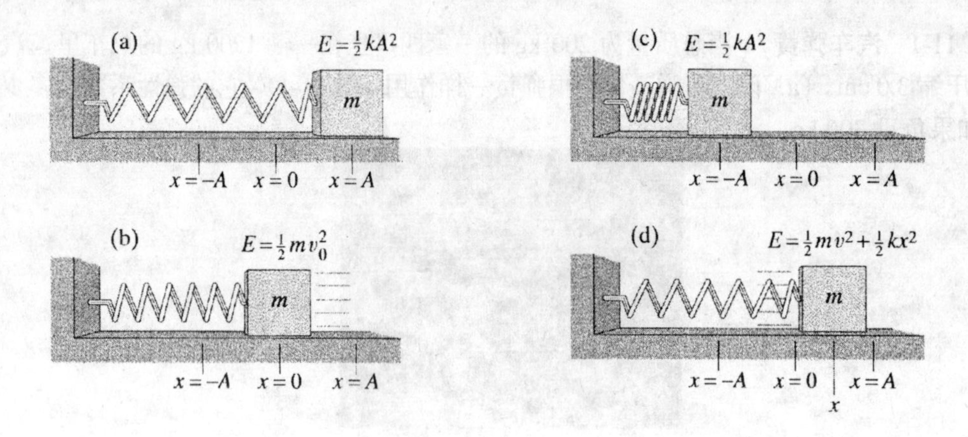

图 11-5 弹簧在振动过程中的能量转变：动能与势能之间的相互转化

持恒定。当物体前后振动时，能量持续地从势能变成动能，然后再变回去（图 11-5）。在极端位置 $x=A$ 和 $x=-A$，所有的能量以势能形式（不论对拉伸或压缩到满振幅的弹簧，这是一样的）储存在弹簧中。在这个极端点，物体在改变方向时暂时停止运动，所以 $v=0$ 并且：

$$E=\frac{1}{2m}(0)^2+\frac{1}{2}kA^2=\frac{1}{2}kA^2 \quad \text{(11-4a)}$$

因此，**简谐振动的总机械能正比于振幅的平方**。在平衡点 $x=0$，所有能量是动能：

$$E=\frac{1}{2}mv_0^2+\frac{1}{2}k(0)^2=\frac{1}{2}mv_0^2 \quad \text{(11-4b)}$$

这里 v_0 表示运动中的最大速度（出现在 $x=0$）。在中间点，能量部分是动能，部分是势能。将方程 11-4a 与方程 11-3 比较，我们可以发现一个速度作为点 x 函数的有用的方程：

$$\frac{1}{2}mv^2+\frac{1}{2}kx^2=\frac{1}{2}kA^2$$

求解 v^2，得到

$$v^2=\frac{k}{m}(A^2-x^2)=\frac{k}{m}A^2\left(1-\frac{x^2}{A^2}\right)$$

从方程 11-4a 和 11-4b，我们有 $\frac{1}{2}mv_0^2=\frac{1}{2}kA^2$，所以 $v^2=(k/m)A^2$。将这个结果代入上面的方程并开平方，我们有

$$v=\pm v_0\sqrt{1-x^2/A^2} \quad \text{(11-5)}$$

这个方程给出了任意位置 x 物体的速度。物体前后运动，所以它的速度可以在+或－方向，但它的值只由 x 的值确定。

概念练习 例 11-2 **振幅倍增。** 设图 11-5 中的弹簧拉伸长度加倍（到 $x=2A$）。（a）系统的能量，（b）最大速度，（c）最大加速度，各发生什么变化？

答：（a）从方程 11-4a，能量与振幅平方有关，所以拉伸加倍，能量变成四倍。[你可能

不同意："我将弹簧从 $x=0$ 拉伸到 $x=A$ 作了功，为什么不能以同样的功，将它从 A 拉伸到 $2A$？"不是这样的。你第二步（A 到 $2A$）所需的力比第一步（0 到 A）大，所以作的功也多。]

（b）从方程 11-4b，我们可以看出因为能量变成四倍，最大速度肯定是以前的两倍。

（c）因为当我们拉伸到两倍远时，所需的力是两倍，所以这里的加速度也是两倍。

例 11-3　计算弹簧。当一个弹簧（图 11-6a）下端挂一个物体时伸长 0.150 m（图 11-6b）。然后将弹簧从这个平衡位置再拉伸 0.100 m 后释放（图 11-6c）。试求（a）弹性系数 k，（b）振幅 A，（c）最大速度 v_0，（d）当物体离平衡位置 0.050 m 时，速度的值，（e）物体的最大加速度值。

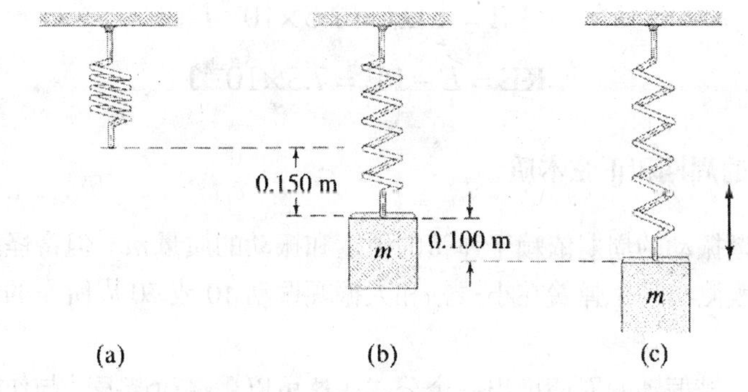

图 11-6　例 11-3 和 11-4。

解:（a）因为当挂一个 0.300 kg 的物体时，弹簧伸长 0.150 m，我们从方程 11-1 求 k

$$k=\frac{F}{x}=\frac{mg}{x}=\frac{(0.300\,\text{kg})(9.80\,\text{m/s}^2)}{0.150\,\text{m}}=19.6\,\text{N/m}$$

（b）因为弹簧从平衡位置被拉伸 0.100 m（图 11-6c）且没有初速度，因此，$A=0.100$ m。

（c）当物体经过平衡点时具有最大速度 v_0，这里所有能量是动能。根据能量守恒（见方程 11-3）：

$$\tfrac{1}{2}mv^2+0=0+\tfrac{1}{2}kA^2$$

这里 $A=0.100$ m。求解 v_0，我们有

$$v_0=A\sqrt{\frac{k}{m}}=(0.100\,\text{m})\sqrt{\frac{19.6\,\text{N/m}}{0.300\,\text{kg}}}=0.808\,\text{m/s}$$

（d）我们用方程 11-5 可得

$$v=v_0\sqrt{1-x^2/A^2}=(0.808\,\text{m/s})\sqrt{1-\frac{(0.050\text{m})^2}{(0.100\text{m})^2}}=0.700\,\text{m/s}$$

（e）用牛顿第二定律 $F=ma$。最大加速度出现在力最大时，即，$x=A=0.100$ m。

因此

$$a = \frac{kA}{m} = \frac{(19.6\ \text{N/m})(0.100\ \text{m})}{0.300\ \text{kg}} = 6.53\ \text{m/s}^2$$

例 11-4 对弹簧进行更多的计算——能量。对例 11-3 的简谐振动，试求（a）总能量，（b）在半振幅处（$x = \pm A/2$）的动能和势能。

解：（a）因为 $k = 19.6\ \text{N/m}$，$A = 0.100\ \text{m}$，从方程 11-4a 总能量 E 为

$$E = \frac{1}{2}kA^2 = \frac{1}{2}(19.6\ \text{N/m})(0.100\ \text{m})^2 = 9.8\times10^{-2}\ \text{J}$$

（b）在 $x = A/2 = 0.050\ \text{m}$，我们有

$$\text{PE} = \frac{1}{2}kx^2 = 2.5\times10^{-2}\ \text{J}$$

$$\text{KE} = E - \text{PE} = 7.3\times10^{-2}\ \text{J}$$

11–3 简谐振动的周期和正弦本质

人们发现简谐振动的周期依赖于弹簧的硬度和振动的质量 m。但奇怪的是周期不依赖于振幅。你可以用表测出一个弹簧在小振幅和大振幅振动 10 或 20 周所需的时间，并检验你的结果。

我们可以对简谐振动的周期推出一个公式，这可以用将简谐振动与作圆周运动的物体作比较而得出。从这个同样的“参照圆”，我们可以得出第二个有用的结果——振动物体的位置作为时间的函数关系。当然，在弹簧作线性振动时并没有作圆周运动，但我们发现这里数学上的相似性很有用。

现在考虑一质量 m 的物体在桌面上绕半径为 A 的圆以匀速 v_0 反时针旋转，如图 11-7 所示。从上望下看，运动是在 xy 平面上的圆。但在桌边观察这个运动的人看到的则是来回的振动，这个一维运动与简谐运动完全一致，现在我们来讨论这一点。这个人看到的以及我们感兴趣的是圆运动在 x 轴上的投影（图 11-7b）。要知道这个 x 轴上的运动是否类似于简谐运动，让我们计算速度 v_0 的 x 分量值，在图 11-7 中它被标为 v。图 11-7 中两个包括 θ 的三角形的相似的，所以

$$\frac{v}{v_0} = \frac{\sqrt{A^2 - x^2}}{A}$$

或者

$$v = v_0\sqrt{1 - \frac{x^2}{A^2}}$$

正如我们在方程 11-5 中见到的，这就是简谐振动的速度方程。因此，绕圆运动的物体在 x 轴上的投影与弹簧一端的物体具有同样的运动。

现在，我们确定简谐运动的周期，因为它等于旋转物体转动一周的周期。首先，我们注意到速度 v_0 等于周长（距离）除以周期 T：

$$v_0 = \frac{2\pi A}{T} = 2\pi Af \tag{11-6}$$

我们求解T：

$$T = \frac{2\pi A}{v_0}$$

从方程 11-4a 和 b，我们有$\frac{1}{2}kA^2 = \frac{1}{2}mv_0^2$， 所以$A/v_0 = \sqrt{m/k}$ 。因此

$$T = 2\pi\sqrt{\frac{m}{k}} \tag{11-7a}$$

这就是我们要寻找的表达式。周期依赖于物体的质量m和弹性系数k，但与振幅无关。从方程 11-7a 我们可以看到，质量越大，周期越长；弹簧越硬，周期越短。这意味着大的质量具有更多的惯性，因此响应比较慢（加速度小）。大的k表示更大的力，因此响应比较快（加速度大）。注意方程 11-7a 不是一个正比关系：周期随m/k的平方根变化。例如，质量必须是四倍，周期才能加倍。方程 11-7a 与实验完全一致，它不仅适用于弹簧，而且适用于所有类型的服从方程 11-1 的简谐运动。

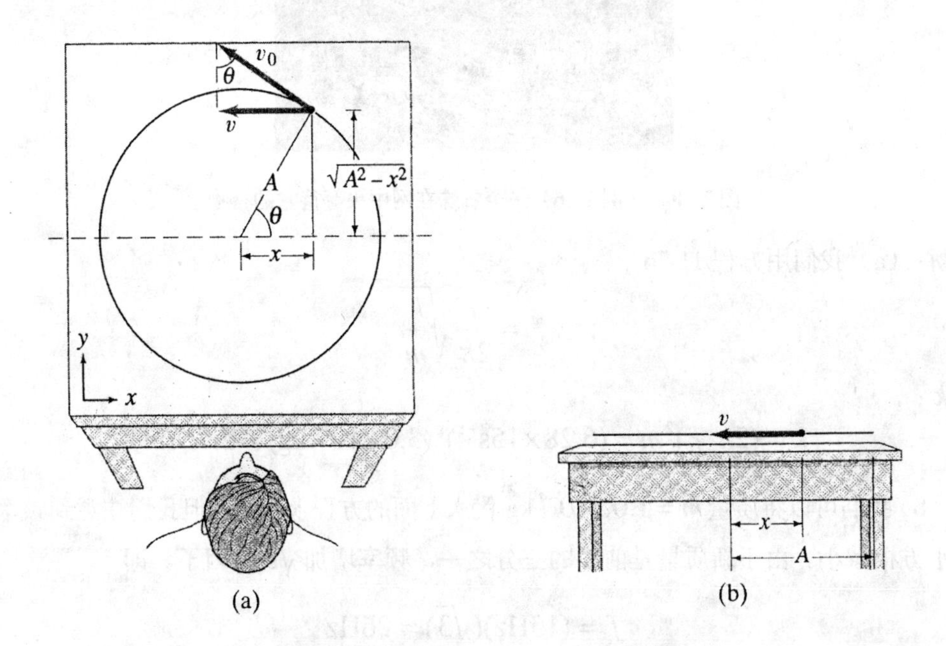

图 11-7 从侧面观察到的圆周运动(a)的简谐振动的分析图(b)

我们也可以写出，由于$f = 1/T$（方程 11-2），得

$$f = \frac{1}{T} = \frac{1}{2\pi}\sqrt{\frac{k}{m}} \tag{11-7b}$$

例 11-5 重做汽车弹簧习题。 试求例 11-1 中的汽车在受到颠簸时的周期和频率。设减震作用不明显，汽车确实在上下振动。

解：从方程 11-7a，

$$T = 2\pi\sqrt{\frac{m}{k}} = 6.28\sqrt{\frac{1400\,\text{kg}}{6.5\times10^4\,\text{N/m}}} = 0.92\,\text{s}$$

或稍小于一秒。频率 $f = 1/T = 1.09\,\text{Hz}$（方程 11-2）。

例 11-6 蜘蛛网。一个质量 0.30g 的小昆虫被一张可忽略质量的蜘蛛网捕获（图 11-8）。网的主要振动频率为 15 Hz。（a）试估计网的弹性系数 k。（b）如果一个质量 0.10 g 的昆虫被捕获，网的振动频率是多少？

图 11-8 （例 11-6）一个蜘蛛在网中央等待它的猎物

解：（a）我们用方程 11-7b

$$f = \frac{1}{2\pi}\sqrt{\frac{k}{m}}$$

求解 k：

$$k = (2\pi\ f)^2 m = (6.28\times15\text{s}^{-1})^2(3.0\times10^{-4}\text{kg}) = 2.7\text{N/m}$$

（b）我们可以将质量 $m = 1.0\times10^{-4}\,\text{kg}$ 代入上面的方程求解 f。但我们注意到频率随质量的平方根减小。由于新质量是前面的三分之一，频率增加 $\sqrt{3}$ 的因子。即

$$f = (15\text{Hz})(\sqrt{3}) = 26\text{Hz}$$

我们现在用参考圆求出简谐运动物体的位置与时间的函数关系。从方程 11-7，我们看到 $\cos\theta = x/A$，所以球在 x 轴上的投影为

$$x = A\cos\theta$$

因为质量以角速度 ω 转动，我们可以写出 $\theta = \omega t$（见 8-1 节），这里 θ 是弧度。因此

$$x = A\cos\omega t \qquad \textbf{(11-8a)}$$

另外，由于角速度ω（用每秒弧度表示）可写成$\omega = 2\pi f$，这里f是频率（方程 8-7），我们也可写出

$$x = A\cos 2\pi ft \tag{11-8b}$$

或用周期T表示：

$$x = A\cos\frac{2\pi t}{T} \tag{11-8c}$$

注意在方程 11-8c 中$t = T$（即经过的时间等于一个周期）时，我们有$\cos 2\pi$，它与$\cos 0$的值是一样的。这表示在时间T后运动本身重复进行。

正如我们看到的，转动物体在x轴上的投影完全与简谐振动的运动一致。因此，方程 11-8 给出作简谐运动物体的位置。由于余弦函数在 1 和- 1 间变化，x必须在A到$-A$间变化。如果振动质量上连接一只笔，如图 11-9 所示，记录纸在下面匀速移动，画出的曲线精确服从方程 11-8。图 11-10a 给出按方程 11-8 作的x对t关系图。

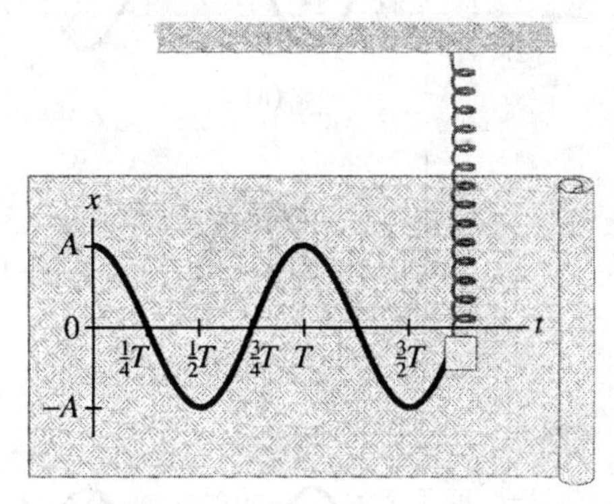

图 11-9　简谐振动的正弦本质，在这种情况下，$x = A\cos(2\pi t/T)$。

我们也可以从方程 11-7a 求出速度v与时间的函数关系。对给定的点，我们得出v的值为$v_0 \sin\theta$，但v指向左，所以$v = -v_0 \sin\theta$。设$\theta = \omega t = 2\pi ft = 2\pi t/T$，我们有

$$v = -v_0 \sin 2\pi ft = -v_0 \sin\frac{2\pi t}{T} \tag{11-9}$$

在$t = 0$，速度为负值（指向左）并且到$t = \frac{1}{2}T$（对应于$\theta = 180° = \pi$弧度）同样为负值。因此从$t = \frac{1}{2}T$到$t = T$，速度为正。速度作为时间的函数（方程 11-9）画在图 11-10b 中。回忆方程 11-6，$v_0 = 2\pi Af$，用方程 11-7b 我们可以重新写为

$$v_0 = 2\pi Af = A\sqrt{\frac{k}{m}}$$

加速度作为时间的函数可从牛顿第二定律$F = ma$得出：

$$a = \frac{F}{m} = \frac{-kx}{m} = -\left(\frac{kA}{m}\right)\cos 2\pi ft = -a_0 \cos 2\pi ft = -a_0 \cos\frac{2\pi}{T}t \tag{11-10}$$

这里最大加速度为$a_0 = kA/m$，方程 11-10 画在图 11-10c 中。由于简谐振动的加速度不是恒定的，所以匀加速运动方程不能用于简谐运动。

简谐运动的其它方程也可能依赖初始条件（或选 t 为零时状态）。例如，如果在$t=0$，当物体在平衡位置时给它一个推动，振动开始进行，方程可以写为

$$x = A\sin\frac{2\pi t}{T}$$

这个曲线（曲线 11-11）的形状与图 11-10a 中给出的余弦曲线完全一样，除了它向右移动了四分之一周期，所以它从$x=0$开始，而不是$x=A$。

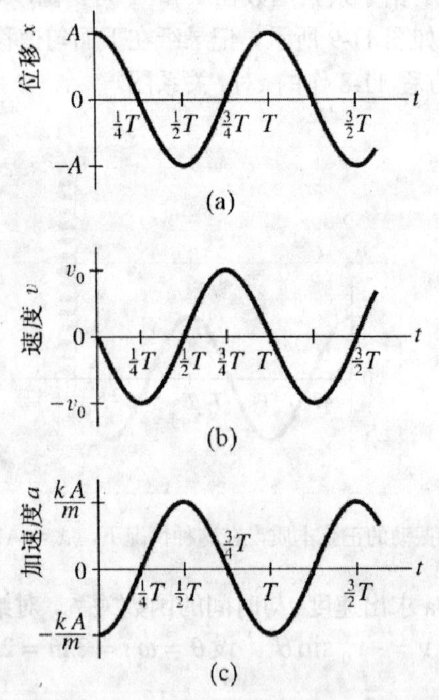

图 11-10 曲线图表示：(a) 位移x作为时间t的方程：$x=\cos(2\pi t/T)$；(b) 速度作为时间的方程：$v=-v_0\sin(2\pi t/T)$；加速度作为时间的方程：$a=-(kA/m)\cos(2\pi t/T)$。

两条曲线，正弦和余弦的，都可看成是正弦状（具有正弦函数的形状）。因此由于简谐运动的位置是时间的正弦函数，它被称做正弦运动。

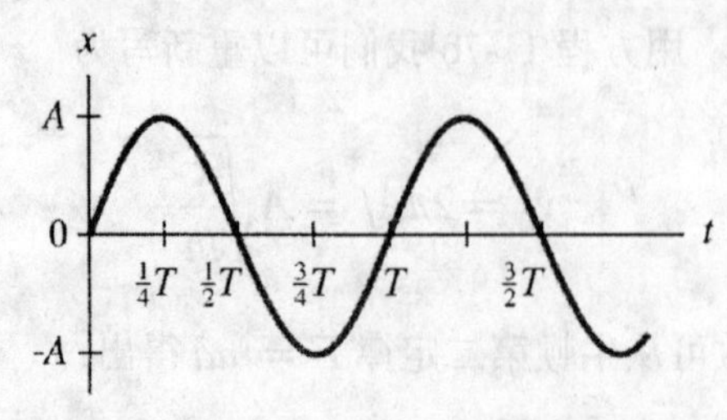

图 11-11 简谐振动的运动方程是时间的函数，$x = A\sin(2\pi t/T)$。因此$t=0$时，$x=0$，即振动物体处于平衡位置。但是由于它在$t=0$有初速度，这使它在时间$t=\frac{1}{4}T$时到达$x=A$。

例 11-7 扬声器。 一个扬声器簧片的简谐运动频率为 262 Hz（“中音 C”）。簧片中心的振幅为 $A = 1.5\times10^{-4}$ m，在 $t = 0$，$x = A$。（a）试求描述簧片中心运动的方程。（b）它的最大速度和最大加速度是多少？（c）在 $t = 1.00$ ms（$= 1.00\times10^{-3}$ s），簧片的位置任何？

解：（a）振幅 $A = 1.5\times10^{-4}$ m，$2\pi f$ =（6.28 弧度）（262 s^{-1}）= 1650rad/s。运动开始（$t = 0$）时，簧片在最大位移处（在 $t = 0$，$x = A$），所以我们用余弦函数：

$$x = A\cos 2\pi\ ft = (1.5\times10^{-4}\mathrm{m})\cos(1650)$$

（b）从方程 11-6，

$$v_0 = 2\pi Af = 2ð\,(1.5\times10^{-4}\mathrm{m})(262\mathrm{s}^{-1}) = 0.25\mathrm{m/s}$$

从方程 11-10 和 11-7b

$$a_0 = \left(\frac{k}{m}\right)A = (2\pi f)^2 A = 4\pi^2(262\mathrm{s}^{-1})^2(1.5\times10^{-4}\mathrm{m}) = 410\mathrm{m/s}^2$$

这个值大于 40 g。

（c）在 t = 1.00×10^{-3} s 时，

$$\begin{aligned} x &= (1.5\times10^{-4}\mathrm{m})\cos[(1650\mathrm{rad/s})(1.00\times10^{-3}\mathrm{s})] \\ &= (1.5\times10^{-4}\mathrm{m})\cos(1.65\mathrm{rad}) = -1.2\times10^{-5}\mathrm{m} \end{aligned}$$

11–4 单摆

单摆由一个小物体（摆锤）悬在轻质量细绳一端构成，图 11-12。我们设细绳不伸长且它的质量相对于摆锤可以忽略。单摆前后无摩擦的运动类似于简谐运动：摆沿着圆弧振动，相对于平衡点（垂直悬挂点）它两边的振幅相等，在经过平衡点时具有最大速率。但它真的是简谐振动吗？即，回复力是正比于它的位移吗？让我们看一看。

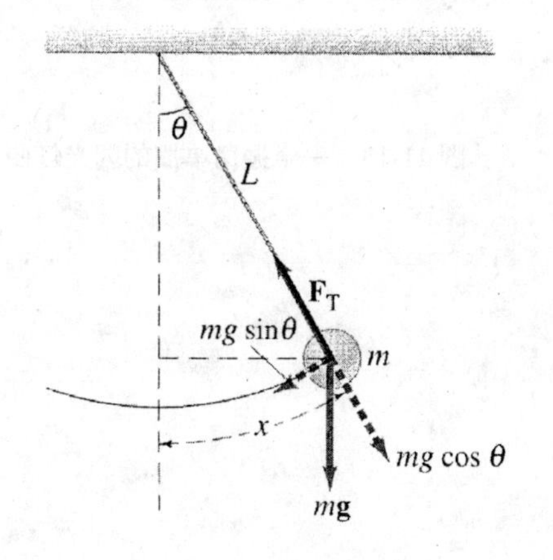

图 11-12 单摆

单摆沿圆弧的位移由下式给出 $x = L\theta$，这里 θ 是细绳与垂线的夹角，L 是细绳的长度（图 11-12）。因此，如果回复力正比于 x 或 θ，这个运动就是简谐的。回复力是重力 mg 的

分量，沿圆弧切线方向

$$F=-mg\sin\theta$$

这里负号与方程 11-1 中的一样表示力与角位移θ 方向相反。因为F 正比于θ 的正弦值而不是θ 本身，这个运动不是简谐运动。然而，如果θ 较小，$\sin\theta$ 非常接近于用弧度表示的θ 。这可从封面内的三角表中看出，或从图 11-12 中看出，在θ 较小时，弧长x（$=L\theta$）接近垂直虚线给出的弦长（$=L\sin\theta$）。对于小于 15°的角，θ（弧度）与$\sin\theta$ 间的差别小于百分之一。因此，作为一个很好的小角近似，

$$F=-mg\sin\theta\approx-mg\theta$$

用$x=L\theta$，可得

$$F\approx-\frac{mg}{L}x$$

这样，对于小位移，运动本质上是简谐的，因为这个方程满足胡克定律$F=-kx$，这里有效力常数$k=mg/L$。单摆的周期可用方程 11-7 求出，将k 用mg/L 代入即可：

$$T=2\pi\sqrt{\frac{m}{mg/L}}$$

$$T=2\pi\sqrt{\frac{L}{g}} \qquad [\theta\text{是小量}] \qquad \textbf{(11-11a)}$$

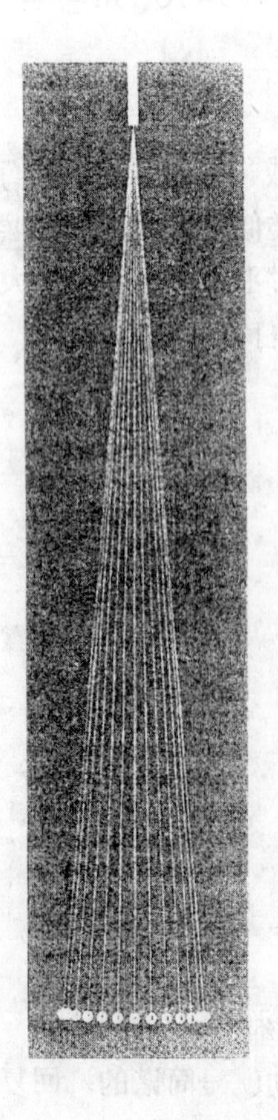

图 11-13 一个振荡单摆的闪光灯照片

频率⁺为

$$f=\frac{1}{T}=\frac{1}{2\pi}\sqrt{\frac{g}{L}} \qquad [\theta\text{是小量}] \qquad \text{(11-11b)}$$

这是一个惊人的结果——周期不依赖于摆锤的质量！如果你在秋千上推一个小孩和一个大人，你就会注意到这一点。

⁺方程 11-11 应用到单摆——一个质点挂在可忽略质量的绳的末端——但是棒球棒悬挂在绳的末端不能称为振动

例 11-8 老爷钟表。 （a）一座老爷钟每秒滴答一次，试估计钟摆的长度。（b）如果钟摆 1.0 m 长，它的周期是多少？

解：（a）如果我们设钟每个周期滴答一次，那么周期 $T=1.0$ s。我们从方程 11-11a 求解 L：

$$L=\frac{T^2}{4\pi^2}g=\frac{(1.0\text{s})^2}{4\pi^2}(9.8\text{m/s}^2)=0.25\text{m}$$

（b）从方程 11-11a，$T\propto\sqrt{L}$。所以如果 L 四倍长（$4\times0.25\text{m}=1.0\text{m}$），那么 T 为 $\sqrt{4}=2$，即两倍的时间，或 2.0 s。

图 11-14 据说伽里略首次观察到在比萨教堂中用非常长的绳子从天花板上悬吊下的灯的摆动，这使他获得灵感，得到摆的周期不依赖于振幅的结论。

我们在 11-3 节看到过，作简谐运动物体（包括摆）的周期不依赖于振幅。据说伽里略在比萨教堂观察悬吊的灯时首次注意到了这一点（图 11-14）。这个发现导致摆钟的出现，第一个真正精确的计时装置，并成为几个世纪的标准。

由于摆的运动不是严格的简谐运动，所以周期轻微依赖于振幅，振幅越大越明显。在摆动许多次以后，由于摩擦摆幅减小，摆钟的精度会受影响；但摆钟（或老爷钟里下落重量）里的主发条可以提供能量以补偿摩擦的损失，并保持一个恒定的摆幅，所以可以使时间保持准确。

11–5 阻尼谐振

任何实际振动弹簧或摆动摆的振幅都会随时间逐渐减小，直至完全停止。图 11-15 给出位移作为时间函数的典型图。这叫做**阻尼谐振**。阻尼通常是由于空气阻力和振动系统的内摩擦引起的。因此，能量损失转化成热能（表现为振幅的减小）。

既然自然界的振动系统都是阻尼的，为什么我们还要讨论（非阻尼的）简谐运动呢？答案是对简谐运动很容易进行数学处理。并且如果阻尼不太大，这个振动可看成简谐运动与阻尼的叠加——即，振幅的减小由图 11-15 中的虚线表示。虽然摩擦阻尼确实改变了振动频率，但如果不是阻尼很大，影响通常很小，因此方程 11-7 在许多情况下仍可以使用。

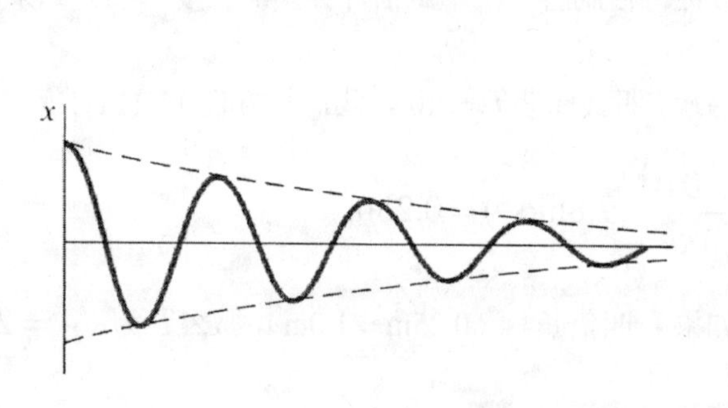

图 11-15 阻尼谐振图

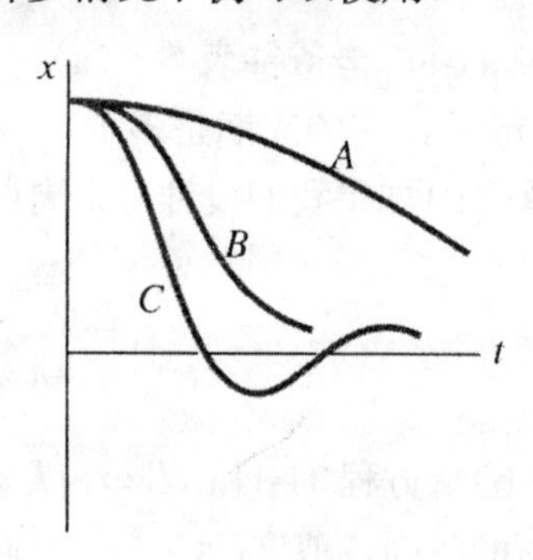

11-16 曲线分别代表 (*A*) 过阻尼，(*B*) 临界阻尼，(*C*) 欠阻尼

有时阻尼太大，运动不再是简谐运动。图 11-16 给出三种重阻尼的常见情况。曲线 *A* 表示过阻尼情况，这时阻尼太大，需要很长时间才能达到平衡位置。曲线 *C* 表示欠阻尼情况，系统在达到静止之前进行了几次摆动。曲线 *B* 表示临界阻尼；在这种情况下，趋于平衡的时间最短。这些情况都是从实际阻尼系统的使用中总结出来的，如关门装置和汽车减震系统（图 11-17）。这类装置通常都设计成处于临界阻尼状态；但当它们磨损时，出现欠阻尼情况：门砰地关上或汽车每次碰到凸起都要上下颠簸几次。

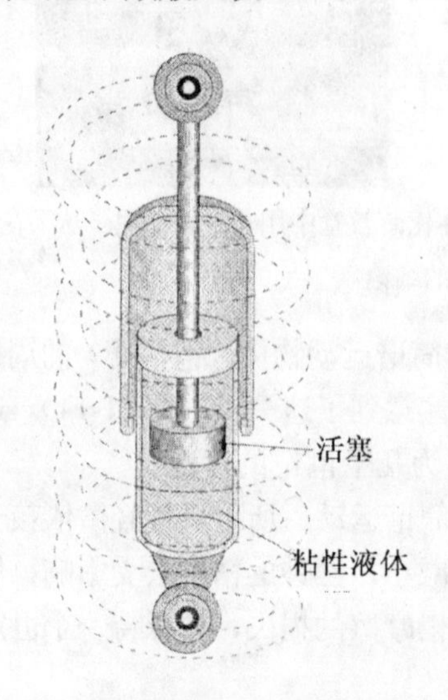

图 11-17 汽车的弹簧和产生阻尼的减震器以防止汽车不停的上下跳动。

11-6 受迫振动；共振

当一个振动系统处于振动状态时，它以其固有频率振动（方程 11-7b 和 11-11b）。然而，当一个具有特殊频率的外力加在系统上时，出现了**受迫振动**。例如，我们可以频率 f 拉动图 11-1 中的弹簧上的物体前后振动。这样物体以外力的频率 f 振动，尽管这个频率与弹簧的固有频率不一致，我们用 f_0 表示**固有频率**（见方程 11-7b）

$$f_0 = \frac{1}{2\pi}\sqrt{\frac{k}{m}}$$

对于受迫振动，发现其振幅取决于频率 f 与 f_0 之间的差，当外力频率等于系统的固有频率（即 $f = f_0$）时达到最大。振幅作为外频 f 的函数图示在图 11-18 中。曲线 A 表示轻阻尼，曲线 B 表示重阻尼。当只要阻尼不是太大，当驱动频率 f 接近固有频率（$f \approx f_0$）时，振幅成为最大。当阻尼较小时，在 $f = f_0$ 附近振幅的增加非常大（常常很明显）。这个效应称为**共振**。系统的固有频率叫做**共振频率**。

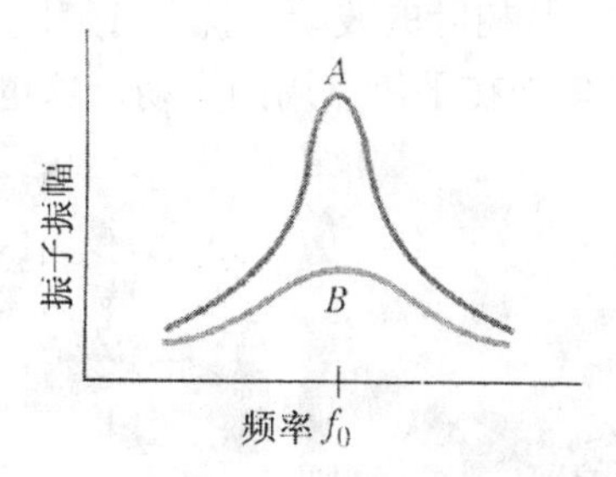

图 11-18 对于轻阻尼系统(A)和重阻尼系统(B)的共振情况

对共振的一个简单的说明是推秋千上的小孩。秋千作为一个摆，具有其振动的固有频率。如果你以随机频率推动秋千，秋千只会乱动而不能达到较大的振幅。但如果你用等于秋千固有频率的频率去推，振幅增加很快。这清楚地说明了共振，只需用较小的力可得到较大的振幅。

据说著名的男高音歌唱家恩里克·卡罗索大声唱出适当频率的声音时能够使水晶杯碎裂。这是共振的一个例子，因为声音发出的声波使玻璃出现受迫振动。在共振时，杯子的振动幅度可能超过玻璃的弹性限度从而破裂。

图 11-19 (a) 由于飓风引起的塔卡玛峡谷大桥大振幅的振动造成了它的倒塌（1940 年 11 月 7 日），(b) 在 1989 年加洲地震中倒塌的奥克兰高速公路事件中，共振也是事故的原因之一。

通常，由于物体具有弹性，共振在许多情况下是一个重要的现象。尤其在建筑中特别重要，虽然它的效果不是总能够预见到的。例如，据报道一座铁路大桥由于驶过火车一个轮子上缺口在桥上产生了共振而倒塌。确实，行进的士兵过桥时打乱步伐就是为了避免类似的灾难。1940 年，著名的塔卡玛峡谷大桥（图 11-19a）倒塌的部分原因就是桥的共振（与阵风的频率相同造成），在 1989 年加洲地震中倒塌的奥克兰高速公路也是同样的原因。

在本章和以后的章节中，我们将遇到一些共振的重要例子。我们也将看到一些具有许多共振频率的振动物体。

11–7 波动

当你向湖或水池中扔石块时，出现环形的波纹并向周围传播，图 11-20。如果你像图 11-21 所示的那样前后振动桌面上伸直绳子的一端，波也会沿绳子传播。水波和绳子上的波是波动的两个常见例子。我们在以后将遇到其它类型的波动，现在主要关注于**机械波**。

如果你曾经见过涌向岸边的海波（在它破裂之前），你也许认为是波将海水从海面带到岸边的。实际上不是这样的。水波以可识别的速度移动。但水的每个质点本身只在平衡点周围振动。通过观察池塘中经过一片树叶的波动，就可清楚地证明这一点。树叶（或木片）并没有被波带向前去，而只是简单地在平衡点周围振动，这也表明了水本身的运动状况。

图 11-20 水波从一个发生源向四周传播

概念练习 例 11-9 **波与质点速度。** 沿绳子运动的波的速度与绳子上质点的速度是一样的吗？见图 11-21。

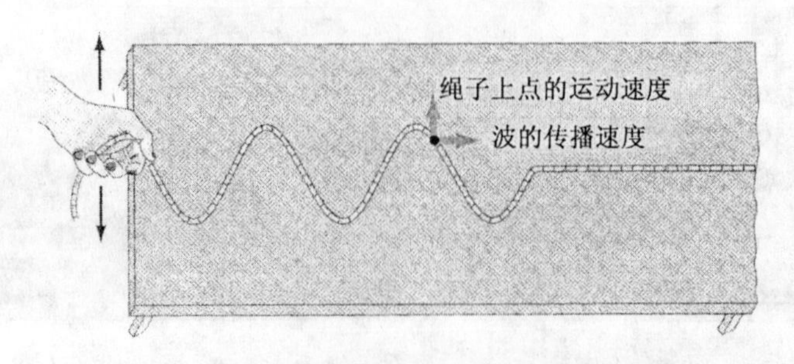

图 11-21 波在一个绳子上演着绳子向右传播。绳上点在桌面上来回振荡。

解：不是。两个速度不同，量值和方向都不一样。图 11-21 中绳子上的波向右运动，而绳子上的每一段只是来回振动。（绳子显然没有向波传播的方向行进。）

波可以移动很长的距离，但介质（水或绳子）本身只是在有限的运动。因此，虽然波不是实物，但波的形状可以在实物中传播。波是由在实物中运动但不携带它们前进的振动构成的。

+不要被海波的破碎困扰，它是由于与浅水的地面相作用，已经不是单纯的波了。

波可以从一处向另一处传输能量。例如，将石块扔到水里或风吹过海面，能量传递给了水波。能量被波传输到了岸边。图 11-21 中振动的手将能量传递给了绳子，它又将能量传递给下一段绳子，并一直传递到另一端的物体上。所有形式的行进波都传递能量。

让我们细致看一下波是如何形成的，如何实现“传播”的。我们首先看一个单波峰或**脉冲**。通过手快速的上下运动，一个脉冲可以在绳子上形成，图 11-22。手将绳子一端向上拉，由于绳子端头与相邻一段连在一起，这一段也受到向上的力，也开始向上运动。当后续每一段绳子向上运动，波峰沿绳子向前运动。同时，手将绳子端头拉回到它的初始位置，当后续每一段绳子到达它的峰位，它也被相邻段的绳子向下拉回。因此，行进波脉冲的来源是一次扰动，相邻绳子段的亲和力使波沿绳子向前行进。其它介质中的波也是以同样的方式产生和传播的。

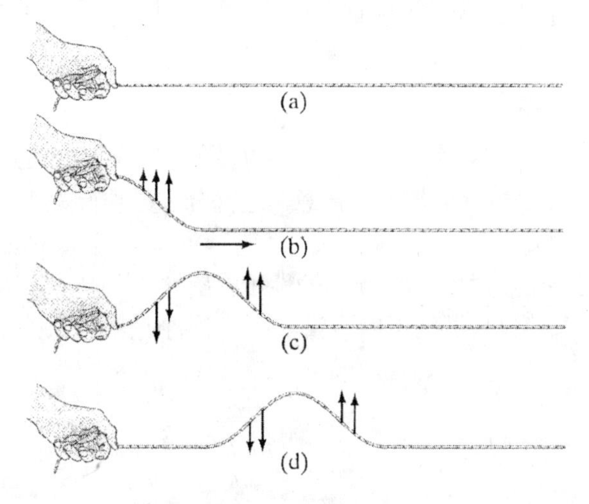

图 11-22　一个波脉冲向右运动，箭头代表绳上点的速度

图 11-21 中给出的**连续波**或**周期波**，其扰动来源是连续的振动；即，来源是振动或摆动。在图 11-21 中，手在绳子一端振动。水波可以由放在其表面的任何振动物体产生，如你的手；或当风吹过时水本身的振动或扔到水里的石块。一个振动的音叉或鼓膜在空气中产生声波。我们以后会看到振动的电荷产生光波。实际上，几乎任何振动的物体都发出波。

因此，任何波都起源于振动。是向前传输的振动构成了波。如果源的振动是正弦形的简谐运动，那么波本身（如果介质是完全弹性的）将在空间和时间上具有正弦形式。（1）在空间上：如果你在某一时刻对通过空间的波照相，波将具有正弦或余弦函数的形状。（2）在时间上：如果你在某一处长时间观察介质的运动，例如，当水波经过时，如果你观察两个靠近木桩之间的空间或从舷窗看出去，一小块水的上下运动将是简谐运动——水随时间以正弦形式上下运动。

图 11-23 中给出一些用来描述周期正弦波的主要参量。波的最高点叫波峰，最低点叫波谷。**波幅**是波峰相对于正常水平（或平衡点）的高度，或波谷的深度。从波峰到波谷的总摆动距离是波幅的两倍。相邻波峰间的距离叫**波长** λ。波长也等于相邻波上振动状态相同两点间的距离。**频率** f 是单位时间经过一给定点的波峰数或完整的周数。当然，周期 T 正好等于 $1/f$，是空间同一点两次到达波峰所用的时间。

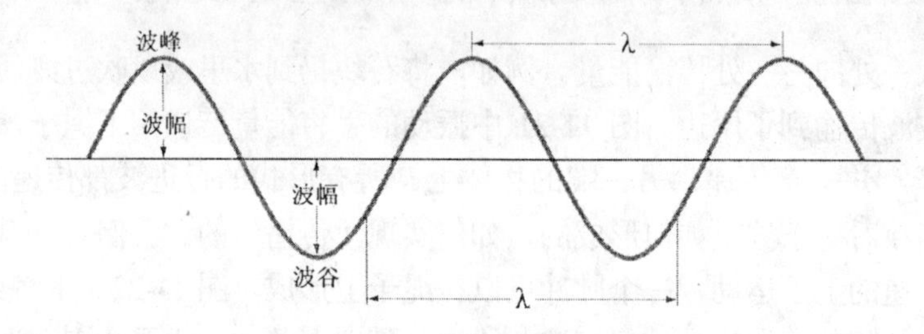

图 11-23 单频率连续波的特性

波速 v 是波峰（或波形的任意其它部分）向前传播的速度。波速必须与介质质点本身的速度区分开来。例如，对于图 11-21 中沿绳子行进的波，波速沿绳子向右，而绳子上质点的速度垂直于它。

波峰在一个周期 T 内行进一个波长的距离，因此波速等于 λ/T。因为 $1/T = f$：

$$v = \lambda f \qquad \textbf{(11-12)}$$

例如，设一个波波长为 5 m，频率为 3 Hz。因为每秒有三个波峰经过给定点，且波峰相距 5 m，所以在 1 秒内，第一个波峰（或波上的任意其它部分）必须行进 15 m 的距离。所以它的速率是 15 m/s。

波的速度取决于它在其中传播的介质的性质。例如，一根拉紧细绳上波的速度依赖于绳子上的张力 F_T，以及单位长度绳子的质量 m/L。对小振幅波，关系式为

$$v = \sqrt{\frac{F_T}{m/L}} \qquad \text{[绳上的波]} \qquad \textbf{(11-13)}$$

这个公式在牛顿力学基础上定量给出了速度的表达式。即，我们预期张力在分子上，而单位长度的质量在分母上。为什么？因为当张力增大，由于绳子上的每一段与其相邻接触得更紧，我们预期速度增加；单位长度的质量越大，绳子具有的惯性越大，波就会传播得更慢。

例 11-10 钢丝上的波。一波长为 0.30 m 的波沿总质量为 15 kg、长度为 300 m 的钢丝传播。如果钢丝上的张力为 1000 N，这个波的速度和频率是多少？

解：从方程 11-13，速度为

$$v = \sqrt{\frac{1000\text{N}}{(15\text{kg})/(300\text{m})}} = 140\text{m/s}$$

频率为（方程 11-12）

$$f=\frac{v}{\lambda}=\frac{140\text{m/s}}{0.30\text{m}}=470\text{Hz}\quad。$$

注意较大的张力将使 v 和 f 增大，而更粗、更致密的钢丝将使 v 和 f 减小。

11–8 波的类型：横波和纵波

前边我们看到，虽然波可以传播很长的距离，但介质的质点只在有限空间内振动。当波沿绳子传播时，从左向右，绳子上的质点相对于波本身的运动在横向（或垂直方向）上下振动。这样的波叫**横波**。另一种类型的波称为**纵波**。在纵波中，介质质点的振动沿着波运动的方向。纵波可由交替压缩或拉伸弹簧一端形成。这种波如图 11-24b 所示，可与图 11-24a 中的横波作一比较。一系列的压缩和扩展沿弹簧行进。压缩区是弹簧暂时靠紧的区域。扩展区（有时叫稀疏区）是弹簧暂时拉伸的区域。压缩和扩展对应于横波的波峰和波谷。

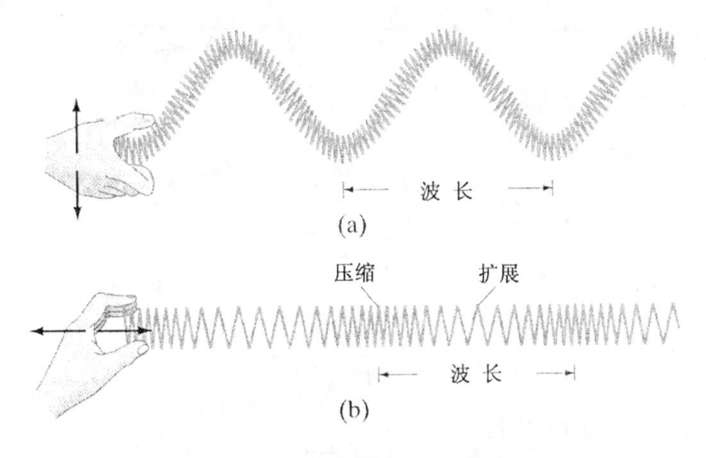

图 11-24 (a) 横波；(b) 纵波

纵波的一个重要例子是空气中的声波。例如，一个振动的鼓面，交替压缩和稀疏空气，从而使纵波在空气中传播开来，如图 11-25 所示。

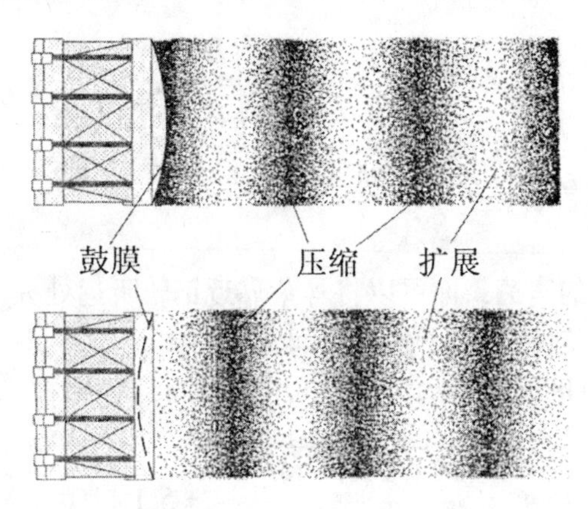

图 11-25 声波的产生，它是纵向的，图中所示的是随时间变化的两个瞬间，二者相差约为两个周期。

与横波情况一样，纵波经过的介质的每一段只在很小距离内振动，而波本身可传播很长的距离。对于纵波，波长、频率和波速具有同样的含义。波长是两相邻压缩区（或相邻扩展区）间的距离，频率是每秒经过给定点压缩区数目。波速是每个压缩区向前传播的速度；等于波长与频率的乘积（方程 11-12）。

纵波可以用给定时刻空气分子（或弹簧圈数）密度对位置作图表示，如图 11-26 所示。我们将经常用这样的图示方法，因为它很容易说明发生了什么。注意这个图看起来与横波的非常相似。

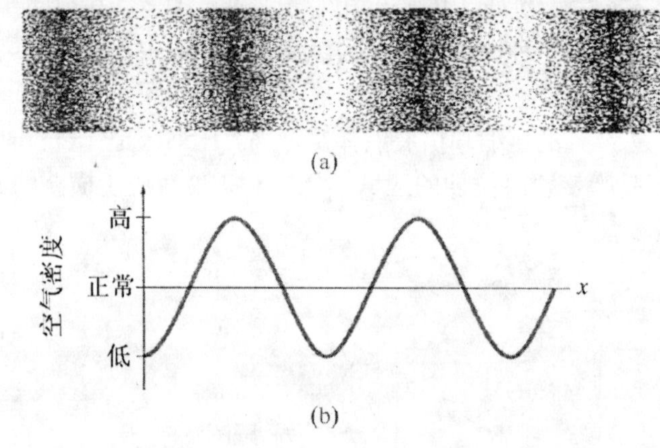

图 11-26 (a) 在随时间变化的纵波的瞬间；(b) 图表表示

纵波的速度与弹簧上的横波（方程 11-13）具有同样的形式；即

$$v=\sqrt{\frac{\text{弹力因子}}{\text{惯性因子}}}$$

特殊情况下，纵波可以沿固体棒传播

$$v=\sqrt{\frac{E}{\rho}} \tag{11-14a}$$

这里 E 为材料的弹性模量（见 9-6 节），ρ为它的密度。对在液体或气体中传播的纵波

$$v=\sqrt{\frac{B}{\rho}} \tag{11-14b}$$

这里 B 是体积模量（9-6 节）ρ 是密度。

例 11-11 钢轨里的声速。你可以将耳朵靠近钢轨听远处火车开近的声音。如果火车在 1.0 km 以外，声波从钢轨传来用了多长时间？

解：对钢的弹性模量和密度，参考表 9-1 和 10-1，我们有

$$v=\sqrt{\frac{2.0\times10^{11}\ \text{N/m}^2}{7.8\times10^3\,\text{kg/m}^3}}=5.1\times10^3\,\text{m/s}$$

因此时间 $t=$ 距离/速度$=(1.0\times10^3\ \text{m})/(5.1\times10^3\ \text{m/s})=0.20$ s。

在地震发生时，横波和纵波同时产生。通过地球体传播的横波叫 S（shear 剪切）波，纵波叫 P（pressure 压缩）波。由于原子和分子可在任意方向围绕它们的相对固定位置振动，纵波和横波都可在固体中传播。但在液体中，只有纵波可以传播，因为流体可以流动，任何横向运动不能给出回复力。地质学家用这个事实来推断地球外核是熔融的：纵波可以径向横穿地球，而横波却不能。公认的解释是地核可能是液体。

除了这两种可以通过地球体（或其它物体）传播的波以外，还有可以沿两种材料界面传播的表面波。水波实际上就是表面波，它在水和空气界面上运动。在表面上，水的每个质点的运动是圆形的或椭圆形的（图 11-27），所以它是横向和纵向运动的合成。在表面以下，也有横波和纵波运动，如图所示。在底部，运动只是纵向的。（当波接近岸边时，底部的水被减速，而波峰仍以高速向前运动（图 11-28）并漫过岸边。

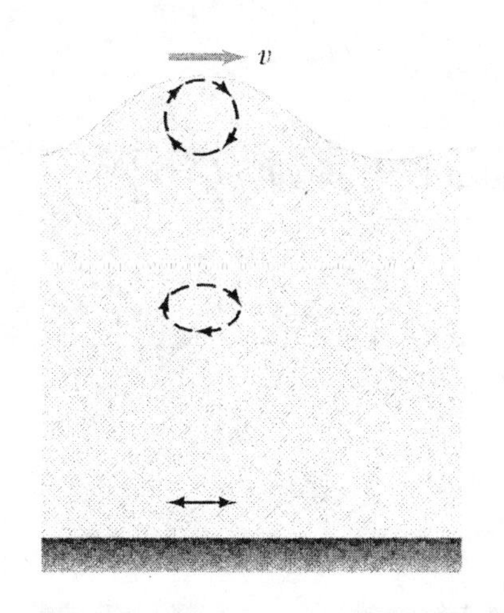

图 11-27 水波是表面波的一个例子，它由横波和纵波构成。

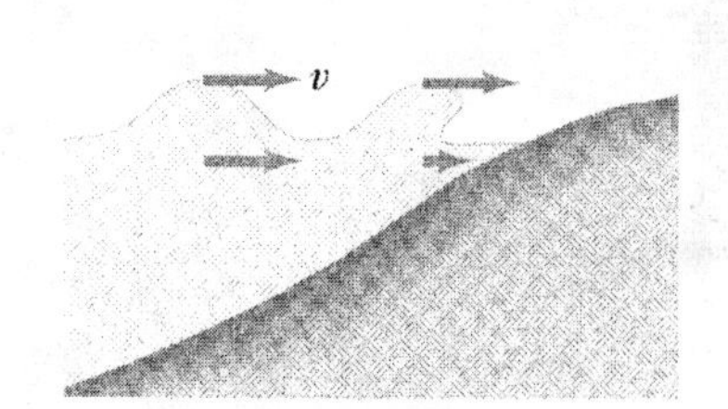

图 11-28 波是怎样受阻的。箭头代表水分子在该处的速度。

地震发生时也产生表面波。沿地球表面传播的波是造成地震灾害的主要原因。

11–9 波对能量的传播

波可以将能量从一处传播到另一处。当波通过介质传播时，能量以振动能的形式从介质的一个质点传递到另一个质点。对频率为 f 的正弦波，在波经过时质点作简谐振动，所以每个质点具有能量 $E=\frac{1}{2}kA^2$，这里 A 是运动的幅度，或横波或纵波（见方程 11-4a）。

因此，我们得到一个重要的结果：**波传播的能量正比于振幅的平方**。波的强度 I 定义为单位时间内通过垂直于波传播方向单位横截面积的能量：

$$I=\frac{\text{能量/时间}}{\text{面积}}=\frac{\text{功率}}{\text{面积}}$$

因为能量正比于波幅的平方，强度也一样

$$I \propto A^2 \qquad \textbf{(11-15)}$$

如果波从源流向所有方向，它是一个三维波。例如，声音在开放空间的传播，地震波和光波等。如果介质是各向同性的，在其中传播的波就是球面波（图 11-29）。当波向外运动时，它携带的能量扩散到越来越大的面积，因为半径 r 的球表面积为 $4\pi r^2$。因此波的强度等于

$$I = \frac{\text{功率}}{\text{面积}} = \frac{P}{4\pi r^2} \tag{11-16a}$$

如果源的输出功率 P 恒定，那么强度与测量点到源距离的平方成反比：

$$I \propto \frac{1}{r^2} \tag{11-16b}$$

如果我们考虑距离源 r_1 和 r_2 的两个点，如图 11-29，那么 $I_1 = P/4\pi r_1^2$，$I_2 = P/4\pi r_2^2$，所以

$$\frac{I_2}{I_1} = \frac{r_1^2}{r_2^2} \tag{11-16c}$$

例如，当距离加倍（$r_2/r_1 = 2$），强度减小原来值的四分之一：$I_2/I_1 = (\frac{1}{2})^2 = \frac{1}{4}$。

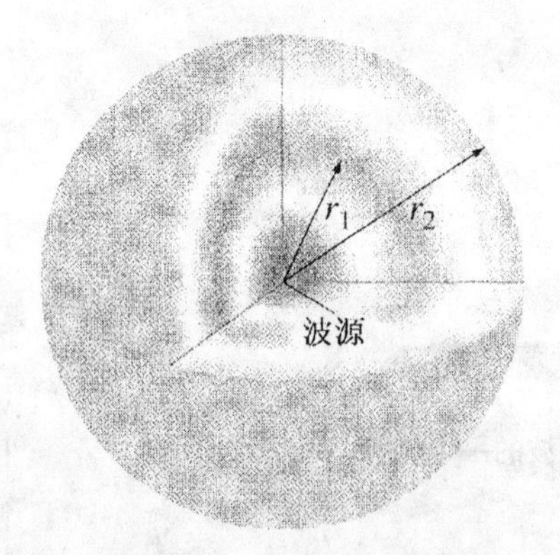

图 11-29　波从波源以球形向外传播。不同的波峰（压缩区）r_1 和 r_2 在图中给出。

波幅也随距离减小。因为强度正比于波幅的平方（方程 11-15），那么幅度 A 必须以 $1/r$ 减小，强度 $I \propto A^2$ 才能正比于 $1/r^2$（如在方程 11-16b），所以：

$$A \propto \frac{1}{r}$$

如果我们再次考虑离源不同距离的两个点 r_1 和 r_2，那么：

$$\frac{A_2}{A_1} = \frac{r_1}{r_2}$$

当波离源的距离两倍远时，幅度只有一半（忽略摩擦阻尼）。

例 11-12　地震强度。 如果离地震源 100 km 处 P 波的强度为 1.0×10^6 W/m^2，那么离震源 400 km 处的强度是多少？

解：强度随离震源距离的平方减小。因此，在 400 km 处的强度为 100 km 处的$(\frac{1}{4})^2=\frac{1}{16}$，或 $6.2\times10^4\ \text{W/m}^2$。也可用方程 11-16b：

$$I=I_1r_1^2/r_2^2=(1.0\times10^6\,\text{W/m}^2)/(100\text{km})^2=6.2\times10^4\,\text{W/m}^2$$ 。

对于一维波，如绳子上的横波或细金属棒上传播的纵波脉冲，情况则不同。由于面积保持恒定，所以幅度 A 也保持恒定（忽略摩擦）。因此幅度和强度不随距离减小。

在实际情况中，一般存在摩擦阻尼，一些能量转化成了热能。因此一维波的幅度和强度随离源的距离而减小，对三维波强度的减小也要比上面讨论的大一些，但通常这个影响很小。

*11–10　与幅度和频率有关的强度

我们可以得到一个波携带的能量（或波强度 I）和波的幅度与频率间的明确关系式。对于频率为 f 的正弦波，在波经过时介质的质点作简谐振动，所以每个质点具有能量 $E=\frac{1}{2}kA^2$，这里 A 是横波或纵波运动的幅度。用方程 11-7，我们可以用频率写出 k，$k=4\pi^2m/T^2=4\pi^2mf^2$，这里 m 是介质质点（或小体积）的质量。因此

$$E=2\pi^2mf^2A^2$$

质量 $m=\rho V$，这里 ρ 是介质的密度，V 是一小块介质的体积。体积 $V=Sl$，这里 S 是波传播的横截面积（图 11-30），我们可以将 l 写成波在时间 t 内传播的距离，$l=vt$，这里 v 是波的速度。因此 $m=\rho V=\rho Sl=\rho Svt$，并且

$$E=2\pi^2\rho Svtf^2A^2 \tag{11-17a}$$

从这个方程，我们再次看到那个重要结果，即波传播的能量正比于振幅的平方。传输功率 $P=E/t$ 为

$$P=\frac{E}{t}=2\pi^2\rho Svf^2A^2 \tag{11-17b}$$

最后，**波的强度** I 等于通过垂直于能流方向单位面积的传输功率：

$$I=\frac{P}{S}=2\pi^2v\rho f^2A^2 \tag{11-18}$$

这个关系清楚地表明波的强度正比于任意点波幅 A 的平方和频率的平方。

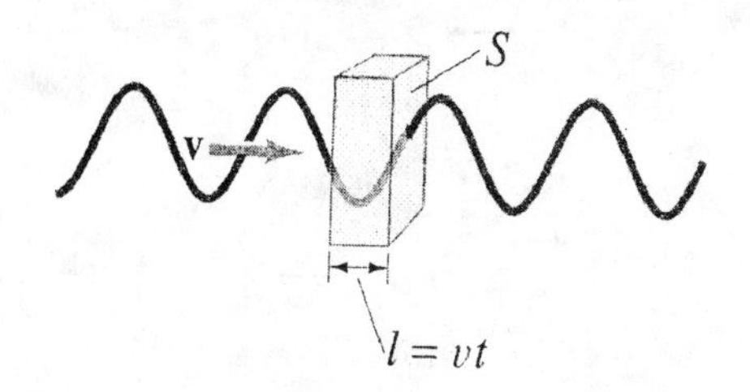

图 11-30　计算以速度 v 运动的波所携带的能量

11–11 波的反射和干涉

反射 当波碰到障碍，或来到传播它的介质尽头时，至少有一部分波会被反射回来。你也许见过水波从石块或游泳池边的反射。你也可能听到从远处悬崖反射回来的喊声——我们称之为“回声”。

一个沿绳子传播的波动脉冲如图 11-31 所示的那样反射。你可以自己观察这个现象（在桌面上用绳子试试），如果绳子端头固定，你会看到像图 11-31a 那样反射回一个倒向的反脉冲；如果端头像图 11-31b 那样是自由的，则反射回一个向上的正脉冲。当端头固定在支持物上时，如图 11-31a，脉冲到达端头对支持物施加一个向上的力。固定物则对绳子施加一个大小相等、方向向下（牛顿第三定律）的力。这个作用在绳子上的向下的力就是倒向反射脉冲产生的动力。在图 11-31b 中，自由端既不受支持物也不受额外的约束。因此它会出现过冲——它的位移瞬间大于行波的脉冲。过冲端对绳子施加一个向上的拉力，这样就产生了反射脉冲，它不是倒向的。

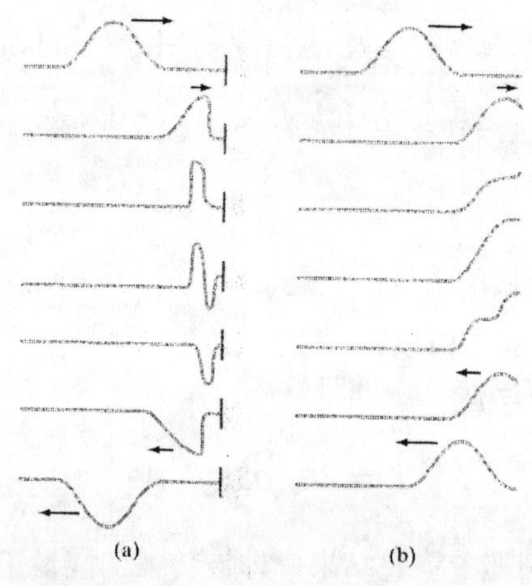

图 11-31 在绳上波脉冲的反射：(a) 绳的末端固定；（b）绳的末端自由

当图 11-31a 中绳子上的脉冲波到达墙边时，不是所有的能量被发射回去。有一部分被墙吸收了。被吸收的一部分能量转化成了热能，一部分继续沿墙体材料传播。这用脉冲波在一根由轻重两段质量组成的绳子上的传播可以清楚地说明，如图 11-32。当波到达两段绳子边界时，一部分脉冲被反射回去，而另一部分则继续传播，如图所示。第二段越重，传播的波越少；当第二段是一堵墙或刚体支撑时，只能传播很少的部分。

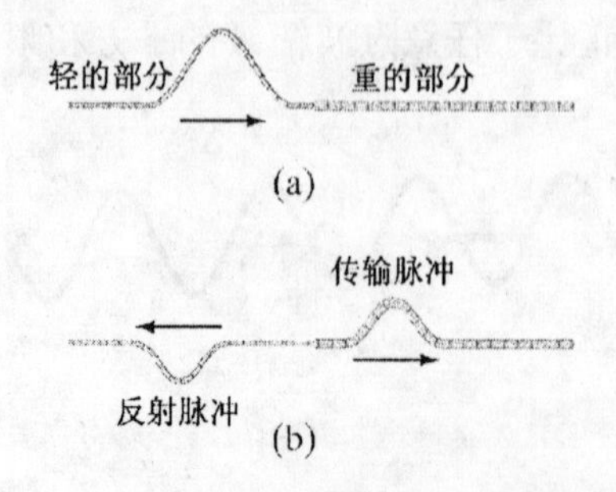

图 11-32 当波脉冲向右传播(a)到达一个间断，那么(b)它部分被放射，部分被传播

对一个二维或三维波，如水波，我们关心的是**波前**，它表示波峰的整个宽度（通常我们在海边时所指的“波”）。沿运动方向画出的垂直于波前的线叫**射线**，如图 11-33 所示。注意在图 11-33b 中远离源的波前像常见的海波一样几乎失去了弧度，而接近于直线；它们叫**平面波**。对于二维或三维平面波的反射，如图 11-34 所示，入射波与反射面成的角等于反射波与反射面成的角。这就是反射定律：**反射角等于入射角**。“入射角”定义为入射线与反射面的垂线成的角（或波前与表面切线的夹角），“反射角”对应于反射波成的角。

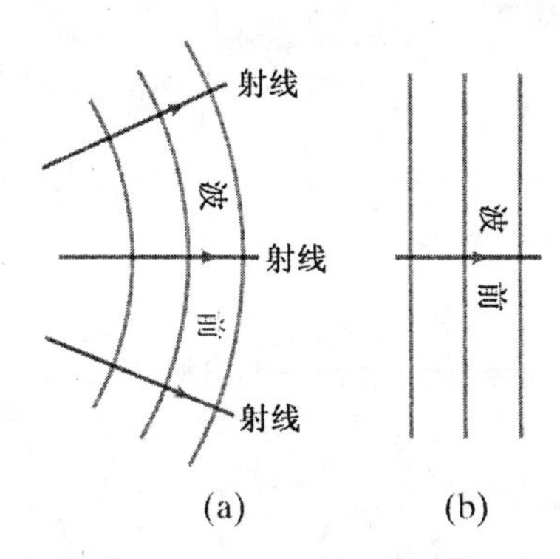

图 11-33 射线代表着运动方向，总是垂直于波前。(a) 靠近波源是圆形或球形波。(b) 远离波源的波前是近似的直线或平面，称作平面波。

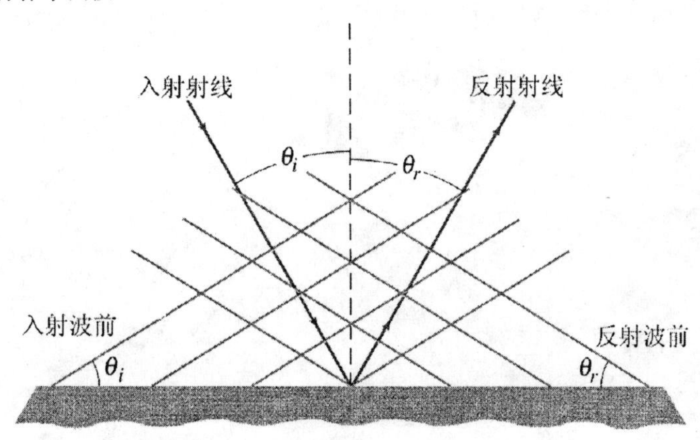

图 11-34 反射定则

干涉 干涉指在同一时刻通过空间同一区域的两个波之间发生的现象。例如，考虑两个波包沿绳子相向传播，如图 11-35 所示。在（a）部分，两个波包具有同样的波幅，但一个是波峰，另一个是波谷；在（b）部分，它们都是波峰。在两种情况下，波相遇并完全互相通过。然而，在它们交叠的区域，合成位移是它们各自位移的代数和（波峰视为正，波谷为负）。这叫做叠加原理。在图 11-35a 中，两个波经过时是相反的，其结果叫**相消干涉**。在图 11-35b 中，合成位移大于任一波包的，其结果叫**相长干涉**。

当两个石块同时扔进水池时，出现两个圆形波的相互干涉，如图 11-36 所示。在一些交叠的区域，一个波的波峰不断地遇到另一个波的波峰（波谷对波谷）；这是相长干涉，水持续地上下振动，其波幅大于各自原来的波幅。在其它区域，则出现相消干涉，这里的水实际上一直没有上下运动——在这里一个波的波峰与另一个波的波谷相遇。图 11-37a 给出两个波以及它们的合成波的位移与时间的函数关系。对任意两个这样的波，我们用**相**来描述它们波峰的相对位置。对于相长干涉，波峰和波谷如图 11-37a 那样对应排列，我们说它们是**同相**的。在相消干涉发生的点（见图 11-37b），一个波的波峰与另一个波的波谷不断相遇，这样的两个波我们说它们是**异相**的，或更精确地说是半波异相的（即一个波的波峰在另一个波的波峰半波长后出现）。当然，图 11-36 中两个水波的相对相位在许多点是介于这两个极端之间的，出现部分相消干涉，如图 11-37c 所示。

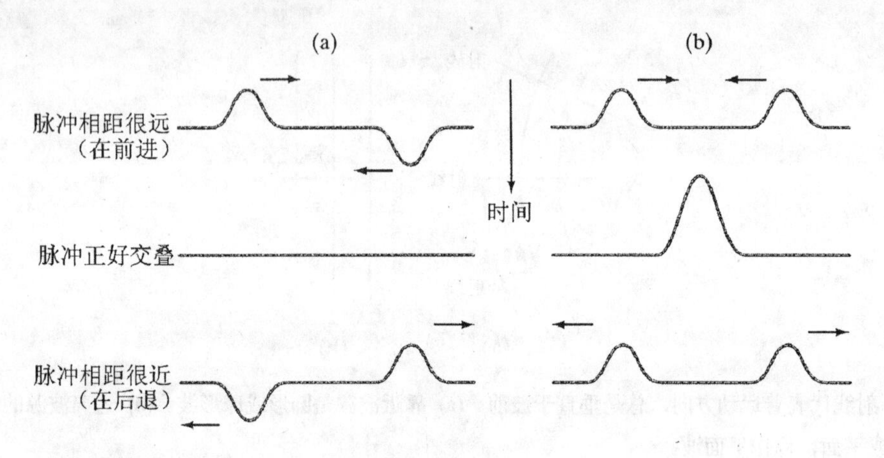

图 11-35　两个波脉冲相向而行，当他们叠加时，会发生干涉。(a) 相消；(b) 向长

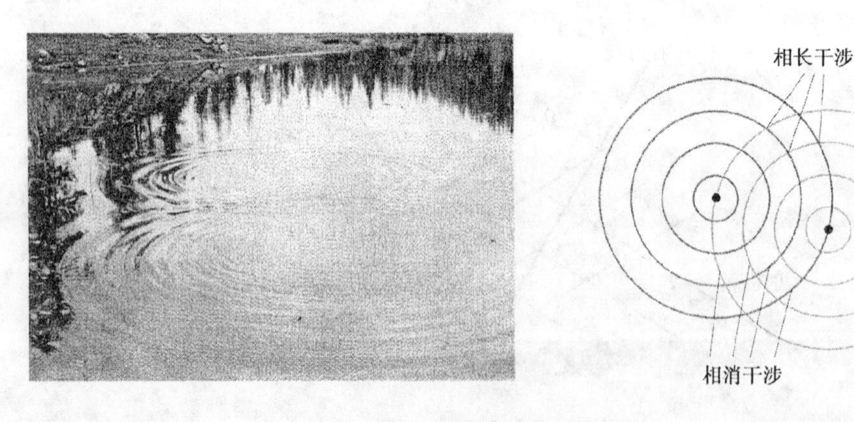

图 11-36　水波的干涉

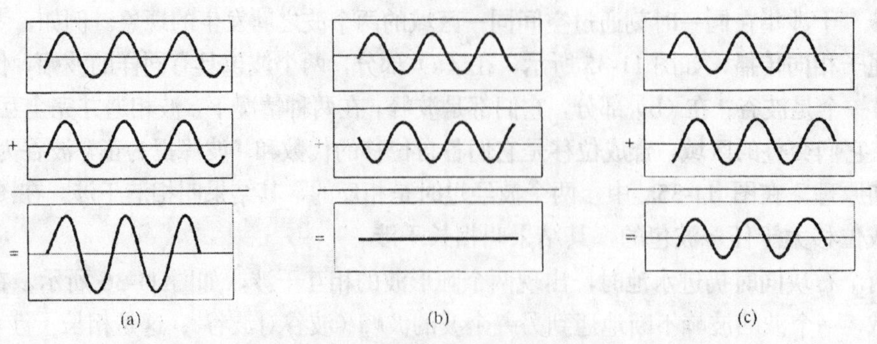

图 11-37　曲线表示两个波与他们的和在三个位置作为时间的方程。

(a) 两个波相长干涉；(b) 相消干涉；(c) 部分相消干涉

11–12　驻波；共振

如果你摇动一端固定绳子的另一端，一个连续的波沿绳子传向固定端并被反相地反射回来（图 11-31）。当你持续振动绳子，就出现两个方向传播的波，沿绳子传去的波与反射回来的波发生干涉。通常这会是一些杂乱的波。但如果你以固定的频率振动绳子，两个行波就会以出现大幅度的**驻波**形式干涉，如图 11-38 所示。称它为“驻波”是由于看起来它不传播。绳子只是简单地以固定节拍上下振动。绳子静止的相消干涉点叫**波节**；绳子以最大幅度振动的相长干涉点叫**波腹**。对于一个给定的频率波节和波腹保持在固定位置上。驻波可以以不止一个频率上发生。出现驻波的最低振动频率如图 11-38a 中的图样所示。在（b）和（c）中给出的驻波分别是最低频率的两倍和三倍，假设绳子上的张力是一致的。绳子也可以最低频率的四倍形成四个环振动，等等。

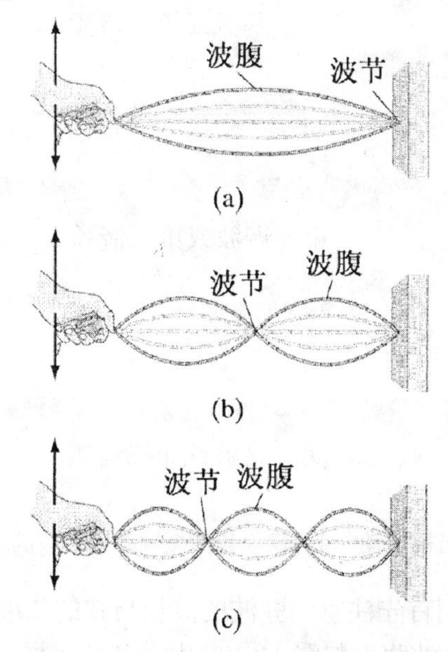

图 11-38　与三个共振频率相关的驻波

驻波产生的频率是绳子的**固有频率**或**共振频率**，图 11-38 中给出的不同驻波花样是不同的“振动共振模”。虽然驻波是两个相向传播的波干涉的结果，但它也是物体共振的例子（11-6 节）。当绳子上存在驻波时，绳子在原地振动；在达到发生共振的频率时，只需很小的力就可达到很大的振幅。当振动的弹簧或摆发生共振时，驻波以同样的形式出现，这一点我们前边已作过讨论。唯一的不同是弹簧或摆只有一个共振频率，而绳子有许多共振频率，每一个都是最低共振频率的整数倍。

现在让我们考虑在两个支撑物间拉紧的一根弦，就像吉他或提琴上的弦一样，如图 11-39a。大量频率的波将在弦的两个方向上传播，并在端头被反射，然后沿相反方向传播。这些波的大多数由于相互随意干涉而很快消失。只有那些对应于弦的共振频率的波继续存在。由于弦的端头是固定的，所以这里是波节。弦上还存在其它的波节。图 11-39b 中给出一些可能的共振模（驻波）。一般情况下的运动是这些不同共振模的合成，但只有那些与共振频率一致的频率才能存在下去。

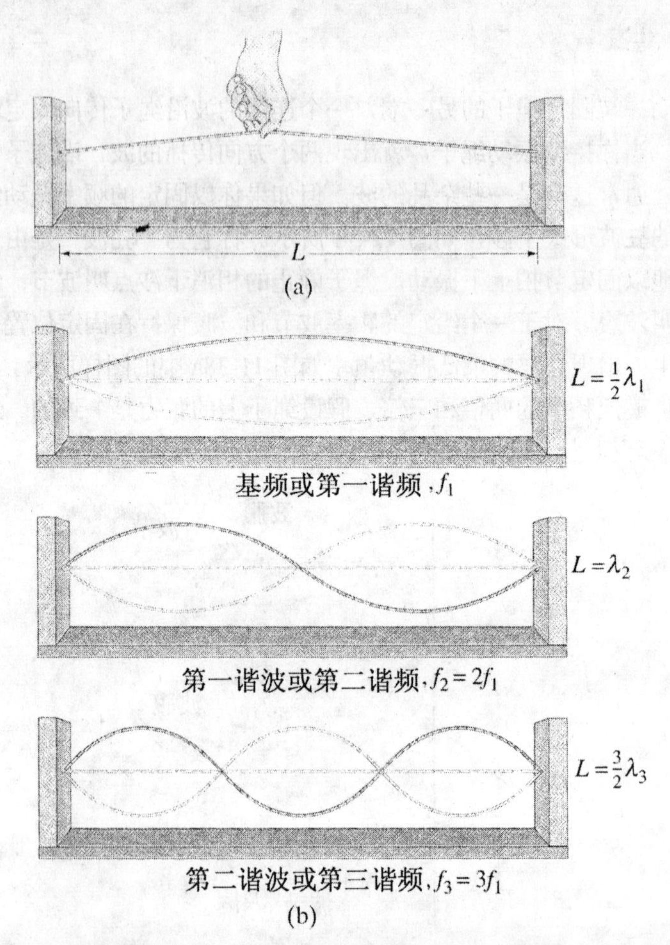

图 11-39 (a) 弦被拨动；(b) 仅仅与共振频率相对应的驻波才能持续长久。

要确定共振频率，我们首先注意到驻波的波长与弦的长度存在一个简单的关系。最低频率，也叫**基频**，对应于一个波腹。与图 11-39b 中看到的一样，整个长度对应于半波长。因此 $L=\frac{1}{2}\lambda_1$，这里 λ_1 表示基本波长。其它的共振频率叫**谐波**；当它们是基频的整数倍时，也叫做谐频，而基频被称做**第一谐频**。基频后的具有两个波腹的模叫**第二谐频**（或第一谐波）；弦的长度对应于一个完整的波长：$L=\lambda_2$。对于第三和第四谐频分别为：$L=\frac{3}{2}\lambda_3$，$L=2\lambda_4$，等等。通常，我们可以写出

$$L=\frac{n\lambda_n}{2}\ ,\qquad \mathrm{n}=1，2，3，\cdots$$

整数 n 表示谐频数：$n=1$ 对应于基频，$n=2$ 对应于第二谐频，等等。对于 λ_n 可写成

$$\lambda_n=\frac{2L}{n}\ ,\qquad n=1，2，3，\cdots \tag{11-19}$$

为了求出每个振动的频率 f，我们用方程 11-12，$f=v/\lambda$，可以得到

$$f_n = \frac{v}{\lambda_n} = \frac{nv}{2L} = nf_1$$

这里 $f_1 = v/\lambda_1 = v/2L$ 是基频。即，每个共振频率是基频的整数倍（2×，3×，等等）。

由于驻波等同于两个相向传播的行波，波速的概念仍有意义，用弦上的张力 F_T 和它单位长度上的质量（m/L）表示，从方程 11-13 可得：$v = \sqrt{F_T/(m/L)}$。

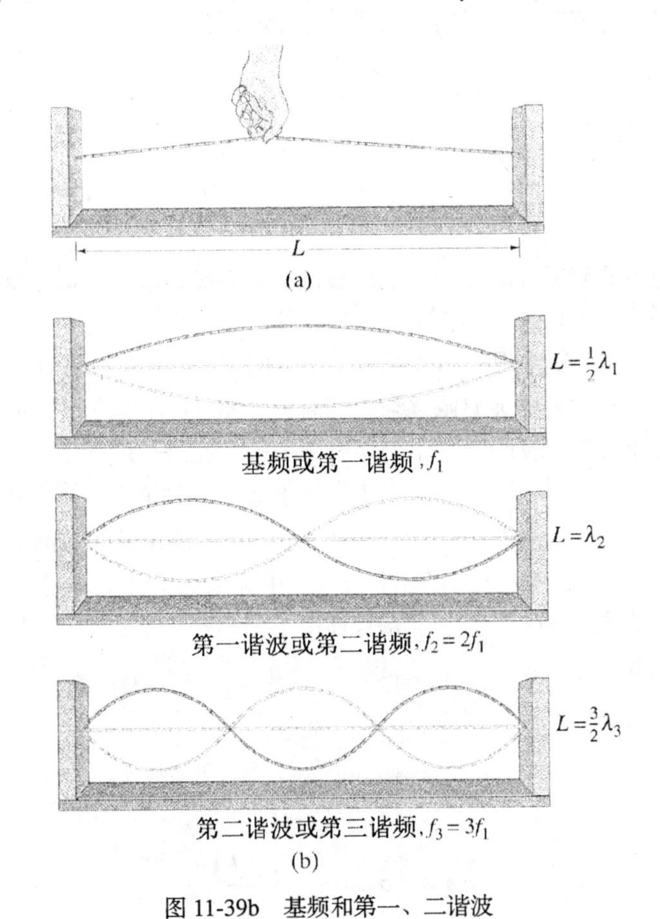

图 11-39b 基频和第一、二谐波

例 11-13 钢琴弦。 一根钢琴弦长 1.10 m，质量 9.00 g。（a）如果它以 131 Hz 的基频振动，弦上的张力必须是多少？（b）前四个谐频的频率是多少？

解：（a）基频的波长为 $\lambda = 2L = 2.20\text{m}$（方程 11-19）。因此速度 $v = \lambda f = (2.20\text{m})(131\text{s}^{-1}) = 288\text{m/s}$。从方程 11-13 可得

$$F_T = \frac{m}{L}v^2 = \left(\frac{9.00\times10^{-3}\text{kg}}{1.10\text{m}}\right)(288\text{m/s})^2 = 679\text{N}$$

（b）第二、第三和第四谐频的频率是基频的二、三和四倍：即 262、393 和 524Hz。

驻波显得像驻留在原地（行波显得像在运动）。从能量的观点看，“驻”波也具有意义。

因为弦在波节处是静止的，没有能量流过这些节点。因此能量不在弦上传播，而是“驻”留在弦上。

驻波不仅在弦上产生，而且能在任意振动的物体上产生。甚至用锤子击打石块或木片时，可以产生对应于物体固有共振频率的驻波。通常，共振频率取决于物体的形状，正如弦的频率依赖于它的长度一样。例如，一块小物体与同样材料制成的大块物体不具有相同的共振频率。所有的音乐器具，从弦乐、管乐（柱状空气以驻波形式振动）到鼓乐或其它打击乐，依赖于驻波发出乐声，正如我们将在下一章要讨论的一样。

*11-13 折射和衍射

在 11-11 节，我们讨论了波的性质的两个重要方面：反射和干涉。现在我们讨论其它两个性质，折射和衍射。波性质的所有这四个方面对于理解光非常重要，我们将在第 23、24 和 25 章对此进行讨论。

折射 当任意波碰到界面时，一些能量被反射，一些被继续传播或吸收。当一个二维或三维波在一种介质中传播，通过界面进入不同传播速度的介质，透射波会向与入射波不同的方向运动，如图 11-40。这个现象称为**折射**。一个例子是水波；在浅水中波速度减小并被折射，图 11-41。[当波速没有明显界限逐渐改变时，如图 11-41，波的方向逐渐改变（折射）] 在图 11-40 中，在介质 2 中波的速度小于介质 1 中的。在这种情况下，波的方向改变以更接近垂直界面的方向传播。即，折射角θ_r小于入射角θ_i。要弄清为什么会出现这种情况，并得到θ_r与θ_i之间量的关系，让我们将每个波前考虑成一列士兵，先到达泥地的先慢下来，阵列就会像图 11-42a 那样弯曲。让我们考虑图 11-42b 中标为A的波前（或士兵队列）。在同样的时间t，A_1移动了距离$l_1 = v_1 t$，我们看A_2移动了距离$l_2 = v_2 t$。图示的两个三角形具有标为a的共用边。因此

$$\sin\theta_1 = \frac{l_1}{a} = \frac{v_1 t}{a}$$

和

$$\sin\theta_2 = \frac{l_2}{a} = \frac{v_2 t}{a}$$

将这两个方程相除，我们看到

$$\frac{\sin\theta_2}{\sin\theta_1} = \frac{v_2}{v_1} \tag{11-20}$$

因为θ_1是输入角（θ_i），θ_2是输出角（θ_r），方程 11-20 给出了两者之间的定量关系。当然，如果波向相反方向前进，幅角将不会改变。只是θ_1和θ_2将改变角色：θ_1将是输出角而θ_2是输入角。接下来很清楚，如果波进入运动变快的介质，它将以相反的方式弯曲$\theta_r > \theta_i$。我们从方程 11-20 看到，如果速度增加，则角度增加，反之亦然。

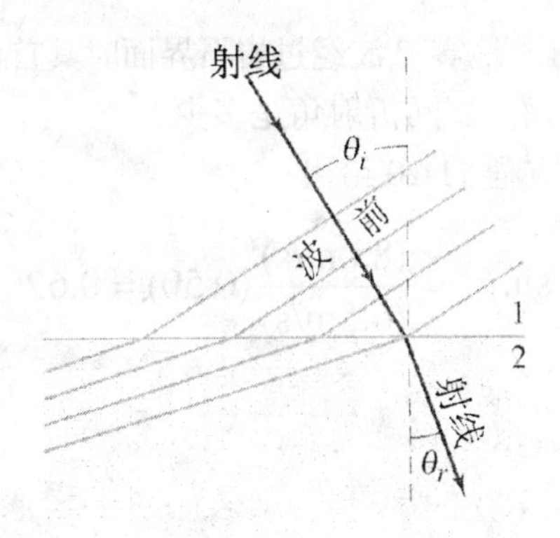

图 11-40　通过边界时波的折射

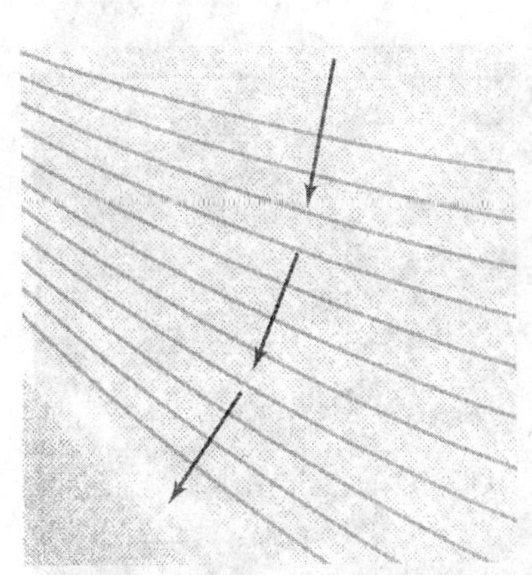

图 11-41　当水波到达河岸边时的折射现象，它们的速度降低了。由于它们的波速逐渐减小，在这里没有像图 11-40 那样明显的边界。

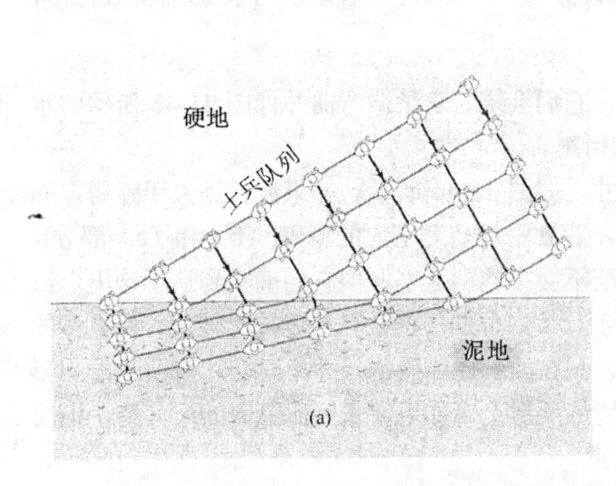

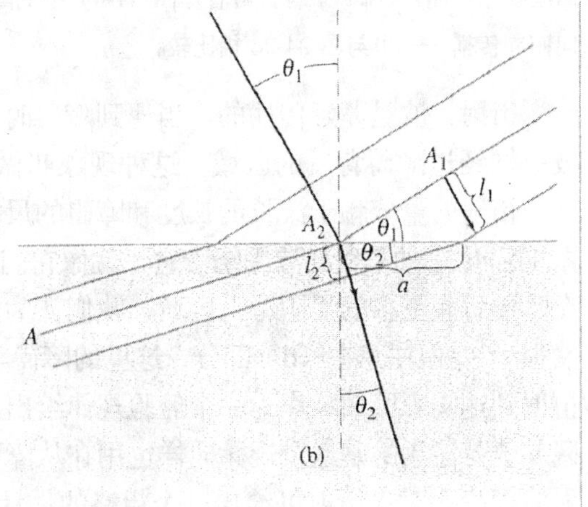

图 11-42　(a)士兵类似情况(b)推导波的折射定律

当地震波通过地球不同密度（因此速度不同）的岩石层时发生折射，与水波出现的情况一样。光波也折射，在讨论光时，我们将发现方程 11-20 非常有用。

例 11-14 地震波的折射。 地震 P 波经过岩石界面时其首都从 6.5km/s 增加到 8.0km/s。如果它以 30°角入射到这个界面，试问折射角是多少？

解：因为 $\sin 30° = 0.50$，方程 11-20 给出

$$\sin\theta_2 = \frac{(8.0\text{m/s})}{(6.5\text{m/s})}(0.50) = 0.62$$

因此 $\theta_2 = 38°$ 。

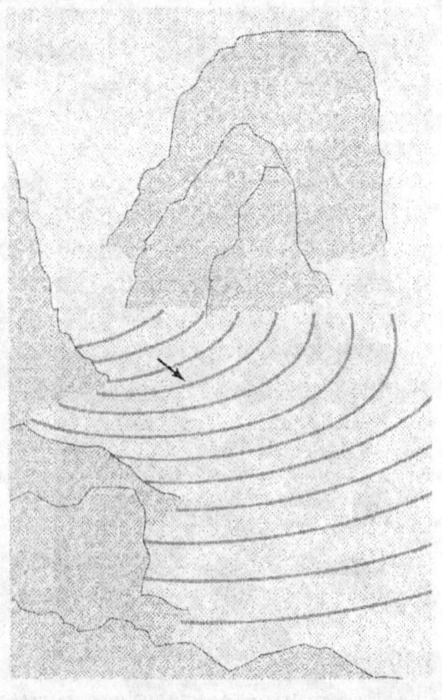

图 11-43 波的衍射。波的来源可以见上面的左图，注意这些波在经过两个大的岩石时，在每一个岩石后向四周发生弯曲。（每一个岩石可看作图 11-44 中的障碍物。这两个岩石也可以看成一个狭缝，波通过它们并向四周传播——可与图 24-2c 相比较。

衍射 波是蔓延传播的，当遇到障碍时，它们会绕着它稍微弯曲并像图 11-43 所示的水波一样经过障碍背后的区域。这种现象叫做**衍射**。

衍射的量依赖于波长的长度和障碍的尺寸，如图 11-44 所示。如果波长远大于障碍，如图 11-44a 中的草叶，波围绕着它，就像它们不存在一样。对于大的障碍[（b）和（c）部分]，在障碍后有更多的“阴影”区域，我们认为波不会穿透到这里（但它们确实到达了这里，虽然很少）。但注意在（d）部分，这里的障碍与（c）部分的一样，只是波长比较长，有更多的衍射到达阴影区域。作为一个经验规律给出，只在波长比障碍的尺寸小时，才有明显的阴影区。值得注意的是这个规律同样也用在从障碍的反射上。如果波长不比障碍的尺寸小，则反射波很少。对于衍射可给出一个粗略的估计量

$$\theta(\text{弧度}) \approx \frac{\lambda}{L}$$

这里θ是波蔓延到宽度 L 的缝隙或绕过宽度 L 的障碍后的大致角度。

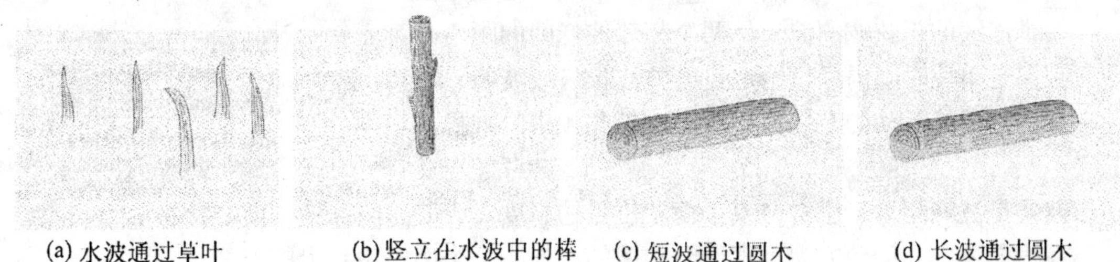

图 11-44 水波经过不同尺寸的物体。与物体的尺寸相比，波长越长，衍射越容易进入阴影部分。

由于波可以绕到障碍的后面，因此可以将能量携带到障碍的后部区域，这是与载能物质粒子的一个明显区别。下面是一个清楚的例子：如果你绕过去站在墙角另一侧，你就不会被这边扔过去的棒球击中，但你可以听到喊声或其它声音，因为声波沿着墙角绕射过去了。

干涉和衍射只发生在载能波上，而对载能物质粒子则不会出现。这个区别对于理解光的本质以及物质本身很重要，这一点我们将在以后的章节中看到。

小结

回复力正比于位移的振动物体处于**简谐振动**，

$$F = -kx$$

最大位移叫做**振幅**。

周期 T 是完成一次完整循环（往复）的时间，**频率** f 是每秒循环的次数；它们的关系是

$$f = \frac{1}{T}$$

在弹簧一端质量 m 的物体振动周期由下式给出

$$T = 2\pi\sqrt{m/k}$$

简谐振动是**正弦**的，这表示位移与时间的函数关系遵循正弦或余弦曲线形式。

在简谐振动期间，总能量 $E = \frac{1}{2}mv^2 + \frac{1}{2}kx^2$ 不断地从势能变成动能然后再变回去。

如果长度 L 的单摆其振幅较小且摩擦可以忽略，则它近似于简谐振动。它的周期由下式给出（对于下振幅）

$$T = 2\pi\sqrt{L/g}$$

这里 g 是引力加速度。

存在摩擦时（所有的真实弹簧和摆）的运动被称为是**阻尼**的。最大位移随时间减小，最后所有能量转变成热。

如果一个振荡力加在一个可以振动的系统上，当施加力的频率与振动体的**固有**（或**共振**）**频率**一致时，系统的振幅可以很大。这叫做**共振**。

振动物体可作为一个向外传播的波动的源。水和弦上的波都是例子。波可以是一个**脉冲**（一个单峰）或是连续的（许多峰和谷）。

一个连续的正弦波的**波长**是两个相邻波峰间的距离。

频率是单位时间内经过给定点的整波长（或波峰）数。

波速（波峰运动的有多快）等于波长和频率的乘积，

$$v = \lambda f$$

波幅是波峰相对于正常（或平衡）位置的高度，或波谷的深度。

在**横向波**中，振动方向垂直于波传播的方向。一个例子是弦上的波。

在**纵向波**中，振动方向沿着（平行于）波传播线；声波是一个例子。

波会从其路径上的物体反射。当**波前**（二维或三维波的）碰到物体时，反射角等于入射角。当波碰到两种它可以传播的材料界面时，部分波被反射回去，部分折射过去。

当两列波同时经过空间同一区域时，发生**干涉**。在任意时刻、任意点的合成位移是各自位移的和；这可以导致**相长干涉**，**相消干涉**，或二者之间，这将依赖于波的幅度和相对相位。

在固定长度的弦（或其它介质）上传播的波与从末端反射回来的反向传播的波发生干涉。在一定的频率下，形成**驻波**，此时波看起来静止站立而不传播。弦（或其它介质）作为一个整体振动。这是一个共振现象，驻波发生的频率叫做**共振频率**。相消干涉的点（没有振动）叫**波节**。相长干涉的点（振幅最大）叫**波腹**。

问答题

1. 给出一些日常生活中振动物体的例子。哪些是简谐振动，起码是近似的？

2. 简谐振动的加速度可以是零吗？如果是，在哪里？

3. 汽车中活塞的运动是简谐的吗？请解释。

4. 真实弹簧具有质量。实际的周期和频率与方程给出的、理想无质量弹簧一端振动质量的有何不同？

5. 如何能使简谐振子的最大速率加倍？

6. 汽车在其弹簧上的振动，是空载还是满载时振动得更快？

7. 如果使简谐振动的振幅加倍，这对它的频率、最大速度、最大加速度以及总机械能有什么影响？

8. 如果一摆钟在海平面上是准确的，当它被带到高处时，它的时间是加快还是减慢？

9. 在一树枝上悬挂着一个接近地面摆动的轮胎。你如何只用一个秒表估计树枝的高度？

10. 为什么以一定频率摇盆子时，可使盆里的水上下溅起？

11. 一固有频率为 264Hz 的音叉放在屋前的桌子上。在屋后放有两个音叉，固有频率各为 260Hz 和 420Hz，开始是静止的；当屋前的音叉振动时，260Hz 的音叉也同时开始振动，而 420 Hz 的音叉则没有振动。请解释。

12. 请给出一些日常生活中共振的例子。

13. 汽车里的嘎嘎声是共振现象吗？请解释。

14. 多年以来，建筑使用的材料越来越轻。这如何影响建筑物的固有频率，以及由于经过的卡车、飞机或其它自然振动源所产生的共振问题？

15. 一个简单周期波的频率等于其源的频率吗？为什么？

16. 请解释波在弦上的传播速率与弦上一小段的速率间的差别。

17. 为什么钢琴最低音符的弦通常用细线缠绕着？

18. 你认为当你敲击水平金属棒的一端时，哪一种波会沿着它传播，（a）垂直于棒，（b）平行于棒？

19. 空气的密度随温度增加而减小，但体积模量B几乎不依赖于温度，你认为空气中声波的速率随温度如何变化？

20. 请给出两个原因说明，为什么当圆水波从源向四周传播时其振幅减小。

21. 两个线性波除一个波长是另一个的一半外，振幅相等，其它也相等。试问哪一个传播的能量多？传播的多出能量是多少？

22. 当一个正弦波经过图 11-32 中弦的两个区域的边界时，频率不会改变（虽然波长和速度改变了）。请解释为什么？

23. 如果我们知道能量正在从一处传向另一处，我们如何确定能量是质点（物质体）还是波传播的？

24. 收音机 AM（中波）信号通常在山后能够听到，但 FM（短波）一般听不到。也就是说 AM 比 FM 信号可以弯曲得更多。（正如我们将要看到的，无线电信号是由电磁波携带的，其典型波长对于 AM 为 200 到 600 m，对于 FM 大约为 3 m。）

25. 如果一根弦以三段的形式振动，你能找出用刀片接触而不影响它运动的地方吗？

26. 当弦上存在驻波时，入射波和反射波的振动在波节处消失。这意味着能量消失了吗？请解释。

习题

11-1 至 11-3 节

1.（Ⅰ）当一个 65 kg 的人进入 1000 kg 的汽车时，汽车的弹簧被垂直压下 2.8 cm。当汽车遇到障碍时，它的振动频率是多少？忽略阻尼。

2.（Ⅰ）一根弹性绳当悬挂 55 N 的重物时长 65 cm，当悬挂 80N 的重物时长为 85 cm。这根弹性绳的“弹性”系数是多少？

3.（Ⅰ）如果一个质点经历振幅为 0.25 m 的简谐振动，试求它在一个周期内运行的总距离。

4.（Ⅰ）一钓鱼者的弹簧秤在挂上 2.7 kg 的鱼时伸长 3.9 cm。（a）秤的弹性常数是多少？（b）如果将鱼再拉下 2.5 cm，然后放开使其上下振动，试求振动的振幅和频率。

5.（Ⅱ）在图 11-2 中，标出物体在时刻$t=0$，$\frac{1}{4}T$，$\frac{1}{2}T$，$\frac{3}{4}T$，T，和$\frac{5}{4}T$时在桌子上的位置，这里T是振动是周期。在x与t关系图上作出这六个点。现在用光滑曲线连接这些点。你用这种简单方法作出的曲线表示的是正弦波还是余弦波（图 11-9 或 11-11）？

6.（Ⅱ）一个质量 0.15 g 的小飞蝇被蜘蛛网俘获。网主要以 4.0 Hz 的频率振动。（a）网的有效弹性常数k是多少？（b）如果一个质量 0.50g 的昆虫被俘获，网的振动频率是多少？

7.（Ⅱ）一块质量为 50 g 的轻木浮在湖面上，以 2.5 Hz 的频率上下振动。（a）水的有效弹性常数是多少？（b）将一个质量为 0.25 kg 装了部分水的瓶子，和与其大小与形状相同的轻木抛到水中。瓶子和轻木的振动频率各是多少？设为简谐振动。

8.（Ⅱ）当 0.60 kg 的物体悬在弹性绳上时，它以 3.0 Hz 的频率振动。如果只悬挂 0.38 kg，它的频率是多少？

9.（Ⅱ）在弹簧一端的 0.50 kg 的物体，以每秒 3.0 次、振幅 0.15 m 振动。试求（a）当它经过平衡点时的速度，（b）当它在离平衡位置 0.10 m 处的速度，（c）系统的总能量，（d）物体运动的方程描述，设在 $t=0$，x 为最大。

10.（Ⅱ）在弹簧一端的质量 m 的物体以 0.88 Hz 的频率振动。当在物体上再加上 600g 的物体时，频率为 0.60 Hz。试求其质量 m。

11.（Ⅱ）一质量 m 的木块由两根相同的弹簧垂直悬挂，各自的弹性常数都为 k（图 11-45）。质量的振动频率是多少？

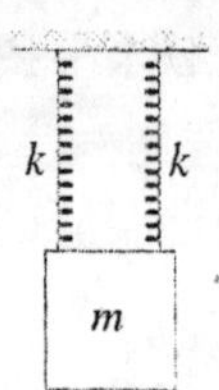

图 11-45 习题 11

12.（Ⅱ）一 1.62 kg 的物体将弹簧垂直拉伸了 0.315 m。如果将弹簧额外拉长 0.130 m，然后释放，它再次到达（新）平衡位置需多长时间？

13.（Ⅱ）将玩具手枪的弹簧压进 0.200 m，装入 0.150 kg 的子弹，需 80.0 N 的力。试求子弹离开枪时的速率。

14.（Ⅱ）在 $t=0$，一连在水平弹簧（k =124 N/m）一端的 750 g 的静止质量被锤子击打，得到的初速率为 2.76 m/s。试求（a）运动的周期和频率，（b）位置作为时间的函数，（c）总能量。

15.（Ⅱ）一物体放在水平、无摩擦表面上与弹簧的一端相连，弹簧另一端固定在墙上。将弹簧压缩 0.12m 需要作 3.0J 的功。如果将被压缩的静止弹簧释放，它具有的最大加速度为 15 m/s^2。试求（a）弹簧弹性系数和（b）物体的质量。

16.（Ⅱ）一连在弹簧一端的物体被从平衡位置拉长 x_0 距离后释放。在离平衡位置多远时它的（a）速度等于最大速度的一半，以及（b）加速度等于最大加速度的一半？

17.（Ⅱ）一 0.50 kg 的物体按方程 $x=0.45\cos 8.40t$ 振动，这里 x 的单位是米，t 用秒。试求（a）振幅，（b）频率，（c）总能量，（d）在 x =0.30 m 时的动能和势能。

18.（Ⅱ）一 400 g 的物体按方程 $x=0.35\sin(5.50t)$ 振动，这里 x 的单位是米，t 是秒。试求（a）振幅，（b）频率，（c）周期，（d）总能量，（e）在 x 为 10cm 时的动能和势能。（f）仔细画出 x 对 t 的关系图，正确标出振幅和周期。

19.（Ⅱ）一力常数为 210 N/m 的弹簧当悬挂 0.250 kg 的物体时以 28.0 cm 的振幅振动。（a）作为时间的函数描述这个运动的方程是什么？设在 $t=0$，物体在经过平衡点时具有正速度。（b）在什么时候弹簧具有最大和最小张力？

20.（Ⅱ）一质量为 2.00 kg 的南瓜垂直悬挂在一轻弹簧上每 0.55s 振动一次。（a）写出南瓜位置 y（向上为+）作为时间 t 的函数方程，设它被从平衡位置（这里 y =0）压缩 10 cm 释放后开始振动。（b）它第一次到达平衡位置需多出时间？（c）它的最大速率是多少？（d）它的最大加速度是多少，第一次获得这个加速度时它在哪里？

21.（Ⅱ）一个 25.0g 的弹头射入一 0.600kg 的木块中，该木块连在一固定的弹性常数为 6.70×10^3 N/m 水平放置的弹簧上，射入后振动的振幅为 21.5 cm。试求弹头射入前的速率。

22.（Ⅱ）如果一个物体振动的能量是另一个的 10 倍，但它们的频率和质量是一样的，它们的振幅相比如何？

23.（Ⅱ）(a) 简谐振动物体的能量在离平衡位置多远时具有一半动能和一半势能？(b) 在离平衡位置多远时具有最大速率的一半？

24.（Ⅱ）如果一质量 m 的物体悬挂在垂直弹簧上，如图 11-3 所示，试证明 $F=-kx$ 对于弹簧的拉伸或压缩都成立，这里 x 是物体离平衡点的（垂直）位移。

25.（Ⅲ）证明对于垂直弹簧（见图 11-3）能量守恒（方程 11-3）也成立，这里 x 是离平衡位置（$x_0 = mg/k$）的垂直距离。

26.（Ⅲ）一质量为 65.0 kg 的蹦极跳者从一座高桥上跳下。他在到达最低点后，上下振动，在 34.7 s 内八次到达最低点。最后，他达到静止时在桥面下 25.0 m 处。试求蹦极绳的弹性常数以及未拉伸时的长度。

27.（Ⅲ）一质量 m 的物体与两个弹性常数为 k_1 和 k_2 弹簧以不同方式相连，如图 11-46a 和 b 所示。试证明图 a 所示的结构的周期由下式给出

$$T = 2\eth\sqrt{m\left(\frac{1}{k_1}+\frac{1}{k_2}\right)}$$

对于图 b 则为

$$T = 2\pi\sqrt{\frac{m}{k_1+k_2}}$$

忽略摩擦。

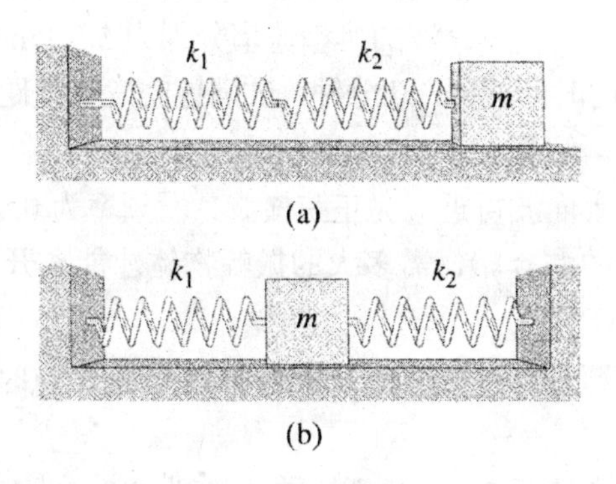

图 11-46 习题 11

11-4 节

28.（Ⅰ）一个摆在 50 s 内振动了 36 次。它的（a）周期和（b）频率是多少？

29.（Ⅰ）你想用一个摆（细杆一端的重物）造一个老爷钟，它完成一次“滴答”摆动时间需一秒。(a) 摆杆需多长？(b) 设摆杆伸长了一点，钟将变快还是变慢？

30.（Ⅱ）一个 50 cm 长单摆的周期是多少？(a) 在地球上，(b) 在自由下落的电梯里。

31.（Ⅱ）一个单摆的长度为 0.66 m，摆锤的质量为 310 g，在与垂直成 12°角时将它释放。(a) 它振动的频率是多少？设为简谐运动。(b) 当摆锤到达最低点时的速率是多少？(c) 在这个振动中储存的总能量是多少？设无损失。

32.（Ⅱ）试对质量 g，长度 L 和摆动角 θ_0 的单摆推出其最大速率 v_0 的表达式。

33.（Ⅲ）一钟摆以 2.0 Hz 的频率振动。在 $t=0$，它与垂直成 15°角时从静止开始释放。忽略摩擦，摆在下列时间处在什么位置（角度）（a）t=0.25s，（b）t=1.60s，（c）t=500s？[提示：不要将摆的摆动角θ与余弦函数中出现的角度混淆。]

11-7 和 11-8 节

34.（Ⅰ）一钓鱼人注意到他抛锚船头的波峰每 3.0s 经过一次。他测量了两个波峰间的距离为 8.5m。试问波传播得有多快？

35.（Ⅰ）一声波在空气中的频率为 262 Hz，传播速率为 330 m/s。试问波峰（波谷）间相距多远？

36.（Ⅰ）收音机中波（AM）信号的频率在 550 kHz 到 1600 kHz（千赫兹）之间，传播速率为 3.00×10^8 m/s。这些信号的波长是多少？在 FM 段，频率从 88.0 MHz 到 108 MHz（兆赫兹），传播速率相同；它们的波长是多少？

37.（Ⅰ）试求在下列材料中纵波的速率：（a）水，（b）花岗岩，（c）钢。

38.（Ⅰ）两个固体棒具有同样的弹性模量，但一个的密度是另一个的 2 倍。试问在哪个棒中纵波的速率大，大多少？

39.（Ⅱ）一质量为 0.55 kg 的绳子被拉紧在相距 30 m 的固定物之间。如果绳子上的张力为 150N，一个脉冲需多长时间才能从一端传到另一端？

40.（Ⅱ）试求沿铁棒传播的频率为 6000 Hz 的声波的波长。[提示：见表 9-1]

41.（Ⅱ）一水手敲击船舷接近水面的一侧。3.0 s 后，他听到从正下方海底反射的回声。在此处海有多深？

42.（Ⅱ）从地震源发出的 S 和 P 波具有不同的传播速率，这个差别对于确定震中（何处发生振动）有所帮助。（a）设 S 和 P 波的典型速率分别为 5.5 km/s 和 8.5 km/s，如果某一地震台站探测到两种波到达的时间相隔 2.0 分钟，试问地震发生处距离多远？（b）一个地震站能够确定震中的位置吗？请解释。

43.（Ⅱ）地震产生的表面波可近似为正弦横波。设频率为 0.50 Hz（典型的地震波频率，实际上，它包括各种频率的混合。），需多大的振幅物体才能离开与地面的接触？

11-9 节

44.（Ⅱ）当地震波从源发出经过距源 10km 和 20km 两个点时，试比较它的（a）强度和（b）幅度。

45.（Ⅱ）一地震波在离震源 50 km 处测得其强度为 2.0×10^6 J/m^2·s。（a）当它经过离震源 1.0 km 处时的强度是多少？（b）经过 1.0 km 处 10.0 m^2 面积的能量率是多少？

46.（Ⅲ）试证明圆形水波的振幅 A 随离源的距离 r 的平方根减小：$A\propto 1/\sqrt{r}$。忽略阻尼。

***11-10 节**

*47.（Ⅰ）以同样频率传播的两列地震波经过地球上同一点时，其中一列携带的能量是另一列的两倍。试问两列波的振幅比是多少？

*48.（Ⅰ）沿绷紧的弦上传播的两列波具有同样的频率，但一列传播的功率是另一列的三倍。试问两列波的振幅比是多少？

*49.（Ⅱ）当一列波经过时，水溏表面的昆虫上下运动，观察到从最低点到最高点的垂

直距离为 6.0 cm。如果减小到 4.5 cm，昆虫的最大动能变化比是多少？

11-11 节

50.（Ⅰ）图 11-47 中的两个脉冲相向而行。（a）试画出它们直接交叠时弦的形状。（b）画出交叠以后弦的形状。（c）在图 11-35a 中，当脉冲相互通过时，弦是直线。这时能量去哪里了？

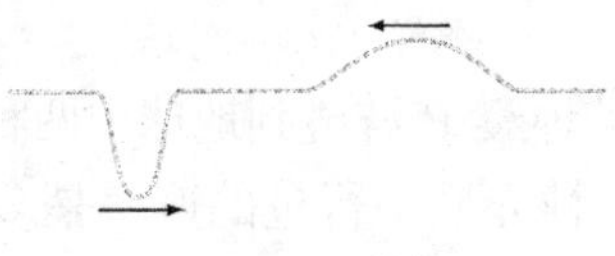

图 11-47 习题 50

11-12 节

51.（Ⅰ）如果提琴弦的基频以 440 Hz 振动，那么它前四个谐音的频率是多少？

52.（Ⅰ）一提琴弦在没有按住时振动频率为 294 Hz。如果在离末端三分之一处按住，则它以什么频率振动？

53.（Ⅰ）一根弦以 280Hz 的频率共振时有四个波腹。试给出它的不少于三个的其它共振频率。

54.（Ⅰ）在地震时，发现一座人行桥以一个波腹（基频驻波）每 2.5 s 上下振动一次。这座桥的其它可能的运动共振周期是多少？对应的频率是多少？

55.（Ⅱ）在一根弦上的波速为 92 m/s。如果驻波频率为 475 Hz，两个相邻波节间相距多远？

56.（Ⅱ）如果一根振动弦的相邻泛音的频率为 280 Hz 和 350 Hz，则它的基频是多少？

57.（Ⅱ）一根吉他弦长 90 cm，质量为 3.6 g。从桥码到支柱弦长（$=L$）为 60 cm，弦上的张力为 520 N。试问它的基频和前两个泛音的频率是多少？

58.（Ⅱ）一根吉他弦的设定振动频率为 200 Hz，但实际测出它的振动频率为 205 Hz。要使频率调准，需改变弦上张力的百分比是多少？

59.（Ⅱ）试证明长度 L、线密度 μ、张力为 F_T 的弦上的驻波频率由下式给出

$$f=\frac{n}{2L}\sqrt{\frac{F_T}{\mu}}$$

这里 n 是整数。

60.（Ⅱ）线密度为 4.3×10^{-4} kg/m 水平弦的一端与一个以 60 Hz 振动的小振幅振动器相连。弦通过距离 L=1.5 m 的一个滑轮与一重物相连，图 11-48。在这一端必须挂多少质量才能产生（a）一个波腹，（b）两个波腹，（c）五个驻波波腹？设弦在振动器一端是波节，这接近实际情况。为什么驻波的幅度比振动器的大很多？

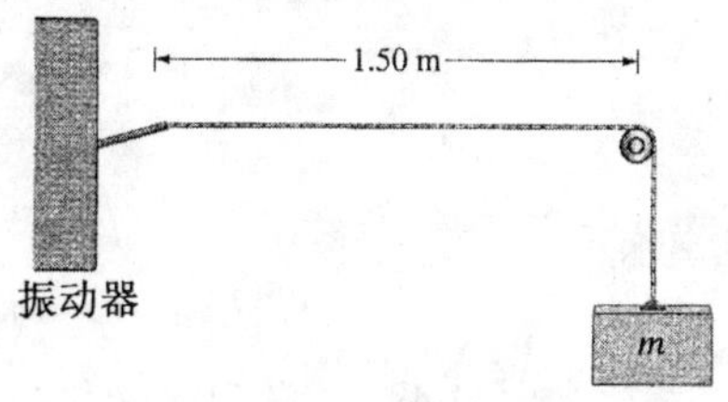

图 11-48 习题 60 和 61

61.（Ⅱ）在习题 60 中，弦的长度可以通过移动滑轮来实现。如果悬挂的质量固定为 0.080 kg，通过从 1.5 cm 到 10 cm 改变 L，可以给出多少不同的驻波图案？

62.（Ⅲ）（a）试证明如果弦上的张力改变一个小量 ΔF_T，则基频改变的量为 $\Delta f = \frac{1}{2}(\Delta F_T / F_T) f$。（b）要使钢琴弦的频率从 438 Hz 升到 442 Hz，弦上的张力需增加或减低多少百分比？（c）在（a）中的公式也能用与泛音吗？

***11-13 节**

*63.（Ⅰ）以 8.0 km/s 行进的地震 P 波碰到地球内两种不同材料的界面。如果它以 50° 角入射并以 31°角折射，它在第二种介质中行进的速率是多少？

*64.（Ⅰ）水波来到一个水下"岩层"，它的速度从 2.8 m/s 变到 2.1 m/s。如果入射波峰与岩层成 34°角。试问折射角是多少？

*65.（Ⅱ）一列纵地震波以 35°角碰到两种岩石的界面。当它通过界面时，岩石的比重从 3.7 变到 2.8。设两种岩石的弹性模量是一样的，试求折射角。

*66.（Ⅱ）对于任何形式的波，如地震波，人们发现如果它通过界面后速率增加，则存在一个具有透过折射波的最大入射角。这个最大入射角 θ_{iM} 对应于折射角等于 90°。如果 $\theta_i > \theta_{iM}$，则所有的波在界面被反射，没有折射（因为这对应于 $\sin\theta_r > 1$，这里 θ_r 是折射角，这是不可能的）；这叫做全内反射。（a）试用方程 11-20 求出 θ_{iM} 的表达式。（b）对于以 7.2 km/s 传播的地震 P 波，当它到达传播速率为 8.4 km/s 的另一岩层时，以多大的角度入射将只有反射而没有透射。

综合题

67. 当你端着一杯咖啡（直径 8cm）正好以每秒一步的步伐行进时，咖啡溅起，几步后，开始溅出杯子。试问在咖啡中的波速是多少？

68. 一个 70 kg 的人从窗户向 20m 以下的消防网跳去，使网伸长了 1.1m。设网的特性像一个简单的弹簧，试求人躺在网上时，它伸长多少？如果人从 35m 高处跳下，它伸长多少？

69. 在废旧汽车场，吊车吊起一辆 1200 kg 的汽车。吊车的钢缆长 20m，直径 6.4m。一阵风吹来，在钢缆一端的汽车开始跳动。试求跳动的周期。[提示：参考表 9-1]

70. 一种吸收能量的汽车保险杠的弹性系数为 500 kN/m。如果汽车质量为 1500 kg，以 m/s（大约 5 英里/小时）的速率与墙相碰，试求保险杠的最大压缩量。

71.如图 11-49 所示，一块吉露果子冻放在自助餐厅的盘子里（图中给了它的尺寸），你把它向侧面推（如图示），随后松开手，吉露果子冻将弹回并开始振动。根据物体的弹性振动，估计它的振动频率。（吉露果子冻的剪切弹性模量为 $52 N/m^2$，密度为 $1300 kg/m^3$。）

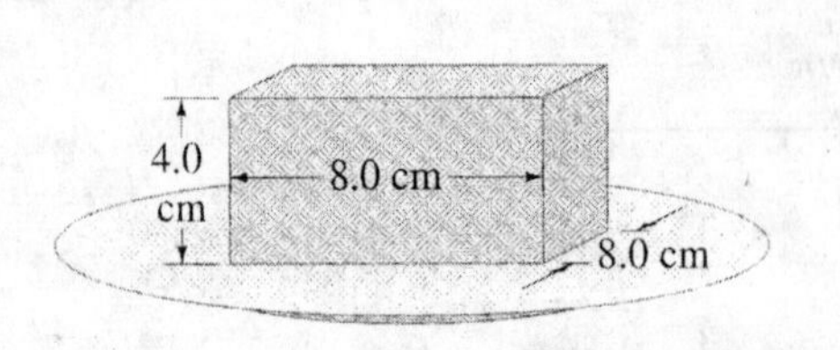

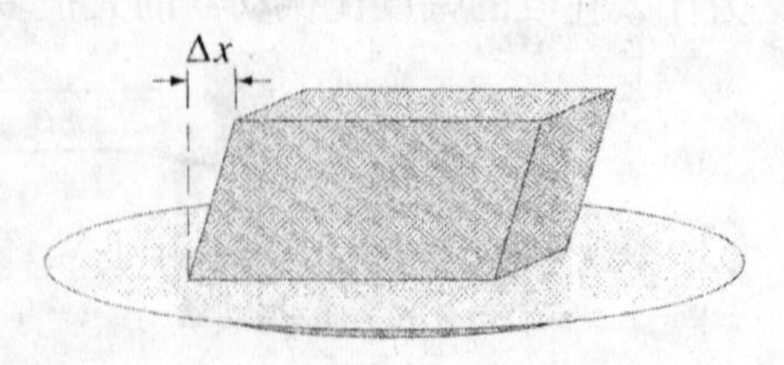

图 11-49 习题 71

72. 单摆以频率 f 摆动。当它以 $\frac{1}{2}g$ 的加速度(a) 向上；(b) 向下加速运动时的频率？

73. 一个重为 250kg 的木筏漂在湖面上，当一个 75kg 的人站在木筏上时，木筏沉下 4.0 cm。当他跳离木筏，木筏将振动一会儿。(a) 振动的频率是多少？(b) 振动的总能量是多少？（忽略阻尼）

74. 从转速为 33rpm 的留声机在宽为 12.8cm 的凹槽内产生的波纹的波长为 1.70mm。问发生初声音的频率为多少？

75. 一个乐器两个弦调音到 392Hz(G)和 440(A)。(a) 每一个弦的前两个谐波什么？(b) 如果两根弦的长度相同，并且所受的张力相同，问它们的质量比(M_G/M_A)应该是多少？(c) 如果两根弦在单位长度上的质量相同。并且所受的张力相同。问它们的长度比(L_G/L_A)应该为多少？(d) 如果它们的质量和长度相同，问在两根弦中张力比应该是多少？

76. 一个 900kg 重的汽车以 20m/s 的速度冲击以一个巨型弹簧（图 11-50），是它压缩了 5.0m，(a) 弹簧的弹性常数是多少？(b) 汽车在弹离弹簧之前在相反方向上运动了多长的距离？

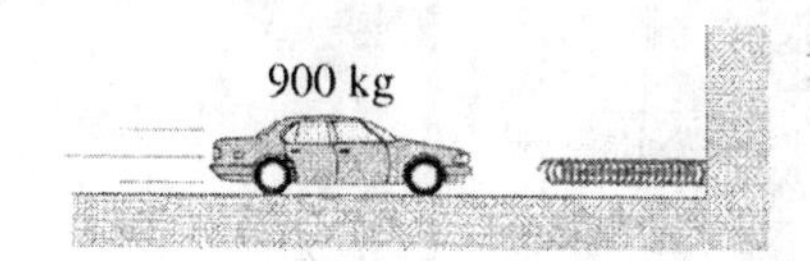

图 11-50　习题 76

77. 一个正弦波沿着图 11-32 所示的由两部分构成的伸展的绳子上传播，公式推导：(a) 在两部分上波速的比率 v_2/v_1 。(b) 在两部分上波长的比率。（为什么在两部分上的频率相同？）(c) 在重的绳和轻的绳上传播，那一种情况波长更大？

78. 一个跳水板以每秒 3.5 个循环作简谐振动，保证放在跳水板末端的砾石在振动过程中不被滑走的情况下，它振动的最大振幅是多少？

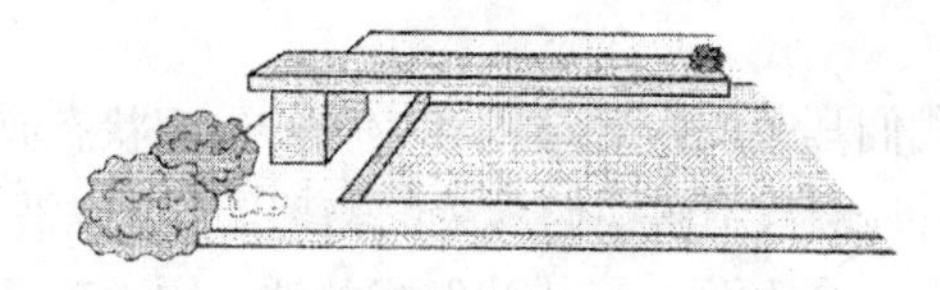

图 11-51　习题 78

79. 一个矩形木块飘浮在平静的湖面上，如果忽略摩擦，当轻轻的把木块按入水中，它将开始简谐振动，写出力常数的方程式。

80. 质量为 m 物体轻轻的放置在自由悬挂的弹簧的末端，物体下降了 30cm 后开始上升，问：振动的频率是多少？

81. 钟的摆是由黄铜条和在末端的小重锤构成，在 20°C 保持准确，在此时摆的周期是 0.5520s。当温度变为 35°C 时，表将变慢还是变块？在 35°C 的情况下经过一天时间，将会有多少误差？（提示：参考表 13-1 和方程 13-1）

82. 在 U 型管内的水从平衡位置发生了 Δx 的位移。(在一边的水位比另一端要高 $2\Delta x$ 。) 如果忽略摩擦，水会发生谐振吗？计算等价于弹性系数 k 的表示式，k 依赖于液体的密度、管的横截面积和管的长度吗？

图注：音乐和物理学密不可分。

第十二章 声音

声音与我们的听觉有关，也就是说，与我们耳朵的生理结构和大脑的生理状态有关，因为到达耳朵的信号是被大脑所感知的。声音同时也与刺激我们耳朵的物理信号（纵波）有关。所有声音都具有三个基本要素。第一，必须有一个声源。与任意形式的波一样，声波的源也是一个振动的物体。第二，能量以纵波的形式从源发出。第三，声音能被耳朵或仪器探测。在本章后面的部分，我们将讨论声源和声音的探测，以及一些重要的应用，但现在我们先看一下声波本身的一些性质。

12–1 声音的特征

我们已在第 11 章图 11-25 中看到过，一个振动的鼓是如何在空气中产生声波的。我们经常认为声波是在空气中传播的，因为在通常情况下是空气的振动迫使我们的耳膜振动。但声波也可以在其它材料中传播。在水下撞击两个石块可被水面下的游泳者听到，因为振动通过水传到了耳朵中。将耳朵贴在地面上，你就能听到火车或卡车驶来的声音。在这种情况下，地面实际上没有触及你的耳膜，但地面传播的纵波同样也叫声波，因为它的振动导致耳朵外部和内部的空气振动。显然，声音不能在没有物质的地方传播。例如，你无法听到抽空钟罩里的铃响，声音不能穿过真空到达外部空间。

在不同的材料中声速不同。在 0℃ 和 1 个大气压（1atm）下，空气中的声音以 331 m/s 的速率传播。从方程 11-14b（$v=\sqrt{B/\rho}$）中我们看到，速率依赖于材料的弹性模量 B 和密度 ρ。因此，对于氦气来说，它的密度远比空气的小，但它们的弹性模量差别不大，其速率大约是空气中的三倍。在液体和固体中，可压缩性很小，因此具有较大的弹性模量和更大的传播速率。不同材料中的声速列在表 12-1 中。这些值与温度有关，但主要对气体明显。例如，在空气中，温度每增加一摄氏度，速率约增加 0.60 m/s：

$$v \approx (331+0.60T)\ \mathrm{m/s}$$

这里 T 是以℃为单位的温度。除非特殊声明，在本章我们一般设 T= 20℃，所以

$$v=[331+(0.60)(20)]\ \mathrm{m/s}=343\mathrm{m/s}$$

表 12-1　在 20℃、一个大气压下声音在不同物质纵的传播速度。

物质	速度（m/s）
空气	343
空气(0℃)	331
氦气	1005
氢气	1300
水	1440
海水	1560
钢铁	≈5000
玻璃	≈4500
铝	≈5100
硬木材	≈4000

概念练习 例 12-1　**离闪电的距离**。有这样一条经验规律：雷声传播速度为每五秒一英里。根据这条规律可以知道我们离闪电的距离。试证明之，注意光的速率（3×10^8 m/s）非常大，它的传播时间与声音的相比可以忽略。

答：声音在空气中的速率约为 340 m/s，所以行进 1 km =1000 m 需要 3 秒。一英里约为 1.6 公里，所以雷声传播一英里需要的时间约为 $(1.6)(3)\approx5$ 秒。

人类的听觉可以立即分辨任意声音的两个特征。这就是“音量”和“音调”，它们与收听者对声音的敏感程度有关。但这两个主观感觉都与可观测的物理量有关。**音量**涉及声波的能量，在下一节我们将讨论它。

声音的**音调**表示它是像短笛或提琴的声音一样高，还是或像低音鼓或弦贝司的声音一样低。正如伽里略首次注意到的那样，确定音调的物理量是频率。频率越低，音调越低，频率越高，音调越高。人类的耳朵可感觉的频率从大约 20Hz 到 20000Hz。（回忆，1Hz 是每秒一

周。）这叫做**听觉区域**。不同人的听觉区域也稍有不同。一般来讲，随着年龄的增加，人们逐渐失去对高频的分辨能力，所以高频限可能是 10000 Hz 或更少。

频率超出听觉范围的声波可以到达耳朵，但我们通常感觉不到。超过 20000 Hz 的频率叫**超声**（不要和超音速混淆，它表示一个物体以比声音速率快的速率运动）。许多动物可以听到超声频率；例如，狗可以听到高达 50000 Hz 的声音，蝙蝠可以探测到高达 100000 Hz 的频率。在医学和其它领域超声具有一系列的应用，我们将在本章后部分讨论。

例 12-2 用声波自动聚焦。 自动聚焦照相机发射一个频率很高（超声）的声波，到达要拍摄的物体，其反射回的声波被相机所探测，如图 12-1。为了得到一个探测器时间灵敏度的概念，试计算脉冲波传播的时间，离物体（a）1.0 m 远，（b）20 m 远。

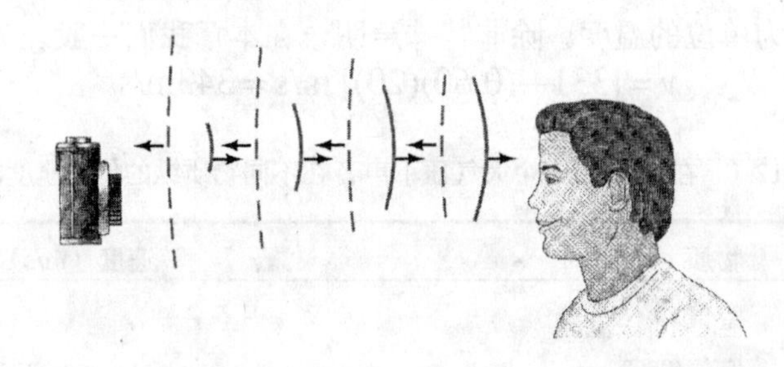

图 12-1 (例 12-2)自动聚焦照相机发射一个超声波脉冲。实线代表向右运动波的脉冲的波前。虚线表示从人脸上反射回来进去照相机的脉冲的波前。定时信息允许照相机机械调整透镜聚焦在人脸上。

解：我们设温度为 20℃，所以声音的速率如前所述为 343m/s。（a） 脉冲传播 1.0m 到达物体然后传播 1.0 m 返回，总距离为 2.0 m。因为速率 =距离/时间，所以

$$t=\frac{\text{距离}}{\text{速度}}=\frac{2.0\ \text{m}}{343\ \text{m/s}}=0.0059\ \text{s}=5.9\ \text{ms}$$

（b）总距离现在为 2×20 m = 40 m，所以

$$t=\frac{40\ \text{m}}{343\ \text{m/s}}=0.12\ \text{s}=120\ \text{ms}$$

频率低于可听区域（即，低于 20Hz）的声波叫**次声**。次声源包括地震、打雷、火山和重型机械振动产生的波。这最后一种源对工人十分有害，因为次声波（虽然听不见）可以对人体产生损伤。这些低频波以共振的方式导致人体内部器官产生相当强的振动和有害的刺激。

我们常常用介质分子的振动——即分子的运动或位移来描述声波，但声波也可以从压力的观点来进行分析。实际上，纵波常叫做**压力波**。压强的变化通常比位移的变化容易测量。从图 12-2 可以看出，在波压缩的区域（这里分子相互靠得很近），压强比正常的要高，在扩展区（或稀疏区）压强小于常压。图 12-3 给出空气中声波分别用（a）位移和（b）压强表示的图形。注意位移波与压力波的相位差四分之一：在压强最大或最小处，离平衡位置的位移为零；在压强为零处，位移最大或最小。

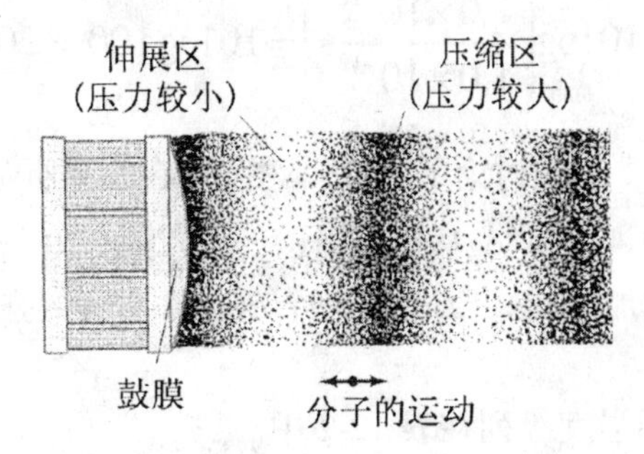

图 12-2 当鼓膜振动时，它相对压缩空气，然后后退造成空气稀薄或伸展区域，见图 11-25

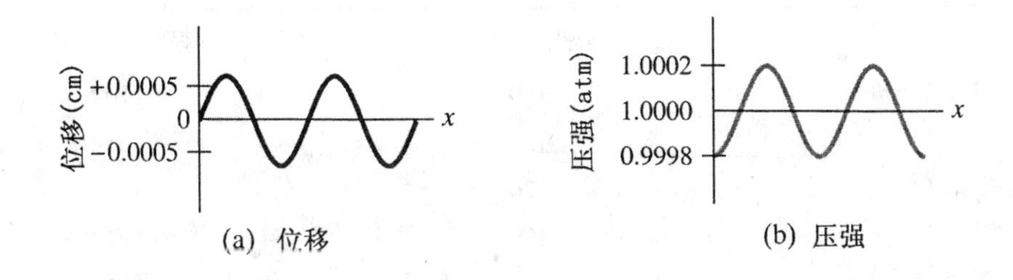

图 12-3 声波在空间的即时表示 (a) 位移；(b) 压强

12–2 声音的强度：分贝

与音调一样，音量也是人类感觉的产物。它也与一种可测量的物理量——波的强度有关。**波强**定义为单位时间通过单位横截面积的波所携带的能量，如我们在前一章（第 11-9 节）所见，正比于波幅的平方。因为单位时间的能量是功率，波强的单位是单位面积上的功率，即瓦特/米^2（W/m^2）。

人的耳朵可以听到强度低达 10^{-12} W/m^2 和高达 1 W/m^2 的声音（甚至更高，但高于这个值会使人感到痛苦）。这是一个令人难以置信的强度范围，从最低到最高跨度达一兆（10^{12}）。大概由于这个范围很宽，我们感觉到的音量与强度不成正比。要产生一个听起来两倍音量的声音需要强度大约为 10 倍的声波。这个关系对听觉中心频率附近的任意音量基本适用。例如，强度为 10^{-2} W/m^2 的声波对于人类听觉的平均感受度，像强度为 10^{-3} W/m^2 声波的两倍一样，和强度为 10^{-4} W/m^2 声波的四倍一样。

由于音量的主观感觉和可测物理量“强度”之间的这个关系，通常用对数尺度来区分声音强度量级。这个尺度的单位是贝尔，以电话的发明者亚力山大 哥拉汉姆 贝尔（1847-1922）的名字来命名，或更常用的分贝（dB），它等于 贝尔（10dB = 1 贝尔）。任意声音的强度级 β 用它的强度按以下方式定义：

$$\beta\,(\text{in dB}) = 10\log\frac{I}{I_0} \qquad \textbf{(12-1)}$$

这里 I_0 是参照级的强度，对数的底为 10。I_0 通常取人类可听到的最小平均强度，“临界听觉”，它等于 $I_0 = 1.0\times10^{-12}$ W/m^2。例如，强度为 $I = 1.0\times10^{-12}$ W/m^2 的声音的强度级为

$$\beta = 10\log\left(\frac{1.0\times10^{-10}}{1.0\times10^{-12}}\right) = 10\log100 = 20\text{dB}$$

因为 log100 等于 2.0（在附录 A 中讨论了对数)。注意，在临界听觉，强度级为 0dB；即，β = 10 $\log(10^{-12}/10^{-12})$= 10log1=0，因为 log1=0。同样，强度增加 10 倍对应强度级增加 10dB。强度增加 100 倍对应强度级增加 20dB。因此，一个 50 dB 声音的强度是 30dB 声音强度的 100 倍。

一些常见声音的强度和强度级列在表 12-2 中。

表 12-2 不同声音的强度

声源	强度级（dB）	强度（W/m^2）
高度 30m 的喷气式飞机	140	100
忍受极限	120	1
强力室内摇滚乐	120	1
高度 30m 的警报器	100	1×10^{-2}
以 90km/h 行驶的室内汽车	75	1×10^{-5}
繁华街道的交通	70	1×10^{-5}
距离 50cm 的普通谈话	65	1×10^{-6}
无噪音收音机	40	1×10^{-8}
私语	20	1×10^{-10}
树叶沙沙声	10	1×10^{-11}
听觉极限	0	1×10^{-12}

例 12-3 **扩音器的灵敏度。** 一高质量扩音器的广告宣称，在全音量时，它可产生的声音频率以±3dB 的均匀强度从 30Hz 到 18000Hz。即，超过这个频率范围，强度级的变化不超过 3dB。试问对于 3dB 的最大强度级变化，强度的变化因子是多少？

解：取平均强度为 I_1，平均级为 β_1。因此，最大强度 I_2 对应的级 $\beta_2 = \beta_1 + 3\text{dB}$，因此

$$\beta_2 - \beta_1 = 10\log\frac{I_2}{I_0} - 10\log\frac{I_1}{I_0}$$

$$3\text{dB} = 10\left(\log\frac{I_2}{I_0} - \log\frac{I_1}{I_0}\right)$$

$$= 10\log\frac{I_2}{I_1}$$

由于 $(\log a - \log b) = \log a/b$（见附录 A)。因此

$$\log\frac{I_2}{I_1} = 0.30，\text{或者} \frac{I_2}{I_1} = 10^{0.30}$$

用计算器或对数表，我们可知对数值等于 0.30 的数为 2.0，所以

$$\frac{I_2}{I_1}=2.0$$

即I_2的强度是I_1的两倍。

值得注意的是 3 dB 的声级差（与我们前面看到的一样，对应于两倍的强度）对应于表观音量的主观感觉只有很小的一点差别。实际上，人类平均能区分的声级差只有 1 或 2dB。

通常，声音的音量或强度随离声源的距离增加而减弱。在室内由于墙壁的反射，这个效应减小。但如果声源在开放空间，它能够向所有方向自由发射，这样它的强度以距离平方的反比形式减小，

$$I\propto\frac{1}{r^2}$$

与我们在 11-9 节看到的一样。当然，如果从建筑或地面有明显的反射，情况将变得相当复杂。

例 12-4 机场噪声。距离 30m 的喷气式飞机发出声音的强度级为 140dB。试问在 300m 处的强度级是多少？（忽略从地面的反射。）

解：在 30 m 处的强度I可从方程 12-1 求出：

$$140\text{dB}=10\log\left(\frac{I}{10^{-12}\,\text{W/m}^2}\right)$$

求解反对数方程可得I：

$$10^{14}=\frac{I}{10^{-12}\,\text{W/m}^2}$$

所以I $=(10^{14})\,(10^{-12}\,\text{W/m}^2)=10^2\,\text{W/m}^2$。在 300 m，距离为 10 倍远，强度将是$(\frac{1}{10})^2=1/100$，或 1 W/m^2。因此，强度级为

$$\beta=10\log\left(\frac{1\text{W/m}^2}{10^{-12}\,\text{W/m}^2}\right)=120\text{dB}$$

即使在 300m，声音仍达到忍受极限。这就是为什么机场工作人员要戴耳机以免耳朵受到损害。

图 12-4 机场工作人员戴着可降低声音强度的耳机

*12 –3 幅度与强度的关系

在这一短节里，我们将要说明人类的耳朵具有多么令人惊异的灵敏度：它可以探测到的空气分子的位移实际上小于原子的直径（约 10^{-10}m）。

波的强度 I 正比于波幅 A 的平方，如我们在第 11-9 和 11-10 节所讨论的。从方程 11-18 出发，我们可以将幅度量与强度 I 或强度级 β 联系起来，如下面的例子所述。

例 12-5 位移是多么微小。试计算在听觉极限、频率为 1000Hz 的声音所引起的空气分子的位移。

解：在听觉极限，$I = 1\times10^{-12}\text{W/m}^2$。我们用方程 11-18，并求解幅度 A：

$$A = \frac{1}{\pi f}\sqrt{\frac{I}{2\rho v}}$$

$$= \frac{1}{(3.14)(1.0\times10^{3}\text{s}^{-1})}\sqrt{\frac{1.0\times10^{-12}\text{W/m}^2}{(2)(1.29\text{kg/m}^3)(343\text{m/s})}}$$

这里我们取空气的密度为 1.29 kg/m^3，空气中声音的速率为 343 m/s（设空气温度为 20°C）。当我们计算以后发现 $A = 1.1\times10^{-11}$m。

*12– 4 耳朵及其响应；响度

我们已经看到，人类的耳朵是一个相当灵敏的声音探测器。而像麦克风这样的声音探测仪器，只能在探测低强度音时才能与人的耳朵相比。

耳朵的功能是将波的振动有效地转化成电信号，再通过神经传到大脑。麦克风起着同样的作用。声波冲击麦克风的膜片使其振动，这些振动被转化成相同频率的电信号，然后经放大送到扬声器或录音机。在以后的章节中，我们在学习电磁理论时将讨论麦克风的工作原理。这里我们讨论耳朵的构造和响应。

图 12-5 是人耳的示意图。耳朵可简单分为三个主要的部分：外耳，中耳和内耳。在外耳，声波从外部通过耳管传到耳膜（或鼓膜），波的撞击使耳膜振动。中耳由三块小骨组成，它们是锤骨，砧骨和镫骨，它们将耳膜的振动传送到内耳的卵形窗。这是一个精致的杠杆系统，配合与卵形窗面积相比较较大的耳膜，可将压强放大 40 倍。内耳由半规管（这是保持平衡的重要器官）和充满液体的耳蜗（这里声波的振动能被转化成了电能然后送到大脑）组成。图 12-6 给出耳蜗的示意图。声波的振动从卵形窗传到前庭阶，又返回到鼓阶。由于液体的粘滞性，它可以产生相当大的阻尼，使得任何剩余能量就在鼓阶末端的圆形窗处消失了。在这两个阶之间，存在第三个器官，叫耳蜗管。将耳蜗管和鼓阶（基底膜）分开的膜叫“螺旋器（考蒂器）”，它含有 30000 个神经末梢。当一个压力波沿鼓阶传播时，引起基底膜和一些与考蒂器相连接的器官的振动；在这里能量转换成电脉冲，并由听觉神经送到大脑。基底膜处在张力作用下，但当它从中耳延伸到耳蜗尖时，逐渐变厚且张力变得很小。在我们早期的考虑中，我们预期较厚和张力小的末端将对低频更灵敏，而拉紧和较薄的末端对高频更灵敏。实验表明这是正确的，这个事实对我们感觉音调是十分重要的。

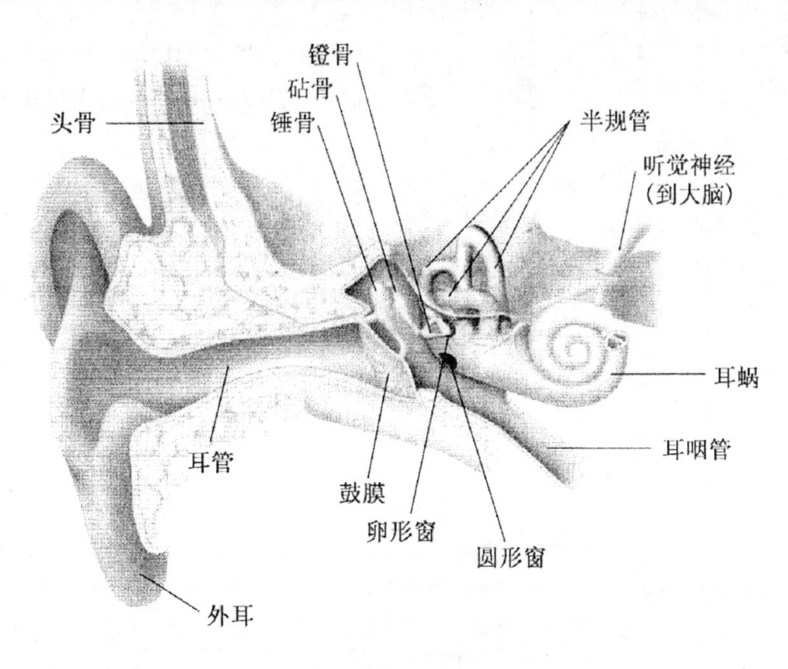

图 12-5 人耳示意图

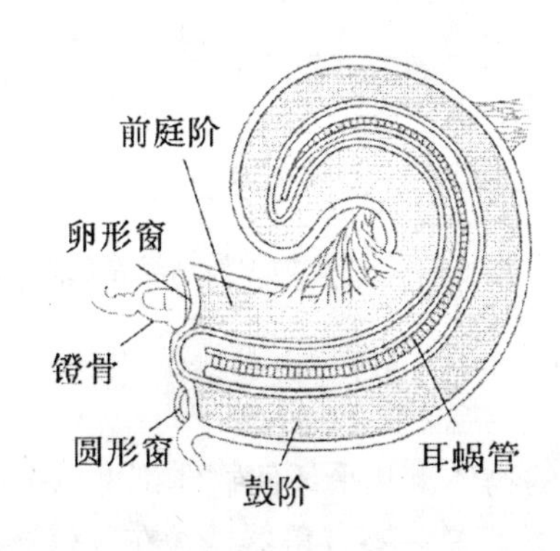

图 12-6 耳蜗示意图

耳朵对所有的频率并不是同样敏感的。不同频率的声音需要不同的强度听起来才具有同样的音量。图 12-7 给出研究了大量人群后平均所得到的曲线。在这个图中，每条曲线代表的声音听起来音量相同。每条曲线上的数字表示响度级（单位叫方），它在数值上等于在 1000Hz 下强度级的分贝值。例如，标为 40 的曲线表示听起来与强度级 40dB 的 1000Hz 声音具有同样的音量的声音。从这条 40 方曲线中，我们可以看到一个 100Hz 声音必须具有约 62dB 的强度听起来（对平均人来说）才能与只有 40dB 的 1000Hz 声音具有同样的音量。图 12-7 中最低的曲线（标为 0）表示只有极好的耳朵才能听到的最弱的声音的强度级与频率的关系。注意耳朵对频率在 2000 到 4000Hz 的声音最敏感。同时请注意 1000Hz 的声音刚好能被听到时的强度级为 0 分贝，而 100Hz 的声音强度级至少要 40dB 才能被听到。

图 12-7 中标为 120 的顶部曲线表示“忍受极限”。高于这个量级的声音能够被感觉到但会使人感到痛苦。可以看到，它随频率变化不大。

图 12-7 表明，我们的耳朵对高频和低频不像对中频那样敏感。在立体声系统的“音量”

控制中试图补偿这一点。当总音量调低时，相对于中间频率控制器提高了低频和高频端的音量使声音听起来具有“正常声音”的频率平衡。然而，许多人发现不经过响度平衡的声音听起来更自然和更使人愉快。

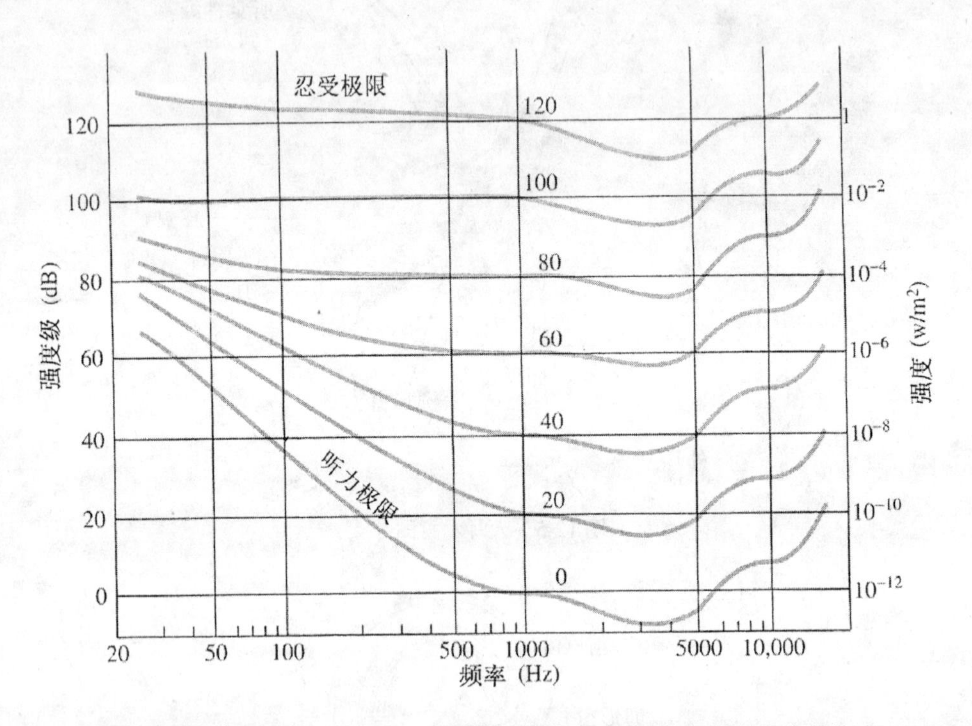

图 12-7 人耳灵敏度是频率的函数（见上文）。注意为了显示较宽范围的频率，频率轴使用的是对数坐标。

12–5 声源：振动弦和空气柱

任意声音的来源都是振动的物体。几乎任何物体都可以振动，而因此成为一个声源。我们现在讨论一些简单的声源，尤其是一些音乐器械。在音乐器械中，通过打击、弹拨、运弓或吹奏产生源振动。驻波产生时，声源在它的固有共振频率上振动。振动源与空气（或其它介质）接触并推动它向外传播产生声波。波的频率与源是相同的，但速率和波长可以不同。鼓具有可以振动的绷紧的膜。木琴和马林巴琴具有可以振动的金属棒和木棒。铃、钹和锣也使用振动的金属。大量的乐器使用振动的弦，如提琴、吉他和钢琴，或使用振动的空气柱，如笛子、小号或管风琴。我们已经看到纯音的音调取决于频率。对以中音 C 开始的八度音，表 12-3 给出了“等谐半音音阶”音符的典型频率。注意一个八度对应频率增加一倍。例如，中音 C 的频率为 262Hz，而 C′（中音 C 以上的 C）的频率加倍为 524Hz。

我们已在第 11 章图 11-39 中看到过，驻波是如何在弦上形成的，在这里图 12-8 重新给出其示意图。这是所有弦乐器的基础。音调通常由最低共振频率，即**基频**确定，它对应于只在两端出现波节的驻波。弦上基频对应的波长等于弦长度的两倍。因此，基频为 $f = v/f = v/2f$，这里 v 是波在弦上的速度。当手指按在吉他或提琴的弦上时，弦的有效长度缩短。所以它的基频和音调升高了，因为基频对应的的波长缩短了（图 12-9）。吉他或提琴上所有弦的长度是一样的。它们以不同的音调发声，因为弦的单位长度质量 m/L 不同，而它影响着波的速度，从方程 11-13 可以看到，$v=\sqrt{F_T/(m/L)}$。（张力也不相同；调节张力就是给乐器调音。）因此，对于同样的波长，较重弦上的速度和频率较小。在钢琴和竖琴上，每根弦的长度不同。低音弦不仅比较长，而且也比较重，下面的例子说明为什么要这样设置。

表 12-3　等谐半音音阶

注释	频率（Hz）
C	262
$C^{\#}$或 D^{b}	277
D	294
$D^{\#}$或 E^{b}	311
E	330
F	349
$F^{\#}$或 G^{b}	370
G	392
$G^{\#}$或 A^{b}	415
A	440
$A^{\#}$或 B^{b}	466
B	494
C’	524

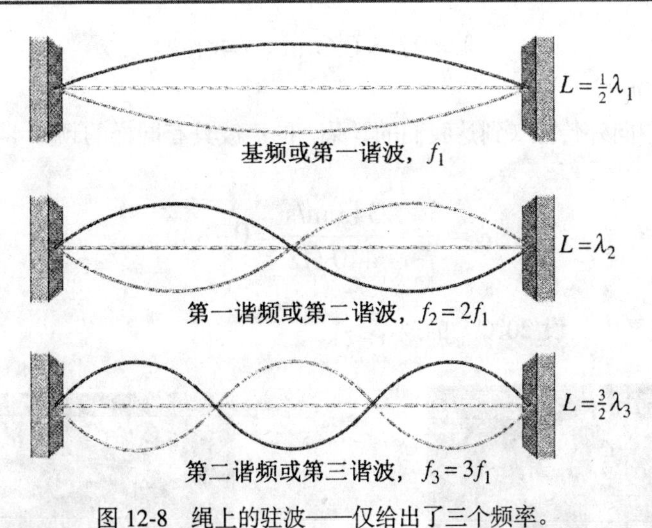

图 12-8　绳上的驻波——仅给出了三个频率。

例 12-6　钢琴的弦。　钢琴上最高音键的频率是最低音键频率的 150 倍。如果最高音的弦为 5.0cm 长，而最低音的弦单位长度质量与高音弦一样，且处在同样的张力下，试问最低音弦需多长？

解：在每根弦上的速度一样，所以频率反比于弦的长度 L（$f=v/\lambda=v/2L$）。因此

$$\frac{L_L}{L_H}=\frac{f_H}{f_L},$$

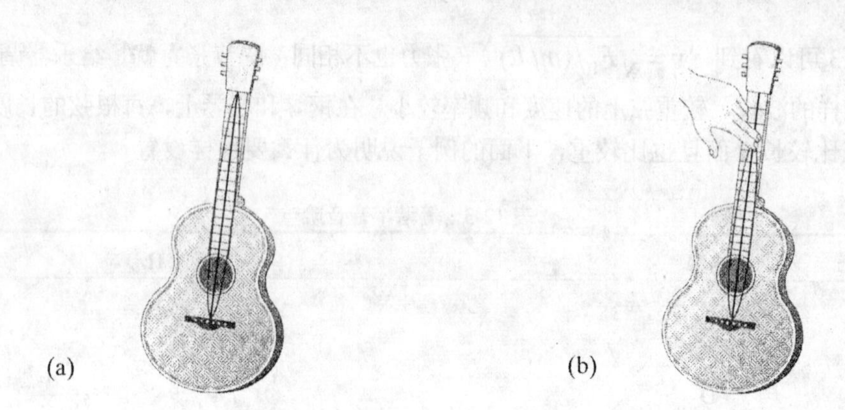

图 12-9 手指按住的弦(b)的波长要比未按的弦(a)的波长要短。然而手指按住的弦的频率要更高一些。在这里仅仅给出了吉他的一个弦和最简单的驻波、基频。

这里下标 L 和 H 分别表示最低和最高。因此 $L_{\mathrm{L}}=L_{\mathrm{H}}(f_{\mathrm{H}}/f_{\mathrm{L}})=(5.0\mathrm{cm})(150)=750\mathrm{cm}$，即 7.5m。这个长度对于钢琴来说实在是太长了。较长的低音弦制造得重一些就可避免这个问题，所以即使最大的钢琴其弦长也不超过 3m。

例 12-7 提琴的频率和波长。 一根 0.32m 长的提琴弦调整到发出中音 C 以上的 A 音，频率为 440Hz。（a）基频情况下弦振动的波长是多少？（b）它所产生声波的频率和波长是多少？（c）两个波长为什么有差别？

解：（a）从图 12-8 我们可以看到基频弦的波长为

$$\lambda=2L=0.64\mathrm{m}=64\mathrm{cm}$$

这就是弦上驻波的波长。

（b）在空气中向外传播（到达我们的耳朵）的声波具有同样的频率 440Hz（为什么？）。它的波长为

$$\lambda=\frac{v}{f}=\frac{343\ \mathrm{m/s}}{440\ \mathrm{Hz}}=0.78\ \mathrm{m}$$

这里 v 是声音在空气中（设 20°C）的速率。

图 12-10 (a) 共鸣箱（吉他）；(b) 共鸣板（在钢琴内与弦连接）。

（c）声波的波长与弦上的驻波波长不同，因为声音在空气中的速率（在 20°C 为 343m/s）不同于波在弦上的速率（$= f\lambda = 440\ \text{Hz} \times 0.64\ \text{m} = 280\ \text{m/s}$），这个速率依赖于弦上的张力和其单位长度的质量。

弦乐器如果只靠弦的振动来发声，声音就不可能很大，因为弦太细不能压缩和扩展很多的空气。因此，弦乐器使用各种称为**共鸣板**（钢琴）或**共鸣箱**（吉他，提琴）的机械扩音器，它们通过一个与空气接触较大的表面来放大声音（图 12-10）。当弦振动时，共鸣板或共鸣箱也开始振动。因为它具有与空气更大的接触面积，所以可以发出更强的声波。在电吉他中，共鸣箱并不重要，因为弦的振动的放大是由电路实现的。

木管、铜管和管风琴等乐器是以管中空气柱驻波的振动来发声的（图 12-11）。驻波可以在任意腔体中形成，但其频率一般都很复杂，只有形状简单的腔体如细长、狭窄的管中的频率比较单纯。在一些乐器中，振动的簧片或演奏者振动的嘴唇帮助形成了空气柱的振动。而在另一些乐器中，空气流正对着开口管的一端或管口，引起涡流从而产生振动。由于源是由扰动产生的，管中的空气以不同的频率振动着；但只有对应于驻波的频率才能存在下去。

图 12-11　风乐器：单簧管（左）和长笛

对一根两端固定的弦，如图 12-8，驻波在两端形成波节（非运动点），在两端之间形成一个或多个波腹（大的振幅）；波节依次将波腹分开。驻波的最低频率（基频）对应于单波腹。频率较高的驻波叫**谐波**或**谐音**。特别是，第一谐音对应于基频，第二谐音对应于基频的两倍，等等。（也见 11-12 节。）

当高于基频的共振频率（即谐波）是基频的整数倍时，它们叫谐音。但如果谐波频率不是基频的整数倍，它们不是谐音，例如在鼓膜振动的情况下。

空气柱与上面讨论的情况很相似，但我们必须注意现在是空气本身在振动。我们既可以用空气的运动（即，用空气的位移），也可以用空气的压强来描述这样的波（见图 12-2 和 12-3）。用位移描述时，位于管子封闭端的空气是位移波节，因为在这里空气不能自由运动，而在管子开口端则形成波腹，因为这里的空气是可以自由运动的。管子中的空气以纵驻波的形式振动。图 12-12 给出**开管**（两端开口）中可能的振动模式示意图。图 12-13 给出**闭管**（一端开口一端封闭）中可能的振动模式的示意图。[两端封闭的管子，与外界空气没有联系，不能用做乐器。]每个图的（a）部分（左侧）表示管中空气的位移振幅。注意这是示意图，管子中空气分子本身的振动是水平的，平行于管子的纵向，如图 12-12a（左侧）中顶部的小箭头所示。靠近管子开口端的波腹的准确位置依赖于管子的直径，如果直径与管长相比较小（这是一般情况），波腹将出现在非常靠近端口的地方，如图所示。我们假设以下所讨论的都是这种情况。（波腹的位置与波长和其它因素也有一定关系）

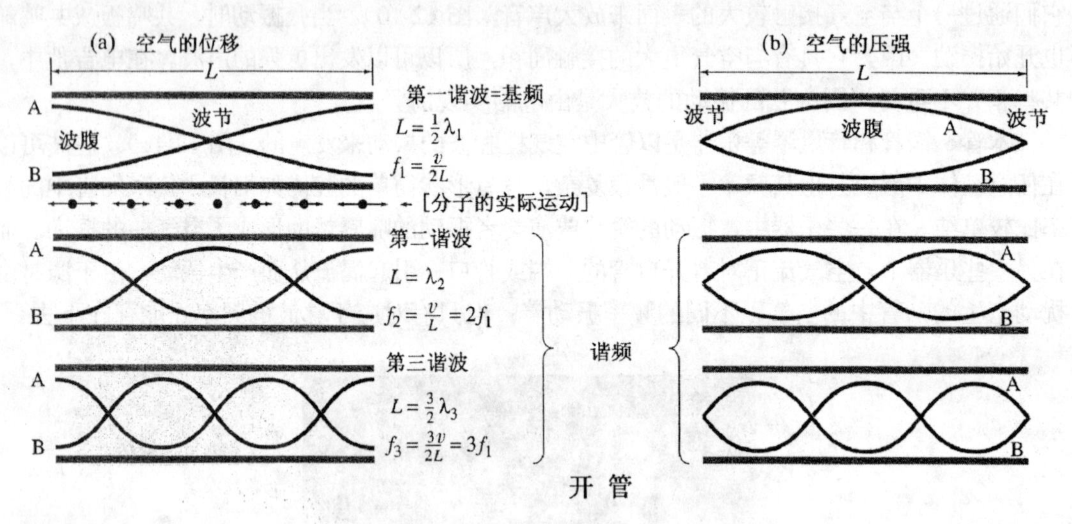

图 12-12 两端开口的管（开管）的振动模式（驻波）。根据空气的运动（位移），(a)和(b)空气的压强给出了最简单的振动模式。这些在管内的曲线表示的是：(b)波形 B 代表在波形 A 经过半个周期以后的波形。分子的实际运动如上面左图所示。

让我们仔细看一下图 12-12a 中开管的情况，它也许是一个笛子。在开管的两端存在位移波腹。需要注意的是，如果存在驻波，开管中必须至少有一个波节。一个单波节对应于管子的基频。因为两个相邻波节间，或两个相邻波腹间的距离为$\frac{1}{2}\lambda$，在基频情况下，管子的长度是半个波长：$L=\frac{1}{2}\lambda$，或$\lambda=2L$。所以，基频为$f_1=v/\lambda=v/2L$，这里v是空气中的声速。具有两个波节的驻波是第一谐波或第二谐音，其波长为基频的一半，频率为两倍。实际上，每个谐波的频率都是基频的整数倍。这与弦的情况完全一样。

对于图 12-13a 中所示的闭管，它可能是一个单簧管，位移波节总是存在于封闭端（由于空气不能自由运动），而波腹在开口端（这里空气可以自由运动）。因为波节与最近波腹间的距离为$\lambda/4$，我们看到闭管基频对应波长的四分之一等于管子的长度：$L=\lambda/4$，且$\lambda=4L$。因此，基频$f_1=v/4L$，或只有同样长度开管的一半。从图 12-13a 我们可以看到，与开管的另一个差别是在闭管中只存在单数谐音：谐波的频率等于 3，5，7，… 倍基频。在一端是波节另一端是波腹的情况下，无法形成 2，4，6，… 倍基频的波，因此在闭管中这种波不能以驻波形式存在。

如果从位移角度描述这一切看起来很难懂，或者你想用另一种方式去理解它，那么考虑一下用空气中的压强来描述它，如图 12-12 和 12-13 的（b）部分（右侧）所示。在波中的空气被压缩的地方压强较高，而在空气被扩展（或稀疏）的地方压强小于常压。由于管的开口端通向大气，因此在开口端的压强必须是波节：这里压强不改变，而是保持外部大气压。如果管子具有闭端，这里的压强可以不断变化，高于或低于大气压，因此在管子闭端具有压强波腹。当然，在管子中可以有压强波节和波腹，用压强描述开管的一些可能的振动模式列在图 12-12b 中，对闭管的列在图 12-13b 中。

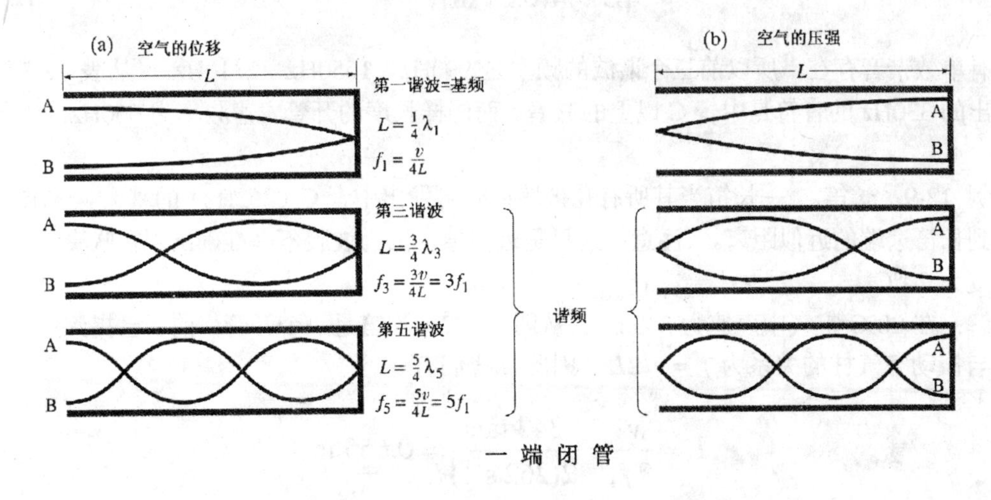

图 12-13　一端封闭的管的（闭管）的振动模式(驻波)。图形说明见图 12-12

管风琴（图 12-14）同时使用开管和闭管。它采用不同长度的从几厘米到 5m 或更长的管子来发出不同音调的音符。其它乐器或者像开管或者像闭管。例如，长笛是一个开管，因为不仅吹奏的一端是敞开的，而且另一端也是开的。长笛和其它许多乐器发出的不同音符通过缩短管子的长度来获得——即，通过揭开沿长度上的孔。而对于小号，压下键阀增加了管子的长度。在所有这些乐器中，振动空气柱的长度越长，频率越低。

图 12-14　管风琴

例 12-8 管风琴的开管和闭管。 对于一根 26cm 长的风琴管（20°C），试求在（a）开管（b）闭管两种情况下这根管子的基频和前三个谐波的频率。

解：在 20°C，空气中的声速为 343m/s（见 12-1 节）。

（a）对开管，基频为

$$f_1=\frac{v}{2L}=\frac{343\ \text{m/s}}{2(0.26\ \text{m})}=660\ \text{Hz}$$

谐波包括所有的谐音，其频率为 1320Hz，1980Hz，2640Hz，等等。

(b)参考图 12-13，我们看到对于闭管

$$f_1=\frac{v}{4L}=\frac{343\ \text{m/s}}{4(0.26\ \text{m})}=330\ \text{Hz}$$

但只有单数谐音存在，所以前三个谐波的频率是 990Hz，1650Hz，2310Hz。（从表 12-3，闭管发出的 330Hz 的音符是中音 C 以上的 E 音，而同样长度的开管发声频率为 660Hz，高出八度。）

例 12-9 长笛。 一长笛当其所有孔被堵住时可发出中音 C（262Hz）的基频。试求从吹奏口到长笛远端的近似距离。（注意：这只是近似值，因为波腹不是准确出现在吹奏口处。）设温度为 20°C。

解：在 20°C 空气中声速为 343m/s。从图 12-12（长笛是一个开管，前面已提到过），基频 f_1 与振动空气柱的关系为 $f=v/2L$。因此，我们有

$$L=\frac{v}{2f}=\frac{343\ \text{m/s}}{2(262\ \text{s}^{-1})}=0.655\ \text{m}$$

例 12-10 低温下的笛子。如果温度只有 10°C，在例 12-9 中长笛的所有孔被堵住的情况下，它发出声音的频率是多少？

解：长度 L 仍为 65.5cm。但现在声速减少了，每变化 1°C，声速改变 0.60m/s。对于温度下降 10°C，速度减少 6m/s，成为 337m/s。频率为

$$f=\frac{v}{2L}=\frac{337\ \text{m/s}}{2(0.655\ \text{m})}=257\ \text{Hz}$$

这个例子说明为什么管乐演奏者需要时间对乐器“热身”从而调准音调。弦乐的温度效应相当小。

*12–6 音色和噪声

当我们听到声音，特别是音乐时，我们可以感受到它的音量、音调以及叫做“音色”的第三个特征。例如，当钢琴和长笛奏出同样音量和音调（如中音 C）的音符时，这两个声音具有明显的不同。我们从不会将钢琴误认为是长笛，这就是音色的含义。对于乐器，也用音品或音质表示。

正如音量和音调能够同可测物理量联系起来一样，音色也是一样的。音色依赖于泛音的存在——它们的数量和相对幅度。通常，当乐器奏出音符时，泛音同基频是同时存在的。图 12-15 给出三个波形是如何叠加的，在这里基频和前两个泛音（具有各自的幅度）合成得到一个合成波。当然，通常存在的泛音多于两个。

对于不同乐器，各种泛音的相对幅度不同，这就是为什么每个乐器都有自己的音色或音质特征。表明一个乐器所产生的泛音的相对幅度的图叫“声谱”。图 12-16 给出一些不同乐器的典型例子。通常，基频具有最大的幅度，它的频率就是我们听到的音调。

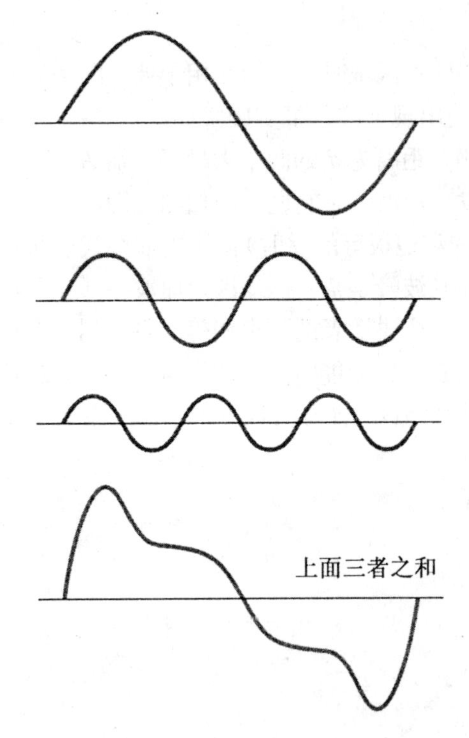

图 12-15 基频和第一、二谐波振幅的在每一点的叠加得到它们的和，或者称为合成波形

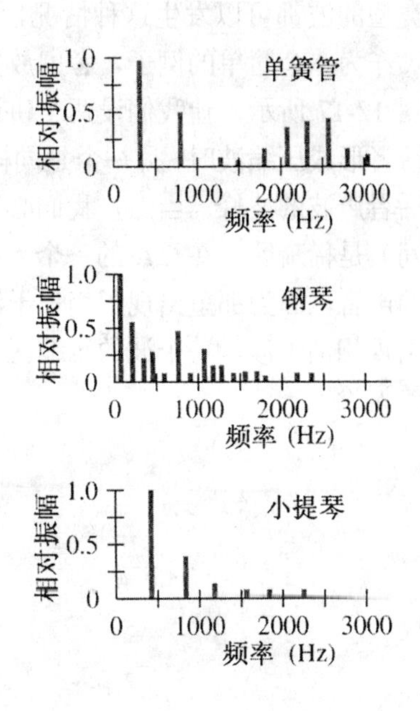

图 12-16 声谱。当乐器演奏不同的音符时谱线形状的变化。

乐器演奏的方式强烈地影响着它的音色。例如，弹拨提琴弦与用弓拉得到的声音差别很大。在音符（当钢琴锤击打到弦上时）开始（或结束）时的声谱与随后保持音调的声谱相差很大。这也影响乐器的主观音色。

一个普通的声音，像两个石块撞击的声音，是具有一定音色的噪音，我们无法清楚的辨别它的音调。这样的噪音是由许多相互联系很少的频率混合而成的。如果作出这种噪音的声谱，我们可以看到它没有图 12-16 中那样的分离谱线。而是连续或接近连续的频率谱。同包含许多谐波其频率都是基频简单倍数的声音比较，这样的声音我们叫噪音。

噪音在很多方面影响着我们，特别是心理上的。有时候它仅仅使人感到一点点烦躁，但巨大的噪音可使人失去听觉，在工厂和其它声级长期较高的工作场所，这确实以成为一个问题。摇滚乐乐手有可能会失聪，因为他们不得不经常承受强度级高达 120dB 的声音。古罗马人早已认识到过度的噪音可导致失去听力。不论声源是什么，在频率范围 2000Hz 到 5000Hz 之间噪音导致的失聪相当严重，而这正是谈话和音乐的重要频率区域。

噪音控制比较困难。使用屏障隔离声源是一种有效的方法，但其费用昂贵而且往往不太方便。对噪声源进行处理通常是有益的。减少机器的振动面积比较重要，因为面积越大，推动的空气越多，声音也就越大。避免用坚硬的材料建造表面（可以减小振幅），或用吸能材料涂附表面，都很有效。另外机器的置放也很重要，因为地板、墙壁或其它物体会与机器的振动产生共振，显著增大其振幅。还有应该注意仔细保养，因为缺少润滑、螺栓松动和部件损坏都能引起振动。喷气飞机产生的噪音也是一个严重的问题，它可能会影响到整个社区。

12–7 声波的干涉；拍

我们在第 11-11 节看到，当两列波同时经过空间同一区域时，它们互相干涉。因为对任意类型的波都可以发生这种情况，我们预期声波也会出现干涉，事实确实如此。

作为一个简单的例子，考虑放置在礼堂舞台两侧，距离为 d 的两个大型扬声器 A 和 B，如图 12-17 所示，让我们设两个讲话者用同一频率发出声波，且它们是同相的：即，当一个讲话者形成压缩波时，另一个是同样的。（忽略从墙壁和地板等的反射）图中的曲线代表每个讲话者声波的波峰。当然，我们必须记得对于声波，其波峰是空气压缩区，而波谷（在两峰之间）是稀疏区。在 C 点的一个人或一个探测器（离每个讲话者的距离相等）将听到一个很大的声音，因为那里出现了相长干涉。而在图中的点 D，即使能听到，声音也很小，因为这里出现相消干涉，一个波的压缩区遇到另一个波的波稀疏区（见图 11-36 和 11-11 节有关水波的讨论）。

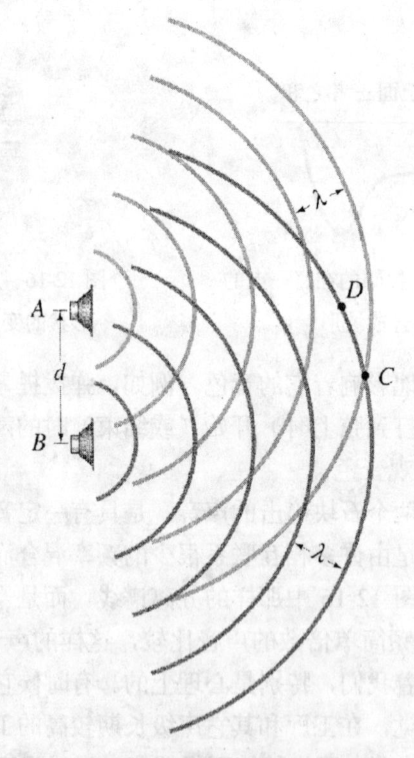

图 12-17 从两个扬声器发出的声波发生干涉

如果我们像图 12-18 那样将波形图画出，也许对这种情况的分析会更清楚。从图 12-18a 中可以看到在 C 点相长干涉出现，因为两个波同时具有波峰或同时具有波谷。在图 12-18b 中我们看到 D 点的情形。从讲话者 B 发出的波一定比从 A 点的波行进更长的距离。因此，从 B 点的波比从 A 点的滞后。在这个图中，选取点 E 使 ED 等于 AD。因此我们看到如果距离 BE 恰好等于声波的半波长，当两个波到达 D 点时将是恰好反相的，从而出现相消干涉。这就是确定哪一点出现相消干涉的判别标准：如果一点离一个讲话者的距离与另一个讲话者的距离之差恰好等于半个波长，那么这点将发生相消干涉。注意如果这多出来的距离（在图 12-18b 中为 BE）等于整个波长（或 2，3，… 个波长），那么两个波将是同相的，将发生相长干涉。如果距离 BE 等于$\frac{1}{2}$，$1\frac{1}{2}$，$2\frac{1}{2}$，…个波长，相消干涉将发生。

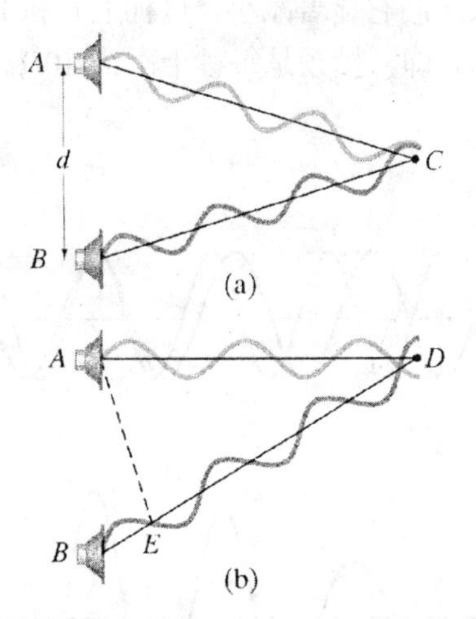

图 12-18　由扬声器 A 和 B（图 12-17）发出的同一频率声波在 C 点相长干涉，在 D 点相消干涉

尽管声音从两个讲话者传来，但站在点 D 的人什么也听不到（或几乎听不到），理解这一点很重要。实际上，如果一个讲话者停止讲话，从另一个讲话者传来的声音会被清楚的听到。如果扬声器发出整个频率范围的声音，在任意点（像 D 点）并不是所有波长将发生相消干涉。根据上面的判定条件，只有特定的波长才会出现相消干涉。

例 12-11　扬声器的干涉。 图 12-17 中的两个扬声器相距 1.00m。一个人站在距离一个讲话者 4.00m 处。当讲话者发出 1150Hz 的声波时，这个人必须站在离另一讲话者多远处才能感受到相消干涉？设温度是 20°C。

解：这个声音的波长为

$$\lambda = \frac{v}{f} = \frac{343\ \text{m/s}}{1150\ \text{Hz}} = 0.30\ \text{m}$$

要出现相消干涉，这个人必须站在离一讲话者比另一讲话者远半波长的距离处，即 0.15m 处。因此这个人必须站在离第二个讲话者 4.15m（或 3.85m）处。注意，在这个例子中，如果两个讲话者的距离小于 0.15m，则距离一讲话者比距离另一个远 0.15m 的点不存在，也就不会出现相消干涉的点了。

我们已经讨论了空间发生的声波的干涉。一个有趣而重要的干涉例子是被称作为**拍**的现象。如果两个声源（如两个音叉）频率接近，但不是完全一样。从两个声源发出的声波互相干涉，在给定位置的声级交替上升和下降；这种有规律的强度的变化叫拍。

我们来看一下拍是如何上升的，考虑两个频率分别为 $f_1 = 50$ Hz 和 f_2=60 Hz，幅度相等的声波。在 1.00s 之内，第一个源振动了 50 次，而第二个源振动了 60 次。现在我们考虑离两个源等距离空间一点处的波动。每个波的波形作为时间的函数画在图 12-19 中；图中标出了两个波的频率。图 12-19 下部的图给出两个波的合成波。在时间 $t = 0$ 时，给出的两个波是同相的并发生相长干涉。由于两个波以不同的频率振动，在时间 $t = 0.05$ s，它们完全反相并发生如图所示的相消干涉。在$t = 0.10$ s，它们再次同相其合成振幅再次增大。因此合成振幅每隔 0.10s 达到最大，在两极大之间它显著减小。这种上升和下降的强度就是我们听到的拍。在上述情况下，拍间距是 0.10s。即，**拍频**是每秒十次或 10Hz。拍频等于两个波频率之差，这个结果是普遍适用的。

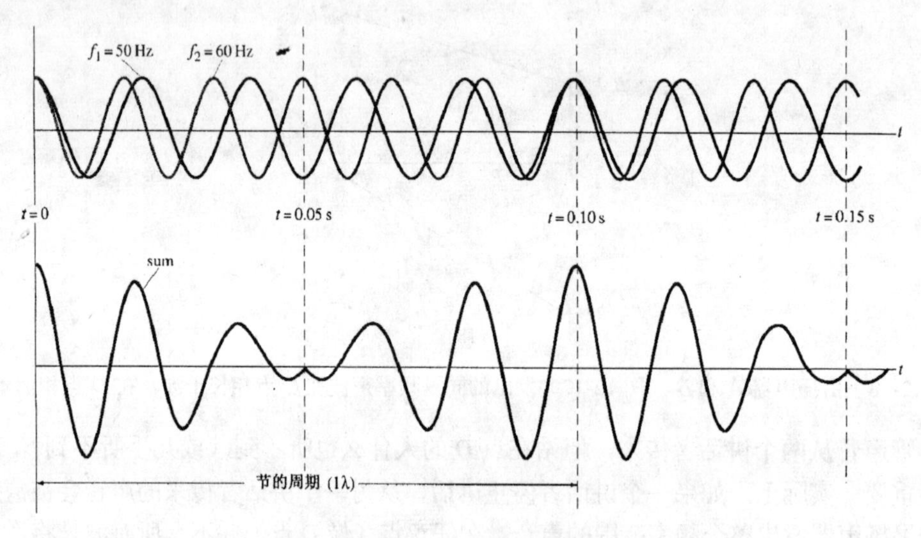

图 12-19 两个频率非常接近的声波叠加形成了拍。

任意类型的波都可产生拍的现象，这是一种非常灵敏的比较频率的方法。例如，在对钢琴调音时，调琴师仔细听他的标准音叉和钢琴特定弦上产生的拍，当拍音消失时说明琴已调准。乐队成员通过判断他们的乐器与钢琴或双簧管产生的标准音调（通常是 440Hz，中音 C 以上的 A）间的拍来调准他们的乐器。

例 12-12 拍。一音叉产生稳定的 400Hz 的音调。当这个音叉被击打并靠近一振动的吉他弦时，在五秒内产生二十次拍。试问吉他弦发出的可能频率是多少？

解：拍频为

$$f_{拍} = \frac{20\text{次}}{5\text{ s}} = 4\text{ Hz}$$

这是两个波频率间的差，由于已知一个波的频率为 400Hz，另一个肯定为 404Hz 或 396Hz。

12–8 多普勒效应

你也许已经注意到高速驶过身旁的救火车警报器的音调会忽然下降。或者你可能注意到快速驶过的汽车的喇叭声音调的变化。赛车引擎发出声音的音调在它经过观察员身旁时发生了改变。当一个声源向靠近观察者方向运动时，它的音调比静止时升高；当声源向离开观察者方向运动时，音调降低。这个现象叫做**多普勒效应**，所有类型的波都存在这种效应。我们现在来分析这种情况发生的原因，并计算对于声波而言频率的变化。

为了具体起见，考虑静止救火车上的警报器，如图 12-20a 所示，它向所有方向发射特定频率的声波。波速只依赖于传播它的介质，而与源或观察者的速度无关。如果我们的源（救火车）运动，警报器发射的声波频率与它静止时发出的频率一样。但它向前发出声波时比静止时更加靠近，如图 12-20b 所示。这是由于运动的车在“追”前面发出的波前。因此在路边的观察者每秒能够探测到更多的波峰经过，所以频率增加了。而向车后面发射的波前，由于车驶离它们，比静止时的距离更加远了。因此，车后的观察者每秒能够探测到更少的波峰经过，所以音调降低了。

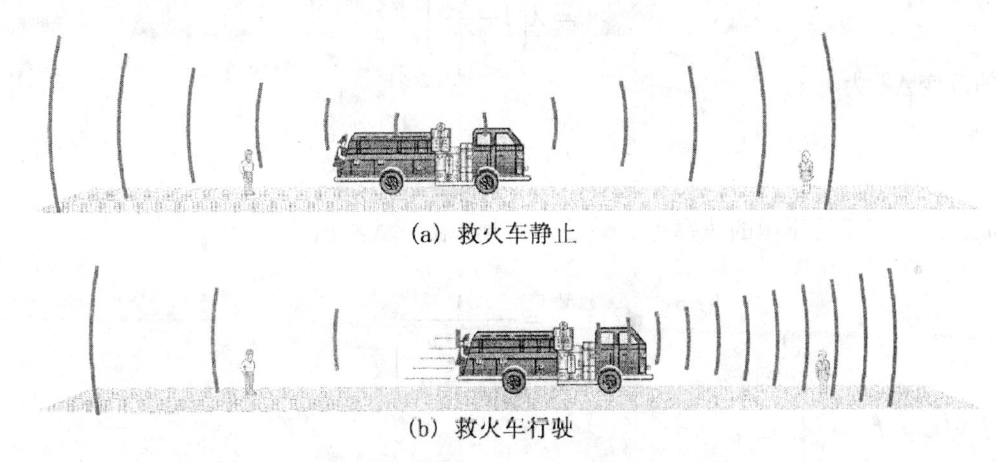

(a) 救火车静止

(b) 救火车行驶

图 12-20 (a) 两个在人行道上的观察者听到从静止的救火车发出的同样频率的声音。(b) 多普勒效应：在救火车行驶的前方的观察者听到更高频率的声音。在救火车后面的听到较低频率的声音。

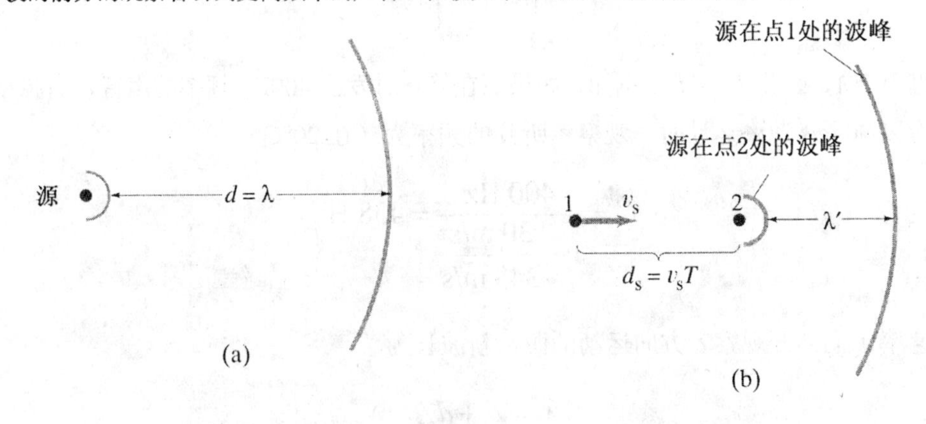

图 12-21 多普勒效应中频率变化的判定。圆点为发生源

为了计算频率的变化，我们用图 12-21，并设空气（或其它介质）在我们的参照系中是静止的。在图 12-21a 中，用一个点表示的声源是静止的；图中给出两个依次发射的波峰，第二个波正在发射中。两个波峰间的距离为波长 λ。如果声源的频率为 f，那么发射两个波峰间的时间为

$$T = \frac{1}{f}$$

在图 12-21b 中，源以速度 v_s 运动。在时间 T（刚才定义的）内，第一个波峰运动了距离 $d = vT$，这里 v 是声波在空气中的速度（当然，无论源是否运动，它是一样的）。在这一时间内，源运动的距离 $d_s = v_sT$。因此，两个相连波峰间的距离，就是新的波长λ（因为 $d = \lambda$）

$$\begin{aligned}\lambda' &= d - d_s \\ &= \lambda - v_s T \\ &= \lambda - v_s \frac{\lambda}{v} \\ &= \lambda\left(1 - \frac{v_s}{v}\right)\end{aligned}$$

波长的改变$\Delta\lambda$为

$$\Delta\lambda = \lambda' - \lambda = -v_s \frac{\lambda}{v}$$

所以波长的改变正比于源的速率v_s。另外，新频率由下式给出

$$f' = \frac{v}{\lambda'} = \frac{v}{\lambda\left(1 - \frac{v_s}{v}\right)}$$

或由于$v/\lambda = f$，

$$f' = \frac{f}{\left(1 - \frac{v_s}{v}\right)} \quad \text{[源向静止的观察者移动]} \quad \textbf{(12-2a)}$$

由于分母小于1，因此$f' > f$。例如，如果源在静止时发出400Hz频率的声音，当源相对固定观察者以30 m/s速率运动时，观察者听到的频率为（在20°C）

$$f' = \frac{400\ \text{Hz}}{1 - \frac{30\ \text{m/s}}{343\ \text{m/s}}} = 438\ \text{Hz}$$

对于以速率v_s向离开观察者方向运动的源，新波长为

$$\lambda' = d + d_s,$$

波长的改变为

$$\Delta\lambda = \lambda' - \lambda = +v_s \frac{\lambda}{v}$$

波的频率为

$$f' = \frac{f}{\left(1 + \frac{v_s}{v}\right)} \quad \text{[远离开静止的观察者]} \quad \textbf{(12-2b)}$$

在这种情况下，如果以400Hz振动的源相对观察者以30m/s的速率离开，观察者听到的频率为368Hz。

当源静止而观察者运动时也会发生多普勒效应。如果观察者朝着源运动，音调升高；如

果观察者背向源运动，音调减低。频率量值的改变与源运动的情况稍有不同。在源静止而观察者运动的情况下，两波峰间的距离（波长λ）不改变。但波峰相对于观察者的速度在改变。如果观察者朝向源运动，图 12-22，波相对于观察者的速率为$v'=v+v_O$，这里v是空气中的声速（我们仍设空气静止），v_O是观察者的速度。因此，新频率为

$$f'=\frac{v'}{\lambda}=\frac{v+v_O}{\lambda}$$

或者，因为$\lambda=v/f$，

$$f'=\left(1+\frac{v_O}{v}\right)f \quad \text{[观察者向静止的源运动]} \quad \textbf{(12-3a)}$$

如果背向源运动，相对速度为$v'=v-v_O$且

$$f'=\left(1-\frac{v_O}{v}\right)f \quad \text{[观察者背向静止的源运动]} \quad \textbf{(12-3b)}$$

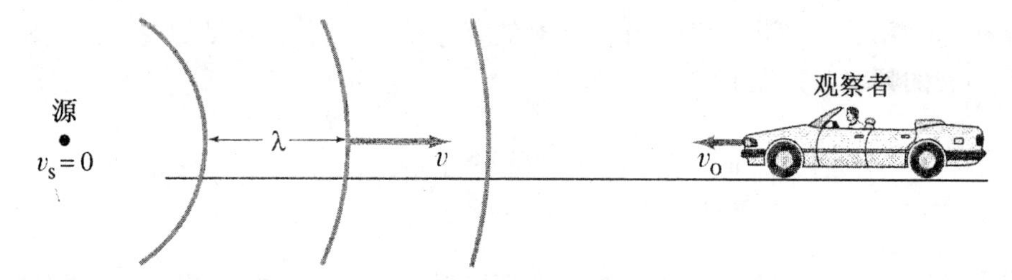

图 12-22　以速度v_O向静止源移动的观察者看见波峰以$v'=v+v_O$的速度运动。在这里v是声音在空气中的速度。

例 12-13　运动的报警器。 警车静止时发出警报的主频为 1600Hz。如果你静止，警车以 250m/s 的速率（a）驶向你，（b）驶离你，你听到的频率是多少？

解：（a）我们用方程 12-2a：

$$f'=\frac{f}{\left(1-\frac{v_s}{v}\right)}=\frac{1600\text{Hz}}{\left(1-\frac{25.0\text{m/s}}{343\text{m/s}}\right)}=1726\text{Hz}$$

（b）我们用方程 12-2b：

$$f'=\frac{f}{\left(1+\frac{v_s}{v}\right)}=\frac{1600\text{Hz}}{\left(1+\frac{25.0\text{m/s}}{343\text{m/s}}\right)}=1491\text{Hz}$$

当声波从运动的障碍物上反射回来时，由于多普勒效应，反射波的频率会与发射波的频率不同。这一点将在下面的例子中给予说明。

例 12-14　双多普勒频移。 一物体以 3.50m/s 的速率向（静止）声源运动，声源发出的声波频率为 5000Hz（图 12-23）。试求反射波的频率。

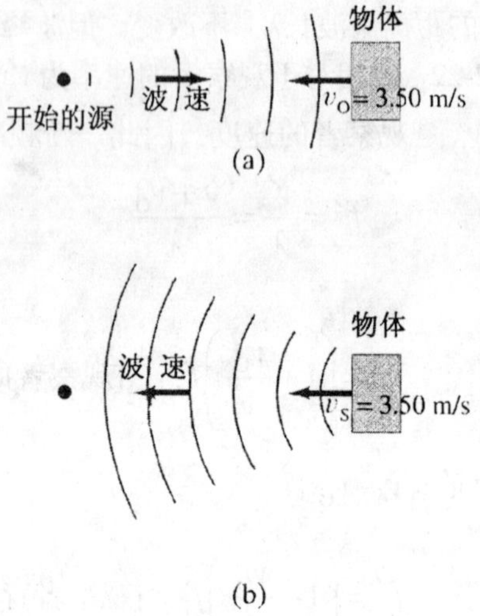

物体

开始的源 波 速 $v_O = 3.50$ m/s

(a)

物体

波 速 $v_s = 3.50$ m/s

(b)

图 12-23 例 12-14

解：在这种情况下，实际上有两个多普勒效应。第一，物体像运动的观察者（图 12-23a）“探测”声波的频率（方程 12-3a）

$$f' = \left(1 + \frac{v_0}{v}\right) f = \left(1 + \frac{3.50\ \text{m/s}}{343\ \text{m/s}}\right)(5000\ \text{Hz}) = 5051\ \text{Hz}$$

第二，物体像一个运动的源（方程 12-2a）重新发射（反射）声波，所以反射频率为

$$f'' = \frac{f'}{\left(1 - \frac{v_s}{v}\right)} = \frac{5051\ \text{Hz}}{\left(1 - \frac{3.50\ \text{m/s}}{343\ \text{m/s}}\right)} = 5103\ \text{Hz}$$

因此频移等于 103Hz。

当入射波和反射波混合时，相互干涉产生拍。拍频等于两个频率的差，在例 12-14 中为 103Hz。这种多普勒技术在医学中具有广泛的应用，通常使用的是兆赫兹频率范围的超声波。例如，从红血球反射回来的超声波可用来确定血液流动的速度。同样的技术可用来探测早期胎儿胸部的运动以检测其心跳。

为了简便起见，我们可以将方程 12-2 和 12-3 写成一个包含源和观察者运动的所有情况的方程：

$$f' = f\left(\frac{v \pm v_O}{v \mp v_s}\right) \tag{12-4}$$

上面的符号表示源和观察者相向运动的情况；下面的符号表示它们相背运动。

对其它类型的波也发生多普勒效应。光和其它类型的电磁波都显示多普勒效应：虽然频移的表达式不同于方程 12-2 和 12-3，但效应是相同的。例如，在天文学中一个重要的应用是遥远星系的运动速度可由多普勒频移确定。从这样的星系发出的光向低频移动，表示星系向远离我们的方向运动。（这叫做红移，因为红色在可见光中频率最低。）频移越大，远离的速度越大。研究发现星系离我们越远，它们离开的速度越快。这个观察结果就是宇宙大爆炸理论的基础，我们将在第 33 章进行讨论。

*12–9 冲击波和爆音

像飞机这样的物体以超过声速的速度飞行时叫**超音速**。这种速率常用**马赫数**表示，它的定义是物体的速率与声音在同样介质中速率的比。例如，飞机在大气层上部以 900m/s 飞行，这里的声速只有 300m/s，因此飞机速率的马赫数是 3。

当声源以次音速运动时，声音的音调将会改变，如我们已经看到的（多普勒效应）；也可从图 12-24a 和 b 中看到。但如果声源超过声速运动时，会发生一个更强烈的效应，叫做**冲击波**。在这种情况下，源实际上"超过"了它所产生的波。如图 12-24c 所示，当源以声速运行时，它向前发射的波前直接"堆积"在它的前边。当物体以超过声速运动时，波前沿两侧相互重叠，如图 12-24d 所示。不同的波峰相互重叠形成一个非常大的波峰，即冲击波。在这个很大的波峰后通常有一个很大的波谷。冲击波本质上是大量波前相长干涉的结果。空气中的冲击波与快速航行的船超过它所产生的水波速度时的船头波类似，如图 12-25 所示。

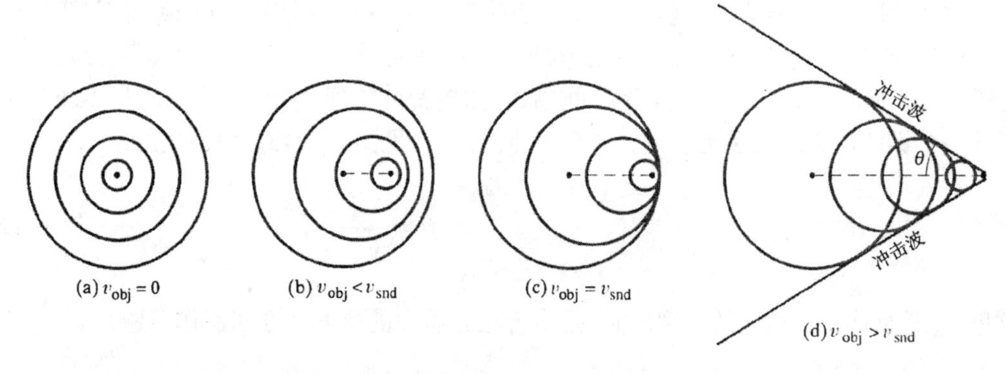

图 12-24 （a）静止物体发出的声波；（b）如果物体的速度小于声音的速度，出现多普勒效应；（c）物体的速度等于声音的速度；（d）如果物体的速度大于声音的速度，产生冲击波。

图 12-25 轮船产生的船头波

当飞机以超音速飞行时，它产生的噪音和空气搅动形成的冲击波具有巨大的声能。当冲击波经过收听者时，可听到巨大的“爆音”。爆音只持续几分之一秒，但它具有的能量常常足以震碎窗户和造成其它损坏。它也可以造成心理损伤。实际上，爆音由两个或更多的轰隆声组成，因为主要的冲击波可在飞机前部和后部形成，也可以在机翼上形成，等等（图 12-26）。船头波也由多种成分组成，如图 12-25 中看到的。

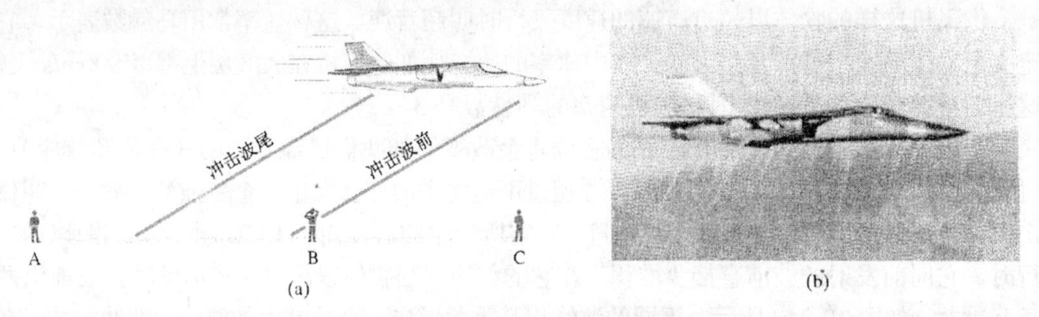

图 12-26 （a）在左侧 A 处的人已经听到了（双）爆音。中间 B 处的人正在听。右侧 C 处的人不久将听到。（b）超音速飞机在空气中产生冲击波的特殊照片。（一些分布很近的冲击波是由飞机的不同部分产生的。）

当飞机接近声速时，它遇到正前方的声波障碍（见图 12-24c）。为了超过声速，需要额外的推力冲过这个“声障”。这叫做“冲破声障”。一旦获得超音速，这个障碍不再阻止运动。一个错误的想法是爆音只在飞机冲破声障时出现。实际上，在飞机以超音速飞行时冲击波一直跟着它。地面上的一系列观察者在冲击波经过时都能听到“轰隆声”，如图 12-26。冲击波形成一个锥体，它的尖在飞机上。这个锥体的角θ（见图 12-24d）由下式给出

$$\sin\theta = \frac{v_{声}}{v_{物}} \qquad \textbf{(12-5)}$$

这里 $v_{物}$ 是物体（飞机）的速度，$v_{声}$ 是声音在介质中的速度（证明留作习题）。

*12–10 应用；超声和医学成像

声音的反射在许多应用中用来测量距离。**声纳**或脉冲回波技术用来探测水下的物体。（它也用在医学上，我们马上会看到。）发射机向水下送出声波脉冲，探测器在稍后接收反射信号，或回声。精确测量时间间隔。因为水中的声速是已知的，根据这个时间值就可以确定反射物体的距离与位置。用这种方法可以确定海洋的深度以及礁石、水下的沉船、潜艇或鱼群的位置。用同样的方法，通过测量预埋爆炸产生的波在地球中的反射可以来研究地球的内部结构（声探测）。从地球不同结构和界面反射波来分析地质结构的方法也可用在石油和矿山的勘探上。

声纳通常使用的是**超声频率**：即，波的频率超过了 20kHz，在人的听觉范围以外。声纳的典型频率范围在 20kHz 到 100kHz 之间。使用超声的一个原因，并非是它们不能被听到，而是由于较短的波长具有较少的衍射，所以扩散小的波束能够探测到更小的物体。如我们在第 11 章，特别是图 11-44 中看到的，只有在波长小于障碍尺寸的情况下，障碍才能显著地隔

断并反射部分声波。实际上，能够探测到的物体的最小尺寸与所用波长同一数量级。超声频率越高，波长越短，也就能探测到更小的物体。

在医学中，超声波用于诊断和治疗。治疗包括用能量（高达 10^7W/m^2）很高的超声波聚焦并摧毁身体中要去除的组织或对象（如肿瘤或肾结石）。超声也用于理疗，对受伤肌肉进行局部加热。

超声物理原理的一个更复杂、更有趣的应用是其在医学中用于诊断。像声纳一样，这里应用了**脉冲回波技术**。用一个高频脉冲声波射向人体，然后探测从器官和其它组织的边界或界面以及身体病变区域反射回的信号。使用这个技术，可分辨出肿瘤、积水和其它异常生长；可检测到心脏瓣膜的作用和胎儿的形成；可获得身体不同器官如大脑、心脏、肝和肾的信息。虽然超声不能代替 X-射线，但对一些特殊诊断它更有用。某些组织或液体无法用 X-射线成像进行检测，但超声波可从它们的边界反射。也可以产生“实时”超声成像，如同观看身体内部剖面的电影一样。另外，对于低强度（$<3\times10^4$W/m^2）成像，没有报道过对人体有不利影响。所以超声被认为是一项检查身体的非损伤方法。

用于超声成像的频率在 1 到 10MHz 之间（1MHz= 10^6Hz）。在人体组织中声波的平均速率为 1540m/s（接近水中的）；所以频率 1MHz 的声波的波长为

$$\lambda = \frac{v}{f} = \frac{1540\ \text{m/s}}{10^6\ \text{s}^{-1}} \approx 1.5\times10^{-3}\ \text{m} = 1.5\ \text{mm}$$

这个值给出了所能探测到物体最小尺寸的界限。越高的频率意味着越短的波长，因此从原理上讲能够得到细节更清晰的图象。但频率越高，波在人体中的吸收越多，从身体深处的反射也就越少。

在医学成像中脉冲回波技术是按以下方式工作的。一个超声短脉冲从转换器发出，转换器的作用是将电脉冲转换成声波脉冲。（这与扬声器工作原理一样，如第 20 章讨论的。）一部分信号在身体不同界面上被反射回来，但（通常）大部分信号继续向前（见图 11-32，那里是脉冲在绳子上的情况。）。用同一个转换器对反射回来的信号进行探测，将声脉冲转换成电脉冲（像麦克风一样——第 21 章），然后这些脉冲被显示在终端显示屏或监视器上。作为一个例子，考虑一个声脉冲穿过腹部，如图 12-27a 所示。在身体不同界面，部分脉冲被反射。从脉冲发出到反射波（回声）被接收这段时间正比与反射面的距离。例如，如果转换器到脊椎的距离为 25cm，脉冲一个来回行进的距离为 2×25cm，时间为

$$t = \frac{d}{v} = \frac{0.50\ \text{m}}{1540\ \text{m/s}} = 3.2\times10^{-4}\ \text{s} = 320\ \mu\text{s}$$

离转换器 10cm 的物体反射的脉冲仅在 130μs 后就被接收到。图 12-27b 画出了转换器接收到的（a）中所给出情况中的反射脉冲与时间的函数关系。

反射脉冲的强度主要依赖于界面两侧材料密度的差。它也受每种材料中声速的影响，但这种影响一般很小，因为在多数组织中，声速只变化平均值 1540m/s 的百分之几。[除了骨骼（4000m/s）和空气（340m/s）。在包括骨骼或肺部的界面上，大部分声脉冲被反射，所以超声不能用于探测这类界面。]

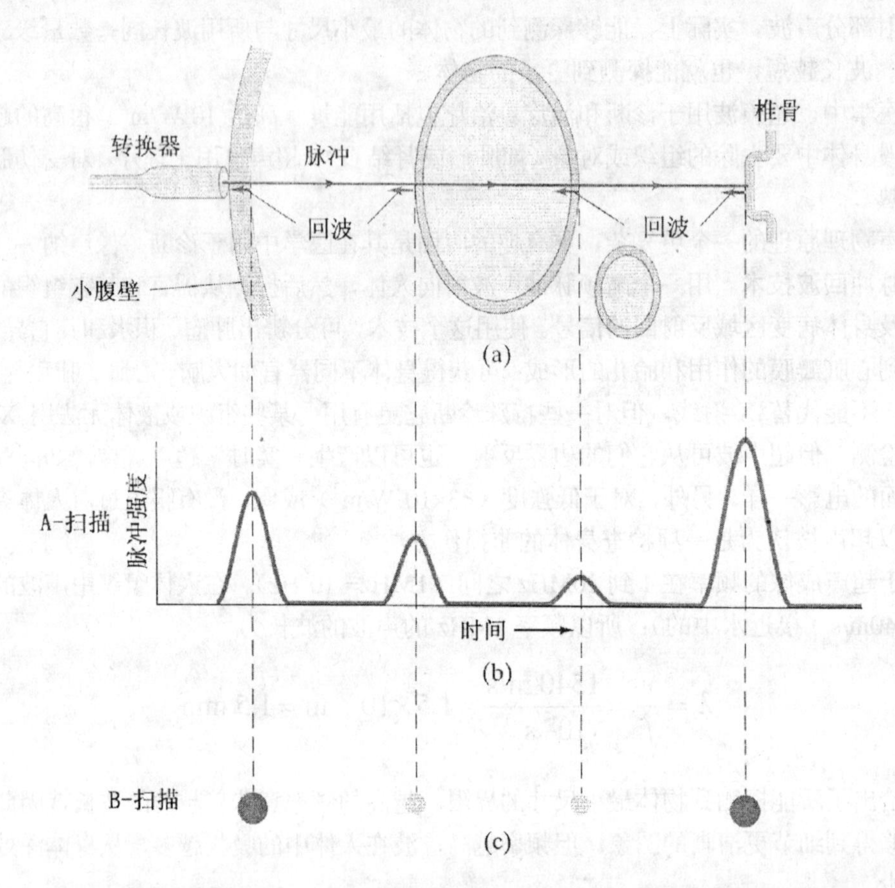

图 12-27 (a) 超声脉冲穿过腹部，在它所经过表面上的反射。(b) 转换器接收到的反射脉冲与时间的函数 (A-扫描)；时间正比于传播的距离。垂直虚线给出反射脉冲对应的反射面。(c) 对同样的回声用 B-模式显示：每个点的亮度与信号强度有关。

图 12-27b 中所示的图形可直接显示在监视器上，如图 12-28 所示。这样的显示叫 *A*-扫描或 *A*-模式扫描。现在使用更普遍的是 *B*-扫描，它可以给出身体横截面的二维图像。在 *B*-模式扫描中，每个回声代表一个点，它的位置由延迟时间给定，其亮度取决于回声的强度。图 12-27c 给出 (a) 中回声对应的点。二维成像可由一系列 *B*-扫描形成。移动转换器，在每个位置发出一个脉冲并接收回声，如图 12-29 所示。每个 *B*-扫描的图形可以绘出，一个接一个地排列，在显示终端就可以形成图象，如图 12-29b 所示。在图 12-29 中只画出 10 条线，所以图形很粗糙。线越多则图形越精确。图 12-30 给出超声成像照片。

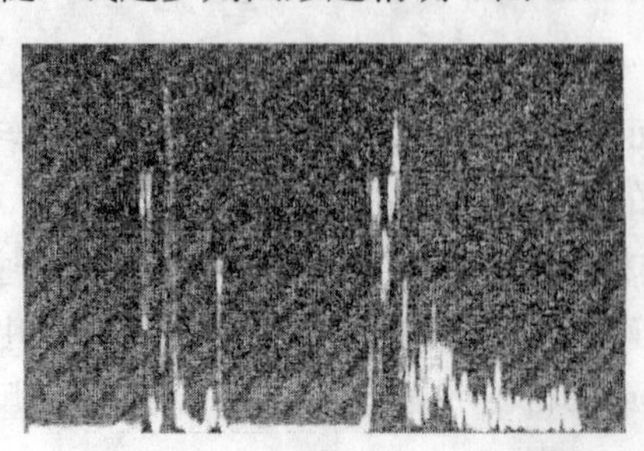

图 12-28 一个 A-扫描图形

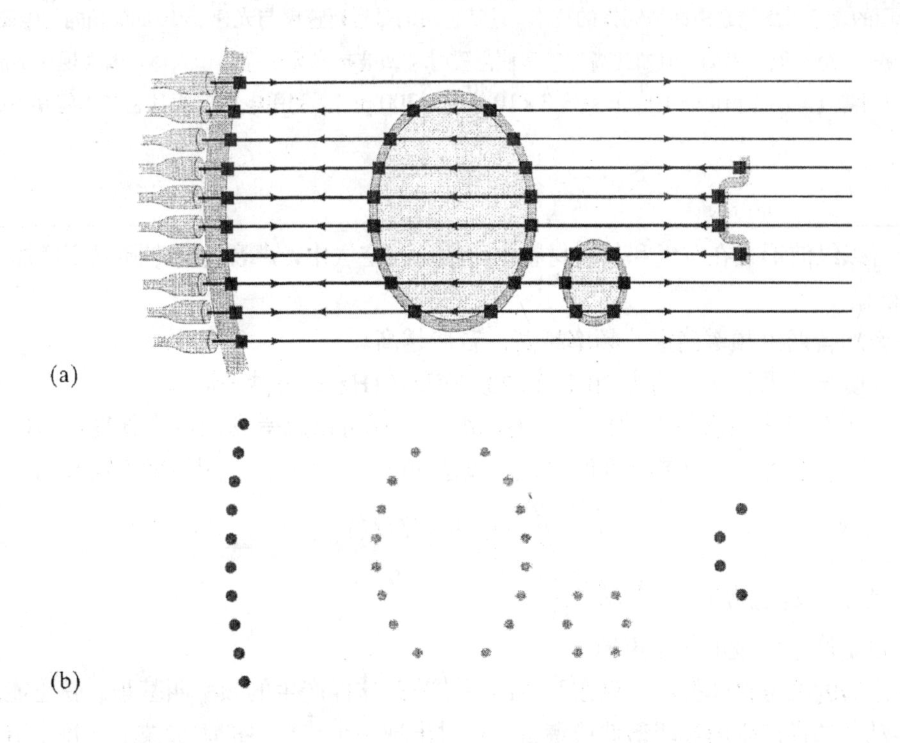

图 12-29 （a）通过移动转换器，或使用排列转换器所形成的穿过腹部的十条脉冲轨迹。（b）回声给出的图象。点的分布越靠近，给出的图形越详细。

用转换器阵列或围绕一点转动并进行逐行扫描的单个转换器可得到快速的扫描图像。

超声成像是医学中的一项重要的技术进展。在许多情况下，它同其它类型的医学成像技术（我们将在第 25 和 31 章讨论）一起，替代了探查手术和其它危险、痛苦或昂贵的检查过程。没有任何证据表明超声成像像 X-射线成像一样具有不良影响。因此它被认为是一种安全的探测技术。尽管如此，它不能替代所有其它的技术。波束分散限制了图象的清晰度。声波在物质上的反射方式与光或 X-射线的不同，所以采用不同的成像技术就得到不同的信息。通过运用计算机成像技术，人们研制了一种新型的透射波（代替反射）超声成像模式（X-射线通常应用的技术——见第 25 章）。另一种技术我们已在第 12-8 节讨论过，运用超声波的多普勒频移测量人体中的速度，如血液流动和胎儿的心跳等。

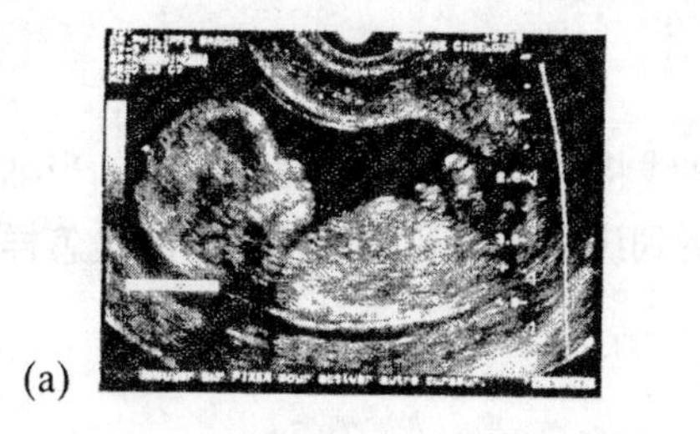

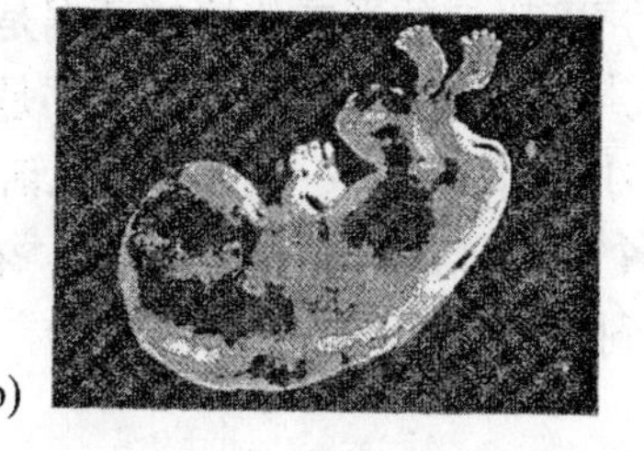

图 12-30 （a）人体子宫内胎儿（头在左侧）的超声成像。（b）胎儿的假彩色高清晰度超声成像（不同颜色代表反射脉冲的不同强度）。

+飞机使用的雷达采用与超声回波同样的技术，只是它用的是运行速率与光速 3×10^8m/s 相同的电磁波（EM）。这对空中的长距离很适用的，但如此高的速率使电磁脉冲回波技术无法应用于人体，因为现在不能分辨皮秒级的反射间隔 $[\approx (0.1\ \text{m})(3\times10^8\ \text{m/s}) \approx 3\times10^{-10}\ \text{s} = 300\ \text{ps}]$。利用电磁波的其它技术将在后面讨论。

小结

声音以纵波形式在空气和其它材料中传播。在空气中，声音的速率随温度增加；在 20°C 为 343m/s。

声音的**音调**由频率确定；频率越高，音调越高。

人的**听觉范围**频率大约为 20Hz 到 20000Hz（1Hz = 每秒一周）。

声音的**音量**或**强度**与波的振幅有关。因为人耳可以感受到的声音强度从 10^{-12}W/m^2 到 1W/m^2，所以强度级用对数标度区分。**强度级**β的单位是分贝，用强度 I 定义为

$$\beta = 10\log(I/I_0),$$

这里参考强度 I_0 通常取 10^{-12}W/m^2。

乐器是产生驻波的简单声源。

弦乐器的弦可整体振动，只在两端出现波节；这样产生的频率叫**基频**。弦也能以较高的频率振动，这样产生的波叫**谐波**或**谐音**，这时出现一个或更多的附加波节。每个谐音的频率是基频的整数倍。

在管乐器中，管子中的空气柱形成驻波。

开管（两端开口）中的振动空气在两端口形成位移波腹。基频对应的波长等于管子长度的两倍。谐音的频率为基频的 2，3，4，… 倍，与弦的情况一样。

对于**闭管**（一端开口），基频对应的波长是管子长度的四倍。只存在单倍数谐音，它们等于基频的 1，3，5，7，… 倍。

从不同声源发出的声波可以互相干涉。如果两个声音的频率稍有差别，就会听到**拍**，它的频率等于两个声音频率的差。

多普勒效应是指由于声源或收听者的运动而产生的音调变化。如果它们互相接近，音调升高；如果它们离开，音调降低。

问答题

1. 声音以波的形式传播的证据是什么？

2. 声音是能的一种形式的证据是什么？

3. 小孩有时侯玩一种自制“电话”，用一根细线将两个纸杯的底部连起来。当细线被拉紧且一个小孩对着一个纸杯讲话时，在另一端可听到讲话的声音。请解释声波是怎样从一个杯子传到另一个的。（见图 12-31。）

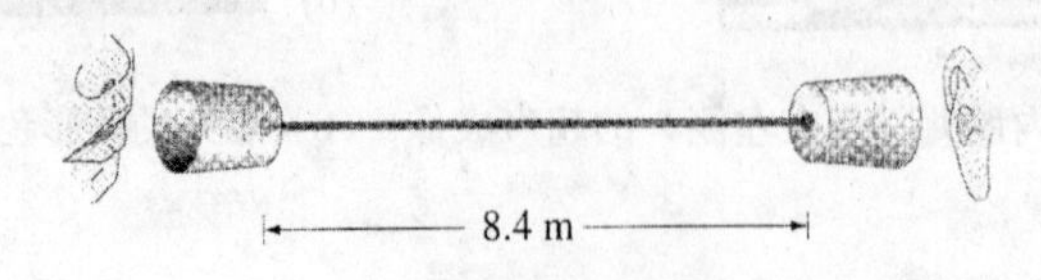

图 12-31 问题 3 和 4

4. 当声波从空气进入水中时，你认为将要改变的是频率还是波长？

5. 你能给出什么证据说明空气中声音的速率不显著依赖于频率。

6. 吸入氦气的人发出声音的音调很高。为什么？

7. 请解释为什么耳膜与卵形窗相比具有较大的面积，就这样可以放大压力。

8. 为什么一些乐器上的低音弦是用很细的线绕成的。

9. 为什么一根管子可用作过滤器以减小不同频率范围声音的振幅。（一个例子是汽车消音器。）

10. 房间中的空气温度如何影响管风琴的音调？

11. 躁音控制是今天的一项重要任务。一种方式是减小噪音机械的振动面积，例如尽可能地保持较小的振动面积或将其与地板或墙壁隔离（听觉上的）。另一种方式是避免用厚重材料制作表面。请解释它们是如何降低噪音的。

12. 为什么吉他指板上越靠近琴桥处品位间隔越小？

13. 驻波可解释成由于“空间上的干涉”产生的，而拍是由于“时间上的干涉”产生的。请解释。

14. 在图 12-17 中，如果讲话者的频率降低，点 D 和 C（这里出现相长和相抵干涉）是靠近还是远离？

15. 保护工作在高噪音区工人听觉的传统方法是阻止或减小噪音级。一种新技术是佩带不隔离环境噪音的耳机。用探测器将噪音转变成电信号，再反馈到耳机里与环境噪音叠加。为什么增加更多了的噪音实际上却可以减少到达耳朵的声级？

16. 设在静止空气中，一声源沿与静止收听者视线直角方向运动。是否有多普勒效应？请解释。

17. 图 12-32 给出摆动秋千上小孩的不同位置。在小孩前方地面上的监护者在吹哨子。试问小孩在哪个位置听到的哨音频率最高？请解释你的答案。

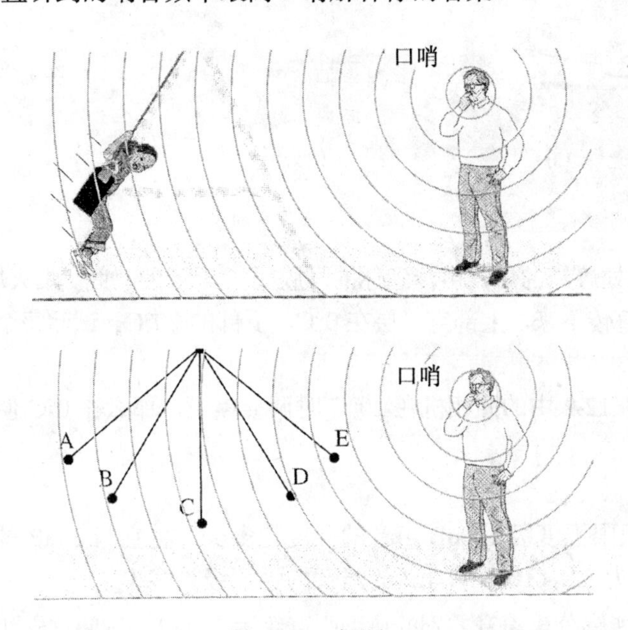

图 12-32 问题 17

18. 刮风是否会改变相对声源静止的人听到声音的频率？波长或速度会改变吗？

19. 爆音听起来就像爆炸一样。请解释两者相似之处。

习题

[除非特别声明，一般设$T = 20°C$，$v_{声} = 343\ m/s$。]

12-1 节

1.（Ⅰ）一旅行者用向湖对面的悬崖喊话然后收听回声的方法来确定湖面的长度。在喊话后 1.5s 她听到了回声。试估计湖面的长度。

2.（Ⅰ）一水手叩击正好低于水线的船侧。2.0s 后，他听到了从海底正下方反射的回声。试问在此处的海洋深度是多少？

3.（Ⅰ）（a）试求 20°C 空气中，人类最大听觉范围 20Hz 到 2000Hz 声波所对应的波长范围。（b）10MHz 超声的波长是多少？

4.（Ⅱ）两小孩玩一种自制“电话”，它是由两个纸杯用一根 8.4m 长的铝线连接而成的，如图 12-31 所示。试求“声音”从一个杯子传播到另一个的时间。这个时间与声音在空气中传播同样距离所用的时间相比如何？

5.（Ⅱ）一人看见一个大石块撞击水泥路面。过一会儿，他听到两个撞击声：一个通过空气，另一个通过水泥，两者时间相差 1.4s。试问撞击点距离多远？

6.（Ⅱ）在一个雾天，一艘渔船正好漂在一群金枪鱼的上方。忽然前方 1.0km 处的另一艘船由于引擎回火而发出爆声（图 12-33）。多长时间后爆声被（a）鱼，（b）和渔民听到？

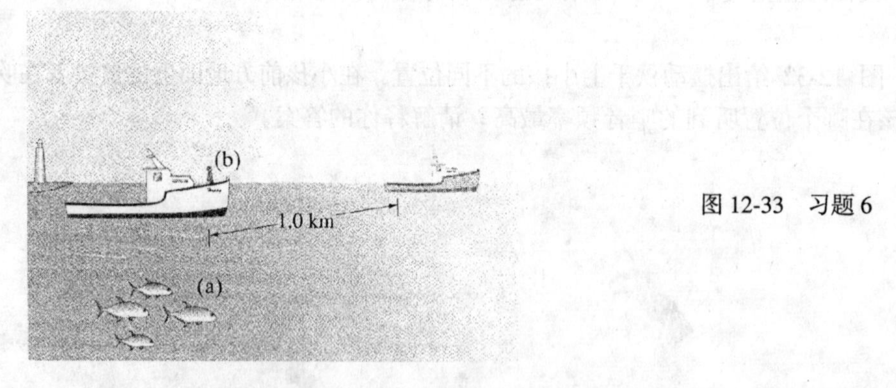

图 12-33　习题 6

7.（Ⅱ）从很高处爆炸的烟火声传到你的耳膜用了 4.5s 的时间。烟火爆炸高度为 1500m，通过两个空气层垂直传下来，上部空气层在 0°C，下部的 20°C。试问每个空气层的厚度是多少？

8.（Ⅱ）如果例 12-2 中的照相机在 20°C 时调准焦距，那么在 0°C 使用时同样距离的误差是多少？

12-2 节

9.（Ⅰ）忍受极限强度级 120dB 声音的强度是多少？将它与 20dB 的耳语比较。

10.（Ⅰ）强度为$2.0\times10^{-6}\ W/m^2$的声音的强度级是多少？

11.（Ⅱ）人类能够分辨声音差别的典型强度级为 2.0dB。试问这样两个声音的振幅比是多少？

12.（Ⅱ）一人站在离飞机一定距离远处，飞机的四个相等引擎发出的声音达到使他痛苦的强度级 120dB。如果机长关闭其它发动机只留下其中一个，这个人听到的声音强度级是多少？

13.（Ⅱ）一立体声磁带录音机的信躁比标为 58dB。信号与背景噪音的强度比是多少？

14.（Ⅱ）（a）用表 12-2，估计人们通常谈话时发声的输出功率。设声波从嘴前以半球形式向外扩散。（b）需要多少正常谈话的人才能产生 100W 的总输出功率？

15.（Ⅱ）一个 50dB 的声波撞击到面积为 $5.0\times10^{-5}m^2$ 的耳膜上。（a）耳膜每秒吸收的能量是多少？（b）以这个速率，耳膜需多长时间才能接收 1.0J 的总能量？

16.（Ⅱ）高档立体声放大器 A 每声道的标定值为 250W，而低档放大器 B 的标定值为 40W。（a）试估计距离扩音器（与两个放大器连接）3.0m 处强度级的分贝数。（b）高档放大器的声音听起来是低挡的两倍吗？

17.（Ⅱ）在现代摇滚音乐厅中，当分贝计放在舞台上扩音器前 2.5 处时显示 130dB。（a）试问扩音器的输出功率是多少？设发出的波是均匀半球面，并忽略在空气中的吸收。（b）离多远处声音的强度级为 90dB？

18.（Ⅱ）如果声波的振幅放大三倍，（a）强度增加多少倍？（b）强度级增加多少 dB？

19.（Ⅲ）一喷气式飞机每秒发出 5.0×10^5J 的声能。（a）距离 30m 处的强度级是多少？空气吸收声音的速率为 7.0dB/km；试求距离（b）1.0km 和（c）5.0km 处声音的强度级，考虑空气的吸收。

*** 12-3 节**

*20.（Ⅱ）两个声波具有相等的位移振幅，但一个的频率是另一个的两倍。它们的强度比是多少？

*21.（Ⅱ）在空气中，一声波频率为 260Hz，它所对应的空气分子的位移振幅为 1.3mm，它的强度级是多少分贝？

*22.（Ⅱ）一声波的强度在忍受极限（120dB），频率为 131Hz，试求它通过时空气分子的最大位移。

***12-4 节**

*23.（Ⅰ）一个 6000Hz 的音符需要多大的强度级才能与 100Hz、50dB 的音符听起来一样？（见图 12-7。）

*24.（Ⅰ）当声音的强度级为 30dB 时，耳朵能够分辨的最低和最高频率是多少？

*25.（Ⅱ）人耳可以适应很宽的声级。试求频率为（a）100Hz，（b）5000Hz 声音的最高与最低强度比？（见图 12-7）

12-5 节

26.（Ⅰ）提琴上 A 弦的基频为 440Hz。振动部分的长度是 32cm，质量为 0.35g。试求弦上所产生的张力？

27.（Ⅰ）一吉他空弦的长度为 0.70m，发出的音符为中音 C 以上的 E 音（330Hz）。要使这根弦发 A 音（440Hz），手指应按在离弦一端多远处？

28.（Ⅰ）一风琴开管在 21°C 时发出中音 C（262Hz），试求它的长度。

29.（Ⅰ）（a）向一深 15cm 的空苏打瓶顶部横向吹气，它发出的频率是多少？（b）如果装上三分之一的苏打粉，频率变为多少？

30.（Ⅰ）如果你制造了一个开管风琴，其频率跨越整个听觉范围（20Hz 到 20kHz），它的管子的长度范围是多少？

31.（Ⅰ）一根风琴管长为 112cm。如果管子是（a）一端封闭，（b）两端开口，试求它的基频和前三个可听到的泛音。

32.（Ⅱ）例 12-9 中的长笛如果要发出中音 C 以上 D 音（294Hz），则离末端多远处的孔必须打开？

33.（Ⅱ）当一小地震波以 4.0Hz 的频率垂直振动时，发现一高速公路桥如同一个整圈一样发生共振。公路管理处在桥中间建了一个支柱，并如图 12-34 那样固定在地上。现在你认为桥的共振频率是多少？注意到地震很少有超过 5 或 6Hz 的显著振动。这次加固修理是否成功？

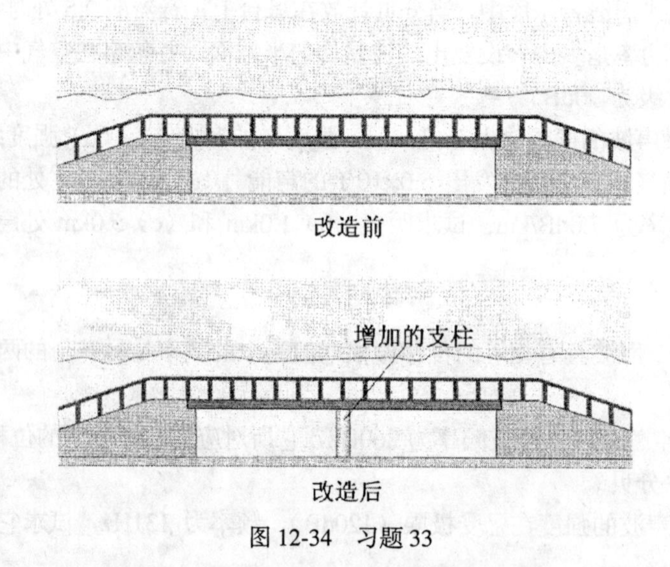

图 12-34 习题 33

34.（Ⅱ）一个管风琴在 20°C 时调准音调。试问在 5°C 时频率偏差多少？

35.（Ⅱ）（a）在 $T = 15$°C 时，如果一根闭管的基频为 294Hz，它的长度是多少？（b）如果管中充满氦气，它的基频是多少？

36.（Ⅱ）一根风琴管可在 264Hz、440Hz 和 616Hz 时发生共振，而在 264Hz 和 616Hz 之间没有其它任何共振频率。（a）这是一根开管还是闭管？（b）这根管子的基频是多少？

37.（Ⅱ）一根两端开口的均匀细管长为 1.80m。它在两个相邻频率处 275Hz 和 330Hz 发生共振。在管内气体中，声音的速率是多少？

38.（Ⅱ）一根管子在 20°C 时发出两个相邻谐音 240Hz 和 280Hz。试问管子有多长，是开管还是闭管？

39.（Ⅱ）一根 2.44m 长的风琴管在 20°C 时在听觉范围有多少个泛音，（a）如果它是开管，（b）如果它是闭管？

40.（Ⅱ）人耳对大约 3500Hz 的声音最敏感，且几乎不依赖于声级（图 12-7）。这对于从耳外端到耳膜这段耳道的长度意味着什么？

12-6 节

*41.（Ⅱ）提琴的前两个泛音的强度与基频的比大约是多少？基频比第一和第二泛音少多少分贝？（见图 12-16）

12-7 节

42.（Ⅰ）钢琴调琴师在校准两根弦时每隔 2.0s 听到一次拍，其中一根弦的频率是 440Hz，所以它们听起来具有同样的音符。另一个弦与这根弦的频率差多少？

43.（Ⅰ）如果中音 C（262Hz）和 C （277Hz）同时奏响，则“拍频”是多少？它能被听见吗？如果各自降低八度音（每个频率降低因子为 4）会怎样？

44.（Ⅰ）一种训狗哨子的频率为 23.5kHz，另一种（X 牌）哨子的频率不知道。两种哨音各自响时人都听不到，但它们同时响时，可以听到频率为 5000Hz 的呜呜声，试估计 X 牌哨子的鸣响频率。

45.（Ⅱ）一根吉他弦，当它与 350Hz 的音叉同时响时产生 4 次/s 的拍音，当与 355Hz 的音叉时产生 9 次/s 的拍音。试问弦的振动频率是多少？请解释你的答案。

46.（Ⅱ）两根钢琴弦被认为以 132Hz 的频率振动，但当它们同时奏响时，调琴师每隔 2.0s 听到三次拍音。（a）如果一根弦的振动频率是 132Hz，另一根的频率是多少（只有一个答案吗）？（b）要将它们调准，需增加或减少多大的张力（百分比）？

47.（Ⅱ）两根提琴弦调到同样的频率 294Hz。然后一根弦的张力减少了 1.5%。当两根弦同时奏响时，听到的拍频是多少？

48.（Ⅱ）两个扬声器相距 2.5m 远。一人站在离一扬声器 3.0m，离另一个 3.5m 处。（a）在这一点出现相消干涉的最低频率是多少？（b）试求也在这一点出现相消干涉的其它两个频率（给出两个较高的频率）。

49.（Ⅲ）在空气中，一声源发出的声波波长为 2.64m 和 2.76m。（a）每秒能听到几次拍音（设 $T = 20°C$）？（b）最大强度区域在空间相距多远？

50.（Ⅲ）证明图 12-17 中的两个扬声器必须至少分开等于声波波长λ一半的距离 d，才能使某点出现完全相抵干涉。两个扬声器是同相的。

12-8 节

51.（Ⅰ）警车静止时警报器的主频为 1800Hz。如果你以 30.0m/s 的速率（a）朝着车，（b）离开车行进，你探测到的频率是多少？

52.（Ⅰ）蝙蝠静止时发出的超声波频率为 50000Hz，它接收到以 25.0m/s 速率飞离的物体返回的声波。试问接收到的声波频率是多少？

53.（Ⅱ）在最初的一种多普勒实验中，一频率为 75Hz 的汽笛在行进的火车箱上奏响，第二个同样的汽笛在火车站上静止奏响。如果车厢以速率 10.0m/s 驶近车站，听到的拍频是多少？

54.（Ⅱ）两辆车装备同样的单频喇叭。当一辆静止，另一辆以 15m/s 的速率驶向观察者，听到的拍频为 5.5Hz。喇叭发出的声音频率是多少？设 $T = 20°C$。

55.（Ⅱ）两辆火车的汽笛具有同样的频率 277Hz。如果一辆静止，另一辆以 40km/h 的速率驶离静止的观察者。观察者听到的拍频是多少？

56.（Ⅱ）试比较两种情况的频移：一个 2000Hz 的声源以 15m/s 的速率朝你运动；你以

15m/s 的速率向它运动。两种情况的频移完全一样吗？它们接近吗？对 150m/s 和 300m/s 的情况重复这个计算。你能总结出多普勒公式的不对称性吗？证明在低速（相对于声速）情况下，两个公式（声源靠近和探测者靠近）给出相同的结果。

57.（Ⅱ）超声波被用来测量血流的速率。设仪器发出的声波频率为 500kHz，声音在人体组织中的速率为 1540m/s。如果大腿动脉中的血流以 2.0m/s 的速率离开声源，探测到的拍频是多少？

58.（Ⅲ）频率为 2.25×10^6 Hz 的超声波的多普勒效应被用来监控胎儿的心跳。探测到的（最大）拍频为 600Hz。设声速在人体组织中为 1.54×10^3m/s，试求心脏表面跳动的最大速度。

59.（Ⅲ）在习题 58 中，发现每分钟拍频出现然后消失共计 180 次，这表示心脏在跳动且它表面的速度在变化。试问心跳速率是多少？

***12-9 节**

*60.（Ⅰ）当你乘坐直升飞机在墨西哥湾上空飞行时，你看到下面一艘船在快速航行。船的航迹在运动直线的两侧形成 20°C 角。已知水波的速率为 2.0m/s，试求船的航行速率。

*61.（Ⅰ）（a）如果一个物体以 0.33 马赫运动，它在陆地上的运行速率是多少？一架在高空以 3000km/h 速率飞行的协和式客机在屏幕上显示的马赫数为 3.2。试求在这个纬度上声音的速率。

*62.（Ⅱ）试证明爆音与超音速运动物体的轨迹成的角θ由方程 12-5 给出。

*63.（Ⅱ）一架飞机以 2.3 马赫飞行，此高度的声速为 310m/s。（a）冲击波与飞机运动方向成的角是多少？（b）如果飞机在 7100m 高度飞行，在它飞过头顶多远后，地面上的人才听到冲击波？

*64.（Ⅱ）一空间探测器进入另一个星球的稀薄大气层中，那里的声速只有 35m/s。（a）如果它的初始速率为 15000km/h，它的马赫数是多少？（b）它所产生冲击波的锥型角是多少？

*65.（Ⅱ）一彗星以 8000m/s 的速率溅落在海洋上。试求它产生的冲击波锥形角：（a）在进入海洋之前的空气中，（b）在刚进入水中后。设 $T = 20°C$。

*66.（Ⅱ）在你头顶正上方 1.5km 的高度，一架飞机以超音速飞过。在你听到爆音时，飞机已飞行 2.0km 的水平距离。见图 12-35。（a）试求冲击波形成的锥型角 θ。（b）求出飞机的速率（马赫数）。设声音的速率为 330m/s。

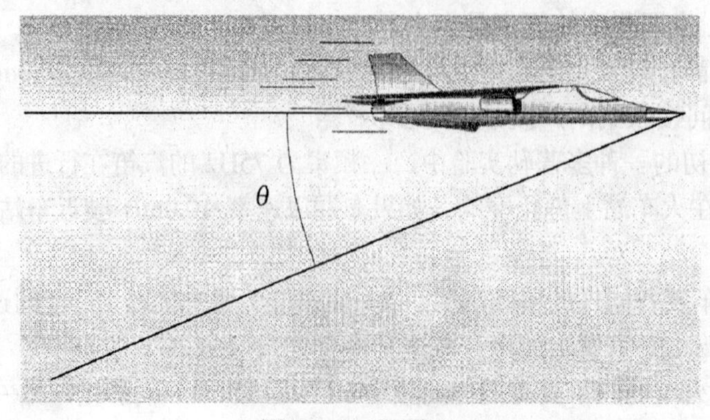

图 12-35 习题 66

综合题

67. 在人的听觉范围内大约有几个八度音？

68. 一石块从悬崖上落下。在看到它撞击水面溅起浪花 3.5s 后才听到它的溅落声。试问悬崖有多高？

69. 一个蚊子在离人 5.0m 处发出的声音接近人的听觉极限（0dB）。试求 1000 个这样的蚊子产生的声级。

70. 在印地安那 500 型赛车场，你可以根据驶近和驶离赛车的发动机声调上的差别来判断车的速率。设一赛车在直线赛道上经过时声音降低了一个整八度。试求赛车的速率？

71. 一根拉紧的吉他弦的第三谐音的频率为 600Hz。如果此时使其长度变成原来的 60%，它的基频是多少？

72. 提琴上每根弦的频率调整后是相邻弦的 1.5 倍。如果所有弦处在同样的张力下，每根弦单位长度质量是最轻弦的多少倍？

73. 提琴的 A 弦两固定点之间的长度为 32cm，它的基频为 440Hz，线密度为 5.5×10^{-4}kg/m。（a）试求弦上的张力和波速。（b）基频也为 440Hz 的一端封闭的单管乐器（如风琴管）的长度是多少？空气中声速为 343m/s。（c）每个乐器的第一泛音的频率是多少？

74. 一立体声放大器标明在 1000Hz 输出功率为 100W。在 15kHz 时，输出功率降低 10dB。试求 15kHz 时的输出功率。

75. 一音叉在一装水的管子上部振动（图 12-36）。水面在缓慢下降。当管子中的水面离管口 0.125m 和 0.395m 时，可听到水面上的空气与音叉发生共振。试问音叉的频率是多少？

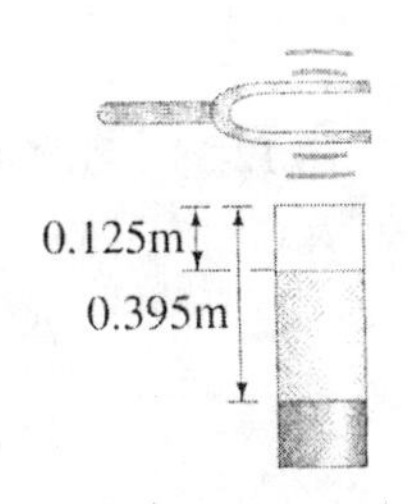

图 12-36　习题 75

76. 在音频和通讯系统中，增益β定义为

$$\beta = 10\log\frac{P_{out}}{P_{in}},$$

这里 P_{in} 是系统的输入功率，P_{out} 是输出功率。一个立体声放大器对 1mW 的输入放大后输出功率为 100W。它的增益是多少 dB？

77. 两个扬声器放在火车厢的两端，车厢以 10.0m/s 的速率经过静止观察者，如图 12-37 所示。如果两个扬声器具有同样的频率 200Hz，观察者听到的拍频是多少？（a）观察者在 A 位置，在车前方，（b）他在两个扬声器之间 B 位置，（c）他在位置 C，扬声器经过以后。

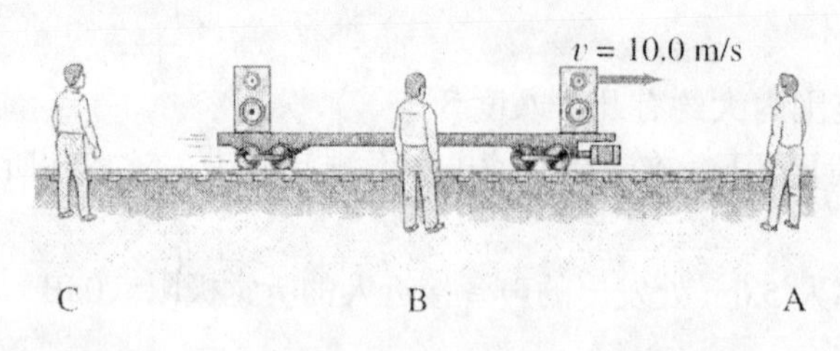

图 12-37 习题 77

78. 当火车驶近时，汽笛声的频率为 522Hz。当它经过后，驶离时的频率为 486Hz。试求火车的运行速率（设匀速运行）。

79. 一根 75cm 长的吉他弦质量为 1.80g，与它靠近的一端开口管的长度也为 75cm。如果要使吉他弦（基频模）与管子的第三泛音发生共振，弦上张力应是多少？

80. 动脉中血流的正常速度为 0.32m/s。如果 5.50MHz 的超声波沿着血流方向射出并被血红细胞反射回，试求产生的拍频。设声波传播的速率为 1.54×10^3m/s。

81. 一声波源（波长 λ）到探测器的距离为 l。声波可直接到达探测器，也可从障碍物反射，如图 12-38。障碍物到源和探测器的距离相等。当障碍物到源和探测器连线的垂直距离为 d 时，两个波同相到达。如果要使两个波的相差为 $\frac{1}{2}$ 波长，从而出现相消干涉，障碍应向远移动多少垂直距离？（假设 $\lambda << l, d$ 。）

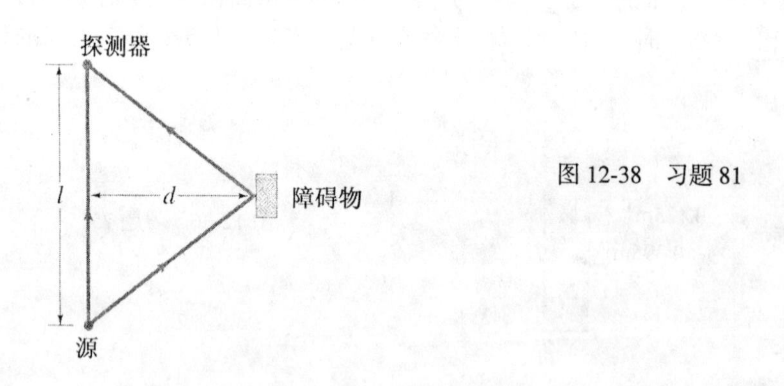

图 12-38 习题 81

82. 一种哨子发射声音的频率为 645Hz。一天当北风的速率为 9.0m/s 时，静止收听者听到的频率是多少？他分别站在哨子的（a）正北，（b）正南，（c）正东，(d)正西。一骑自行车者以 13.0m/s 的速率驶向吹哨者，如果他的方向朝（e）北，或（f）南，他听到的频率是多少？（$T = 20$°C）

*83. 一人听到从两个声源发出的纯音调在 500～1000Hz 范围内。在距离两个声源相等的一点听到的声音最大。为了准确测定声源的频率，他在周围移动，发现当离一个声源的距离比另一个远 0.22m 时，声级最小。试求声音的频率。

84. 回声定位是蝙蝠、突齿鲸和海豚以及有些鸟类使用的一种感性知觉。动物发射的声脉冲从物体上反射；反射脉冲被动物探测并获知周围的环境或与其它动物相互感应。鲸鱼发出的回声定位波频率为 200000Hz。（a）鲸鱼的回声定位波长是多少？（b）如果鲸鱼到一个障碍的距离为 100m，从它发出波到接收到反射波需多长时间？

85. 蝙蝠接近飞蛾时发出一系列高频声脉冲。每个脉冲的长度约为 3.0ms，相距大约 70.0ms。要使第二个脉冲发射前蝙蝠能够探测到第一次的回声，它可以探测到多远的飞蛾？

86. 一蝙蝠以 8.0m/s 的速率飞向飞蛾，同时飞蛾以 5.0m/s 的速率飞向蝙蝠。蝙蝠发射的声

波频率为 51.35kHz。蝙蝠探测到的从飞蛾反射回的波频率是多少？

图注：由于热气球内的空气被加热，空气的温度升高，致使一些空气逸出（查尔斯定律）。因此气球内空气的密度（单位体积的质量）减小，所以气球可以向上"漂浮"。

第十三章　温度和分子运动论

在以后的三章中（第13、14和15章），我们将讨论温度、热和热力学。本章的大部分将主要论及物质的原子组成以及这些原子处在持续的无序运动中的理论。这个理论叫做**分子运动论**（kinetic theory）。（在希腊文中"kinetic"的意思是"运动"。）

我们也将讨论温度的概念以及气体性质的实验测定，因为它们是检验分子运动论的基础。

13–1　物质的原子理论

物质是由原子组成的观点可以追溯到古希腊时代。根据希腊哲学家德谟可里兹的解释，如果一块纯的物质（如，一块铁）被切割成越来越小的块，最终将获得不能再分割的物质最小块。这个最小的块叫做**原子**，在希腊文中它表示"不可分"的意思⁺。对于上述物质的原子理论，真正值得我们借鉴的一点是：物质是连续的并且无限可分的思想。）

今天，原子理论已被科学家广泛接受。但对它有利的实验证据主要出现在18、19和20世纪，且多数是从对化学反应的分析中得到的。一个决定性的证据是定比定律，这个定律是对1800年以前半个世纪中实验积累的总结。它指出当两种或更多的元素结合形成化合物时，它们总是按同样的重量比进行结合。例如，从重量上来说，食盐总是由23份钠和35份氯组成的；水是由一份氢和八份氧组成的。很难用物质的连续理论来说明定比定律，但正如约翰·道尔顿（1766-1844）指出的，原子理论可以解释它：形成化合物所需的每个元素的重量比对应于结合原子的相对重量比。例如，一个钠（Na）原子可与一个氯原子化合形成一个食盐分子（NaCl），并且一个钠原子具有的质量是一个氯原子的23/25倍。通过测量形成各种化合物所需的每个元素的相对量，实验学家们建立了原子的相对重量。最轻的氢原子被人为赋予1的相对重量。按照这个标准，碳原子的相对重量大约是12，氧是16，钠是23，等等⁺⁺。

今天，当我们谈及**原子质量**或**分子质量**时+++，我们指的分别是原子和分子的相对质量。这是在对自然界中大量存在的 ^{12}C 原子赋值为 12.0000 统一原子质量单位（u）的基础上建立的。用千克表示，

$$1u = 1.66\times10^{-27}kg$$

这样氢的原子质量为 1.0078u，其它原子的值列在本书封底内的周期表中，也列在附录 F 中。化合物的分子质量是组成分子的原子的原子质量和。

支持原子理论的另一个重要证据是**布朗运动**，这是以生物学家罗勃特·布朗的名字来命名的，他在 1827 年发现了这个现象。当他在显微镜下观察悬浮在水中的微小的花粉粒时，布朗注意到微粒以曲折的路径运动着（图 13-1），甚至在水看起来完全静止时也是这样。如果给出进一步合理的假设，即任意物质的原子都在不断地运动着，原子理论就可以很容易解释布朗运动。即布朗的花粉微粒被快速运动的水分子不断地推挤碰撞着。

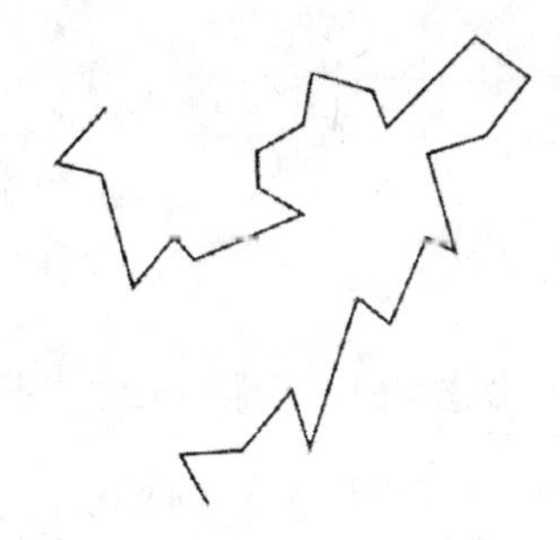

图 13-1　悬浮在水中的微粒运动（例如，花粉）的路径。在相等时间间隔观察到的粒子位置用直线连接起来。[图形的形状不依赖于时间间隔的选取——不管是每 60s 或每 0.1s，这个现象与分形行为有关。]

在 1905 年，阿尔伯特·爱因斯坦从理论上检验了布朗运动++++，并能够从实验数据算出原子和分子的近似大小和质量。他的结果表明典型原子的直径约为 10^{-10}m。

+当然，今天我们不再认为原子是不可分的，而认为它是有原子核（包括质子和中子）和电子组成的。单质（例如金，铁，或者铜）是指不能通过化学方法再将其分解为更简单的物质的一类物质。化合物是指有许多元素组成的物质，它可以重新分解为各种元素，例如 CO_2 和 H_2O。单质的最小单位是原子，化合物的最小单位是分子。分子由原子组成，一个水分子由两个氢原子核一个氧原子组成，它的化学式为 H_2O。

++然而，并非如此简单，例如，从氧形成的不同化合物来看，它的相对重量被认定为 16。但这与水中氧与氢的重量比（只有 8 比 1）不符。这个矛盾可由假设两个氢原子与一个氧原子化合形成一个水分子来解释。排出一个自相容的图表，许多其它的分子也被认定为包含了多于一个的给定类型原子。

+++原子重量和分子重量这样的术语通常也用，但用质量更适当。

++++可能爱因斯坦并不知道布朗的工作，所以从理论上独立地预言布朗运动的存在。

在第十章的开始，我们根据**宏观**的性质，区分了物质的三种常见形态——固体，液体，气体。现在，让我们从原子或**微观**的观点来看这三种物质形态的不同。显然，原子和分子之间必须存在相互吸引力。要不然一块砖或一块铝如何能够聚集在一起形成一块状物呢？分子间的吸引力本质是一种电的作用（以后章节详细讨论）。如果分子靠得太近，它们之间的力将变成排斥力（它们外层电子之间的电排斥）。因此分子之间保持着一个最小的距离。在固体材

料中，原子或分子之间的吸引力足够强，从而使它们保持在基本固定的位置上，通常这是规则排列的晶格，如图 13-2a 所示。在固体中的原子或分子是处于运动中的——它们在接近固定的位置附近振动。在液体中，原子或分子更快地运动着，或它们之间的吸引力比较弱，以至它们能够相当自由地相互滚动，如图 13-2b。在气体中，吸引力很弱，或速率很高，以至分子无法保持相互靠近。它们以各种方式快速运动着，充满整个容器并且偶尔相互碰撞，图 13-2c。平均来看，气体分子的速率足够高，因而它们在碰撞时分子间的吸引力不足以使它们结合在一起，它们各自又向新的方向飞出。

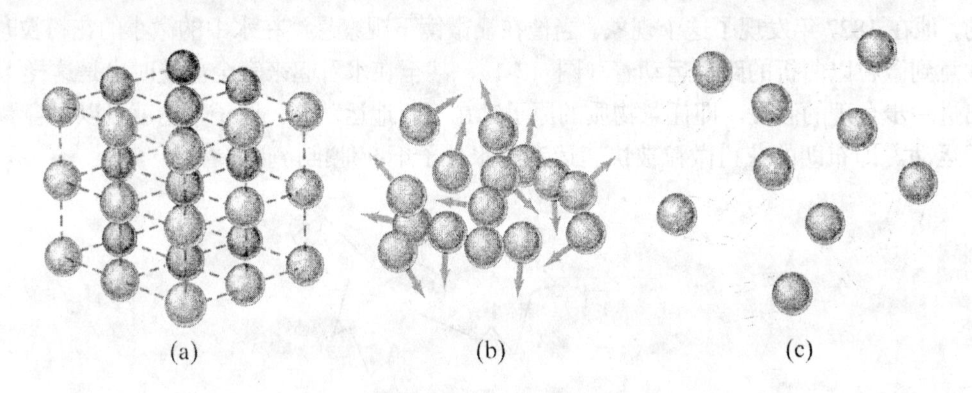

图 13-2 不同物态中的原子排列(a)晶态固体　(b)液体　(c)气体

例 13-1　估计原子间的距离。 铜的密度为 $8.9\times10^3 kg/m^3$，每个铜原子的质量为 63u。试估计相邻原子间的平均距离。

解：一个铜原子的质量为 $63\times1.66\times10^{-27} kg = 1.04\times10^{-25} kg$。这意味着在边长 1m 的立方体中具有的铜原子数为，

$$\frac{8.9\times10^3\,\text{kg/m}^3}{1.04\times10^{-25}\,\text{kg/atom}}=8.5\times10^{28}\,\text{atoms/m}^3$$

在边长为 1m 的立方体的一边有$(8.5\times10^{28})^{1/3}$个原子 $=4.4\times10^9$个原子。因此相邻原子间的距离为

$$\frac{1\,\text{m}}{4.4\times10^9\,\text{atoms}}=2.3\times10^{-10}\,\text{m}$$

13–2　温度和温度计

在日常生活中，**温度**是对一个物体有多热或有多冷的度量。一个热的炉子，我们说它的温度很高，而结冰的湖面，我们说它的温度很低。

物质的许多性质随温度变化。例如，大部分材料加热时会膨胀⁺，一根钢梁热时比冷时要长。水泥路面或人行道由于温度变化轻微膨胀或收缩，这就是为什么要在有规律的隔断处留有可压缩空间或膨胀节（见图 13-3）。物质的电阻随温度改变（见第 18 章）。物体辐射的色泽也是一样的，至少在高温下如此：你也许注意到电炉加热器在炽热时发出红色。在更高的温度下，像铁这样的固体发出橘红或者甚至白色的光。普通白炽灯泡发出的白光来自极度炽

热的钨丝。太阳和其它星体的表面温度可通过测量它们发出光的主要颜色（更精确用波长）来确定。

图 13-3 桥连接处的膨胀节

被设计用来测量温度的仪器叫**温度计**。温度计虽然有许多类型，但它们总是根据物质的一些性质随温度变化这一事实来工作的。许多普通的温度计依靠物质随温度增加而膨胀这一特性。最初关于温度计的设想是伽里略给出的（图 13-4a），它利用气体的膨胀。现今普通的温度计是由空的玻璃管装上水银或染成红色的酒精构成的，与早期使用的温度计类似（图 13-4b）。图 13-4c 给出早期不同类型的医用温度计，它们也是以密度随温度变化这一事实作为基础的（见插图说明）。

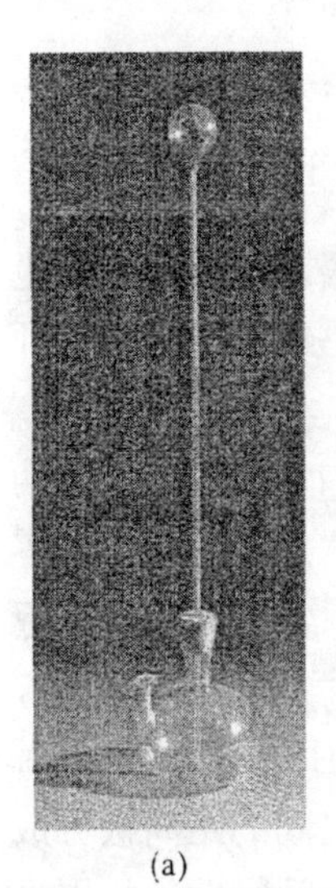

(a)

(b)

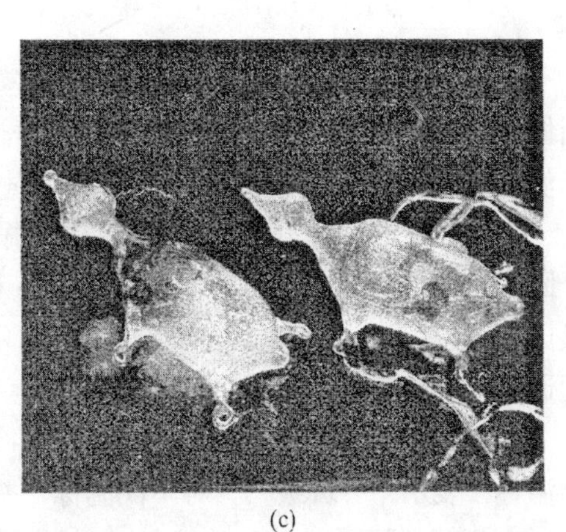

(c)

图 13-4 （a）伽里略最初设想的温度计模型。（b）西门托（1675-1667）在佛罗伦萨制造的温度计是已知最早的温度计之一。这些灵敏、精致的仪器装有酒精，有时是着色的，与我们今天的大多数温度计一样。（c）青蛙形状的医用温度计可以系在患者的腕部，也是由西门托制造的。液体中悬浮的每个小球具有不同的密度。从沉下的小球数来测量患者的温度。

+许多材料随温度上升膨胀，但不是所有的。例如，水在 0°C 到 4°C 范围，随温度上升而收缩（见第 13-5 节）。

在普通管式液体温度计中，当温度上升时液体比玻璃管膨胀的多，所以液面在管中升高

（图 13-5a）。虽然金属也随温度升高而膨胀，但金属棒长度的改变通常太小，无法准确测量温度的一般变化。然而，可将膨胀率不同的两种金属复合在一起，制成一种非常实用的温度计（图 13-5b）。当温度升高时，不同的膨胀量导致双金属带弯曲。双金属带通常作成圈形，一端固定，另一端连着指针（图 13-5c）。这种类型的温度计用作普通空气温度计、烤炉温度计和电咖啡壶自动关断开关，以及用在室内温度调节器中来确定何时加热器或空调器应该继续或关闭。更精确的温度计都是根据电性能制成的，如电阻温度计、热电偶和电热调节器等。

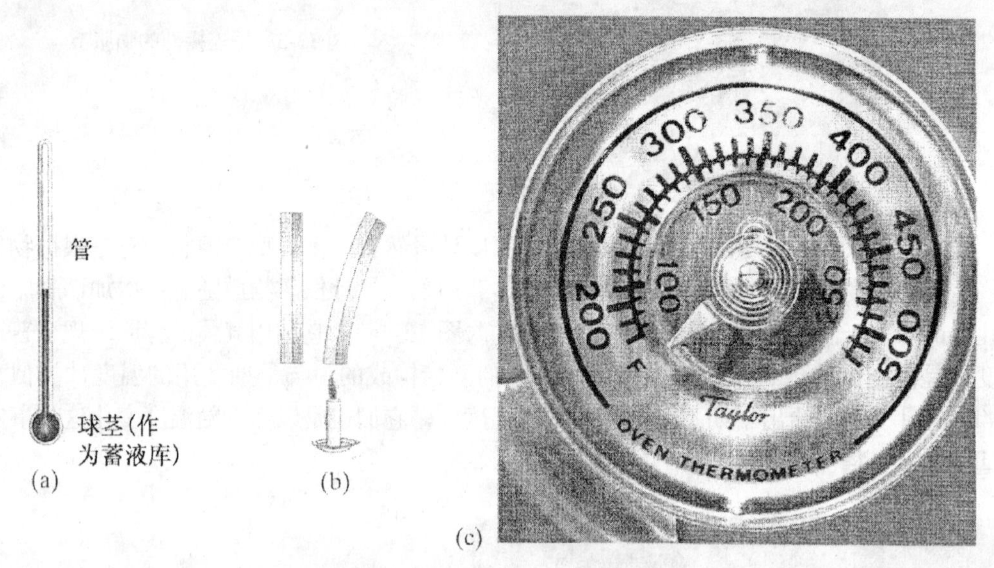

图 13-5 (a) 玻璃管水银或酒精温度计(b)双金属条状(c) 双金属条状温度计示意图

为了定量地测量温度，必须定义一些数值标度。今天最常用的标度是**摄氏温标**，有时也叫做**百分温标**。在美国，**华氏温标**也很普遍。在科学工作中最重要的温标是绝对温标，或开氏温标，在本章后面的部分将对此进行讨论。

定义温标的一种方法是对容易重复的两个温度点任意赋值。对于摄氏和华氏温标，这两个固定点都选为一个大气压下水的结冰点和沸腾点。在摄氏温标中，水的冰点选为 0°C（零摄氏度），沸点为 100°C。在华氏温标中，冰点定义为 32°F，沸点为 212°F。实用温度计的标度通过将其放在精心准备的两个温度环境中，标出水银或指针的位置来定标。对于摄氏温标，两个标志间的距离用小标志分成一百个相等的间隔，表示 0°C 到 100°C 间的每一度（因此“百分温标”表示“一百级”）。对华氏温标，两个点标为 32°F 和 212°F，它们之间的距离被分成 180 个相等的间隔。对于低于水的冰点或高于沸点的温度，可同样用相等的间隔向外扩展来定标。然而，由于自身的限制，普通温度计不能用于超出温度限制范围以外的温度——例如，水银温度计中的水银在一些温度点就会固化，低于这个温度温度计不能使用。同样高于液体沸腾点，它也不能使用。对于非常低或非常高的温度，需要特殊温度计，我们将在以后讨论其中的一些。

摄氏温标的每个温度点对应于华氏温标的一个特定温度点，图 13-6 所示。如果你记住 0°C 对应于 32°F 以及摄氏温标 100°的范围对应于华氏温标的 180°范围，那么就很容易对它们进行换算。因此，一华氏度（1F°）对应于摄氏度（1C°）的 $\frac{100}{180}=\frac{5}{9}$。即，$1F^{\circ}=\frac{5}{9}C^{\circ}$（当我们表示某个具体温度时，我们用℃，但当表示温度的变化时通常使用的是 C°）。两种温度间的转换可写成

$$T(^{\circ}C)=\frac{5}{9}[T(^{\circ}F)-32]$$

或

$$T(^{\circ}F)=\frac{9}{5}T(^{\circ}C)+32$$

不必记住这些关系式(很容易混淆)，只要记住 0°C = 32°F 和 5C°=9F°(或 100°C = 212°F)，通常会更简单一些。

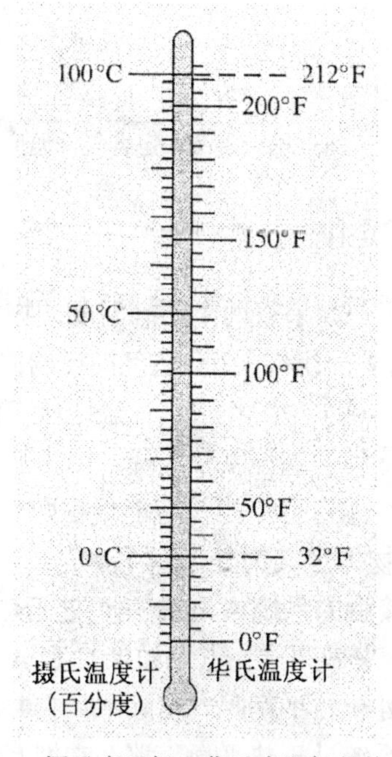

图 13-6　摄氏度温标和华氏度温标的换算关系

例 13-2　计算你的体温。 身体的正常温度为 98.6°F。它在摄氏温标中是多少？

解：首先我们注意到 98.6°F 高于水的冰点以上 98.6 –32.0 = 66.6 F°。因为 $1F^{\circ}=\frac{5}{9}C^{\circ}$，这对应于高于冰点以上 66.6×(5/9) = 37.0 摄氏度。因为冰点是 0°C，所以体温是 37.0°C。

不同的材料在一个温度范围内通常有不同的膨胀方式。因此，如果我们用上述方法精确标出不同类型的温度计，通常它们不是绝对一致的。由于我们的标定方式，它们在 0℃ 和 100℃ 它们是一致的。但由于不同的膨胀性质，它们在中间温度区不是精确一致的（注意我们是将温度计 0℃ 到 100℃ 之间人为分割成 100 个相等的区间的）。因此，一个仔细标度的水银温度计可能给出 52.0°C，而仔细标度的另一类型的温度计的读数可能为 52.6°C。

由于这个差异，必须选择一些标准类型的温度计使这些中间温度区可以精确定义。为此选择的标准叫做**定容气体温度计**。如图 13-7 给出的简单示意图，这个温度计包括一个充有稀薄气体的气瓶，它通过细管连接到水银压力计上。通过升高或降低右手压力计的管子使左侧

管中的水银与参照标记一致，那么瓶中气体的体积就保持不变。温度的增加导致气瓶中压强成比例增加，因此要保持气体体积恒定管子必须升得更高。这样右手管子中水银柱的高度便成为对温度的一种量度。这种温度计可以被标度，而且当气瓶中气体压强趋于零是对所有气体它都给出同样的结果。我们将得到的这种标度定义为标准温标。

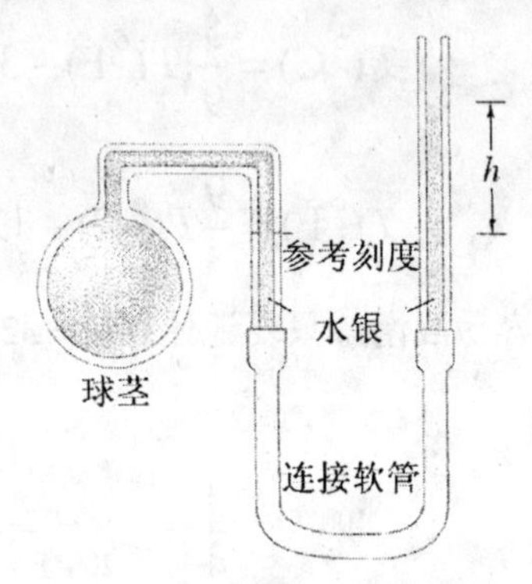

图 13-7 定容气体温度计

*13–3 热平衡和热力学第零定律

我们都熟悉这样一个事实，如果将两个不同温度的物体放在一起使其热接触（热能可以从一个物体传递到另一个），两个物体最终会达到同样的温度。它们就可以被称为处于**热平衡**的。例如，一个冰块在一大杯热水中融化成水，最终所有的水将达到同样的温度。如果你将手放入结冰的湖水中，你会感到手的温度在下降，因为能量从你的手上散发到冰冷的水中。（最好在达到热平衡之前拿回你到手!）当没有能量在两个热接触的物体间流动，并且它们的温度不再改变，此时的两个物体定义为处于*热平衡*。

设想你想确定两个没有接触的系统 A 和 B 是否处于热平衡。你可以通过使用第三个系统 C（它可以看成一个温度计）来做到这一点。如果 C 和 A 处于热平衡，C 和 B 处于热平衡。这意味着 A 和 B 一定相互处于热平衡吗？实际中，它并不是十分明显的。然而，大量实验指出如果两个系统与第三个系统处于热平衡，那么它们互相处于热平衡。这个假设叫做**热力学第零定律**。（具有这个带零的命名是由于在热力学第一和第二定律（第 15 章）提出以后，科学家们才认识到这个明显的假设需要首先声明。）

温度是系统的一个性质，它决定了系统是否与其它系统处于热平衡。当两个系统处于热平衡时，它们的温度定义为相等。这与我们日常生活中温度的概念是一致的，因为当一个热的物体与一个冷的物体相互接触后，它们最终将达到同样的温度。这样，第零定律的重要性就在于它允许存在一个有用的温度的定义。设想第零定律不成立。即，设 A 和 C 处于热平衡，B 和 C 同样处于热平衡，但 A 和 B 不处于热平衡；这意味着 $T_A = T_C$ 和 $T_B = T_C$，但 $T_A \neq T_B$，这显然不合理，这样温度变量就失去了意义。由于没有实验与第零定律相矛盾，所以我们假定它是成立的，温度也就有了其存在的意义。

13–4 热膨胀

大多数物质都呈现热胀冷缩性质，并且膨胀或收缩的量依赖于材料本身的性质。

实验指出，几乎所有物体的长度改变ΔL（作为一个很好的近似）正比于温度的改变ΔT。与预期的一样，长度的变化也正比于物体的初始长度 L_0，图 13-8。即，对于同样的温度改变，一根 4m 长铁棒长度的增加将是 2m 长铁棒的两倍。我们可将这个比例关系写成一个方程：

$$\Delta L = \alpha L_0 \Delta T \tag{13-1a}$$

这里比例常数α叫做特定材料的线膨胀系数，单位是$(C°)^{-1}$。这个方程也可以写成

$$L = L_0(1 + \alpha\Delta T) \tag{13-1b}$$

表 13-1　不同材料的膨胀系数 （20°C）

材料	线膨胀系数 $\alpha(C°)^{-1}$	体积膨胀系数 $\beta(C°)^{-1}$
固体		
铝	25×10^{-6}	75×10^{-6}
铜	19×10^{-6}	56×10^{-6}
铁或钢	12×10^{-6}	35×10^{-6}
铅	29×10^{-6}	87×10^{-6}
玻璃（高温）	3×10^{-6}	9×10^{-6}
玻璃（普通）	9×10^{-6}	27×10^{-6}
石英	0.4×10^{-6}	1×10^{-6}
水和砖块	$\approx 12 \times 10^{-6}$	$\approx 36 \times 10^{-6}$
大理石	$1.4\text{-}3.5 \times 10^{-6}$	$4\text{-}10 \times 10^{-6}$
液体		
汽油		950×10^{-6}
水银		180×10^{-6}
酒精		1100×10^{-6}
甘油		500×10^{-6}
水		210×10^{-6}
气体		
空气（以及其它的气体）		3400×10^{-6}

这里 L_0 是在温度 T_0 的初始长度，L 是加热或冷却到温度 T 时的长度。如果温度改变 $\Delta T = T - T_0$ 为负，那么 $\Delta L = L - L_0$ 也是负的；因此长度缩短。

不同材料在 20℃ 的α值列在表 13-1 中。值得注意的是α随温度轻微变化（这就是为什么不同材料制成的温度计不完全一致）。但是如果温度范围不是太大，这个差别可以忽略。

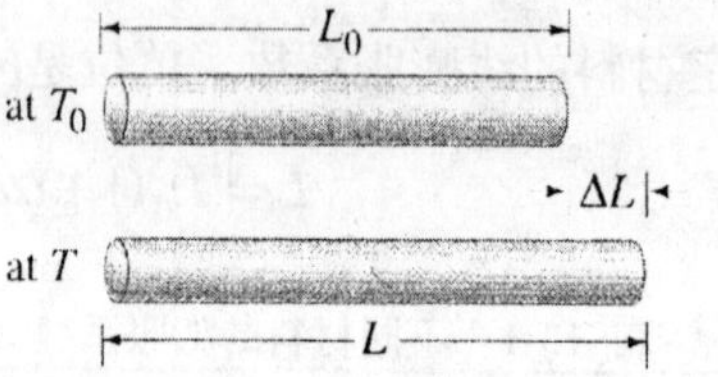

图 13-8 一根细棒在温度 T_0 长度为 L_0，当加热达到新的均匀温度 T 时其长度变为 L，这时 $L = L + \Delta L$。

例 13-3 桥的膨胀。 一座吊桥的钢梁在 20℃ 时长度为 200m。如果它经受的极端温度是-30℃ 到+40℃，它收缩和膨胀多少？

解：从表 13-1， 我们查出 $\alpha = 12\times10^{-6}$（C°）$^{-1}$。当温度在 40℃ 时，长度的增加为

$$\begin{aligned}\Delta L &= (12\times10^{-6}/\mathrm{C}^\circ)(200\mathrm{m})(40^\circ\mathrm{C} - 20^\circ\mathrm{C}) \\ &= 4.8\times10^{-2}\mathrm{m}\end{aligned}$$

或 4.8cm。当温度降低到-30℃ 时，$\Delta T = -50\mathrm{C}^\circ$。所以长度的变化是

$$\Delta L = (12\times10^{-6}/\mathrm{C}^\circ)(200\mathrm{m})(-50^\circ\mathrm{C}) = -1.2\times10^{-2}m$$

或长度减少 12cm。

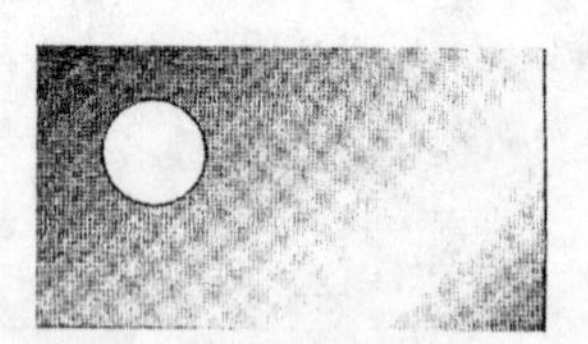

图 13-9 例 13-4

概念练习 例 13-4 **圆孔是收缩还是膨胀？** 炉盘上切出一个圆孔，如图 13-9 所示。当炉盘在炉子上加热时，圆孔是增大还是缩小？

答：想象只是用铅笔在炉盘上画出一个圆,而不是真的切出一个圆孔，。当炉盘膨胀时，很容易看到圆与炉盘的其余部分一起膨胀。切下这个圆意味着空也是增大的。注意材料不会向内膨胀去填充这个空。在固体中，所有部分随温度增加而膨胀。

例 13-5 棒上的环。一个铁环正好套在一根圆柱铁棒上。在 20℃，铁棒直径是 6.445cm，环的内径是 6.420cm。要使环能够从铁棒上滑下，环必须比棒的直径大 0.008cm。试问铁环必须处在什么温度下才能从棒上滑下？

解：铁环的内径必须从 6.420cm 增大到 6.445cm+0.008cm = 6.453cm。铁环必须加热，因为环的孔径随温度线性增大（如例 13-4 给出的）。从方程 13-1a 求出ΔT

$$\Delta T = \frac{\Delta L}{\alpha L_0} = \frac{6.453\mathrm{cm} - 6.420\mathrm{cm}}{(12\times10^{-6}\mathrm{C}^{\circ-1})(6.420\mathrm{cm})} = 430\mathrm{C}^\circ$$

所以必须将铁环至少加热到 $T=(20°C+430°C)=450°C$。

概念练习 例 13-6　打开扣紧的瓶盖。当玻璃瓶的盖子很紧时，将它放入热水中浸一会，一般比较容易打开。为什么？

答：盖子也许比玻璃更直接受到热水的作用，所以立即膨胀了。即使不是这样，对于同样的温度变化，金属通常比玻璃膨胀的多（α比较大——见表 13-1）。

材料体积随温度的变化与方程 13-1 类似，可以写成

$$\Delta V=\beta V_0\Delta T \tag{13-2}$$

其中ΔT是温度的变化，V_0是初始体积，ΔV是体积的变化，β是体积膨胀系数。β的单位是（C°）$^{-1}$。一些材料的β值在表 13-1 中给出。注意对于固体，β通常近似等于 3α（为什么是这样，留作习题 21）。然而，实际并非如此，因为固体不是各向同性的。注意，对于液体和气体，线膨胀系数没有意义，因为它们没有固定形状。

方程 13-1 和 13-2 只有在ΔL（或ΔV）与L_0（或 V_0）相比很小时才准确。对于液体特别是气体更要注意这一点，因为它们的β值比较大。另外，对于气体β本身随温度变化很大。因此，对于气体需要更方便的方法，这将在 13-7 节中开始讨论。

例 13-7　太阳下的油箱。一辆汽车的钢制油箱体积为 70L，在 20°C 时装满汽油。然后将车停放在太阳下，油箱中的温度达到 40°C（104°F）。你认为会有多少汽油从油箱中溢出？

解：汽油的体积膨胀为（方程 13-2）

$$\Delta V=\beta V_0\Delta T=(950\times10^{-6}\mathrm{C}^{\circ-1})(70\mathrm{L})(20\mathrm{C}^{\circ})=1.3\mathrm{L}$$

油箱也在膨胀。我们可以将它看成一个经历体积膨胀的钢壳（$\beta\bullet3\alpha=36\times10^{-6}\mathrm{C}^{\circ-1}$）。如果箱子是实心的，外表层（壳）的膨胀也一样。因此油箱体积是增加为

$$\Delta V=(36\times10^{-6}\mathrm{C}^{\circ-1})(70\mathrm{L})(20\mathrm{C}^{\circ})=0.050\mathrm{L}$$

所以油箱膨胀的效应很小。如果整箱油放在太阳下，将有超过一升的汽油溢到马路上。

想节省每一分钱吗？在早晨天气凉汽油密度大的时候加满你的油箱——但永远不要将油箱加得太满。

13–5　低于 4°C 水的反常性质

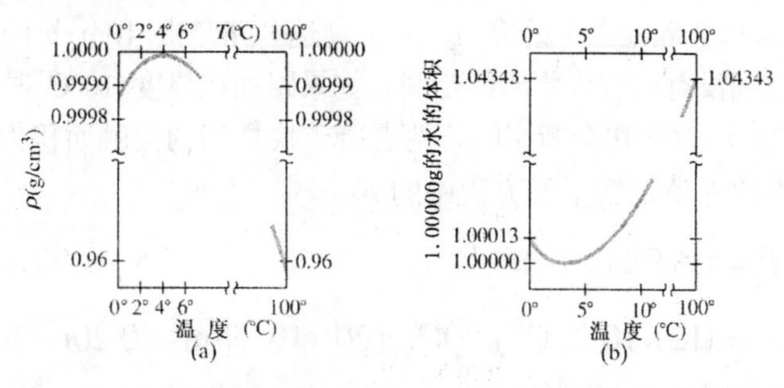

图 13-10　在 4°C 附近水随温度的变化曲线 (a) 密度——温度 (b)1 克水的体积——温度

大多数物质在温度增加时（只要不发生相变）多少都会均匀地膨胀一些。然而，水并不遵循这个常见的规律。如果将 0°C 的水加热，直到 4°C 以前，它的体积实际上是在减小。超过 4°C，水的性质恢复正常，随温度增加体积膨胀，如图 13-10。因此，水在 4°C 具有最大的密度。水的这种反常性质对于严寒冬天水中生物的生存非常重要。当湖面或河中高于 4°C 的水由于接触冷空气而变冷时，表面的水下沉，因为它们具有较大的密度，它们被底部较热的水代替。在水温达到 4°C 之前，这种混合过程一直持续着。当表面的水再冷一些，它就会停留在表面，因为它们的密度比下面 4°C 的水低。随后，水首先在表面结冰，并且由于冰的密度（比重= 0.917）比水轻，它将停留在表面。底部的水一直保持在 4°C 直到整个体积的水结冰。如果水像大多数物质一样，当它变冷时密度增大，湖底的水将首先结冰。整个湖将很容易被冻实，因为循环使较热的水来到表面并被彻底冷却。湖体的完全冰冻将使水中植物和动物遭受彻底的破坏。由于 4°C 以下水的反常性质，很少有任何大体积的水完全冰冻，这受到表面冰层的帮助，它像一个阻挡层减少了水中热量流向上面的冷空气中。如果水没有这个特殊而奇妙的性质，将不可能有我们所知道的这个星球上的生命。

水不仅在 4°C 到 0°C 冷却时膨胀，而且在它结冰时膨胀得更多。这就是为什么冰块浮在水面上，以及水管内部的水结冰时它会破裂。

13–6 热应力

在许多情况下，像建筑物和路面，横梁或水泥块的末端都被固定死，这极大地限制了它们的膨胀或收缩。如果温度改变，将出现很大的压应力和张应力，这叫做*热应力*。这个应力的大小可用第九章给出的弹性模量的概念计算出。要计算内应力，我们可以将这个过程看作两步发生。棒的膨胀（或收缩）由方程 13-1 给出量值ΔL，然后是将材料压（或扩张）回初始位置所施加的力。所需的力由方程 9-4 给出：

$$\Delta L = \frac{1}{E}\frac{F}{A}L_0$$

这里 E 是材料的杨氏模量。要计算内应力 F/A，我们取方程 13-1a 中的ΔL 等于上面方程中的ΔL 并发现

$$\alpha L_0 \Delta T = \frac{1}{E}\frac{F}{A}L_0$$

因此，$F = \alpha EA\Delta T$。

例 13-8 炎热天气下混凝土中的应力。 一高速公路是由 10m 长的混凝土块一段接一段连接成的，它们之间没有可容许膨胀的空间。如果路面在温度 10°C 时建成，那么温度达到 40°C 时出现多大的压力？它会断裂吗？两混凝土块之间的接触面积为 0.20m^2。

解：用表 9-1 中的 E 值，解上面方程中的 F：

$$\begin{aligned} F &= \alpha \Delta TEA \\ &= (12\times10^{-6}/\text{C}^\circ)(30\text{C}^\circ)(20\times10^9\,\text{N/m}^2)(0.20\text{m}^2) \\ &= 1.4\times10^6\,\text{N} \end{aligned}$$

应力为 $F/A=(1.4\times10^6\text{N})/(0.20\text{m}^2)=7.0\times10^6\text{N/m}^2$。这接近于混凝土在压应力作用下的极限强度（表 9-2），并且超过了张应力和切应力的极限强度。因此，如果混凝土排列次序欠佳的话，部分力将以剪切方式作用，断裂就会发生。

13–7 气体定律和绝对温度

方程 13-2 不太适用于描述气体的膨胀，部分原因是由于它的膨胀可以达到很大值，另一部分原因是由于气体通常充满它们所在的容器。实际上，方程 13-2 只在压强保持恒定时才有意义。气体的体积强烈依赖于压强，同样也依赖于温度。因此有必要确定气体体积、压强、温度和质量间的关系。这样的关系叫做**状态方程**⁺。（用状态这个词表示系统的物理条件。）

如果系统的状态改变，我们总是等系统整体的压强和温度达到同样的值。这样我们只考虑系统的**平衡态**——描述系统的变量（如温度和压强等）在整个系统中完全一样且不随时间变化。我们也应该注意到本节的结论只对密度不太大（压强不太高，在一个大气压的量级）、不接近液化点的气体适用。

实验发现，对于定量的气体（作为一个好的近似），当温度恒定时，气体的体积反比于作用于它的压强。即，

$$V\propto\frac{1}{P}\qquad[\text{恒温下}]$$

这里 P 是绝对压强（不是“计示压”——见第 10 章）。例如，如果作用于气体的压强加倍，体积减为初始体积的一半。这个关系称为**波义耳定律**，以罗勃特·波义耳（1627-1691）的名字命名，他根据自己的实验首次提出了它。对于固定温度的 P 与 V 的关系图显示在图 13-11 中。波义耳定律也可以写成

$$PV=\text{常数}\qquad[\text{恒温下}]$$

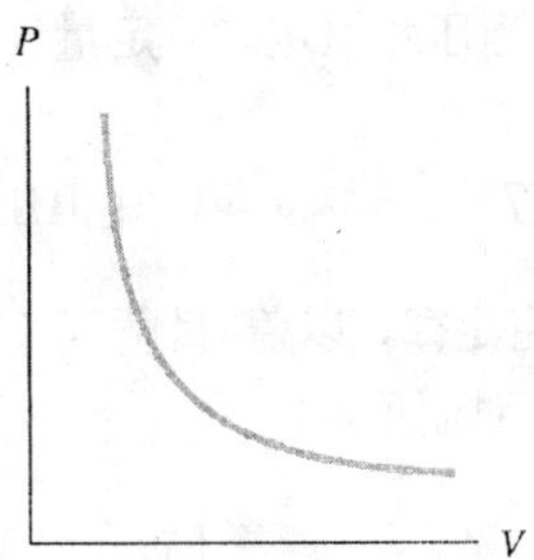

图 13-11 恒温下，气体的压强——体积变化关系曲线，随体积的增加，压强不断减少

即，在恒温下，如果气体的压强或体积变化，另一个变量也改变以使 PV 乘积保持恒定。

⁺对于固体和液体也可以找出状态方程，体积依赖于质量、温度和外部压强，只是温度和压强的效应与气体的相比很小。但固体和液体的情况复杂得多。

温度也影响气体的体积，但 V 和 T 之间的定量关系直到波义耳的工作以后一百多年才被发现。查尔斯（1746-1823）发现当压强不是太高并保持恒定时，气体的体积随温度以接近恒定的比率增加，如图 13-12a。然而，由于所有气体在低温下液化（例如，氧在−183℃ 液化），

所以曲线不能延伸到液化点以下。尽管如此，曲线基本上是一条直线，如果将它投影到低温，如虚线所示，它与轴相交于-273℃。

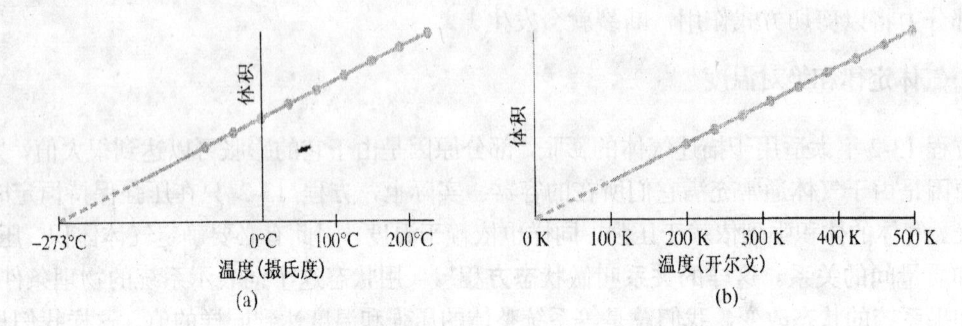

图 13-12 恒压下，气体的体积与摄氏温标，开尔文温标的变化关系曲线

这样的图可对任意气体画出，并且直线总是投影到零体积的-273℃。这看起来意味着如果气体可以被冷却到-273℃，它将具有零体积，并且在更低的温度下具有负体积，这当然没有意义。可以认为-273℃是可能的最低温度，最近的许多其它实验指出这是对的。这个温度叫**绝对零度**。它的值被确定为-273.15℃。

绝对零度成为一种温标的基础，这就是**绝对温标或开氏温标**，它广泛地应用于科学工作中。在这个标度中，温度被标定为度开尔文，或简单地记为没有度符号的开（K）。度的间隔与摄氏温标一样，但这种温标的零度（0K）选为绝对零度。因此水的冰点（0℃）为 273.15K，沸点为 373.15K。实际上，摄氏温标的任意温度通过加上 273.15 可以变成开尔文：

$$T(\mathrm{K}) = T(^{\circ}\mathrm{C}) + 273.15$$

现在让我们看图 13-12b，从那里我们看到气体体积相对于绝对温度的曲线是一条通过原点的直线。因此，作为一个好的近似，当压强恒定时，定量气体的体积正比于绝对温度。这称为**查尔斯定律**，写成

$$V \propto T \qquad [\text{恒压下}]$$

第三个气体定律称为**盖-吕萨克定律**，以盖-吕萨克（1778-1850）的名字命名，它指出在恒定体积下，气体的压强正比于绝对温度：

$$P \propto T \qquad [\text{恒定体积下}]$$

一个熟悉的例子是将密封的瓶子或发烟罐仍进火中时由于内部气体压强增加会发生爆炸。

从我们今天使用定律的含义来说（精确、深刻、广泛适用），波义耳、查尔斯、和盖-吕萨克定律不是真正意义上的定律。它们只是一种近似关系，只是在气体的压强和密度不太大以及气体不太接近凝固点时对于理想气体成立。然而，将这三个关系标为*定律*已成为传统，所以我们仍沿用这种用法。

概念练习 例 13-9 **热空气上升吗**？热空气比冷空气密度低。因此，由于浮力，热空气应在大气中上升。那么，为什么山顶的空气与山底的空气相比总是比较冷？

答：热空气在大气中上升是对的。但当它上升时，它向低压区运动。这个效应在运动的

空气质量被山推向上部时尤其明显。根据盖-吕萨克定律，空气的温度随压强减小，所以它变冷了。同样，空气向相反方向运动时（从高处向低处下降），造成了南加利福尼亚洛矶山脉的切努克风和桑塔阿那风。高压热可使一月份丹佛的温度升高到 60°F，洛山矶十一月的温度达到 100°F。

13–8 理想气体定律

波义耳、查尔斯、和盖-吕萨克气体定律是用一种在科学上非常有用的方法获得的：即，保持一个或多个变量恒定以便弄清只有一个变量变化时引起的效应。这些定律现在可以复合成一个定量气体的压强、体积温度间的更普遍的关系式：

$$PV \propto T$$

这个关系式指出在其它两个量改变时，P、V 或 T 中任意量如何变化。当温度、压强或体积分别保持恒定时，这个关系式简化成波义耳、查尔斯、或盖-吕萨克气体定律。

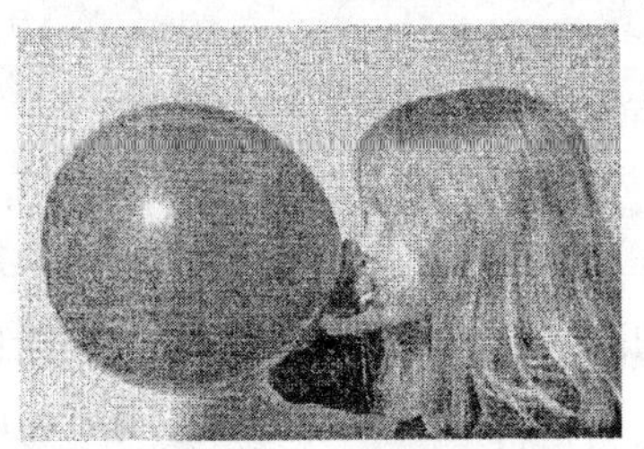

图 13-13 吹气球意味着将更多的空气（更多的空气分子）送入气球，这增大了它的体积。

最后，我们必须计入气体存在量的影响。吹过气球的人都知道，吹进的空气越多，气球变得越大（图 13-13）。确实，详细的实验证实，在压强和温度恒定下，封闭气体的体积 V 正比于存在的气体质量 m。因此我们可以写出

$$PV \propto mT$$

这个比例关系可以通过插入一个比例常数变成一个方程。实验证明这个常数对于不同的气体具有不同的值。但是，如果我们用摩尔数代替质量 m，这样给出的比例常数对所有气体是一样的。**一摩尔**（或写为 mol）定义为物质包含的原子或分子的数量与 12.00 克碳 12（它的原子质量正好等于 12u）所包含的原子数量一样多。一种简单但相等的定义是：一摩尔就是数值上等于物质分子质量（见 13-1 节）的物质的克数。例如，氢气（H_2）分子质量为 2.0u（因为每个分子包含两个氢原子且每个原子具有 1.0u 的原子质量）。因此 1 摩尔 H_2 具有质量 2.0g。同样，一摩尔氖气具有质量 20g，以及 1 摩尔 CO_2 具有质量[12+（2×16）] = 44g。摩尔是国际单位制里的一个正式单位。有时候也用千摩尔（kmol），它表示数值上等于物质分子质量的千克数。一般而言，给定纯物质样品的摩尔数 n 等于它用克表示的质量除以它用克表示的每摩尔分子的质量：

$$摩尔数n(\text{mol}) = \frac{质量（g）}{分子量（g/mol）}$$

例如，132g 的 CO_2 的摩尔数为

$$n = \frac{132g}{44g/mol}$$

现在，我们可以将上面讨论的比例关系写成一个方程：

$$PV = nRT \tag{13-3}$$

这里 n 表示摩尔数，R 是比例常数。R 叫做普适气体常数，因为实验上发现它的值对所有气体是一样的。在一些单位制里，R 的值为（只有第一个适用于国际单位制）：

$$\begin{aligned} R &= 80315\,J/(mol \cdot K) \\ &= 0.0821(L \cdot atm)/(mol \cdot K) \\ &= 1.99\,calories/(mol \cdot K)^{+} \end{aligned}$$

方程 13-3 叫做**理想气体定律**，或**理想气体状态方程**。我们用“理想”这个词是由于真实气体不精确服从方程 13-3，特别在高压（和致密）或气体接近液化点（=沸点）时。但在低于一个大气压或更低，且当 T 不接近气体的液化点时，对于真实气体方程 13-3 还是相当准确和有效的。

+卡路里在下一章 14-1 节中定义，有时候 R 用卡路里给出很有用。

13–9　用理想气体定律解题

理想气体定律是非常有用的工具，我们现在考虑一些例子。我们常常涉及“标准条件”或“标准温度和压强”（STP），它表示 $T = 273K$（0°C），$P = 1.00atm = 1.013 \times 10^5 N/m^2 = 101.3$ kPa。

例 13-10　**在 STP 下一摩尔气体的体积。** 试求 1.00 摩尔的任意气体在 STP 条件下的体积，设它类似于理想气体。

解：我们用方程 13-3 求 V：

$$V = \frac{nRT}{P} = \frac{(1.00mol)(8.315J/mol \cdot K)(273K)}{(1.013 \times 10^5 N/m^2)} = 22.4 \times 10^{-3} m^3$$

因为 1 升等于 $1000cm^3 = 1 \times 10^{-3} m^3$，1 摩尔的任意气体在 STP 条件下具有 22.4L 的体积。[22.4L 有多大？大约是边长一英尺的立方体大小；更精确的边长为 $\sqrt[3]{22.4 \times 10^{-3} m^3} = 0.28m = 28$ cm]

1 摩尔理想气体在 STP 条件下的体积值（22.4L）需要记住，因为有时候可以使计算简单，如下面给出的例子。

例 13-11　**得到气体质量的简便方法**。一柔性容器在 STP 条件下装有 $10.0m^3$ 的氧气（O_2，分子量= 32.0u）。试求容器中气体的质量。

解：因为 1 摩尔气体所占的体积为 $22.4 \times 10^{-3} m^3$，$10.0\ m^3$ 的氧气对应

$$n = \frac{(10.0m^3)}{(22.4 \times 10^{-3} m^3 / mol)} = 446mol$$

因为 1 摩尔具有质量 0.0320kg，氧气的质量为

$$m=(446\text{mol})\times(0.0320\text{kg/mol})=14.3\text{kg}$$

例 13-12　氦气球。 一种聚会用小气球，设它是完整的球型，其半径为 18.0cm。在室温下（20°C），它的内压是 1.05atm。试求气球内氦气的摩尔数以及使气球膨胀到这个程度所需的氦气质量。

解：我们用理想气体定律求 n。首先求出气球的体积：

$$V=\frac{4}{3}\pi r^3=0.0244\text{m}^3$$

给出的压强为 $1.05\text{atm}=1.064\times10^5\text{N/m}^2$。温度总是必须用开表示，所以 20°C 等于（20+273）K = 293K。最后我们选 R 的值为 $R=8.315\text{J/}$（mol·K），因为我们用国际单位制。因此

$$n=\frac{PV}{RT}=\frac{(1.064\times10^5\text{N/m}^2)(0.0244\text{m}^3)}{(8.315\text{J/mol}\cdot\text{K})(293\text{K})}=1.066\text{mol}$$

氦气的质量（从周期表或附录 F 中查出分子质量= 4.00g/mol）可以从下式得到：

质量=n×分子质量=（1.066mol）（4.00g/mol）= 4.26g

一般情况下，体积用升、压强用大气压表示。而不换算成国际单位制，这时 R 的值可选用 0.0821 L·atm/mol·K。

在许多情况下根本不需要 R 的值。例如，许多问题包括定量气体的压强、温度和体积的变化。这时，$PV/T=nR=$恒量，因为 n 和 R 保持不变。现在如果让用 P_1、V_1 和 T_1 代表初始变量，P_2、V_2 和 T_2 代表变化以后的变量，由此我们可以写出

$$\frac{P_1V_1}{T_1}=\frac{P_2V_2}{T_2}$$

如果我们知道这个方程中任意五个量，就可以求出第六个。或者，如果这三个变量中的一个恒定（$V_1=V_2$，或 $P_1=P_2$，或 $T_1=T_2$），那么当给出其它三个量时，我们就可以求出一个未知量。

例 13-13　计算轮胎的温度。 一辆汽车的轮胎在 10°C 时充气到 200kPa 的计示压。在行驶 100km 后，轮胎的温度上升到 40°C。现在轮胎的温度是多少？

解：因为体积保持恒定 $V_1=V_2$，因此

$$\frac{P_1}{T_1}=\frac{P_2}{T_2}$$

即，这就是盖・吕萨克定律。因为给出的压强是计示压，我们必须加上大气压（101kPa）从而得到绝对压强 $P_1=$（200kPa +101kPa）= 301kPa。将温度加上 273 变成开氏温度：

$$P_2=\frac{P_1}{T_1}T_2=\frac{(3.01\times10^5\text{Pa})(313\text{K})}{(283\text{K})}=333\text{kPa}$$

减去大气压，我们得到结果计示压为 232kPa，增加了 15%。这个例子说明为什么汽车手册上提醒我们要在轮胎冷时检查它的气压。

时刻牢记，在使用理想气体定律时，温度必须用开（K）给出，压强必须用绝对压强给出，而不是计示压。

13–10 分子形式的理想气体定律：阿伏伽德罗常数

气体常数 R 对所有气体具有同样的值，这一事实明显地反映了自然界简单的本质。意大利科学家阿迈笛奥·阿伏伽德罗（1776-1856）首先认识到了这一点，虽然形式稍有不同。他指出在同样压强和温度下，相同体积的气体具有相等的分子数。有时候这叫做**阿伏伽德罗假说**。从下面的讨论中就可以看出这与所有气体的 R 是一样的表述是等价的。首先，从方程 13-3 我们看到，对于同样的摩尔数 n 以及同样的压强和温度，对所有气体只要 R 是一样的则体积将是同样的。第二，对于 1 摩尔的所有气体分子数是相同的（可按照摩尔的定义直接得出）。因此，阿伏伽德罗假说等价于所有气体的 R 是一样的表述。

一摩尔中的分子数称为**阿伏伽德罗常数** N_A。虽然阿伏伽德罗提出了这个假说，但他没能实际确定 N_A 的值。实际上，直到二十世纪才有了精确的测量值。有一系列的方法可以测量 N_A，其公认值为

$$N_A = 6.02 \times 10^{23} \qquad [分子数/摩尔]$$

因为气体中的分子总数 N 等于每摩尔分子数乘以摩尔数（$N = nN_A$），所以理想气体定律（方程 13-3）可以用存在的分子数写成：

$$PV = nRT = \frac{N}{N_A}RT$$

或

$$PV = NRT \tag{13-4}$$

常数 $k = R/N_A$ 叫做**玻尔兹曼常数**，它的值为

$$k = \frac{R}{N_A} = \frac{8.315\,\text{J/mol}\cdot\text{K}}{6.02 \times 10^{23}\,/\,\text{mol}} = 1.38 \times 10^{-23}\,\text{J/K}$$

例 13-14 **氢原子质量**。用阿伏伽德罗常数确定氢原子质量。

解：一摩尔氢（原子质量=1.008u）具有质量 1.008×10^{-3}kg，包含 6.02×10^{23} 个原子。因此一个原子的质量为

$$m = \frac{1.008 \times 10^{-3}\,\text{kg}}{6.02 \times 10^{23}} = 1.67 \times 10^{-27}\,\text{kg}$$

历史上，相反的过程是用来确定 N_A 的一种方法：即，通过测量氢原子的质量来确定 N_A。

例 13-15 **估算一次呼吸中有多少个空气分子**？试估计你吸入的 1.0L 空气中有多少分子。

解：一摩尔对应于 22.4L（例 13-10），所以 1.0L 空气等于 1/22.4L = 0.045mol。因此 1.0L 空气包含（0.045mol）（6.02×10^{23} 分子/摩尔）= 2.7×10^{22} 个分子。

13–11 分子运动论和温度的分子解释

物质是由持续无序运动的原子组成的概念叫做**分子运动论**。现在，我们以分子运动论的观点来研究气体的性质，特别是我们将根据气体分子的性质来计算气体中的压强。我们也将得到一个气体中分子平均动能与绝对温度间的重要关系式。

我们对气体中的分子作出以下的假设。这些假设给出了对气体的一个简单描述，但很好地反映了低压和远离液化点的真实气体的基本特征。在这种环境下的气体接近服从理想气体定律，实际上我们将这种气体看作**理想气体**。分子运动论的基本假设为：

1. 具有大量的以不同速度沿无序方向运动的分子，分子数为 N，每个分子的质量为 m。这个假设根据我们观察气体充满盛它的容器以及只有引力保持了地球上的空气分子不致逃逸得出。

2. 平均来说，分子相互分开的距离很远。即，它们的平均距离远大于每个分子的直径。

3. 假设分子服从经典力学定律并且它们只在碰撞时发生相互作用。虽然分子碰撞时存在弱的相互吸引力，但与这个力有关的势能与动能相比很小，我们现在忽略它。

4. 假设与另一个分子或容器壁的碰撞是完全弹性的，类似弹子球的完全弹性碰撞（第七章）。

我们立即可以看出如何用气体运动的观点来解释波义耳定律（13-7 节）。气体施加在容器壁上的压强来自分子对器壁的不断碰撞。如果体积减小一半，分子相互更靠近，每秒与给定面积器壁的碰撞次数加倍。因此我们认为压强加倍了，这就是波义耳定律。

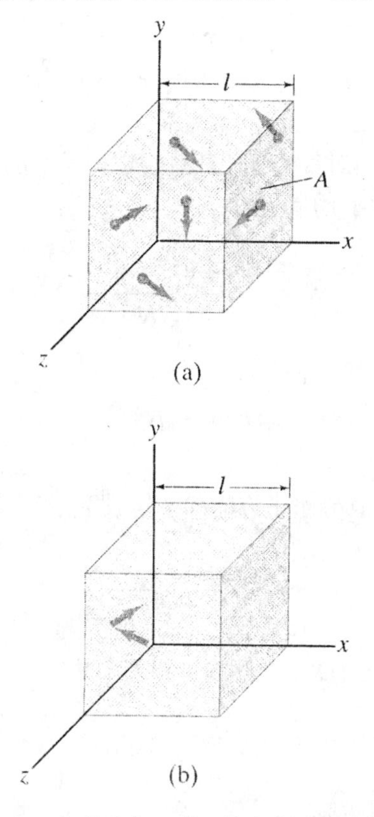

图 13-14 （a）气体分子在立方容器中运动(b)箭头表示分子与容器壁碰撞前后的动量

现在，让我们根据分子运动论来定量计算气体中的压强。为了方便讨论，我们想象分子装在一个长方形容器中，其一侧面积为 A，边长为 l，如图 13-14a 所示。根据我们的模型，气体作用在器壁上的压强来自与器壁的碰撞。让我们将注意集中到容器左侧面积为 A 的器壁上，并检查当一个分子撞击这个壁时发生了什么，如图 13-14b 所示。这个分子对器壁施加了一个力，壁也对分子施加了一个反作用力。根据牛顿第二定律这个力的量值等于分子动量的改变率（7-1 节）。设碰撞是弹性的，且只有分子动量的 x 分量改变，它从$-mv_x$（它向$-x$ 方向运动）变化到$+mv_x$。因此，对于一次碰撞的动量改变Δ(mv)，即最终动量减去初始动量为

$$\Delta(mv) = mv_x - (-mv_x) = 2mv_x$$

这个分子将与器壁发生多次碰撞，每次的时间间隔为Δt，这就是分子穿过容器然后返回的时间，这个距离等于 2l。因此 2l = $v_x\Delta t$ 或$\Delta t = 2l/v_x$。由于碰撞间的时间Δt 很小，所以每秒碰撞的次数很大。因此平均作用力（多次碰撞的平均）等于一次碰撞中的作用力除以碰撞间的时间（牛顿第二定律）：

$$F = \frac{\Delta(mv)}{\Delta t} = \frac{2mv_x}{2l/v_x} = \frac{mv_x^2}{l} \qquad \text{[一个分子]}$$

当然，一个分子的实际作用力是不连续的，但由于每秒有大量的分子撞击器壁，平均来说力是相当稳定的。要计算容器中所有分子的作用力，我们必须加上每个分子的贡献。因此作用在壁上的净力为

$$F = \frac{m}{l}(v_{x1}^2 + v_{x3}^2 + \cdots + v_{xN}^2)$$

这里 v_{x1} 表示标号 1 分子（我们对每个分子任意规定标号）的 v_x，同样扩展到 N 个分子并求和。现在，速度 x 分量平方的平均值为

$$\overline{v_x^2} = \frac{v_{x1}^2 + v_{x2}^2 + \cdots + v_{xN}^2}{N} \qquad \textbf{(13-5)}$$

因此我们可以将力写成

$$F = \frac{m}{l}N\overline{v_x^2}$$

我们知道任意矢量的平方等于其分量平方的和（勾股定理）。因此对于任意速度 $v^2 = v_x^2 + v_y^2 + v_z^2$ 。取平均可得

$$\overline{v^2} = \overline{v_x^2} + \overline{v_y^2} + \overline{v_z^2}$$

因为假定在容器中气体分子的速度是无序的，没有集中在一个方向或另一方向上。因此

$$\overline{v_x^2} = \overline{v_y^2} = \overline{v_z^2}$$

将这个关系与上面的结合可以得到

$$\overline{v^2}=3\overline{v_x^2}$$

将此代入力的方程：

$$F=\frac{m}{l}N\frac{\overline{v^2}}{3}$$

作用在壁上的一压强为

$$P=\frac{F}{A}=\frac{1}{3}\frac{Nm\overline{v^2}}{Al} \tag{13-6}$$

或

$$P=\frac{1}{3}\frac{Nm\overline{v^2}}{V}$$

这里 $V=lA$ 是容器的体积。这就是我们寻求的结果，用分子性质表示的气体压强。

方程 13-6 通过两边乘以 V 并稍做变动可重新写成更明确的形式：

$$PV=\frac{2}{3}N(\frac{1}{2}m\overline{v^2}) \tag{13-7}$$

上式中的 $\frac{1}{2}m\overline{v^2}$ 是气体中分子的平均动能。如果我们将方程 13-7 与理想气体定律方程 13-4 比较，可以看出它们是相同的，如果

$$\frac{2}{3}(\frac{1}{2}m\overline{v^2})=kT$$

或

$$\overline{KE}=\frac{1}{2}m\overline{v^2}=\frac{3}{2}kT \tag{13-8}$$

这个方程告诉我们：

气体中分子平均平动能正比于绝对温度。

根据分子运动论，温度越高，分子平均运动的越快。这个关系是分子运动论成功运用之一例。

例 13-16 分子动能。在 37°C，气体中分子平均平动能是多少？

解：我们用方程 13-8，将 37°C 换成 310K：

$$\overline{\mathrm{KE}}=\frac{3}{2}kT=\frac{3}{2}(1.38\times10^{-23}\,\mathrm{J/K})(310\mathrm{K})=6.42\times10^{-21}\,\mathrm{J}$$

方程 13-8 不仅对气体成立，而且用在液体和固体时也相当准确。因此例 13-16 的结果可用于人体温度（37°C）的活细胞分子。

我们也可用方程 13-8 计算分子平均运动的有多快。注意方程 13-5 以及 13-8 中的平均号在速度的平方以上。$\overline{v^2}$ 的平方根叫做速度的**均方根** v_{rms}（因为我们取的是速度平方平均值的平方根）：

$$v_{rms} = \sqrt{\overline{v^2}} = \sqrt{\frac{3kT}{m}} \tag{13-9}$$

例 13-17　**空气分子的速率**。在室温下(20℃)，空气(O_2和N_2)分子的均方根速率是多少？

解：我们必须分别对氧气和氮气用方程 13-9，因为它们具有不同的质量。用例 13-14 的结果，一个 O_2 分子（分子质量=32u）一个 N_2 分子（分子质量=28u）的质量为

$$m(O_2) = (32)(1.67\times10^{-27}\,\text{kg}) = 5.3\times10^{-26}\,\text{kg}$$
$$m(N_2) = (28)(1.67\times10^{-27}\,\text{kg}) = 4.7\times10^{-26}\,\text{kg}$$

因此，对氧气

$$v_{rms} = \sqrt{\frac{3kT}{m}} = \sqrt{\frac{(3)(1.38\times10^{-23}\,\text{J/K})(293\text{K})}{(5.3\times10^{-26}\,\text{kg})}} = 480\text{m/s}$$

对于氮气的结果为 v_{rms}=510m/s。（这个速率大于 1500km/h 或 1000 英里/小时。）

*13–12　分子速率的分布

气体中的分子被假定处于无序的运动中，它表示有许多分子的速率小于均方根速率，而其它的则具有较高的速率。在 1859 年，伽迈斯・克勒克·麦克斯韦（1831-1879）根据分子运动理论推导出了气体中分子的速率是按图 13-15 中给出图形分布的。这被称为**麦克斯韦速率分布**⁺。速率从零增大到均方根速率许多倍，但从图中可以看到，大多数分子的速率离平均值不远。只有百分之一的分子超过四倍的 v_{rms}。

实验上确定真实气体的速率分布从本世纪 20 年代开始，结果与麦克斯韦分布相当吻合并证实了平均动能与绝对温度间的正比关系，即方程 13-8。

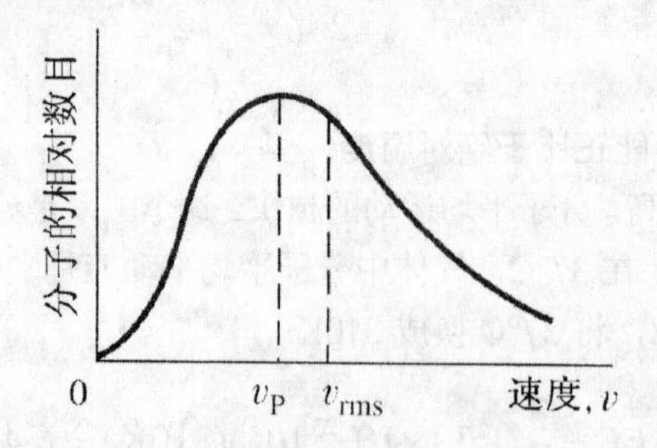

图 13-15　理想气体的分子速率分布。均方根速率 v_{rms} 处于最可几速率 v_P 右边，因为此分布向右边倾斜，是不完全对称的。

图 13-16 给出两个不同温度的分布；v_{rms} 正好随温度增加，所以整个分布曲线向右侧高温方向移动。这个图给出了如何用分子运动论解释许多化学反应，包括那些生物细胞中的反应，在温度增加时发生得更迅速。许多化学反应发生在溶液中，液体中分子的速率分布接近麦克斯韦分布。两个分子只在它们的动能足够大以至在碰撞时能够相互稍微穿透时发生反应。所需的最小动能叫做反应能 E_A，对每个化学反应它具有特定值。对应于特定反应动能 E_A 的

分子速率在图 13-16 中给出。能量大于这个值的相对分子数由 E_A 以外曲线下的面积给出。在图 13-16 中，两个不同温度的面积由图中不同的阴影给出。显然，动能超过 E_A 的分子数对于温度只有很小的增加而增加很大。化学反应的速率正比于能量超过 E_A 的分子数，因此我们看到为什么反应速率随温度快速增加。

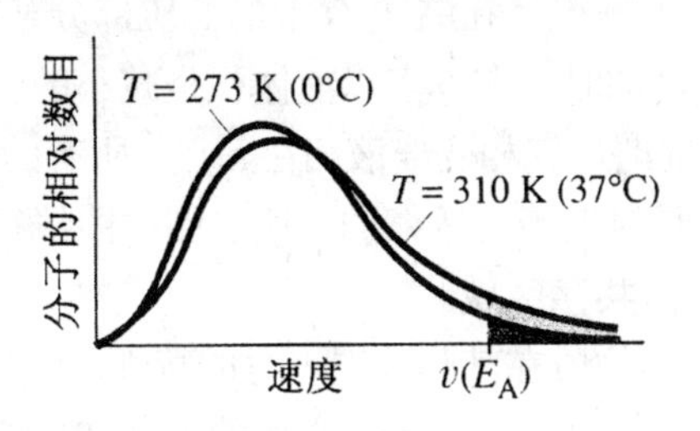

图 13-16　两个不同温度下的分子速率分布

+数学上给出麦克斯韦速率分布：$\Delta N = Cv^2 \exp(-\frac{1}{2}mv^2/kT)\Delta v$，其中 Δv 是速率界于 $v - v + \Delta v$ 之间的分子数，C 是常量，exp 是自然指数, $e = 2.718\ldots$

*13–13　真实气体和相变

理想气体定律是对在压强不太高和温度远离液化点时理想气体特性的准确描述。但这两个标准不满足时会出现什么情况？

让我们看一下对于定量气体的压强相对于体积作的图。在这样的“*PV* 图”中，图 13-17，每个点代表给定物质的一个平衡态。不同的曲线（标为 *A*、*B*、*C* 和 *D*）给出不同的恒定温度下压强是如何随体积变化的。虚线 A' 给出理想气体定律预测的气体性质；即，*PV*=常数。实线 *A* 表示同样温度下真实气体的性质。注意在高压下，真实气体的体积小于理想气体定律所预测的。图 13-17 中的曲线 *B* 和 *C* 表示相邻较低温度下的气体，我们可以看出这个性质更加偏离理想气体定律预测的曲线（如 B'），气体越靠近液化点偏离越大。

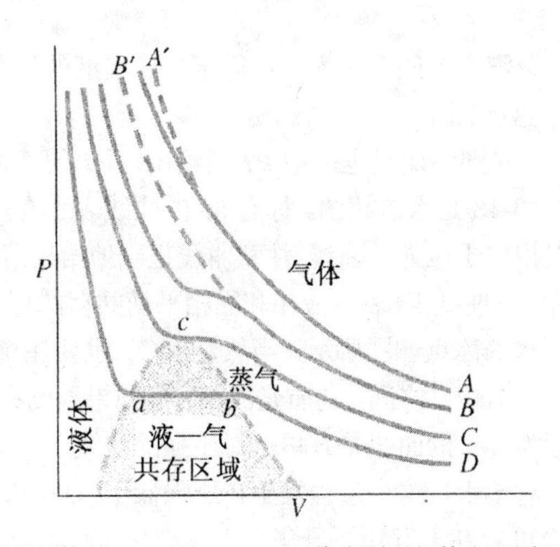

图 13-17　真实气体的 *P-V* 图，*A*,*B*,*C*,*D* 代表同种气体在不同温度下的曲线

要解释这个问题，我们注意到在高压下分子靠得更近。特别是在低温下，与分子间吸引力有关的势能（我们以前忽略的）与现在减小的分子动能相比不能再忽略不计。这个吸引力趋向于将分子拉得更靠近，所以在给定压强下体积小于理想气体定律预测的。在更低的温度下，这个力引起液化，分子变得更加靠近。

曲线 *D* 表示液化发生时的情况。在曲线 *D* 上的低压部分（图 13-17 右侧），物质是气体并占据较大的体积。当压强增加时，在 *b* 点以前体积是减小的。在 *b* 点以外，在压强没有变化的情况下体积减小；物质逐渐从气相变成液相在 *a* 点，所有的物质变成液体。压强再增加，体积只有轻微地减小（液体是接近不可压缩的）所以图中曲线很陡。虚线给出的舌状面积表示在这个区域气相和液相平衡共存区域。

图 13-17 中的曲线 C 表示物质在其临界温度时的特性；*c* 点（这条曲线的水平点）叫做临界点。在温度小于临界温度（这就是它的定义）的点，如果施加足够的压强，气相将变成液相。高于临界温度，任何压强也不能使气体相变成液体。而是随着压强增大，气体变得越来越致密，并逐渐具有类似液体的性质，但没有液面形成。不同气体的临界温度在表 13-2 中给出。科学家们曾努力了许多年使氧气液化，但没有成功。直到发现了与临界点有关的物质特性以后才实现了氧气的液化，只需先将它冷却到其临界温度-118°C 以下即可。

表 13-2 临界温度和压强

	临界温度		**临界压强**
物质	**°C**	**K**	**(atm)**
水	374	647	218
二氧化碳	31	304	72.8
氧气	-118	155	50
氮气	-147	126	33.5
氢气	-239.9	33.3	12.8
氦气	-267.9	5.3	2.3

通常在“气体”和“蒸汽”之间有个界限：低于临界温度的气态物质叫**蒸汽**；高于临界温度的物态，叫做**气体**。这在图 13-17 中已标明。

物质的性质不仅可用 *PV* 图，而且也可用 *PT* 图给出。*PT* 图通常叫做**相图**，对于比较物质的不同相特别方便。图 13-18 是水的相图。标有 *l-v* 的曲线表示在这些点上液相和蒸汽相是平衡的——因此它是沸点相对于压强的曲线。注意曲线正确地给出了在 1atm 下沸点是 100°C，并且沸点随压强减小而降低。曲线 *l-s* 表示液相和固相平衡共存的那些点，因此它是冰点相对于压强的曲线。在 1atm，水的冰点如图所示，当然是 0°C。也要注意在图 13-18 中在 1atm 的压强下，如果温度在 0°C 到 100°C 之间，物质是液相，但如果温度在低于 0°C 或高于 100°C，物质是固相或蒸汽相。标为 *s-v* 的曲线是升华点对压强的曲线。**升华**表示在低压下固相不经过液相直接变成蒸汽相。对于水，这个过程发生在压强低于 0.0060atm 的点。二氧化碳处于固相时叫做干冰，它甚至可以在大气压下升华。

表 13-3 三相点数据

物质	温度（K）	压强	
		N/m^2	atm
水	273.16 (0.01°C)	6.10×10^2	6.03×10^{-3}
二氧化碳	216.6	5.16×10^5	5.11
氨气	195.40	6.06×10^3	6.00×10^{-2}
氮气	63.2	1.25×10^4	1.24×10^{-1}
氧气	54.4	1.52×10^2	1.50×10^{-3}
氢气	13.8	7.03×10^3	6.95×10^{-2}

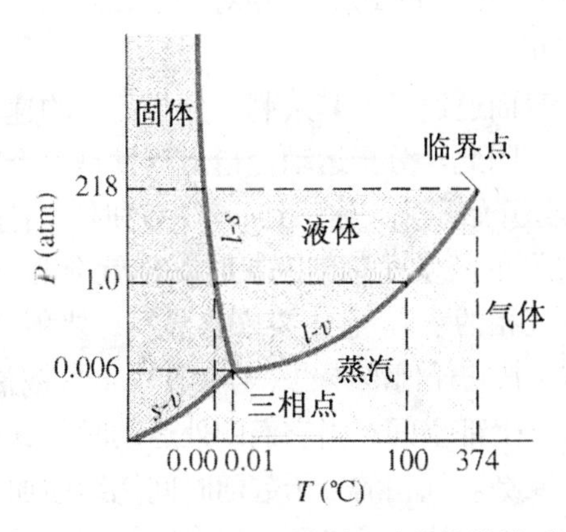

图 13-18 水的相图（注意此处并非线性关系）

三条曲线（图 13-18 中）的连接点叫**三相点**，只有在这一点，三个相才可以平衡共存。由于三相点对应于温度和压强的一个特殊值，它是精确可重复的并常常用做参考点。例如，标准温度通常特指水的三相点，精确值为 273.16K（见表 13-3），而不是在 1atm 下水的冰点 273.15K。

注意到水的 *l-s* 曲线向左侧倾斜。这只符合物质冻结时膨胀的情况；因为在较高的压强下，需要较低的温度才能使液体冻结。更普遍的情况是物质在冻结时收缩，*l-s* 曲线向右侧倾斜，如图 13-19 中 CO_2 的相图所示。

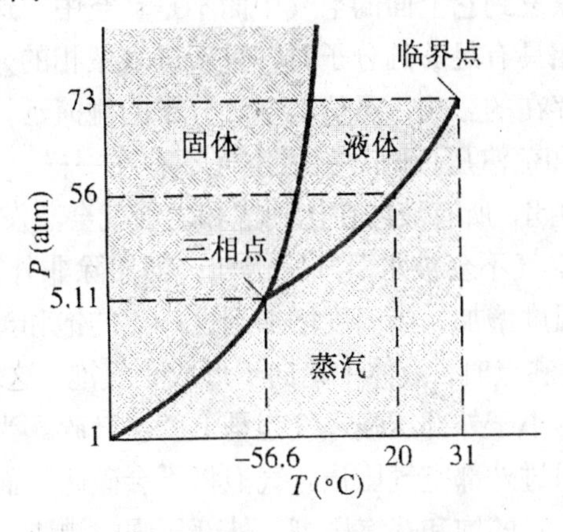

图 13-19 CO_2 的三相图

*13–14 蒸汽压和湿度

如果将一杯水放一夜，水的高度在第二天早晨会下降。我们说水蒸发了，意思是一些水变成了蒸汽或气相。

这种**蒸发**的过程可根据分子运动理论来进行解释。液体中的分子以不同的近似服从麦克斯韦分布的速率相互运动。在这些分子之间有很强的吸引力，这使它们相互靠近并保持在液相。在液体上部区域的分子由于它的速率会短暂地离开液体。但正如石块扔到空中会返回地面一样，其它分子的吸引力会将游荡的分子拉回液面——即，在它的速度不太大的情况下。然而，具有足够大速度的分子将从液体中彻底逃逸，像火箭逃逸地球一样，变成气相的一部分。只有那些动能高于某一特定值的分子才能逃到气相中去。我们已经看到，分子运动论指出，动能高于特定值（如图 13-16 中的 E_A）的相对分子数随温度增加。这与众所周知的高温下蒸发速率快的现象是相符的。

由于运动最快的分子从表面逃逸了，其余剩下分子的平均速率就会减小。当平均速率减小时，绝对温度也就降低了。因此，分子运动论指出蒸发是一个冷却（吸热）的过程。当你洗完一个热水澡，身上的水分开始蒸发，你感到一丝凉意时；当你在大热天工作出了一身汗，甚至轻微的风也会使你通过汗的蒸发而感到凉快时，你就会明显感觉到这个效应。

空气通常含有水蒸气（气相的水），它主要来自蒸发。要稍微仔细地观察一下这个过程，让我们考虑一个盛了部分水（其它任何液体也一样）其中空气被抽走的密闭容器（图 13-20）。运动最快的分子很快就蒸发到上部空间。当它们四处运动时，其中一些分子碰到液面并重新成为液相的一部分；这叫做**凝结**。气相的分子数随时间持续增加，直到返回液相的分子数等于同一时间内离开的分子数。这时达到了平衡，这个空间被称做是饱和的。饱和的蒸汽压强叫做**饱和蒸汽压**（有时简称为蒸汽压）。

饱和蒸汽压不依赖于容器的体积。如果液面以上的体积忽然减小，气相分子的密度同时也增加了。每秒就会有更多的分子碰到液面。这时存在一个返回液相的净的分子流动，直到平衡重新达成，而此时的饱和蒸汽压值是一样的。

任何物质的饱和蒸汽压都依赖于温度。在高温下，更多的分子具有足够的动能冲出液面来到气相。因此平衡在较高的压强下达到。水在不同温度下的饱和蒸汽压列在表 13-4 中。注意甚至固体，例如冰，也有可测量的饱和蒸汽压。

在日常情况下，液体蒸发到它上面的空气中而不是真空中。这不会从本质上改变上面有关图 13-20 的讨论。当气相具有足够的分子时，重新进入液相的分子数等于离开的分子数。气相分子的浓度不受空气存在的影响，虽然与空气分子的碰撞延长了达到平衡的时间。因此平衡出现在达到同样的饱和蒸汽压值时，就像空气不存在一样。
当然，如果容器很大或不封闭，所有液体在达到饱和之前就会蒸发掉。如果容器不是密封的，例如在你居住的房子中，空气不会被水蒸气所饱和；当然除非外边下雨。

液体的饱和蒸汽压随温度增加。当温度增加到这一点的饱和蒸汽压等于外部压强时，出现**沸腾**（图 13-21）。在到达沸点时，液体中趋向于形成小气泡，这表示从液相到气相的相变。但是，如果气泡内的蒸汽压小于外部压强，气泡马上就会破碎。当温度增加时，气泡内的饱和蒸汽压逐渐变得等于或超过外部空气压强。气泡将不会破碎，而是增大体积并升到表面。随后就开始沸腾了。液体在它的饱和蒸汽压等于外部压强时沸腾。对于水，沸腾出现在一个大气压（760 托）下 100°C 时，从表 13-4 可以看到。

表 13-4　在不同温度下水的饱和蒸汽压

温度	饱和蒸汽压	
（°C）	Torr (=mmHg)	Pa (=N/m^2)
-50	0.030	4.0
-10	1.95	2.60×10^2
0	4.58	6.11×10^2
5	6.54	8.72×10^2
10	9.21	1.23×10^3
15	12.8	1.71×10^3
20	17.5	2.33×10^3
25	23.8	3.17×10^3
30	31.8	4.24×10^3
40	55.3	7.37×10^3
50	92.5	1.23×10^4
60	149	1.99×10^4
70	234	3.12×10^4
80	355	4.73×10^4
90	526	7.01×10^4
100	760	1.01×10^5
120	1489	1.99×10^5
150	3570	4.76×10^5

图 13-21　水沸腾时，气泡从杯底温度最高的地方往上冒

显然，液体的沸点依赖于外部压强。在海拔较高的地区，因为空气压强较低，水的沸点稍小于海平面上的。例如，在珠穆郎玛峰顶（8850m），空气压强只有海平面的三分之一，从表13-4我们可以看到水在70°C就沸腾了。在高海拔地区，煮制食物需更长的时间，因为温度降低了。但压力锅可以节省煮饭时间，因为它们产生高达2atm的压强，可以获得较高的温度。

当我们谈到气候干燥或湿润时，指的是空气中水蒸气的含量。在空气这样的气体中，混合了几种气体，总压强是每种气体分压的和⁺。对于**分压**，我们指的是每种气体在它单独占据整个体积时的压强。水在空气中的分压可以从零变化到给定温度下的饱和蒸汽压。因此，在20°C，水的分压不能超过17.5托（见表13-4）。**相对湿度**定义为给定温度下水的分压与饱和蒸汽压的比。通常用百分比表示：

$$\text{相对湿度}=\frac{\text{水的分压}}{\text{水的饱和蒸汽压}}\times 100\%$$

因此，当湿度接近百分之百时，空气中含的几乎全是水蒸气。

例 13-18　相对湿度。　在一个热天里，温度达到30°C，空气中的水蒸气分压为21.0托。试问相对湿度是多少？

解：从表13-4查出，水在30°C时的饱和蒸汽压为31.8托。因此相对湿度为

$$\frac{21.0\ \text{Torr}}{31.8\ \text{Torr}}\times 100\% = 66\%$$

人类对湿度很敏感。40%～50%的相对湿度通常是有利于健康和舒适的。湿度太高，特别是在闷热的天气里，会减少水分从皮肤上的蒸发，而这是人体调节温度的主要方式。但湿度很低时，人的皮肤和粘膜会变得很干燥。

要避免对绘画、录音带和其它许多敏感物体造成损害，必须保持适当的湿度。因此对建筑的加热和空调系统的设计不仅要考虑加热和冷却，而且也要控制湿度。

⁺例如，空气中78%（体积比）的分子是氮，21%的是氧，以及少量的水蒸气、氩和其它气体。在一个大气压下，氧的分压为0.21atm，氮的分压为0.78atm。

当空气中水的分压等于此温度下的饱和蒸汽压时，空气被水蒸气饱和了。如果水的分压超过饱和蒸汽压，空气被称为是**过饱和**的。这种情况发生在温度降低时。例如，设温度为30°C时水的分压位1托。我们上面已看到，这表示66%的湿度。现在设温度降到20°C，像傍晚出现的情况一样。从表13-4我们看到20°C时水的饱和蒸汽压为17.5托。因此相对湿度将大于100%，过饱和的空气不能含有这样多的水份。多余的水份凝结，以露的形式出现。这个过程也可以形成雾、云和雨。

当含有一定量水份的空气冷却时，到达水分压等于饱和蒸汽压的温度点。这一点叫做**露点**。露点的测量是确定相对湿度的最准确的方法。一种方法是用抛光的金属面与逐渐冷却的空气接触。在表面显出潮湿时的温度就是露点，此时的水分压可从饱和蒸汽压表上查到。例

如，如果某天的温度是20°C，露点是5°C，那么原来空气中的饱和蒸汽压（表13-4）是6.54托，而它的饱和蒸汽压是17.5托；因此相对湿度是6.45/17.5 = 37%。

一个更方便但不太准确的测量相对湿度的方法是一种称为湿球-干球的技术，这要用到两个温度计。一个温度计球用浸湿的布套包起来。整个装置是悬在空气/中的：湿度越低，从湿球上的蒸发越多，导致它的温度读数越低。比较湿球和干球（正常）的温度读数可从已经编辑好的对照表上查出相对湿度。

*13–15 扩散

如果你小心地往盛水的容器中滴几滴食用颜料，如图13-22所示，你会发现颜料将祢散到整个水中。这个过程也许要几个小时（假设你没有摇晃烧杯），但最终颜色将变成均匀一致的。这个混合过程叫做**扩散**，是分子的无序运动引起的。扩散也出现在气体中。普通的例子包括香水或烟雾（或炉子上烧菜的气味）在空气中的扩散，虽然在气味传播上对流通常比扩散起了更大的作用。扩散依赖于浓度，这表示单位体积中的分子数或摩尔数。通常，物质从浓度高的区域向浓度低的区域扩散。

图13-22　在一杯水中滴入几滴色素，色素很快会均匀扩散于水中

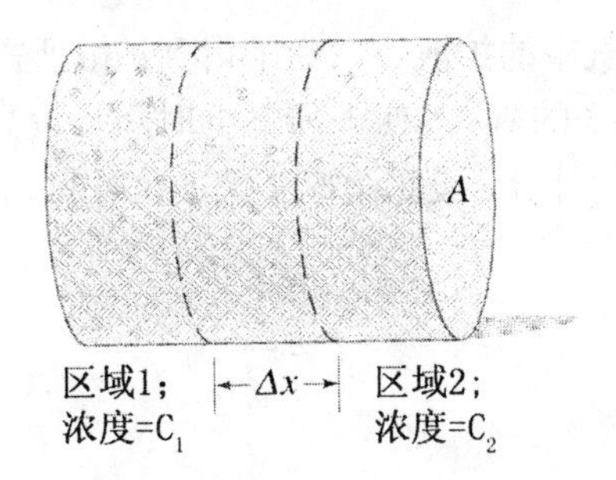

图13-23　扩散从高浓度区向低浓度区进行

用分子运动论和分子无序运动的观点可以很好地理解扩散过程。考虑横截面积为A的管子，在左侧的分子浓度比右侧的高，图13-23。我们设分子是无序运动的。但仍有流向右侧的净的分子流。要了解为什么这是正确的，让我们考虑管子中长度Δx的一小区段，如图所示。作为分子无序运动的结果，它们从区域1和2进入中间区域。在一个区域中的分子越多，就会有更多的分子碰到给定面积上或通过边界。因为在区域1中分子的浓度比区域2的大，从

区域 1 进入中间区域的分子比从区域 2 的多。因此，就有一个从左向右、从高浓度向低浓度的净分子流。当浓度变得相等时这个流动才停止。

你也许认为浓度差越大，流动的速率越大。实际情况就是这样的。在 1885 年，生理学家阿道夫·菲克（1829-1901）实验确定了扩散率（J）正比于单位长度上浓度的变化（C_1-C_2）/Δx（这叫做**浓度梯度**），以及横截面积 A（见图 13-23）：

$$J = DA\frac{C_1 - C_2}{\Delta x} \tag{13-10}$$

D 是比例常数，叫做**扩散系数**。方程 13-10 称为**扩散方程**，或**菲克定律**。如果浓度用 mol/m^3 给出，那么 J 就是每秒通过给定点的摩尔数；如果浓度用 kg/m^3 给出，那么 J 就是每秒的质量运动（kg/s）。当然，长度Δx 用米给出。

方程 13-10 不仅适用于图 13-32 中给出的叫做自扩散的气体扩散的简单情况，而且也适用于一种气体在第二种气体（在空气中香水的蒸发）里的扩散或物质在液体中的溶解，这是更普遍的情况。由于与其它分子的碰撞，扩散的速率较慢，特别是在液体中。因此，扩散系数 D 将依赖于有关物质的性质，也依赖于温度和外部压强。不同物质的 D 值列在表 13-5 中。

表 13-5 扩散系数 D（20℃，1atm）

扩散分子	介质	D（m^2/s）
H_2	空气	6.3×10^{-5}
O_2	空气	1.8×10^{-5}
O_2	水	100×10^{-11}
血红蛋白	水	6.9×10^{-11}
甘氨酸（一种氨基酸）	水	95×10^{-11}
DNA（分子质量 6×10^6 u）	水	0.13×10^{-11}

例 13-19 估计氨在空气中的扩散。 为了得到扩散所需时间的概念，试估计在 10cm 远处闻到从打开的瓶中扩散来的氨（NH_3）所需的时间，设只有扩散。

解：这将是一个数量级的计算。设扩散率 J 等于在时间 t 内扩散通过面积 A 的分子数 N：$J=N/t$。我们求出 t：

$$t = \frac{N}{J}$$

用方程 13-10：

$$t = \frac{N}{AD}\frac{\Delta x}{\Delta C}$$

平均浓度（在瓶与鼻子中间）可近似为 $\overline{C} \approx N/V$，这里 V 是分子运动的体积，约为 $V \approx A\Delta x$，Δx 为 10cm。我们用 $N = \overline{C}A\Delta x$ 代入上面 的方程：

$$t \approx \frac{(\overline{C}A\Delta x)\Delta x}{AD\Delta C} = \frac{\overline{C}}{\Delta C}\frac{(\Delta x)^2}{D}$$

在靠近瓶子处氨的浓度高，靠近鼻子处浓度低，所以 $\overline{C} \approx \Delta C/2$ 或 $(\overline{C}/\Delta C) \approx 1/2$。因为 NH_3 分子的尺寸在 H_2 和 O_2 之间，从表 13-5 我们可以估计出 $D \approx 4\times10^{-5}\,m^2/s$。因此

$$t \approx \frac{1}{2}\frac{(0.10m)^2}{(4\times10^{-5}\,m^2/s)} \approx 100s$$

大约是一到两分钟。从经验上来说，这个时间显得相当长，这说明对于气味的传播，空气流动（对流）比扩散起得作用更大。

扩散对于活的有机体极为重要。例如，在细胞中，按一定化学反应产生的分子必须通过水扩散到其它区域，才能在那里参加其它的化学反应。

气体的扩散也很重要。植物需要二氧化碳进行光合作用。CO_2 从外部通过称为气孔的微小开口扩散到植物的叶体中。当 CO_2 被细胞利用，其浓度下降并低于外部空气中的后，更多的分子按菲克定律描述的方式扩散进来。而细胞产生的水蒸气和氧扩散到外部的空气中。

动物也与环境交换氧和 CO_2。细胞需要氧进行生能反应，氧必须扩散进入细胞中。CO_2 是许多新陈代谢反应产生的副产品，它必须从细胞中扩散出来。由于长距离扩散的缓慢性，只有最小的动物才能在没有发展复杂呼吸和循环系统的情况下存活下来。对于人类，氧被带进肺中，在这里通过肺组织进入血液，再被带到整个身体的细胞中。血液也携带细胞产生的二氧化碳回到肺中，从这里扩散出去。

小结

物质的原子理论假定所有物质是由称为**原子**的微小实体组成的，它的典型直径为 10^{-10}m。

原子质量和**分子质量**的单位用将常见的碳（^{12}C）人为定义为 12.0000u（原子质量单位）来表定。

固体、液体和气体间的差别可归因于原子和分子间吸引力的强弱大小以及它们平均速度的大小。

温度是对物体有多热或多冷的测量。**温度计**是用**摄氏度**（°C）、**华氏度**（°F）和**开氏度**（K）来度量温度的。在每种标度中，两个标准点是水的冰点（0°C，32°F，273K）和水的沸点（100°C，212°F，373.15K）。温度变化一个开氏度等于一个摄氏度和 $\frac{9}{5}$ 华氏度的变化。

当温度变化 ΔT 时，固体长度的改变 ΔL 正比于温度的变化和它的初始长度 L_0。即，

$$\Delta L = \alpha L_0 \Delta T。$$

这里 α 是线膨胀系数。

大多数固体、液体和气体体积的变化正比于温度的变化和初始体积 V_0：$\Delta V = \beta V_0 \Delta T$。对于固体，体积膨胀系数 β 近似等于 3α。

水是异常的，因为它的体积不像大多数材料一样随温度增加，在 0°C 到 4°C 区间，它的体积随温度增加而减小。

理想气体定律或**理想气体状态方程**将 n 摩尔气体的压强 P、体积 V 和温度 T（用开氏度）用以下方程联系起来

$$PV = nRT,$$

对所有气体 $R = 8.315\mathrm{J/mol\cdot K}$。如果真实气体的压强不太高或不太接近其液化点，它们服从理想气体定律。

阿伏伽德罗常数 $N_A = 6.02\times10^{-23}$，是 1 摩尔任意纯物质的原子或分子数。

理想气体定律可用气体中的分子数 N 写成

$$PV = NkT,$$

这里 $k = R/N_A = 1.38\times10^{-23}\mathrm{J/K}$ 是波耳兹曼常数。

根据气体分子**运动论**，气体是由快速无序运动的分子组成的，分子的平均动能正比于开氏温度 T：

$$\overline{\mathrm{KE}} = \frac{3}{2}kT$$

这里 k 是波耳兹曼常数。在任意时刻，气体中分子的速度存在一个很广的分布。

问答题

1. 1kg 的铁或 1kg 铝，哪个具有更多的原子（见附录 F）？

2. 指出材料的一些可用来开发制造温度计的性质。

3. 1°C 和 1°F，哪个大？

4. 在外国，温度计表明你已发烧达 40.0°C。在华氏度里这是多少？

5. 图 13-24 给出一个典型的用来控制电炉（或其它加热或冷却系统）的温度继电器示意图。由两个不同的金属片焊接在一起组成双金属片。试解释当温度改变时，为什么这个片会弯曲，它是如何控制炉温的。

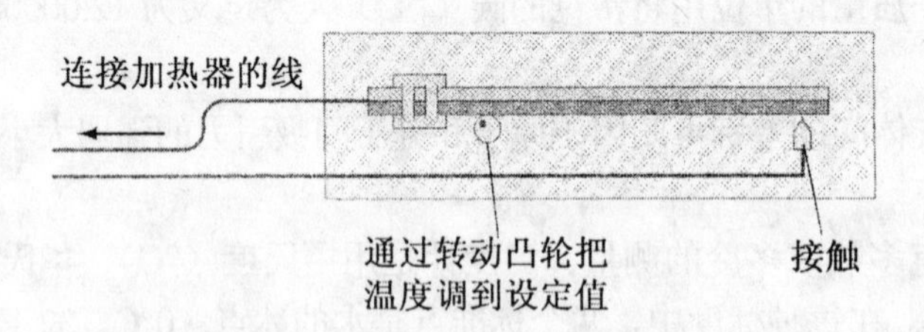

图 13-24 温度继电器示意图

6. 一个双金属片由铝片和铁片铆接二成。当加热时，哪个金属在弯曲线的外侧？

7. 在关系式 $\Delta L = \alpha L_0 \Delta T$ 中，L_0 可以是初始长度、最终长度或无关紧要吗？

8. 很长的蒸气管道通常有一段 U 型管。为什么？

9. 膨胀系数 α 的单位是 $(\mathrm{C}^\circ)^{-1}$，这里没有提到像米一样的长度单位。如果我们用英尺或毫米代替米，膨胀系数会改变吗？

10. 一平滑均匀的铅罐浮在 0°C 的水银上，当水银温度上升时，铅罐漂浮面向上还是向下？

11. 请解释为什么在对过热的汽车引擎加水时，只能缓慢地并且要在引擎转动的情况下。

12. 如果玻璃容器的一部分比相邻部分被加热或冷却得更迅速，它就会破裂。请解释。

13. 将一个冷的水银温度计放到一热水盆中时，水银开始降一点，然后上升。请解释。

14. 高温玻璃的优点是它的线膨胀系数比普通玻璃小很多（表 13-1）。请解释为什么这会增加它的抗热性能。

15. 一老爷钟在 20°C 时是准确的，它在热天（30°C）会走快还是变慢？它使用的是一个细长铜棒连接的钟摆。

16. 冷冻一罐碳酸饮料会使它的底部和顶部严重凸起，以致无法站立。出现了什么问题？

17. 为什么气体定律中不涉及不同分子的大小？

18. 当气体被快速压缩时（如压下活塞）它的温度增加。当气体相对活塞膨胀时，它变冷。请用分子运动论解释这个变化，特别注意当分子碰到运动的活塞时，它们的动量有什么变化。

19. 请解释查尔斯定律任何服从分子运动论，以及平均动能和绝对温度间的关系。

20. 请解释盖・吕萨克如何服从分子运动论。

21. 当你沿地球大气上升时，N_2 分子与 O_2 分子的比在增加。为什么？

22. 地球的逃逸速度指物体具有的最小速度必须能够离开地球永不返回。月球的逃逸速度是地球的十分之一，因为月球较小。那么请解释为什么月球没有大气层。

23. 请讨论为什么速率的麦克斯韦分布（图 13-15）不是一个对称曲线。

24. 热辐射沉淀器是一个从污染空气中除去特殊物质的装置。它基本上包括两个固体表面,一个热的和一个冷的，相互靠的很近。空气中的粒子从两个界面间经过时被冷的表面吸收并被除去。请解释。（这个效应可以从加热器后面的墙上观察到，特别在这个墙是外墙面因此相当冷的情况下。）

*25. 在室温下，酒精蒸发比水快。你能因此得出分子的相对性质吗？

*26. 请解释为什么闷热潮湿的天气远没有同样温度下炎热干燥的天气舒服。

*27. 可以不用加热使水在室温下（20°C）沸腾吗？请解释。

习题

13-1 节

1.（Ⅰ）30.0 克金戒指中的原子数与同样质量的银戒指相比如何？

2.（Ⅰ）在 3.4 克的一分硬币中有多少原子？

13-2 节

3.（Ⅰ）(a)“室温”通常指 68°F；用摄氏温标这是多少？（b）在电灯泡中的灯丝温度约为 1800°C；用华氏温标这是多少？

4.（Ⅰ）(a) 摄氏温标中的零下 15°用华氏温标表示是多少？（b）华氏温标中的零下 15°用摄氏温标表示是多少？

5.（Ⅰ）最高和最低温度记录是 136°F（在利比亚沙漠）和-129°F（在南极）。这些温度用摄氏度表示是多少？

6.（Ⅰ）在酒精温度计中，酒精柱的长度在 0.0°C 时为 10.70cm，在 100.0°C 时为 22.85cm。如果酒精柱的长度为（a）16.70cm 和（b）20.50cm，温度是多少？

7.（Ⅰ）最初的摄氏温标[按照 Anders Celsius（1701-1744）]定义水的冰点为 100°，沸点为 0°。对于我们现在的摄氏温标表示的 35°C，用这个温标表示是多少？

8.（Ⅱ）在什么温度时华氏与摄氏温标具有同样的数值？

13-4 节

9.（Ⅰ）水泥高速公路是用 14m 长（20℃）的块体建成的。如果温度变化范围是从-30℃到+50℃，膨胀缝应该留多宽（在 20℃）才能避免路面翘起。

10.（Ⅰ）超殷钢是一种铁镍合金，强度高且热膨胀系数很低[$0.2\times10^{-6}(C°)^{-1}$]。这种合金的 2.0m 长桌面被用来放置需要极高精度的灵敏激光测量装置。如果温度增加 5.0℃，这个合金桌面沿长度方向膨胀多少？

11.（Ⅰ）如果用英制单位（英尺，磅，°F），表 13-1 中的线膨胀系数应乘多大的因子？

12.（Ⅱ）为了结合牢固，铆钉通常比铆孔大并且铆钉在装入之前要冷却（通常用干冰）。一个直径为 1.871cm 的钢铆钉要装在直径 1.869cm 的孔中。铆钉必须冷却到什么温度才能放入孔中（在 20℃）？

13.（Ⅱ）一个长度 l，宽度ω的均匀矩形板，它的膨胀系数为α。试证明，如果忽略很小的量，由于温度变化ΔT而引起平板面积的变化为$\Delta A = 2\alpha lw\Delta T$。图 13-25。

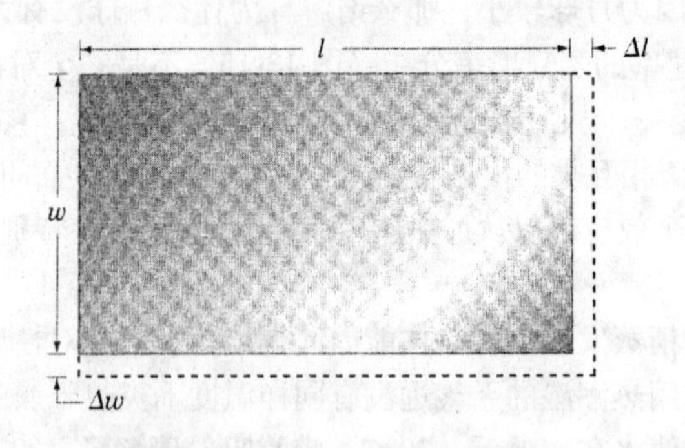

图 13-25 (习题 13)被加热的矩形板。

14.（Ⅱ）在地球深处的温度为 2000℃，压强为在 5000atm，试估计铁在此条件下仍为固体但其密度变化的百分比。考虑热膨胀和压强增加引起的变化。设体积模量和体积膨胀系数不随温度变化，与常温下的一样。铁的体积模量约为 $90\times10^9 N/m^2$。

15.（Ⅱ）一个普通玻璃杯装满 100℃ 的水需 350.0mL。如果温度降到 20℃，需往杯子里加多少水？

16.（Ⅱ）在 20℃ 完全注满一个容器需 65.50mL 的水。当容器和水被加热到 60℃ 时，0.35g 的水溢出。（a）容器的体积膨胀系数是多少？（b）容器最接近哪种材料？水在 60℃ 时的密度为 0.98324g/mL。

17.（Ⅱ）一个直径 14.5cm 的石英球。如果将它从 30℃ 加热到 200℃，它的体积变化是多少？

18.（Ⅱ）一个铜芯棒要镶入铁环中。在室温下，铜棒的直径为 8.753cm，铁环的内径为 8.743cm。必须将它们同时放在什么温度下才能配合在一起。

19.（Ⅱ）如果流体被装在狭长的容器内，以致它只能沿一个方向膨胀，试证明线膨胀系数α近似等于体积膨胀系数β。

20.（Ⅱ）（a）试证当温度变化ΔT时，物质密度ρ的变化为$\Delta\rho = -\beta\rho\Delta T$。（b）当铅球温度从 25℃ 降到-40℃ 时，它的密度变化比是多少？

21.（III）如果膨胀量很小，试证明对于各向同性固体$\beta = 3\alpha$。β和α分别是体积膨胀和线膨胀系数。[提示：考虑立方固体并忽略很小的量。参见习题 13。]

22.（III）老爷钟的摆是用铜制成的，它在 17°C 时保持准确的时间。如果钟表保持在 25°C，一年内它会得到或失去多少时间？（对于单摆，设频率依赖于长度。）

23.（III）一个 23.4kg 的铝制筒形轮，其半径为 0.52m，绕着它的轴以角速度$\omega = 32.8$ 弧度/s 无摩擦旋转。现在如果它的温度从 20.0°C 升高到 75.0°C，角速度ω的变化比是多少？

13-6 节

24.（Ⅰ）在什么温度下，在例 13-8 中讨论过的混凝土将超过的抗压强度限？

25.（Ⅰ）在 15°C 时，铝棒具有精确的理想长度。如果温度增加到 35°C，要保持这个长度需加多大的应力？

26.（Ⅱ）(a) 一根横截面积为 $0.031m^2$ 的水平工字梁与两根垂直钢梁刚性连接。如果横梁安装时温度为 30°C，当温度为-30°C 时，横梁上的应力有多大？(b) 超过钢的极限强度了吗？(c) 如果横梁是混凝土的且横截面积为 $0.13m^2$，它承受的应力有多大？它会断裂吗？

27.（III）在 20°C 时，准备用铁圈密封直径为 134.122cm 的酒桶。铁圈的内径在 20°C 时为 134.110cm，宽为 8.9cm，厚为 0.65cm。(a) 需将铁圈加热到多高的温度，才能套到酒桶上？(b) 当它冷却到 20°C 时，铁圈上的张力有多大？

13-7 节

28.（Ⅰ）在开氏温标中下列温度是多少：(a) 86°C，(b) 78°F，(c) -100°C (d) 5500°C？

29.（Ⅰ）在华氏温标中，绝对零度是多少度？

30.（Ⅱ）地球和太阳内的典型温度分别约为 4000°C 和 15×10^6 °C。(a) 这些温度是多少开氏度？(b) 如果有人忘记将°C 换成 K，每种情况下的百分误差是多少？

13-8 和 13-9 节

31.（Ⅰ）如果将标准条件下初始体积为 $3.00m^3$ 的气体放在 4.00atm 压强下，气体的温度升高到 38°C。它的体积是多少？

32.（Ⅱ）试用理想气体定律求出标准条件下氧气的密度。

33.（Ⅱ）在 3.65atm 的绝对压强下，一储存罐内装有 21.6kg 的氮（N_2）。如果将氮换成等质量的 CO_2，罐中的压强是多少？

34.（Ⅱ）一储存罐内在标准条件下装有 18.5kg 的氮（N_2）。(a) 罐的体积有多大？(b) 如果另外加入 15.0kg 的氮，罐中的压强是多少？

35.（Ⅱ）在 10°C 时，如果 25.50mol 氦气的计示压为 0.350atm，(a) 在上述条件下，试求氦气的体积，(b) 如果在计示压 1.00atm 时气体正好被压缩一半体积，试求气体的温度。

36.（Ⅱ）在 20°C，装有 105.0kg 氩气的 50.0L 容器内的压强是多少？

37.（Ⅱ）在 15°C，一充气轮胎的计示压为 220kPa。如果轮胎的温度升到 38°C，并且要保持轮胎中 220kPa 的初始压强不变，应该除去几分之几的初始空气？

38.（Ⅱ）在 18°C，如果将绝对压强为 2.45atm 的 55.0L 氧气压缩成 48.8L，并且同时将温度升高到 50.0°C，现在的气压是多少？

39.（III）请比较在一个大气压下 100°C 水蒸气的密度（表 10-1）与理想气体定律给出的值。为什么有差别？

40.（Ⅲ）一小孩玩的氦气球在 20°C 时从海平面上放飞。当它到达 3000m 高度时，这里的温度为 5.0°C，压强只有 0.70atm，此时它的体积与海平面时的相比如何？

41.（Ⅲ）一个空气泡在 43.5m 的湖底具有 1.00cm^3 体积。如果湖底温度为 5.5°C，湖面为 21.0°C，试问气泡到达湖面时的体积是多少？

13-10 节

42.（Ⅰ）试求标准条件下每立方米理想气体中的分子数。

43.（Ⅰ）在 1.000L 水中的摩尔数是多少？有多少分子？

44.（Ⅱ）试估计地球所有海洋中水的（a）摩尔数和（b）分子数。设地球表面的 75%被平均深度为 3km 的水覆盖。

45.（Ⅱ）一体积为 3.9×10^{-2}m^3 的立方盒子在 20°C 时被大气压下的空气充满。将盒子密封并加热到 180°C。此时作用在盒子每边上的净压力是多少？

46.（Ⅲ）请估计在你每次 2.0L 的呼吸中有多少空气分子，这也是爱因斯坦最后呼吸的体积。[提示：设大气的恒定密度为 10km 高。]

13-11 节

47.（Ⅰ）试求温度约为 6000K 的太阳近表面处氦原子的均方根速率。

48.（Ⅰ）（a）在标准条件下氮分子的平均动能是多少？（b）在 20°C，1.00 摩尔 N_2 分子的总平移动能是多少？

49.（Ⅰ）十二个分子具有如下速率，用任意单位给出：6，2，4，0，4，1，8，5，3，7，8。试求它们的均方根速率。

50.（Ⅰ）一气体处在 0°C。要将其分子的均方根速率增加一倍，必须将其升高到多少度？

51.（Ⅱ）要将 20°C 气体分子的均方根速率增加 2.0%，必须将其升高到多少度？

52.（Ⅱ）如果将体积恒定气体的压强加倍，则其均方根速率变化多少？

53.（Ⅱ）证明在同一温度下两种气体的混合体中，它们分子的均方根速率之比等于它们分子质量平方根的反比。

54.（Ⅱ）（a）试求 37°C 时活细胞中分子质量为 89u 的氨基酸的近似均方根速率。（b）37°C 时质量为 50.000u 的蛋白质分子的均方根速率是多少？

55.（Ⅱ）证明气体中的压强 P 可以写成 $P=\rho v^2$，这里ρ是气体的密度，v 是分子的均方根速率。

56.（Ⅲ）铀的两个同位素 ^{235}U 和 ^{238}U（上标表示它们的原子量）可用气体扩散的方法进行分离，它们与氟形成的气体化合物是 UF_6。试求在恒定温度 T 时，这两种同位素化合物分子的均方根速率之比。

***13-13 节**

*57.（Ⅰ）（a）在大气压下，CO_2 以什么相存在？（b）在怎样的温度和压强范围下，CO_2 以液相存在？参考图 13-19。

*58.（Ⅰ）当压强为 30atm，温度为 30°C 时，CO_2 以什么相存在（图 13-19）？

*59.（Ⅰ）当压强为 0.01atm，温度为（a）90°C，（b）- 20°C 时，水以什么相存在？

***13-14 节**

*60.（Ⅰ）如果某天的温度为 25°C，湿度为 50%，试问这一天的露点是多少？

*61.（Ⅰ）在某地，水在 90°C 就沸腾了，试求此处的大气压强。

*62.（Ⅰ）在山区某地的大气压强为 0.85atm，试估计此处水沸腾的温度。

*63.（Ⅰ）某一天的水分压为 530Pa，相对湿度为 40%，试求这一天的温度。

*64.（Ⅱ）如果一压力锅内的水在 120°C 沸腾，试求锅内的近似压强。设在加热过程中没有空气逸出，开始温度为 20°C。

*65.（Ⅱ）如果 25°C 时体积为 680m^3 的房间内的湿度为 80%，试求有多少质量的水从锅中蒸发出来。

*66.（Ⅱ）在潮湿的天气里，人们要不断地为他们的酒窖（保持 20°C）换气去潮，以免腐烂和发霉。如果酒窖面积为 95m^2，高度为 2.8m。要使地窖中的湿度从 95%降到 30%，需除去多少质量的水？

*67.（Ⅱ）高压灭菌器是一种实验室使用的消毒仪器。它实际上是一个高压蒸气发生器，与高压锅的原理一样。但由于高压下的热蒸气比同样温度和压力下的湿空气能够更有效地杀死微生物，因此空气被蒸气所替换了。高压灭菌器内的典型计示压为 1.0atm。试问蒸气的温度是多少？设蒸气与沸腾的水处在平衡状态。

*68.（Ⅲ）露点为 5°C 的空气被引进到房间内并被加热到 25°C。试问在这个温度下它的相对湿度是多少？设气压为恒定的 1.0atm。要考虑空气的膨胀。

*69.（Ⅲ）某天的温度为 30°C，测量湿度的湿球温度计降到 10°C。试问相对湿度是多少？

***13-15 节**

*70.（Ⅰ）在例 13-19 中，瓶子打开后多长时间才能在 2.0m 处探测到氨气分子？这表示对于气味的传播，扩散和对流具有怎样的相对重要性？

*71.（Ⅱ）如果甘氨酸在 20°C 水中的浓度在 15μm 的距离内从 1.0mol/m^3 变到 0.40mol/m^3，试问甘氨酸分子（见表 13-5）扩散这个距离需多长时间？将这个“速率”与它的平均热运动速率作比较。甘氨酸分子质量约为 75u。

*72.（Ⅱ）氧从昆虫的表皮通过叫做导管的很细管道扩散到体内。导管平均长度为 2mm，横截面积为 $2\times10^{-9}m^2$。设体内的氧浓度是外部大气中的一半，（a）试证 20°C 时空气中（设 21%是氧）的氧浓度约为 8.7mol/m^3，（b）并求出扩散速率 J，（c）估计氧分子扩散进入的平均时间。设扩散系数为 $1\times10^{-5}m^2/s$。

*73.（Ⅲ）（a）请推导格雷汉姆定律，它指出“气体分子的扩散速率反比于分子质量的平方根。”（b）N_2 和 O_2，哪个扩散的快？快多少（百分比）？

综合题

74. 钢卷尺是在 20°C 标定的。在 34°C，（a）它的读数是偏大还是偏小，（b）误差百分比是多少？

75. 高温量杯是在正常室温下标定的。如果用加热到 80°C 的量杯和水代替配方所需的 300mL 冷水，这与室温下的误差是多少？忽略玻璃的膨胀。

76. 氦气罐中的初始压强为 28atm。在充了不少气球后，压强降为 5atm。罐中剩余气体占初始气体的比列是多少？

77. 试用气体的密度写出理想气体定律。

78. 估计长 5m、宽 3m、高 2.5m 的房间内空气的分子数。设温度为 20℃。对应于多少摩尔？

79. 用最好的真空技术可达到的最低压强约为 $10^{-12}N/m^2$。在这样的压强下，在 0℃，每立方厘米中有多少分子？

80. 在外层空间中物质的密度大约为每立方厘米一个原子，主要是氢原子，温度约为 2.7K。试求这些氢原子的均方根速率，以及空间中的压强（用大气压表示）。

81. 如果潜水员在水下 10m 处将他 5.5L 的肺活量全部充满，当他快速升到水面时他的肺将膨胀到多大体积？这可取吗？

82. 一个潜水箱的体积为 $3500m^3$。在进行深潜时，箱内充满 50%（体积比）纯氧和 50% 纯氦。（a）如果它在 20℃ 时充到 10atm 的计示压，箱内每种分子的数目是多少？（b）两种分子的平均动能之比是多少？（c）两种分子的均方根速率之比是多少？

83. 从月球返回的空间飞船以 40000km/h 的速率进入大气层。以这个速率撞击飞船顶端分子（设为氮气）的温度是多少？（由于这个温度很高，飞船顶端必须用特殊材料制造；实际上，它的部分要被蒸发掉，这就是它进入大气时我们看到的辉光。）

84. 在理想气体的体积和摩尔数保持恒定时，它的温度从 120℃ 增加到 360℃。试问压强变化的比例是多少？均方根速率变化比是多少？

85. 一房间的体积为 $770m^3$。（a）在 20℃ 时，房间内空气分子的总质量是多少？（b）如果温度降低到-10℃，多少质量的空气将进入或离开房间？

86. （a）用理想气体定律证明：对于恒压下的理想气体，体积膨胀系数$\beta=1/T$，这里 T 是开氏温度。对于 T=293K 的气体，与表 13-1 比较。（b）证明恒温下理想气体的体积模量（9-6 节）$B=P$，这里 P 是压强。

87. 从地球表面大气压的已知值，估计地球大气中空气分子的总数目。

88. 总量为 1800 摩尔的氮气装在体积为 $7.6m^3$、压强为 4.2atm 的容器中，试求氮分子的均方根速率。

89. （a）水银温度计管子的内侧直径为 0.140mm。水银泡的体积为 $0.255cm^3$。当温度从 11.5℃ 变到 33.0℃ 时，水银柱移动多远？考虑高温玻璃的膨胀。（b）试求水银柱长度与有关变量的关系式。

90. 在标准条件下氧分子间平均距离是多少？

91. 试求 37℃ 时，质量为 $2.0\times10^{-15}kg$ 的 E 型大肠杆菌中所有分子的近似总平动能。设细胞中的 70%（重量比）是水，其它分子的平均分子重量在 10^5 的量级。

92. 一块铁浮在 0℃ 的水银碗里。（a）如果温度升高到 25℃，铁块在水银中向上还是向下？（b）浸没体积变化的比率是多少？

93. 如果一钢带在 20℃ 时正好围绕地球赤道，若将它加热到 30℃，钢带离地球多高（设各处相等）？

图注：在寒冷的夜晚，篝火发出的热温暖了你的身体，也烘干了你的棉袜。暖和的衣服起着隔热的作用，从而减少了身体上热量通过传导和对流向外界的流失。

第十四章　热

当一壶冷水放在炽热的火炉上时，水的温度升高了。我们说热能从火炉传到了冷水中。当两个不同温度的物体放在一起相互接触时，热能自动地从热的物体流向冷的物体。热的自然流动总是朝着使温度趋于相等的方向。如果两个物体保持接触的时间足够长，以使它们的温度变成相等，则这两个物体被称为是热平衡的，它们之间不再有热能流动。例如，当一个体温计最初放入患者的嘴里时，热从患者的嘴里传到了体温计上；当体温计读数停止增加时，体温计与患者的口腔达到热平衡，它们处在同样的温度。

14–1　作为能量转移的热

在日常生活中，我们使用“热”这个词时，好象知道它指的是什么，但使用这个词时，所指的意思常常是不一致的。所以，对热给出明确的定义并阐明与它有关的现象和概念，对于我们是非常重要的。

我们常常谈起热的“流动”——热从火炉流向咖啡壶，从太阳流向地球，从人的嘴里流向体温计。热自动地从高温的物体流向低温的物体。确实，18 世纪的热模型将热流描述成一种叫做**热质**（caloric）的流体物质的运动。然而，热质流体从没有被探测到。在 19 世纪，人们发现与热有关的许多现象不用流体模型也可以给出相互符合一致的描述。评价热的新模型是将其视为功和能的同类，这就是下面我们要讨论的。首先，我们注意到一个有关热的今天仍在使用的常见单位是以热质命名的。它叫做**卡路里**（calorie），定义为使一克的水升高一度所需的热量。[为了精确，需要指出这个特定的温度范围是从 14.5℃ 到 15.5℃，因为在不同的温度下，所需的热量稍有不同。在 0℃ 到 100℃ 范围，这个差别小于百分之一，在许多情况下我们将忽略它。]比卡路里更常用的单位是**千卡**（kcal），它是一千个卡路里。因此，一千卡是将一千克的水升高一摄氏度所需的热量。有时候一千卡叫做一**大卡**（大写 C，Calorie），根据这个单位，食物的能量值也有了量度（我们也叫它“日摄取的卡路里”）。在英制系统里，热用英制热单位（Btu）测量。一个 Btu 定义为将 1lb 的水升高 1°F 所需的热量。可以证明（习题 5）1Btu = 0.252kcal = 1055J。

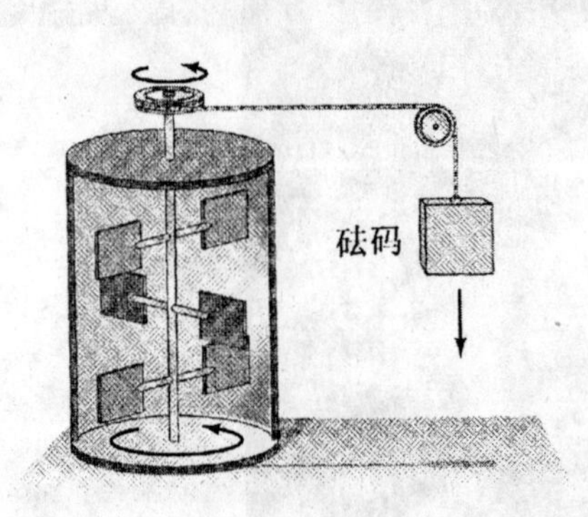

图 14-1　焦耳的热功当量实验。

对热与能量有关的想法进行大量研究的是 19 世纪初期的一些科学家，特别是英国的酿酒商詹姆斯·普里斯考特·焦耳（1818-1889）。他完成的一系列有关实验对于建立现代的热的理论观点——即热与功一样代表了能量的转移，是至关重要的。焦耳的一个实验（简图）在图 14-1 中给出。下落的重物使叶片旋转。水与叶片间的摩擦导致水温的轻微升高（实际上，焦耳几乎无法测到）。当然，同样的温度升高也可通过将水在炉子上加热而达到。在这个实验以及许多其它实验（一些包括电能）的基础上，焦耳总结出了给定的一定量的功总是等效于一定量的热输入。量值上，4.186 焦耳（J）的功等效于 1 卡（cal）的热。这被称为**热功当量**：

$$4.186\ \mathrm{J} = 1\ \mathrm{cal}$$

$$4.186\times10^{3}\ \mathrm{J} = 1\ \mathrm{kcal}$$

这些实验的结果使科学家开始将热不解释成物质，甚至也不是能的一种形式。热是指能量的转移：当热从热的物体流向冷的物体时，能量从热的物体转移到了冷的物体上。因此，**热**是由于温度差别而产生的能量从一个物体向另一个的转移。在国际单位制里，热的单位与任意形式的能量一样是焦耳。而卡路里和千卡有时候仍在使用。今天卡路里用焦耳定义（通过热功当量）而不是用前面给出的水的性质。后者仍便于记忆：1 卡使 1 克的水升高 1 C°，或 1 千卡使 1 千克的水升高 1 C°。

例 14-1　估计作功消耗多余的卡路里。一天下午，一对年轻夫妇不小心吃了太多的冰淇淋和蛋糕。他们意识到每人多吃了大约 500 大卡的热能，因此他们想通过爬楼梯作等量的功来消耗这些热量。试求每人必须爬上楼梯的总高度。每人的质量为 60kg。

解：500 大卡是 500 千卡，换成焦耳为

$$(500\ \mathrm{kcal})(4.186\times10^{3}\ \mathrm{J/kcal}) = 2.1\times10^{6}\ \mathrm{J}$$

爬垂直高度 h 的楼梯作的功为 $W = mgh$。我们已知 $W = 2.1\times10^6\text{J}$，想求 h：

$$h = \frac{W}{mg} = \frac{2.1\times10^6\,\text{J}}{(60\,\text{kg})(9.80\,\text{m/s}^2)} = 3600\,\text{m}$$

他们需要爬一座很高的山（超过 11000 英尺）或很多段楼梯。（人体不能百分之百地转换能量（大约 20%多），发动机同样如此。我们在下一章将看到，一些能量总是被“浪费”掉，所以，这对夫妇如果作这么多的功他们的体重将会减少。

例 14-2　动能转换成热。 当一个 3.0g 的子弹以 400m/s 的速率运行时，穿过了一棵树，其速率降到 200m/s。试问这个过程中产生（被子弹和树得到）的热量 Q 是多少？

解：能量守恒告诉我们

$$\text{KE}_\text{i} = \text{KE}_\text{f} + Q$$

这里 Q 是产生的热量，下标 i 和 f 分别表示最初和最终。因此

$$Q = \frac{1}{2}m(v_\text{i}^2 - v_\text{f}^2) = \frac{1}{2}(3.0\times10^3\,\text{kg})\left[(400\,\text{m/s})^2 - (200\,\text{m/s})^2\right] = 180\,\text{J}$$

$$= \frac{180\,\text{J}}{4.186\,\text{J/cal}} = 43\,\text{cal}$$

根据材料传输和储存热的相对能力，这些热量分配在子弹和树上。

14–2　温度、热和内能三者的关系

现在我们引入内能的概念，因为它能帮助澄清对热的认识。物体中所有分子的所有能量的总和叫做它的**热能**或**内能**。（我们将交替使用两个术语。）有时候，用“热含量”来说明这个概念，但它不是一个好的术语，因为它容易和热本身搞混。正如我们看到的，热不是物体具有的能，而是指从一个物体转移到另一个不同温度物体的能量的多少。

运用分子运动论，我们可以对温度、热和内能作一个明显的区分。温度（单位 K）是单个分子平均动能的量度。热能和内能涉及物体中所有分子的*总能量*。（两个等质量的热铁锭可能具有同样的温度，但它们两者具有的热能之和是一个具有的两倍。）最后，热涉及的是由于温度的差别，能量（如热能）从一个物体向另一个的*转移*。

注意，两个物体间热流的方向依赖于它们的温度，而不是它们具有多少内能。因此，如果 50g 温度 30°C 的水与 200g 温度 25°C 的水接触（或混合），热从 30°C 的水流向 25°C 的水，尽管 25°C 水的内能由于具有更多的分子而具有更大的热能。

14–3　理想气体的内能

让我们计算 n 摩尔单原子（每个分子含一个原子）理想气体的内能。内能 U 是所有原子平动动能的和。这个和正好等于每个分子的平均动能乘以分子的总数 N：

$$U = N\left(\frac{1}{2}m\overline{v^2}\right)$$

从方程 13-8，我们有

$$U = \frac{3}{2} NkT$$

或

$$U = \frac{3}{2} nRT \quad \text{[单原子理想气体]} \qquad \textbf{(14-1)}$$

这里 n 是摩尔数。因此，理想气体的内能只依赖于温度和气体分子的总数。

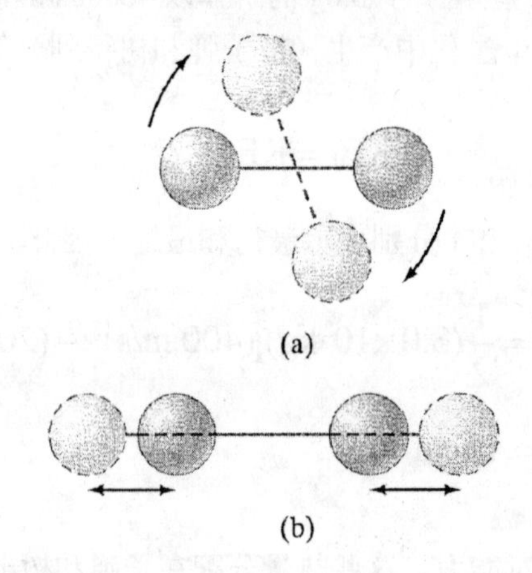

图 14-2 分子不但有平动能，而且可以具有（a）转动能（b）振动能

如果气体分子包含的原子多于一个，那么分子的转动能和振动能（图 14-2）也必须考虑在内。在给定温度下，它的内能将大于单原子气体的内能，但对于理想气体，它仍然只是温度的函数。

真实气体的内能也主要依赖于温度，但它们偏离理想气体的性质的地方在于它们的内能也轻微依赖于压强和体积。

液体和固体的内能相当复杂，因为它们包括与原子和分子间的力（或化学键）有关的电势能。

14–4 比热

如果热被输入到一个物体中，则它的温度升高。但温度升高多少呢？那就得视具体情况了。早在 18 世纪，实验科学家就已经注意到改变给定材料的温度所需的热量 Q 与材料的质量和温度变化ΔT 成正比。这个本质上相当简单的关系可用方程表示如下

$$Q = mc\Delta t \qquad \textbf{(14-2)}$$

这里 c 是材料的定量特性，叫做**比热**。由于 $c = Q/m\Delta T$，比热的单位是 J/kg·C°（正确的国际单位）或 kcal/kg·C°。对于 15℃ 的水，在 1atm 的恒压下，c = 1.00 kcal/kg·C°或 4.19×10^3 J/kg·C°，因为根据卡和焦耳的定义，使 1kg 水的温度升高 1C°需 1kcal 的热。表 14-1 给出 20℃ 时不同物质的比热。c 的值在一定范围内依赖于温度（同样轻微依赖于压强），但对于不太大的温度变化，c 通常可看作是固定的。

表 14-1　比热（在 1atm 恒压下，20°C；特指的除外）

物质	比热 c kcal/kg·C°	比热 c J/kg·C°	物质	比热 c kcal/kg·C°	比热 c J/kg·C°
铝	0.22	900	酒精	0.58	2400
铜	0.093	390	水银	0.033	140
玻璃	0.20	840	水		
铁或钢	0.11	450	冰（-5°C）	0.50	2100
铅	0.03	130	液态（15°C）	1.00	4186
大理石	0.21	860	气态（110°C）	0.48	2010
银	0.056	230	人体（平均）	0.83	3470
木材	0.4	1700	蛋白质	0.4	1700

例 14-3　热量如何依赖于比热。（a）将一个 20kg 的空铁桶从 10°C 加热到 90°C，需多少热量？（b）如果桶里盛 20kg 的水，情况会怎样？

解：（a）从表 14-1 查出，铁的比热为 450J/kg·°C。温度的改变为（90°C-10°C）= 80C°。因此，

$$Q = mc\Delta T = (20\ \text{kg})(450\ \text{J/kg}\cdot\text{C°})(80\ \text{C°}) = 7.2\times10^5\ \text{J} = 720\ \text{kJ}$$

(注意：因为$1\text{kcal} = 4.19\times10^3\ \text{J}$，所以$1\ \text{kJ} = 10^3\ \text{J} = 0.239\ \text{kcal}$。)

（b）水单独需要的热量为

$$Q = mc\Delta T = (20\ \text{kg})(4186\ \text{J/kg}\cdot\text{C°})(80\ \text{C°}) = 6.7\times10^6\ \text{J} = 6700\ \text{kJ}$$

或大约是相同质量的铁所需热量的 10 倍。总共需要（桶加上水）720 kJ +6700 kJ = 7400 kJ。在（a）部分，如果铁桶从 90°C 冷却到 10°C 它将放出 720kJ 的热量。换句话说，方程 14-2 在温度增加或降低时，对热的流进或流出同样适用。我们从例 14-3 的（b）部分看到，对于同样的温度增加，水所需的热量大约是等质量铁的 10 倍。水的比热是所有物质中最大的比热之一，这使它成为热水供热系统以及其它情况下的理想物质，比如有些情况下对于定量的热转移要求温度下降尽量小。对于定量热转移需温度下降最小的。同样，在热的苹果馅饼中通过热转移来烫伤我们的舌头的是含水的苹果而不是烤焦的苹果。

概念练习 例 14-4　非常热的煎锅。你不小心将空煎锅在炉子上烧得很热（200°C 或更热）。当你将它浸入盛有几英寸深冷水的池中时，会出现什么情况？最终温度将在水和煎锅温度的中间吗？水会沸腾吗？

答：经验告诉你水温会上升——也许几度，或 10 到 20 度。水不会接近沸点。水温的增加远小于煎锅温度的降低。为什么？因为水的质量接近于煎锅的，像铁、铝等金属的比热比水的小 5 到 10 倍（表 14-1）。当热离开煎锅进入水中时，水的温度的变化将比煎锅的小 5 到 10 倍。如果你让几滴水落到热的煎锅上，这很小质量的水将嗞嗞作响并很快蒸发掉（此时锅的质量大约是水的质量的 100 倍左右）。

[气体的比热比固体和液体的复杂的多，它随体积变化并随温度轻微变化（见 13-4 节）。在恒压下，气体体积随温度强烈变化，如我们在第十三章从气体定律中看到的；如果保持恒定体积，气体的压强随温度强烈变化。气体的比热强烈依赖于它的温度变化的过程。通常，我们保持在（a）恒定压强（c_p）或（b）恒定体积（c_V）测定气体的比热，。表 14-2 中给出一些气体的值，这里我们看出 c_p 总是大于 c_V。对于液体和固体，这个差别总是可以忽略的。]

表 14-2 气体的比热（kcal/kg·C°）

气体	c_P（等压）	c_v（等容）
蒸汽（100°C）	0.482	0.350
氧	0.218	0.155
氦	1.15	0.75
二氧化碳	0.199	0.153
氮	0.248	0.177

14–5 量热计——解题方法

当孤立系统的不同部分处在不同的温度时，热将从温度高的部分流向温度低的部分。如果系统是完全孤立的，没有能量流入或流出。那么，能量守恒将起重要作用：系统一部分失去的热等于其它部分获得的热：

热失去= 热获得

让我们看一个例子。

例 14-5 茶杯对茶水的冷却。如果将温度为 95°C、体积为 200 cm^3 的茶水到入温度 25°C、质量为 150g 的茶杯里，试求平衡达到时，混合物的最终温度 T，设没有热流向周围。

解：因为茶基本上是水，它的比热为 4186 J/ kg·C°（表 14-1），质量 m 为密度乘以体积（$V = 200\ \text{cm}^3 = 200 \times 10^{-6}\ \text{m}^3$）：$m = \rho V = (1.0 \times 10^3\ \text{kg/m}^3)(200 \times 10^{-6}\ \text{m}^3) = 0.20\ \text{kg}$。用能量守恒我们可以得到

茶水失去的热= 茶杯获得的热

$$m_{\text{tea}} c(95°\text{C} - T) = m_{\text{cup}} c_{\text{cup}} (T - 25°\text{C})$$

这里 T 是未知的最终温度。用表 14-1 并且代入数据，可得

$$(0.20\ \text{kg})(4186\ \text{J/kg} \cdot \text{C°})(95°\text{C} - T) = (0.15\ \text{kg})(840\ \text{J/kg} \cdot \text{C°})(T - 25°\text{C})$$

$$79400\ \text{J} - (836\ \text{J/C°})T = (126\ \text{J/C°})T - 6300\ \text{J}$$

$$T = 89°C$$

茶水在与茶杯达到平衡时其温度下降了 6C°。

注意在这个例子中，在能量守恒方程两侧的ΔT（方程 14-2，$Q = mc\Delta T$）都是正值。左侧的我们称为“热失去”，ΔT 为最初温度减去最终温度（95℃–T），而在右侧的“热获得”，ΔT 为最终温度减去最初温度。

能量交换（如例 14-5 给出的）是一种被称作**量热计**技术的基础，它是对热交换的定量测量。进行这样的测量，需用到量热计；图 14-3 给出一种简单的水量热计。重要的是要将量热计与外界很好地隔离，以至只有极少量的热与外界交换。量热计的一个重要应用就是测定物质的比热。在一种被称为“混合方法”的技术中，物质样品被加热到高温，这个温度可以准确测量，然后将它很快地放入量热计的冷水中。样品失去的热被水和量热计获得。通过测量混合物的最终温度，可以算出样品的比热，下面给出一个例子。

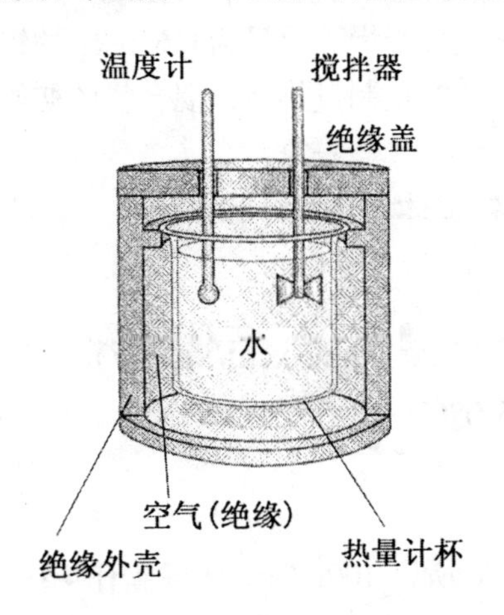

图 14-3　简化量热计

例 14-6　用量热计测定样品的比热。我们准备测定一种新合金的比热。首先将 0.150 kg 的合金样品加热到 540 ℃。然后将它很快地放入温度为 10.0 ℃、质量为 400 g 的水中，水装在一个 200 g 的铝制量热杯中。（我们不必知道绝缘套的质量，因为我们假设它们之间的空气层绝缘性能很好，所以它的温度不会显著变化。）混合物的最终温度为 30.5 ℃。试求合金的比热。

解：我们再次用能量守恒，写出热失去等于热获得

（样品的热失去） = （水的热获得）+（量热杯的热获得）

$$m_s c_s \Delta T_s = m_w c_w \Delta T_w + m_{cal} c_{cal} \Delta T_{cal}$$

这里的下标 s，w 和 cal 分别表示样品，水和量热计。当我们用表 14-1 代入数值时，这个方程变成

$$\begin{aligned}(0.150\,\text{kg})(c_s)(540°\text{C}-30.5°\text{C}) &= (0.40\,\text{kg})(4186\,\text{J/kg}\cdot\text{C}°)(30.5°\text{C}-10.0°\text{C})\\ &\quad+(0.20\,\text{kg})(900\,\text{J/kg}\cdot\text{C}°)(30.5°\text{C}-10.0°\text{C})\\ 76.4c_s &= (34300+3700)\,\text{J/kg}\cdot\text{C}°\\ c_s &= 500\,\text{J/kg}\cdot\text{C}°\end{aligned}$$

在进行这个计算时，我们忽略了任何传递到温度计和搅拌器上（需要加快热交换以减少

向外界的热流失）的热。要考虑这些因素可以在上面方程的右侧添加附加项，这将导致对 c_s 值的轻微修正（见习题 20）。应该注意的是，通常将量 $m_c c_c$ 称为量热计的**水当量**——即，$m_c c_c$ 数值上等于吸收同样热量的水的质量（千克）。

燃烧弹式量热计用来测量物质燃烧时释放的热。它的一个重要的应用是用来燃烧食物从而测量它们的热含量，燃烧种子和其它物质以确定它们的“含能量”或燃烧热。将仔细称量的物质样品与过量的高压氧放入密封的容器中（“燃烧弹”）。将燃烧弹放入量热计的水中，然后很快加热连接到燃烧弹内部的**细导线**，从而使混合物点燃。

例 14-7 测量果仁巧克力蛋糕的热含量。试用下述方法测量 100g 玛蓝妮梦幻蛋糕的热含量。取 10g 的蛋糕样品，在放入燃烧弹以前，将其充分干燥。质量为 0.615 kg 的铝制燃烧弹放在 2.00 kg 的水中，盛水的容器是质量为 0.524 kg 的铝制量热杯。混合物的初始温度为 15.0℃，燃烧后它的温度为 36.0℃。

解：在这种情况下，燃烧中释放的热量 Q 全部被弹体、热量计和水吸收：

$$\begin{aligned}Q &= (m_w c_w + m_{cal} c_{cal} + m_{bomb} c_{bomb})\Delta T \\ &= [(2.00\ \text{kg})(1.0\ \text{kcal/kg}\cdot\text{C}^\circ) + (0.524\ \text{kg})(0.22\ \text{kcal/kg}\cdot\text{C}^\circ) \\ &\quad + (0.615\ \text{kg})(0.22\ \text{kcal/kg}\cdot\text{C}^\circ)][36.0^\circ\text{C} - 15.0^\circ\text{C}] \\ &= 47\ \text{kcal}\end{aligned}$$

因为 10g 的蛋糕在燃烧中释放了 47 千卡的热量，所以 100g 的蛋糕将含有 470“大卡”。

14–6 潜热

当材料从固相变到液相、或从液相变到气相时（参见 13-13 节），涉及到一定的能量在这个**相变**中。下面让我们看一个例子，观察一下在这个过程中发生了什么，将 1.0 kg 处在-40℃的冰块以恒定速率加热，直到所有的冰变成水，然后将水（液相）加热到 100℃ 并继续加热使水变成气体，所有过程均在一个大气压下进行。如图 14-4 中所示，在加热冰块时，它的温度以大约 2 C°/kcal 的速率增加（因为对于冰，$c \approx 0.50\text{kcal/kg}\cdot\text{C}^\circ$）。但在到达 0℃ 时，温度的增加停止了，尽管热一直在供给。现在当继续加热时，冰逐渐变成液态水而温度没有任何增加。在 0℃ 大约提供了 40 kcal 的热量后，一半的冰仍保留着，一半已变成了水。在大约提供了 80 kcal 或 330 kJ 的热量后，所有的冰都变成了水，温度仍在 0℃。进一步加热可使水温继续升高，现在的速率是 1C°/kcal。当达到 100℃ 时，温度再次保持不变，继续加热将使液态水变成蒸气。将 1.0 kg 的水完全变成蒸气大约需要 540 kcal（2260 kJ）的热量，在这以后曲线又上升了，表示蒸气的温度现在随着加热在上升。

将 1.0kg 的物质从固态变到液态所需的热量叫做**熔解热**；用 L_F 表示。水的熔解热是 79.7 kcal/kg 或用国际单位是 333 kJ/kg（$= 3.33 \times 10^5$ J/kg）。将物质从液态变到气态所需的热量叫做蒸发热 L_V，水的蒸发热为 539 kcal/kg 或 2260 kJ/kg。其它物质的情况与图 14-4 类似，尽管熔点和沸点的温度以及比热、熔解热和蒸发热都不同。在表 14-3 中给出了一些物质的熔解热和蒸发热的值，它们也叫做**潜热**。

熔解热和蒸发热也指物质在从气相变到液相、或从液相变到固相时放出的热量。因此，

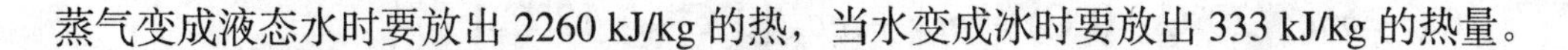

蒸气变成液态水时要放出 2260 kJ/kg 的热，当水变成冰时要放出 333 kJ/kg 的热量。

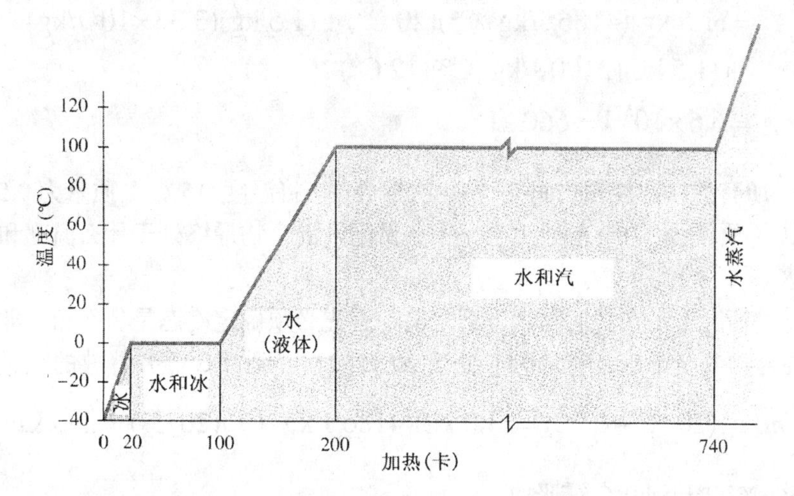

图 14-4 将温度为- 40°C、质量为 1.0kg 的冰加热到 100°C 以上的蒸汽所需的热量与温度的关系。注意在 200 和 740kcal 之间有断开线（页面不能将整个图装进去）。

当然，相变中涉及的热量不仅与潜热有关，而且还与物质的总质量有关。即，

$$Q = mL,$$

这里 L 是物质在特定过程中的潜热，m 是物质的质量，Q 是相变中所需的或放出的热量。例如，当 5.00kg 的水在 0°C 结冰时，要放出 $(5.00\ \text{kg})(3.33 \times 10^5\ \text{J/kg}) = 1.67 \times 10^6\ \text{J}$ 的能量。

表 14-3 潜热（一个大气压下）

	熔点	**熔解热**		**沸点**	**蒸发热**	
物质	**（°C）**	**Kcal/kg⁺**	**J/kg**	**（°C）**	**Kcal/kg***	**J/kg**
氧气	- 218.8	3.3	0.14×10^5	- 183	51	2.1×10^5
氮气	- 210.0	6.1	0.26×10^5	- 195.8	48	2.00×10^5
酒精	- 114	25	1.04×10^5	78	204	8.5×10^5
氨气	- 77.8	8.0	0.33×10^5	- 33.4	33	1.37×10^5
水	0	79.7	3.33×10^5	100	539	22.6×10^5
铅	327	5.9	0.25×10^5	1750	208	8.7×10^5
银	961	21	0.88×10^5	2139	558	23×10^5
铁	1808	69.1	2.89×10^5	3032	1520	63.4×10^5
钨	3410	44	1.84×10^5	590	1150	48×10^5

⁺用 kcal/kg 和 cal/g 的数值一样。

使用量热计有时候涉及状态的变化，如下面例子中给出的。实际上，潜热通常都是用量热计测量的。

例 14-8 制冰。 冰箱将 20°C 的 1.5kg 水冷冻成-12°C 的冰，需从水中移走多少能量？

解：将水从 20°C 降低到 0°C，再结成冰，然后将冰从 0°C 降到-12°C 需放出的热量为：

$$\begin{aligned} Q &= mc_{\mathrm{w}}(20°\mathrm{C} - 0°\mathrm{C}) + mL_{\mathrm{F}} + mc_{\mathrm{ice}}[0°\mathrm{C} - (-12°\mathrm{C})] \\ &= (1.5\ \mathrm{kg})(4186\ \mathrm{J/kg \cdot C°})(20\ \mathrm{C°}) + (1.5\ \mathrm{kg})(3.33\times10^5\ \mathrm{J/kg}) \\ &\quad + (1.5\ \mathrm{kg})(2100\ \mathrm{J/kg \cdot C°})(12\ \mathrm{C°}) \\ &= 6.6\times10^5\ \mathrm{J} = 660\ \mathrm{kJ} \end{aligned}$$

例 14-9 **所有的冰都能融化吗？** 在一次聚会中，将温度-15℃、质量为 0.50 kg 的冰块放入温度 20℃、质量为 3.0kg 的“冰”茶中。试问，混合物最终处于什么温度和什么相？可将茶考虑成水。

解：在这种情况下，在我们写出方程之前，首先必须确定终态是什么相，即全部是冰、0℃ 的冰水混合物或全是水。将 3.0 kg 处于 20℃ 的水降到 0℃ 需要释放的热量为

$$m_{\mathrm{w}}c_{\mathrm{w}}(20\ °\mathrm{C} - 0\ °\mathrm{C}) = (3.0\ \mathrm{kg})(4186\ \mathrm{J/kg \cdot C°})(20\ \mathrm{C°}) = 250\ \mathrm{kJ}$$

另外，将冰从-10℃ 升到 0℃ 需吸收

$$m_{\mathrm{ice}}c_{\mathrm{ice}}[0\ °\mathrm{C} - (-10\ °\mathrm{C})] = (0.50\ \mathrm{kg})(2100\ \mathrm{J/kg \cdot C°})(10\ \mathrm{C°}) = 10.5\ \mathrm{kJ}$$

将冰变成 0℃ 的水需要

$$m_{\mathrm{ice}}L_{\mathrm{F}} = (0.50\ \mathrm{kg})(333\ \mathrm{J/kg}) = 167\ \mathrm{kJ}$$

总共需要 10.5 kJ+167 kJ= 177 kJ。这不足以使 3.0 kg 处于 20℃ 的水降到 0℃，所以我们知道混合物最终全是水，温度在 0℃ 到 20℃ 之间。现在我们可以用能量守恒求出最终温度 T
（将 0.5kg 的冰从-10℃ 升到 0℃ 所需的热）+（将 0.5kg 的冰变成 0℃ 的水所需的热）+（将 0.5kg 的水升到 T 所需的热）=（将 3.0kg 处于 20℃ 的水降到 T 释放的热）
所以

$$10.5\ \mathrm{kJ} + 167\ \mathrm{kJ} + (0.50\ \mathrm{kg})(4186\ \mathrm{J/kg \cdot C°})(T) = (3.0\ \mathrm{kg})(4186\ \mathrm{J/kg \cdot C°})(20\ °\mathrm{C} - T)$$

或

$$14600T = 73800$$
$$T = 5.1°\mathrm{C}$$

例 14-10 **确定潜热**。水银的比热为 0.033 kcal/kg·C°。将处在其熔点-39℃ 的 1.0k g 的固体水银放入质量为 0.50 kg 的铝量热计中，量热计中装有处在 20.0 ℃ 质量为 1.2 kg 的水，混合物的最终温度为 16.5 ℃。试问水银的熔解热是多少 kcal/kg？

解：水银（Hg）得到的热等于水和热量计失去的热：

$$\begin{aligned} &m_{\mathrm{Hg}}L_{\mathrm{Hg}} + m_{\mathrm{Hg}}C_{\mathrm{Hg}}[16.5\ °\mathrm{C} - (-39\ °\mathrm{C})] \\ &\quad = m_{\mathrm{w}}c_{\mathrm{w}}(20\ °\mathrm{C} - 16.5\ °\mathrm{C}) + m_{\mathrm{Al}}c_{\mathrm{Al}}(20.0\ °\mathrm{C} - 16.5\ °\mathrm{C}) \end{aligned}$$

或

$$\begin{aligned} &(1.0\ \mathrm{kg})(\mathrm{L_{Hg}}) + (1.0\ \mathrm{kg})(0.033\ \mathrm{kcal/kg \cdot C°})(55.5\ \mathrm{C°}) \\ &\quad = (1.2\ \mathrm{kg})(1.0\ \mathrm{kcal/kg \cdot C°})(3.5\ \mathrm{C°}) \\ &\quad\quad + (0.50\ \mathrm{kg})(0.22\ \mathrm{kcal/kg \cdot C°})(3.5\ \mathrm{C°}) \end{aligned}$$

因此

$$L_{Hg} = (4.2 + 0.4 - 1.8)\ \text{kcal/kg} = 2.8\ \text{kcal/kg}$$

解题步骤：量热计

1. 在运用能量守恒时，要确认你有足够的信息。自问：系统是孤立的吗（或很接近，可以得到一个很好的近似）？我们知道或能够计算出所有重要的涉及热能流动的源吗？

2. 用能量守恒：

热获得=热失去

对系统中的每一个物质，要清楚其热量（能）一项是在方程的左侧还是右侧。

3. 如果没有相变，能量守恒方程（上述）中的每一项将具有以下形式

Q（获得）$= mc（T_f - T_i）$ 或 Q（失去）$= mc（T_i - T_f）$

这里 T_i 和 T_f 是物质的最初和最终温度，m 和 c 是它们的质量和比热。

4. 如果相变发生了或可能发生，在能量守恒方程中可能要加上一项 $Q = mL$，这里 L 是潜热。但在应用能量守恒*之前*，要确认（或估计）终态处在哪个相，如我们在例 14-9 中那样通过计算的对热量 Q 的不同贡献值。

5. 确认每一项在能量方程的哪一侧（热获得或热失去），并且每个ΔT都是正的。

6. 注意当系统达到热平衡时，每种物质最终将具有*同样*的温度。只有一个 T_f。

7. 从方程中求解未知量。

将液体变成气体的潜热不只是在沸点时才需要涉及。甚至在室温下，水也能从液相变成气相。这个过程叫**蒸发**（参见 13-14 节）。蒸发热的值随温度下降稍有增加：例如，在 20°C 为 2450 kJ/kg（585 kcal/kg），而在 100°C 时为 2260 kJ/kg（539 kcal/kg）。在水蒸发时，它变冷了，因为它需要从自身获得能量（蒸发潜热）；所以它的内能、以及它的温度必须降低。

人体控制体温的一个最重要的方法是从皮肤上蒸发水分。当血液的温度稍高于正常温度时，下丘脑腺探测到了这个温度升高并对汗腺发出信号以增加汗腺的产出。蒸发这些水所需的能量来自身体，所以体温降低了。

我们可以用分子运动论来理解为什么物质在融化或蒸发时需要能量。在熔点时，溶解潜热不增加固体分子的动能（和温度），而是用来克服与分子间的吸引力有关的势能。即，需要沿吸引力反向作功才能将分子从固态中的相对固定位置上拉开，这样它们才能在液相中相互自由滚动。同样，分子从相互靠近的液相逃离到气相也需要能量。这是一个比溶解更剧烈的分子重组过程（分子间的平均距离大大增加了），因此一般来说给定物质的蒸发热远大于熔解热。

14-7 热传递：传导

热从一个地方或一个物体传递到另一个通过三种方式：传导、对流和辐射。我们现在依次讨论这些方式；但在实际情况下，任意两种或所有三种都可能同时进行。我们从传导开始讨论。

将一根金属棒放入炽热的火焰中，或将一个银勺子放入一碗热汤中时，棒子或勺子在外

边暴露的一端不久也变热了，虽然它没有直接和热源接触。我们说热从高温端传导到了低温端。

热在许多材料中的**传导**可被形象地想象成分子碰撞的结果。当物体的一端被加热时，这里的分子运动得越来越快。当它们与运动较慢的邻近分子相撞时，它们将一部分能量传递给了那些分子，因此这些分子的速率增加了。这些分子又通过碰撞将部分能量传递给物体中离加热端较远处的分子。因此热运动的能量可通过分子间的碰撞沿物体传递。根据现代理论，金属中自由电子的相互碰撞以及与金属原子的碰撞是热传导的主要原因。

+根据分子运动论，蒸发是一个冷却过程，因为运动最快的分子从表面逃离了（13-14 节）。因此，剩余分子的平均速率减小了，从方程 13-8 得知，它的温度就会降低。

只有在存在温度差的情况下，热传导才会发生。实验发现，通过物质的热流速率正比于两端的温度差。热流速率也依赖于物体的大小和形状，为了定量研究它，让我们考虑通过均匀物体的热流，如图 14-5 所示。实验发现，单位时间间隔ΔT内的热流ΔQ由下式给出

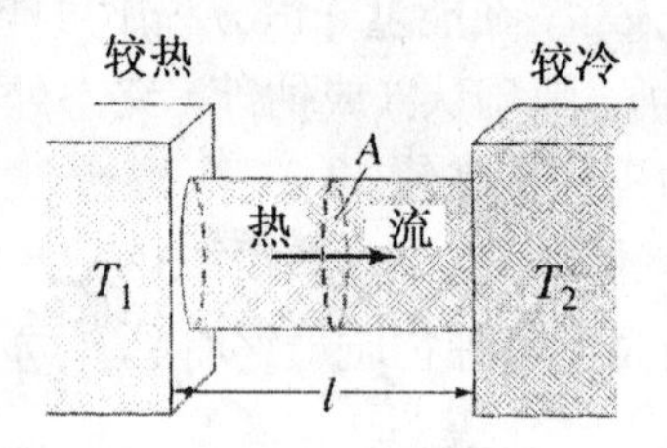

图 14-5　在温度 T_1 和 T_2 的面积间的热传导。如果 T_1 大于 T_2，热流向右；流速由方程 14-3 给出。

$$\frac{\Delta Q}{\Delta t}=kA\frac{T_1-T_2}{l} \tag{14-3}$$

这里 A 是物体的横截面积，l 是两端间的距离，它们所处的温度为 T_1 和 T_2，k 是比例常数叫做**热导率**，它是材料的一种性质。从方程 14-3 我们可以看出热流速率正比于横截面积 A 和温度梯度（T_1-T_2）/l。

表 14-4 给出不同物质的热导率 k。具有较大 k 值、即导热快的物质被称为热的**良导体**。许多金属都归于这一类，尽管它们的 k 值有一个很广的范围，你只需通过握住浸在同一杯热汤中的银勺子和不锈钢勺子的柄就可观察到这一点。k 比较小的物质，像羊毛、玻璃纤维、聚氨酯和绒毛，是热的不良导体，因而是好的绝热体。k 的相对值可以解释一些简单的现象，如为什么在同样的温度下对于脚来说镶瓷砖的地板比铺地毯的地板凉。瓷砖相对于地毯是较好的热导体；热从你的脚向地毯表面的传递不是很迅速，所以地毯表面被很快加热到你脚的温度。但瓷砖导热快，因此很快从你的脚上带走较多热量，所以脚表面的温度下降了。

+这与讨论过的扩散（第十三章）和流体通过管子流动（第十章）的情形十分类似。在那些情况下，发现物质的流动正比于浓度梯度（C_1-C_2）/l，或压力梯度（P_1-P_2）/l。这种相似性正是我们称其为热流的一个原因。但我们必须要牢记，这里没有物质的流动——只是能量被转移了。

例 14-11　**通过窗户损失的热量**。房屋中热量损失的主要通道是窗户。如果窗户玻璃内

外表面的温度分别为 15.0°C 和 14.0°C（图 14-6），试求通过面积为 2.0m×1.5m、厚度为 3.2mm 的玻璃窗户的热流率。

解：因为 A=(2.0m)(1.5m)= 3.0m^2，l = 3.2×10^{-3}m，从表 14-3 中得到 k，用方程 14-3 可得

$$\frac{\Delta Q}{\Delta t}=kA\frac{T_1-T_2}{l}=\frac{(0.84\ \mathrm{J/s\cdot m\cdot C^\circ})(3.0\ \mathrm{m}^2)(15.0\ ^\circ\mathrm{C}-14.0\ ^\circ\mathrm{C})}{(3.2\times10^{-3}\ \mathrm{m})}=790\ \mathrm{J/s}$$

这等于 $(790\ \mathrm{J/s})(4.19\times10^3\ \mathrm{J/kcal})=0.19\ \mathrm{kcal/s}$ ，或

$$(0.19\ \mathrm{kcal/s})\cdot(3600\ \mathrm{s/h})=680\ \mathrm{kcal/h}$$

表 14-4 热导率

物质	热导率，k	
	kcal/s · m · C°	J/s · m · C°
银	10×10^{-2}	420
铜	9.2×10^{-2}	380
铝	5.0×10^{-2}	200
钢	1.1×10^{-2}	40
冰	5×10^{-4}	2
玻璃（普通）	2.0×10^{-4}	0.84
砖块和水泥	2.0×10^{-4}	0.84
水	1.4×10^{-4}	0.56
人体组织（包括血液）	0.5×10^{-4}	0.2
木材	$0.2\text{-}0.4\times10^{-4}$	0.08-0.16
玻璃纤维绝缘物	0.12×10^{-4}	0.048
软木和玻璃棉	0.1×10^{-4}	0.042
羊毛	0.1×10^{-4}	0.040
鸭绒	0.06×10^{-4}	0.025
聚氨酯	0.06×10^{-4}	0.024
空气	0.055×10^{-4}	0.023

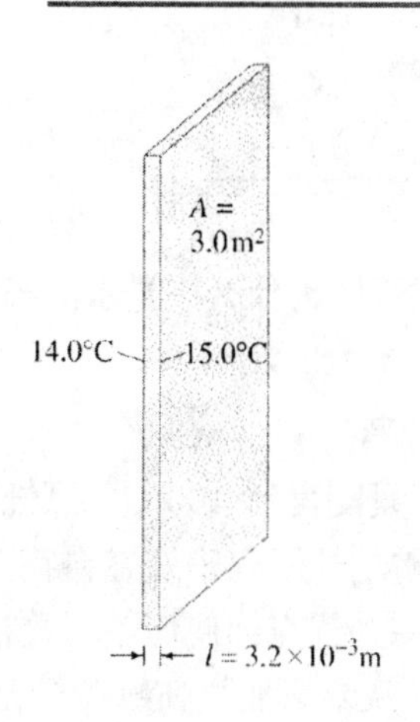

图 14-6 例 14-11

在这个例子中，你也许注意到 15℃ 对居室来说不是很暖和的温度。室内确实更暖和一些，而室外也许比 14℃ 更冷。但在这里 15℃ 和 14℃ 被指定为窗户内外表面的温度，同时在一般情况下在窗户的内外两侧靠近玻璃的空气中也有一定的温度差。窗户每一侧的空气层起到了绝热层的作用，一般情况下，室内外的温度差主要降落在空气层上。如果风很大，窗户外侧的空气层会持续地被冷空气代替；玻璃上的温度梯度将增大，从而热损失率也就更大。增加空气层的厚度，如用双层玻璃隔离出一个空气间隙，将比简单的增加玻璃厚度能更好地减少热量的损失，因为空气的热导率远小于玻璃的。

衣服的保暖性来自空气的隔热性。如果不穿衣服，我们的身体将加热与皮肤接触的空气层，很快我们会觉得相当舒适，因为空气是一种很好的绝热体。但由于空气是运动的（风的吹拂和气流的漂移以及人本身的移动），所以热的空气层将被冷的所替代，因此温度差别增大了，热量就会从身体上不断地失去。衣服的作用是保持空气层不让它随意运动，从而使我们的身体保持温暖。不是衣服将我们与周围环境隔离从而将少了热损失，起到这个作用的是衣服中保持的空气。绒毛是一种非常好的隔热材料，因为少量的绒毛能够俘获大量的空气。在这个的基础上，你能看出为什么窗户前挂窗帘会减少房间的热量损失吗？

在实际应用中，建筑材料的热性能（特别是作为隔热材料考虑时）通常用 R 值（或"热阻"） 标定，对于厚度给定为 l 的材料，它的定义为：

$$R = \frac{l}{k}$$

一块给定材料的 R 值将厚度 l 和热导率 k 结合成为了一个数。在美国，R 值用英制给出（虽然一般从不声明），如 $ft^2 \cdot h \cdot F°/Btu$。表 14-5 给出一些常见建筑材料的 R 值：注意 R 值随材料厚度直接增加。例如，2 英寸的玻璃纤维 R 值为 $R = 6\ ft^2 \cdot h \cdot F°/Btu$，厚度 4 英寸的 R 值加倍。

表 14-5 R 值

材料	厚度	R 值 ($ft^2 \cdot h \cdot F°/Btu$)
玻璃	1/8 英寸	1
砖块	3.5 英寸	0.6-1
复合板	1/2 英寸	0.6
玻璃纤维	4 英寸	12

概念练习 例 14-12 **煮意大利面？** 在煮意大利面条时，为什么一旦水沸腾后你要将火关小？如果你保持大火能煮得更快吗？

答：一旦面条放入水中且水正在沸腾，面条将处在 100℃。用大火只会使水沸腾得更快，但不能升高它的温度，所以不能加速煮熟的过程。你总是只能得到 100℃。烹饪时间取决于热传递的速率，而这随温度变化（方程 14-3 ）。让水沸腾得更快不仅浪费燃料花去更多的钱，而且由于蒸发使水的体积很快减少。（适当的快速沸腾有一个优点：使面条不致粘结在一起，但这可以通过在水中放一小勺食用油来避免。）当然，将水从室温加热到沸腾需大量的热，大火更有效。火越大，水沸腾得越快。但如果火不够大，水将不会沸腾不管你等多长时间。为什么？

14–8 热传递：对流

虽然液体和气体一般不是很好的导热体，但它们可以通过对流相当迅速地传递热。**对流**是通过分子从一处到另一处的质量运动传递热的过程。传导只涉及分子（和/或电子）在很小距离内的运动和碰撞，而对流则涉及分子远距离的运动。

在强制通风炉中，空气被加热然后由风扇送到室内，这是一个强制对流的例子。自然对流也常常发生，一个熟悉的例子是热空气上升。例如，散热器（或其它类型的热体）上部的空气受热时膨胀，因此它的密度减少；由于它的密度减少，它将向上升，正如浸在水中的木头由于它的密度比水轻一样。热洋流或冷洋流，如暖湾流，代表了大规模的自然对流。风是对流的另一个例子，一般来说天气是空气对流的结果。

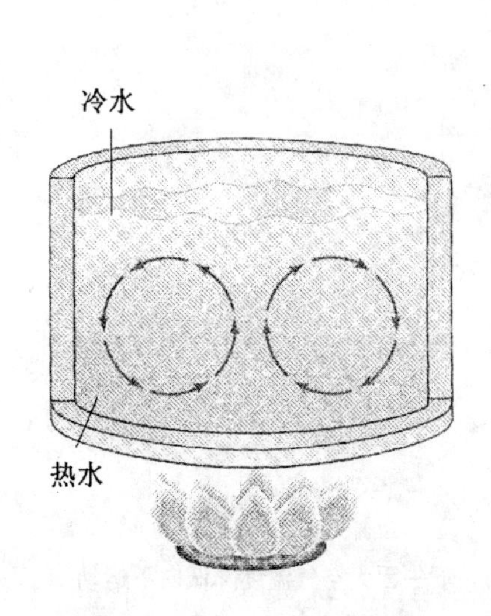

图 14-7　火炉上一盆水中的对流

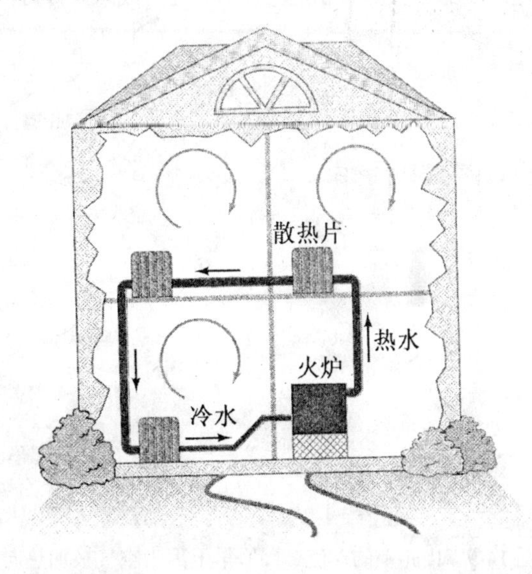

图 14-8　对流中加热房屋中所起的作用。箭头的方向表示房屋中空气的流动方向

当一壶水被加热时（图 14-7），壶底部的热水由于密度减小而上升并被上部的冷水所替代，这时产生了对流。这个原理用在许多加热系统中，如图 14-8 所示的水暖供热系统。水在炉子中被加热，当它的温度升高时，它膨胀并上升，如图所示。这使水在系统中循环。当热水进入散热器时，热以传导方式传递给空气，同时冷水返回炉子。因此，水由于对流而产生循环，有时为了加快循环也使用各种泵。整个房间里的空气也由于对流而被加热。被散热器加热的空气上升并被冷空气替代，这样就产生了空气的对流，如图所示。

其它类型的炉子也依赖于对流。在靠近地板处开有通风口的热气炉常常没有风扇而只靠自然对流，这个对流是可以感觉到的。在其它系统中，常常使用风扇。重要的是冷空气能够返回炉子从而使整个房间里产生循环对流，这样房间就可以被均匀加热了。

在下面的摘录中给出了对流及其效应的一个例子，这段文字引自早期的环境学家富兰克斯·马休的“约塞迈特峡谷的风”一文：

自然正好就是这样安排的，太阳加热地面比加热空气更迅速。因此，早晨暴露在太阳下的每个斜坡或山梁不久都变成了一个热源。它逐渐地使贴着地面的空气变热，空气变轻并开始上升。但它并不是垂直向上，因为上面仍有冷空气向下压它。它沿着温暖的山坡向上爬，正如附图[图 14-9a]中箭头所示的那样。到山谷来的人几乎都记得在炎热、无风的天气里攀登在没有尽头的曲折山路上的情形，太阳照在背上，自己搅起的尘土总是令人讨厌、使人窒息地伴随着自己，与自己一起向上飘浮。或许他们只是简单地认为，自己运气不好碰上这样一个尘土上扬的一天。其实在阳光照耀的山坡上总是如此。

但你很可能回想起另一种情形，在沿某些路段下坡时，尘土随着人们向下走，好象搞恶作剧似的从一段山坡到另一段山坡，与人们一起向下飘。然而，这样的情况肯定不会发生在山谷向阳的一侧。这里的情况正好相反。当阳光离开斜坡时，后者马上通过辐射失去它的热量，并在较短的时间内变得比空气冷。与地面接触的空气层逐渐变冷，随着收缩而变重并开始沿山坡向下爬[图 14-9b]。因此，通常在向阳的斜坡有向上的热空气流，而背阴的斜坡有向下的冷空气流——这个规律在像约塞迈特这样无风的地区几乎每天都能看到。确实，你可以很容易的利用这个规律制定计划从而得到一个没有尘土的旅行。

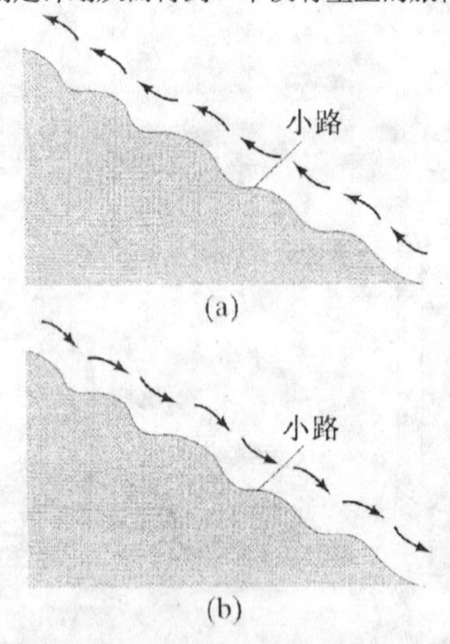

图 14-9 山路上的对流 （a）早上因为空气被加热向上运动（b）下午因为空气温度降低向下运动

人体产生大量的热能。食物在人体中转化的能量最多有 20%被用来作功，所以超过 80%的以热能形式出现。例如，在轻微活动时，如果这些热能不散失，人体的温度将每小时升高 3C°。显然，人体产生的热必须要向外传递。热是靠传导向外传递的吗？在舒适环境下皮肤的温度为 33 到 35°C，而体内是 37°C。简单的计算表明（见习题 56），由于这个温度差别，考虑到人体组织低的热导率，直接传导对热散失贡献很小。实际上，热量是由血液带到体表的。在其它所有重要的作用以外，血液还起着对流流体的作用，来将热传递到皮肤下表层。然后热被传导（很短的距离）至表面。一旦到达表面，热通过对流、蒸发和辐射（见下一节）几种方式被传递到周围环境中。

14–9 热传递：辐射

对流和传导都需要有媒介物质将热量从热的区域携带到冷的区域。但热传递的第三种方式不需要任何媒介。地球上的所有生命依赖于从太阳传递的能量，这个能量经过空无一物（或接近真空）的太空传到地球上。这种能量传递的形式就是热（因为太阳的温度（6000K）比地球的高很多），它被称为**辐射**。我们从火焰接收到的热量主要是辐射能（大部分被火加热的空气通过烟囱上升了并没有到达我们身上）。

正如我们将在以后章节看到的，辐射本质上是由电磁波组成的。现在完全可以说来自太阳的辐射是由可见光加上许多其它眼睛无法看到的电磁波组成的，其中红外（IR）辐射对地球的加热起到了主要作用。

人们发现物体的辐射功率是与开氏温度 T 的四次方成正比的。即，一个物体处在 2000K 时的辐射功率是它处在 1000K 时的 $2^4 = 16$ 倍。辐射功率也正比与辐射物体的面积 A，所以能量离开物体的比率$\Delta Q/\Delta t$ 为

$$\frac{\Delta Q}{\Delta t} = e\sigma A T^4 \qquad \textbf{(14-4)}$$

这叫做**斯提芬·玻尔兹曼方程**，σ是普适常数叫做**斯提芬·玻尔兹曼常数**，它的值为

$$\sigma = 5.67\times10^{-8}\ \mathrm{W/m^2\cdot K^4}$$

因子 e 叫做**辐射率**，是 0 到 1 之间的数，它是由材料的性质决定的。非常黑的表面（如木炭）具有接近 1 的辐射率，而光亮表面的 e 接近于零，因此发出的辐射相对比较小。e 的值稍微依赖于物体的温度。

光亮的表面不仅发出的辐射能很少，而且也很少吸收落在它表面的其它物体的辐射能（大部分被反射了）。另一方面，黑色或颜色较深的物体则几乎完全不吸收落在其上的辐射能，这就是为什么在炎热的夏季穿浅颜色的衣服会被深颜色的衣服凉爽一些。因此，**一个好的吸收体一定是一个好的辐射体**。

任何物体都不仅通过辐射而发出能量，同时它也在吸收别的物体辐射出的能量。如果一个物体的温度为 T，它的辐射率为 e，面积为 A，那么它以 $e\sigma AT_1^4$ 的比率辐射能量。如果物体被辐射率（≈1）很高、温度为 T_2 的环境所包围，环境辐射能量的比率正比于 T_2^4，这个物体吸收能量的比率也正比于 T_2^4。从物体流出的净辐射率由下面的方程给出：

$$\frac{\Delta Q}{\Delta t} = e\sigma A(T_1^4 - T_2^4) \qquad \textbf{(14-5)}$$

这里 A 是物体的表面积，T_1 是它的温度，e 是它的辐射率（在温度 T_1 处），T_2 是环境温度。注意，在这个方程中，物体吸热的比率被认为是 $e\sigma AT_2^4$；即，辐射与吸收的比例常数是一样的。这与实验事实相符，因为当物体与环境具有同样的温度时，它们达到了热平衡。也就是说，当 $T_1=T_2$ 时，$\Delta Q/\Delta t$ 必须等于零，所以辐射和吸收系数一定相等。这恰好与好的辐射体一定是好吸收体的观点一致。

由于物体和它的环境都要辐射能量，因此只要两个物体不处在同一温度，就有从一个到另一个物体的净能量流动。从方程 14-5 可以清楚看到如果 $T_1>T_2$，净热就会从物体流向环境，因而物体会变冷。但如果 $T_1<T_2$，净热就会从环境流向物体，它的温度会升高。如果环境的不同部分处在不同的温度，方程 14-5 就会变得很复杂。

例 14-13 估计辐射降温。一运动员裸体坐在墙壁温度为 15 ℃ 的更衣室中。设皮肤温度

为 34°C，e =0.70，试估计他的辐射热损失率。设人体与椅子没有接触的面积为 1.5 m²。

解：从方程 14-5 可得

$$\begin{aligned}\frac{\Delta Q}{\Delta t} &= e\sigma A(T_1^4 - T_2^4) \\ &= (0.70)(5.67\times10^{-8}\ \mathrm{W/m^2\cdot K^4})(1.5\ \mathrm{m^2})[(307\ \mathrm{K})^4 - (288\ \mathrm{K})^4] \\ &= 120\ \mathrm{W}\end{aligned}$$

在静止的情况下，人体内部约以 100W（第 15 章）的速率产生热，小于这个例子中计算的辐射损失热。因此，人体的温度将下降，致使人很不舒服。对于这些过度的热损失，身体通过增加自己的新陈代谢率（15-3 节）来弥补，打颤就是一种增加代谢的方法。衣服自然会起很大作用。例 14-13 表明，人既使在空气温度为 25°C（这是一个相当温暖的房间）时也会感到不舒服。如果墙壁和地板是冷的，不管空气多么温暖，人体也会向它们发出辐射。实际上，据估计在普通房间久坐的人约有 50%的热量是通过辐射损失掉的。住在墙壁和地板很温暖而空气不太热的房间内是最舒服的。地板和墙壁可用水暖管或电热器加热。虽然今天这种高级的供暖系统并不是很普遍，但有趣的是 2000 年前的罗马人，甚至在英国偏僻省份的房间里，都已用地板下的热水和蒸气管来加热他们的房间了。

例 14-14　估计两个茶壶。　一个陶器茶壶（e= 0.70）和一个瓷器茶壶（e= 0.10）都装了 0.75L 温度 95°C 的水。(a) 请估计各自的热损失率，(b) 估计 30 分钟后各自的温度下降。只考虑辐射并设环境温度为 20°C。

解：(a) 装有 0.75 L 茶水的茶壶可看成边长近似为 10 cm 的立方体，它的五个面暴露着，所以它的面积约为 5×10^{-2} m²。热损失率约为

$$\begin{aligned}\frac{\Delta Q}{\Delta t} &= e\sigma A(T_1^4 - T_2^4) \\ &= e(5.67\times10^{-8}\ \mathrm{W/m^2\cdot K^4})(5\times10^{-2}\ \mathrm{m^2})[(368\ \mathrm{K})^4 - (293\ \mathrm{K})^4] \\ &= e(30)\ \mathrm{W}\end{aligned}$$

对陶器壶(e= 0.70)大约为 20 W，瓷器壶为(e= 0.10)3 W。

(b) 要估计温度下降，我们用比热的概念，与 0.75 L 的水相比忽略壶的作用。因此，用方程 14-2

$$\frac{\Delta T}{\Delta t} = \frac{\Delta Q/\Delta t}{mc} = \frac{e(30)\mathrm{J/s}}{(0.75\mathrm{kg})(4.19\times10^3\,\mathrm{J/kg\cdot C^\circ})} = e(0.01)\mathrm{C^\circ/s}$$

在 30 分钟（1800s）后，陶器壶下降 12 C°，瓷器壶下降 2 C°。闪亮的瓷器壶显然具有优势，至少在考虑辐射时如此。然而，对流和传导比辐射起得作用可能更大。

太阳辐射对物体的加热不能用方程 14-5，因为这个方程假设了物体环境温度 T_2 是均匀的，而太阳基本上是一个点源。因此太阳必须看成一个分立的能量源。太阳对物体的加热用 1350 J 这个数值来计算，它是每秒从太阳射到地球大气上相对太阳射线呈直角的每平方米面

积上的能量。这个值（1350 W/m^2）叫做**太阳常数**。在这个能量到达地面之前，根据云层的厚度，大气的吸收将最多可达 70%。在晴朗的天气里，约有 1000 W/m^2 到达地球表面。辐射率为 e，正对太阳面积为 A 的物体吸收热的功率约为

$$\frac{\Delta Q}{\Delta t}=(1000\text{W/m}^2)eA\cos\theta$$

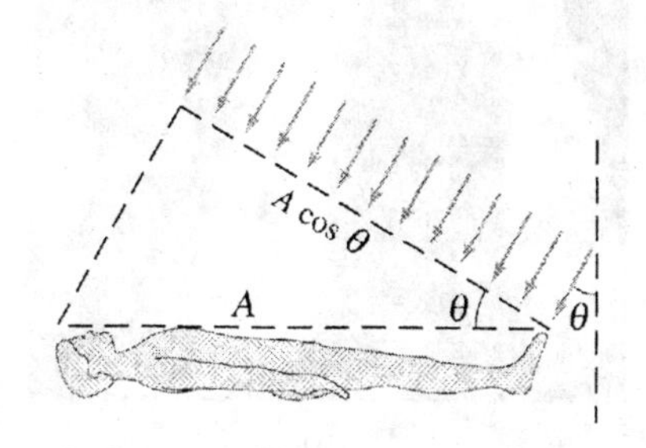

图 14-10　辐射能以角度θ照射到人体上。

这里θ是太阳射线与面积 A 垂线间的夹角（图 14-10）。换句话说，$A\cos\theta$ 是"有效"面积，是与太阳射线垂直方向上的面积。对季节和极地冰盖的解释（图 14-11），以及为什么太阳在中午比在它升起或降落时对地球加热的更多，都是与这个 $\cos\theta$ 因子有关的。

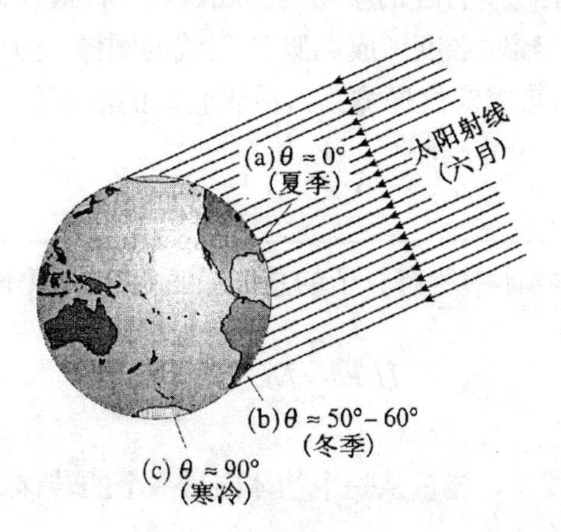

图 14-11　太阳在六月份与赤道成 23°角。因此（a）在美国南部θ角接近 0°（夏天直射的阳光），而（b）在南半球，θ接近 50°或 60°，吸收的热很少——因此这里是冬天。（c）在极地，从没有强烈的直射阳光；$\cos\theta$ 从夏天的 $\frac{1}{2}$ 变到冬天的 0；所以几乎不加热，这里形成冰盖。

例 14-15　皮肤变黑——能量的吸收　在晴天，如果太阳与竖直方向成 30°角，躺在海滩上的人对太阳能量的吸收率是多少？设 $e = 0.70$，身体暴露在太阳下的面积为 0.80 m^2，到达地球表面的能量为 1000 W/m^2。

解：因为 cos30°=0.866，我们有

$$\begin{aligned}\frac{\Delta Q}{\Delta t}&=(1000\text{W/m}^2)eA\cos\theta\\&=(1000\text{W/m}^2)(0.70)(0.80\text{m}^2)(0.866)\\&=490\text{W}\end{aligned}$$

注意如果人穿了浅色的衣服，e 就会很小，所以吸收的能量也就很少。

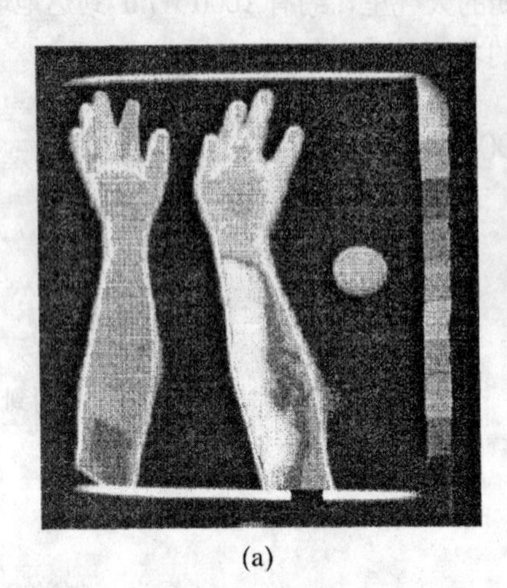

(a)

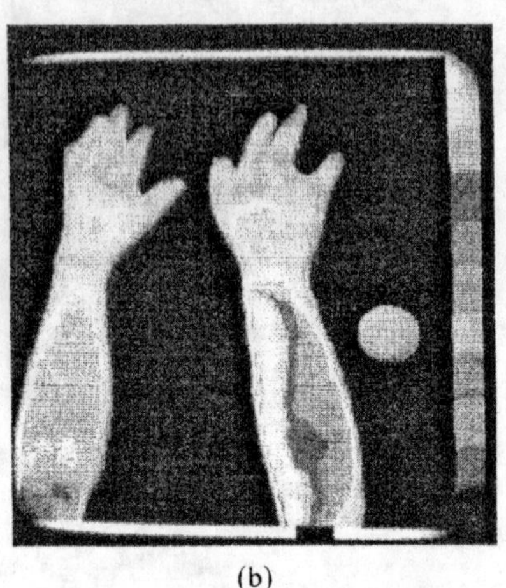

(b)

图 14-12 健康人手臂的热成像（a）吸烟以前，（b）吸了一只烟以后，给出由于吸烟减弱了血液循环致使温度降低。根据温度不同热成像是彩色的；亮度的标志从蓝（冷）到白（热）。

热辐射在诊断医学上一个有趣的应用是**热成像**。一种被称为热成像仪的特殊仪器，通过扫描身体，测量许多点的辐射强度形成类似 X-射线的图像（图 14-12）。新陈代谢活跃的区域（如肿瘤区），通常可用热成像仪探测到，由于它们的温度较高导致辐射增强。

小结

热能或**内能** U 是指物体中所有分子的总能量。对于单原子理想气体

$$U=\frac{3}{2}NkT=\frac{3}{2}nRT$$

热表示由于存在温度差，能量从一个物体向另一个的转移。因此热用能量的单位量度，如焦耳。

热和热能有时也用卡路里或千卡作单位表示，

$$1\text{卡}=4.186\ \text{J}$$

这是将 1g 的水升高 1C°所需的热量。

物质的**比热** c 定义为将单位质量的该物质温度改变一度所需的能量（或热）；写成方程为

$$Q=mc\,\Delta T$$

这里 Q 是吸收或放出的热，ΔT 是温度的增加或降低，m 是物质质量。

当热在孤立系统内流动时，能量守恒告诉我们系统一部分获得的热等于系统另一部分失去的热；这就是**量热计**的基础，它是定量测量热交换的仪器。

物质相变时，温度没有变化但会出现能量交换。**溶解热**是融化 1kg 固相物质到液相所需的能量；它也等于物质从液相变到固相时放出的能量。**蒸发热**是将 1kg 物质从液相变到蒸气

相所需的能量；它也等于物质从液相变到气相时放出的能量。

热从一处（或物体）传递到另一处有三种不同方式。在**传导**这种方式中，动能高的分子或电子通过碰撞将能量传递给动能低的邻近分子或电子。

对流是通过分子长距离质量运动来实现能量传递的。

辐射是能量通过电磁波的传递，它不需要存在媒介物质（如从太阳来的辐射）。所有物体辐射的能量正比于其开氏温度的四次方（T^4）和它们的表面积。能量辐射（或吸收）也依赖于表面的性质（黑的表面比光亮的表面吸收和放出的能量更多），这用辐射率 e 来表示。

问答题

1. 用力摇动一罐橘子汁，此过程是如何所功的？

2. 当一个热的物体加热一个冷的物体时，它们之间会有温度传递吗？两个物体的温度变化相等吗？

3. （a）如果将两个不同温度的物体相互接触，热是从内能高的物体流向内能低的物体吗？（b）两个内能相同的物体之间可能有热流动吗？请解释。

4. 热带植物一般生长在温暖的地区，但在冬季，温度有时候仍可能降到零度以下，通过在夜晚对植物浇水，可以降低由于寒冷对它们的破坏。请解释。

5. 水的比热很大，基于此水十分适合用在供热系统中（比如暖气）。请解释为什么？

6. 如果水壶的布套保持湿润，为什么水壶中的水会较冷一些？

7. 为什么蒸汽对皮肤造成的烫伤通常比 100°C 的开水更严重？

8. 试用潜热和内能的概念解释为什么水在蒸发时变冷（温度下降）。

9. 水沸腾得越厉害，土豆煮得越快吗？

10. 普通电风扇能把空气吹凉？为什么？如果不是这样，为什么要使用它？

11. 地球大气层的温度高达 700°C。但如果那里有动物将会被冻死，而不是被烤焦。请解释为什么。

12. 北极探险者在遇到险情时将自己埋在雪里得以生还。为什么他们要这样做？

13. 为什么在潮湿的沙滩上行走感觉比在干燥的沙滩上凉？

14. 流浪汉知道，用报纸盖在身上睡觉是一个保暖的好方法。为什么一张薄报纸如此有效？

15. 在用热风炉加热房间时，为什么一个使空气循环回炉中的通风口很重要？如果这个进气口被书箱挡住，会出现什么情况？

16. 吊扇有时候可以反转，所以它可以在一个季节将空气向下吹，而在另一个季节使空气向上流动。那么在夏季和冬季，你分别用哪种方式设定它？

17. 睡袋用皮褥和大衣常常按绒毛直立时的实际厚度分类为多少英寸或厘米。请给出解释。

18. 现代的集成电路芯片粘在有很多叶片的“散热器”上。为什么它们要做成这个形状？

19. 在晴朗的天气里，常常可以在大片水域的岸边遇到海风。据此解释为何沙滩上的温度比附近水域中水的温度上升得快？

20. 地基下通风的房屋的地板通常比直接建在地上（如混凝土地基）的房屋的地板凉。请解释这个现象。

21. 在天气晴朗的夜晚，地球温度比多云天气冷却的快得多。为什么？

22. 为什么保温瓶壁要镀银，并且两壁间被抽成真空？

23. 为什么空气温度的读数总是要将温度计拿到遮阴处才能得出？

24. 在恒温箱里的早产婴儿，甚至在箱内的空气温度很暖和时也有着凉的危险。请解释为什么。

25. 假设你现在要设计下列建筑（选一个）：居室、音乐大厅、医务办公大楼。列出你所能想到的热源，并估计各热源产生的热量。

26. 热量从窗户的流失通过以下途径：（1）四周的缝隙；（2）通过窗框；尤其是金属框；（3）通过玻璃面；（4）辐射。（a）对于前三个，哪个的导热机理是传导、对流或辐射？（b）厚重的窗帘可以减少了哪种热量流失？请详细说明。

27. 一块木片在阳光下吸收的热量比一块光亮的金属多。然而当你拿起它们时感觉金属比木块热。请解释。

28. 人们常问：怎样使咖啡凉得更快，（1）将咖啡到入杯子后立即加入冷牛奶，（2）在你准备喝咖啡之前等上几分钟？

29.

习题

14-1 节

1.（Ⅰ）将 20.0 kg 的水从 15℃ 增加到 95 ℃ 需要多少热量（焦耳）？

2.（Ⅰ）一个人吃下 750 大卡的食物，他需做多少功才能消耗掉这些热量？

3.（Ⅰ）做 7700 J 的功可以将初始温度为 10.0℃ 的 3.0 kg 水增加到多高的温度？

4.（Ⅰ）一个人一天平均消耗约 2500 大卡的热量。（a）这相当于多少焦耳？（b）相当于多少千瓦时？（c）如果每度电（千瓦时）10 美分，你每天消耗的能量值多少钱？你能付的起这样多的钱吗？

5.（Ⅱ）英制热量单位是 Btu。一个 Btu 定义为将一磅的水增加 1F°所需的热量。试证明 1Btu = 0.252 kcal = 1055 J。

6.（Ⅱ）一小加热器额定功率为 350W。试估计用它将 20 ℃ 的一杯汤（设为 250 mL 的水）加热到 50 ℃ 需多长时间。

7.（Ⅱ）一热水器的功率为 7200 kcal / h。每小时用它能将多少水从 20 ℃ 加热到 50 ℃？

8.（Ⅱ）将 1000 kg 汽车的速率从 100 km / h 降为零，刹车器产生了多少千卡的热量？

14-4 和 14-5 节

9.（Ⅰ）将 5.1 kg 的金属从 20 ℃ 增加到 30 ℃ 需 135 kJ 的热量，这种金属的比热是多少？

10.（Ⅰ）汽车水箱的容积为 18L。如果水温从 20 ℃ 增加到 90 ℃，它吸收了多少热量？

11.（Ⅰ）如果铜、铝和水的样品吸收了同样的热量，并且它们温度的增加也一样，那么它们的质量比是多少？

12.（Ⅰ）水的比热用 Btu / 1b · °F 表示是多少？

13.（Ⅰ）4.00 kg 铅的水当量是多少？

14.（Ⅱ）一个 30 g 的玻璃量热计在放入 135 mL 的水中之前读数为 21.6 ℃。当水和量热计达到平衡后，量热计读数为 39.2 ℃。试求水的初始温度。

15. (Ⅱ) 1.20 kg 锤子在击打钉子前的速率为 8.0 m/s（图 14-13），击打后停止。试估计经过 10 次快速击打后，14 g 铁钉的温度增加了多少。设铁钉吸收了所有的能量。

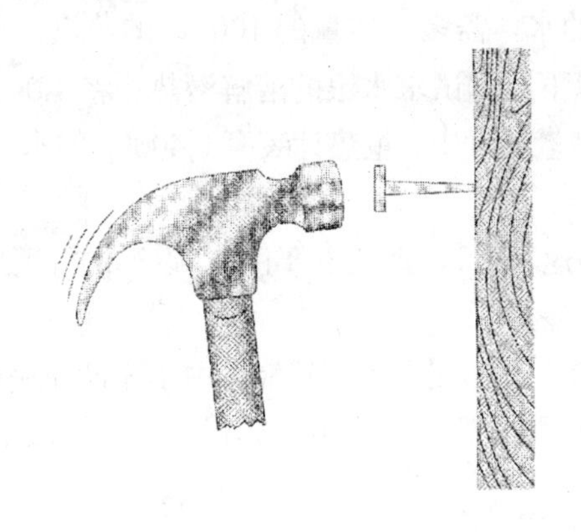

图 14-13 第 15 题

16. (Ⅱ) 当温度为 300 ℃ 的 270 g 的铜块放入一个装有 820 g 温度为 12.0 ℃ 水的 150 g 的铝制量热杯中，试问平衡温度是多少？

17. (Ⅱ) 在冬天加热苹果酒的一个古老方法是将烧热的铁火钳放热入装有苹果酒的大杯子中。设有半升的苹果酒（看作水），初始温度为 15 ℃，铁火钳的有效质量为 0.55 kg，初始温度为 700 ℃。如果我们假设火钳和苹果酒间进行了完全的热交换，即忽略杯子和苹果酒与周围空气的影响，那么苹果酒最终温度是多少？

18. (Ⅱ)将刚刚锻造的马蹄铁（$m = 0.40$ kg）放入初始温度 20 ℃，装有 1.60L 的 0.30 kg 的铁壶中。如果最终的平衡温度为 25 ℃，试估计马蹄铁的初始温度。

19. (Ⅱ) 一铁块的为质量为 290kg，温度为 180 ℃，将其放入初始温度为 10 ℃，装有 250 g 甘油，质量为 100g 的铝制量热杯中。如果最终温度是 38 ℃，试求甘油的比热。

20. (Ⅱ) 将 195 g 的某物质加热到 330℃，然后放入装有 150 g 水的铝制量热杯中，杯子的质量为 100g，水的温度为 12.5 ℃。用 17g 的玻璃温度计读出最终温度为 35.0 ℃。试求这种物质的比热。

21. (Ⅱ) 一功率为 750 W 的咖啡壶装有 0.60L 水，将水从 8.0 ℃加热到沸腾需多长时间？设铝制壶体加热水的部分质量为 360 g，并且水没有蒸发减少。

14-6 节

22. (Ⅰ) 将初始温度 20 ℃ 质量 16.50 kg 的银熔化需多少热量

23. (Ⅰ) 在体育锻炼时，一个人在 30min 内通过皮肤蒸发水分消耗掉 180 kcal 的热量。试问失去了多少水分？

24. (Ⅱ) 一个处于熔点的 30 g 的冰块掉入绝缘液氮容器中。如果液氮的沸点是 77K，蒸发潜热是 200kJ/kg，有多少液氮蒸发掉？为了简化，设冰的比热恒定，并且等于熔点附近的值。

25. (Ⅱ) 一冰块温度为 − 8.5 ℃，将其放入 100g 的铝制量热计中，量热计装有 300g 温度为 25 ℃ 的水。所有水的最终温度为 17 ℃，试求冰块的质量。

26. (Ⅱ) 一质量为 230 kg 的铁制锅炉装有 830 kg 的水，水温为 20 ℃。加热器提供能量的速率为 52000 kJ / h。试问将水（a）加热到沸点，（b）全部转化成蒸汽各需多长时间？

27. (Ⅱ) 在炎热的天气里，自行车运动员在 4 小时的比赛中要消耗 8.0 L 的水。假设运动员的所有能量用来蒸发这些汗水，试估计运动员消耗的能量为多少千卡？（因为运动员的效率只有约 20%，大部分的能量消耗转化成热，所以我们的估计差距不大。）

28. (Ⅱ) 将 0 °C 的 1.00 kg 冰化成 20 °C 的水，需多少质量的 100 °C 的蒸汽？

29. (Ⅱ) 水银的比热为 138 J / kg·C°。用以下数据试求水银的溶解潜热：将 1.00 kg 的固体水银在其熔点 －39°C 时放入 0.620 kg 的铝制量热计中，量热计装有 0.400kg 的水，水温为 12.80 °C；最终平衡温度为 5.06 °C。

30. (Ⅱ) 一 54.0 kg 的滑冰者以 6.4 m / s 的速率滑行，然后刹车停止。设冰的温度为 0 °C，摩擦产生的热有 50%被冰吸收，试求冰熔化了多少？

31. (Ⅱ) 在一凶案现场，侦察员注意到射在门框上的子弹（铅制）由于碰撞而完全熔化，子弹质量为 8.2 g。假设在室温为 20 °C 时发射子弹。那么侦察员计算得出的手枪最小膛口速度为多少？

14-7 节至 14-9 节

32. (Ⅰ) 计算例 14-11 中的热传导率，假设有强烈阵风，且外部温度为 －5 °C。

33. (Ⅰ)（a）通过一半径为 22 cm 的钨球（辐射系数 $e = 0.35$）有多少能量被辐射？环境温度为 25 °C。（b）如果将球放入一墙壁温度保持在 － 5°C 的室内，那么钨球的总能量辐射率是多少？

34. (Ⅰ) 如果皮肤表面和皮下温差为 0.50 °C，那么通过毛细血管传导热量所需的距离是多少？设身体整个表面传输的能量为 200W，表面积为 1.5 m^2。

35. (Ⅰ) 冷红巨星猎户星座的半径 $r = 3.1\times10^{11}$m。（如果将它的中心放在太阳的位置，则其范围将超出到火星的距离。）它的表面温度为 2800 k（约为太阳表面温度的一半）。设它为一个理想辐射体（$e = 1.0$），那么它的输出功率有多大？请与太阳的输出功率做比较。

36. (Ⅰ) 一个人的头顶在晴朗天气中大约吸收多少太阳能（a）头顶有头发（$e = 0.75$），表面积为 225 cm^2（假设平坦），且人垂直站立与阳光线成 40°角；(b)或头顶是秃的((e = 0.20)，站立位置与（a）相同。参看图 14-14。

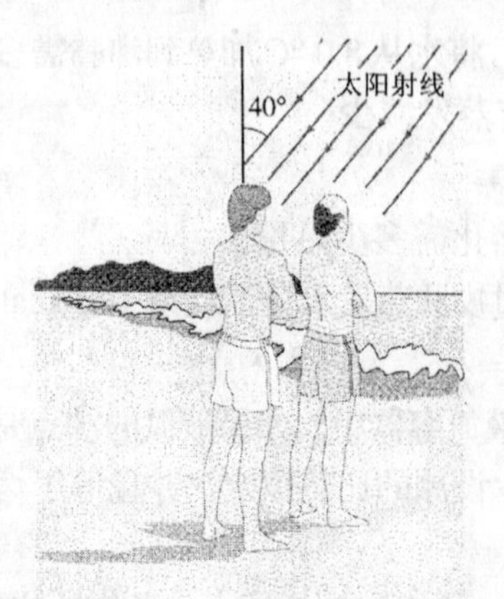

图 14-14 第 36 题

37. (Ⅱ) 相邻两屋，长宽高皆为 4 m，中间所隔砖墙厚度为 12 cm，其中一间屋内因有一些 100W 灯泡照明，所以屋内温度为 30°C，而另一间屋内温度则为 10°C。要维持墙壁两侧的这种温差，需要多少个这样的 100W 灯泡？

38. (Ⅱ) 一块面积为 1.0 m^2，厚 1.0 cm 的 0°C 冰块要被阳光融化需要多长时间？假设太阳光线与冰块法线成 30°角，且冰的辐射系数为 0.050。

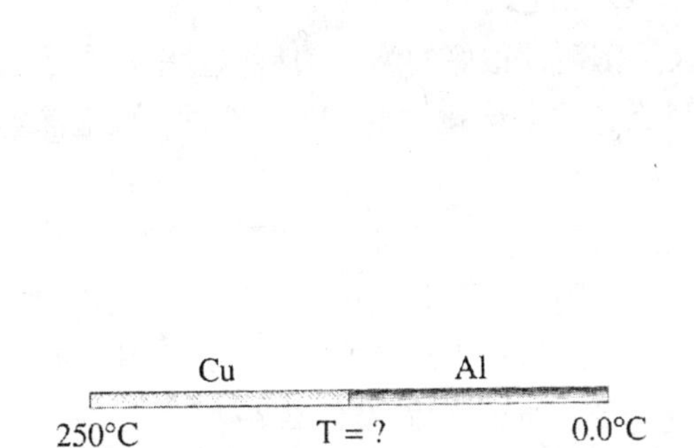

图 14-15 第 39 题

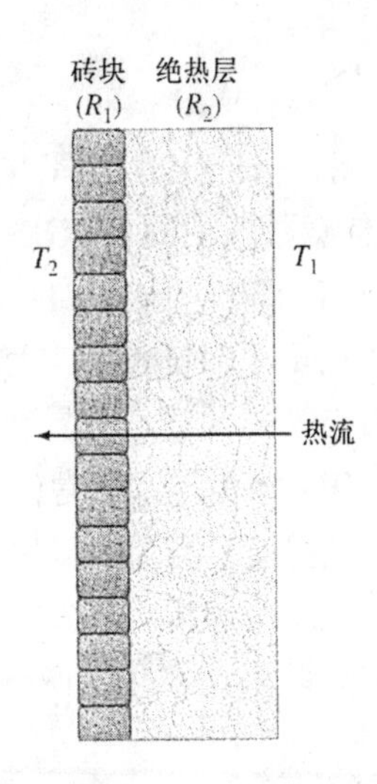

图 14-16 建筑物墙壁的双层隔热层。(第 43 题)

39. (Ⅱ) 一根铜棒和一根铝棒长度相同，它们的一端相连（图 14-15）。铜棒的另一端放入一温度始终维持在 250°C 的火炉中；铝棒的另一端放入温度始终维持在 0 °C 的冰池中。试计算两棒连接点的温度。

40. (Ⅱ) 地球从太阳接收的能量为 430 W/m^2（所有表面积平均计算而得），同时向太空反射相同数量的能量（即地球处在平衡状态）。假设地球为一理想辐射体（e = 1.0），试求它的表面温度。

41. (Ⅱ) 一个 100W 的灯泡产生 95W 的热量，热量通过球体玻璃灯泡散发出去，球体半径为 3.0 cm，玻璃厚度 1.0 mm。请问球体内壁和外壁的温差是多少？

42. (Ⅱ) 热量通过墙壁、窗户向外散发，墙体材料的热导率为 k_1，面积为 A_1，厚度为 l_1，窗户的热导率为 k_2，面积为 A_2，厚度为 l_2。室内外温差为 ΔT。请写出总热导率公式。

43. (Ⅲ) 假定房屋墙壁的保温性能主要来自于 4.0 英寸的砖层和 R-19 保温层，如图 14-16 所示。如果总面积为 240 平方英尺，墙内外温差为 10 °F，那么通过墙的总热量损失为多少？

44. (Ⅲ) 一双层玻璃窗由两块玻璃和夹在它们之间的空气组成，图 14-17。(a) 试证明热导率由下式给出

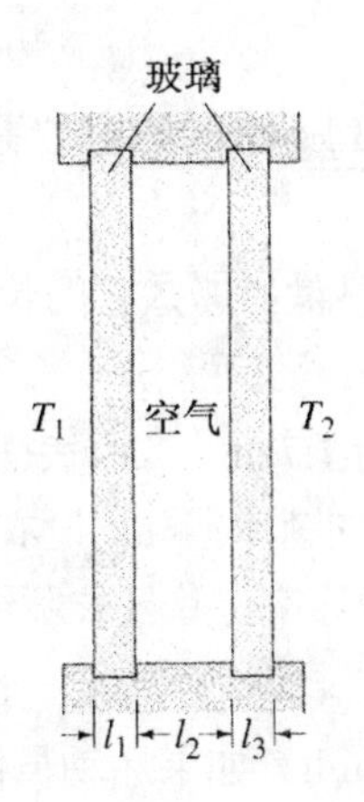

图 14-17 第 44 题

$$\frac{\Delta Q}{\Delta t}=\frac{A(T_2-T_1)}{l_1/k_1+l_2/k_2+l_3/k_3}$$

这里 k_1，k_2，k_3 依次为玻璃，空气，玻璃的热导率。

（b）在任意数量的材料依次排列的情况下，推广此式。

45. (III) 将 − 0°C 的 11.0 kg 冰块放入一密闭性很好的泡沫塑料冰盒中，盒子的尺寸为 25 cm × 35 cm × 50 cm，其壁厚为 1.5 cm，那么这块冰熔化大约需多长时间。设泡沫塑料的热传导率为空气的两倍，外界环境温度为 30 °C。

46. (III) 室内空调通常设为 22°C，但在夜间它有 7 个小时被调至 12°C。试估算如果在夜间不下调温度，需要多提供多少热量（以白天用量的百分比形式给出）？设夜间 7 小时内室外平均温度为 0°C，其余时间为 8°C，且室内热量流失与室内外温差成正比。要从这些数据给出估算结果，你必须做一些其他的简化假设，指出它们是什么？

综合题

47. 若煤燃烧时放出 7000 kcal / kg 的热量。一个冬天加热一个房间需 4.8×10^7 kcal 热量，需用煤多少？假设有 30%热量从烟囱流失。

48. 将一 15g 的铅弹射入一质量为 1.05kg 的固定木块中，如果木块和嵌入的子弹吸收了全部产生的热量，当达到热平衡后，系统温度经测量升高 0.020°C。试估算子弹的入射速度？

49. （a）试求太阳辐射到太空的总能量。假设它是一个 T= 5500 K 的理想辐射体。太阳半径为 7.0×10^8 m.（b）据此确定辐射到达地球时每单位面积所接收的能量。太阳距地球 1.5 $\times10^{11}$ m（图 14-18）。

50. 当轻微活动时，一个 70 kg 的人可以产生 200 kcal / h 的能量。假设 20%的能量转化成有用功，80%的能量转化成热量。如果这些热量不传递到周围环境中，那么 1h 后身体的温度升高多少？

51. 一块 340 kg 大理石从悬崖垂直落下，下落距离为 140m。如果撞击地面产生的热量有 50%被石块吸收，试求大理石块温度升高多少？

52. 物质的热容 C，定义为此物质温度升高 1°C 所需的热量。因此温度升高 ΔT 所需的热量 Q 由下式给出

$$Q=C\Delta T$$

（a）请写出此物质以比热 c 为单位表示的 C;（b）1 kg 水的热容 C 是多少？（c）50 kg 水的热容又是多少？

53. 一根很长的直径为 2cm 的铅棒吸收了 320 J 的热量，那么它的长度变化是多少？如果棒长只有 2 cm 会怎样？

54. 一登山者穿着 3.5 cm 厚的绒毛衣，衣服总面积为 1.7 m^2。衣服表面的温度为 − 34°C，皮肤表面的温度为 34°C。试求通过衣服热量经传导流失的速率：（a）设衣服是干燥的，热传导率 k 是绒毛的；（b）设衣服是湿的，所以热 k 是水的传导率，并且衣服绒毛的厚度降为 0.5 cm。

55. 马拉松运动员在比赛中的平均代谢率为 1000 kcal/h。如果运动员体重为 65.0 kg，那

么他在 2.5 h 的比赛中通过皮肤蒸发了多少水分？

57. 试估算热量从体内到皮肤表面的热传导率。设皮下组织的厚度为 4.0 cm，皮肤表面温度为 34℃，体内温度为 37℃，身体表面积为 1.5 m^2。测量数据给出，一个人在轻量工作时要散发出 230 W 的热量。与计算结果相比较，可清楚表明，通过血液流动使身体冷却是非常必要的。

58. 牛顿制冷定律表明对于小的温差，如果温度为 T_1 的身体处在温度为 T_2 的环境中，身体的冷却率由下式给出

$$\frac{\Delta Q}{\Delta t} = K(T_1 - T_2)$$

其中 K 为一常数。它包括了传导、对流和辐射的影响。若只考虑传导很明显地将遵循一线行关系。通过证明方程 14-5，推导出对于辐射来讲，也有一近似线性关系

$$\frac{\Delta Q}{\Delta t} = 4\sigma e A T_2^3 (T_1 - T_2)$$

$$- \text{常数} \times (T_1 - T_2)$$

在 $(T_1 - T_2)$ 很小的情况下。

58. 一间房屋墙壁的保温性能良好，墙壁厚 17.5 cm（设传导率与空气一样），面积 410 m^2。屋顶为木质结构，厚度为 6.5 cm，面积为 280 m^2。窗户厚 0.65 cm，总面积 33 m^2。（a）假设热量流失只通过传导的方式，室外温度为-10℃，那么要维持室内温度在 23℃，必须提供的热量额度是多少？（b）如果室内初始温度为 10℃，试求 30 分钟内使室温提高到 23℃ 需要多少热量？（C）若天然气价格为 0.08 美元/kg，其燃烧值为 5.4×10^7J/kg,那么像（a）中那样每天 24 小时维持室内温度，每月花费多少钱？假设有 90%的热用于加热房间。其中要用到空气的比热 0.24 kcal/kg·℃。

59. 一铅弹质量为 15g，以 220 m / s 的速率穿过一铁板，出射速率为 16 m/s。若产生的热量中有 50%被子弹吸收：（a）子弹的温度升高多少？（b）如果环境温度为 20℃，子弹会部分熔化吗？如果会，熔化了多少？

60. 一植物叶片面积为 40 cm^2，质量为 4.5×10^{-4}kg。在晴天时直接面对太阳光。叶片的辐射系数为 0.85，比热为 0.80 kcal / kg·K。（a）试求叶片温度升高的速率；（b）如果它通过辐射散发热量，试求叶片达到的温度（环境温度为 20℃）；（c）叶片还通过其他那些方式散发热量？

61. 用上题（a）的结果，并考虑叶片的辐射，计算将叶片温度维持在 35℃ 时，每小时要蒸发多少水？

62. 一陨铁石在进入大气层时被熔化。如果在大气层外它的初始温度为-125℃，试求陨石在进入大气层之前的最小速率。

图注：这个老式火车头就是一个蒸汽机的例子，一种帮助建立了热力学第二定律的热机。

第十五章 热力学定律

热力学是我们在研究能量以热和功的形式传递过程中所引入的术语。

在第六章我们看到，能量从一个物体通过机械方式传递到另一个物体时作了功。在第十四章我们看到，热是能量从一个温度较高的物体向一个温度较低的物体的传递。因此，热与功很相似。为了区别它们，热定义为由于温度差引起的能量传递，而功则不是由于温度差引起的能量传递。

在讨论热力学时，我们常常涉及一些特殊的**系统**。这个系统的任意物体或物体组我们都将予以考虑。我们将宇宙中的其它物质视为“环境”。这样的系统有几种类型。**封闭系统**指没有质量交换（但能量可以和环境交换）。在**开放系统**中，质量可以交换（与能量一样）。我们在物理中研究的许多（理想化的）系统都是封闭系统。但许多实际系统（包括星球和动物）与环境交换物质（食物、氧和产生的废弃物）是开放系统。如果没有能量以任何形式穿过它的边界，这样的封闭系统叫做**孤立系统**；反之则是非孤立的。

15–1 热力学第一定律

在 14-2 节，我们将系统的内能定义为此系统内所有分子能量的总和。如果对系统作功，或对它提供热，系统的内能将增加。同样，如果热从系统流出，或系统对外作功，它的内能将会减少。

因此，根据能量守恒，可以合理地提出一个重要的定律：封闭系统内能的改变ΔU 等于提供给系统的热减去系统对外作的功；写成方程的形式为

$$\Delta U = Q - W \tag{15-1}$$

这里 Q 是提供给系统的净热，W 是系统作的净功。必须注意的是，要遵循对 Q 和 W 的符号所做的规定，并保持符号的一致性。因为在方程 15-1 中 W 是系统作的功，那么如果是对系统作功，W 将是负的，U 将增加。[当然，我们可以将 W 定义为对系统作的功，在这种情况下方程 15-1 中就是一个加号；但 W 和 Q 的定义已按现在这样作了规定。]同样，对系统提供的热 Q 是正的，如果系统失去热，Q 则是负的。方程 15-1 叫做**热力学第一定律**。它是物理学的伟大定律之一，它的正确性建立在实验（如焦耳实验）的基础上因为 Q 和 W 表示系统能量的流入或流出，所以内能也会发生相应的变化。这样，热力学第一定律就是能量守恒定律的一种表述方式。值得注意的是能量守恒定律直到 19 世纪才有了明确的表示，因为它依赖于热可以作为能量传递这种解释。

方程 15-1 适用于封闭系统。如果我们计入由于质量的增加或减少而引起内能的变化，它也可以用于开放系统。对于一个孤立系统，系统既没有作功也没有热的流入或流出，所以 $W=Q=0$，因此$\Delta U=0$。

对于一个处于特定状态的系统，我们可以说它具有一定量的内能 U。但不能说它具有热或功。因为对系统作功（如压缩气体），或系统与环境发生热传递时，系统的状态就发生了变化。因此，功和热被包含在热力学过程中，它可以使系统从一个状态变到另一个状态；它们不像压强 P、体积 V、温度 T、质量 m 或摩尔数 n 以及内能 U 那样是系统状态本身的特性。

例 15-1　第一定律的应用。（a）对系统供给的热量为 2500J，对系统作的功为 1800J。试问系统内能的变化是多少？（b）如果对系统供给的热量为 2500J，而系统对外作的功（即输出）为 1800J，则内能的变化是多少？

解：（a）我们用热力学第一定律，方程 15-1。对系统供给的热 Q=2500J。系统对外作的功 W 为-1800J。为什么是负号？因为对系统作 1800J 的功等于系统对外作-1800J 的功，而后者是方程 15-1 的规定中所需要的。因此

$$\Delta U = 2500\text{J} - (-1800) = 2500\text{J} + 1800\text{J} = 4300\text{J}$$

你也许直觉地认为 2500J 和 1800J 应该加在一起，因为两者都给系统提供了能量。你当然是对的。我们详细做这个练习为了强调保持符号正确的重要性。

（b）热仍然是提供给系统的，所以 Q=+2500J，但现在功是系统对外作的。因此

$$\Delta U = 2500\text{J} - 1800\text{J} = 700\text{J}$$

内能的改变很小，因为功是输出的。

15–2　热力学第一定律在简单系统中的应用

让我们根据热力学第一定律来分析一些简单的系统。

首先，我们考虑一个温度不变的理想过程。如一种称为**等温**（isothermal 在希腊文中是“同样的温度”的意思）的过程。如果系统是理想气体，那么 $PV=nRT$（方程 13-3），所以对于恒定温度 PV=常数。因此在 PV 图上，这个过程遵循像 AB 一样的曲线，如图 15-1 所示，这是一个 PV=常数的曲线（见方程 13-11）。曲线上的每一点（如点 A）代表系统在给定时刻的状态——即给出这一点的压强 P 和体积 V。在较低的温度下，另一个等温过程由图 15-1 中曲线

$A'B'$表示（当温度降低时，乘积 $PV=nRT=$ 常数减小）。图 15-1 中给出的曲线称为等温线。我们假设气体被密封在一个具有可移动活塞的容器中，如图 15-2，并且气体与**热源**（质量很大的物体，以致在理想情况下，在与我们的系统发生热交换时它的温度不发生显著变化）相连。并且假设压缩（体积减小）或膨胀（体积增加）过程进行得非常缓慢，以保证在同一恒定温度下气体处于平衡状态。如果气体的初始状态用图 15-1 中的 A 点表示，在提供给系统热量 Q 后，系统将移到图中另一点 B。如果温度保持恒定，气体必须膨胀并对环境（它对活塞施加了一个力并使其移动了一段距离）作功 W。从方程 14-1，由于温度保持恒定，所以内能没有变化：$\Delta U = \frac{3}{2} nR\Delta T = 0$。因此，根据热力学第一定律（方程 15-1）$\Delta U = Q - W = 0$，所以 $W=Q$：在等温过程中，气体作的功等于对气体供给的热。

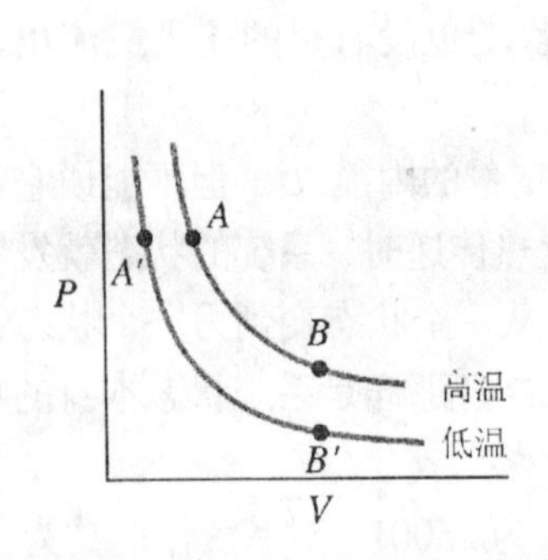

图 15-1 两种不同温度下，经历等温过程的理想气体的 PV 图。

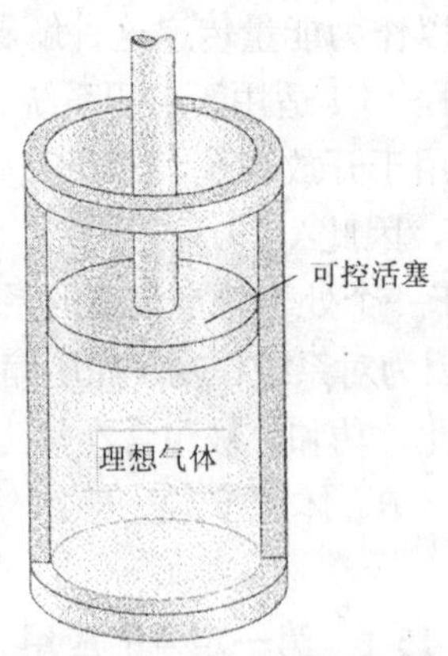

图 15-2 具有可动活塞的汽缸中的理想气体。

绝热过程是指在这个过程中不允许热量流进或流出：即 $Q=0$。如果系统是完全绝缘的，或这个过程进行得足够快，以致热（它的流动较慢）没有时间流进或流出，那么这种情况就是绝热过程。在内燃机中，气体的快速膨胀就是一个很接近绝热过程的例子。理想气体的缓慢绝热膨胀所遵循的曲线，如图 15-3 中 AC 给出的那样。因为 $Q=0$，我们从方程 15-1 得出 $\Delta U=-W$。即，如果气体膨胀，则它的内能减少；因此，温度也降低了（因为$\Delta U = \frac{3}{2} nR\Delta T = 0$）。这可从图 15-3 中得到证明，在 C 点的 PV（$=nRT$）乘积小于 B 点的（曲线 AB 是等温过程，对此有$\Delta U=0$ 以及$\Delta T=0$）。在一个绝热过程中（例如，从 C 到 A），由于对气体作了功，因此它的内能增加，温度上升。在柴油发动机中，空气和燃料的混合物被快速地绝热压缩 15 倍或更多；混合物的温度急剧升高以致达到自动点火。

等温和绝热过程正好是两个可能发生的过程。其它两个简单的热力学过程图示在图 15-4 中的 PV 图上：（a）**等压过程**是一个压强保持恒定的过程，所以在 PV 图上用一条直线表示（图 15-4a）；（b）**等容过程**是一个体积不改变的过程（图 15-4b）。在这些以及其它所有过程中，热力学第一定律都是成立的。

它经常应用于计算一个过程中所作的功。如果在过程（等压）中压强保持恒定，则很容易计算出过程中作的功。例如，如果图 15-5 中的气体相对于活塞缓慢膨胀，气体升起活塞作的功就是力 F 乘以距离 d。但力正好就是气体的压强 P 乘以活塞的面积 A，$F=PA$。因此

$$W=Fd=PAd$$

或

$$W=P\Delta V \qquad [恒压] \qquad (15\text{-}2)$$

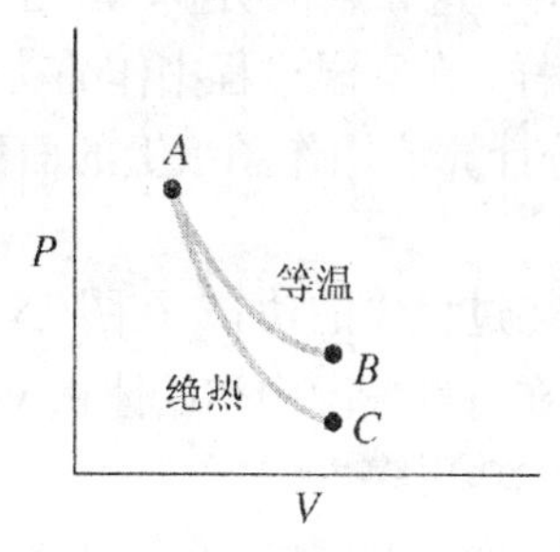

图 15-3 理想气体的绝热过程（AC）和等温过程（AB）的 PV 图。

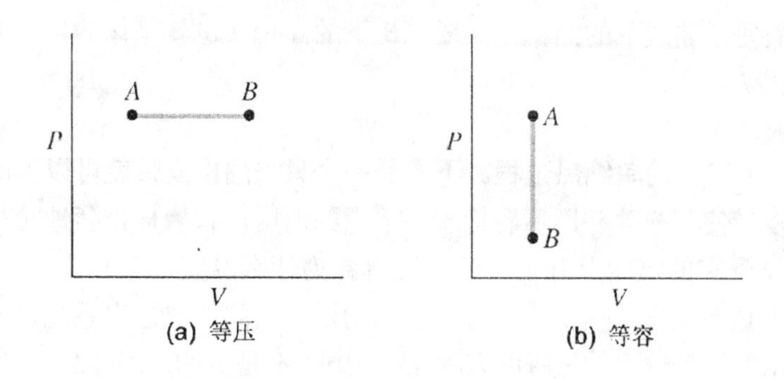

图 15-4 （a）等压过程，（b）等容过程。

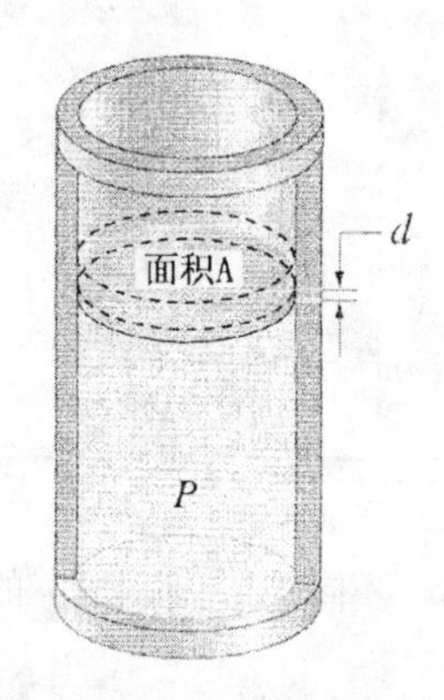

图 15-5 当气体膨胀并推动活塞运动距离 d 时，气体对活塞作了功。

这里$\Delta V = Ad$是气体体积的变化。如果气体在恒压下被压缩，这个方程也成立，在这种情况下（因为 V 减小）ΔV 是负的；W 也就是负的，这表示功是对气体作的。只要在过程中压强恒定，方程 15-2 也适用于液体和固体。在等容过程中（图 15-4b），体积没有变化，所以没有作功，W=0。

图 15-6 中给出了我们在图 15-1 中见过的等温过程以及其它由路径 ADB 表示的可能过程。从 A 到 D，因为体积没有变化，所以气体没有作功，但从 D 到 B，气体所作的功等于 $P_B(V_B-V_A)$，

这就是在过程 ADB 中作的总功。

如果过程中压强改变，如图 15-1 中的绝热过程 AB，方程 15-2 不能直接用来确定所作的功。但通过对方程 15-2 中的 P 使用“平均”值，可粗略地估计出来。更准确一些，作的功等于 PV 曲线下的面积。当压强恒定时，这一点很明显，从图 15-7a 可以看出，阴影面积正好等于 $P_B(V_B-V_A)$，这就是作的功。同样，在等温过程中作的功等于图 15-7b 中所示的阴影面积。在这种情况下，作的功可用微积分计算或用作图纸上的面积进行估计。

概念练习 例 15-2 **等温和绝热过程作的功。** 在图 15-3 中我们看到对于气体膨胀的 PV 图有两种形式，等温的和绝热的。在每种情况中初始体积 V_A 是一样的，最终体积也是一样的（$V_B=V_C$）。试问哪个过程气体作的功更多？

答：在等温过程中作的功更多。通过观察图 15-3，我们可从两个方面看出这一点。首先，在等温过程 AB 中“平均”压强较高，所以 $W=P_{平均}\Delta V$ 比较大（两种过程的 ΔV 是一样的）。其次，我们可以看每条曲线下的面积：曲线 AB 下的面积（也就是作的功）大于（因为曲线 AB 较高）AC 下的。

概念练习 例 15-3 **简单绝热过程。**下面是一个只需用橡皮带就可以做的绝热过程的例子。两手拿着橡皮带使其松弛并用嘴唇检验一下它的温度。将橡皮带猛地拉长并再次用嘴唇轻碰它。你会感觉到它的温度上升了。请详细解释为什么温度会上升。

答：将橡皮带猛地拉长是一个绝热过程，因为没有时间使热进出系统，所以 $Q=0$。你对系统作了功，表示能量是输入的，所以方程 15-1 中的 W 是负的。因此 ΔU 必须是正的。内能的增加对应于温度的上升（方程 14-1），所以橡皮带变热了。

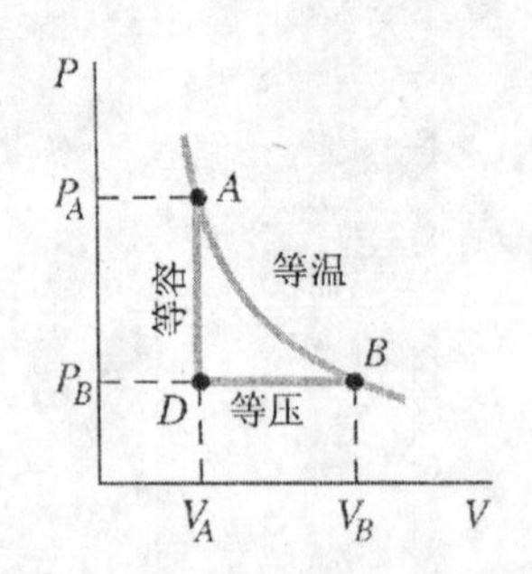

图 15-6 不同过程（见课文）的 PV 图

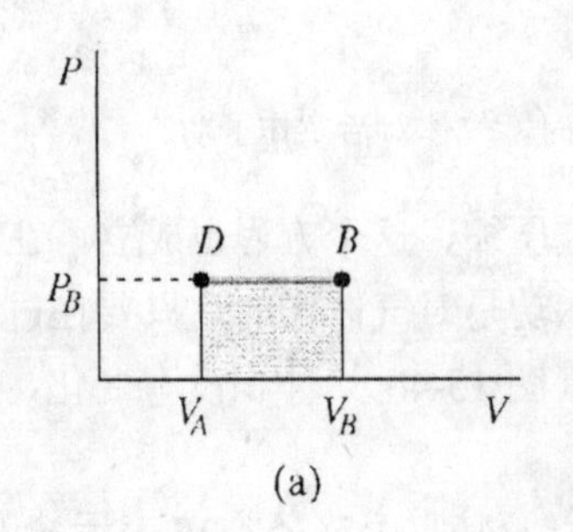

(a)

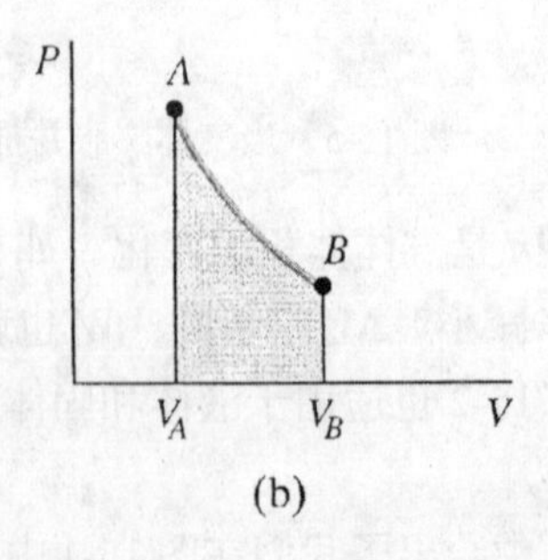

(b)

图 15-7 气体作的功等于 PV 曲线下的面积

例 15-4 第一定律用在等压和等容过程中。 在恒定压强下，理想气体缓慢地从 10.0L 压缩到 2.0L。这个过程在图 15-6 中用 *B* 到 *D* 的路径表示。（在这个过程中，有一些热流出，因此温度下降。）然后对气体加热，并保持体积恒定，允许压强和温度升高，直到温度达到其初始值。这个过程在图 15-6 中表示为路径 *DA*。试求（a）在过程 *BDA* 中气体作的总功，（b）流入气体的总热量。

解：（a）作功只出现在第一部分，压缩过程（*BD*）：

$$W = P\Delta V = (2.0\times10^5\,\mathrm{N/m^2})(2.0\times10^{-3}\,\mathrm{m^3} - 10.0\times10^{-3}\,\mathrm{m^3})$$
$$= -1.6\times10^3\,\mathrm{J}$$

从 *D* 到 *A* 没有作功（$\Delta V=0$）；所以气体作的总功为-1.6×10^3J，这里负号表示对气体作的功为$+1.6\times10^3$J。

（b）因为过程开始和结束时温度是一样的，内能没有变化：$\Delta U=0$。从热力学第一定律我们有

$$0 = \Delta U = Q - W$$

所以

$$Q = W$$
$$= -1.60\times10^3\,J$$

因为 Q 是负的，我们知道有 1600J 的热量从气体流出。这就是过程 *BDA* 中损失的总热量。

例 15-5 发动机中作的功。 在一个发动机的汽缸中，0.25 摩尔的气体相对于活塞快速绝热地膨胀。在这个过程中，温度从 1150K 降到 400K。气体作了多少功？设气体是理想的。

解：由于压强不恒定，所以我们不能用方程 15-2。但由于过程是绝热的，我们知道 Q=0，如果能够确定内能变化ΔU，就可以用热力学第一定律。对于理想单原子气体的内能，我们可以从方程 14-1 确定ΔU：

$$\Delta = U_\mathrm{f} - U_\mathrm{i} = \frac{3}{2}nR(T_\mathrm{f} - T_\mathrm{i})$$
$$= \frac{3}{2}(0.25\mathrm{mol})(8.315\mathrm{J/mol\cdot K})(400\mathrm{K} - 1150\mathrm{K})$$
$$= -2300\mathrm{J}$$

然后，从方程 15-1，可得

$$W = Q - \Delta U = 0 - (-2300\mathrm{J}) = 2300\mathrm{J}$$

例 15-6 水沸腾变成蒸气时的ΔU。 试求 1.0 升的 100°C 的水完全蒸发变成 1671 升的 100°C 的蒸气时内能的变化。设过程是在 1 个大气压下进行的。

解：1.0 升的水质量为 1.0kg，它的蒸发潜热（表 14-3）为 $L_\mathrm{V} = 22.6\times10^5$ J/kg。所以这个过程需要输出的热量为

$$Q = mL = (1.0\,\mathrm{kg})(22.6\times10^5\,\mathrm{J/kg}) = 22.6\times10^5\,\mathrm{J}$$

水作的功为（方程 15-2）

$$W = P\Delta V = (1.0\times10^5\,\text{N/m}^2)(1671\times10^{-3}\,\text{m}^3 - 1\times10^{-3}\,\text{m}^3)$$
$$= 1.7\times10^5\,\text{J}$$

这里我们用 1 大气压$=1.0\times10^5\text{N/m}^2$，并且 $1\text{L}=10^3\text{cm}^3=10^{-3}\text{m}^3$.
因此

$$\Delta U = Q - W = 22.6\times10^5\,\text{J} - 1.7\times10^5\,\text{J}$$
$$= 21\times10^5\,\text{J}$$

注意提供的大量热用来增加水的内能（增加分子能量以克服液态中使分子相互靠近的吸引力），只有很小一部分（10%）用来作功。

*15–3 人体新陈代谢和热力学第一定律

人类和其它动物都在作功。如人在行走、奔跑或举起重物时都作了功。作功需要消耗能量。生长也需要消耗能量——制造新细胞取代已经死亡的旧细胞。因此，在生物体内存在着大量的能量转换过程，它们被称为新陈代谢。

我们可以对生物体（如人体）应用热力学第一定律，

$$\Delta U = Q - W$$

人在不同的活动中作了功 W，如果这没有使人体的内能（和温度）减少，就必须提供能量作为补偿。但人体的内能不是靠热量 Q 流入体内来保持的。正常情况下，人体的温度比环境温度要高，所以，热一般是从体内流出的。即使能够在很热的天气从环境中吸收热量，人体也无法利用这些热来维持生命过程。那么能量的来源是什么呢？它是储存在食物中的内能（化学势能）。在一个封闭系统中，内能只以热量流动或作功的形式变化。而在一个开放系统中，如一个生物体，内能本身可以流入或流出系统。当摄取食物时，我们直接将内能带到体内，这使我们体内的总内能 U 增加。根据热力学第一定律，这些能量最终要变成功或以热的形式从体内流出。

表 15-1 新陈代谢率（65kg 的人）

活动	新陈代谢率（近似） kcal/h	新陈代谢率（近似） 瓦特
睡眠	60	70
坐立	100	115
轻微活动（吃饭，穿衣，家务活）	200	230
中等强度工作（网球，行走）	400	460
奔跑（15km/h）	1000	1150
自行车（比赛）	1100	1270

新陈代谢率是内能在体内转化的速率。通常用 kcal/h 或瓦特来表示。对于一个 65kg 的“标准”成年人，人从事不同活动时典型的新陈代谢率列在表 15-1 中。

例 15-7 人体内的能量转化。 一个 65kg 的人在一天中用 8.0h 睡觉，1.0h 从事中等强度的体力活，4.0h 作轻微活动，11.0h 从事桌面工作或放松，试问他转换了多少能量？

解： 表 15-1 给出了用瓦特（J/s）表示的新陈代谢率。因为一小时有 3600s，转换的总能量为

$$\left[(8.0h)(70\mathrm{J/s})+(1.0\mathrm{h})(460\mathrm{J/s})+(4.0\mathrm{h})(230\mathrm{J/s})+(11.0\mathrm{h})(115\mathrm{J/s})\right](3600\mathrm{s/h})$$
$$=1.15\times10^{7}\,\mathrm{J}$$

因为 4.19×10^{3}J=1kcal，这相当于 2800 kcal；所以摄入 2800 大卡的食物就能够补偿能量的输出。一个人要想减体重，一天的摄取必须小于 2800 大卡，或增加活动量。

15–4 热力学第二定律——导论

热力学第一定律指出能量是守恒的。虽然我们可以想象出许多过程中能量是守恒的，但在自然界从没有观察到过这些过程的发生。例如，当一个温度较高的物体与一个温度较低的物体接触时，热量总是从温度较高的一个流向温度较低的一个，而从不自动反向流动。如果热量离开温度较低的物体并传递给温度较高的物体，在这个过程中，能量仍是守恒的。但这个过程从没有自动地发生过⁺。第二个例子是，一个从你手里落下的石块碰到地面时发生了什么。石块的初始势能在它下落时变成了动能，当石块碰到地面时，这个能量又转变成石块和地面撞击点附近的内能；表现为分子运动加快并且温度稍微上升。但你见到过相反的过程——在地面上静止的石块由于分子的热能转化成了石块整体的动能而忽然升到空中吗？在这个过程中能量是守恒的，但我们从没有见它发生过。

自然界发生的许多过程其逆过程是不存在的，这样的例子很多。这里再举两个。（1）如果你在瓶子里放入一层盐，并覆盖一层同样大小颗粒的胡椒面，当你摇晃后就得到了一种混合物。但不管你摇多长时间，混合物也不会重新分成两层。（2）如果你将茶杯和玻璃扔到地上，它们自然破碎了。但它们不会自然地返回来重新结合在一起（图 15-8）。

(a)

(b)

(c)

图 15-8 你见过这个过程吗（从左到右）？

如果这些过程的任意一个逆向发生，并不违反热力学第一定律（能量守恒）。为了解释这种可逆过程是不存在的，19 世纪后半叶的科学家们建立了一个新的原理，称为**热力学第二定律**。这个定律给出了自然界的哪些过程发生和哪些过程不发生。它可以用不同的方式表述，

它们都是等价的。克劳修斯（R . J. E. Clausius，1822-1888）的表述是

热量自动地从热的物体流向冷的物体；但不能自动地从冷的物体流向热的物体。

因为这个表述用于一个特殊的过程，如何将它用于其它过程并不明显。因此需要用一种更普遍的方式包含其它可能过程的表述。

第二定律普遍表述的发展是部分建立在热机研究的基础之上的。**热机**就是将热能转变成机械功的装置，如蒸汽机和汽车发动机。现在，我们对热机进行分析，既从实际应用的角度出发，说明它们在热力学第二定律发展过程中的重要性。

*对于自动的，我们指的是其本身的，没有其它类型功输入。（制冷机可以将冷环境的热输送到较热的区域，但只有在作功的情况下才能实现）

15–5 热机

通过作功很容易产生热能——例如，通过简单地快速地摩擦你的双手，或通过任意地摩擦过程。但要从热能获得功就比较困难，大约在 1700 年，随着蒸汽机的发展，才制造出了能够将热转变成功的装置。

任意一种热机都是以下面的基本思想为基础的，即只有在热被允许从高温流向低温时，才能把热转化为机械能。在这个过程中，一些热转换成了机械功，图 15-9 给出了它的示意图。从高温 T_H 输出的热量 Q_H 一部分被转换成了功 W，另一部分在低温 T_L 以热量 Q_L 残留下来。根据能量守恒，$Q_H=W+Q_L$。高低温度 T_H 和 T_L 被称为热机的**工作温度**。我们将只对可连续重复（即系统可以持续地回到启始点）并因此能够持续工作的热机感兴趣。[这里要注意，现在我们用的是一种新的符号规定：我们取 Q_H、Q_L 和 W 总是为正。它们的方向可从应用图中找出，如图 15-9。]

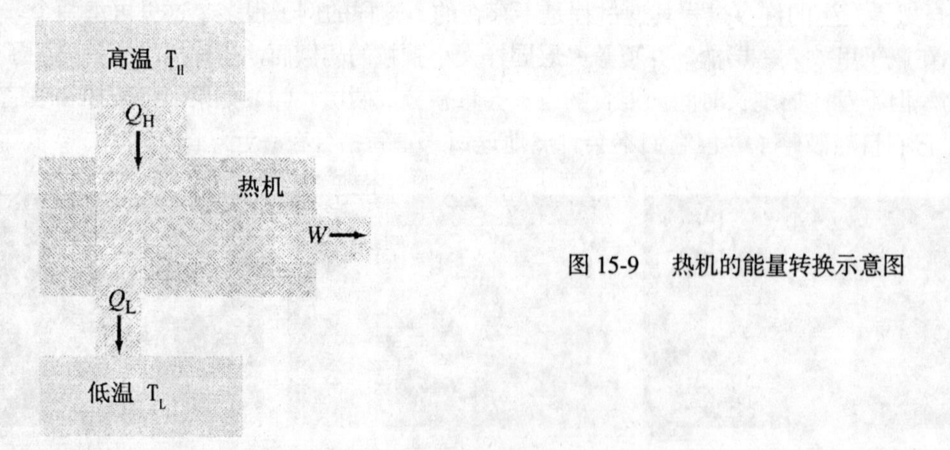

图 15-9 热机的能量转换示意图

两种实用热机，蒸汽机和内燃机（用在大多数机动车中）的工作原理示意在图 15-10 和 15-11 中。蒸汽机主要有两种类型，它们都使用由煤、油或气体（或核能）加热的蒸汽。在往复式蒸汽机中，图 15-10a，通过进气阀进入的热蒸汽朝着活塞膨胀并迫使它运动。当活塞返回初始位置时，它迫使气体从排气阀排出。在涡轮蒸汽机中，图 15-10b，除了往复式活塞

被安装有许多组叶轮的旋转涡轮所替代外，其它实际上都是相同的。今天我们用的电许多是用涡轮蒸汽机产生的。在蒸汽机中，高温是通过燃烧煤、油或其它燃料加热蒸汽来获得的。在内燃机中，高温是通过在缸体内燃烧（由火花塞点燃）汽油和空气的混合物来达到的，见图 15-11 所示。

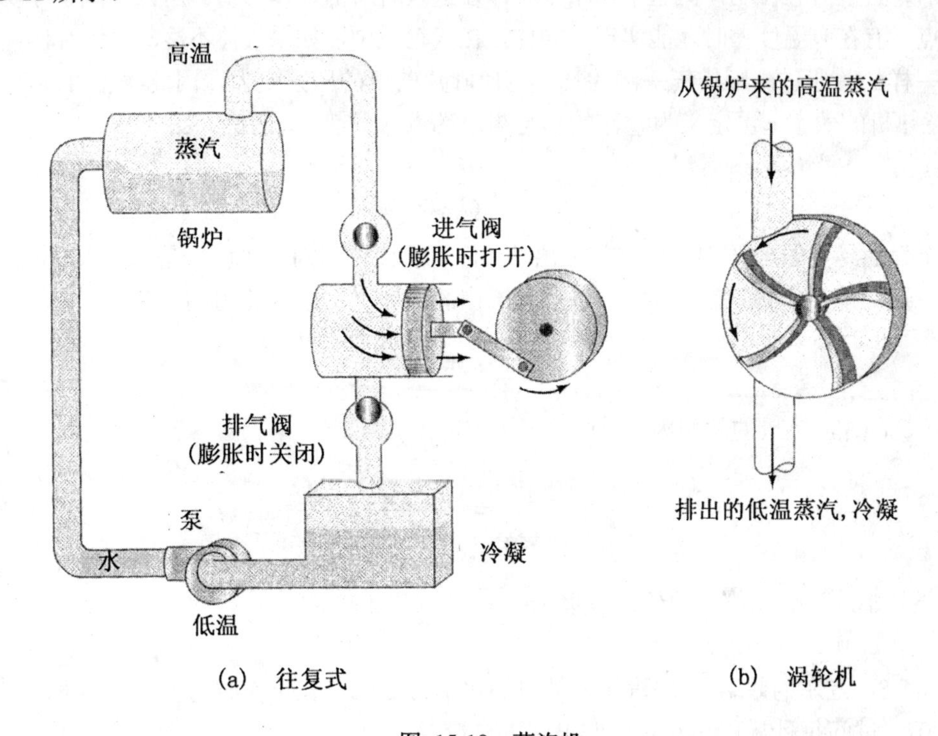

图 15-10 蒸汽机

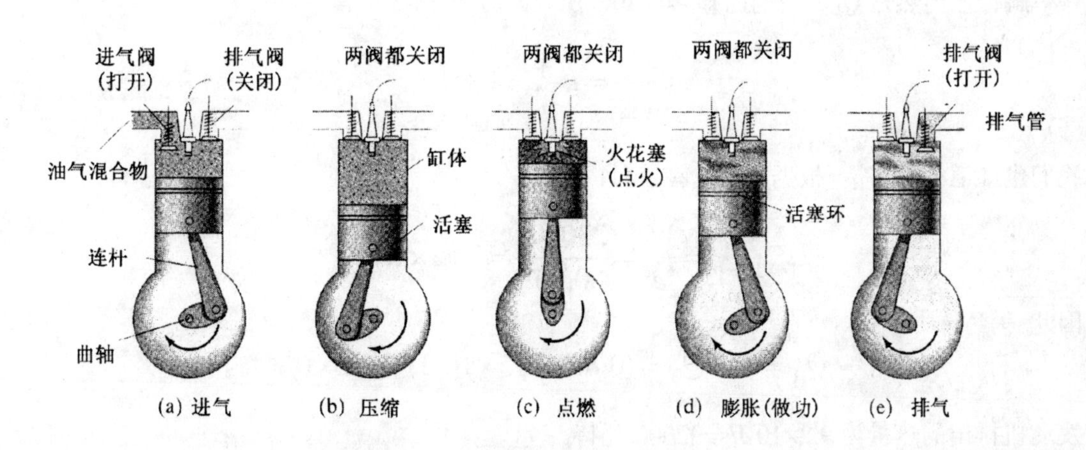

图 15-11 四循环内燃机：（a）当活塞向下运动时，汽油和空气混合物进入缸内；（b）活塞向上运动并压缩气体；（c）火花塞点燃油气混合物，使其达到高温；（d）现在，处于高温和高压的气体对着活塞膨胀，进入动力冲程；（e）燃烧后的气体被从排气管压出；然后进气阀打开，重复整个循环。

为了理解为什么热机工作时需要有温度差，让我们来分析一下蒸汽机。在往复式蒸汽机中（图 15-10a），假设没有冷凝器或排气泵，蒸汽的温度在整个系统内是一致的。这表示剩余气体的压强与进气口的压强是一样的。因此，气体在膨胀时对活塞作的功等于活塞在排出剩余气体时不得不作的功；因此，净功一点也没有作。在实际的热机中，剩余气体被降到低温并使其冷凝，所以剩余气体的压强比进入气体的压强低。这样，虽然在排气冲程中为了排出气体活塞必须对它作功，但这个功小于气体在进入时对活塞作的功。所以得到了净功——但这一点只有在有温度差时才能实现。同样，在气轮机中，如果气体不冷却，叶片两侧的压强将是一样的；通过冷却排气一侧的气体，使叶片前侧的压强变大，因此涡轮可以转动。

任意热机的效率 e 可定义为它作的功与高温端输入的热 Q_H 的比（图 15-9）：

$$e=\frac{W}{Q_H}$$

这是一个显而易见的定义，因为 W 是输出功（你从热机得到的），而 Q_H 是你输入的，你消耗了燃料。因为能量守恒，输入的 Q_H 必须等于作的功加上低温端流出的热（Q_L）：

$$Q_H=W+Q_L$$

因此 $W=Q_H-Q_L$，热机的效率为

$$e=\frac{W}{Q_H}=\frac{Q_H-Q_L}{Q_H}1-\frac{Q_L}{Q_H} \qquad \textbf{(15-3)}$$

注意如果效率以百分比给出的话，方程 15-3 必须乘以 100。

例 15-8 **汽车的效率。** 一汽车发动机的效率为 20%，在工作时每秒产生的平均机械功为 23000J。试问每秒从这个发动机排出多少热量？

解： 输出热是 Q_L。我们已知 e=0.20，所以从方程 15-3 可得

$$\frac{Q_L}{Q_H}=1-e=0.80$$

我们也知道 $e=W/Q_H$，根据定义，在一秒内

$$Q_H=\frac{W}{e}=\frac{23000\text{J}}{0.20}=1.15\times10^5\text{J}$$

因此

$$Q_H=0.80Q_H=(0.80)(1.15\times10^5\text{J})=9.2\times10^4\text{J}$$

发动机排出的热量为 9.2×10^4J/s=92000 瓦特。

为了弄清如何才能提高热机的效率，法国科学家卡诺（1796-1832）研究了理想热机（现在叫做**卡诺热机**）的特性。对于气体的膨胀或压缩，热的输入和排出的每一个过程都被看成是**可逆的**。即每一个过程（如气体对着活塞膨胀的过程）进行的很慢，都可以看成是一系列的平衡态，并且整个过程在作功或热交换量值不变的情况下是可逆的。但一个真实过程发生得很快；气体中可能存在涡流，另外还存在摩擦，等等。由于这些原因，一个真实过程不可

能是完全可逆的——涡流将会不同，以及由于摩擦产生的热损失本身是不可逆的。因此，真实过程被称为是**不可逆的**。对于理想可逆热机，一个重要结果是，热 Q_H 和 Q_L 正比于工作温度 T_H 和 T_L（用开氏温度），所以效率可以写成：

$$e_{理想}=\frac{T_H-T_L}{T_H}=1-\frac{T_L}{T_H} \quad [卡诺（理想）效率] \qquad \textbf{(15-4)}$$

这是热机效率的理论极限。真实热机由于摩擦以及其它损失不可能具有这样高的效率。最佳设计的真实热机只能达到卡诺效率的 60%至 80%。[图 15-12 给出卡诺热机的循环过程。]

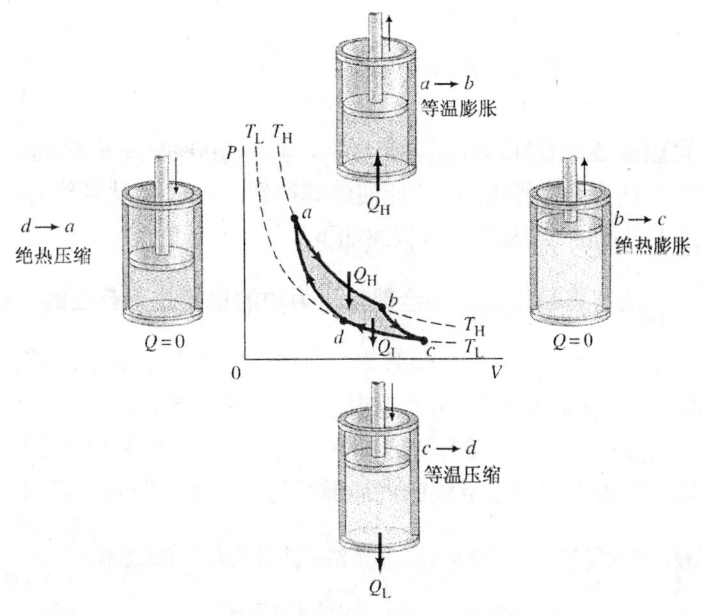

图 15-12 卡诺循环。热机是以循环方式工作的，在这个 *PV* 图上，卡诺热机循环是从点 *a* 开始的。（1）首先，气体在温度 T_H 沿着路径 *ab* 等温膨胀，并供给热量 Q_H。（2）其次，气体从 *b* 到 *c* 绝热膨胀——没有热交换，但温度降低到 T_L。（3）随后在恒定温度 T_L 下，气体从 *c* 到 *d* 被压缩，热量 Q_L 流出。（4）最后，气体沿路径 *da* 被绝热压缩，回到它的初始态。卡诺热机实际中是不存在的，但作为一个理论热机，它在热力学发展过程中起了很大作用。

例 15-9 蒸汽机效率。 一蒸汽机工作在 500°C 和 270°C 之间。这个热机的可能的最大效率是多少？

解：我们必须将温度换成开尔文。因此，T_H=773K，T_L=543K。从方程 15-4，

$$e_{理想}=1-\frac{543}{773}=0.30$$

要得到百分比形式的效率，需乘以 100。因此，最大（或卡诺）效率为百分之 30。实际蒸汽机只能达到这个值的 70%，或只有百分之 21 的效率。注意在这个例子中剩余气体的温度为 270°C，仍然相当高。蒸汽机通常是连续排列的，所以一个热机的剩余气体可用作第二个或第三个的输入气体。

例 15-10 虚假的声明？ 一个热机制造者给出如下声明：在 375K，热机每秒输入的热为 9.0 kJ。在 225K 每秒输出的热为 4.0 kJ。你相信这个声明吗？

解：热机的效率为（方程 15-3）

$$e=\frac{Q_{\mathrm{H}}-Q_{\mathrm{L}}}{Q_{\mathrm{H}}}=\frac{9.0\mathrm{kJ}-4.0\mathrm{kJ}}{375\mathrm{K}}=0.56$$

但可能的最大效率由卡诺效率给出，方程 15-4：

$$e_{理想}=\frac{T_{\mathrm{H}}-T_{\mathrm{L}}}{T_{\mathrm{H}}}=\frac{375\mathrm{K}-225\mathrm{K}}{375\mathrm{K}}=0.40$$

违反了热力学第二定律，因而制造者的声明是不可信的。

从方程 15-4 可以清楚地看到，在正常温度下，具有 100%效率的热机是不可能的。只有在剩余气体的温度 T_{L} 达到绝对零度时，才能使效率达到 100%。但达到绝对零度在实验上（理论上也是一样）是不可能的⁺。因此可以叙述如下

能够将给定量的热全部转化为功的机器是不存在的。

即，不存在象图 15-13 所示的完美（100%效率）热机。这是表述热力学第二定律的另一种形式，被称为**热力学第二定律的开尔文-普朗克表述**。如果第二定律不正确，那么就可以制造出一种完美的热机，就会发生一些非常奇特的事情。例如，如果轮船的发动机不需要低温库来吸收排出的热，轮船就可以用海水巨大的内能漂洋过海。我们就根本没有能源问题。

⁺即使通过严格的实验，绝对零度也不可能达到。这个结果称为**热力学第三定律**。

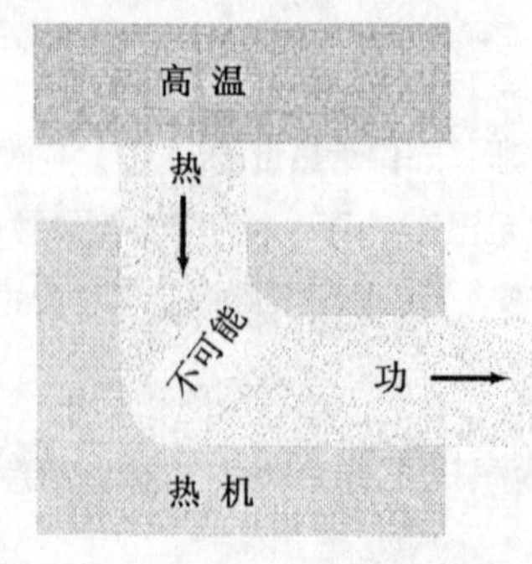

图 15-13 假想完美热机的原理图，这里所有输入热都用来作功了。

*15-6 制冷机、空调和热泵

制冷机、空调和热泵的工作原理正好是热机的逆过程。它们都是将低温环境中的热转移到高温环境中去。如图 15-14 所示，通过作功 W，热被从低温区域 T_{L}（如制冷机内部）带出，并将更多的热排放到高温区域 T_{H}（如房间内）。你可以感觉到这个热流从制冷机底下流出。这里的功通常是由压缩机压缩流体而作的，如图 15-15 所示。

完美的制冷机——即一种将低温区域的热带到高温区域而无需作功的机器——是不存

在的。这是**热力学第二定律的克劳修斯表述**，这一点我们已在 15-4 节提到过：热不能自动地从低温物体流向高温物体。要做到这一点，我们必须做功。因此，不存在完美的制冷机。

制冷机的制冷系数定义为从低温区域（制冷机内）带走的热 Q_L 除以移动这些热需作的功 W（图 15-14）：

$$\text{制冷系数} = \frac{Q_L}{W} \tag{15-5a}$$

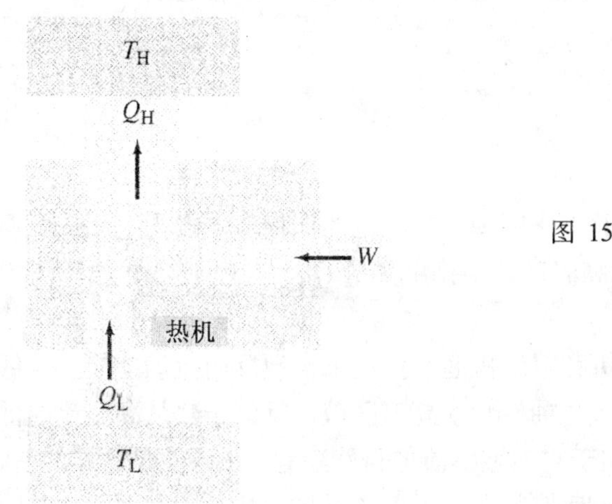

图 15-14 制冷机或空调中的能量转移示意图

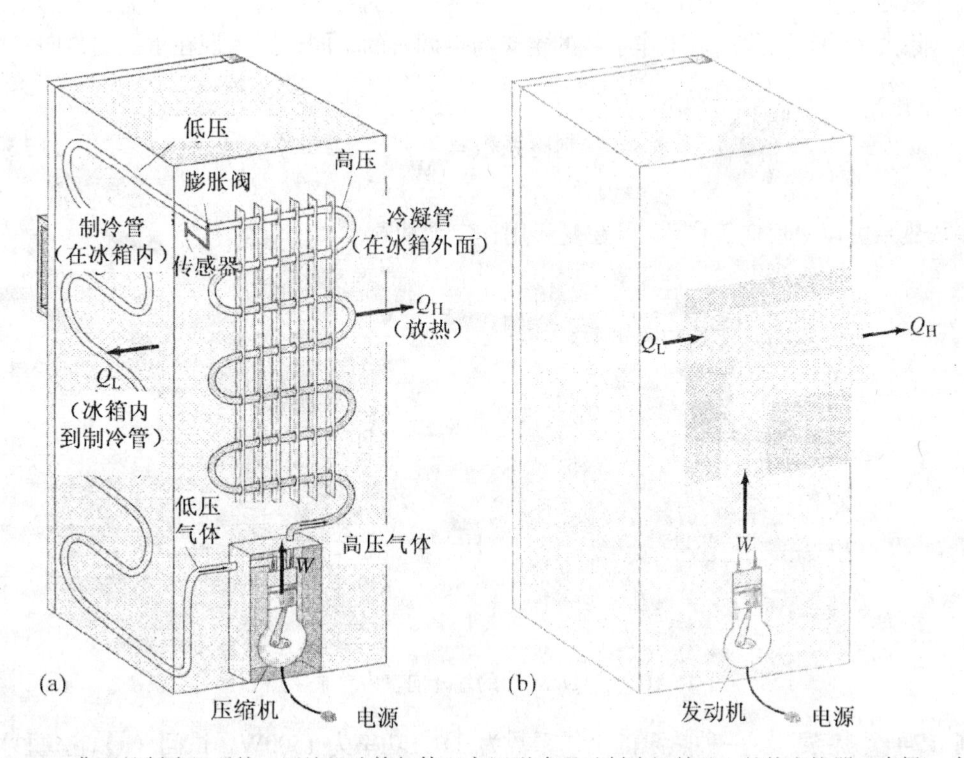

图 15-15 典型的制冷机系统。压缩机迫使气体以高压形式通过制冷机外壁上的热交换器（冷凝），气体在这里放出热量 Q_H 并冷却成液体。液体从高压区通过一个阀进入制冷机内壁的低压管内；在低压区，液体蒸发并从制冷机内部吸热（Q_L）。流体回到压缩机并开始新的循环。

这表示对于定量的功，从制冷机内部带走的热量 Q_L 越多，制冷机越好（更有效）。由于能量是守恒的，所以从热力学第一定律，我们可以写出（见图 15-14）$Q_L+W=Q_H$，或 $W=Q_H-Q_L$。因此方程 15-5a 变成

$$\text{制冷系数}=\frac{Q_L}{W}=\frac{Q_L}{Q_H-Q_L} \tag{15-5b}$$

对于一个理想制冷机（不是完美的，而是不可能的），最好的效率可达

$$\text{制冷系数}_{\text{理想}}=\frac{T_L}{T_H-T_L} \tag{15-5c}$$

与理想（卡诺）热机一样（方程 15-4）。

虽然空调的实际结构不同，但它的工作原理与制冷机的很相似，因为空调从低温的室内或建筑物内带走热量 Q_L，并在外部的高温环境中排出热量 Q_H。方程 15-5 也给出了空调机的制冷系数。

热自动地从高温流向低温。制冷机和空调机通过做功来实现反向流动：使热从低温流向高温。我们可以说它们将热从低温区域“抽”到了高温区域，反向于热从高温流向低温的自然趋势，正如水被泵抽到山坡上，反向于它向坡下流的自然趋势。**热泵**就是这样的一种机器，在冬天，它通过作功 W 从外部低温环境带来热量 Q_L 并对温暖的室内传递热量 Q_H；见图 15-16。它的工作原理与制冷机和空调机是一样的；只是传递热的目的是为了加热（输送 Q_H），而不是冷却（除去 Q_L）。因此热泵工作系数的定义与空调机的不同，因为现在重要的是向室内输送热：

$$\text{制冷系数}=\frac{Q_H}{W} \tag{15-6}$$

但大多数热泵可以“反向工作”，可在夏天用作空调机。

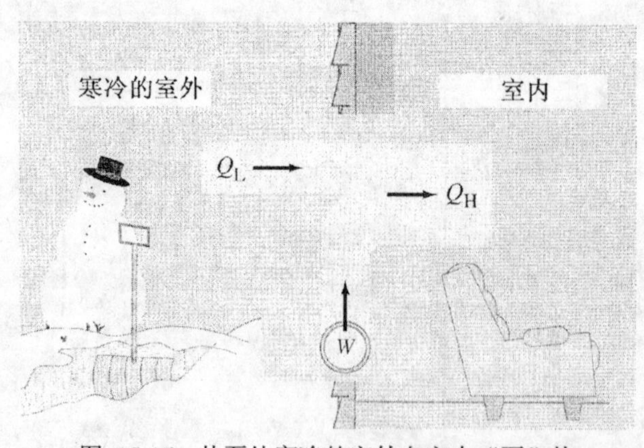

图 15-16 热泵从寒冷的室外向室内“泵”热

例 15-11 热泵。 一种热泵的工作系数为 3.0，功率为 1500W。试问（a）它每秒可向室内输送多少热量？（b）如果热泵在夏天反过来用作空调器，它的工作系数是多少？设其它参数不变。

解：（a）对于热泵，我们用方程 15-6，因为机器每秒作功 1500J，所以它每秒可以向室内输送的热量为

$$Q_H = CP \times W = 3.0 \times 1500J = 4500J$$

或以 4500W 的速率。

（b）如果在夏天反过来使用，它每秒可以从室内带走热量 Q_L 并作功 1500J，每秒向高温的室外放热 Q_H= 4500J。由于能量守恒，所以 $Q_L + W = Q_H$（见图 15-16，只是室内与室外的方向相反），并有

$$Q_L = Q_H - W = 4500J - 1500J = 3000J$$

因此作为空调机使用的工作系数为（方程 15-5a）

$$\text{制冷系数} = \frac{Q_L}{W} = \frac{3000J}{1500J} = 2.0$$

一个好的热泵可以省钱和节能。例如，将这个例子中的热泵与 1500W 的加热器相比。我们将后者通电后，它消耗 1500W 的电能，仅可以对房间输送 1500W 的热量。而热泵通电后也消耗 1500W 的电能（这是我们所付费的），但它能输送 4500W 的热量。

15–7　熵和热力学第二定律

我们已经看到了热力学第二定律的几种不同表述；可以证明，这些我们讨论过的不同的表述是完全等价的。但我们希望有一个热力学第二定律的普遍表述。直到十九世纪后半叶，才出现了用一种叫做**熵**的量来表示的热力学第二定律的普遍表述。熵是由克劳修斯在 1860 年引入的。与热不同的是熵是系统状态的函数。在下一节我们将看到，熵可以解释成对系统有序或无序的度量。

在我们考虑熵时（与对势能的一样），重要的只是过程中**熵的变化**，而不是绝对量。按照克劳修斯的定义，在恒温下，当通过一个可逆过程供给系统热量 Q 时，系统熵 S 的变化为

$$\Delta S = \frac{Q}{T} \qquad \textbf{(15-7)}$$

这里 T 是开氏温度。

例 15-12　溶解时的熵变。　从 0°C 的冷藏柜中取出质量为 60g 的冰块放在一个纸杯里。几分钟后，正好有一半的冰熔化了，变成 0°C 的水。试求冰水混合物的熵变。

解：熔解 30g（冰块的一半）的冰所需的热量可从溶解热求出（见 14-6 节）：

$$Q = mL = (30g)(79.7cal/g) = 2400cal$$

或 2.4 千卡。因为在这个过程中温度保持恒定，熵变可从方程 15-7 求出，

$$\Delta S = \frac{Q}{T} = \frac{2400cal}{273K} = +8.8cal/K$$

注意这里没有考虑环境的熵变（杯子，空气）。

在例 15-12 中温度是恒定的，计算比较容易。如果在过程中温度发生变化，则温度变化

时流动热量的总和通常可以通过计算器或计算机计算出来。但如果温度变化不是太大，就可以用温度的平均值做一个合理的近似，下面给出一个例子。

例 15-13 **估计水混合时的熵变。** 将质量 50.0kg、温度 20°C 的水与质量 50.0kg、温度 24.0°C 的水混合。试估计熵变。

解：因为是等量的水混合的，所以混合后的最终温度为 22.0°C。传递的热量为

$$Q = mc\Delta T = (50.0\text{kg})(1.00\text{kcal/kg}\cdot\text{K})(2.0°\text{C}) = 100\text{kcal}$$

这些热量在热水从 24°C 降到 22°C 时流出，冷水吸收了这些热量从 20°C 加热到 22°C。总熵变ΔS 为热水的熵变ΔS_H 与冷水的熵变ΔS_C 的和：

$$\Delta S=\Delta S_H+\Delta S_C。$$

我们现在用方程 15-7；对于热水我们用平均温度 23.0°C（296K），对于冷水用平均温度 21.0°C（294K）。因此

$$\Delta S_H = -\frac{1000\text{kcal}}{296\text{K}} = -0.338\text{kcal/K}$$

并且

$$\Delta S_C = \frac{100\text{kcal}}{294\text{K}} = 0.340\text{kcal/K}$$

注意，由于热量从热水中流出，所以它的熵（S_H）减少。但冷水的熵（S_C）增加的稍多一点。总熵变为

$$\Delta S = \Delta S_H + \Delta S_C = -0.338\text{kcal/K} + 0.340\text{kcal/K} = +0.002\text{kcal/k}$$

从上面的这个例子（15-13）我们可以看出，虽然系统一部分的熵减少了，但其它部分的熵增加得更多，导致整个系统的净熵变是正的。我们发现，对例 15-13 中特殊情况计算的结果对于其它所有的情况都是成立的。即，发现在所有自然过程中，总熵是增加的。热力学第二定律可用熵表述成：一个孤立系统的熵从不减少。它只能不变或者增加。只有对理想（可逆）过程，熵才保持不变。对于任意实际过程，熵变ΔS 总是大于零：

$$\Delta S>0 \qquad \textbf{(15-8)}$$

如果系统不是孤立的，那么系统的熵变ΔS_s 加上环境的熵变ΔS_e 必须大于或等于零：

$$\Delta S = \Delta S_s + \Delta S_e \geq 0$$

只有理想过程才有ΔS=0。实际过程总是有ΔS>0。这样就有了热力学第二定律的普遍表述：

任意自然过程总是朝着使系统与外界的总熵增加的方向进行。

在任意过程中（参见例 15-13），虽然宇宙一部分的熵是减少的，但宇宙其它部分的熵总是增加更多的量，致使总熵总是增加的。

现在我们终于有了热力学第二定律的普遍的定量表述，我们可以将其看成是一个反常规

定律。它不同于其它的物理定律（它们都是典型的相等（如 $F=ma$）或守恒定律（如能量和动量））。热力学第二定律引入了一个新的量——熵 S，但并没有告诉我们它是守恒的。与此相反。在自然过程中熵是不守恒的；它总是随时间而增加的。

15-8 从有序到无序

到现在为止我们讨论的熵的概念看起来还相当抽象。为了理解熵的概念，我们可以将它与有序和无序的概念联系起来。实际上，系统的熵可以看成是系统无序性的量度。这样热力学第二定律可以简单地表述为：

自然过程总是朝着更无序的状态进行。

对于无序的准确含义，我们可能总是不太清楚，因此我们现在看一些例子。这些例子将使我们看到，如何应用热力学第二定律的最普遍表述解决我们通常遇到的热力学问题。

让我们先看一下在 15-4 节提到的简单过程。装有分层的瓶子比混合后的盐和胡椒更有序。摇动可以使瓶子中分层的盐和胡椒混合，但再怎样摇动也无法使其重新分层。自然过程是从一个相对有序的状态（分层）变到一个相对无序的状态（混合），而不是相反的过程。即，无序性增加了。同样，一个完整的茶杯比打破的碎片更“有序”。茶杯掉下时就会摔碎，但它不能自动复原。因此，事件发生的过程是无序性增加的过程。

当一个热的物体与一个冷的物体接触时，热从高温物体流向低温物体，直到两个物体达到同一中间温度。在这个过程开始时，我们可以区分这两类分子：平均动能高的和平均动能低的。在过程结束后，所有分子是一类的，都具有同样的平均动能，我们无法再将它们分成两类。有序变成了无序。另外，分开的热物体和冷物体可看成热机的高温和低温区，因此它们可以用来作有效功。但只要两个物体相互接触并达到同样的温度，就无法获取功了。无序性不能增加了，因为具有作功能力的系统必须比再不能作功的系统具有更高的有序性。

这些例子表明熵增加的普遍概念对应于无序性的增加。（我们将在 15-11 节定量讨论它们之间的关系）总之，我们将无序与随机联系起来了：分层的盐和胡椒比随机混合物更有序；堆放整齐的编号纸比地板上随意丢弃的纸张更有序。我们也可以说更有序的排列需要更多**信息**来对其进行区别和分类。当我们有热和冷的物体时，我们有两类分子和两个信息；当两个物体达到同一温度时，就只有一类和一个信息了。当盐和胡椒混合后，就只有（均匀的）一类了；当它们分层时，存在着两类。从这个意义上说，有序或较低的熵与相应的信息有关。这就是现代**信息论**建立的基础。

还有一个我们以前讨论过的例子是落到地上的石块，它的动能转化成了热能。（我们注意到相反过程从不会发生：石块从不会自动吸取热能而升到空中去。）这是另一个有序变化到无序的例子。因为虽然热能与分子的无序运动有关，但下落石块中的所有分子具有同样的向下速度加上本身的无序运动。因此，当石块撞击地面时，它的更有序的动能变成了热能。与自然界发生的所有过程一样，在这个过程中无序性增加了。

15-9 不可用能量：热寂

在热从高温物体向低温物体传递的过程中，我们已经看到了熵的增加就是有序向无序的转变。分开的高温和低温物体可看成热机的高、低温区域，因此可以从它们获取有用功。但在两个物体相互接触并达到同一均匀温度后，从它们再也不能获取功了。如果认为过程中是作了有用功的，则过程中有序变成了无序。

对于下落石块碰地后停止的过程，同样可以作这样解释。在碰地前，石块的所有动能都可以用来作有用功。但一旦石块的动能变成热能后，这个过程就不可能再发生了。

这两个例子给出了热力学第二定律的另一个重要方面——在任意自然过程中，一些能量变得不能再作有用功。在任意过程中，虽然没有能量失去（它总是守恒的），但是，它的可用性变得小了——它作有用功的能力变小了。随着时间的增加，**能量逐步退化**，也就是；它从更有序的形式（如机械能）最终变成了最无序的形式，内能或热能。熵是这里的一个因素，因为在任意过程中，能量变得无法作功的量正比于熵的变化。

从这里可以自然地得出一个预言，即随着时间的增加，宇宙将达到最大的无序态。物质将变成一种均匀的混合体，热将从高温区域流向低温区域，直到整个宇宙处于同一温度。无法再作功。宇宙的所有能量将逐步转化成热能。所有变化都将停止。这叫做宇宙的**热寂**。哲学家对此已进行了很多的讨论。这个最终态看起来是热力学第二定律的必然结果，尽管它处在遥远的未来。但它是建立在宇宙是有限的基础上，而这一点还未得到宇宙学家的确认。另外，对于热力学第二定律是否像我们认识的那样可以实际应用于广漠的宇宙仍有一些问题。答案仍未得到。

*15-10 进化和生长；“时间之矢”

一个有趣的例子是熵的增加与生物进化和有机体的生长有关。显然，人类是一个高度有序的有机体。从早期的大分子和简单的生命形式到人类智慧的进化过程是一个有序性增加的过程。同样，个体从单细胞到生长成人的发展也是一个有序性增加的过程。这些过程违背了热力学第二定律吗？没有，它们没有违背。在进化和生长的过程中，甚至在个体生命的成熟期，废弃产品被排出体外。这些作为新陈代谢的结果而保留下来的小分子是没有多少有序性的简单分子。因此它们代表了相当高的无序性或熵。事实上，在进化和生长过程中，有机体排出分子的总熵大于与个体生长或种类进化的有序性有关的熵的减少。

热力学第二定律的另一方面是，它告诉了我们过程向哪个**方向**进行。如果你看一段倒着放的影片，无疑你能说出它是在沿反方向进行。因为你会看到奇怪的现象发生，如打碎的杯子从地面上升起并复原在桌子上，或破裂的气球忽然变得完整并充满了空气。我们知道这些事情在实际生活中不会发生；它们是有序性增加的过程——即熵减少的过程。它们违背了热力学第二定律。在看电影时（或想象时间倒流），我们通过观察熵是增加或减少而得知时间是否在倒流。因此，熵被叫做**“时间之矢”**，因为它可以告诉我们时间向哪个方向进行。

*15-11 熵和第二定律的统计解释

用统计或概率分析的方法对系统分子状态进行处理可以使熵和无序的概念变得更清楚。在 19 世纪末期，玻耳兹曼（1844-1906）用这种统计近似给出了系统“宏观状态”和“微观状态”之间的显著区别。当每个质点（或分子）位置和速度给定时，系统的微观状态就确定了。系统的宏观状态通过系统的宏观性质来确定——温度、压强、分子数，等等。实际上，我们只能知道系统的宏观状态。在某一给定时刻，系统中的分子数太多，通常无法知道每一个分子的速度和位置。然而，认识到大量不同的微观态可以对应于同一宏观态是很重要的。

让我们看一个简单的例子。设你在手里反复摇晃四个硬币后将它们投掷在桌子上。假设某次投掷的正反面数是系统的宏观状态，每个硬币是正面或反面是系统的微观状态。在下面的表中我们可以看到微观状态数对应每个宏观状态：

宏观态	可能的微观状态（H=正面，T=反面）	微观状态数
4 正面	正正正正	1
3 正面，1 反面	正正正反，正正反正，正反正正，反正正正	4
2 正面，2 反面	正正反反，正反正反，正反反正，反反正正，反正正反，反正反正	6
1 正面，3 反面	反反反正，反反正反，反正反反，正反反反	4
4 反面	反反反反	1

在这种统计近似的后面有一个基本的假设就是每个微观态的出现是等几率的。因此给出的同一宏观态的微观状态数对应着这个宏观态发生的相对几率。两正和两反的宏观态是我们掷四个硬币时最可能出现的状态；在总的 16 个可能微观态中有六个是两正和两反，所以掷出两正和两反的几率是 6 比 16，即 38%。掷出一个正面和三个反面的几率是 4 比 16，即 25%。四个正面的几率 16 次中只有 1 次，即 6%。当然如果你掷 16 次硬币，你也许发现两正和两反的次数不是刚好 6 次，或四个反面的次数也不是一次。这只是可能的或平均的。但如果你掷 1600 次，则两正和两反的几率将非常接近 38%。尝试的次数越多，算出的几率百分比越接近与这个值。

如果我们同时掷更多的硬币，如 100 个，全部正面（或全反面）的相对几率就会大大减少。只有一个微观态对应于全部正面。对于 99 个正面和一个反面，有 100 个微观状态，因为每个硬币都有可能是反面：其它微观状态的相对几率列在表 15-2 中。 总共有 10^{30} 个微观状态⁺。因此，出现全部正面的几率为 10^{30} 分子 1，几乎是完全不可能的。得到 50 个正面和 50 个反面的几率（见表 15-2）为 $1.0\times10^{29}/10^{30} = 0.10$，或 10%。得到 45 至 55 个正面的几率为 90%。

因此当硬币数增加时，我们看到要获得最有序的排列（全部正面或全部反面）变得几乎不可能。而最无序的排列（一半正面，一半反面）是最有可能的，并且靠近最可能排列的几率（如 5%）随硬币数增加而迅速增加。同样的概念可用于系统中的分子。例如，气体（如室内的空气）最可能的状态是分子占据整个空间并且无序地到处运动；这与麦克斯韦分布是一致的，图 15-17a（参见 13 章）。换句话说，所有分子定域在房间一角并且以同样的速度运动（图 15-17b）是几乎不可能的。

从这些例子可以清楚地看到，几率是直接与无序并因此与熵有关的。所以，最可能的状态是具有最大熵或最无序即随机的状态。

借助几率的概念，热力学第二定律（它告诉我们在任意过程中熵是增加的）可简单地表述为哪些过程是最可能发生的。第二定律因此变成一种普遍的表述。但是现在附加了一些内容。按几率方式给出的第二定律并不排除熵的减少。只是说它的几率非常小。盐和胡椒自动分层或打碎的茶杯自动复原，这些都不是不可能。甚至湖水在炎热的夏天结冰（即，热从冷的湖水流向热的环境中）也是可能的。但这样的事件发生的几率是极其微小的。在硬币实验中，我们看到当硬币数从 4 枚增加到 100 枚时，偏离平均或最可几分布的几率急剧减小。在一般系统中，我们处理的不是 100 个分子，而是难以置信的大量分子：仅 1 摩尔就有 6×10^{23} 个分子。因此远离平均值的几率是难以置信的微小。例如，根据计算，在地面上静止的石块将 1 卡的热能变成机械能并升到空中的几率远小于一群猴子胡乱按键会完成莎士比亚著作的几率。

表 15-2 抛掷 100 个硬币出现不同宏观状态的几率

宏观状态		微观状态数
正面	反面	W
100	0	1
99	1	1.0×10^{2}
90	10	1.7×10^{13}
80	20	5.4×10^{20}
60	40	1.4×10^{28}
55	45	6.1×10^{28}
50	50	1.0×10^{29}
45	55	6.1×10^{28}
40	60	1.4×10^{28}
20	80	5.4×10^{20}
10	90	1.7×10^{13}
1	99	1.0×10^{2}
0	100	1

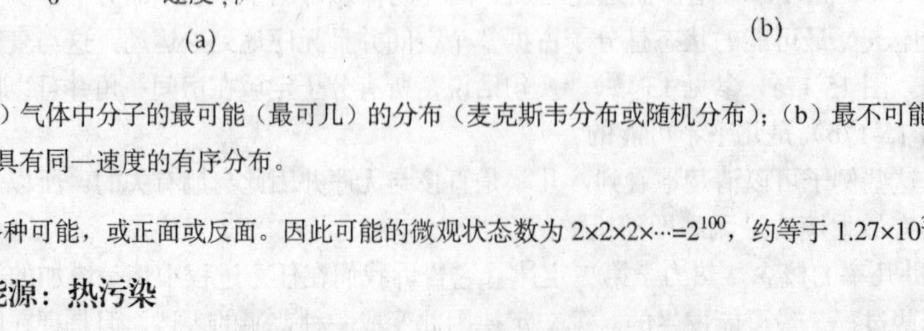

图 15-17 （a）气体中分子的最可能（最可几）的分布（麦克斯韦分布或随机分布）；（b）最不可能的分布，所有分子几乎具有同一速度的有序分布。

+每个硬币有各种可能，或正面或反面。因此可能的微观状态数为 $2\times2\times2\times\cdots=2^{100}$，约等于 1.27×10^{30}。

*15–12 能源：热污染

在日常生活中谈到对能量的使用时，我们说的是能量从一种形式向另一种对我们更有用的形式的转换。要加热房屋和建筑物内的空间，将燃料（如气体、油或煤等）直接燃烧，就能使它们释放出以分子势能形式储存的能量。然而，对于许多能量的转换，需要热机，如开动汽车，飞机和其它车辆，特别重要的是发电。

在讨论不同的发电形式之前，我们先看两个与热机有关的污染：空气污染和热污染。空气污染可归因于汽车、工业熔炼炉和发电厂中的燃料（如煤、油、气等）的燃烧。机动车的内燃机是特殊的污染源，因为燃烧进行得太快以致燃烧不充分，因此产生了许多有害气体。为了减少空气污染，需使用特殊的设备（如催化转换器）。即使在燃烧充分时，也会向大气排放 CO_2，它能够吸收从地球释放出的本来可以逃逸的部分红外辐射。CO_2 在大气中积累并导致大气温度的升高的现象被称为**温室效应**，因为这种效应类似于对封闭温室的加热；在下世纪，大气平均温度的升高将导致降雨类型的转变，极地冰盖的融化从而使海平面升高（致使低海拔地区被淹没），使森林变成沙漠。另一种情景同样麻烦，CO_2 层遮挡了太阳的一些射线导致新冰期的到来。鉴于这些原因，专家们建议采取紧急措施以限制矿物燃料的燃烧。

另一种环境污染是**热污染**。从汽车到电厂的每一个热机都向环境排放热（在例 15-9 中的 Q_L）。今天的许多发电厂都用热机将热能转换成电能，排放的热通常被冷却液（如水）吸收。如果热机能够有效地工作（现在最高效率为 30～40%），温度 T_L（见方程 15-4）必须尽可能的低。因此需要大量的水作为冷却液流过发电厂。这些水通常从附近的河流、湖泊或海洋中得到。将热转移给水的一个后果是它的温度升高了，这对水生生物的损害是严重的，很大程度上是由于热水中含有较少的溶解氧。热排放的另一种形式是通过高大的冷却塔释放到大气中去，图 15-18。不幸的是，这种方式对环境也有影响，因为热的空气能够改变这个区域的气候。虽然通过严格控制最终可以将空气污染减小到一个可以接受的程度，但热污染仍然无法避免。按照热力学第二定律，我们所能做的就是使用较少的能量并且尝试建造更有效的热机。

在美国，今天的大多数电能是用带有发电机的热机产生的。发电机是将机械能，通常是将具有许多叶片的涡轮机（图 15-19）的转动动能转变成电能的。有关发电机如何将机械能转变成电能的细节将在第二十一章进行讨论。现在讨论推动涡轮机转动的不同方式，以及每一种方式的优缺点。

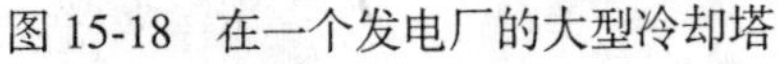
图 15-18　在一个发电厂的大型冷却塔

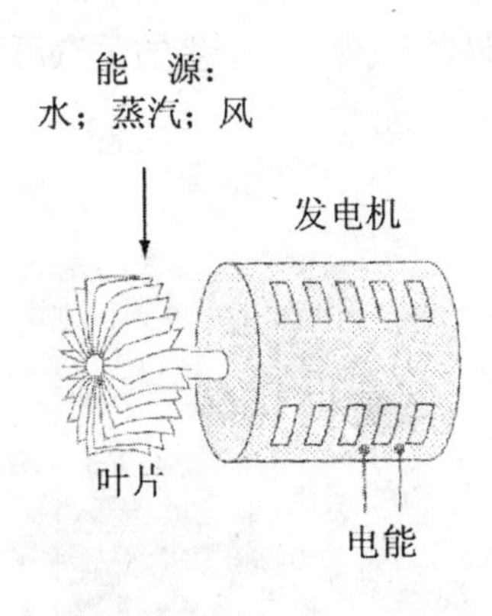

图 15-19　用叶片和发生机将机械能和热能转化为电能

燃料蒸汽动力厂。 在蒸汽动力厂中，用煤、油或天然气来加热水，使其沸腾并产生高压蒸汽来推动涡轮机。这类工厂的优点是，建造它们很容易并且运行费用也不太昂贵。缺点是燃烧产生了空气污染；像所有的热机一样，它们的效率是有限的（典型为30-40%）；产生的废弃热污染；采掘原材料会对土地造成破坏，特别是在露天煤矿开采和油页岩的剥离中；也可能发生事故，如海上原油泄漏；所剩的矿物燃料也不是太多（估计可供应年代的范围从几百年到只有几十年）。现在，美国所有能源（不包括电能）的90%是由矿物燃料产生的。

核能。 有两种核过程释放能量：裂变和聚变。在裂变中，铀和钚原子核分裂并释放能量。在聚变中，小的原子核（如氢）聚合并释放能量。这些过程将在第31章进行描述。目前所有核电厂中利用的都是裂变过程，因为聚变还没有得到控制。核能与矿物燃料一样被用来加热蒸汽。因此一个核电厂实际上就是一个用铀作燃料的蒸汽发电厂。它也具有所有热机（15-5节）的低效率以及伴随的热污染。核电厂在正常工作时是没有空气污染的。但出现事故时将会释放高剂量的有害辐射，如1986年发生在切尔诺贝利的事故，以及更早一些的危害较轻的1979年三里岛事故。核电厂也存在其它一些问题：产生的辐射物质很难处理；核材料可能被恐怖分子掌握并用来制造核弹；核燃料供应也是有限的。然而，每公斤燃料产生的能量是巨大的，采矿对土地造成的损害也比开采矿物燃料时小。另外，聚变过程看起来缺点更少并拥有巨大的燃料来源的优势——海洋中水分子（H_2O）中的氢。不幸的是，聚变还不能被有效地控制，但这是未来的希望。两种核过程都不释放CO_2，因此对温室效应没有贡献。

地热能。 矿物燃料和核能都是将水加热成蒸汽供蒸汽涡轮机使用的。从地球本身也可以获得天然的蒸汽（图15-20）。在许多地方，地下水碰到炽热的地球内层后上升到很高的温度和压强。它们以温泉、间歇式喷泉和蒸汽喷泉的形式出现在地面上。我们不仅可以利用天然喷气泉，而且也可以通过钻孔通到包含蒸汽的岩层内或将冷水灌注到热的干岩层上以得到蒸汽。目前最大的地热发电厂坐落在加洲北部的间歇喷泉区。在意大利，同样类型的发电厂已经工作了近一个世纪，其它一些地热电厂则分布在世界各地。在冰岛，地热是主要的能源。尽管有一些非蒸汽的气体喷出，地热能仍是一种洁净的能源，它造成的空气污染很小。但是，用过的热水也具有热污染，水中的矿物质含量（通常很高）不仅污染环境，而且腐蚀设备本身的零部件。虽然天然产生的蒸汽可能会枯竭而只剩下一座枯井，但地热仍是一种相当廉价和很有前景的能源。

图 15-20 一座地热发电站

水力发电站。 水力发电厂直接用下落的水流推动涡轮机发电而无需热机。它们通常安装在大坝的底部。水电站大约提供了美国所有使用能源的 5%。它们的发电过程既无空气污染又无水污染。另外，它们的效率几乎是 100%，因为产生的剩余热很少。但由于干旱以及可以建造大坝的好位置不多，它们并不总是可以依靠的。大坝下的水库淹没了可耕种的良田或宏伟的风景遗址（图 15-21），因此对环境具有一系列的破坏作用。

图 15-21 大峡谷大坝（亚利桑那州）制造了一个人造湖，淹没了大片美丽的风景区。

潮汐能。 地球上的潮汐是另一种形式的水能。如图 15-22 所示，大坝下的蓄水区在涨潮时被灌满，水在退潮时放出并推动涡轮机转动。在下一次涨潮时，蓄水区被重新灌满，涌入的潮水也能使涡轮机转动。在法国，潮汐发电厂已投入运行，一个未来的建站位置可选在加拿大的芬地湾，那里的海潮高达 11m（其它地区平均只有 0.3m）。这个显著的海潮是由于共振效应产生的（见 11-6）：在芬地湾海水前后共振的周期为 13 小时，而一般潮汐则为 12.4 小时。关于发电的一种建议是建一座大坝以缩短海湾的长度，因而减小了海潮的共振周期，并因此使共振幅度增大。其它能够建造潮汐发电厂的地点（涨潮和退潮落差大的地方）不多，并且需要在天然和人造海湾上建造很大的坝。水面很大的落差可能对海洋生物产生影响，但潮汐发电看起来对环境影响最小。不幸的是，对适合建造发电厂地点的合理估计指出潮汐发电只占世界所需能源的一少部分。

风能。 风车曾经被广泛使用。重新使用它们，则主要是用来转动发电机以产生电能。仅在加洲就有约 17000 个风车，可以产生 1700MW 的电能，可供 300000 人口的城市使用；它们提供了整个洲所需能源的 1%还要多。不同大小的风车被制造出来：从 3kW 的小型风车（如，偏远住户适用），到叶轮达 50 米的可产生几兆瓦的大型风车。风力发电一般是“洁净”的（尽管能够产生占美国所需能源相当比例的巨大的风车列阵可能影响气候并被认为是有碍观瞻的）。

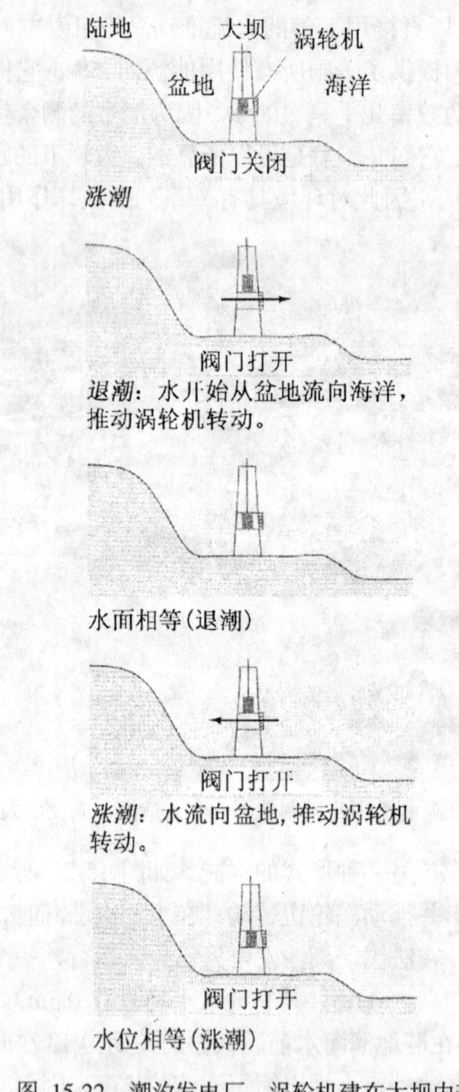

图 15-22 潮汐发电厂。涡轮机建在大坝内部。

图 15-23 两种类型的风力站：（a）螺旋桨式，（b）打蛋器型。

太阳能。 许多类型的太阳能已经在使用着：矿物燃料是靠太阳光合作用生长的植物的遗留物；水能依赖于太阳将水蒸发后以雨的形式降下并补充到水库中；风能则依赖于太阳对大气的加热而形成的对流。图 15-24 中给出的主动式太阳能加热系统，可用来加热室内空间（保持室内温暖）和加热水。而称为被动式太阳能系统的是那些巧妙利用太阳能的人造装置，如将房屋的窗户朝向南，以便在冬天能采集到太阳光，而在夏季则用遮阳罩挡住太阳光（图 15-25）。太阳光也可以用来产生电能。例如，通过阵列的反射镜将太阳光聚焦在高塔顶部的锅炉上，如加洲的一个小型实验厂做的那样（图 15-26）。聚焦的阳光可以将水加热成蒸汽并推动涡轮机。这样的系统也可用做家用发电系统，但需要备用系统以防阴天。在很大程度上，要采集足够的阳光需要大面积的土地，大约一平方英里能够输出 100MW 的能量。虽然太阳能仍然存在热污染，另外气候也可能受到影响，但它没有空气和水污染，也没有放射性污染，技术上也不太困难。另一种直接利用太阳光的技术是太阳能电池，或更准确一些是光伏电池，它可以不用热机而直接将太阳能转换成电能。经过不断的研究，太阳能电池的效率现在已经能够超过 30%。太阳能电池一直是很昂贵的，但最近它的造价下降很快，也许不久就会变得很有竞争力，使它成为理想能源的原因是它的热（以及其它）污染很少（不用热机）。但在大量制造它时产生的化学污染将是严重的。太阳能电池可以装在屋顶以供家用。在很大程度上，它们需要大面积，因为太阳能是分散的。

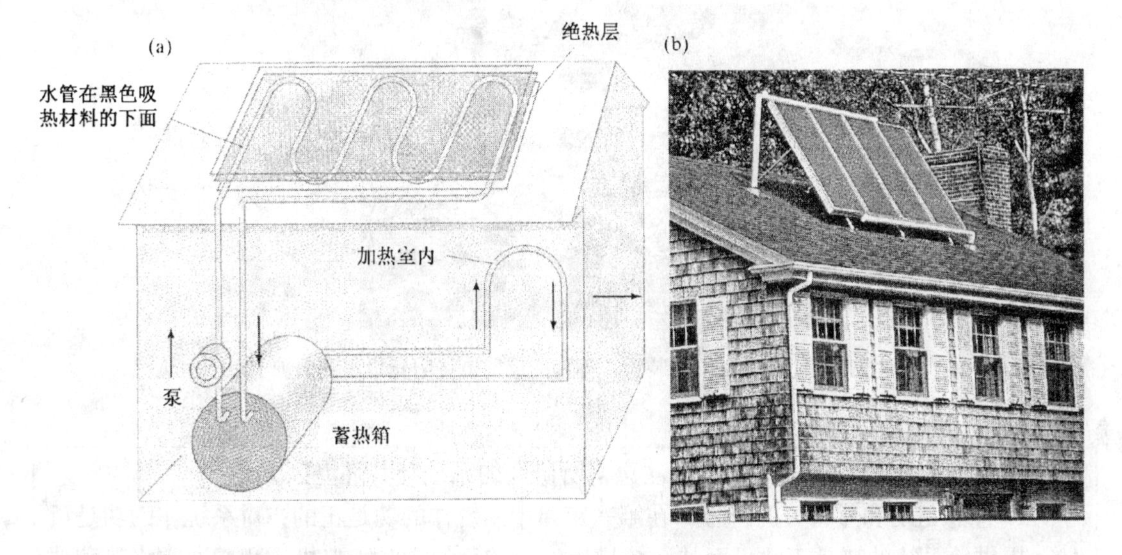

图 15-24 （a）家用太阳能加热系统。架设在屋顶的通水管道连接在一个吸收太阳辐射能并将水加热的黑色表面物体上。上表面用玻璃覆盖以减少热的对流损失，管子的下部使用绝缘材料以减少热的传导损失。加热的水通过一个很好绝缘的储水箱循环使用，热水在这里被储存并对室内进行循环加热。储水箱也可以用来供应热水。采用自然对流或强制（使用泵）对流可使水在系统两部分间流动。当长期阴天时，需要准备其它形式的备用系统。（b）房屋顶部的太阳能电池板。

应该清楚的是所有产生能源的方式都具有不利的副效应。一些可能比另一些更糟，并非所有的问题都能够预计到。在未来，当传统的燃料资源用完时，需要寻找新的产生能源的方式。将来也许不得不用许多不同的方式（包括我们刚讨论过的）来满足我们能源消费社会的需要。显然，保护我们有限的燃料资源，避免能源的浪费，应该是社会关注的重大问题。

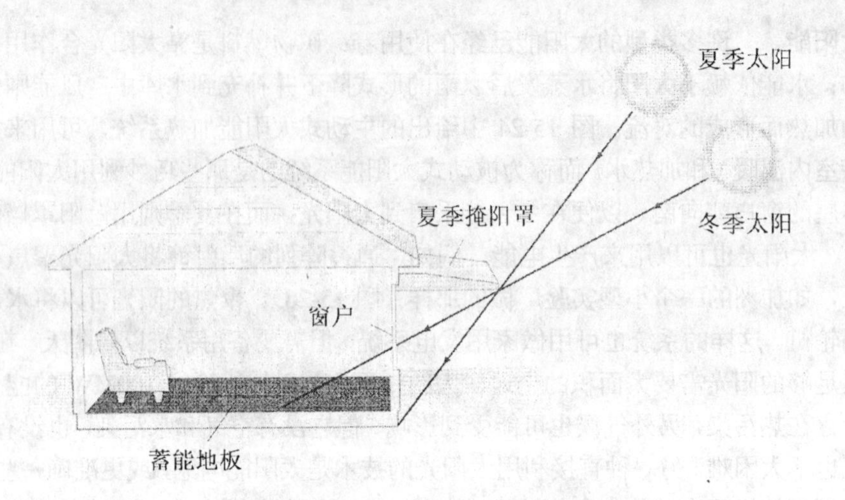

图 15-25 被动式太阳能系统：当冬季太阳在天空较低时，阳光可以从朝南的窗户射进来。地板是用高热容的材料（砖或陶瓷块）制成的，能够储存接收到的太阳能并在温度降低时释放出来。窗户顶上的遮阳罩在夏季太阳较高时能够挡住阳光，使室内保持凉爽。

图 15-26 加洲巴斯塔附近的太阳能装置，阵列的反射镜将阳光聚焦到锅炉上以产生蒸汽。

解题步骤：热力学

1. 对要研究的系统进行定义；注意将所研究的系统与其环境区分开。

2. 注意与功和热有关的符号。在第一定律中系统作的功是正的；对系统作的功是负的。提供给系统的热是正的，而从系统排出的热的负的。对于热机，我们通常将热和功看成正的，并且在写能量守恒方程时用+或-号表示方向。

3. 注意功和热所用的单位；功最常用的是焦耳，热常用的是卡和千卡，但对同一个问题只能选一个单位。

4. 通常温度必须用 K 表示；温度差可以用℃或 K 表示。

5. 效率（或工作效率）是两个能量或功率的比：有用的输出功除以所需的输入。效率（不是工作效率）的值总是小于 1，因此常用百分比表示。

6. 当系统吸热时，系统的熵增加，当系统放热时，系统的熵减少。如果热从系统 A 传递到系统 B，则 A 的熵变为负，B 的熵变为正。

小结

热力学第一定律指出系统内能的改变等于提供给系统的热 Q 减去系统作的功 W:

$$\Delta U = Q - U$$

这是能量守恒的一种表述，它对于所有类型的过程都是成立的。

等温过程是在恒定温度下进行的过程。

在**绝热**过程中没有热交换（Q=0）。

在恒压 P 过程中，气体作的功 W 为

$$W=P\Delta V,$$

这里ΔV是气体体积的变化。

热机是通过热传递将热能转变成有用功的机器。

热机的**效率**定义为热机作的功 W 与输入热量 Q_H 的比。由于能量守恒，输出功等于 Q_H-Q_L，这里 Q_L 是对环境排放的热量；因此效率

$$e = \frac{W}{Q_H} - 1 - \frac{Q_L}{Q_H}$$

效率的上限可以用热机的高低工作温度（用开氏温度）T_H 和 T_L 写成

$$e_{理想} = 1 - \frac{T_L}{T_H}$$

制冷机和空调的工作过程是热机的反过程：作功将热从冷的区域吸出并将其排放到高温区域中去。

热力学第二定律可以用几种等价的形式表述：

1. 热从热的物体自动流向冷的物体，反之则不能；
2. 没有 100%效率的热机——即，不能将给定量的热全部转化为功；
3. 自然过程总是朝着更无序或**熵**增加的过程进行。

表述（3）是热力学第二定律最普遍的表述，也可以重新表述成：任意自然过程的结果使任意系统加上其环境的总熵 S 增加：

$$\Delta S>0$$

熵是对系统无序状态的定量测量。随着时间增加，能量退化成可用度较小的形式——即，它作有用功的能力减小了。

问答题

1. 空气中的水蒸汽凝结在一盛冷水玻璃杯的外部，水蒸汽的内能发生了什么变化？请解释。

2. 试用能量守恒解释为什么气体被压缩时（如在活塞中被压缩）其温度增加，而膨胀时其温度减小。

3. 在一等温过程中，理想气体作了 3700J 的功。这些数据能够告诉你有多少热量提供给

系统了吗？如果能够的话，这热量是多少？

4. 对于图 15-6 中给出的等温过程，是过程 *AB* 还是过程 *ADB* 作的功多？

5. 系统的温度能够在热量流进或流出时保持恒定吗？如果可以，请举例。

6. 请解释为什么气体的温度在绝热压缩时会增加。

7. 机械能可以全部转换成热或内能吗？相反的过程能发生吗？在每种情况下，如果你到答案是不，请解释为什么不能；如果能，请举出例子。

8. 在炎热的夏天，通过打开冰箱门的方法能使室内降温吗？

9. 热机效率定义为 $e = W/Q_L$ 有用吗？请解释。

10. 在（a）内燃机和（b）蒸汽机中，起高温和低温库作用的是什么？

11. 高温热源的温度增加 10C°与低温库的温度降低 10C°，哪一个对卡诺热机效率提高得更多？

12. 海洋中蕴藏着巨大的热能。为什么总的说来不能用这些能量来作有用功？

13. 气体以（a）绝热（b）等温膨胀。在每个过程中，熵是增加、减少或保持不变？

14. 举出三个不同于本章提出的有序变到无序的自然过程的例子。讨论逆过程的可观测性。

15. 你认为 1kg 的固体铁和 1kg 的液态铁，哪个具有更多的熵？为什么？

16. 如果你移开装有氯气瓶子的盖子会发生什么情况？它的逆过程会发生吗？为什么？你能给出其它不可逆过程的例子吗？

17. 给出一些其它的（没有提到的）服从热力学第一定律的过程，但如果它们确实发生了却是违背第二定律的例子。

18. 假设你将地板上乱扔的纸片拾起来并堆放整齐；这违背热力学第二定律吗？请解释。

19. 热力学第一定律有时候可以表述成“你不能使一些事物变成虚无”，而第二定律可表述成“你不能打破平均”。请解释为什么这些表述与正式表述是等价的。

20. 给出三个自然发生过程的例子，说明可用能向内能转化的过程。

*21. 熵常常称为“时间之矢”，因为它告诉我们自然过程向哪个方向进行。如果将电影反方向放映，指出一些你可能看到的时间“倒流”的过程。

*22. 生物组织在生长时将简单的食物分子转化成复杂的结构。这违背热力学第二定律吗？

习题

15-1 和 15-2 节

1.（Ⅰ）在例 15-4 中，如果在过程 *BD* 中气体损失的热量为 3.42×10^3J，则气体内能的变化是多少？

2.（Ⅰ）一理想气体在等温膨胀中作了 4.40×10^3J 的功。试求（a）气体内能的变化，（b）膨胀过程中吸收的热量。

3.（Ⅱ）画出以下过程的 *PV* 图：2.0L 的理想气体在一个大气压下恒压冷却到 1.0L 的体积，然后等温膨胀返回到 2.0L（在达到初始压强前，压强在恒定体积时是增加的）。

4.（Ⅱ）初始压强为 6.5atm（绝对）的 1.0L 的空气经绝热膨胀使压强降为 1.0atm。然后使它们在恒压下返回初始体积并通过在恒定体积下的加热使其返回初始压强。试画出此过程的 PV 图，包括轴上的数值和标记。

5.（Ⅱ）一升的空气在恒压下被冷却到一半的体积，然后等温膨胀至其初始体积。请画出此过程的 PV 图。

6.（Ⅱ）盛在刚性容器中的理想气体被缓慢地降压至一半。在这个过程中，气体放出 265kJ 的热量。（a）在这个过程中作了多少功？（b）在这个过程中气体的内能改变多少？

7.（Ⅱ）在一个热机中，一近似理想气体被绝热压缩至一半体积。在这个过程中对气体作了 1350J 的功。（a）有多少热量流出或流入气体？（b）气体内能的变化的多少？（c）它的温度是升高还是降低？

8.（Ⅱ）一理想气体在 5.0atm 的恒压下从 400mL 膨胀到 660mL。然后在恒定体积下，气体放出热量，使其压强和温度下降返回到初始值。试求（a）过程中气体作的总功，（b）流入气体的总热量。

9.（Ⅱ）考虑以下的两个过程。在恒定体积下，理想气体放出热量，使其压强从 2.2atm 降至 1.4atm。接着气体在恒压下从 6.8L 膨胀到 9.3L，这时它的温度达到其初始值。见图 15-27。试求（a）过程中气体作的总功，（b）过程中气体内能的变化，（c）气体流出或流入的总热量。

10.（Ⅱ）图 15-28 中的 PV 图给出了 1.25 摩尔单原子理想气体系统的可能状态。（P_1=P_2=450 N/m^3，V_1=2.00m^3，V_2=8.00m^3）。（a）画出从状态 1 等压膨胀到状态 2 的曲线并标为过程（A）。（b）求出过程（A）中气体作的功和气体内能的变化。（c）画出从状态 1 等温膨胀到体积 V_2，然后温度等容增加到状态 2 的曲线，并将这个两步过程标为过程（B）。（d）求出这个两步过程（B）中气体内能的变化。

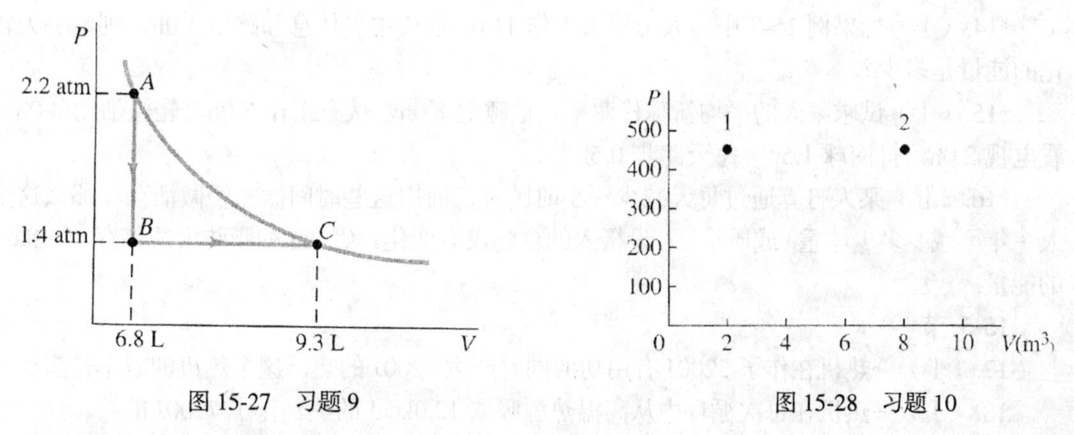

图 15-27　习题 9　　　图 15-28　习题 10

11.（Ⅱ）在图 15-29 中，当气体沿曲线从 a 变化到 c 时，气体作的功为 W= −35J，吸收的热量为 Q =-63J。沿曲线 abc 作的功为 W = −48J。（a）路径 abc 的 Q 是多少？（b）如果 $P_c=\frac{1}{2}P_b$，对于路径 cda 的 W 是多少？（c）路径 cda 的 Q 是多少？（d）U_a-U_c 是多少？（e）如果 U_d–U_c=5J，对于路径 da 的 Q 是多少？

12.（Ⅲ）在图 15-29 中，使气体从状态 a 沿曲线变到状态 c，系统放出热量 80J，对系统作功 55J。（a）试求内能的变化 U_a-U_c。（b）在气体沿路径 cda 时，气体作的功 W=38J。在过程 cda 中气体吸收的热量 Q 是多少？（c）如果 P_a=2.5P_d，在过程 abc 中气体作的功是多少？

（d）路径 abc 中的 Q 是多少？（e）如果 U_a-U_b=10J，过程 bc 的 Q 是多少？将已知量总结如下：

$$Q_{a\to c}=-80\text{J}\quad U_a-U_b=-10\text{J}$$
$$W_{a\to c}=-55\text{J}\quad P_a=2.5P_d$$
$$W_{cda}=38\text{J}$$

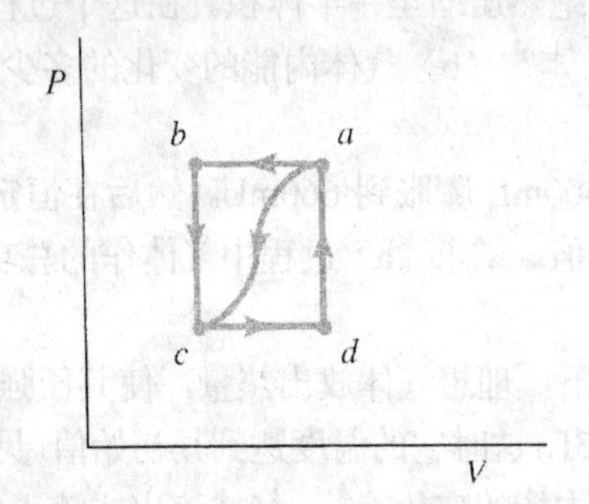

图 15-29 习题 11，12，和 13。

13.（Ⅲ）假设气体沿图 15-29 中的矩形顺时针循环一周，从 b 点开始，然后是 a 到 d 和 c，最后返回 b 点。用习题 12 中给出的值，试求（a）循环中作的净功，（b）循环中的净热流，（c）循环中总的内能变化。（d）有百分之几的输入热转化成了有用功：即这个矩形循环的效率是多少？

***15-3 节**

*14.（Ⅰ）如果例 15-7 中的人由原来工作 11.0h 换成中午休息和跑步 1.0h，则她一天转化的能量是多少？

*15.（Ⅰ）试求某人的平均新陈代谢率，他睡觉 8.0h，伏案工作 8.0h，轻微活动 4.0h，看电视 2.0h，打网球 1.5h，每天跑步 0.5h。

*16.（Ⅱ）某人打算通过每天减少一小时睡觉，而用这些时间做些轻微活动。那么这个人一年可减少多少体重（或质量）？设摄入的食物没有变化。设 1kg 的脂肪大约储存 9000kcal 的能量。

15-5 节

17.（Ⅰ）一热机在作了 3200J 有用功的同时产生 8200J 的热。这个热机的效率是多少？

18.（Ⅰ）一热机在每次循环中从高温热源吸取 12.0kcal 的热，作了 7200J 的功。这个热机的效率是多少？

19.（Ⅰ）一热机的工作温度是 580°C 和 320°C，它的最大效率是多少？

20.（Ⅰ）一热机的排出温度为 230°C。如果它的卡诺效率为 28%，则它的高温工作温度是多少？

21.（Ⅱ）一核电厂在温度 600°C 和 350°C 间的工作效率是其最大理论效率（卡诺）的 70%。如果电厂以 1.3GW 的速率产生电能，则每小时排出的热是多少？

22.（Ⅱ）一卡诺热机每秒用去 680kcal 的热，以 440kW 的速率作功。如果热源的温度为 570°C，则排出热的温度是多少？

23.（Ⅱ）一辆 100 马力汽车的发动机效率为 15%。设作为发动机低温区（排出）的水温为 85°C，其高温输入温度为 500°C（油气混合物的燃烧温度）。(a) 试求它可能的最大效率（卡诺效率）。(b) 试估计汽车运行一小时消耗多少功率（瓦特），向空气中排放多少热，用焦耳和千卡表示。

24.（Ⅱ）一热机使用的热源温度为 550°C，其理想（卡诺）效率为 30%。要使理想效率提高到 40%，则热源温度必须是多少？

25.（Ⅱ）一热机排出热的温度为 350°C，其卡诺效率为 39%。要使它的卡诺效率达到 50%，则排出温度应是多少？

26.（Ⅲ）在蒸汽发电厂中，蒸汽机是成对工作的，从第一个的输出热变成第二个的输入热。第一个热机的工作温度是 670°C 和 440°C，第二个热机的工作温度是 430°C 和 290°C。如果煤的燃烧热是 2.8×10^{7}J/kg，发电厂的输出功率为 1000MW，则燃烧煤的速率的多少？设热机的效率为理想（卡诺）效率的 60%。

27.（Ⅲ）水被用来冷却习题 26 中的发电机。如果水温增加不允许超过 6.0C°，试估计发电厂每小时必须流过多少水。

***15-6 节**

*28.（Ⅰ）一制冷机低温冷却管的温度为-15°C，散热器温度为 30°C。它工作的最大理论系数是多少？

*29.（Ⅰ）如果理想制冷机在房间温度为 22°C 时，其制冷空间处在-15°C，它的制冷系数是多少？

*30.（Ⅱ）一餐馆冰箱的制冷系数为 5.0。如果冰箱外部的厨房温度为 29°C，设它是理想的，则冰箱内部能够达到的最低温度是多少？

*31.（Ⅱ）一热泵被用来使房间温度保持在 22°C。如果室外温度为 (a) 0°C、(b) -15°C，则热泵需要作多少功，才能将 2800J 的热量送到房间内？设热泵是理想（卡诺）的。

*32.（Ⅱ）一理想热机的效率为 35%。如果将它反过来用做热泵，则它的工作系数的多少？

*33.（Ⅱ）将例 15-9 中的热机反过来运行。要使托盘方格中一打的处在室温的 40g 液态水冻成处在冰点的冰块，需多长时间？设输入的电能为 450W，整个过程是理想（卡诺）的。

15-7 节

34.（Ⅰ）当温度为 100°C 的 100g 蒸汽凝结成 100°C 的水时，它的熵变是多少？

35.（Ⅰ）将 1 千克的水从 0°C 加热到 100°C。试估计水的熵变。

36.（Ⅰ）当 1.00m^3 的 0°C 的水冻结成 0°C 的冰时，它的熵变是多少？

37.（Ⅱ）如果习题 36 中的水是通过与大量的-10°C 的冰接触而冻结的，则过程中的总熵变是多少？

38.（Ⅱ）一铝棒从保持在 240°C 的热源以 7.50cal/s 的速率向处在 27°C 的大量的水传导热量。试求在这个过程中单位时间内熵的增加率。

39.（Ⅱ）温度 30°C 的 1.0kg 水与温度 60°C 的 1.0kg 水在一个完全绝缘的容器中混合。试估计系统的净熵变。

40.（Ⅱ）在室温下（20°C），将一块处在 30°C 的 3.8kg 的铝板放入泡沫塑料容器中 1.0kg

的水里。试求系统的近似净熵变。

41.（Ⅲ）一实际热机工作在 970K 与 650K 的热源之间，对于 2200J 的输入热每个循环产生 550J 的功。（a）将这个实际热机的效率与理想（卡诺）热机的作个比较。（b）试求实际热机每个循环中全体的总熵变。（c）试求工作在同样温度下的卡诺热机的每个循环中全体的总熵变。

***15-11 节**

*42.（Ⅱ）当你掷两个骰子时，得到（a）5 和（b）11 的几率是多大？

*43.（Ⅱ）按几率增大的顺序排列拿到下列五张牌的可能性：（a）四个爱斯（1）和一个王；（b）红心 6，方块 8，草花 12，红心 3，黑桃 11；（c）两张 11，两张 12 和一张爱斯；（d）手里牌没有相等的。请用微观状态和宏观状态解释你的排列。

*44.（Ⅱ）假设你在桌子上连续地投掷六个银币。请列表给出对应于每个宏观状态的微观状态数。得到（a）三个正面和三个反面，（b）六个正面的几率是多少？

*45.（Ⅲ）试估算桥牌选手拿到以下牌的几率（a）所有四个爱斯（在 13 张牌里），（b）所有 13 张牌是一色的。

***15-12 节**

*46.（Ⅰ）太阳电池在正对阳光时每平方米的面积可产生 40W 的电能。一幢房子每天需要 22kWh 的电能，用太阳电池供应需多大的面积？这适合房屋顶的平均面积吗？（设太阳每天照 12h。）

*47.（Ⅱ）通过一座大坝形成的人工湖用来储存水。在大坝上水深 45m，水流以 $35m^3/s$ 的稳定流量通过安装在坝底的水轮发电机。这可以产生多少电能？

*48.（Ⅱ）在电力需求较低时，通过将水抽到高处的水库储存起来，以备需要时推动涡轮机发电，可以储存能量以备需求高峰时使用。设在晚上的 10.0h 里，将水以 $1.00\times10^5kg/s$ 的速率抽到高出涡轮机 135m 的湖中。（a）做到这一点每晚需要多少能量（kWh）？（b）如果在白天的 14h 中，这些能量以 75%的效率全部释放，则平均输出功率是多少？

*49.（Ⅱ）在法国兰斯河口处的潮汐发电厂具有 $23km^3$ 面积的蓄水盆地。水在涨潮和退潮时的平均落差为 8.5m。试估算每天下落的水可以对涡轮机作多少功，设每天有两次涨落潮。设盆地是平坦的，忽略水在下落前后的任意动能。见图 15-22 所示。

综合题

50. 为了得到地球海洋中含有多少热能的概念，请估计一立方公里的海水降低 1K 释放的热。（这里将海水近似为纯水）

51. 1.5 摩尔的单原子理想气体绝热膨胀，在这个过程中作了 7500J 的功。试问气体在膨胀中温度变化了多少？

52. 一发明家声称设计并制造了一个热机，输入 425K 的 3.00MW（兆瓦）的热能可产生 1.50MW 的有用功，排出 215K 的 1.50MW 的热能。他的声称有水分吗？

53. 当对带有无摩擦活塞并处在大气压下的密闭气缸中的气体供给 5.30×10^4J 的热量时，气体的体积从 $1.9m^3$ 增加到 $4.1m^3$。试求（a）气体作的功，（b）气体内能的变化。（c）在 *PV* 图上画出这个过程。

54. 一四缸汽油发动机的效率为 0.25，并且每个缸在每次循环中输送 200J 的功。当发动机每秒进行 25 次循环时，（a）每秒作的功是多少？（b）从燃料每秒输入的总热能是多少？（c）如果每加仑汽油所含的能量为 130MJ，一加仑汽油可用多长时间？

55. 热机的热源不一定要比环境温度高。液氮（90K）与一瓶水一样便宜。热机从室温（293K）空气将热转移到液氮“燃料”中去，它的效率是多少？

56. 有人建议制造一种热机运用海洋表面与几百米深处海水之间的温度差。在热带，这个温度分别可达 27°C 和 4°C。这样的热机的最大效率是多少？为什么尽管效率很低，这样的热机仍是可行的？你能想象出可能发生的任何不利的环境效应吗？

57. 两辆 1100kg 的汽车以 100km/h 的速率相对驶来，它们在碰撞后停止。请估计碰撞后全体的熵变。设 T=20°C。

58. 将 50°C 的 140g 水注入一个 15°C 的 120g 的绝缘铝杯中。几分钟后达到平衡。（a）试求最终温度，（b）估计总的熵变。

59. （a）一个理想热泵从室外 6°C 的空气中吸取热量并输送到 24°C 的室内，它的工作系数是多少？（b）如果这个热泵消耗的电能是 1000W，它每小时可向房间里输送的最大热量是多少？

60. 一辆汽车燃烧汽油释放的热量约为 3.0×10^4Jcal/加仑。如果汽车以 90km/h 行驶时，需要 25 马力，平均消耗 41km/加仑，在这种情况下热机的效率是多少？

61. 一个 15kg 的盒子以 2.4m/s 的初始速率沿粗糙桌面滑动并停止下来。请估计全体的总熵变。设所有物体处在室温下。

62. 建筑物下的一根垂直工字梁高 7.5m，质量 300kg，支撑 4.3×10^5N 的负载。如果梁的温度降低 6.0°C，试求内能的变化。钢的比热为 0.11 kcal/kg·C°，线膨胀系数为 11×10^{-6} C°$^{-1}$。

63. 一座效率为 33%的发电厂输出 800MW 的功（电能）。冷却塔用来带走余热。如果空气温度只升高了 7.0°C，则每天有多少体积（km^3）的空气被加热？当地的空气会被明显地加热吗？如果形成的热空气层有 200m 厚，在工作 24h 后，有多大的区域被覆盖？（在常压下，空气的热容为 7.0cal/mol·C°。）

64. 设发电厂用蒸汽涡轮机输出的能量为 900MW。通向涡轮机的过热蒸汽的温度为 600K，排入河水中的余热为 285K。设涡轮机以理想卡诺热机的形式工作。（a）如果河水流速为 37m^3/s，试求电厂下游河水升高的平均温度。（b）每千克下游河水的熵增加是多少 J/kg·K？

基本常数

参数	符号	近似值	当前最佳值+
真空中光速	c	3.00×10^{8} m/s	2.99792458×10^{8}m/s
万有引力常数	G	6.67×10^{-11}N·m²/Kg²	$6.67259(85)\times10^{-11}$N·m²/kg²
阿佛加德罗常数	N_A	6.02×10^{23}mol⁻¹	$6.0221367(36)\times10^{23}$mol⁻¹
普适气体常数	R	8.315J/mol·K=1.99cal/mol·K =0.082atm·liter/mol·K	8.314510(70)J/mol·K
玻耳兹曼常数	k	1.38×10^{-23}J/K	$1.380658(12)\times10^{-23}$J/K
电子电荷	e	1.60×10^{-19}C	$1.60217733(49)\times10^{-19}$C
史蒂芬-玻耳兹曼常数	σ	5.67×10^{-8}W/m²·K⁴	$5.67051(19)\times10^{-8}$W/m²·K⁴
自由空间介电常数	$\varepsilon_0=(1/c^2\mu_0)$	8.85×10^{-12}C²/N·m²	$8.854187817\ldots\times10^{-12}$C²/N·m²
自由空间磁导率	μ_0	$4\pi\times10^{-7}$T·m/A	$1.2566370614\ldots\times10^{-6}$T·m/A
普朗克常数	h	6.63×10^{-34}J·s	$6.6260755(40)\times10^{-34}$J·s
电子静质量	m_e	9.11×10^{-31}kg=0.000549u =0.511MeV/c^2	$9.1093897(54)\times10^{-31}$kg $=5.48579903(13)\times10^{-4}$u
质子静质量	m_p	1.6726×10^{-27}kg=1.00728u =938.3MeV/c^2	$1.6726231(10)\times10^{-27}$kg =1.007276470(12) u
中子静质量	m_n	1.6749×10^{-27}kg=1.008665u =939.6MeV/c^2	$1.6749286(10)\times10^{-27}$kg =1.008664907(14) u
原子质量单位 (1u)		1.6605×10^{-27}kg=931.5MeV/c^2	$1.6605402(10)\times10^{-27}$kg =931.49432(28) MeV/$c^2$

+1993 年美国家标准技术局的 B.N.泰勒发布的最新数值。括号内的数字表示由于实验误差使得数据的最后几位变得不确定。不带括号的是精确值。

其它有用数据

热功当量 (1cal)	4.186J
绝对零度 (0K)	-273.15°C
地球：质量	5.97×10^{24}kg
半径（平均值）	6.38×10^{3}km
月球：质量	7.35×10^{22}kg
半径（平均值）	1.74×10^{3}km
太阳：质量	1.99×10^{30}kg
半径（平均值）	6.96×10^{5}km
日地距离（平均值）	149.6×10^{6}km
月地距离（平均值）	384×10^{3}km

希腊字母

Alpha	Α	α	Nu	Ν	ν
Bata	Β	β	Xi	Ξ	ξ
Gamma	Γ	γ	Omicron	Ο	o
Delta	Δ	δ	Pi	Π	π
Epsilon	Ε	ε	Rho	Ρ	ρ
Zeta	Ζ	ζ	Sigma	Σ	σ
Eta	Η	η	Tau	Τ	τ
Theta	Θ	θ	Upsilon	Υ	υ
Iota	Ι	ι	Phi	Φ	ϕ, φ
Kappa	Κ	κ	Chi	Χ	χ
Lambda	Λ	λ	Psi	Ψ	ψ
Mu	Μ	μ	Omega	Ω	ω